De Groene
Engeltoren

Tad Williams

De Groene Engeltoren

deel 1 DE BELEGERING
Heugenis, Smart en het Sterrenzwaard
BOEK 3

POEMA-POCKET is een onderdeel van Luitingh ~ Sijthoff

Vijfde druk
© 1993 Tad Williams
Published by arrangement with DAW Books
© 1994, 1999 Nederlandse vertaling Max Schuchart
Alle rechten voorbehouden
Oorspronkelijke titel: *To Green Angel Tower* (Part I & II)
Omslagontwerp: Wouter van der Struys
Omslagillustratie: Michael Whelan
Kaarten: Tad Williams

CIP/ISBN 90 245 3682 0

Noot van de schrijver

En de dood zal niet langer heersen.
Naakt worden dode mensen één
Met de man in de wind en de westermaan;
Als hun beend'ren afgekloven zijn en heen,
Zullen sterren bij hun voet en elleboog staan;
Al worden zij gek, zij zullen normaal zijn;
Al verzwelgt hen de zee, zij zullen herrijzen;
Al gaan minnaars verloren, de liefde blijft;
En de dood zal niet langer heersen.

DYLAN THOMAS
'And Death Shall Have No Dominion'

Zeg heel de Waarheid – zijdelings –
Een Omweg voert naar 't doel
Te fel is Waarheids grootste wrok
Voor ons krank Lustgevoel

Als Bliksem rustig uitgelegd
Aan het beangstigd Kind
Moet Waarheid lichten gaandeweg
Want anders maakt zij blind –

EMILY DICKINSON

Een groot aantal mensen heeft mij in ruime mate geholpen met deze boeken, variërend van suggesties en morele steun tot zeer belangrijke logistieke hulp. Eva Cumming, Nancy Deming-Williams, Arthur Ross Evans, Andrew Harris, Paul Hudspeth, Peter Stampfel, Doug Werner, Michael Whelan, die aardige mensen bij DAW Books, en al mijn vrienden bij GEnieR zijn slechts een klein (maar belangrijk) voorbeeld van degenen die mij hebben geholpen Het Verhaal Dat Mijn Leven Heeft Verslonden te voltooien.
Mijn bijzondere dank voor hulp bij dit laatste deel van het Opgezwollen Epos gaat uit naar Mary Frey, die een ongelooflijke hoeveelheid

energie en tijd heeft gestoken in het lezen en – bij gebrek aan een beter woord – analyseren van een wanstaltig manuscript. Zij gaf me een enorme oppepper toen ik die werkelijk nodig had.

En natuurlijk zijn de bijdragen van mijn redacteuren, Sheila Gilberg en Betsy Wollheim, van onschatbare waarde. Hun misdrijf is dat zij zich heel veel moeite hebben getroost, en hier is dan eindelijk hun welverdiende straf.

Aan al de hierboven genoemde personen en aan alle andere niet genoemde, maar geenszins vergeten vrienden en supporters, betuig ik mijn oprechte dank.

NOOT: Een lijst van personages en van woorden en uitdrukkingen is achter in dit boek opgenomen, waarbij zij opgemerkt dat mogelijk enkele termen betrekking hebben op *De groene engeltoren, Deel II, Het ontzet*.

Samenvatting van *De Drakentroon*

Eonen lang behoorde de Hayholt aan de onsterfelijke Sithi toe, maar die waren voor de aanval van het Mensengeslacht uit het grote kasteel gevlucht. Mensen hebben lang over deze grootste van alle burchten, alsmede over de rest van Osten Ard geregeerd. *Prester John*, Hoge Koning van alle naties van mensen, is de meest recente meester ervan; na vroeg in zijn leven triomfen te hebben gevierd en roem te hebben geoogst, heeft hij vredige decennia lang vanaf zijn uit beenderen vervaardigde zetel, de Drakentroon, geregeerd.

Simon, een onbeholpen veertienjarige, is een van de koksjongens op de Hayholt. Zijn ouders zijn dood en zijn enige echte familie bestaat uit de kamermeisjes en hun strenge meesteres *Rachel de Draak*. Wanneer Simon zich aan zijn werk in de keuken kan onttrekken, glipt hij weg naar de rommelige vertrekken van *doctor Morgenes*, de excentrieke geleerde van het kasteel. Wanneer de oude man Simon uitnodigt zijn leerling te worden, is de jongen dolblij – tot hij erachter komt dat Morgenes hem liever lezen en schrijven dan magie onderwijst.

De oude koning John zal spoedig sterven en dus bereidt *Elias*, de oudste van zijn twee zonen, zich voor op het zich toeëigenen van de troon. Elias' sombere broer *Jozua*, die vanwege een verminkende verwonding de bijnaam Eénhand heeft gekregen, heeft een hooglopende woordenwisseling met de koning in spe over *Pryrates*, de beruchte priester, een van Elias' naaste raadgevers. De twist van de broers werpt een onheilszwangere schaduw over het kasteel en het land.

De regering van Elias als koning begint goed, maar er komt een droogte en de pest teistert verschillende naties van Osten Ard. Weldra maken bandieten de wegen onveilig en beginnen er mensen uit afgelegen dorpen te verdwijnen. De orde der dingen stort in en de onderdanen van de koning beginnen het vertrouwen in zijn regering te verliezen, maar dat schijnt de vorst of zijn vrienden niet te verontrusten. Terwijl in het hele koninkrijk ontevreden geluiden worden gehoord, verdwijnt Elias' broer Jozua – sommigen beweren om een opstand voor te bereiden.

De wanregering van Elias maakt velen van streek, onder wie *hertog Isgrimnur* van Rimmersgaarde en *graaf Eolair*, een afgezant van het westelijke land Hernystir. Zelfs de eigen dochter van koning Elias, *Miriamele*, is ongerust, vooral over de in scharlaken gehulde Pryrates, de vertrouwde raadsman van haar vader.

Ondertussen moddert Simon voort als hulpje van Morgenes. Het tweetal raakt snel bevriend, ondanks Simons uilskuikenachtige aard en de weigering van de doctor om hem iets te leren dat op magie lijkt. Tijdens een van zijn omzwervingen door de geheime achterwegen van de doolhofachtige Hayholt, ontdekt hij een geheime gang en wordt daar bijna door Pryrates gepakt. Terwijl hij aan de priester ontkomt, gaat hij een verborgen ondergronds vertrek binnen waar hij Jozua ontdekt die gevangen wordt gehouden om in een vreselijk ritueel dat door Pryrates wordt beraamd te worden gebruikt. Simon haalt doctor Morgenes en samen bevrijden ze Jozua en brengen hem naar de vertrekken van de doctor, waar Jozua via een tunnel die onder het oude kasteel loopt kan ontsnappen. Dan, terwijl Morgenes vogels als boodschappers wegstuurt om het nieuws van wat er is gebeurd aan geheimzinnige vrienden over te brengen, komen Pryrates en de wacht van de koning de doctor en Simon arresteren. Morgenes wordt in een gevecht met Pryrates gedood, maar zijn opoffering maakt het Simon mogelijk via de tunnel te ontsnappen.

Half waanzinnig trekt Simon door de middernachtelijke gangen onder het kasteel, dat de ruïnes van het oude Sithi paleis bevat. Hij komt uit op de begraafplaats achter de stadsmuur en wordt dan aangetrokken door het licht van een vreugdevuur. Hij is getuige van een vreemd tafereel: Pryrates en koning Elias zijn betrokken bij een ritueel met in het zwart gehulde schepselen met witte gezichten. De bleke wezens overhandigen Elias een vreemd grijs zwaard, *Smart* genaamd, dat een verontrustende macht bezit. Simon vlucht dan.

Het leven in de wildernis aan de rand van het grote woud Aldheorte is ellendig, en weken later is Simon bijna dood van honger en uitputting, maar nog altijd ver van zijn bestemming verwijderd: Jozua's noordelijke bolwerk in Naglimund. Wanneer hij naar een hut in het bos gaat om te bedelen, treft hij een vreemd wezen aan dat in een val is verstrikt – een van de Sithi, een volk dat naar men meent mythisch of in elk geval lang verdwenen is. De bewoner van het huisje komt terug, maar voor hij de hulpeloze Sitha kan doden, slaat Simon hem neer. Wanneer de Sitha bevrijd is, blijft hij net lang genoeg om een witte pijl op Simon af te schieten en verdwijnt dan. Een nieuwe stem draagt Simon op de pijl, die een geschenk van de Sithi is, te nemen.

De dwergachtige nieuweling is de trol *Binabik*, die op een grote grijze wolf rijdt. Hij vertelt Simon dat hij alleen maar voorbijkwam, maar nu zal hij de jongen naar Naglimund vergezellen. Simon en Binabik beleven op weg naar Naglimund vele avonturen en vreemde gebeurtenissen: ze beginnen te beseffen dat het gevaar waarin ze terecht zijn gekomen veel groter is dan dat van een koning en zijn raadsman die van hun gevangene zijn beroofd. Ten slotte, wanneer ze merken dat ze worden achtervolgd door onaardse witte honden die het brandmerk dragen van de Stormpiek, een berg in het verre noorden die in een kwade reuk staat, worden ze gedwongen bescherming te zoeken in *Geloë's* huis in het bos, te zamen met twee reizigers die ze van de honden hebben gered. Geloë, een rondborstige bosbewoonster met de reputatie van een heks, overlegt met hen en onderschrijft dat de oude Nornen, verbitterde verwanten van de Sithi, op de een of andere manier, verwikkeld zijn geraakt in het lot van Prester Johns koninkrijk.

Menselijke en andere achtervolgers bedreigen hen op hun reis naar Naglimund. Nadat een pijl op Binabik is afgevuurd, moeten Simon en een van de geredde reizigers, een dienstmeisje, verder zwoegen door het bos. Ze worden aangevallen door een ruigharige reus en alleen gered door de verschijning van Jozua's jachtgezelschap.

De prins brengt hen naar Naglimund, waar Binabiks wonden worden verzorgd, en waar bevestigd wordt dat Simon in een angstaanjagende draaikolk van gebeurtenissen terecht is gekomen. Elias komt weldra het kasteel van Jozua belegeren. Het dienstmeisje dat Simons reisgenote was, blijkt prinses Miriamele te zijn die in vermomming reisde, vluchtend voor haar vader die, vreest zij, onder invloed van Pyrates gek is geworden. Vanuit het hele noorden en elders drommen angstige mensen naar Naglimund en Jozua, hun laatste bescherming tegen een waanzinnige koning. Dan, terwijl de prins en anderen de ophanden zijnde strijd bespreken, verschijnt een vreemde oude Rimmersman, *Jarnauga* genaamd, in de zaal waar de raad bijeen is. Hij is een lid van het *Verbond van het Geschrift*, een kring van geleerden en ingewijden waarvan Morgenes en Binabiks meester beiden deel uitmaakten, en hij brengt nog meer slecht nieuws. Hun vijand, zegt hij, is niet alleen maar Elias; de koning krijgt hulp van *Ineluki de Stormkoning*, die eens een prins van de Sithi was – maar die vijf eeuwen geleden gestorven is en wiens lichaamloze geest nu regeert over de Nornen van de berg Stormpiek, minderwaardige verwanten van de verjaagde Sithi. Het was de vreselijke toverkracht van het grijze zwaard Smart dat Ineluki's dood veroorzaakte – dat, en de aanval van de mensen op de Sithi. Het Verbond van het Geschrift gelooft dat Smart aan Elias is gegeven als eerste daad in een onbegrijpelijk plan om wraak te nemen, een plan dat de aarde onder de heerschappij van de nog levende Stormkoning zal brengen. De enige hoop komt van een profetisch gedicht dat erop lijkt te wijzen dat 'drie zwaarden' Ineluki misschien zijn machtige toverkunst kunnen teruggeven.

Een van die zwaarden is Smart, het wapen van de Stormkoning, dat al in handen is van hun vijand, koning Elias. Een tweede is het Rimmersgaardse zwaard *Minneyar*, dat ook eens op de Hayholt bewaard werd, maar waarvan niet bekend is waar het zich nu bevindt. Het derde is *Doorn*, het zwarte zwaard van koning Johns grootste ridder *heer Camaris*. Jarnauga en de anderen denken dat ze het hebben ontdekt op een plaats in het ijzige noorden. Met deze kleine hoop stuurt Jozua Binabik, Simon en enkele soldaten erop uit om Doorn te zoeken terwijl Naglimund zich op het beleg voorbereidt.

Anderen worden door de groeiende crisis getroffen. Prinses Miriamele, gefrustreerd door de pogingen van haar oom Jozua om haar te beschermen, ontsnapt in vermomming uit Naglimund, vergezeld door een geheimzinnige monnik *Cadrach*. Zij hoopt het zuidelijk gelegen Nabban te bereiken en haar verwanten ertoe over te halen Jozua te hulp te komen. De oude hertog Isgrimnur vermomt, op aandringen van Jozua, zijn eigen zeer opvallend herkenbare uiterlijk en gaat haar achterna om haar te redden. *Tiamak*, een in het moeras wonende Wrannamaanse geleerde, ontvangt een vreemde boodschap van zijn oude mentor Morgenes die slechte tijden aankondigt en erop zinspeelt dat Tiamak een rol te vervullen heeft. *Maegwin*, de dochter van de koning van Hernystir, kijkt hulpeloos toe terwijl haar eigen familie en land door het verraad van Hoge Koning Elias in een draaikolk van oorlog worden meegezogen.

Simon en Binabik en hun gezelschap worden door *Ingen Jegger*, jager van de Stormpiek, en zijn dienaren overvallen. Ze worden alleen gered doordat de Sitha *Jiriki*, die Simon uit de valstrik van de bosbewoner had gered, weer ten tonele verschijnt. Wanneer hij van hun queeste hoort, besluit Jiriki hen te vergezellen naar de berg Urmsheim, de legendarische verblijfplaats van een van de grote draken, op zoek naar Doorn.

Tegen de tijd dat Simon en de anderen de berg bereiken, heeft koning Elias zijn belegeringsstrijdkrachten naar Jozua's kasteel in Naglimund gebracht en hoewel de eerste aanvallen worden afgeslagen, lijden de verdedigers zware verliezen. Eindelijk schijnen de strijdkrachten van Elias zich terug te trekken en het beleg op te geven, maar voordat de bewoners van de vesting feest kunnen vieren, verschijnt er een vreemde storm aan de noordelijke horizon die snel naar Naglimund trekt. De storm is de mantel waaronder Ineluki's eigen angstaanjagende leger van Nornen en reuzen optrekt en wanneer de *Rode Hand*, de voornaamste dienaren van de Stormkoning, Naglimunds poorten omverhalen, begint er een vreselijke slachting. Jozua en enkele anderen slagen erin de ruïne van het kasteel te ontvluchten. Alvorens in het grote woud te ontsnappen, vervloekt prins Jozua Elias om zijn gewetenloze overeenkomst met de Stormkoning en zweert dat hij de kroon van hun vader terug zal nemen.

Simon en zijn metgezellen beklimmen Urmsheim en doorstaan grote

gevaren waarna zij de Udunboom, een titanische bevroren waterval ontdekken. Daar vinden ze Doorn in een grafachtige grot. Voor ze het
zwaard kunnen pakken en vluchten, verschijnt Ingen Jegger opnieuw
en valt met zijn troep soldaten aan. Door de strijd ontwaakt *Igjarjuk*, de
witte draak, die jarenlang onder het ijs heeft gesluimerd. Aan beide
kanten vallen vele doden. Alleen Simon blijft staan, in de val gelopen
aan de rand van een klif; wanneer de ijsdraak zich op hem stort, tilt hij
Doorn op en steekt toe. Het verzengende zwarte bloed van de draak
spuit over hem heen terwijl hij bewusteloos wordt geslagen.

Simon wordt wakker in een grot in de trollenberg van Yiqanuc. Jiriki
en *Haestan*, een Erkynlandse soldaat, verplegen hem. Doorn is van
Urmsheim gered, maar Binabik wordt door zijn eigen volk gevangen
gehouden, te zamen met *Sludig*, de Rimmersman, en ter dood veroordeeld. Simon zelf draagt littekens van het bloed van de draak en een
brede strook van zijn haar is wit geworden. Jiriki noemt hem 'Sneeuwlok' en vertelt Simon dat hij, ten goede of ten kwade, onherroepelijk is
getekend.

Samenvatting van *De Steen des Afscheids*

Simon, de Sitha *Jiriki* en soldaat *Haestan* zijn vereerde gasten in de stad op de bergtop van de kleine Qanucse trollen. Maar *Sludig* – wiens Rimmersgaardse volk de oude vijand van de Qanucs is – en Simons trollenvriend *Binabik* worden minder goed behandeld; Binabiks volk houdt hen beiden gevangen op straffe des doods. Een audiëntie met de *Herder* en *Jageres*, die over de Qanucs regeren, brengt aan het licht dat Binabik er niet alleen van wordt beschuldigd dat hij zijn stam verraden heeft, maar ook dat hij zijn gelofte heeft verbroken om met *Sisqi*, de jongste dochter van de regerende familie, te trouwen. Simon smeekt Jiriki om zijn voorspraak, maar de Sitha heeft verplichtingen aan zijn eigen familie, en wil zich op geen enkele manier in de rechtspraak van de trollen mengen. Kort voor de terechtstellingen vertrekt Jiriki naar zijn woonplaats.

Hoewel Sisqi verbitterd is over Binabiks ogenschijnlijke wispelturigheid, kan zij het vooruitzicht dat hij wordt gedood niet verdragen. Met Simon en Haestan zorgt zij ervoor dat de twee gevangenen worden gered, maar terwijl ze een perkamentrol uit de grot van Binabiks meester zoeken die hun de benodigde gegevens zal verschaffen om een plaats, de Steen des Afscheids genaamd, te vinden – die Simon in een visioen heeft gezien – worden ze opnieuw door de boze Qanucse leiders gevangengenomen. Maar het testament van Binabiks meester bevestigt het verhaal van de trol over zijn afwezigheid, en zijn waarschuwingen overtuigen de Herder en Jageres er ten slotte van dat er inderdaad gevaren voor het gehele land dreigen die zij niet hebben ingezien. Na enig heen en weer gepraat wordt de gevangenen gratie verleend, en Simon en zijn metgezellen krijgen toestemming om Yiqanuc te verlaten en het machtige zwaard *Doorn* naar de verbannen *prins Jozua* te brengen. Sisqi en andere trollen zullen hen tot aan de voet van de bergen vergezellen.

Ondertussen zijn Jozua en een kleine troep volgelingen aan de verwoesting van Naglimund ontsnapt en zwerven ze door het Aldheortewoud, nagezeten door de Nornen van de *Stormkoning*. Zij moeten zich niet alleen tegen pijlen en speren verdedigen, maar ook tegen zwarte toverkunst; ten slotte komen zij echter *Geloë* tegen, de vrouw van het woud, en *Leleth*, het stomme meisje dat door Simon van de vreselijke honden van Stormpiek was gered. Het vreemde paar leidt Jozua's gezelschap door het woud naar een plaats die eens aan de Sithi toebehoorde, en waar de Nornen hen niet durven achtervolgen uit vrees om het oude Verdrag tussen de verdeelde verwanten te verbreken. Geloë zegt hun dan dat zij verder moeten reizen naar een plaats die nog heiliger is voor de Sithi, dezelfde Steen des Afscheids waar zij Simon in het visioen had opgedragen naartoe te gaan.

Miriamele, de dochter van *Hoge Koning Elias* en nichtje van Jozua, reist naar het zuiden in de hoop om onder haar verwanten aan de hoven van Nabban bondgenoten voor Jozua te vinden; zij wordt vergezeld door de verdorven monnik *Cadrach*. Ze worden gevangengenomen door *graaf Streáwe* van Perdruin, een slimme en op geld beluste man, die Miriamele vertelt dat hij haar zal uitleveren aan een ongenoemde persoon bij wie hij een schuld heeft. Tot Miriameles vreugde blijkt dit geheimzinnige personage een vriend te zijn, de priester *Dinivan*, de secretaris van *lector Ranessin*, de leider van Moeder Kerk. Dinivan is in het geheim lid van het Verbond van het Geschrift, en hoopt dat Miriamele de lector ervan kan overtuigen om Elias en zijn raadsman, de afvallige priester *Pryrates*, aan de kaak te stellen. Moeder Kerk wordt belaagd, niet alleen door Elias, die van de kerk eist zich niet met hem te bemoeien, maar ook door de *Vuurdansers*, godsdienstige fanatici die beweren dat de Stormkoning tot hen komt. Ranessin luistert naar wat Miriamele te vertellen heeft en is zeer verontrust.

Simon en zijn metgezellen worden op hun weg omlaag uit de hoge bergen door sneeuwreuzen aangevallen, en de soldaat Haestan en vele trollen worden gedood. Later, terwijl hij peinst over de onrechtvaardigheid van leven en dood, activeert Simon onbedoeld de Sitha spiegel die Jiriki hem gegeven had als een amulet waarmee hij hem kan roepen, en bewandelt de Droomweg waarop hij eerst de Sitha matriarch *Amerasu*, en daarna de vreselijke Nornse koningin *Utuk'ku* ontmoet. Amerasu probeert de plannen van Utuk'ku en de Stormkoning te doorgronden, en bewandelt de Droomweg op zoek naar wijsheid en bondgenoten.

Jozua en de anderen van zijn gezelschap komen ten slotte uit het bos op de graslanden van de Hoge Tritsing, waar zij vrijwel meteen gevangen worden genomen door de nomadenstam geleid door het Markhoofd *Fikolmij*, de vader van Jozua's minnares *Vorzheva*. Fikolmij is verbolgen over het verlies van zijn dochter en na de prins ernstig te hebben geslagen, arrangeert hij een duel met de bedoeling dat Jozua daarin de dood zal vinden. Fikolmij's plan mislukt en Jozua overleeft het. Fikolmij is dan gedwongen een weddenschap te betalen door het gezelschap van de prins paarden te geven. Jozua, sterk aangedaan door de schaamte die Vorzheva voelt bij het weerzien van haar volk, trouwt met haar ten overstaan van Fikolmij en de verzamelde clan. Wanneer Vorzheva's vader opgewekt aankondigt dat soldaten van koning Elias over de graslanden op weg zijn om hen gevangen te nemen, rijden de prins en zijn volgelingen in oostelijke richting naar de Steen des Afscheids.

In het verre Hernystir is *Maegwin* de laatste van haar geslacht. Haar vader de koning en haar broer zijn beiden in de strijd tegen de pion van Elias, *Skali*, omgekomen, en zij en haar volk hebben hun toevlucht gezocht in grotten in de Grianspogbergen. Maegwin wordt geplaagd door vreemde dromen, en merkt dat zij wordt aangetrokken door de oude mijnen en grotten onder de Grianspog. *Graaf Eolair*, haar vaders meest vertrouwde leenman, gaat haar zoeken, en samen gaan hij en Maegwin de grote ondergrondse stad Mezutu'a binnen. Maegwin is ervan overtuigd dat de Sithi daar wonen, en dat zij de Hernystiri te hulp zullen komen zoals vroeger, maar de enige inwoners die zij in de verbrokkelende stad aantreffen zijn de *dwargen*, een vreemde, bedeesde groep gravers die verre verwanten van de onsterfelijken zijn. De dwargen, die zowel metaalbewerkers als beeldhouwers zijn, onthullen dat het zwaard *Minneyar* dat door Jozua's mensen gezocht wordt feitelijk het zwaard is dat bekend staat als *Glanzende Nagel*, dat met *Prester John*, de vader van Jozua en Elias, werd begraven. Dit nieuws betekent weinig voor Maegwin, die ontredderd is wanneer zij merkt dat haar dromen haar volk niet echt hebben geholpen. Zij is ook minstens evenzeer verontrust door wat zij als haar dwaze liefde voor Eolair beschouwt, dus verzint zij een opdracht voor hem: nieuws over Minneyar en kaarten van de graafwerken van de dwargen, waaronder tunnels onder het kasteel van Elias, de Hayholt, naar Jozua en diens troep overlevenden brengen. Eolair is verbijsterd en boos dat hij wordt weggezonden, maar gaat niettemin.

Simon, Binabik en Sludig laten Sisqi en de andere trollen aan de voet van de berg achter en gaan verder over de ijzige uitgestrektheid van de Witte Woestenij. Vlak bij de noordelijke rand van het grote woud treffen zij een oude abdij aan, bewoond door kinderen en hun verzorgster, een ouder meisje dat *Skodi* wordt genoemd. Zij blijven er die nacht logeren, blij om uit de kou te zijn, maar Skodi blijkt meer te zijn dan ze lijkt: in de duisternis verstrikt zij het drietal door tovenarij en begint dan een ceremonie waarin zij van plan is de Stormkoning aan te roepen en hem te laten zien dat zij het zwaard Doorn heeft bemachtigd. Een van de niet-dode *Rode Hand* verschijnt door Skodi's toverspreuk, maar een kind verstoort het ritueel en brengt een monsterlijke zwerm *gravers* naar boven. Skodi en de kinderen worden gedood maar Simon en de anderen ontsnappen, voornamelijk dankzij Binabiks felle wolf *Qantaqa*. Maar Simon is bijna gek doordat zijn geest door de Rode Hand is aangeraakt, en hij rijdt weg van zijn metgezellen, uiteindelijk tegen een boom aan botsend, waardoor hij het bewustzijn verliest. Hij valt in een greppel, en Binabik en Sludig kunnen hem niet vinden. Ten slotte nemen zij, vol wroeging, het zwaard Doorn en vervolgen zonder hem hun reis naar de Steen des Afscheids.

Behalve Miriamele en Cadrach zijn verschillende andere mensen bij het paleis van de lector in Nabban aangekomen. Een van hen is Jozua's bondgenoot, *hertog Isgrimnur*, die op zoek is naar Miriamele. Een andere is Pryrates, die is gekomen om lector Ranessin een ultimatum van de koning te overhandigen. De boze lector wreekt zowel Pryrates als Elias. De afgezant van de koning loopt weg van het banket, dreigend met wraak.

Die avond neemt Pryrates een andere gedaante aan met een toverformule die hij van de dienaren van de Stormkoning heeft gekregen, en wordt een schimmig *wezen*. Hij doodt Dinivan, vermoordt vervolgens de lector op beestachtige wijze om daarna de zalen in brand te steken met de bedoeling om de Vuurdansers verdacht te maken. Cadrach, die Pryrates in hoge mate vreest en er de hele nacht bij Miriamele op heeft aangedrongen samen met hem het paleis van de lector te ontvluchten, slaat haar ten slotte bewusteloos en sleept haar weg. Isgrimnur vindt de stervende Dinivan, en ontvangt een teken van het Verbond van het Geschrift voor de Wrannaman *Tiamak* en instructies om naar de herberg *Pelippa's Kom* in Kwanitupul te gaan, een stad aan de rand van de moerassen ten zuiden van Nabban.

Tiamak heeft ondertussen een eerdere boodschap van Dinivan ontvangen en is op weg naar Kwanitupul, hoewel zijn reis bijna eindigt wanneer hij door een krokodil wordt aangevallen. Gewond en koortsig arriveert hij eindelijk bij *Pelippa's Kom*, waar de nieuwe hospita hem niet erg toeschietelijk ontvangt.

Wanneer Miriamele wakker wordt, komt zij tot de ontdekking dat Cadrach haar het ruim van een schip binnen heeft gesmokkeld. Terwijl de monnik zijn roes lag uit te slapen, is het schip uitgevaren. Ze worden vlug gevonden door *Gan Itai*, een Niskie, die tot taak heeft het schip te behoeden voor de dreigende waterschepselen die *kilpa* worden genoemd. Hoewel Gan Itai sympathie voor de verstekelingen opvat, levert zij hen uit aan de eigenaar van het schip, *Aspitis Preves*, een jonge Nabbaanse edelman.

Ver in het noorden is Simon ontwaakt uit een droom waarin hij de Sitha vrouw Amerasu opnieuw heeft gehoord, en waarin hij heeft ontdekt dat Ineluki de Stormkoning haar zoon is. Simon is nu verdwaald en alleen in het ongebaande, met sneeuw bedekte woud Aldheorte. Hij probeert Jiriki's spiegel te gebruiken om hulp te krijgen, maar niemand reageert op zijn verzoek. Ten slotte gaat hij op weg in wat hopelijk de juiste richting is, hoewel hij weet dat de kans klein is om de vele hectaren bos, die zich in de greep van de winter bevinden, levend door te komen. Hij scharrelt met moeite een schamel kostje van insekten en gras bijeen, maar de vraag lijkt alleen maar te zijn of hij eerst volslagen krankzinnig zal worden of de hongerdood zal sterven. Hij wordt ten slotte gered door de verschijning van Jiriki's zuster *Aditu*, die gekomen is in antwoord op zijn oproep via de spiegel. Zij bewerkstelligt een soort reismagie die winter in zomer schijnt te veranderen en wanneer die is geeindigd, komen zij en Simon het verborgen Sithi bolwerk Jaoé-Tinukai'i binnen: een oord van magische schoonheid en tijdloosheid. Simons vreugde is groot wanneer Jiriki hem verwelkomt; enkele ogenblikken later, wanneer hij naar *Likimeya* en *Shima'onari*, de ouders van Jiriki en Aditu wordt gebracht, slaat die vreugde in afgrijzen om. De leiders van de Sithi zeggen dat, aangezien geen enkele sterveling ooit in het geheime Jaoé-Tinukai'i is toegelaten, Simon daar voor altijd moet blijven.

Jozua en zijn gezelschap worden tot in de noordelijke graslanden achtervolgd, maar wanneer zij eindelijk in wanhopig verweer rechtsomkeert maken, zien zij dat deze nieuwe achtervolgers niet de soldaten van Elias zijn, maar Tritsingenvolk dat Fikolmij's clan heeft verlaten om hun lot met dat van de prins te verbinden. Samen, en met Geloë als leidsvrouwe, bereiken zij eindelijk de Sesuad'ra, de Steen des Afscheids, een grote rotsachtige heuvel in het midden van een brede vallei. De Sesuad'ra was de plaats waar het Verbond tussen de Sithi en de Nornen werd gesloten, en waar de scheiding van de twee geslachten plaatsvond. Jozua's veelbeproefde gezelschap verheugt zich dat het eindelijk datgene bezit wat, voor korte tijd, een veilig toevluchtsoord zal zijn. Zij hopen ook dat ze er nu achter kunnen komen welke eigenschap van de drie Grote Zwaarden hen in staat zal stellen Elias en de Stormkoning te verslaan, zoals beloofd in het oude dichtwerk van *Nisses*.

Op de Hayholt schijnt de waanzin van Elias steeds erger te worden en *graaf Guthwulf*, eens de vertrouweling van de koning, begint te betwijfelen of de koning wel in staat is te regeren. Wanneer Elias hem dwingt het grijze zwaard *Smart* aan te raken, wordt Guthwulf bijna verteerd door de vreemde innerlijke macht van het zwaard, en hij is daarna nooit meer dezelfde. *Rachel de Draak*, het hoofd van de kamermeisjes, is een andere inwoner van de Hayholt die ontzet is door wat zij rondom zich ziet gebeuren. Ze verneemt dat de priester Pryrates verantwoordelijk was voor wat zij voor Simons dood hield, en besluit dat er iets gedaan moet worden. Wanneer Pryrates uit Nabban terugkeert, brengt zij hem een steek toe. De priester is zo machtig geworden dat hij slechts lichtgewond wordt, maar wanneer hij Rachel met vernietigende tovenarij wil doen verschrompelen, komt Guthwulf tussenbeide en wordt blind gemaakt. Rachel ontsnapt in de verwarring.

Nadat Miriamele en Cadrach de eigenaar van het schip, Aspitis, hebben verteld dat Miriamele de dochter van een lagere edelman is, worden zij gastvrij ontvangen; vooral Miriamele krijgt veel aandacht. Cadrach

wordt steeds somberder, en wanneer hij van het schip probeert te ontsnappen, laat Aspitis hem in de boeien slaan. Miriamele, die zich verstrikt, hulpeloos en eenzaam voelt, laat zich door Aspitis verleiden.

Ondertussen heeft Isgrimnur zich moeizaam een weg zuidwaarts naar
Kwanitupul gebaand. Hij vindt Tiamak in de herberg, maar van Miriamele is geen spoor te bekennen. Zijn teleurstelling wordt snel overweld-
digd door verbazing wanneer hij ontdekt dat de oude sul die als portier
bij de herberg werkt *Heer Camaris* is, de grootste ridder uit Prester
Johns tijd, de man die eens het zwaard Doorn hanteerde. Men meende
dat Camaris veertig jaar geleden was gestorven maar wat er werkelijk
gebeurde, blijft een geheim, want de oude ridder is even hersenloos als
een heel jong kind.

Nog steeds het zwaard Doorn met zich meevoerend, ontsnappen Binabik en Sludig aan achtervolgende sneeuwreuzen door een vlot te bouwen en over het grote stormachtige meer te drijven dat eens het dal
rond de Steen des Afscheids was.

In Jaoé-Tinukai'i is Simons gevangenschap eerder saai dan angstwekkend, maar zijn vrees voor zijn belaagde vrienden is groot. De Sitha Eerste Grootmoeder Amerasu laat hem roepen en Jiriki brengt hem naar
haar vreemde huis. Ze sondeert Simons herinneringen naar iets dat haar
zou kunnen helpen de plannen van de Stormkoning te ontwaren, en
stuurt hem daarna weg.

Enkele dagen later wordt Simon ontboden naar een vergadering van alle
Sithi. Amerasu kondigt aan dat zij hun zal vertellen wat ze over Ineluki
te weten is gekomen, maar eerst hekelt zij haar volk omdat het niet bereid is te vechten, en om hun ongezonde bezetenheid door herinnerings-
beelden en, uiteindelijk, door de dood. Zij haalt een van de Getuigen te
voorschijn, een voorwerp dat, net als Jiriki's spiegel, toegang tot de Weg
van Dromen mogelijk maakt. Amerasu staat op het punt Simon en de
verzamelde Sithi te laten zien wat de Stormkoning en Nornkoningin aan
het doen zijn, maar in plaats daarvan verschijnt Utuk'ku zelf in de Getuige en stelt Amerasu aan de kaak als iemand die van stervelingen
houdt en een bemoeial is. Een van de Rode Hand wordt dan zichtbaar
gemaakt, en terwijl Jiriki en de andere Sithi met de vlammende geest
strijden, dringt *Ingen Jegger*, de sterfelijke jager van de Nornkoningin
Jaoé-Tinukai'i binnen en vermoordt Amerasu, haar het zwijgen opleg-
gend voordat zij anderen deelgenoot kan maken van haar ontdekkingen.
Ingen wordt gedood en de Rode Hand verdreven, maar de schade is toegebracht. Terwijl alle Sithi in rouw zijn gedompeld, herroepen Jiriki's
ouders hun vonnis en sturen Simon, met Aditu als gids, weg uit Jaoé-
Tinukai'i. Terwijl hij vertrekt, merkt hij dat de eeuwige zomer van het
toevluchtsoord van de Sithi wat kouder is geworden.

Aan de rand van het woud zet Aditu hem in een boot en geeft hem een pakje van Amerasu dat hij aan Jozua moet overhandigen. Simon vaart dan over het meer van regenwater naar de Steen des Afscheids, waar zijn vrienden hem opwachten. Korte tijd zullen Simon en de anderen veilig zijn voor de aanwakkerende storm.

Voorwoord

Guthwulf, graaf van Utanyeat, liet zijn vingers over het bekraste hout van Prester Johns Grote Tafel heen en weer glijden, verontrust door de onnatuurlijke stilte. Behalve het luidruchtige ademhalen van koning Elias' hofmeester en het gekletter van lepels tegen kommen, was het stil in de grote zaal – veel stiller dan het behoorde te zijn als bijna een twaalftal mensen hun avondmaal nuttigden. De stilte scheen de blinde Guthwulf dubbel drukkend toe, hoewel het niet bepaald verrassend was: tegenwoordig aten nog maar enkelen aan de tafel van de koning, en degenen die Elias gezelschap hielden, schenen er steeds meer naar te verlangen weer weg te komen zonder het noodlot te tarten met zoiets riskants als een gesprek tijdens het avondeten.

Een paar weken eerder had een huurling-kapitein van de Tritsingweide, Ulgart genaamd, de fout begaan een grap te maken over de lichtzinnigheid van de vrouwen van Nabban. Dit was de algemene opvatting onder Tritsingmannen, die geen begrip hadden voor vrouwen die hun gezicht verfden en japonnen droegen die lieten zien wat de wagenbewoners als een schaamteloze hoeveelheid naakt vlees beschouwden. Ulgarts grove grap zou over het algemeen in het gezelschap van andere mannen onopgemerkt zijn gebleven, en omdat er nog maar weinig vrouwen op de Hayholt woonden, zaten er uitsluitend mannen rond Elias' tafel. Maar de huursoldaat had vergeten – als hij het al ooit geweten had – dat de vrouw van de Hoge Koning, gedood door een Tritsingse pijl, een Nabbaanse edelvrouwe was geweest. Tegen de tijd dat de vla voor dessert arriveerde, bungelde Ulgarts hoofd al aan de zadelknop van een Erkynwacht, op weg naar de spietsen boven op de Nearulaghpoort voor het genot van de aldaar vertoevende raven.

Het was lang geleden sinds het tafelgesprek op de Hayholt had gesprankeld, dacht Guthwulf, maar tegenwoordig werden maaltijden bijna in een begrafenisachtige stilte genuttigd, slechts onderbroken door het gegrom van zwetende bedienden – die elk hard werkten om de verdwijning van verscheidene collega's goed te maken – en de enkele nerveuze complimenten van de paar edellieden en functionarissen van het kasteel die er niet in waren geslaagd aan de uitnodiging van de koning te ontkomen.

Nu hoorde Guthwulf een gemurmureer van rustige gesprekken en herkende hij Heer Fluirens stem, die iets tegen de koning fluisterde. De bejaarde ridder was net uit zijn geboorteland Nabban teruggekeerd, waar hij als Elias' afgezant naar hertog Benigaris was opgetreden; vanavond had hij de ereplaats aan de rechterhand van de Hoge Koning. De oude man had Guthwulf verteld dat zijn overleg met de koning eerder die dag heel gewoon was geweest; maar toch had Elias gedurende de hele maaltijd ongerust geleken. Guthwulf kon dit niet aan diens gezicht zien, maar de decennia in zijn tegenwoordigheid doorgebracht zorgden ervoor dat hij elke gespannen stembuiging, elk van de vreemde opmerkingen van de Hoge Koning van beelden voorzag. En ook waren Guthwulfs gehoor, reuk en tastzin, die veel gevoeliger leken sinds hij zijn gezichtsvermogen had verloren, nòg scherper in aanwezigheid van Elias' vreselijke zwaard Smart.

Vanaf het ogenblik dat de koning Guthwulf had gedwongen het aan te raken, scheen het grijze staal hem bijna een levend wezen toe, iets dat hem kende, dat rustig maar met verschrikkelijke oplettendheid wachtte, als een sluipend dier dat zijn geur had opgevangen. Louter de aanwezigheid ervan maakte dat zijn haren recht overeind gingen staan en dat al zijn zenuwen en pezen aanvoelden alsof ze strak gespannen waren. Soms, midden in de nacht, wanneer de graaf van Utanyeat somber wakker lag, meende hij dat hij het staal recht door de honderden ellen steen kon voelen die zijn vertrekken van die van de koning scheidden, een grijs hart waarvan alleen hij het kloppen kon horen.

Elias schoof zijn zetel plotseling achteruit, en iedereen verstomde van schrik door het krassen van hout op steen. Guthwulf stelde zich lepels en bokalen voor die midden in de lucht, druipend, tot stilstand kwamen.

'Verdomme, ouwe man,' snauwde de koning, 'dien je mij of die snotaap Benigaris?'

'Ik vertel u alleen maar wat de hertog zegt, hoogheid,' zei Heer Fluiren met trillende stem. 'Maar ik denk niet dat hij het oneerbiedig meent. Hij heeft moeilijkheden langs zijn grenzen met de Tritsingenclans, en het volk van de Wran is onhandelbaar geweest...'

'Wat gaat mij dat aan?!' Guthwulf kon Elias bijna zijn ogen zien dichtknijpen, zo vaak had hij de veranderingen gezien die woede op het gezicht van de koning teweegbracht. Zijn bleke gezicht zou grauw en enigszins vochtig zijn. De laatste tijd had Guthwulf de bedienden horen fluisteren dat de koning mager begon te worden.

'Ik heb Benigaris op de troon geholpen, Aedon vervloeke hem! En ik heb hem een lector gegeven die zich niet in zijn zaken zou mengen!'

Toen hij dit gezegd had, pauzeerde Elias. Guthwulf hoorde als enige van het hele gezelschap Pyrates, die tegenover de blinde graaf zat, naar adem snakken. Alsof hij voelde dat hij te ver was gegaan, verontschuldigde de koning zich met een zwak grapje en keerde terug tot een rustiger gesprek met Fluiren.

Guthwulf zat een ogenblik met stomheid geslagen en pakte toen haastig zijn lepel op, etend om zijn plotselinge schrik te verbergen. Hoe moest hij er wel uitzien? Zat iedereen naar hem te staren – konden ze allen zijn verraderlijke blos zien? De woorden van de koning over het lectorschap en Pryrates veronrustte snik weerkaatsten telkens opnieuw in zijn hoofd. De anderen zouden ongetwijfeld aannemen dat Elias had gedoeld op de beïnvloeding van de keuze van de plooibare escritor Velligis om Ranessin als lector op te volgen – maar Guthwulf wist wel beter. Pryrates' verlegenheid toen het leek dat de koning misschien te veel zou zeggen, bevestigde wat Guthwulf al half had vermoed: Pryrates had Ranessins dood geregeld. En nu voelde Guthwulf zich er zeker van dat Elias het ook wist... misschien zelfs de moord had gelast. De koning en zijn raadsman hadden afspraken met demonen gemaakt en Gods hoogste priester vermoord.

Op dat ogenblik, terwijl hij met een groot gezelschap rond de tafel zat, voelde Guthwulf zich even eenzaam als iemand op een door de wind gegeselde bergtop. Hij kon de lasten van bedrog en angst niet langer dragen. Het was tijd om te vluchten. Hij zou liever een blinde bedelaar in de ergste beerputten van Nabban zijn dan nog een ogenblik langer in dit vervloekte en spookachtige bastion blijven.

Guthwulf duwde de deur van zijn kamer open en bleef in de opening staan om de lucht van de kille gang over zich heen te laten spoelen. Het was middernacht. Ook al zou hij de opeenvolging van droeve tonen niet uit de Groene Engeltoren hebben gehoord, dan zou hij toch de diepere aanraking van koude tegen zijn wangen en ogen hebben herkend, de scherpte die de nacht had wanneer de zon zich het verst had teruggetrokken.

Het was vreemd om zijn ogen te gebruiken om mee te voelen, maar nu Pryrates zijn gezichtsvermogen had vernietigd, waren zij zijn gevoeligste deel gebleken. Ze registreerden iedere verandering van weer en wind met een subtiliteit van waarneming nog fijner zelfs dan die van zijn vingertoppen. Maar toch, nuttig als zijn blinde oogbollen waren, had het iets vreselijks om ze op die manier te moeten gebruiken. Verscheidene nachten was hij zwetend en ademloos ontwaakt uit dromen over zichzelf waarin hij een vormloos kruipend *wezen* was met vleesachtige stelen die uit zijn gezicht staken, nietsziende bollen die zwaaiden als de horentjes van een slak. In zijn dromen kon hij nog zien; de wetenschap dat hij zichzelf zag sleurde hem hijgend uit de slaap, telkens weer, duwde hem terug in de echte duisternis die nu zijn permanente thuis was.

Guthwulf ging naar buiten de gang van het kasteel in, als altijd verbaasd zich nog steeds in duisternis te bevinden terwijl hij van het ene vertrek naar het andere liep. Toen hij de deur van de kamer achter zich dichtdeed en derhalve ook zijn komfoor met smeulende kolen buitensloot, verergerde de koude. Hij hoorde het gedempte gerinkel van de gepantserde schildwachten op de muren achter het open raam, luisterde toen naar de opstekende wind die het gerammel van hun overmantels onder zijn eigen klaaglijke lied smoorde. Een hond kefte in de stad beneden en ergens, voorbij enkele bochten in de gang, ging een deur zachtjes open en dicht.

Guthwulf schommelde een ogenblik onzeker heen en weer, deed toen nog een paar stappen weg van zijn deur. Als hij moest vertrekken, dan moest hij het nu doen – het was nutteloos om in de gang te blijven rondhangen. Hij moest zich haasten en het uur te baat nemen: nu de hele wereld blind gemaakt was door de nacht, stond hij bijna weer op gelijke voet. Welke andere keuze was er over? Hij had geen zin in wat zijn koning geworden was. Maar hij moest in het geheim gaan. Hoewel Elias hem nu nauwelijks nog kon gebruiken – een rechterhand van de Hoge Koning die niet naar het slagveld kon rijden – toch betwijfelde Guthwulf of zijn vroegere vriend hem zo maar zou laten gaan. Dat een blinde man het kasteel verliet waar hij werd gevoed en gehuisvest, en ook zijn oude kameraad Elias ontvluchtte die hem tegen de gerechtvaardigde woede van Pryrates had beschermd, riekte te veel naar verraad – in elk geval voor de man op de Drakentroon.

Guthwulf had daar enige tijd over nagedacht, had zelfs zijn route gerepeteerd. Hij zou naar Erchester afdalen en de nacht in de Sint-Sutrin doorbrengen – de kathedraal was bijna verlaten, en de monniken daar waren barmhartig voor alle bedelaars die dapper genoeg waren om nachten binnen de stadsmuren door te brengen. Bij het aanbreken van de ochtend zou hij zich onder de verspreide groep van vertrekkende lieden op de Oude Bosweg begeven, oostwaarts het Hasudal in trekkend. En vandaar uit, wie weet? Misschien verder naar de graslanden, waar het gerucht ging dat Jozua een opstandige strijdmacht aan het opbouwen was. Misschien naar een abdij in Stanshire of ergens anders, een plaats die ten minste een toevluchtsoord zou zijn tot Elias' onvoorstelbare spel ten slotte alles omver zou werpen.

Nu was het tijd om op te houden met denken. De nacht zou hem voor nieuwsgierige ogen verbergen; het daglicht zou hem in de beschutting van de Sint-Sutrin aantreffen. Het was tijd om te gaan.

Maar terwijl hij door de gang op weg ging, voelde hij een vederlichte aanwezigheid naast zich – een ademtocht, een zucht, het ondefinieerbare gevoel dat daar iemand was. Hij draaide zich om, zijn hand uitstrekkend. Was er dan toch iemand gekomen om hem tegen te houden?

'Wie...?'

Er was niemand. Of, als er werkelijk iemand in de buurt was, dan stond die nu zwijgend, zijn blindheid bespottend. Guthwulf voelde een eigenaardige, plotselinge onstandvastigheid, alsof de vloer onder zijn voeten omhoog ging. Hij deed nog een stap en voelde ineens heel sterk de aanwezigheid van het grijze zwaard, zijn vreemde macht overal om hem heen. Een ogenblik dacht hij dat de muren waren weggevallen. Een rauwe wind trok over en door hem heen, en was toen weg.

Wat voor waanzin was dit?

Blind gemaakt en ontmand. Hij huilde bijna. *Vervloekt.*

Guthwulf pantserde zich en liep weg van de veiligheid van zijn kamerdeur, maar het vreemde gevoel van ontwrichting vergezelde hem toen hij door de duizenden meters gangen van de Hayholt liep. Ongewone voorwerpen trokken onder zijn zoekende vingers voorbij, fijne meubelstoffen en glad gewreven maar ingewikkeld versierde spijlen die heel anders waren dan dat wat hij zich uit deze zalen herinnerde. De deur naar de verblijven die eens door de kamermeisjes van het kasteel waren bewoond, stond onvergrendeld open. Hoewel hij wist dat de kamers leeg waren – hun meesteres had voor haar aanslag op Pyrates al haar ondergeschikten het kasteel uit gesmokkeld – hoorde hij vage stemmen in de diepten fluisteren. Guthwulf huiverde, maar bleef lopen. De graaf kende de veranderende en onbetrouwbare aard van de Hayholt in deze tijd; al voordat hij zijn gezichtsvermogen verloren had, was het een eng veranderlijk oord geworden.

Guthwulf bleef zijn stappen tellen. Hij had het traject de afgelopen weken enige keren afgelegd: het was vijfendertig passen naar de bocht in de gang, nog eens twee dozijn naar de grote overloop, dan naar buiten naar de smalle winderige kille Wingerdtuin. Nog eens vijftig passen en dan was hij weer terug onder een dak, op weg naar de wandelgalerij van de kapelaan.

De muur werd warm onder zijn vingers, en werd toen ineens loeiheet. De graaf rukte zijn hand weg, hijgend in een staat van shock en pijn. Een iele kreet zweefde door de gang.

'... *T'si e-isi'ha as-irigú* ...!'

Hij stak opnieuw een bevende hand naar de muur uit maar voelde slechts steen, vochtig en nachtelijk koud. De wind deed zijn kleren wapperen – de wind of een mompelende, onstoffelijke menigte. Het gevoel van het grijze zwaard was heel sterk.

Guthwulf haastte zich door de gangen van het kasteel, en liet zijn vingers zo licht mogelijk over de beangstigend veranderlijke muren glijden. Voor zover hij wist, was hij het enige echt levende wezen in deze zalen. De vreemde geluiden en de aanrakingen, licht als rook en mottevleugels, waren alleen maar hersenschimmen, verzekerde hij zichzelf –

zij konden hem niet in de weg staan. Zij waren de schimmen van Pryrates' toverachtige bemoeizucht. Hij zou hun niet toestaan zijn vlucht te belemmeren. Hij zou niet gekerkerd blijven in dit verdorven oord.

De graaf raakte het ruwe hout van een deur aan en merkte tot zijn felle vreugde dat hij goed had geteld. Hij vocht om een kreet van triomf en overweldigende opluchting te onderdrukken. Hij had het kleine portaal naast de Grote Zuidelijke Deur bereikt. Daarachter zou de open hemel zijn en de meent die op het Binnenhof aansloot.

Maar toen hij die openduwde en erdoor ging, voelde de graaf in plaats van de bittere nachtlucht die hij had verwacht, een warme wind waaien en de hitte van vele vuren op zijn huid. Stemmen mompelden, gepijnigd, geïrriteerd.

Moeder van God! Staat de Hayholt in brand?

Guthwulf liep achteruit maar kon de deuropening niet meer vinden. Zijn vingers krasten in plaats daarvan aan steen die steeds heter werd onder zijn huid. Het gemompel zwol langzaam aan tot een gedreun van vele opgewonden stemmen, zacht, maar toch doordringend als het zoemen van een bijenkorf. Waanzin, zei hij tegen zichzelf, illusie. Hij moest er niet aan toegeven. Hij wankelde verder, nog steeds zijn stappen tellend. Weldra glibberden zijn voeten in de modder van de meent, maar op de een of andere manier klikten zijn hielen toch op hetzelfde moment op gladde tegels. Het onzichtbare kasteel verkeerde in een vreselijke toestand van veranderlijkheid, het ene ogenblik brandend en bevend, het volgende koud en stoffelijk, en dit alles in volkomen stilte terwijl zijn bewoners, zich van niets bewust, verder sliepen.

Droom en werkelijkheid schenen bijna volledig verweven, zijn persoonlijke zwartheid omspoeld door fluisterende geesten die zijn tellen in de war stuurden, maar toch zwoegde Guthwulf voort met de grimmige vastbeslotenheid die hem als de kapitein van Elias door vele grimmige veldtochten had gevoerd. Hij sjokte verder naar het Binnenhof, eindelijk stilhoudend om een ogenblik te rusten bij wat – volgens zijn wankelende berekeningen – de plaats was waar de vertrekken van de doctor van het kasteel eens hadden gestaan. Hij rook de zure lucht van het verkoolde hout, reikte ernaar en voelde ze onder zijn aanraking tot verrot poeder verkruimelen, zich verstrooid de vuurzee herinnerend die Morgenes en verschillende anderen had gedood. Plotseling, alsof die door zijn gedachten werden opgeroepen, sprongen knetterende vlammen overal rondom hem op, hem met vuur omringend. Dit kon geen illusie zijn – hij kon de dodelijke vlammenzee voelen! De hitte sloot hem in als een verpletterende vuist, die hem deed terugdeinzen hoe hij zich ook draaide of keerde. Guthwulf slaakte een verstikte kreet van wanhoop. Hij was gevangen, gevangen! Hij moest levend verbranden!

'*Ruakha, ruakha Asu'a!*' Spookachtige stemmen riepen van achter de vlammen. De aanwezigheid van een grijs zwaard was nu binnen in hem, in alles. Hij meende dat hij zijn onaardse muziek kon horen, en verder weg, de liederen van zijn onnatuurlijke broeders. Drie zwaarden. Drie verdorven zwaarden. Ze kenden hem nu.

Er klonk een geritsel als het wieken van vele vleugels; toen voelde de graaf van Utanyeat ineens dat er een opening voor hem verscheen, een lege plek in de overigens ononderbroken muur van vlammen – een deuropening die koele lucht ademde. Omdat hij nergens anders heen kon, trok hij zijn mantel over zijn hoofd en stommelde omlaag de zaal van rustiger, koudere schaduwen in.

DEEL EEN

De wachtende steen

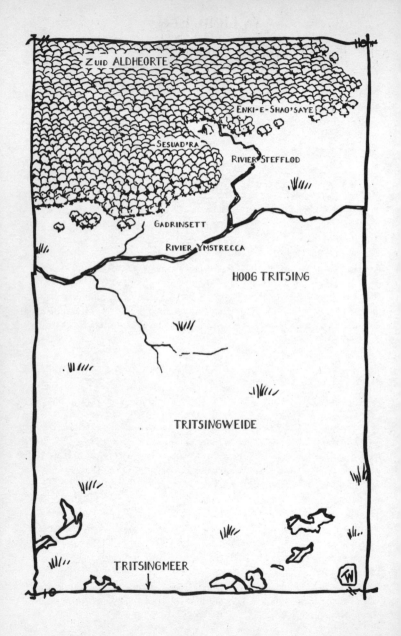

I

Onder vreemde luchten

Simon loenste omhoog naar de sterren die in de zwarte nacht dreven. Hij vond het steeds moeilijker om wakker te blijven. Zijn vermoeide ogen richtten zich op het helderste sterrenbeeld, een ruwe cirkel van lichtjes die een handbreedte boven de gapende rand van de koepel zweefde die op een gebarsten eierschaal leek.

Kijk. Dat was het Spinnewiel, of niet? Het scheen vreemd elliptisch – alsof de hemel waarin de sterren hingen in een ongewone vorm was uitgerekt – maar als dat het Spinnewiel niet was, wat anders kon er in het midden van de herfst zo hoog aan de hemel staan? De Haas? Maar naast de Haas stond een kleine bobbelige ster – de Staart. En de Haas was toch nooit zo groot, of wel?

Een klauw van wind reikte in het half verwoeste gebouw naar omlaag. Geloë noemde deze zaal 'het Observatorium' – een van haar droge grapjes, had Simon uitgemaakt. Alleen het verstrijken van lange eeuwen had de witte stenen koepel voor de nachtelijke luchten geopend, dus wist Simon dat het niet echt een observatorium geweest kon zijn. Zelfs de geheimzinnige Sithi konden stellig niet door een plafond van solide rots naar sterren kijken.

De wind kwam opnieuw, scherper deze keer, met een warreling van sneeuwvlokken. Hoewel die hem met rillingen teisterde, was Simon dankbaar: de kou schraapte iets van zijn slaperigheid weg. Het zou niet goed zijn om in slaap te vallen – niet uitgerekend in deze nacht.

Dus nu ben ik een man, dacht hij. *Welnu, bijna. Bijna een man.*

Simon trok de mouw van zijn hemd omhoog en keek naar zijn arm. Hij probeerde spierballen te maken en fronste toen vanwege de weinig bevredigende resultaten. Hij liet zijn vingers door het haar op zijn onderarm glijden, de plaatsen betastend waar snijwonden gekartelde littekens waren geworden; hier, waar de geblakerde nagels van een Hunë hun spoor hadden achtergelaten; daar, waar hij was uitgegleden en tegen een rots op de helling van de Sikkihoq was geslagen. Was dat wat volwassen zijn betekende? Om een heleboel littekens te hebben? Hij nam aan dat het ook betekende dat je lering uit je wonden trok – maar wat kon hij leren van het soort dingen dat hem het afgelopen jaar was overkomen?

Laat je vrienden niet gedood worden, dacht hij wrang. *Dat is één ding. Trek er niet op uit in de wereld om je door monsters en gekken achterna te laten zitten. Maak geen vijanden.*

Dat wat de wijze woorden betrof waarvan mensen hem altijd zo graag deelgenoot wilden maken. Geen enkele beslissing was ooit zo gemakkelijk als ze had geleken in de preken van pater Dreosan, waar je altijd een duidelijke keus tussen de Weg van het Kwaad en de Weg van Aedon moesten maken. In Simons recente ervaring van de wereld, schenen alle keuzen te gaan tussen een onaangename mogelijkheid en een andere, waarbij goed en kwaad nauwelijks een rol speelden.

De wind die door de koepel van het Observatorium kolkte, werd nog snerpender. Ondanks de schoonheid van de ingewikkeld bewerkte parelende muren was dit toch een oord dat hem niet scheen te verwelkomen. De hoeken waren vreemd, de verhoudingen bedoeld om een vreemde ontvankelijkheid te behagen. Als andere produkten van zijn onsterfelijke bouwmeesters behoorde het Observatorium volledig aan de Sithi toe, stervelingen zouden zich er nooit helemaal op hun gemak voelen.

Simon stond onzeker op en begon te ijsberen, de flauwe echo van zijn voetstappen verloren in het lawaai van de wind. Een van de interessante dingen aan deze grote ronde zaal, besloot hij, was dat hij stenen vloeren had, iets dat de Sithi niet langer schenen te gebruiken. Hij boog zijn tenen in zijn laarzen toen een herinnering aan de warme, grasachtige weilanden van Jaoé-Tinukai'i bij hem opkwam. Hij had daar blootsvoets gelopen, en iedere dag was een zomerdag geweest. Bij die herinnering sloeg Simon zijn armen over zijn borst om warmte en troost.

De vloer van het Observatorium bestond uit exquis uitgehakte en in elkaar gepaste tegels, maar de cilindrische muur scheen uit één stuk te zijn, misschien van hetzelfde materiaal als de Steen des Afscheids zelf. Simon peinsde. De andere gebouwen hier hadden ook geen zichtbare verbindingen of naden. Als de Sithi alle gebouwen op de oppervlakte rechtstreeks uit het rotsachtige skelet van de heuvel hadden gehakt, en ook in Sesuad'ra hadden gedolven – de Steen scheen van tunnels te wemelen – hoe wisten zij dan wanneer ze moesten ophouden? Waren ze niet bang geweest dat de hele rots zou instorten als ze een gat te veel maakten? Dat scheen bijna even verbazingwekkend als alle andere Sithi toverarij die hij had gezien of waarvan hij had gehoord, en even onbruikbaar voor stervelingen – weten wanneer je moet ophouden.

Simon gaapte. Usires Aedon, wat duurde deze nacht lang! Hij keek naar de hemel, naar de wentelende, smeulende sterren.

Ik wil naar boven klimmen. Ik wil de maan bekijken.

Simon liep over de gladde stenen vloer naar een van de lange trappen die geleidelijk omhoog wentelden rond de omtrek van de kamers, de treden tellend onder het gaan. Hij had dit tijdens de lange nacht al enige keren gedaan. Toen hij bij de honderdste trede kwam, ging hij zitten. De diamantachtige glans van een bepaalde ster, die halverwege

langs een ondiepe inkeping in de vervallen koepel had gestaan toen hij
zijn vorige uitstapje maakte, stond nu bij de rand van de inkeping.
Weldra zou hij achter het resterende hulsel van de koepel uit het zicht
verdwijnen.

Goed. Dus er was in elk geval enige tijd verlopen. De nacht was lang en
de sterren waren vreemd, maar de reis van de tijd ging in elk geval verder.

Hij klauterde overeind en ging verder omhoog, de smalle trap gemakkelijk bestijgend, ondanks een zekere lichtheid in zijn hoofd die ongetwijfeld door een lange slaap zou worden genezen. Hij klom tot hij de
hoogste overloop bereikte, een met pilaren gesteunde kraag van steen
die eens om het hele gebouw heen had gelopen. Hij was lang geleden
verbrokkeld en het grootste deel ervan was nu ingestort; nu strekte hij
zich slechts enkele korte ellen uit voorbij het punt waar hij op de trap
aansloot. De bovenkant van de hoge buitenmuur was vlak boven Simons hoofd. Een paar voorzichtige stappen brachten hem langs de overloop naar een plek waar de breuk in de koepel omlaag dook tot slechts
korte afstand boven hem. Hij reikte omhoog, voorzichtig naar goede
punten van houvast voor zijn vingers zoekend, en trok zich toen op. Hij
zwaaide een van zijn benen over de muur en liet die daar boven het niets
bungelen.

De maan, in een door de wind gerafelde sluier van wolken gewikkeld,
was niettemin helder genoeg om de bleke ruïnes beneden als ivoor te
doen glanzen. Simons hoge plaats was voortreffelijk. Het Observatorium was het enige gebouw binnen Sesuad'ra's buitenste muur dat even
hoog was als de muur zelf, waardoor de nederzetting één enorm laag gebouw leek. In tegenstelling tot de andere verlaten Sithi woningen die
hij had gezien, verrezen hier geen torens, geen hoge spitsen. Het was
alsof de geest van de bouwmeesters van de Sesuad'ra was bedwongen, of
alsof ze om een utilitaire reden bouwden en niet louter uit trots op hun
ambacht. Niet dat de overblijfselen onaantrekkelijk waren: de witte
steen had een geheel eigen vreemde, zachtglanzende gloed, en de gebouwen binnen de courtine waren gerangschikt in een ontwerp van wilde, maar op de een of andere manier uiterst logische geometrie. Hoewel
het op een veel kleinere schaal was gebouwd dan wat Simon van Da'ai
Chikiza en Enki-e-Shao'saye had gezien, gaf de bescheidenheid van zijn
opzet en uniformiteit van ontwerp het een eenvoudige schoonheid die
van die andere, grootsere gebouwen verschilde.

Rondom het hele Observatorium, en ook rond de andere grote bouw-
werken als het Afscheidshuis en het Huis van Wateren – namen die Geloë ze had gegeven; Simon wist niet of ze iets met hun oorspronkelijke
doel te maken hadden – slingerde zich een stelsel van paden en kleinere

gebouwen, of de overblijfselen ervan, waarvan de in elkaar grijpende lussen en krullen even geraffineerd waren ontworpen, maar toch naturalistisch als de blaadjes van een bloem. Een groot deel van het gebied was begroeid met opdringende bomen, maar ook de bomen zelf vertoonden sporen van een rudimentaire orde, zoals de groene ruimte midden in een heksenkring zou aangeven waar de voorouderlijke lijn van paddestoelen was begonnen.

In het midden van wat duidelijk eens een nederzetting van zeldzame en subtiele schoonheid was geweest, lag een vreemd betegeld plateau. Het was nu grotendeels bedekt met vrijpostig gras, maar zelfs bij maneschijn vertoonde het nog altijd een spoor van zijn oorspronkelijke weelderig ingewikkelde patroon. Geloë noemde deze centrale plek de Vuurtuin. Simon, eenvoudig alleen maar vertrouwd met de functies van menselijke woonplaatsen, zou nooit hebben vermoed dat het een marktplein was.

Achter de Vuurtuin, aan de andere kant van het Afscheidshuis, stond een bewegingloos golffront van bleke konische vormen – de tenten van Jozua's gezelschap, dat nu fors was aangezwollen door de nieuwelingen die wekenlang waren binnengedruppeld. Er was maar heel weinig ruimte over, zelfs op de brede platte top van de Steen des Afscheids; velen van de meest recente nieuwkomers hadden woningen voor zichzelf ingericht in de doolhof van tunnels die onder de stenen huid van de heuvel liep.

Simon zat naar de flikkeringen van de verre kampvuren te kijken tot hij zich eenzaam begon te voelen. De maan scheen heel ver weg, haar oppervlakte koud en onverschillig.

Hij wist niet hoe lang hij in de ledige zwartheid had zitten staren. Een ogenblik dacht hij dat hij in slaap was gevallen en nu droomde, maar stellig was dit vreemde zwevende gevoel iets echts – echt en beangstigend. Hij spande zich in, maar zijn ledematen waren ver weg en gevoelloos. Er scheen niets anders van Simons lichaam over te zijn dan zijn twee ogen. Zijn gedachten schenen even helder te branden als de sterren die hij aan de hemel had gezien – toen er een hemel en sterren waren geweest; toen er naast deze eindeloze zwartheid iets was geweest. Angst doorvoer hem.

Usires, redt mij, is de Stormkoning gekomen? Zal het eeuwig zwart zijn? God, breng het licht alstublieft terug!

En als in antwoord op zijn gebed begonnen lichten in de grote duisternis te gloeien. Het waren geen sterren, zoals het eerst leek, maar fakkels – speldepuntjes van licht die heel langzaam groter werden, alsof ze van heel in de verte naderden. De wolk van glinsterende vuurvliegjes werd een stroom, de stroom werd een lijn, in trage spiralen lussen beschrijvend. Het was een processie, tientallen fakkels die de heuvel op gingen zoals Simon zelf het bochtige pad van de Sesuad'ra had beklommen toen hij hier voor het eerst van Jaoé-Tinukai'i was gekomen.

Simon kon nu de figuren met mantels en kappen zien die de colonne vormden, een zwijgend leger dat met rituele precisie bewoog.

Ik bevind me op de Droomweg, besefte hij ineens. *Amerasu zei dat ik er dichter bij was dan andere lieden.*

Maar waar keek hij naar?

De lijn van fakkeldragers bereikte een vlakke plek en verspreidde zich in een glinsterende waaier, zodat hun lichtjes ver aan weerskanten van de top van de heuvel werden gedragen. Het was werkelijk de Sesuad'ra die zij hadden beklommen, maar een Sesuad'ra die zelfs bij fakkellicht duidelijk anders was dan die welke Simon kende. De ruïnes die hem hadden omgeven, waren niet langer ruïnes. Iedere zuil en muur stond ongebroken overeind. Was dit het verleden, de Steen des Afscheids zoals die eens was geweest, of was het een vreemde toekomstige versie die eens zou worden herbouwd – misschien wanneer de Stormkoning heel Osten Ard had onderworpen?

Het grote gezelschap golfde voorwaarts op een vlakke plaats die Simon herkende als de Vuurtuin. Daar zetten de in mantels gehulde figuren hun fakkels in nissen tussen de tegels neer, of plaatsten ze op stenen voetstukken, zodat daar inderdaad een tuin van vuur bloeide, een veld van flikkerend, golvend licht. De vlammen dansten, aangewakkerd door de wind; vonken schenen de sterren zelf in aantal te overtreffen.

Nu merkte Simon plotseling dat hij met de deinende menigte mee naar voren werd getrokken en omlaag ging naar het Afscheidshuis. Hij stortte neer door de glinsterende nacht, snel door de stenen muren de felverlichte zaal ingaand alsof hij onstoffelijk was. Er was geen ander geluid dan een voortdurend ruisen in zijn oren. Van dichtbij gezien schenen de beelden voor hem te verschuiven en aan hun randen te vervagen, alsof de wereld een klein beetje uit zijn natuurlijke vorm was gedraaid. Verward, probeerde hij zijn ogen te sluiten, maar merkte dat zijn droom-ik deze visioenen niet kon buitensluiten: hij kon alleen maar toekijken, een hulpeloos fantoom.

Vele figuren stonden bij de grote tafel. Bollen koud vuur waren in nissen aan iedere muur geplaatst, hun blauwe, oranje en gele gloed wierpen lange schaduwen over de bewerkte muren. Meer, nog diepere schaduwen werden door het voorwerp boven op de tafel geworpen, een samenstel van concentrische bollen als het grote astrolabium dat Simon vaak voor doctor Morgenes had gepoetst – maar in plaats van koper en eiken was dit helemaal gemaakt van lijnen smeulend licht, alsof iemand de fantastische figuren in vloeibaar vuur op de lucht had geschilderd. De bewegende figuren die het omgaven, waren nevelig maar toch wist Simon zeker dat het Sithi waren. Niemand kon zich ooit vergissen in die vogelachtige houdingen, die zijden bevalligheid.

Een Sitha vrouw in een hemelsblauw gewaad leunde naar de tafel en schreef behendig in sporen van vingervlammen haar eigen toevoegingen aan het gloeiende ding. Haar haar was zwarter dan schaduw, zwarter zelfs dan de nachtelijke hemel boven de Sesuad'ra, een grote wolk van duisternis rond haar hoofd en schouders. Een ogenblik dacht Simon dat ze misschien jonger was dan Amerasu; maar hoewel deze veel had dat overeenkwam met zijn herinneringen aan Eerste Grootmoeder, was er ook veel dat anders was.

Naast haar stond een man met een witte baard in een opbollend scharlaken gewaad. Vormen die bleke geweien hadden kunnen zijn, sproten uit zijn voorhoofd en gaven Simon een steek van ongerustheid – hij had iets dergelijks in andere, onaangenamere dromen gezien. De baardige man leunde voorover en sprak tegen haar; zij draaide zich om en voegde een nieuwe krul van vuur aan het patroon toe.

Hoewel Simon het gezicht van de donkere vrouw niet duidelijk kon zien, was degene die tegenover haar stond maar al te duidelijk. Dat gezicht ging schuil achter een masker van zilver, de rest van haar gestalte onder ijswitte gewaden. Als in antwoord op de zwartharige vrouw, hief de Nornse koningin haar arm op en sloeg een lijn van dof vuur helemaal over de constructie, en wuifde toen opnieuw met haar hand om een net van fijn rokend scharlaken licht helemaal over de buitenste bol te leggen. Een man stond naast haar en sloeg iedere beweging die zij maakte gade. Hij was lang en scheen krachtig gebouwd, geheel gekleed in puntige wapenrusting van zwart obsidiaan. Hij was niet met zilver of anderszins gemaskerd, maar toch kon Simon weinig van zijn gelaatstrekken zien.

Wat waren ze aan het doen? Was dit het Pact van het Afscheid waar Simon over had gehoord – want ongetwijfeld keek hij zowel naar Sithi als Norn samen verzameld op de Sesuad'ra.

De vage figuren begonnen geanimeerder te praten. Lussen vormende en kriskrassende lijnen van vuur werden in de lucht om de bollen geworpen waar die in het niets hingen, fel als het nabeeld van een voortsnellende vuurpijl. Hun gesprek scheen in harde woorden over te gaan: velen van de schimmige waarnemers, met meer boosheid gesticulerend dan Simon bij de onsterfelijken die hij kende had gezien, traden naar voren naar de tafel en gingen om het voornaamste viertal heen staan, maar toch kon hij niets anders horen dan een dof gebrul als van wind of snelstromend water. De vlambollen in het midden van het dispuut vlamden op, golvend als een vreugdevuur waar de wind mee speelt.

Simon wilde dat hij op de een of andere manier naar voren kon gaan om beter te zien. Was dit het verleden dat hij gadesloeg? Was het uit de betoverde steen omhoog gesiepeld? Of was het slechts een droom, een verbeelding veroorzaakt door zijn lange nacht en de liederen die hij in Jaoé-Tinukai'i had gehoord? Op de een of andere manier was hij er zeker van dat het geen illusie was. Het scheen zo echt, hij had bijna het gevoel dat hij zijn hand kon uitsteken... uitsteken... en aanraken.

Het geluid in zijn oren begon te vervagen. De lichten van fakkels en bollen doofden.

Simon kwam huiverend weer tot bewustzijn. Hij zat op de verbrokkelende steen van het Observatorium, gevaarlijk dicht bij de rand. De Sithi waren weg. Er waren geen fakkels in de Vuurtuin, en geen levende wezens op de Sesuad'ra, behalve een paar schildwachten bij het wachtvuur beneden naast de tentenstad. Simon zat een tijdje in gedachten verzonken naar de verre vlammen te kijken en probeerde te begrijpen wat hij gezien had. Betekende het iets? Of was het alleen maar een zinloos overblijfsel, een naam die door een reiziger op een muur was gekrast, die daar gebleven was nadat die persoon was verdwenen?

Simon sjokte terug de trap af van het dak van het Observatorium en keerde terug naar zijn deken. Het pogen om zijn visioen te begrijpen, bezorgde hem hoofdpijn. Het werd met het uur moeilijker om te denken.

Na zijn mantel dichter om zich heen te hebben gewikkeld – het gewaad dat hij eronder droeg was niet erg warm – nam hij een ferme teug uit zijn drinkzak. Het water, uit een van de bronnen van de Sesuad'ra, was zoet en koud tegen zijn tanden. Hij nam nog een slok, de nasmaak van gras en schaduwbloem proevend, en tikte met zijn vingers op de stenen tegels. Dromen of geen dromen, hij werd verondersteld na te denken over de dingen die Deornoth hem had verteld. Eerder die nacht had hij ze zo vaak in zijn gedachten herhaald dat ze ten slotte onzin hadden geschenen. Zojuist, toen hij het opnieuw probeerde, merkte hij dat hij de litanie die Deornoth hem zo zorgvuldig had geleerd, niet kon onthouden, de woorden ongrijpbaar als vissen in een ondiepe vijver. In plaats daarvan doolden zijn gedachten, en hij peinsde over alle vreemde gebeurtenissen die hij had meegemaakt sinds hij van de Hayholt was weggelopen.

Wat een tijd was het geweest! Wat had hij allemaal gezien! Simon wist niet zeker of hij het een avontuur zou noemen – dat leek een beetje te veel op iets dat gelukkig en veilig afliep. Hij betwijfelde of het einde prettig zou zijn, en er waren genoeg mensen gestorven om het woord 'veilig' tot een wrede grap te maken... maar toch, het was stellig een ervaring die de stoutste dromen van een koksjongen ver te boven ging. Simon Uilskuiken had schepselen uit legenden ontmoet, had gevechten meegemaakt, en had zelfs mensen gedood. Natuurlijk was dat veel minder gemakkelijk gebleken dan hij zich eens had voorgesteld, toen hij zichzelf als een potentiële kapitein van de strijdkrachten van de koning had gezien; eigenlijk was het heel, heel erg onplezierig gebleken.

Simon was ook door demonen achterna gezeten, was de vijand van tovenaars, was een intimus van edellieden geworden – die beter noch slechter schenen dan keukenpersoneel – en had als onwillige gast in de stad van de onsterfelijke Sithi gewoond. Behalve veiligheid en warme bedden, was het enige dat aan zijn avontuur scheen te ontbreken mooie meisjes geweest. Hij had wel een prinses ontmoet – een die hij aardig had gevonden, ook al had ze eruitgezien als een gewoon meisje – maar zij was al lang weg, de Aedon mocht weten waar. Sindsdien was er op het gebied van vrouwelijk gezelschap heel weinig geweest, behalve Aditu, Jiriki's zuster, maar zij was Simons onervaren begrip een beetje te ver te boven gegaan. Evenals een luipaard was zij mooi, maar heel angstwekkend. Hij verlangde naar iemand die een beetje meer was zoals hijzelf – maar knapper van uiterlijk natuurlijk. Hij wreef zijn donzige baard, voelde aan zijn vooruitstekende neus. Héél wat knapper. Hij had er genoeg van om alleen te zijn. Hij wilde iemand om mee te praten – iemand die om hem zou geven, die hem zou begrijpen, op een manier waartoe zelfs zijn trollenvriend Binabik nooit in staat zou zijn. Iemand die zijn gedachten met hem zou delen...

Iemand die dat van de draak zal begrijpen, dacht hij ineens.

Simon voelde een prikkeling over het vel van zijn rug lopen, deze keer niet veroorzaakt door de wind. Het was één ding om een visioen van oude Sithi te zien, hoe levendig ook. Hopen mensen hadden visioenen – gekken bij de vleet op het Oorlogsplein in Erchester schreeuwden er tegen elkaar over, en Simon vermoedde dat dit soort dingen op de Sesuad'ra misschien nog gewoner waren. Maar Simon was een draak tegengekomen, wat meer was dan bijna iedereen kon zeggen. Hij had tegenover Igjarjuk, de ijsdraak, gestaan en was niet geweken. Hij had met zijn zwaard gezwaaid – of beter: 'n zwaard: het was meer dan aanmatigend om Doorn zijn zwaard te noemen – en de draak was gesneuveld. Dat was werkelijk iets wonderbaarlijks. Het was iets dat met uitzondering van Prester John niemand ooit had gedaan, en John was de grootste van alle mensen geweest, de Hoge Koning.

Natuurlijk, John doodde zijn draak, maar ik geloof niet dat Igjarjuk stierf. Hoe meer ik erover nadenk, des te zekerder ben ik ervan. Ik denk niet dat zijn bloed mij dat gevoel zou hebben gegeven dat ik kreeg als de draak dood was. En ik denk niet dat ik sterk genoeg ben om hem te doden, zelfs niet met een zwaard als Doorn.

Maar het vreemde was dat, hoewel Simon iedereen precies had verteld wat er op de Urmsheim was gebeurd en wat hij daar nu van vond, sommige mensen die nu van de Steen des Afscheids hun thuis maakten hem toch 'Drakendoder' noemden, glimlachend en wuivend wanneer hij voorbijkwam. En hoewel hij had geprobeerd de naam af te schudden, schenen de mensen zijn terughoudendheid als bescheidenheid op te vatten. Hij had zelfs een van de nieuwe kolonisten uit Gadrinsett haar kinderen het verhaal horen vertellen, een versie die een levendige beschrijving bevatte van hoe de kop van de draak door de kracht van Simons slag van zijn lichaam was gescheiden. Eens zou wat er werkelijk was gebeurd van geen enkel belang zijn. De mensen die hem mochten – of liever, die van het verhaal hielden – zouden zeggen dat hij de grote sneeuwdraak alleen had gedood. Degenen die hem niet sympathiek vonden, zouden zeggen dat het hele voorval een leugen was.

Het idee van die lieden die valse verhalen over zijn leven vertelden, maakte Simon behoorlijk nijdig. Het scheen de dingen op de een of andere manier goedkoop te maken. Niet zozeer de verbeelde nee-zeggers – zij konden dat ogenblik van zuivere stilte en verstilling op de Urmsheim niet wegnemen – maar de anderen, de overdrijvers en vereenvoudigers. Degenen die het vertelden als een verhaal van onbezorgde dapperheid, van een denkbeeldige Simon die draken aan zijn zwaard reeg eenvoudig omdat hij dat kon, of omdat draken slecht waren, zouden met vuile vingers een onbevlekt deel van zijn ziel aanraken. Er kwam zoveel meer aan te pas dan dat, zoveel meer dat aan hem was geopenbaard in de lichte, emotieloze ogen van het beest, in zijn eigen verwarde heroïek en het brandende ogenblik van zwart bloed... het bloed dat hem de wereld had getoond... de wereld...

Simon ging rechtop zitten. Hij was weer aan het knikkebollen geweest. Bij God, slaap was een verraderlijke vijand. Je kon hem niet onder ogen zien en ertegen vechten; hij wachtte tot jij de andere kant uitkeek en besloop je dan stilletjes. Maar hij had zijn woord gegeven en nu hij een man zou zijn, moest zijn woord zijn plechtige verbintenis zijn. Dus zou hij wakker blijven. Dit was een bijzondere nacht.

De legers van de slaap hadden hem tegen de komst van de dageraad tot drastische maatregelen gedwongen, maar ze waren er niet helemaal in geslaagd hem te verslaan. Toen Jeremias met een kaars in de hand het Observatorium binnenkwam, zijn hele lichaam gespannen door de ernst van zijn missie, zag hij Simon met gekruiste benen in een plasje snel bevriezend water zitten, met nat rood haar dat in zijn ogen hing, de witte streep die erdoor liep stijf als een ijspegel. Simons lange gezicht straalde van triomf.

'Ik heb de hele waterzak over mijn hoofd uitgegoten,' zei hij trots. Zijn tanden klapperden zo hard dat Jeremias hem moest vragen het nog eens te zeggen. 'Water over mijn hoofd gegoten. Om wakker te blijven. Wat doe jij hier?'

'Het is tijd,' zei de ander. 'De zon komt bijna op. Tijd voor je om weg te gaan.'

'Ah.' Simon stond wankelend op. 'Ik ben wakker gebleven, Jeremias. Ben niet één keer in slaap gevallen.'

Jeremias knikte. Zijn glimlach was behoedzaam. 'Dat is goed, Simon. Kom mee. Er is een vuur in Strangyeards verblijf.' Simon, die zich wakkerder en kouder voelde dan hij had gedacht, sloeg zijn arm om de magere schouder van de andere jongen om steun. Jeremias was nu zo mager dat Simon moeite had zich hem te herinneren zoals hij eens was geweest: een niervetachtige kaarsenmakersleerling, met drie kinnen, altijd aan het puffen en zweten. Maar met uitzondering van de opgejaagde blik die af en toe in zijn ogen te zien was, zag Jeremias er precies zo uit als hij nu was – een knappe jonge schildknaap.

'Een vuur?' Simons gedachten hadden de woorden van zijn vriend eindelijk ingehaald. Hij was erg duizelig. 'Een goed vuur? En is er ook eten?'

'Het is een heel goed vuur.' Jeremias was ernstig. 'Ik heb één ding geleerd... beneden in de smidsen. Hoe een goed vuur te maken.' Hij schudde langzaam zijn hoofd, in gedachten verzonken, keek toen op en zag Simons ogen. Een schaduw bewoog snel achter zijn blik als een haas die in het gras wordt opgejaagd, waarna zijn behoedzame blik terugkeerde. 'Wat eten betreft – nee, natuurlijk niet. Nog enige tijd niet, dat weet je. Maar maak je geen zorgen, varken, vanavond krijg je waarschijnlijk een korst brood of iets dergelijks.'

'Hond,' zei Simon grijnzend, en helde opzettelijk dusdanig over dat Jeremias onder het extra gewicht struikelde. Pas na veel gevloek en wederzijds gescheld voorkwamen zij dat ze op de koude stenen tegels smakten. Ze wankelden door de deur van het Observatorium naar buiten, de lichtgrijze-paarse gloed van de dageraad in. Oostelijk licht klaterde over de hele top van de Steen des Afscheids, maar er zongen geen vogels.

Jeremias deed zijn woord gestand. Het vuur dat in pater Strangyeards vertrek met het tentdak brandde, was verrukkelijk warm – wat maar goed was ook, omdat Simon zijn mantel had afgelegd en in een houten tobbe was gestapt. Terwijl hij rondkeek naar de witte stenen muren, naar de sculpturen van verstrengelde wijnranken en kleine bloempjes, rimpelde het licht van het vuur over het metselwerk, zodat de wanden onder ondiepe roze en oranje wateren schenen te bewegen.

Pater Strangyeard hield nog een pot met water omhoog en goot die over Simons hoofd en schouders. In tegenstelling tot zijn eerdere zelfbereide bad was dit water in elk geval verwarmd; toen het over zijn koude vlees omlaag liep, dacht Simon dat het meer als stromend bloed dan als water aanvoelde.

'... Moge dit... moge dit water zonde en twijfel afwassen.' Strangyeard zweeg om met zijn ooglap te spelen, zijn ene scheelkijkende oog in een ruitjespatroon van rimpels terwijl hij zich de volgende passage van het gebed probeerde te herinneren. Simon wist dat het zenuwen waren, geen vergeetachtigheid; de priester had gisteren het grootste deel van de dag doorgebracht met de korte plechtigheid te lezen en te herlezen. 'Laat... laat dan de mens die aldus is gewassen en vergiffenis is geschonken niet vrezen om voor Mij te staan, opdat ik in de spiegel van zijn ziel kan kijken en daar de bekwaamheid van zijn wezen, de oprechtheid... van zijn gelofte weerspiegeld zal zien...' De priester loenste opnieuw, wanhopig. 'O...'

Simon liet de warmte van het vuur op zich branden. Hij voelde zich helemaal slap en dom, maar het was niet zo erg om je zo te voelen. Hij was er zeker van geweest dat hij zenuwachtig zou zijn, doodsbang zelfs, maar zijn slapeloze nacht had zijn angst weggebrand.

Strangyeard, die zijn hand ongedurig door zijn spaarzame plukjes haar liet glijden, had zich eindelijk de rest van de ceremonie voor de geest gehaald en haastte zich naar het einde, alsof hij vreesde dat zijn geheugen hem misschien weer in de steek zou laten. Toen hij klaar was, hielp de priester Jeremias Simon met zachte doeken af te drogen en gaf hem toen zijn witte gewaad terug, deze keer met een dikke leren riem om het om zijn middel te gorden. Toen, terwijl Simon in zijn pantoffels stapte, verscheen er een kleine figuur in de deuropening.

'Is hij nu klaar?' vroeg Binabik. De trol sprak heel rustig en ernstig, als altijd vol respect voor de rituelen van anderen. Simon keek naar hem en werd plotseling vervuld met een felle liefde voor de kleine man. Hier was een vriend, waarlijk – een die hem in alle tegenspoeden had bijgestaan.

'Ja, Binabik, ik ben klaar.'

De trol leidde hem naar buiten, met Strangyeard en Jeremias erachter aan. De hemel was meer grijs dan blauw, wild van wolkenflarden. De hele processie paste zich aan Simons verbijsterde, slenterende tempo aan toen ze voortliepen in het ochtendlicht.

Het pad naar de tent van Jozua was afgezet met toeschouwers, misschien wel tweehonderd, voornamelijk Hotvigs Tritsingers en de nieuwe kolonisten uit Gadrinsett. Simon herkende enkele gezichten, maar wist dat degenen die hem het vertrouwdst waren verderop bij Jozua wachtten. Een paar kinderen zwaaiden naar hem. Hun ouders pakten hen beet en fluisterden waarschuwend, bang om de plechtige aard van de gebeurtenis te verstoren, maar Simon grinnikte en wuifde terug. De koude ochtendlucht voelde prettig aan op zijn gezicht. Een lichte duizeligheid had hem opnieuw overvallen, zodat hij nu een neiging om hard te lachen moest onderdrukken. Wie zou ooit aan zoiets hebben gedacht? Hij wendde zich tot Jeremias, maar het gezicht van de jongeman was gesloten, de ogen in gepeins of van verlegenheid neergeslagen.

Toen ze de open plek voor Jozua's verblijf bereikten, lieten Jeremias en Strangyeard zich terugvallen, en gingen bij de anderen in een ruwe halve cirkel staan. Sludig, met zijn pas geknipte en gevlochten gele baard, lachte stralend naar Simon als een trotse vader. De donkerharige Deornoth stond naast hem gekleed in ridderlijke opschik, met de harpspeler Sangfugol, de zoon van de hertog Isorn, en de oude Towser vlakbij – de nar, in een zwarte mantel gewikkeld, scheen stille klachten tegen de jonge Rimmersman te mompelen. Dichter bij de voorkant van de tent stonden hertogin Gutrun en de jonge Leleth met Geloë aan hun zijde. De houding van de bosbewoonster was die van een oude soldaat die zich een zinloze inspectie moest laten welgevallen maar toen Simon haar gele ogen ontmoette, knikte zij een keer, alsof ze bevestigde dat een karwei was geklaard.

Aan de andere kant van de halve cirkel stonden Hotvig en zijn randwachters, hun lange speren als een bosje slanke bomen. Wit ochtendlicht drong door de geklonterde wolken, dof op hun armbanden en speerpunten schijnend. Simon probeerde niet aan de anderen te denken die aanwezig behoorden te zijn, zoals Haestan en Morgenes, maar die er niet waren.

Omlijst in de opening tussen deze twee groepen stond een tent, grijs, rood en wit gestreept. Prins Jozua stond ervoor, zijn zwaard Naidel in de schede aan zijn zijde, een dunne zilveren diadeem om zijn voorhoofd. Vorzheva stond naast hem, haar eigen donkere wolk van haar los, weelderig op haar schouders hangend en op de aanraking van de wind bewegend.

'Wie treedt voor mij?' vroeg Jozua, zijn stem traag en afgemeten. Als om zijn zware toon te logenstraffen, liet hij Simon een zweem van een glimlach zien.

Binabik sprak de woorden zorgvuldig uit. 'Iemand die graag tot ridder zou worden geslagen, prins – uw dienaar en die van God. Het is Seoman, zoon van Eahlferend en Susanna.'

'Wie spreekt voor hem en zweert dat dit waar is?'

'Binbiniqegabenik van Yiqanuc ben ik, en ik zweer dat dit waar is.' Binabik maakte een buiging. Zijn hoofse gebaar zond een golf van vermaak door de menigte.

'En heeft hij zijn nachtwake gehouden, en is hem absolutie verleend?'

'Ja!' begon Strangyeard haastig. 'Hij heeft… ik bedoel, dat heeft hij.'

Jozua onderdrukte opnieuw een glimlach. 'Laat Seoman dan naar voren komen.'

Bij de aanraking van Binabiks kleine hand op zijn arm, deed Simon een paar passen naar voren in de richting van de prins, viel toen op één knie in het dichte, golvende gras neer. Een kilte kroop langs zijn rug omhoog.

Jozua wachtte een ogenblik alvorens te spreken. 'Je hebt dappere diensten bewezen, Seoman. In een tijd van groot gevaar, heb je je leven voor mijn zaak op het spel gezet en bent met een grote buit teruggekeerd. Nu, voor de ogen van God en van je kameraden sta ik klaar om je te verheffen en je een titel en eer boven andere mensen te verlenen, maar ook lasten op je schouders te leggen groter dan andere mensen moeten dragen. Wil je zweren dat je ze alle aanvaardt?'

Simon haalde diep adem, zodat zijn stem vast zou klinken, en ook om zeker te zijn van de woorden die Deornoth hem zo nauwgezet had geleerd. 'Ik zal Usires Aedon en mijn meester dienen. Ik zal de gevallenen verheffen en Gods onschuldigen verdedigen. Ik zal mijn ogen niet van plicht afwenden. Ik zal het rijk van mijn prins tegen geestelijke en lichamelijke vijanden verdedigen. Dit zweer ik bij mijn naam en eer, met Elysia, Aedons heilige moeder, als mijn getuige.'

Jozua trad naderbij, reikte toen omlaag en legde zijn ene goede hand op Simons hoofd. 'Dan benoem ik je tot mijn man, Seoman, en leg je de verantwoordelijkheden van het ridderschap op.' Hij keek op. 'Schildknaap.'

Jeremias kwam naar voren. 'Hier, prins Jozua.' Zijn stem trilde enigszins.

'Breng zijn zwaard.'

Na een ogenblik van verwarring – het gevest was in pater Strangyeards mouw verward geraakt – naderde Jeremias met het zwaard in zijn bewerkte leren schede. Het was een goed gepolijst, maar overigens onopvallend Erkynlands zwaard. Simon was heel even teleurgesteld dat het zwaard niet Doorn was, maar berispte zichzelf toen als een aanmatigende idioot. Kon hij dan nooit tevreden zijn? Bovendien, denk je eens in hoe pijnlijk het zou zijn als Doorn zich niet aan het ritueel onderwierp en zwaar bleek als een molensteen. Dan zou hij helemaal voor joker staan, nietwaar? Jozua's hand op zijn hoofd voelde plotseling even zwaar aan als het zwarte zwaard zelf. Simon keek omlaag zodat niemand kon zien dat hij bloosde.

Toen Jeremias de schede zorgvuldig aan Simons riem had gegespt, trok Simon het zwaard, kuste het gevest, en maakte toen het teken van de Boom terwijl hij het op de grond voor Jozua's voeten neerlegde.

'Uw dienaar, heer.'

De prins trok zijn hand terug, haalde toen de slanke Naidel uit zijn schede en tikte Simons schouders aan, rechts, links en toen weer rechts.

'Voor de ogen van God en van je kameraden – sta op, heer Seoman.'

Simon ging wankelend staan. Het was gebeurd. Hij was een ridder. Zijn geest scheen bijna even bewolkt als de duisterende hemel. Er was een lang, stil moment, toen begon het gejuich.

Uren na de plechtigheid ontwaakte Simon hijgend uit een droom van verstikkende duisternis en merkte dat hij half gesmoord was in een kluwen van dekens. Zwak winters zonlicht scheen neer op Jozua's gestreepte tent; rode lichtstrepen lagen als verf over Simons arm. Het was dag, verzekerde hij zichzelf. Hij had geslapen, en het was slechts een vreselijke droom geweest...

Hij ging rechtop zitten, terwijl hij zich loswikkelde uit de wirwar van beddegoed. De wanden van de tent bonkten in de wind. Had hij geroepen? Hij hoopte van niet. Het zou werkelijk vernederend zijn om schreeuwend wakker te worden op de middag dat hij wegens dapperheid tot ridder was geslagen.

'Simon?' Een kleine schaduw verscheen op de wand bij de deur. 'Ben je wakker?'

'Ja, Binabik.' Hij stak zijn hand uit om zijn hemd te pakken toen de kleine man door de tentflap naar binnen dook.

'Heb je goed geslapen? Het is geen gemakkelijk iets om de hele nacht wakker te blijven, en soms maakt het 't moeilijk om daarna te slapen.'

'Ik heb geslapen.' Simon haalde zijn schouders op. 'Ik heb een vreemde droom gehad.'

De trol trok een wenkbrauw op. 'Herinner je je nog wat het was?'

Simon dacht een ogenblik na. 'Eigenlijk niet. Hij is min of meer vergleden. Iets over een koning en oude bloemen, over de geur van de aarde...' Hij schudde zijn hoofd. Het was weg.

'Dat, denk ik, is eigenlijk maar goed ook.' Binabik was druk in de weer in de tent van de prins, op zoek naar Simons mantel. Hij vond hem ten slotte, draaide zich toen om en gooide hem naar de nieuwbakken ridder, die bezig was zijn broek aan te trekken. 'Dromen zijn vaak verontrustend, maar zijn zelden van veel nut bij het verwerven van meer kennis. Waarschijnlijk is het dan ook maar het beste dat je niet met de herinnering aan elk van hen wordt lastig gevallen.'

Simon voelde zich een beetje gekleineerd. 'Kennis? Wat bedoel je?

Amerasu zei dat mijn dromen iets betekenden. En dat hebben jij en Geloë ook gezegd!'

Binabik zuchtte. 'Ik bedoelde alleen maar dat we niet veel geluk hebben met erachter te komen wat ze betekenen. Dus lijkt het mij beter dat je niet door hen wordt geplaagd, tenminste op dit moment waarop je van je grote dag behoort te genieten!'

Het eerlijke gezicht van de trol was genoeg om te maken dat Simon zich diep schaamde voor zijn kortstondige slechte bui. 'Je hebt gelijk, Binabik.' Hij gordde zijn zwaardriem om. Het onvertrouwde gewicht ervan was nog iets ongebruikelijks te meer op een dag van wonderen. 'Vandaag wil ik niet aan… aan iets slechts denken.'

Binabik gaf hem een hartelijke handklap. 'Dat is mijn metgezel op vele reizen die hier spreekt! Laten we nu gaan. Behalve de vriendelijkheid van deze tent voor je slaapgemak, heeft Jozua ervoor gezorgd dat ons allen een heerlijke maaltijd wacht, en ook nog andere genoegens.'

Buiten was het kampement van tenten dat in de schaduw van de lange noordoostelijke wand van de Sesuad'ra stond versierd met linten in vele kleuren die klapperden en golfden in de krachtige wind. Toen hij ze zag, moest Simon onwillekeurig aan zijn tijd in Jaoé-Tinukai'i denken, herinneringen die hij meestal op een afstand probeerde te houden vanwege de ingewikkelde en verontrustende gevoelens die ermee gepaard gingen. Alle mooie woorden van vandaag konden de waarheid niet veranderen, konden niet maken dat de Stormkoning weg zou gaan. Simon was het beu om bang te zijn. De Steen des Afscheids was alleen een tijdelijk toevluchtsoord – wat verlangde hij naar huis, naar een veilige plaats, en om vrij te zijn van angst! Amerasu de Scheepsgeborene had zijn dromen gezien. Ze had gezegd dat hij geen verdere lasten hoefde te dragen, nietwaar? Maar Amerasu, die zoveel dingen had gezien, was ook blind geweest voor anderen. Misschien had ze het ook mis gehad wat Simons lot betrof.

Met de laatste achterblijvers gingen Simon en zijn metgezellen door de gebarsten deuropening de met fakkels verlichte warmte van het Afscheidshuis binnen. Het enorme vertrek was vol mensen die op uitgespreide mantels en dekens zaten. De betegelde vloeren waren ontdaan van eeuwen mos en grassen; kleine kookvuren brandden overal. Er waren maar heel weinig verontschuldigingen voor vrolijkheid in deze harde tijd; de bannelingen van vele plaatsen en landen die hier verzameld waren, schenen vastbesloten om vrolijk te zijn. Simon werd gevraagd bij verschillende vuren te blijven staan en een felicitatiedronk te delen, zodat het bijna een uur duurde voor hij ten slotte naar de hoofdtafel ging – een enorme versierde stenen plaat die deel uitmaakte van de oorspronkelijke Sithizaal – waar de prins met de rest van zijn gezelschap wachtte.

'Welkom, heer Seoman.' Jozua wees Simon op de plaats links van hem. 'Onze kolonisten uit Nieuw Gadrinsett hebben geen moeite gespaard om hier een groot feestmaal van te maken. Er is naar ik meen kip maar ook konijn en patrijs en heerlijke forel uit de Stefflod.' Hij boog zich voorover om zachter te spreken. Ondanks de week van rust vond Simon dat het gezicht van de prins ingevallen leek. 'Eet maar, jongen. Er is strenger weer op komst. Misschien zullen we van ons vet moeten leven, als beren.'

'Nieuw Gadrinsett?' vroeg Simon.

'Wij zijn slechts bezoekers op de Sesuad'ra,' zei Geloë. 'De prins is terecht van mening dat het aanmatigend zou zijn onze kolonie bij de naam van hun heilige plaats te noemen.'

'En omdat Gadrinsett de bron van veel van onze bewoners is, en de naam toepasselijk is – "Verzamelplaats" in de oude Erkynlandse taal – heb ik de stad ernaar genoemd.' Hij hief zijn metalen beker op. 'Nieuw Gadrinsett!' Het gezelschap herhaalde zijn heildronk.

De schaarse hulpbronnen van het dal en bos waren werkelijk goed benut. Simon at met een enthousiasme dat aan uitzinnigheid grensde. Hij had sinds het middagmaal van de vorige dag niet meer gegeten, en een groot deel van zijn nachtwake was in beslag genomen door verwarde gedachten aan voedsel. Uiteindelijk was zijn trek van louter uitputting verdwenen, maar nu was die in alle hevigheid teruggekeerd.

Jeremias stond achter hem, Simons beker telkens wanneer hij leeg was met aangelengde wijn vullend. Simon voelde zich nog niet op zijn gemak bij het idee dat zijn makker van de Hayholt hem bediende, maar Jeremias wilde het niet anders.

Toen de vroegere kaarsenmakersleerling de Sesuad'ra had bereikt, naar het oosten getrokken door het gerucht van Jozua's aangroeiende leger van de afvalligen, was Simon verbaasd geweest – niet alleen door de verandering in Jeremias' uiterlijk, maar door de onwaarschijnlijkheid dat hij hem ooit nog zou ontmoeten, vooral op zo'n vreemde plaats. Maar zo Simon verbaasd was geweest, Jeremias had tot zijn verbijstering ontdekt dat Simon nog leefde, en was nog meer verbaasd door het verhaal over wat zijn vriend was overkomen. Hij scheen Simons overleving als niet minder dan een wonder te beschouwen, en had zich in Simons dienst gestort als iemand die tot een kloosterorde intreedt. Geconfronteerd met Jeremias' onwankelbare vastberadenheid, had Simon nogal verlegen toegestemd. De onzelfzuchtige toewijding van zijn nieuwe schildknaap maakte dat hij zich niet op zijn gemak voelde; wanneer, zoals soms gebeurde, een zweem van hun oude spottende vriendschap aan de oppervlakte kwam, voelde Simon zich veel gelukkiger.

Hoewel Jeremias Simon alles wat er met hem was gebeurd liet vertellen, en opnieuw vertellen, was de kaarsenmakersleerling niet bereid veel over zijn eigen ervaringen te zeggen. Hij wilde alleen maar kwijt dat hij gedwongen was geweest om in de smidsen onder de Hayholt te werken, en dat Duim, de vroegere hulp van Morgenes, een wrede meester was geweest. Simon kon veel van het niet vertelde verhaal aanvoelen en voegde het zwijgend aan de kerfstok van verdiende straf van de langzaam pratende reus toe. Per slot van rekening was Simon nu een ridder, en was dat niet iets dat ridders deden? Gerechtigheid doen geschieden...?

'Je zit in het niets te staren, Simon,' zei vrouwe Vorzheva, hem uit zijn gedachten wekkend. Zij begon tekenen te vertonen van het kind dat in haar groeide, maar had nog steeds een enigszins wilde blik, als een paard of vogel, die de aanraking van een mens wel wilden verduren, maar nooit helemaal mak zouden worden. Hij herinnerde zich de eerste keer dat hij haar aan de overkant van het plein in Naglimund had gezien, hoe hij zich had afgevraagd waardoor zo'n mooie vrouw er zo vreselijk ongelukkig uit kon zien. Zij scheen nu meer tevreden, maar toch bleef er een scherpe kant.

'Het spijt mij, vrouwe, ik zat te denken aan... aan het verleden, veronderstel ik.' Hij bloosde. Waarover sprak men aan tafel met de vrouw van de prins. 'Het is een vreemde wereld.'

Vorzheva glimlachte geamuseerd. 'Ja, inderdaad. Vreemd en vreselijk.'

Jozua stond op en zette zijn beker met een bons op het stenen tafelblad neer en wachtte tot de volle kamer ten slotte stil werd. Toen de menigte ongewassen gezichten naar het gezelschap van de prins opkeek, kreeg Simon plotseling een verbijsterende openbaring.

Al die lieden uit Gadrinsett, wier monden openhingen terwijl ze naar Jozua keken – zij waren hem! Zij waren zoals hij geweest was! Hij was altijd buiten geweest, naar binnen kijkend naar belangrijke lieden. En nu, op wonderbaarlijke, ongelooflijke wijze, was hij een van het voorname gezelschap, een ridder aan de lange tafel van de prins, zodat anderen jaloers naar hem keken – maar toch was hij dezelfde Simon. Wat betekende dat?

'Wij zijn om vele redenen verzameld,' zei de prins. 'In de eerste en voornaamste plaats, om onze God te danken dat wij levend en veilig hier op dit toevluchtsoord zijn, omringd door water en beschermd tegen onze vijanden. Ook zijn wij hier om de vooravond van Sint Granisdag te vieren, een heilige dag die wij doorbrengen met vasten en stil gebed – maar aan de vooravond met goed eten en wijn!' Hij hief zijn beker op na gejuich van de menigte. Toen het geluid was verstorven, glimlachte hij breed en ging verder. 'Wij vieren ook het ridderschap van de jonge Simon, nu Heer Seoman genaamd.' Opnieuw een eenstemmig gejuich.

Simon bloosde en knikte. 'U hebt allen gezien dat hij tot ridder is geslagen, zijn zwaard heeft opgenomen en zijn eed heeft afgelegd. Maar wat
u niet gezien hebt is... zijn banier!'

Er werd druk gefluisterd terwijl Gutrun en Vorzheva zich vooroverbo-
gen en een opgerolde doek onder de tafel vandaan haalden; die had vlak
voor Simons voeten gelegen. Isorn trad naar voren om hen te helpen, en
samen tilden zij hem op en ontrolden hem.

'Het embleem van heer Seoman van Nieuw Gadrinsett,' verklaarde de
prins.

Op een veld van diagonale rode en grijze strepen – Jozua's kleuren – lag
het silhouet van een zwaard. Eromheen, als een wijnrank, slingerde zich
een kronkelende witte draak, wiens ogen, tanden en schubben alle
nauwgezet met rode draad waren gestikt. De menigte schreeuwde en
juichte.

'Hoera voor de drakendoder!' riep iemand; verscheidene anderen volgden hem na. Simon boog zijn hoofd, opnieuw rood wordend, en dronk
toen snel zijn beker wijn leeg. Jeremias, trots glimlachend, vulde hem
opnieuw. Simon sloeg die ook achterover. Het was verrukkelijk, dit allemaal, maar toch... diep in zijn hart voelde hij onwillekeurig dat er
een belangrijk punt ontbrak. Niet alleen maar de draak, hoewel hij die
niet had gedood. Niet Doorn, hoewel het stellig niet Simons zwaard
was en misschien zelfs van geen enkel nut voor Jozua zou zijn. Iets klopte niet helemaal...

V'boom, dacht hij walgend, *word je het dan nooit moe om te klagen, uilskuiken?*

Jozua bonsde weer met zijn beker. 'Dat is niet alles! Niet alles!'

Het moet leuk voor hem zijn om voor een keer vrolijke gebeurtenissen te leiden.

'Er is meer!' riep Jozua uit. 'Nog één geschenk, Simon.' Hij wuifde, en
Deornoth verliet de tafel, op weg naar de achterkant van de zaal. Het
gegons van gesprekken werd weer luider. Simon dronk nog wat meer
aangelengde wijn en bedankte toen Vorzheva en Gutrun voor hun werk
aan zijn banier, de kwaliteit van het stikwerk lovend tot beide vrouwen
aan het lachen waren. Toen een aantal mensen achterin de menigte begon te schreeuwen en in de handen te klappen, keek Simon op en zag
Deornoth terugkomen. De ridder leidde een bruin paard.

Simon keek met grote ogen. 'Is het...?' Hij sprong op, zijn knie tegen
de tafel stotend, en haastte zich hinkend over de volgepakte vloer.
'Thuisvinder!' riep hij uit. Hij sloeg zijn armen om de hals van de merrie; zij, minder overweldigd dan hij, wreef haar neus zacht over zijn
schouder. 'Maar ik dacht dat Binabik zei dat ze weg was.'

'Dat was ze ook,' zei Deornoth glimlachend. 'Toen Binabik en Sludig
door de reuzen waren ingesloten, moesten ze de paarden laten gaan. Een

van onze verkennersgroepen trof haar aan bij de ruïnes van de Sithi stad, aan de overkant van het dal. Misschien bespeurde ze daar nog iets van de Sithi en voelde ze zich veilig, want jij zegt dat je een tijd bij hen had doorgebracht.'

Het ergerde Simon te ontdekken dat hij huilde. Hij was er zeker van geweest dat de merrie eenvoudig het zoveelste slachtoffer was op de lijst van vrienden en bekenden die in dit vreselijke jaar waren heengegaan. Deornoth wachtte tot hij zijn ogen droogde, en zei toen: 'Ik zal haar terugzetten bij de andere paarden, Simon. Ik heb haar weggenomen terwijl ze aan het eten was. Je kunt morgenochtend naar haar toe gaan.'

'Dank je, Deornoth. Dank je.' Simon strompelde terug naar de hoofdtafel.

Terwijl hij ging zitten, en Binabiks felicitaties aanvaardde, stond Sangfugol op verzoek van de koning op. 'Wij vieren Simons ridderschap, zoals prins Jozua heeft gezegd.' De harpspeler maakte een buiging naar de hoofdtafel. 'Maar hij was niet alleen op zijn reizen, en ook niet in zijn dapperheid en opoffering. U weet ook dat de prins Binabik van Yiqanuc en Sludig van Elvritshalla tot Beschermers van het Rijk van Erkynland heeft benoemd. Maar ook daarmee is het verhaal niet helemaal verteld. Van de zes dapperen die op weg gingen, zijn er slechts drie teruggekeerd. Ik heb een lied gemaakt, hopende dat in latere tijden geen van hen vergeten zal zijn.'

Op een knikje van Jozua speelde hij een fijne reeks noten op de harp die een van de nieuwe kolonisten voor hem had gemaakt, en begon toen te zingen.

'In 't noorden, waar de stormwind waait
en winters tanden berijpt zijn,
doemt de berg op, eeuwig bezaaid
met sneeuw, de koude Urmsheim.

Op roep van prins reden zes man
vanuit 't bedreigde Erkynland,
Sludig, Grimmric, Binabik de trol,
Ethelbearn, Simon en stoere Haestan.

Op zoek naar 't machtige zwarte zwaard
Doorn van Camaris uit 't oude Nabban,
splinter van een gevallen ster
ter redding van des prinsen land…'

Terwijl Sangfugol speelde en zong, hield het gefluister op en viel er een stilte over de vergadering. Zelfs Jozua keek, alsof het lied de triomf tot een echte kon maken. De fakkels flakkerden. Simon dronk meer wijn.

Het was heel laat. Er speelden nog maar een paar muzikanten – Sangfugol had zijn harp voor een luit verwisseld en Binabik had laat tijdens het feestje zijn fluit te voorschijn gehaald – en het dansen was min of meer ontaard in gewankel en gelach. Simon zelf had heel wat wijn gedronken en danste met twee meisjes uit Gadrinsett, een knappe dikke en haar magere vriendin. De meisjes hadden bijna de hele tijd met elkaar zitten fluisteren, geïmponeerd door Simon, zijn jeugdige baard en het grote eerbetoon. Ze hadden ook iedere keer dat hij probeerde met hen te praten onbedwingbaar zitten giechelen. Ten slotte, in de war en nogal geërgerd, had hij hen goedenacht gewenst en hun handen gekust, zoals ridders geacht werden te doen, hetgeen nog meer vlagen van nerveus gelach had veroorzaakt. Ze waren werkelijk weinig meer dan kinderen, besloot Simon.
Jozua had vrouwe Vorzheva naar bed gebracht en was toen teruggekomen om het laatste uur van het feest voor te zitten. Hij was nu rustig met Deornoth in gesprek. Beide mannen zagen er moe uit.
Jeremias sliep in een hoek, vastbesloten niet naar bed te gaan zolang Simon nog op was, ondanks het feit dat zijn vriend het voordeel had gehad dat hij tot na het middaguur had kunnen slapen. Simon begon er ernstig over te denken om naar bed te gaan toen Binabik in de deuropening van het Afscheidshuis verscheen. Qantaqa stond naast hem, de lucht van de grote zaal met een mengeling van belangstelling en wantrouwen opsnuivend. Binabik verliet de wolf en kwam binnen. Hij wenkte Simon, en liep toen naar Jozua's zetel.
'... Dus ze hebben een bed voor hem gemaakt? Goed.' De prins draaide zich om toen Simon naderde. 'Binabik brengt nieuws. Welkom nieuws.'
De trol knikte. 'Ik ken die man niet, maar Isorn scheen te denken dat zijn komst een belangrijke gebeurtenis was. Graaf Eolair, een Hernystirniër,' legde hij Simon uit, 'is net door een van de vissers hier over het water naar Nieuw Gadrinsett gebracht.' Hij glimlachte bij die naam, die nog steeds onbeholpen nieuwbakken scheen. 'Hij is nu heel moe, maar hij zegt dat hij belangrijk nieuws voor ons heeft, dat hij ons met goedvinden van de prins morgenochtend zal meedelen.'
'Natuurlijk.' Jozua streek bedachtzaam over zijn kin. 'Alle nieuws over Hernystir is waardevol, hoewel ik betwijfel of veel van Eolairs verhaal gelukkig zal zijn.'
'Dat zien we wel. Maar, Eolair zei ook,' Binabik ging zachter praten en

boog zich meer voorover, 'dat hij iets belangrijks te weten is gekomen over,' zijn stem werd nog zachter, 'de Grote Zwaarden.'

'Ah!' mompelde Deornoth verbaasd.

Jozua zweeg een ogenblik. 'Zo,' zei hij ten slotte. 'Morgen, op Sint Granisdag, zullen we misschien te weten komen of onze ballingschap er een van hoop of hopeloosheid is.' Hij stond op, draaide zijn beker om en deed die met zijn vingers rondtollen. 'Naar bed dan. Ik zal jullie allen morgen laten komen, wanneer Eolair een kans heeft gehad om te rusten.'

De prins liep weg over de stenen tegels. De fakkels deden zijn schaduw over de muur springen.

'Naar bed, zoals de prins zei.' Binabik glimlachte. Qantaqa drong zich naar voren, haar kop onder zijn hand duwend. 'Dit zal een dag zijn om je lang te herinneren, nietwaar Simon?'

Simon kon alleen maar knikken.

2

Velerlei ketenen

Prinses Miriamele keek naar de oceaan.

Toen ze nog jong was, had een van haar kindermeisjes haar verteld dat de zee de moeder van de bergen was, dat al het land uit de zee kwam en er eens naar zou terugkeren, zoals ook het verloren Khandia, naar men zei, in de verstikkende diepten was verdwenen. De oceaan die op de rotsen onder het ouderlijk huis in Meremund had gebeukt, was er stellig op gebrand geweest de rotsachtige rand weer op te eisen.

Anderen hadden de zee de moeder van monsters genoemd, van kilpa en kraken, oruks en watergeesten. De zwarte diepten, wist Miriamele, wemelden van vreemde wezens. Meer dan eens was een grote vormloze kolos op de rotsachtige stranden van Meremund aangespoeld en had in de zon onder de angstige, geboeide ogen van de plaatselijke bewoners liggen rotten tot het getij hem weer naar de geheimzinnige diepten wegrolde. Er was geen twijfel aan dat de zee monsters baarde.

En toen Miriameles eigen moeder wegging en nooit meer terugkwam, en haar vader Elias in tobbende woede over de dood van zijn vrouw verzonk, werd de oceaan zelfs een soort ouder voor haar. Ondanks zijn stemmingen, even afwisselend als de uren van zon- en maanlicht, even grillig als de stormen die zijn oppervlakte deden kolken, had de oceaan haar jeugd bestendigheid gegeven. De branding had haar 's nachts in slaap gewiegd, en zij was iedere morgen wakker geworden met het geluid van meeuwen en de aanblik, in de haven beneden het kasteel van haar vader, van hoge zeilen, die wiegden als grote bloembladen, wanneer ze uit haar raam omlaag keek.

De oceaan was vele dingen voor haar geweest, en had veel voor haar betekend. Maar tot dit ogenblik, terwijl ze bij de achterreling van de *Wolk Eadne* stond met de schuimkoppen van de Grote Groene oceaan die zich naar alle kanten uitstrekten onder zich, had ze nooit beseft dat hij ook een gevangenis kon zijn, een houvast waaraan moeilijker te ontsnappen was dan aan iets dat van steen en ijzer was gebouwd.

Terwijl het schip van graaf Aspitis ten zuidoosten van Vinitta voer, op weg naar de Baai van Firannos en zijn verspreide eilandjes, had Miriamele voor het eerst het gevoel dat de oceaan zich tegen haar keerde, haar feillozer vasthield dan het hof van haar vader haar ooit met rituelen had gebonden, of haar vaders soldaten haar van alle kanten met scherp staal hadden ingekapseld. Ze was aan die bewakers ontsnapt, nietwaar? Maar hoe kon ze aan honderd mijlen lege zee ontsnappen? Nee, het was beter om toe te geven. Miriamele was het moe om te vechten, moe om sterk te zijn. Rotsen mochten dan eeuwenlang trots overeind staan, uiteindelijk vielen ze toch ten prooi aan de oceaan. In plaats van zich te verzetten, zou ze er beter aan doen zich te laten drijven naar de plaats waar de getijden haar heenvoerden, als wrakhout, gevormd door de werking van de stromingen, maar bewegend, altijd bewegend. Graaf Aspitis was geen slechte man. Weliswaar behandelde hij haar niet helemaal met dezelfde onberispelijkheid als veertien dagen geleden, maar hij sprak nog steeds vriendelijk – dat wil zeggen, wanneer zij deed wat hij wilde. Daarom zou zij doen wat hij wilde. Ze zou drijven als een afgedankt rondhout, zonder weerstand te bieden, tot de tijd en de gebeurtenissen haar weer op het land achterlieten...

Een hand beroerde de mouw van haar jurk. Ze sprong verrast op, draaide zich om en zag Gan Itai naast zich staan. Het gezicht van de Niskie met zijn ingewikkelde rimpels was onbewogen, maar haar met goud gevlekte ogen schenen te schitteren hoewel ze waren afgeschermd voor de zon.

'Het was niet mijn bedoeling je aan het schrikken te maken, meisje.' Ze liep naar de reling naast Miriamele en samen keken ze uit over het rusteloze water.

'Wanneer er geen land in zicht is,' zei Miriamele ten slotte, 'zou je evengoed van de rand van de wereld af kunnen varen. Ik bedoel, het lijkt alsof er nergens meer land is.'

De Niskie knikte. Haar fijne witte haar wapperde rond haar gezicht. 'Soms, 's nachts, wanneer ik alleen aan dek ben en zing, heb ik het gevoel dat ik de Onbestemde en Oneindige Oceaan oversteek, dezelfde die mijn volk overstak om naar dit land te gaan. Zij zeggen dat de oceaan zwart was als pek, maar de toppen van de golven glansden als paarlemoer.'

Terwijl ze dit zei, strekte Gan Itai haar hand uit en pakte Miriameles palm. Verschrikt en onzeker wat te doen, verzette de prinses zich niet maar bleef naar de zee staren. Een ogenblik later duwden de lange, leerachtige vingers iets in haar hand.

'De zee kan een eenzame plaats zijn,' vervolgde Gan Itai, alsof ze zich niet bewust was van wat haar hand deed. 'Heel eenzaam. Het is moeilijk vrienden te vinden. Het is moeilijk te weten wie je kunt vertrouwen.' De hand van de Niskie viel weg, in de wijde mouwen van haar mantel verdwijnend. 'Ik hoop dat u lieden zult vinden die u kunt vertrouwen... vrouwe Marya.' De pauze voor Miriameles valse naam was onmiskenbaar.

'Ik ook,' zei de prinses zenuwachtig.

'Ah.' Gan Itai knikte. Een glimlach deed haar smalle mond vertrekken.

'U ziet een beetje bleek. Misschien is de wind te veel voor u. Misschien zou u naar uw hut moeten gaan.' De Niskie boog even haar hoofd, liep toen weg op blote bruine voeten die haar behendig over het slingerende dek voerden.

Miriamele keek haar na, keek toen op naar de helmstok waar graaf Aspitis met de roerganger stond te praten. De graaf hief zijn arm op om zich van zijn gouden mantel te bevrijden die de wind om hem heen had gewikkeld. Hij zag Miriamele, glimlachte even en zette toen zijn gesprek voort. Zijn glimlach had niets ongewoons, behalve misschien iets obligaats, maar Miriamele voelde zich ineens tot in het hart verkild. Ze klemde de krul van perkament nog steviger in haar vuist, bang dat de wind hem uit haar greep zou lostrekken en hem regelrecht naar Aspitis zou warrelen. Ze had er geen idee van wat het was, maar op de een of andere manier wist ze zonder enige twijfel dat zij niet wilde dat hij het zou zien.

Miriamele dwong zich langzaam over het dek te lopen, haar lege hand gebruikend om de reling vast te houden. Zij liep op geen stukken na zo stabiel als Gan Itai was geweest.

In de donkere hut ontrolde Miriamele voorzichtig het perkament. Ze moest het naast de kaarsvlam omhoog houden om de kleine, kriebelige letters te kunnen lezen.

Ik heb veel onrecht gedaan,

las ze,

en ik weet dat je me niet langer vertrouwt, maar geloof alsjeblieft dat deze woorden oprecht zijn. Ik ben vele mensen geweest, geen van hen bevredigend. Padreic was een dwaas, Cadrach een schurk. Misschien kan ik iets beters worden voor ik sterf.

Ze vroeg zich af waar hij het perkament en de inkt vandaan had gehaald en kwam tot de slotsom dat de Niskie hem die moest hebben gebracht. Terwijl ze naar het moeizame schrift keek, dacht Miriamele aan de zwakke, met ketenen bezwaarde armen van de monnik. Ze voelde een steek van medelijden – wat een marteling moest het voor hem zijn geweest om dit te schrijven! Maar waarom kon hij haar niet met rust laten? Waarom kon niemand haar gewoon haar gang laten gaan?

Als u dit leest, dan heeft Gan Itai gedaan wat ze heeft beloofd. Zij is de enige op dit schip die u, op mij na misschien, kunt vertrouwen... Ik weet dat ik

u heb bedrogen en in de steek heb gelaten. Ik ben een zwakke man, vrouwe,
maar met mijn waarschuwingen heb ik u goede diensten bewezen, en ik pro-
beer dat nog steeds te doen. U bent niet veilig aan boord van dit schip. Graaf
Aspitis is nog erger dan ik dacht. Hij is niet alleen maar een opgesmukt
creatuur aan het hof van Benigares. Hij is een dienaar van Pryrates.
Ik heb u vele leugens verteld, vrouwe, en er zijn ook vele waarheden die ik
verborgen heb gehouden. Ik kan hier niet alles rechtzetten. Mijn vingers zijn
al moe, mijn armen doen pijn. Maar ik wil u dit zeggen: er is geen ander le-
vend wezen dat de slechtheid van Pryrates beter kent dan ik. Er is geen le-
vend wezen dat meer verantwoordelijkheid voor die slechtheid draagt, omdat
ik hem geholpen heb te worden wat hij is.
Het is een lang en ingewikkeld verhaal. Het zij voldoende te zeggen dat ik,
tot mijn eeuwige en vreselijke schande, Pryrates de sleutel heb gegeven van een
deur die hij nooit had behoren te openen. Erger, ik heb dat gedaan nadat ik
wist wat voor roofzuchtig beest hij was. Ik ben voor hem gezwicht omdat ik
zwak en bang was. Het is het ergste dat ik ooit gedaan heb in een leven vol
ernstige fouten.
Geloof mij in dit opzicht, vrouwe. Tot mijn verdriet ken ik onze vijand goed.
Ik hoop dat u mij ook zult geloven wanneer ik zeg dat Aspitis niet alleen doet
wat zijn heer Benigaris hem vraagt, maar dat hij ook het werk van de rode
priester verricht. Het was algemeen bekend in Vinitta. U moet ontsnappen.
Misschien kan Gan Itai u helpen.
Droevig genoeg denk ik niet dat u ooit weer onder zo'n lichte bewaking zult
reizen als op Vinitta. Mijn lafhartige poging om te vluchten zal dat verzeke-
ren. Ik weet niet hoe of waarom, maar ik smeek u zo gauw mogelijk te ver-
trekken. Vlucht naar de herberg Pelippa's Kom *genaamd, in Kwanitupul.*
Ik geloof dat Dinivan anderen daarheen gezonden heeft, en misschien kunnen
zij u helpen om naar uw oom Jozua te ontsnappen.

Ik moet ophouden want ik heb pijn. Ik zal u niet vragen mij te vergeven. Ik
heb geen vergeving verdiend.

Een bloedvlek had de rand van het perkament bezoedeld. Miriamele
keek ernaar en haar ogen werden wazig van tranen, tot iemand op de
deur klopte en haar hart als een razende begon te bonzen. Ze verfrom-
melde het briefje in haar hand terwijl de deur openzwaaide.
'Mijn lieve dame,' zei de grijnzende Aspitis, 'waarom houdt u zich hier
beneden in het donker schuil? Kom, laten we wat aan dek gaan wandelen.'
Het perkament leek in haar hand te branden, alsof ze een smeulende
steenkool vasthield.
'Ik… ik voel me niet goed, heer.' Ze schudde haar hoofd en probeerde

haar kortademigheid te verbergen. 'Ik ga wel een andere keer wandelen.'

'Marya,' spotte de graaf. 'Ik heb je verteld dat het de openheid van je
land was die mij bekoorde. Wat, begin je een humeurige hofdeerne te
worden?' Met een lange pas bereikte hij haar zijde. Zijn hand gleed
langs haar nek. 'Kom, het is geen wonder dat je je niet lekker voelt zoals
je daar in deze donkere kamer zit. Je hebt frisse lucht nodig.' Hij leunde
voorover en streek met zijn lippen onder haar oor. 'Of misschien vind je
het hier prettiger, in het donker? Misschien ben je alleen maar eenzaam?' Zijn vingers bewogen fijntjes over haar hals, zacht als spinnewebben op de huid.

Miriamele keek naar de kaars. De vlam danste voor haar ogen, maar
overal in het rond was hij diep in schaduw verzonken.

De gebrandschilderde ramen van de Troonzaal van de Hayholt waren
gebroken. Gerafelde gordijnen hielden de warrelende sneeuw tegen,
maar sloten de ijskoude lucht niet buiten. Zelfs Pryrates scheen de kou
te voelen; hoewel hij nog steeds blootshoofds rondliep, droeg de raadsman van de koning rode gewaden gevoerd met bont.

Als enigen van alle mensen die de Troonzaal in kwamen, schenen de koning en zijn hofmeester de koude lucht niet erg te vinden. Elias zat met
blote armen en blootsvoets op de Drakentroon; met uitzondering van
het grote zwaard dat in de schede aan zijn riem hing, was hij even non-
chalant gekleed alsof hij in zijn privé-vertrekken verbleef. De monnik
Hengfisk, de zwijgende page van de koning, droeg een versleten habijt
en zijn gebruikelijke waanzinnige grijns, en scheen zich net zo op zijn
gemak te voelen in de steenkoude zaal als zijn meester.

De Hoge Koning lag ver achterover in de kooi van drakenbeenderen,
kin op de borst, de ogen vanonder de wenkbrauwen uitkijkend naar
Pryrates. In tegenstelling tot de zwarte malachietachtige beelden die
aan weerskanten van de troon stonden, leek Elias' huid wit als melk.
Blauwe aderen vertoonden zich bij zijn slapen en langs de pezige armen,
bollend alsof ze door het vlees zouden barsten.

Pryrates opende zijn mond alsof hij iets wilde zeggen, maar sloot die
toen weer. Zijn zucht klonk als die van een Aedonitische martelaar
overweldigd door de dwaze slechtheid van zijn vervolgers.

'Verdomme, priester,' snauwde Elias, 'ik heb mijn besluit genomen.'

De raadsman van de koning zei niets, maar knikte slechts; het fakkellicht deed zijn kale schedel glimmen als een natte steen. Ondanks de
wind die de gordijnen deed wapperen, scheen het vertrek vervuld van
een vreemde stilte.

'Nou?' De groene ogen van de koning waren gevaarlijk helder.

De priester zuchtte opnieuw, zachter ditmaal. Toen hij sprak, klonk zijn stem verzoenend. 'Ik ben uw raadsman, Elias. Ik doe alleen wat u wilt dat ik doe, dat wil zeggen: u helpen beslissen wat het beste is.'

'Dan denk ik dat het 't beste is dat Fengbald soldaten verzamelt en naar het oosten gaat. Ik wil dat Jozua en zijn verraderstroep uit hun holen worden verdreven en verpletterd. Ik heb het al te lang uitgesteld door deze kwestie met Guthwulf en door het gemodder van Benigaris in Nabban. Als Fengbald nu vertrekt, zullen hij en zijn troepen de schuilplaats van mijn broer over een maand bereiken. Jij weet wat voor soort winter het zal worden, alchimist... vooral jij. Als ik nog langer wacht, is de kans verkeken.' De koning trok geërgerd aan zijn gezicht.

'Wat het weer betreft, is er weinig twijfel,' zei Pryrates gelijkmoedig. 'Ik kan alleen maar de noodzaak om uw broer te achtervolgen opnieuw in twijfel trekken. Hij vormt geen bedreiging. Zelfs met een leger van duizenden, zou hij ons niet kunnen tegenhouden voor uw glorieuze, volledige en permanente overwinning verzekerd is. Het zal niet lang meer duren.'

De wind veranderde van richting en maakte dat de banieren die van het plafond hingen, rimpelden als water in een vijver. Elias knipte met de vingers en Hengfisk haastte zich naar voren met de beker van de koning. Elias dronk, hoestte, dronk toen nog eens tot de bokaal leeg was. Een droppel dampende zwarte vloeistof hing aan zijn kin.

'Dat kun jij gemakkelijk zeggen,' snauwde de koning toen hij klaar was met slikken. 'Aedons Bloed, je hebt het vaak genoeg gezegd. Maar ik heb al lang gewacht. Ik ben vervloekt moe van het wachten.'

'Maar het zal het wachten waard zijn, majesteit. Dat weet u.'

Het gezicht van de koning werd een ogenblik peinzend. 'En mijn dromen zijn steeds vreemder geworden, Pryrates. Meer... echt.'

'Dat is begrijpelijk.' Pryrates hief zijn lange vingers gerustellend op. 'U draagt een grote last... maar alles zal weldra terechtkomen. U zult een prachtvolle regering tot stand brengen zoals de wereld nog nooit heeft gezien, als u alleen maar geduld wilt hebben. Deze zaken hebben hun tijd nodig; het is met oorlog net als met de liefde.'

'Ha.' Elias boerde zuur en zijn ergernis kwam terug. 'Je weet verdomd weinig van de liefde af, schoft van een eunuch die je bent.' Hierop kromp Pryrates ineen en kneep zijn gitzwarte ogen een ogenblik tot spleten samen, maar de koning keek somber op Smart neer en zag het niet. Toen hij weer opkeek, was het gezicht van de priester even minzaam geduldig als eerst. 'Dus wat is jóuw beloning voor dit alles, alchimist? Dat heb ik nooit begrepen.'

'Behalve het genoegen u te mogen dienen, majesteit?'

Elias' lach was scherp en kort, als de blaf van een hond. 'Ja, behalve dat.'

Pryrates staarde hem een ogenblik taxerend aan. Een vreemde glimach vertekende zijn smalle lippen. 'Macht natuurlijk. De macht om te doen wat ik wil doen... moet doen.'

De ogen van de koning waren naar het raam gedraaid. Een raaf was op de vensterbank geland en stond nu zijn olieachtige zwarte veren glad te strijken. 'En wat wil jij doen, Pryrates?'

'Leren.' Een ogenblik scheen het angstvallige masker van staatsmansschap van de priester af te glijden; het gezicht van een kind was erdoor te zien – een afschuwelijk, hebzuchtig kind. 'Ik wil alles weten. Daarvoor heb ik macht nodig, wat een soort vergunning is. Er zijn geheimen, zo duister, zo diep, dat de enige manier om ze te ontdekken is om het heelal open te scheuren en in de ingewanden van de Dood en Niet-Zijn zelf rond te wroeten.'

Elias hief zijn hand op en gebaarde nogmaals om zijn beker. Hij bleef naar de raaf kijken, die naar voren hipte op de vensterbank en zijn kop schuin hield om de koning op zijn beurt aan te kijken. 'Je praat vreemd, priester. Dood? Niet-Zijn? Is dat niet hetzelfde?'

Pryrates grijnsde boosaardig, hoewel het niet duidelijk was waarom. 'O, nee, majesteit. In de verste verte niet.'

Elias draaide zich snel in zijn stoel om, zijn hoofd om de vergeelde schedel van de draak Shurakai met tanden als dolken uit stekend. 'Vervloekt, Hengfisk, heb je niet gezien dat ik mijn beker wilde? Mijn keel verschroeit!'

De bologige monnik haastte zich naar de zijde van de koning. Elias nam de beker voorzichtig van hem aan en zette hem neer, en gaf Hengfisk toen zo snel en krachtig een zijdelingse klap tegen zijn hoofd, dat de hofmeester als door de bliksem getroffen tegen de grond smakte. Elias ledigde toen rustig de beker met dampende drank. Hengfisk lag momenten lang slap als een vaatdoek alvorens op te staan om de lege beker aan te pakken. Zijn idiote grijns was niet verdwenen; die was eerder breder en waanzinniger geworden, alsof de koning bijzonder aardig tegen hem was geweest. De monnik bewoog zijn hoofd op en neer en liep opnieuw achteruit in de schaduwen.

Elias schonk geen aandacht aan hem. 'Dus het is geregeld. Fengbald gaat met de Erkynwacht en een compagnie soldaten en huurlingen naar het oosten. Hij zal het zelfgenoegzame, belerende hoofd van mijn broer op een lans mee terugbrengen.' Hij zweeg en zei toen bedachtzaam: 'Neem je aan dat de Nornen met Fengbald mee zullen gaan? Het zijn felle strijders en koud weer en duisternis doen hen niets.'

Pryrates trok een wenkbrauw op. 'Het lijkt mij onwaarschijnlijk, mijn koning. Ze schijnen niet graag overdag te reizen; en evenmin schijnen ze het gezelschap van stervelingen prettig te vinden.'

'Niet erg nuttig als bondgenoten, wel?' Elias fronste zijn voorhoofd en streelde het gevest van Smart.

'O, ze zijn zeker waardevol, majesteit.' Pryrates knikte, glimlachend. 'Zij zullen hun diensten bewijzen wanneer wij ze werkelijk nodig hebben. Hun meester – uw grootste bondgenoot – zal daarvoor zorgen.'

De raaf gaf een gouden knipoog, maakte toen een krassend geluid en wiekte weg. Het gerafelde gordijn bolde door het raam naar buiten, de snijdende wind in.

'Mag ik hem alsjeblieft vasthouden?' Maegwin strekte haar armen uit.

Met een bezorgde blik op haar met stof besmeurde gezicht gaf de jonge moeder haar de zuigeling. Maegwin vroeg zich onwillekeurig af of de vrouw bang was van haar – de dochter van de koning, met haar donkere rouwkleren en vreemde manieren.

'Ik ben alleen maar zo bang dat hij ondeugend zal zijn, vrouwe,' zei de jonge vrouw. 'Hij heeft de hele dag gehuild tot ik er bijna gek van werd. Hij heeft honger, het arme schaap, maar ik wil niet dat hij u de oren van het hoofd krijst, vrouwe. U hebt belangrijkere dingen aan uw hoofd.'

Maegwin voelde de kilte die haar hart had beroerd enigszins ontdooien. 'Maak je daar maar geen zorgen over.' Ze liet de roze zuigeling, die op het punt scheen opnieuw in huilen uit te barsten, paardje rijden op haar knie. 'Vertel me hoe hij heet, Caihwye.'

De jonge vrouw keek verschrikt op. 'U kent mij, vrouwe?'

Maegwin glimlachte droevig. 'Er zijn niet velen meer van ons over. Veel minder dan duizend in die grotten, al met al. Nee, er zijn niet zoveel mensen in het Vrije Hernystir dat ik moeite heb ze me te herinneren.'

Caihwye knikte, met grote ogen. 'Het is verschrikkelijk.' Ze was waarschijnlijk voor de oorlog knap geweest, maar nu had ze tanden verloren en was broodmager. Maegwin wist zeker dat ze het meeste van het eten dat ze had aan haar baby had gegeven.

'De naam van het kind?' herhaalde Maegwin.

'O! Siadreth, vrouwe. Het was de naam van zijn vader.' Caihwye schudde treurig haar hoofd; Maegwin vroeg niet naar de naamgenoot van het kind. Voor de meeste overlevenden waren gesprekken over vaders, echtgenoten en zonen droevig voorspelbaar. De meeste verhalen eindigden met de slag bij de Inniscrich.

'Prinses Maegwin.' De oude Craobhan had tot nu toe zwijgend toegekeken. 'We moeten gaan. Er wachten nog meer mensen op u.'

Ze knikte. 'Je hebt gelijk.' Voorzichtig gaf ze het kind aan zijn moeder terug. Het kleine roze gezicht rimpelde, klaar om tranen te storten. 'Hij is heel mooi, Caihwye. Mogen alle goden hem zegenen, en Mircha zelf

hem een goede gezondheid schenken. Hij zal een mooie man worden.'
Caihwye glimlachte en wiegde de jonge Siadreth op haar schoot tot hij
vergat wat hij op het punt had gestaan te doen. 'Dank u, vrouwe. Ik ben
zo blij dat u goed bent teruggekomen.'
Maegwin, die zich had afgewend, zweeg. 'Ben teruggekomen?'
De jonge vrouw keek verschrikt, bang dat ze iets verkeerds had gezegd.
'Van onder de grond, vrouwe.' Ze wees omlaag met haar vrije hand.
'Van beneden in de diepere grotten. De goden moeten u liefhebben om
u van zo'n donkere plaats terug te brengen.'
Maegwin staarde haar een ogenblik aan en forceerde toen een glimlach.
'Ik neem aan van wel. Ja, ik ben ook blij om terug te zijn.' Ze streelde
het hoofd van de zuigeling nog eens alvorens zich om te draaien en
Craobhan te volgen.
'Ik weet dat het een minder leuke taak is voor een vrouw om bij twist-
gesprekken als scheidsrechter op te treden dan om zuigelingen te ver-
troetelen,' zei de oude Craobhan over zijn schouder, 'maar het is iets dat
u in elk geval moet doen. U bent Lluths dochter.'
Maegwin trok een gezicht, maar liet zich niet afleiden. 'Hoe wist die
vrouw dat ik in de grotten beneden ben geweest?'
De oude man haalde de schouders op. 'U hebt niet veel moeite gedaan
om het geheim te houden, en u kunt niet verwachten dat mensen geen
belang stellen in het doen en laten van de familie van de koning. Er
wordt altijd gepraat.'
Maegwin fronste. Craobhan had natuurlijk gelijk. Ze was onvoorzichtig
en koppig geweest waar het 't onderzoeken van de onderste grotten betrof. Als ze geheimhouding wilde, had ze zich daar eerder zorgen over
moeten maken.
'Wat vinden ze ervan?' vroeg ze ten slotte. 'Het volk, bedoel ik.'
'Wat ze van uw ge-avonturier vinden?' Hij giechelde zuur. 'Ik stel me
voor dat er evenveel verhalen de ronde doen als er kookvuren zijn. Sommigen zeggen dat u de goden bent gaan zoeken. Anderen denken dat u
naar een vluchtgat hebt gezocht om uit deze hele knoeiboel te komen.'
Hij keek haar over zijn bottige schouder aan. Zijn zelfvoldane, wetende
blik maakte dat ze hem een klap in zijn gezicht wilde geven. 'Tegen het
midden van de winter zullen ze zeggen dat u een stad van goud hebt gevonden, of tegen een draak of een tweekoppige reus hebt gevochten.
Vergeet het maar. Verhalen zijn als hazen... alleen een dwaas probeert
erachteraan te rennen en ze te vangen.'
Maegwin staarde boos naar de ruimte achter zijn oude kale hoofd. Ze
wist niet wat haar het minst aanstond: mensen die leugens over haar
vertelden of mensen die de waarheid kenden. Plotseling wenste ze dat
Eolair terug was.

Wispelturig wijf, snierde ze tegen zichzelf.

Maar ze wilde het werkelijk. Ze wou dat ze met hem kon praten, hem al haar ideeën kon vertellen, zelfs de krankzinnige. Hij zou het begrijpen, nietwaar? Of zou het alleen maar zijn geloof in haar zieligheid bevestigen? Het was, in elk geval, onbelangrijk. Eolair was al meer dan een maand weg, en Maegwin wist niet eens of hij nog leefde. Zij had hem zelf weggestuurd. Nu wenste ze van ganser harte dat ze dat niet had gedaan.

Angstig maar vastbesloten had Maegwin de kille woorden die ze in de onderaardse stad Mezutu'a tegen graaf Eolair had gesproken nooit verzacht. Ze hadden nauwelijks met elkaar gesproken gedurende de weinige dagen die waren verlopen tussen hun terugkeer uit dat oord en het begin van zijn zoektocht naar Jozua's rebellenkamp waarvan sprake was.

Eolair had de meeste van die dagen beneden in de oude stad doorgebracht, toezicht houdend op een paar moedige Hernystiri klerken terwijl ze de stenen landkaarten van de dwargen op meer draagbare rollen van schapehuid kopieerden. Maegwin had hem niet vergezeld; ondanks de vriendelijkheid van de dwargen, vervulde de gedachte aan die lege, galmende stad haar alleen maar met doffe teleurstelling. Ze had het mis gehad. Ze was niet gek, zoals velen dachten, maar ze had het stellig bij het verkeerde eind gehad. Zij had gedacht dat het de bedoeling van de goden was geweest dat zij de Sithi daar zou vinden, maar nu was het duidelijk dat de Sithi verloren en bang waren en geen hulp zouden zijn voor haar volk. Wat de dwargen aanging, die eens de dienaren van de Sithi waren geweest, die waren weinig meer dan schaduwen, niet eens in staat zichzelf te helpen.

Bij het afscheid van Eolair was Maegwin zo vol geweest van tegenstrijdige gevoelens dat ze weinig meer kon opbrengen dan een bot vaarwel. Hij had haar een geschenk in de hand gedrukt dat de dwargen hadden gestuurd – het was een glanzend grijs met wit stuk kristal, waarop Yisfidri, de archivaris, haar naam in zijn eigen runenalfabet had gegraveerd. Het zag er bijna uit alsof het een deel van de Scherf zelf was, maar het rusteloze inwendige licht van die steen ontbrak. Eolair had zich toen omgedraaid en zijn paard bestegen, zijn woede met moeite verbergend. Ze had iets in zich voelen scheuren toen de graaf van Nad Mullach de helling af reed en in de sneeuwjacht verdween. Ze had toch gebeden, de goden moesten haar steunen in deze wanhopige tijd. Maar de goden schenen tegenwoordig traag met het verlenen van hulp.

Maegwin had eerst gedacht dat haar dromen over een ondergrondse stad tekenen waren van de bereidheid van de goden om hun geteisterde volgelingen in Hernystir te helpen. Maegwin wist nu dat ze op de een of andere manier een fout had begaan. Ze had gedacht de Sithi, de oude en legendarische bondgenoten, te vinden, zich een weg te banen door de poorten van de legende zelf om Hernystir hulp te brengen... maar dat was trotse dwaasheid geweest. De goden nodigden uit, ze lieten zich niet overvallen.

Maegwin had zich daarin vergist, maar ze wist toch dat ze het niet helemaal bij het verkeerde eind had gehad. Wat haar volk ook had misdaan, de goden zouden het niet zo gemakkelijk in de steek laten. Brynioch, Rhynn, Murhagh Eénarm – zij zouden hun kinderen redden, dat wist ze zeker. Op de een of andere manier zouden ze Skali en Elias de Hoge Koning, het beestachtige stel dat een trots en vrij volk zo had vernederd, vernietigen. Als ze dat niet deden, dan was de wereld een loze grap. Dus zou Maegwin op een beter, duidelijker teken wachten en terwijl zij wachtte, zou ze rustig haar taken verrichten... haar volk verzorgen en om haar doden rouwen.

'Wat voor rechtszaken behandel ik vandaag?' vroeg ze de oude Craobhan.

'Een paar kleine, maar ook een verzoek om een uitspraak die waarschijnlijk geen vreugde schenkt,' antwoordde Craobhan. 'Dat is afkomstig van het Huis Earb en het Huis Lacha, die aangrenzende pachtgoederen aan de rand van de Circoille waren.' De oude man was raadsman van de koning geweest sinds de tijd van Maegwins grootvader en hij kende de fantastische bijzonderheden van het politieke leven van Hernystir zoals een meestersmid de grillen van hitte en metaal kent. 'Beide families deelden een stuk van de bossen als hun garantie,' legde hij uit, '... de enige keer dat uw vader afzonderlijke rechten op boslanden moest verklaren en die voor elk in kaart moest brengen, zoals de Aedonitische koningen doen, alleen maar om de mensen van Earb en Lacha te beletten elkaar af te slachten. Ze verafschuwen elkaar, en de twee huizen hebben altijd met elkaar gevochten. Ze namen nauwelijks tijd om tegen Skali ten strijde te trekken, en misschien hebben ze niet eens gemerkt dat wij verloren hebben.' Hij hoestte en spoog.

'Wat wordt er dan van mij verlangd?'

Craobhan fronste. 'Wat dacht u, vrouwe? Ze maken nu ruzie over grotruimte...' zijn stem ging spottend omhoog, '"... deze plek is voor mij, die voor jullie. Nee, nee, hij is van mij; nee, van mij."' Hij snoof. 'Ze kibbelen als biggen om de laatste tepel, ook nu wij allen in gevaar verkeren en armzalige omstandigheden kennen.'

'Zo te horen is het een weerzinwekkende groep.' Maegwin had weinig geduld met dergelijke kleinzielige onzin.

'Ik zou het zelf niet beter hebben kunnen zeggen,' zei de oude man.

Noch het Huis Lacha noch het Huis Earb had veel baat bij Maegwins aanwezigheid. Hun twist bleek even kleinzielig als Craobhan had voorspeld. Mannen van beide huizen hadden met behulp van andere, minder belangrijke Hernystiri families die de gemeenschappelijke grot deelden, een tunnel gegraven en deze tot bruikbare breedte verwijd. Nu hield elk van de twistende huizen vol dat het de exclusieve eigenaar van de tunnel was en dat het andere huis en alle andere grotbewoners een schatting aan geitemelk moesten betalen om hun kudden iedere dag door de tunnel omhoog en omlaag te laten gaan.

Maegwin vond dit meer dan walgelijk en zei dat ook. Ze verklaarde ook dat zij, als ze ooit weer zulke klinkklare onzin als mensen die tunnels 'bezaten' hoorde, de boosdoeners door de rest van Hernystirs soldaten zou laten oppakken, naar de oppervlakte zou laten brengen om hen van de hoogste rotsen die de steile Grianspog bezat te laten werpen.

De huizen Lacha en Earb waren niet in hun nopjes met deze uitspraak. Ze slaagden erin hun geschillen lang genoeg opzij te zetten om te eisen dat Maegwin als rechter moest worden vervangen door haar stiefmoeder Inahwen – die per slot van rekening, zeiden ze, de vrouw van wijlen koning Lluth was, en niet alleen maar zijn dochter. Maegwin lachte en noemde hen samenzwerende dwazen. De toeschouwers die zich hadden verzameld, te zamen met de overige families die de grot met de twistende huizen deelden, juichten Maegwins gezonde verstand en de vernedering van de hooghartige lieden van Earb en Lacha toe.

De rest van de gedingen verliep snel. Maegwin ontdekte dat ze het leuk werk vond, hoewel sommige van de twisten treurig waren. Het was iets dat ze goed deed… iets dat weinig te maken had met klein, teer of mooi zijn. Omringd door mooiere, bevalliger vrouwen, had zij altijd het gevoel gehad dat ze haar vader in verlegenheid bracht, zelfs aan een plattelandshof als de Taig. Hier was het enige dat eropaan kwam het bezitten van gezond verstand. In de afgelopen weken had ze – tot haar verbazing – gemerkt dat de onderdanen van haar vader haar waardeerden, dat ze dankbaar waren voor haar bereidheid om te luisteren en eerlijk te zijn. Terwijl ze haar volk gadesloeg, voddig en met roet besmeurd, voelde ze dat haar hart zich in haar spande. De Hernystiri verdienden beter dan dit lage aanzien. Ze zouden het krijgen, op de een of andere manier, als dat in Maegwins vermogen lag.

Een tijd lang slaagde zij erin haar wreedheid jegens de graaf van Nad Mullach bijna helemaal te vergeten.

Die avond toen ze op de rand van de slaap lag, merkte Maegwin dat ze ineens naar voren viel in een duisternis die groter en dieper was dan de door sintels verlichte grot waar zij haar bed had. Een ogenblik dacht ze dat een catastrofe de aarde onder haar had opengescheurd; een ogenblik later was ze er zeker van dat ze droomde. Maar toen zij zich langzaam de leegheid in voelde tollen, scheen de gewaarwording veel te rechtstreeks voor een droom, maar toch te vreemd ontregeld om zoiets echts als een aardbeving te zijn. Ze had iets dergelijks eerder gevoeld, die nachten waarin ze van de mooie stad onder de aarde had gedroomd...

Terwijl haar verwarde gedachten als opgeschrikte vleermuizen in de duisternis fladderden, begon er een wolk van vage lichtjes te verschijnen. Het waren vuurvliegjes of vonken, of verre toortsen.

Ze kringelden omhoog, als de rook van een groot vreugdevuur, tot een onvoorstelbare hoogte stijgend.

Klim, zei een stem in haar hoofd. *Ga naar de Hoge Plaats. De tijd is gekomen.*

In het niets zwevend, zwoegde Maegwin naar de verre top waar de flikkerende lichtjes samenkwamen.

Ga naar de Hoge Plaats, eiste de stem. *De tijd is gekomen.*

En plotseling bevond ze zich te midden van vele glinsterende lichtjes, klein en intens als verre sterren. Een nevelige menigte omringde haar, mooi, maar onmenselijk, gekleed in alle kleuren van de regenboog. De wezens keken elkaar met glanzende ogen aan. Hun bevallige gedaanten waren vaag; hoewel ze de vorm van mensen hadden, voelde zij zich er op de een of andere manier zeker van dat ze evenmin menselijk waren als regenwolken of damherten.

De tijd is gekomen, zei de stem, nu vele stemmen. Een vlek van springend, fonkelend licht gloeide in hun midden, alsof een van de sterren uit de overkoepelende hemel was gevallen. *Ga naar de Hoge Plaats...*

En toen doofde het fantastische visioen, weer wegvloeiend in duisternis. Maegwin ontwaakte en ontdekte dat ze rechtop op haar matras zat. De vuren waren nog slechts gloeiende kolen. Er was niets te zien in de verduisterde grot, en niets anders te horen dan het geluid van andere mensen die in hun slaap ademden. Ze hield Yis-fidri's dwargensteen zo stevig vast dat haar knokkels bonsden van pijn. Een ogenblik meende ze dat een flauw licht in de diepten ervan glansde, maar toen ze weer keek besloot ze dat ze zichzelf voor de gek had gehouden: het was maar een doorschijnend stuk steen. Ze schudde langzaam haar hoofd. De steen was in elk geval van geen belang vergeleken met wat zij had meegemaakt.

De goden. De goden hadden weer tot haar gesproken, nog duidelijker deze keer. De hoge plaats, hadden ze gezegd. De tijd was aangebroken. Dat moest betekenen dat de heren van haar volk eindelijk klaar waren om hun hand uit te steken en Hernystir te helpen. En ze wilden dat Maegwin iets zou doen. Dat moest wel, anders zouden ze haar niet hebben aangeraakt, zouden ze haar dit duidelijke teken niet hebben gezonden.

De onbelangrijke dingen van de dag die net voorbij was, werden uit haar geheugen gevaagd. *De Hoge Plaats*, zei ze tegen zichzelf. Ze zat lange tijd in de duisternis na te denken.

Na zorgvuldig te hebben nagegaan dat graaf Aspitis nog boven aan dek was, haastte Miriamele zich de smalle gang door en klopte op de lage deur. Een mompelende stem zweeg bij het geluid van Miriameles geklop.

Het antwoord kwam enkele ogenblikken later. 'Wie is daar?'

'Vrouwe Marya. Mag ik binnenkomen?'

'Kom.'

Miriamele drukte tegen de uitgezette deur. Die gaf onwillig mee, uitkomend op een kleine, sobere ruimte. Gan Itai zat op een matras onder het open raam, dat weinig meer was dan een smalle spleet boven aan de wand. Er bewoog daar iets. Miriamele zag de gladde oppervlakte van een witte hals en een flits van een geel oog, toen liet de zeemeeuw zich vallen en verdween.

'De meeuwen zijn net kinderen.' Gan Itai liet haar gast een gerimpelde glimlach zien. 'Twistziek, vergeetachtig, maar lief.'

Miriamele schudde haar hoofd, verward. 'Het spijt me dat ik je lastig val.'

'Lastig vallen? Kind, wat een dwaas idee. Het is dag. Ik hoef op dit moment niet te zingen. Waarom zou je een last zijn?'

'Ik weet het niet, ik wou alleen...' Miriamele zweeg, proberend haar gedachten te ordenen. Ze wist eigenlijk niet zeker waarom ze gekomen was. 'Ik... ik heb iemand nodig om mee te praten, Gan Itai. Ik ben bang.'

De Niskie stak haar hand uit naar een krukje met drie poten dat als tafel dienst bleek te doen. Haar vlugge vingers veegden enkele door de zee gepolijste stenen van de zitplaats in de zak van haar gewaad en schoof het krukje toen naar Miriamele.

'Ga zitten, kind. Haast je niet.'

Miriamele schikte haar rok, zich afvragend hoeveel ze de Niskie durfde te vertellen. Maar als Gan Itai geheime boodschappen voor Cadrach bij zich had, hoeveel kon er dan zijn dat ze nog niet wist? Ze scheen zeker te hebben geweten dat Marya een valse naam was. Er zat niets anders op dan de dobbelstenen te werpen.

'Weet je wie ik ben?'

De zeewachtvrouw glimlachte weer. 'U bent Vrouwe Marya, een edelvrouwe uit Erkynland.'

Miriamele schrok. 'Dacht je dat?'

De lach van de Niskie siste als wind door droog gras. 'Bent u dat niet? U hebt die naam in elk geval aan genoeg mensen verteld. Maar als u bedoelt Gan Itai te vragen wie u werkelijk bent, dan zal ik het u vertellen, of in elk geval zal ik met het volgende beginnen: Miriamele is uw naam, dochter van de Hoge Koning.'

Miriamele voelde zich merkwaardig opgelucht. 'Dus je weet het.'

'Uw metgezel Cadrach heeft het mij bevestigd. Ik koesterde vermoedens. Ik heb uw vader eens ontmoet. U ruikt net als hij; klinkt ook zoals hij.'

'O ja? Is dat zo?' Miriamele voelde zich alsof ze haar evenwicht had verloren. 'Wat bedoel je?'

'Uw vader heeft Benigaris hier op deze boot twee jaar geleden ontmoet, toen Benigaris nog maar de zoon van de hertog was. Aspitis, de eigenaar van de *Wolk Eadne*, was de gastheer op die bijeenkomst. Dat vreemde, tovenaarachtige wezen was hier ook – die zonder haar.' Gan Itai maakte een gladstrijkend gebaar over haar hoofd.

'Pryrates.' De nare smaak van de naam bleef in haar mond hangen.

'Ja, die is het.' Gan Itai ging meer rechtop zitten, haar oor schuinhoudend om een ver geluid op te vangen. Na een ogenblik richtte ze haar aandacht weer op haar gast. 'Ik kom niet de naam van iedereen die met dit schip vaart te weten. Natuurlijk let ik scherp op iedereen die de loopplank over gaat – dat maakt deel uit van de Zeevaarders Taak – maar namen zijn gewoonlijk niet belangrijk voor zeewachters. Maar die keer vertelde Aspitis mij al hun namen, zoals mijn kinderen hun lessen over getijden en stromingen voor mij plachten te zingen. Hij was heel trots op zijn belangrijke gasten.'

Miriamele was even verstrooid. 'Uw kinderen?'

'Van de Onbekende, jazeker!' Gan Itai knikte. 'Ik ben twintig keer grootmoeder.'

'Ik heb nog nooit Niskie kinderen gezien.'

De oude vrouw keek haar streng aan. 'Ik weet dat u alleen maar door uw geboorte een zuiderlinge bent, kind, maar zelfs in Meremund waar u opgroeide is een kleine Niskie stad bij de haven. Bent u daar nooit geweest?'

Miriamele schudde haar hoofd. 'Dat mocht ik niet.'

Gan Itai tuitte haar lippen. 'Dat is jammer. U had het moeten gaan zien. Wij zijn nu met minder dan we eens waren, en wie weet wat het tij van morgen zal brengen? Mijn familie is een van de grootste, maar er zijn in het totaal minder dan tweehonderd families van Abaingeat aan de noordkust helemaal tot aan Naraxi en Harcha. Zo weinig voor alle diepwater schepen!' Ze schudde droef haar hoofd.

'Maar toen mijn vader en die anderen hier waren, wat zeiden ze toen? Wat deden zij?'

'Ze praatten, meisje, maar waarover kan ik niet zeggen. Ze praatten de hele nacht door, maar ik was aan dek, met de zee en mijn liederen. Bovendien past het niet om de eigenaar van het schip te bespioneren. Tenzij hij het schip door een fout in gevaar brengt, is het niet aan mij om iets anders te doen dan datgene waarvoor ik geboren werd: om de kilpa omlaag te zingen.'

'Maar jij hebt me Cadrachs brief gebracht.' Miriamele keek rond om zich ervan te vergewissen dat de gangdeur dicht was. 'Dat is niet iets wat Aspitis zou willen dat je deed.'

Voor de eerste keer vertoonden Gan Itai's ogen een zweem van ontevredenheid. 'Dat is waar, maar ik deed het schip geen kwaad.' Een blik van opstandigheid bekroop het gerimpelde gezicht. 'Per slot van rekening zijn wij Niskies, geen slaven. Wij zijn een vrij volk.'

Zij en Miriamele keken elkaar een ogenblik aan. De prinses was de eerste die haar blik afwendde. 'Het kan me niet eens schelen waar ze over praatten. Ik ben doodziek van mensen en hun oorlogen en twisten. Ik wil alleen maar weggaan en met rust worden gelaten – om ergens in een gat te kruipen en er nooit meer uit te komen.'

De Niskie gaf geen antwoord, keek haar alleen maar aan.

'Toch, ik zal nooit over vijftig mijlen open water ontsnappen.' De nutteloosheid van dit alles liet haar niet los en maakte dat ze zich neerslachtig van wanhoop voelde. 'Zullen we spoedig aan land gaan?'

De Niskie gaf geen antwoord, keek haar alleen maar aan.

'We zullen aanleggen bij enkele van de eilanden in de Baai van Firannos. Spenit, misschien Risa... ik ben er niet zeker van welke Aspitis heeft gekozen.'

'Misschien kan ik op de een of andere manier ontsnappen. Maar ik weet zeker dat ik zwaar bewaakt zal worden.' Het loodzware gevoel leek sterker te worden. Toen flikkerde er een idee. 'Ga jij ooit van het schip af, Gan Itai?'

De zeewachtsvrouw keek haar schattend aan. 'Zelden. Maar er is een familie van Tinukeda'ya – van Niskies – op Risa. De *Injar*clan. Ik heb ze een paar keer bezocht. Waarom vraag je dat?'

'Omdat je, als je van het schip af kunt gaan, een boodschap voor mij zou kunnen bezorgen. Die aan iemand geven die hem mijn oom Jozua in handen zou kunnen spelen.'

Gan Itai fronste. 'Ik wil het wel doen, maar ik ben er niet zeker van dat die hem ooit zal bereiken. Dat zou puur geluk zijn.'

'Wat voor keus heb ik?' verzuchtte Miriamele. 'Natuurlijk is het dwaas. Maar misschien zou het helpen, en wat kan ik anders doen?' Ineens welden tranen in haar ogen op. Ze veegde ze boos af. 'Niemand zal iets kunnen doen, ook al willen ze. Maar ik moet het proberen.'

Gan Itai keek haar verontrust aan. 'Niet huilen, meisje. Het maakt dat ik me wreed voel omdat ik u uit uw schuilplaats in het ruim heb gehaald.'

Miriamele wuifde met een hand die vochtig was van tranen. 'Iemand zou ons toch gevonden hebben.'

De Niskie leunde naar voren. 'Misschien zou uw metgezel een idee kunnen hebben aan wie uw briefje moet worden gegeven, of iets bijzonders dat erin geschreven zou kunnen staan. Hij komt op mij over als een wijs iemand.'

'Cadrach?'

'Ja. Per slot van rekening kende hij de ware naam van de Kinderen van de Zeevaarder.' Haar stem klonk ernstig, maar trots, alsof ze wist dat de naam van haar volk van goddelijke wijsheid getuigde.

'Maar hoe…' Miriamele kapte de rest van haar vraag af. Natuurlijk wist Gan Itai hoe ze bij Cadrach kon komen. Ze had al een briefje van hem gebracht. Maar Miriamele wist niet zo zeker of ze wel met de monnik wilde spreken. Hij had haar zoveel leed berokkend, zoveel woede doen ontvlammen.

'Kom.' Gan Itai stond van de matras op, even gemakkelijk overeind komend als een jong meisje. 'Ik zal je naar hem toe brengen.' Ze tuurde uit het smalle raam. 'Het duurt nog bijna een uur voor ze hem eten zullen brengen. Dat zal volop tijd laten voor een aangenaam gesprek.' Ze glimlachte en liep toen snel het kleine vertrek door. 'Kun je klimmen in die jurk?'

De Niskie liet haar vingers achter een plank aan de kale muur glijden en trok. Een paneel zo nauwkeurig aangebracht dat het bijna onzichtbaar was, kwam los; Gan Itai zette het op de grond neer. Een donker gat, omgeven door met pek besmeerde balken gaf aan waar het paneel had gezeten.

'Waar leidt het naartoe?' vroeg Miriamele verbaasd.

'Nergens in het bijzonder,' zei Gan Itai. Ze klauterde erdoor en stond op, zodat alleen haar dunne bruine benen en de zoom van haar gewaad in de opening te zien waren. 'Het is slechts één manier om vlug naar het ruim of het dek te gaan. Het wordt een Niskie gat genoemd.' Haar gedempte stem had een lichte echo.

Miriamele boog zich er achter haar in. Een ladder stond tegen de achterste muur van het kleine hokje. Bovenaan de omsluitende wanden strekte zich naar beide kanten een smalle kruipruimte uit. De prinses haalde de schouders op en volgde de Niskie de ladder op.

De gang bovenaan was zo laag dat er alleen op handen en voeten door te kruipen was, dus knoopte Miriamele de onderkant van haar jurk op zodat die uit de weg was, en kroop toen Gan Itai achterna. Toen het licht van het vertrek van de Niskie achter hen verdween, werd de duisternis dichter, zodat Miriamele alleen achter haar neus aan en het rustige geluid van Gan Itai's kruipen aan kon gaan. De balken kraakten toen het schip zich spande. Miriamele voelde zich alsof ze door de kieuw van een groot zeemonster kroop.

Ongeveer twintig ellen van de ladder vandaan bleef Gan Itai staan. Miriamele botste van achteren tegen haar aan.

'Voorzichtig, kind.' Het gezicht van de Niskie werd onthuld in een groter wordende wig van licht toen ze een ander paneel loswrikte. Nadat Gan Itai erdoor gegluurd had, gaf ze Miriamele een wenk om voorwaarts te gaan. Na de duisternis van de kruipruimte scheen het donkere ruim een vrolijke, door de zon verlichte plaats, hoewel het enige dat het verlichtte een geopend luikgat aan de achterkant was.

'We moeten zacht praten,' zei de zeewachtsvrouw.

Het ruim was bijna tot de dakspanten met zakken en vaten volgestouwd, alle vastgebonden zodat ze bij hoge zeeën niet zouden rollen. Tegen een wand, alsof ook hij tegen grillige getijden in bedwang werd gehouden, zat de ineengedoken figuur van een monnik. Een lange keten zat om zijn enkels; een tweede hing aan zijn polsen.

'Geleerde!' siste Gan Itai. Cadrachs ronde hoofd kwam langzaam omhoog, als dat van een geslagen hond. Hij staarde omhoog naar de beschaduwde dakspanten.

'Gan Itai?' Zijn stem klonk hees en moe. 'Ben jij daar?'

Miriamele voelde haar hart in haar borst omlaag schieten. Genadige Aedon. Zie hem eens! Vastgeketend als een arm, stom beest!

'Ik ben gekomen om met je te praten,' fluisterde de Niskie. 'Komen de bewakers gauw?'

Cadrach schudde zijn hoofd. Zijn ketenen rinkelden rustig. 'Ik denk van niet. Ze haasten zich nooit om me eten te geven. Heb je mijn briefje aan... aan de dame gegeven?'

'Dat heb ik gedaan. Ze is hier om met je te praten.'

De monnik schrok alsof hij bang was. 'Wat? Heb je haar hier gebracht?' Hij hief zijn rinkelende ketenen tot voor zijn gezicht op. 'Nee! Nee! Breng haar weg.'

Gan Itai trok Miriamele naar voren. 'Hij is heel ongelukkig. Praat met hem.'

Miriamele slikte. 'Cadrach?' zei ze ten slotte. 'Hebben ze je pijn gedaan?'

De monnik gleed langs de muur omlaag en werd weinig meer dan een hoop schaduwen. 'Ga weg, vrouwe. Ik kan het niet verdragen u te zien, of dat u mij ziet. Ga weg.'

Er viel een ogenblik lang een stilte. 'Praat tegen hem!' siste Gan Itai.

'Het spijt me dat ze je dit hebben aangedaan.' Ze voelde tranen opwellen. 'Wat er ook tussen ons is voorgevallen, ik zou nooit hebben gewild je op die manier gekweld te zien.'

'Ach, vrouwe, wat een afschuwelijke wereld is dit.' De stem van de monnik haperde door een snik. 'Wilt u mijn raad niet aannemen en vluchten? Alstublieft.'

Miriamele schudde gefrustreerd het hoofd, besefte toen dat hij haar in de schaduw van het luik niet kon zien. 'Hoe, Cadrach? Aspitis houdt mij voortdurend in de gaten. Gan Itai zei dat ze een brief van mij wilde meenemen en dat ze zou proberen die iemand in handen te spelen die hem zal bezorgen... maar wie, wie zou mij helpen? Ik weet niet waar Jozua is. De familieleden van mijn moeder in Nabban zijn verraders geworden. Wat kan ik doen?'

De donkere gedaante die Cadrach was, stond langzaam op. *'Pelippa's Kom,* Miriamele. Zoals ik je in mijn brief heb gezegd. Daar is misschien iemand die kan helpen.' Hij klonk niet erg overtuigd.

'Wie? Aan wie zou ik hem kunnen sturen?'

'Stuur hem naar de herberg. Teken er een ganzepen op, een ganzepen in een cirkel. Dat zal ervoor zorgen dat hij bij iemand terecht komt die kan helpen, als daar tenminste iemand is die iets kan doen.' Hij hief een belaste arm op. 'Ga alstublieft weg, prinses. Na alles wat er gebeurd is, wil ik alleen maar met rust gelaten worden. Ik wil niet dat u mijn schande nog langer moet aanzien.'

Miriamele voelde tranen uit haar ogen rollen. Het duurde enkele ogenblikken voor ze kon praten. 'Wil je iets hebben?'

'Een kan wijn. Nee, een wijnzak; die zal gemakkelijker te verstoppen zijn. Dat is alles wat ik nodig heb. Iets om een duisternis in mij aan te passen aan de duisternis om mij heen.' Zijn lach was pijnlijk om aan te horen. 'En ik wil dat u veilig ontsnapt. Dat ook.'

Miriamele wendde haar gezicht af. Ze kon het niet langer verdragen de ineengedoken gestalte van de monnik te zien. 'Het spijt me zo,' zei ze, en haastte zich toen langs Gan Itai en trok zich enkele ellen in de kruipgang terug. Het gesprek had haar een misselijk gevoel bezorgd.

De Niskie sprak enkele laatste woorden tot Cadrach, liet het paneel toen zakken en stortte de kleine gang opnieuw in het donker. Haar magere gestalte drong zich langs haar heen, toen bracht ze Miriamele terug naar de ladder.

De prinses was nog niet in het daglicht terug of een nieuwe aanval van snikken overviel haar. Gan Itai bleef een tijdje onbehaaglijk staan, maar toen Miriamele niet kon ophouden met huilen, sloeg de Niskie een spinachtige arm om haar heen.

'Hou op nu, hou op,' zong ze. 'Je zult weer gelukkig worden.'

Miriamele maakte haar rok los, tilde toen één punt op en veegde haar ogen en neus af. 'Nee, dat zal ik niet worden. En Cadrach ook niet. O, God in de hemel, ik ben zo eenzaam!' Ze kreeg opnieuw een huilbui.

Gan Itai hield haar vast tot ze was uitgehuild.

'Het is wreed om iemand zo vast te binden.' De stem van de Niskie was gespannen door iets dat op woede leek. Miriamele, haar hoofd in Gan Itai's schoot, was te leeg om antwoord te geven. 'Ze hebben Ruyan Vé gebonden, wist je dat? De vader van ons volk, de grote Zeevaarder. Terwijl hij de schepen terug wilde om weer uit te varen, namen ze hem in hun woede gevangen en sloegen hem in de boeien.' De Niskie wiegde heen en weer. 'En toen verbrandden ze zijn schepen.'

Miriamele snoof. Ze wist niet over wie Gan Itai het had, en het kon haar op dit ogenblik ook niet schelen.

'Zij wilden ons tot slaven maken, maar wij Tinukeda'ya zijn een vrij volk.' Gan Itai's stem werd bijna tot een psalmodie, een droevig lied. 'Ze verbrandden onze schepen... verbrandden de grote schepen die wij nooit meer opnieuw konden bouwen in dit nieuwe land en lieten ons hier gestrand achter. Ze zeiden dat het was om ons te redden voor het Niet-zijn, maar dat was een leugen. Zij wilden alleen dat wij hun ballingschap zouden delen... wij, die hen niet nodig hadden! De Oneindige en Eeuwige Oceaan had ons thuis kunnen zijn, maar zij namen onze schepen van ons af en bonden de machtige Ruyan. Zij wilden dat wij hun dienaren zouden zijn. Het is verkeerd om iemand in de boeien te slaan die je geen kwaad heeft gedaan. Verkeerd.'

Gan Itai hield Miriamele nog steeds in haar armen terwijl ze heen en weer schommelde en mompelend over vreselijke onrechtvaardigheden verhaalde. De zon zonk lager aan de hemel. Het kleine vertrek begon zich met schaduw te vullen.

Miriamele lag in haar verduisterde hut en luisterde naar het vage lied van de Niskie. Gan Itai was erg van streek geweest. Miriamele had niet gedacht dat de zeewachtvrouw zulke sterke gevoelens koesterde, maar Cadrachs gevangenschap en de eigen tranen van de prinses hadden een grote uitbarsting van smart en boosheid teweeggebracht.

Wie waren de Niskies eigenlijk? Cadrach noemde ze Tinukeda'ya – Oceaankinderen, had Gan Itai gezegd. Waar kwamen ze vandaan? Een veraf gelegen eiland misschien. Schepen op een donkere Oceaan, had de Niskie gezegd, van ergens ver weg. Zat de wereld zo in elkaar dat iedereen verlangde terug te gaan naar een plaats of tijd die verloren was?

Haar gedachten werden onderbroken door een klop op de deur.

'Vrouwe Marya, bent u wakker?'

Ze gaf geen antwoord. De deur zwaaide langzaam open. Miriamele ver-vloekte zichzelf inwendig; ze had hem moeten vergrendelen.

'Vrouwe Marya?' De stem van de graaf was zacht. 'Ben je ziek? Ik heb je bij het avondeten gemist.'

Ze verroerde zich en wreef in haar ogen, alsof ze uit de slaap ontwaakte.

'Heer Aspitis. Het spijt mij, ik voel me niet goed. We zullen morgen spreken wanneer ik me beter voel.'

Hij kwam op katzachte voeten en ging op de rand van haar bed zitten. Zijn lange vingers speelden over haar gezicht. 'Maar dit is vreselijk. Wat scheelt je? Ik zal je door Gan Itai laten verzorgen. Ze is heel goed in de geneeskunst; ik zou meer vertrouwen in haar hebben dan in een bloedzuiger of apotheker.'

'Dank u, Aspitis. Dat zou vriendelijk zijn. Nu hoor ik waarschijnlijk weer te gaan slapen. Het spijt me dat ik zulk slecht gezelschap ben.'

De graaf scheen geen haast te hebben om weg te gaan. Hij streelde haar haren. 'Weet u, vrouwe, ik heb werkelijk spijt van mijn onbehouwen woorden en gedrag van enkele avonden geleden. Ik ben heel erg op u gesteld geraakt, en ik was in de war bij het idee dat u me zo spoedig zou verlaten. Per slot van rekening delen wij een diepe band als minnaars, nietwaar?' Zijn vingertoppen gleden omlaag langs haar nek en maakten dat de huid zich spande en een koude rilling haar doorvoer.

'Ik vrees dat ik niet in een goede toestand verkeer om nu over dat soort dingen te praten, heer. Maar ik vergeef u uw woorden die, naar ik wist, overijld werden gesproken maar niet uit de grond van uw hart kwa-men.' Ze richtte haar ogen een ogenblik op zijn gezicht en probeerde zijn gedachten te doorgronden. Zijn ogen schenen onschuldig, maar zij herinnerde zich Cadrachs woorden, en ook Gan Itai's beschrijving van de vergadering die hij bijeen had geroepen, en de kilte keerde terug, en bracht een rilling mee die zij met grote moeite verborg.

'Goed,' zei hij. 'Heel goed. Ik ben blij dat je dat begrijpt. Overijlde woorden. Precies.'

Miriamele besloot de oprechtheid van die hoveling op de proef te stel-len. 'Maar natuurlijk, Aspitis, moet je mijn eigen bedroefdheid begrij-pen. Mijn vader, zie je, weet niet waar ik ben. Misschien heeft het klooster hem al bericht dat ik niet ben aangekomen. Hij zal dodelijk ongerust zijn. Hij is oud, Aspitis, en ik vrees voor zijn gezondheid. Je moet kunnen begrijpen waarom ik vind dat ik je gastvrijheid moet ver-zaken, of ik wil of niet.'

'Natuurlijk,' zei de graaf. Miriamele voelde een sprankje hoop. Was het mogelijk dat ze hem ten slotte toch verkeerd had ingeschat? 'Het is wreed om je vader ongerust te laten zijn. We zullen hem bericht sturen zodra we aan land aanleggen, aan het eiland Spenit, denk ik. En we zullen hem het goede nieuws mededelen.'

Ze glimlachte. 'Hij zal heel blij zijn te horen dat ik het goed maak.'

'Ah.' Aspitis beantwoordde haar glimlach. Zijn lange, mooie kaak en heldere ogen zouden een beeldhouwer als model voor een van de grote helden uit het verleden hebben kunnen dienen. 'We zullen hem vertellen dat zijn dochter met iemand van Nabbans Vijftig Families zal trouwen!'

Miriameles glimlach versaagde. 'Wat?'

'Nu, we zullen hem van ons aanstaande huwelijk vertellen!' zei Aspitis, van verrukking lachend. 'Ja, vrouwe, ik heb nagedacht en nagedacht, en hoewel uw familie niet zo voornaam is als de mijne – en bovendien Erkynlands – heb ik ter wille van de liefde besloten mijn traditie aan mijn laars te lappen. Wij zullen in het huwelijk treden wanneer we naar Nabban terugkeren.' Hij nam haar koude hand in zijn warme greep. 'Maar je kijkt niet zo gelukkig uit als ik had gehoopt, mooie Marya.'

Miriameles gedachten sloegen op hol, maar evenals in een droom over een angstwekkende achtervolging, kon ze aan niets anders dan aan ontsnapping denken. 'Ik... ik ben overweldigd, Aspitis.'

'Ah, welnu, dat is begrijpelijk, lijkt me.' Hij stond op en boog zich toen voorover om haar te kussen. Zijn adem rook naar wijn, zijn wang naar parfum. Zijn mond was een ogenblik hard tegen de hare voor hij zich lostrok. 'Per slot van rekening is het nogal plotseling, dat weet ik. Maar het zou erger dan onsportief van mij zijn om je te verlaten... na alles wat wij samen hebben beleefd. En ik ben van je gaan houden, Marya. De bloemen van het noorden zijn anders dan die van mijn zuidelijke thuis, maar hun geur is even zoet, de bloesems even mooi.'

Hij bleef in de deuropening staan. 'Rust en slaap zacht, vrouwe. We hebben veel om over te praten. Goedenacht.' De deur viel achter hem dicht. Miriamele sprong meteen van haar bed op, schoof de grendel dicht en kroop toen weer onder haar deken, overvallen door een aanval van rillingen.

3

Ten oosten van de wereld

'Ik ben nu een ridder, nietwaar?' Simon liet zijn hand door de dikke vacht van Qantaqa's nek glijden. De wolf keek hem onbewogen aan. Binabik keek op van zijn bundel perkament en knikte. 'Krachtens een eed aan je god en je prins.' De trol richtte zich weer tot Morgenes' boek. 'Dat lijkt me passend voor de bijzonderheden van het ridderschap.'

Simon keek over de uitgestrektheid van de betegelde Vuurtuin en probeerde te bedenken hoe hij zijn gedachten onder woorden moest brengen. 'Maar... maar ik voel me helemaal niet anders. Ik ben een ridder – een man! Dus waarom heb ik het gevoel dat ik dezelfde ben?'

Omdat hij in beslag werd genomen door iets dat hij las, duurde het even voor Binabik antwoordde. 'Het spijt me, Simon,' zei hij ten slotte. 'Als een goede vriend had ik beter moeten luisteren. Zeg alsjeblieft nog eens wat je zei.'

Simon boog zich voorover en pakte een losse steen op, en gooide die toen stuiterend over de tegels het omringende struikgewas in. Qantaqa sprong er achteraan. 'Als ik een ridder en een volwassen mens ben, waarom voel ik mij dan dezelfde stomme koksjongen?'

Binabik glimlachte. 'Jij bent niet de enige die ooit zulke gevoelens heeft gehad, vriend Simon. Iemand verandert van binnen nauwelijks, omdat er een nieuw seizoen voorbij is of omdat hij erkenning krijgt. Jij bent door Jozua tot ridder geslagen vanwege de dapperheid die je op de Urmsheim hebt betoond. Als je veranderd bent, dan is dat niet tijdens de plechtigheid van gisteren maar op de berg gebeurd.' Hij klopte op Binabiks gelaarsde voet. 'Zei je niet dat dat je daar iets geleerd had, en ook van het bloed dat de draak vergoot?'

'Ja.' Simon loenste naar Qantaqa's staart, die als een rooksliertje boven de hei uit zwaaide.

'Lieden, zowel trollen als laaglanders, groeien in hun eigen tijd,' zei de kleine man, '... niet wanneer iemand zegt dat het zo is. Wees tevreden. Je zult altijd heel erg op Simon lijken, maar toch heb ik in de maanden dat wij vrienden zijn heel veel verandering gezien.'

'Werkelijk?' Simon zweeg net toen hij wilde gooien.

'Echt waar. Je begint een man te worden, Simon. Laat het gebeuren met de snelheid die daarvoor nodig is, en maak je er geen zorgen over.' Hij ritselde met de papieren. 'Luister, ik wil je iets voorlezen.' Hij volgde de regels van Morgenes' spinachtige handschrift met een stompe vinger. 'Ik ben dankbaarder dan ik Strangyeard kan zeggen dat hij dit boek uit de bouwval van Naglimund heeft meegenomen. Het is onze laatste band met die grote man, jouw leermeester.' Zijn vinger bleef rusten. 'Ah, hier. Morgenes schrijft over Prester John:'

'... Als hij door goddelijkheid was aangeraakt, dan bleek dat het duidelijkst uit zijn komen en gaan, uit zijn vermogen de juiste plaats op de geschiktste tijd te vinden, en daarvan profijt te trekken...'

'Ik heb dat gedeelte gelezen,' zei Simon met matige interesse.
'Dan zul je het belang ervan voor onze inspanningen hebben opgemerkt,' antwoordde de trol.

'... want Prester John wist dat zowel in de oorlog als in de diplomatie – zoals ook in de liefde en de handel, twee andere niet geheel verschillende bezigheden – de beloningen meestal niet toevallen aan de sterken of zelfs aan de rechtvaardigen, maar eerder aan de fortuinlijken. John wist ook dat hij die snel en zonder overmatige behoedzaamheid handelt zijn eigen fortuin maakt.'

Simon fronste zijn voorhoofd toen hij de vergenoegde uitdrukking op Binabiks gezicht zag. 'Dus?'
'Ah.' De trol was onverstoorbaar. 'Luister verder.'

'Dus, in de oorlog die Nabban onder zijn koninklijke gezag bracht, voerde John zijn ver in de minderheid zijnde strijdmacht door de Onestrine Pas, regelrecht in de speerpunt van Andrivis' legioenen, hoewel allen wisten dat alleen een dwaas dat zou doen. Het was deze dwaasheid, deze ogenschijnlijke waanzin, die Johns veel kleinere strijdmacht het grote voordeel van de verrassing opleverde... en zelfs, tegenover het verbijsterde Nabbaanse leger, een aura van door God aangeraakte onweerstaanbaarheid.'

Simon vond de toon van triomf in de stem van de kleine man vaag verontrustend. Binabik scheen te denken dat de bedoeling op de een of andere manier duidelijk was. Simon fronste, nadenkend.
'Zeg je dat wij net als koning John zouden moeten zijn? Dat we zouden moeten proberen Elias te verrassen?' Het was een verbazingwekkend idee. 'Dat we hem... zouden moeten aanvallen?'
Binabik knikte, zijn tanden in een gele glimlach ontbloot. 'Knappe Simon! Waarom niet? Wij hebben alleen maar gereageerd, niet gehandeld. Misschien zal een verandering nuttig zijn.'
'Maar de Stormkoning dan?' Geschokt door die gedachte, keek hij naar buiten naar de bewolkte horizon. Simon sprak die naam niet eens graag

uit onder de wijde leigrijze hemel in dit vreemde oord. 'En bovendien, Binabik, zijn wij slechts met enkele honderden. Koning Elias heeft duizenden soldaten. Iedereen weet dat.'

De trol haalde de schouders op. 'Wie zegt dat wij met leger tegen leger moeten vechten? In elk geval, ons kleine gezelschap groeit met de dag aan naarmate er meer mensen over de weilanden komen naar... hoe noemde Jozua het ook alweer? Ah. Nieuw Gadrinsett.'

Simon schudde zijn hoofd en gooide nog een scherf van door de wind gepolijste steen weg. 'Het lijkt mij dom... nee, niet dom. Maar te gevaarlijk.'

Binabik was niet in de war. Hij floot Qantaqa, die over de stenen tegels terug kwam rennen. 'Misschien is het dat ook wel, Simon. Laten we een eindje gaan lopen.'

Prins Jozua keek omlaag naar zijn zwaard, zijn gezicht verontrust. De opgewektheid die hij op Simons feest had getoond, scheen helemaal verdwenen.

Het was niet zo dat de prins de laatste tijd echt gelukkiger was, besloot heer Deornoth, maar hij had geleerd dat zijn gebrek aan zelfvertrouwen degenen om hem heen onrustig maakte. In tijden als deze gaven de mensen de voorkeur aan een onbevreesde prins boven een eerlijke, dus spande Jozua zich in om zijn onderdanen een masker van kalm optimisme voor te houden. Maar Deornoth, die hem goed kende, twijfelde er nauwelijks aan dat Jozua's verantwoordelijkheden nog even zwaar op hem drukten als altijd.

Hij is net als mijn moeder, besefte Deornoth. *Vreemd om dat van een prins te denken. Maar evenals zij, voelt hij dat hij de zorgen en angsten van allen op zich moet nemen, dat niemand anders die last kan dragen.*

En, zoals Deornoth bij zijn moeder had gezien, scheen Jozua ook sneller te verouderen dan zijn omgeving. Hoewel hij altijd al slank was geweest, tijdens de vlucht van het gezelschap uit Naglimund was de prins heel mager geworden. Hij had iets van zijn omvang teruggekregen, maar hij had nu een vreemde aura van broosheid die niet wilde weggaan. Deornoth vond hem enigszins onwerelds, als iemand die net van een lang ziekbed is opgestaan. Het aantal grijze strepen in zijn haar was drastisch toegenomen en zijn ogen, hoewel scherp en schrander als altijd, hadden een lichtelijke koortsige glans.

Hij heeft vrede nodig. Hij heeft behoefte aan rust. Ik wou dat ik aan de voet van zijn bed kon staan en hem beschermen terwijl hij een jaar lang slaapt. 'God geve hem kracht,' mompelde hij.

Jozua draaide zich om en keek hem aan. 'Het spijt me, mijn geest was aan het malen. Wat zeg je?'

Deornoth schudde zijn hoofd; hij wilde niet liegen, maar was er ook niet op gebrand hem deelgenoot te maken van zijn gedachten. Beiden richtten hun aandacht weer op het zwaard.

Prins en leenman stonden voor de lange stenen tafel in het gebouw dat Geloë het Afscheidshuis had genoemd. Alle sporen van het feest van de vorige avond waren verdwenen en nu lag er slechts één glanzend zwart voorwerp op de gladde steen.

'Te bedenken dat zovelen door de punt van dat zwaard zijn gedood, zei Deornoth ten slotte. Hij raakte het met koord omwikkelde gevest aan. Doorn was koud en levenloos als de steen waarop het rustte.

'En nog recenter…' mompelde de prins, 'bedenk eens hoevelen er gestorven zijn opdat wij het zouden krijgen.'

'Maar als wij er zoveel voor hebben betaald, zouden we het toch zeker niet hier moeten laten liggen in een open zaal waar iedereen kan komen.' Deornoth schudde zijn hoofd. 'Dit zou wel eens onze grootste hoop kunnen zijn, hoogheid, onze enige hoop! Moeten we het niet veilig wegbergen of onder bewaking stellen?'

Jozua glimlachte bijna. 'Met welk doel, Deornoth? Iedere schat kan gestolen worden, elk kasteel verwoest, iedere schuilplaats opgespoord. Het is beter dat het daar ligt waar iedereen het kan zien en voelen welke hoop het bevat.' Hij kneep zijn ogen dicht terwijl hij omlaag keek naar het zwaard. 'Niet dat ik veel hoop voel wanneer ik ernaar kijk. Ik vertrouw erop dat jullie mij niet minder prinselijk zullen vinden als ik zeg dat het mij een soort kil gevoel geeft.' Hij liet zijn hand langzaam langs de hele lengte van het zwaard glijden. 'In elk geval, naar wat Binabik en de jonge Simon hebben gezegd, zal niemand dit zwaard brengen waar het niet wil gaan. Bovendien, als het hier ligt ten aanschouwe van iedereen, als Tethtains bijl in het hart van de legendarische beukeboom, zal er misschien iemand naar voren komen om ons te vertellen hoe het kan dienen.'

Deornoth was verbaasd. 'U bedoelt iemand van het gewone volk, hoogheid?'

De prins gromde. 'Er zijn allerlei soorten wijsheid, Deornoth. Als wij eerder hadden geluisterd naar het gewone volk dat in de Vorstmark woont toen het ons vertelde dat het kwaad door het land rondwaarde, wie weet welk lijden ons dan bespaard zou zijn gebleven? Nee, Deornoth, elk woord van wijsheid over dit zwaard, elk oud lied, elk half-herinnerd verhaal is nu van waarde voor ons.' Jozua kon zijn blik van ontevredenheid niet verbergen. 'Per slot van rekening hebben wij er geen weet van wat voor goed het ons kan doen; feitelijk, geen idee dat het goed zal doen, met uitzondering van een duister en oud rijm…'

'Wanneer vorst rijpt op Claves' bel
en schaduwen de weg op gaan,
het water zwart wordt in de Wel,
moeten Drie Zwaarden wederkeren.'

De twee mannen draaiden zich verbaasd om. Geloë stond bij de deuropening. Zij vervolgde het rijm, terwijl ze naar hen liep.

'Wanneer uit de aarde Bukken komen
en Hunën uit de hoogte dalen,
nachtmerries smoren zoete dromen,
moeten Drie Zwaarden wederkeren.

Om 't naderende Lot te keren,
de Nevels van de Tijd te klaren,
als Vroeg Te Laat zal resisteren,
moeten Drie Zwaarden wederkeren.'

'Ik kon het niet helpen dat ik u hoorde prins Jozua... ik heb scherpe oren. Uw woorden zijn heel wijs. Maar wat de twijfel betreft of het zwaard zal helpen...' Ze trok een grimas. 'Vergeef een oude vrouw uit het woud haar lompheid, maar als wij niet in de macht van Nisses' profetie geloven, wat blijft er dan voor ons over?'
Jozua probeerde te glimlachen. 'Ik betwistte niet dat het iets belangrijks voor ons betekent, Valada Geloë. Ik wilde alleen dat ik duidelijker wist wat voor soort wapens deze zwaarden zullen zijn.'
'Zoals wij allemaal.' De tovenares knikte tegen Deornoth en wierp toen snel een blik op het zwarte zwaard. 'Maar toch, we hebben een van de drie Grote Zwaarden, en dat is meer dan we een seizoen geleden hadden.'
'Waar. Zeer waar.' Jozua leunde achterover tegen de stenen tafel. 'En wij bevinden ons op een veilige plaats, dank zij jou. Ik ben niet blind geworden voor geluk, Geloë.'
'Maar u maakt u ongerust.' Het was geen vraag. 'Het wordt moeilijker om onze groeiende nederzetting te voeden, en moeilijker om degenen die hier wonen te besturen.'
De prins knikte. 'En dat terwijl velen eigenlijk niet eens weten waarom ze hier zijn, behalve dat ze andere kolonisten zijn gevolgd. Na zo'n koude zomer, weet ik niet hoe wij de winter zullen overleven.'
'De mensen zullen naar u luisteren, hoogheid,' zei Deornoth. Wanneer de tovenares aanwezig was, leek Jozua meer op een voorzichtige student dan op een prins. Hij had nooit geleerd het prettig te vinden en had

slechts ten dele geleerd zijn ergernis te verbergen. 'Ze zullen doen wat u zegt. Wij zullen de winter te zamen overleven.'

'Natuurlijk, Deornoth.' Jozua legde zijn hand op de schouder van zijn vriend. 'Wij hebben te veel doorgemaakt om ons door de onbeduidende problemen van vandaag te laten terugschrikken.'

Hij keek alsof hij meer wilde zeggen, maar op dat ogenblik hoorden ze het geluid van voetstappen op de brede trap buiten. De jonge Simon en de trol verschenen in de deuropening, op de voet gevolgd door Binabiks tamme wolf. Dit grote dier snoof de lucht op, snuffelde toen ook aan de steen aan alle kanten van de deur alvorens weg te draven en in een verre hoek van de zaal te gaan liggen. Deornoth sloeg haar vertrek met enige opluchting gade. Hij had talloze bewijzen dat zij ongevaarlijk was, maar hij was opgegroeid als een kind van het platteland van Erkynland, waar wolven in verhalen bij de haard de duivels waren.

'Ah,' zei Jozua opgewekt, 'mijn jongste ridder vergezeld van de geëerde afgezant van het verre Yiqanuc. Kom, ga zitten.' Hij wees naar een rij stoelen die na de festiviteiten van de vorige avond was blijven staan. 'Wij wachten op nog een paar anderen, onder wie graaf Eolair.' De prins wendde zich tot Geloë. 'Jij hebt voor hem gezorgd, nietwaar? Maakt hij het goed?'

'Een paar sneden en blauwe plekken. Hij is ook mager – hij heeft ver gereden en weinig te eten gehad. Maar zijn gezondheid is goed.'

Deornoth dacht dat ze niet veel meer zou zeggen als de graaf van Nad Mullach uit zijn tent zou zijn gelokt en gevierendeeld... maar ze zou hem toch weer gauw op de been hebben. De tovenares betoonde zijn prins niet voldoende eerbied en had weinig eigenschappen die Deornoth als vrouwelijk beschouwde, maar hij moest toegeven dat ze heel goed was in de dingen die ze deed.

'Ik ben blij het te horen.' Jozua stopte zijn hand onder zijn mantel. 'Het is koud hier. Laten we een vuur aanleggen zodat we kunnen spreken zonder dat onze tanden klapperen.'

Terwijl Jozua en de anderen praatten, haalde Simon stukken hout van de stapel in de hoek en legde ze in de askuil, blij dat hij iets te doen had. Hij was er trots op deel uit te maken van dit hoge gezelschap, maar kon zijn lidmaatschap nog niet helemaal als vanzelfsprekend aanvaarden.

'Zet ze zo dat ze elkaar aan de bovenkant raken en spreidt ze onderaan uit,' adviseerde Geloë.

Hij volgde haar raad op en maakte midden in de as een konische tent van brandhout. Toen hij klaar was, keek hij rond. De grove askuil scheen niet thuis te horen in de fraai bewerkte stenen vloer, alsof dieren in een van de grote huizen van Simons eigen soort waren gaan wonen.

Nergens in het lange vertrek scheen een Sithi equivalent van de kuil te zijn. Hoe hadden ze de ruimte warm gehouden? Simon herinnerde zich Aditu die blootsvoets in de sneeuw rende en besloot dat ze zich er misschien niet om hadden bekommerd.

'Is Afscheidshuis werkelijk de naam van dit gebouw?' vroeg hij aan Geloë toen ze eraan kwam met haar vuursteen en staal. Ze negeerde hem een ogenblik terwijl ze naast de askuil hurkte, en de schorskrullen die om de blokken heen lagen met een vonk ontstak.

'Het is een vrijwel letterlijke naam. Ik zou hem "Zaal des Afscheids" hebben genoemd, maar de trol heeft mijn Sithi grammatica verbeterd.' Ze schonk hem een zuinig glimlachje. Een sliertje rook zweefde langs haar handen omhoog.

Simon dacht dat ze misschien een grapje had gemaakt, maar hij was er niet helemaal zeker van. '"Afscheid", omdat de twee families in deze kamer uiteengingen?'

'Ik geloof dat het de plaats was waar zij scheidden, ja. Waar de overeenkomst werd gesloten. Ik denk dat hij voor de Sithi een andere naam heeft of had, want hij was al lang voordat die twee stammen uiteengingen in gebruik.'

Dus hij had gelijk gehad: in zijn visioen had hij het verleden van dit oord gezien. Peinzend keek hij door de zaal met zuilen, naar de pilaren van bewerkte steen, na talloze jaren nog schoon en met scherpe randen. Jiriki's lieden waren eens machtige bouwmeesters geweest, maar nu waren hun huizen in het woud even veranderlijk en vergankelijk als de nesten van vogels. Misschien was het verstandig van de Sithi dat ze zich niet diep wortelden. Toch, dacht Simon, een plaats die er altijd was, een thuis dat niet veranderde, scheen op dit ogenblik de mooiste schat ter wereld te zijn.

'Waarom zijn de twee families uiteengegaan?'

Geloë haalde de schouders op. 'Er is nooit één reden voor een dergelijke grote verandering, maar ik heb gehoord dat stervelingen er iets mee te maken hadden.'

Simon herinnerde zich het laatste, vreselijke uur in de Yasirá. 'De Nornkoningin – Utuk'ku. Ze was woedend omdat de Sithi "de stervelingen niet het land uit hadden geranseld", zei ze. En ze zei ook dat Amerasu de stervelingen niet met rust zou laten. Ons stervelingen. Zoals ik.' Het was moeilijk om zonder schaamte aan Amerasu, de Scheepsgeborene, te denken: haar moordenaar had beweerd dat hij Simon naar Jaoé-Tinukai'i was gevolgd.

De tovenares keek hem een ogenblik aan. 'Ik vergeet soms hoeveel je gezien hebt, jongen. Ik hoop dat je niet vergeet wanneer jouw tijd komt.'

'Welke tijd?'

'Wat de scheiding van Sithi en Nornen betreft,' ging ze verder, zijn vraag negerend, 'daar kwamen ook stervelingen aan te pas, maar er wordt ook verteld dat de twee huizen zelfs in het land van hun oorsprong ongemakkelijke bondgenoten waren.'

'De Tuin?'

'Zoals zij het noemen. Ik ken de verhalen niet goed... ik heb me nooit erg voor dergelijke verhalen geïnteresseerd. Ik heb altijd gewerkt met de dingen die vóór mij zijn, dingen die kunnen worden aangeraakt, en gezien en waartegen kan worden gesproken. Er kwam een vrouw in voor, een Sitha vrouw, en ook een man van de Hikeda'ya. Zij stierf. Hij stierf. Beide families waren verbitterd. Het is een oude kwestie, jongen. Als je je vriend Jiriki weer ziet, vraag het dan aan hem. Het is per slot van rekening de geschiedenis van zijn eigen familie.'

Geloë stond op en liep weg, en liet Simon bij het vuur achter om zijn handen te warmen.

Deze oude verhalen zijn als bloed. Zij lopen door mensen heen, zelfs wanneer ze het niet weten of eraan denken. Hij dacht een ogenblik over dit idee na. *Maar zelfs als je niet aan ze denkt, wanneer de slechte tijden aanbreken, komen de oude verhalen van alle kanten te voorschijn. En dat is ook net als bloed.*

Terwijl Simon zat te peinzen, arriveerde Hotvig met zijn helper Ozhbern. Zij werden snel gevolgd door Isorn en zijn moeder, hertogin Gutrun.

'Hoe maakt mijn vrouw het, hertogin?' vroeg Jozua.

'Voelt zich niet goed, hoogheid,' antwoordde zij, 'anders zou ze hier zijn geweest. Maar dat valt alleen maar te verwachten. Kinderen zijn niet alleen lastig nadat ze zijn gearriveerd, weet u.'

'Ik weet heel weinig, lieve dame,' zei Jozua lachend. 'Vooral hiervan. Ik ben nooit eerder vader geweest.'

Weldra verscheen pater Strangyeard, vergezeld door graaf Eolair van Nad Mullach. De graaf had zijn reiskleding verwisseld voor Tritsingkleren, hemd en broek van dikke bruine wol. Hij droeg een gouden torque om zijn hals en zijn zwarte haar was in een lange staart naar achteren getrokken. Simon herinnerde zich dat hij hem lang geleden op de Hayholt had gezien, en verbaasde zich opnieuw over de vreemdheid van het Lot, hoe het mensen over de wereld heen en weer schoof als stukken in een enorm *shent*spel.

'Welkom, Eolair, welkom,' zei Jozua. 'Aedon zij dank, het doet mijn hart goed je weer te zien.'

'En het mijne, hoogheid.' De graaf gooide de zadeltassen die hij droeg tegen de muur bij de deur, en raakte toen met één knie even de grond aan. Hij stond op om zich door Jozua te laten omhelzen. 'Gegroet van de Hernystirse natie in ballingschap.'

Jozua stelde Eolair snel voor aan hen die hij nog niet kende. Tegen Simon zei de graaf: 'Ik heb het een en ander over je avonturen gehoord sinds ik hier ben aangekomen.' De glimlach op zijn magere gezicht was hartelijk. 'Ik hoop dat je wat tijd wilt vrijmaken om met mij te praten.' Simon knikte, gevleid. 'Zeker, graaf.'

Jozua leidde Eolair naar de lange tafel, waar Doorn wachtte, plechtig en verschrikkelijk als een dode koning op zijn baar.

'Het beroemde zwaard van Camaris,' zei de man uit Hernystir. 'Ik heb er zo vaak van gehoord, dat het vreemd is om het eindelijk te zien en te beseffen dat het werkelijk bestaat, gesmeed van metaal als elk ander wapen.'

Jozua schudde zijn hoofd. 'Niet helemaal als elk ander wapen.'

'Mag ik het aanraken?'

'Natuurlijk.'

Eolair kon het gevest nauwelijks van de stenen tafel optillen. De spieren van zijn nek tekenden zich duidelijk af toen hij eraan trok. Ten slotte gaf hij het op en wreef zijn verkrampte vingers. 'Het is zo zwaar als een molensteen.'

'Soms.' Jozua klopte hem op de schouder. 'Andere keren is het licht als ganzedons. We weten niet waarom, en we weten evenmin wat voor goed het ons zal doen, maar het is het enige dat we hebben.'

'Pater Strangyeard heeft me van het rijm verteld,' zei de graaf. 'Ik denk dat ik u meer over de Grote Zwaarden kan vertellen.' Hij keek de kamer rond. 'Als dit de juiste tijd ervoor is.'

'Dit is een oorlogsraad,' zei Jozua eenvoudig. 'Al deze lieden kan alles worden verteld en wij zijn verlangend naar nieuws over de zwaarden. We willen ook over uw volk horen, natuurlijk. Ik heb begrepen dat Lluth dood is. U hebt onze innige deelneming. Hij was een prachtig mens en een voortreffelijke koning.'

Eolair knikte. 'En Gwythinn, zijn zoon, eveneens.'

Heer Deornoth, op een stoel in de buurt gezeten, kreunde. 'O, dat is slecht nieuws! Hij is kort voor het beleg uit Naglimund vertrokken. Wat is er gebeurd?'

'Hij is gevangengenomen door Skali's Kaldskrykemannen en afgeslacht.' Eolair richtte zijn blik naar de grond. 'Ze hebben zijn lichaam aan de voet van de berg als afval neergegooid, en zijn weggereden.'

'Vervloekt zijn zij!' grauwde Deornoth.

'Ik schaam me ervoor hen landgenoten te noemen,' zei de jonge Isorn.

Zijn moeder knikte instemmend. 'Wanneer mijn echtgenoot terugkeert, zal hij met Scherpneus afrekenen.' Ze klonk even zeker alsof ze over de aanstaande zonsondergang sprak.

'Toch, wij zijn allen hier landslieden,' zei Jozua. 'Wij zijn allen één volk. Van deze dag af aan, strijden we samen tegen gemeenschappelijke vijanden.' Hij gebaarde naar de stoelen die tegen de muur stonden. 'Kom, laat iedereen gaan zitten. Wij moeten voor onszelf sloven en draven; ik dacht dat hoe kleiner deze groep bleef, des te gemakkelijker het zou zijn om openhartig te spreken.'

Toen allen waren verzameld, vertelde Eolair van de val van Hernystir, te beginnen met het bloedbad bij de Inniscrich en Lluths dodelijke verwonding. Hij was nauwelijks begonnen toen er buiten de hal beroering ontstond. Een ogenblik later strompelde de oude nar Towser door de deur met Sangfugol, die aan zijn hemd trok in een poging hem te weerhouden.

'Zo!' De oude man keek Jozua strak aan met een rooddoorlopen, starende blik. 'U bent evenmin loyaal als uw moordzuchtige broer!' Hij zwaaide terwijl Sangfugol wanhopig aan hem trok. Met zijn roze wangen en wilde haren – althans het weinige haar dat er over was – was Towser zichtbaar dronken.

'Kom mee, verdomme!' zei de harpspeler. 'Het spijt mij, mijn prins, hij sprong ineens op en...'

'Te bedenken dat ik na al die jaren die ik heb gediend,' sputterde Towser, 'word... word uitgesloten.' Hij sprak het woord met trotse zorgvuldigheid uit, zich niet bewust van de straal spuug die aan zijn kin hing, 'word gemeden, van uw vergaderingen word uitgesloten, terwijl ik uw vaders hart het meest na stond...'

Jozua stond op, de nar droevig aankijkend. 'Ik kan nu niet met je praten, oude man. Niet wanneer je zo bent.' Hij fronste, kijkend hoe Sangfugol met hem worstelde.

'Ik zal helpen, prins Jozua,' zei Simon. Hij kon het niet verdragen dat de oude man zich nog een ogenblik langer te schande maakte. Simon en de harpspeler slaagden erin Towser om te draaien. Zodra zijn rug naar de prins was toegekeerd, scheen de agressie uit hem weg te lopen; de nar liet zich naar de deur loodsen.

Buiten woei een bitterkoude wind over de top van de heuvel. Simon trok zijn mantel uit en drapeerde die over Towsers schouders. De nar ging op de bovenste trede zitten, een bundeltje scherpe botten en mager vel, en zei: 'Ik denk dat ik misselijk word.' Simon klopte hem op de schouder, en keek hulpeloos naar Sangfugol, wiens blik allesbehalve meelevend was.

'Het is alsof je voor een kind zorgt,' gromde de harpspeler. 'Nee, kinderen gedragen zich beter. Leleth, bij voorbeeld, die helemaal geen woord zegt.'

'*Ik* heb hun verteld waar ze dat verdomde zwarte zwaard moesten zoeken,' mompelde Towser. 'Ik heb ze verteld waar het was. Heb ze ook van het andere verteld, dat Lias het niet wou vasthouden. "Je vader wil dat jij het krijgt," zei ik tegen hem, maar hij wou niet luisteren. Liet het vallen als een slang. Nu ook het zwarte zwaard.' Er liep een traan over zijn wang met de witte bakkebaarden. 'Hij gooit me weg als een sinaasappelschil.'

'Waar heeft hij het over?' vroeg Simon.

Sangfugol trok zijn lip op. 'Hij heeft de prins een paar dingen over Doorn verteld voordat jij vertrok om het te gaan zoeken. Ik weet niet waar de rest over gaat.' Hij leunde voorover en greep Towsers arm. 'Huh. Hij heeft gemakkelijk klagen… hij hoeft niet zijn eigen kindermeisje te spelen.' Hij toonde Simon een zure glimlach. 'Nou ja, er zijn waarschijnlijk ook slechte dagen in de loopbaan van een ridder, nietwaar? Zoals wanneer mensen je met zwaarden slaan, en zo?' Hij trok de nar overeind en wachtte tot de oude man zijn evenwicht vond. 'Towser noch ik zijn in een erg goed humeur, Simon. Niet jouw schuld. Kom me later opzoeken, dan drinken we wat wijn.'

Sangfugol draaide zich om en liep weg over het wuivende gras, proberend Towser te ondersteunen en hem tegelijkertijd zover mogelijk van de schone kleren van de harpspeler weg te houden.

Prins Jozua knikte dankbaar toen Simon weer het Afscheidshuis binnenkwam. Simon voelde zich vreemd omdat hij voor zo'n deprimerende taak werd beloond. Eolair was aan het eind gekomen van zijn beschrijving van de val van Hernystir en van de vlucht van zijn volk naar de Grianspogbergen. Terwijl hij vertelde van de terugtocht van de overgebleven Hernystiri's door de grotten die de berg doorzeefden, en hoe ze daar door de dochter van de koning heen waren geleid, glimlachte hertogin Gutrun.

'Die Maegwin is een pienter meisje. Je mag je gelukkig prijzen dat je haar hebt, als de vrouw van de koning even hulpeloos is als je zegt.'

De glimlach van de graaf was gepijnigd. 'U hebt gelijk, vrouwe. Ze is inderdaad de dochter van haar vader. Ik dacht vroeger dat ze een betere vorstin zou zijn dan Gwythinn, die wel eens koppig was… maar nu ben ik daar niet zo zeker meer van.'

Hij vertelde over Maegwins toenemende vreemdheid, van haar visioenen en dromen, en hoe die dromen Lluths dochter en de graaf omlaag in het hart van de berg naar de oude stenen stad Mezutu'a hadden geleid.

Toen hij vertelde van de stad en haar ongewone bewoners, de dwargen, luisterde het gezelschap verbijsterd. Alleen Geloë en Binabik schenen niet verbaasd te zijn om Eolairs verhaal.

'Wonderbaarlijk,' fluisterde Strangyeard terwijl hij omhoog staarde naar het gewelfde plafond van het Afscheidshuis alsof hij zich op dit

moment diep in de ingewanden van de Grianspog bevond. 'De Patroonzaal! Wat een schitterende verhalen moeten daar geschreven staan.'

'Misschien zul je sommige ervan later lezen,' zei Eolair enigszins geamuseerd. 'Ik ben blij dat de geest van de wetenschap deze boze winter
heeft overleefd.' Hij wendde zich weer tot het gezelschap. 'Maar wat
misschien het belangrijkste van alles is, is wat de dwergen over de Grote Zwaarden zeiden. Zij beweren dat zij Minneyar hebben gesmeed.'

'Wij weten iets van Minneyars verhaal,' zei Binabik, 'en de dwergen –
of *dvernings*, zoals de Noordmannen hen noemen – komen in dat verhaal
voor.'

'Maar wat voor ons van het meeste belang is, is waar Minneyar gebleven
is,' voegde Jozua eraan toe. 'Wij hebben één zwaard. Elias heeft het andere. Het derde…'

'Bijna iedereen in deze zaal heeft het derde gezien,' zei Eolair, 'en heeft
ook de plaats gezien waar het nu ligt – als de dwergen het bij het rechte
eind hebben. Want zij zeggen dat Minneyar met Fingil de Hayholt binnen is gegaan, maar dat Prester John het heeft gevonden… en het Glanzende Nagel heeft genoemd. Als ze gelijk hebben, Jozua, is het te zamen met uw vader begraven.'

'O hemel!' mompelde Strangyeard. Een ogenblik van verbijsterde stilte
volgde op zijn uitspraak.

'Maar ik heb het in mijn hand gehouden,' zei Jozua ten slotte, verwonderd. 'Ik heb het zelf op de borst van mijn vader gelegd. Hoe kan Glanzende Nagel Minneyar zijn? Mijn vader heeft er nooit een woord over
gezegd!'

'Nee, inderdaad.' Gutrin was verrassend vief. 'Hij wilde het zelfs nooit
aan mijn man vertellen. Zei tegen Isgrimnur dat het een oud, onbelangrijk verhaal was.' Ze schudde haar hoofd. 'Geheimen.'

Simon, die rustig had geluisterd, zei eindelijk iets. 'Maar heeft hij
Glanzende Nagel niet meegebracht uit Warinsten, waar hij geboren
werd?' Hij keek naar Jozua, plotseling bang dat hij aanmatigend was.
'Uw vader, bedoel ik. Dat is het verhaal dat ik kende.'

Jozua fronste, nadenkend. 'Dat is het verhaal dat velen vertelden, maar
nu ik erover nadenk, was mijn vader nooit een van hen.'

'Natuurlijk! O, natuurlijk!' Strangyeard ging rechtop zitten, zijn lange
handen ineen slaand. Zijn ooglap verschoof een beetje, zodat de hoek ervan een eindje over de brug van zijn neus hing. 'Die passage die Jarnauga zo verwarde, die passage uit het boek van Morgenes! Daarin stond
hoe John naar beneden ging om de draak tegemoet te treden – maar hij
had een speer bij zich! Een speer! O, goedheid, wat waren we blind!' De
priester giechelde als een jonge knaap. 'Maar toen hij naar buiten
kwam, was het met Glanzende Nagel! O, Jarnauga, was je maar hier!'

De prins hief zijn hand op. 'Er is hier veel om over na te denken en vele oude verhalen zouden opnieuw verteld moeten worden, maar op dit ogenblik is er een belangrijker probleem. Als de dwargen gelijk hebben, en op de een of andere manier heb ik het gevoel dat dat zo is – wie zou een dergelijk krankzinnig verhaal kunnen betwijfelen in dit krankzinnige seizoen? – moeten wij het zwaard toch bemachtigen, of je het Glanzende Nagel of Minneyar noemt. Het ligt in mijn vaders graf op de Swertcliff, vlak buiten de muren van de Hayholt. Mijn broer kan op zijn kantelen staan en de grafheuvels zien. De Erkynwacht paradeert bij dageraad en zonsondergang op de rand van de klif.'

Het ogenblik van duizeligheid was voorbij. In de zware stilte die volgde, voelde Simon de eerste roerselen van een idee. Het was vaag en ongevormd, dus hield hij het voor zich. Het was ook nogal angstwekkend. Eolair sprak. 'Er is meer, hoogheid. Ik heb u over de Patroonzaal verteld en van de kaarten die de dwargen daar van alle opgravingen die zij hebben gedaan bewaren.' Hij stond op en liep naar de zadeltassen die hij bij de deuropening had neergezet. Toen hij terugkwam, liet hij ze op de grond vallen. Verscheidene rollen van geoliede schapehuid vielen eruit. 'Dit zijn de plannen voor de opgravingen onder de Hayholt, een taak die de dwargen naar hun zeggen uitvoerden toen het kasteel nog Asu'a werd genoemd en aan de Sithi toebehoorde.'

Strangyeard was de eerste die op zijn knieën lag. Hij ontrolde een van de schapehuiden met de tedere zorg van een minnaar. 'Ah!' fluisterde hij. 'Ah!' Zijn extatische glimlach veranderde in een blik van verbazing. 'Ik moet bekennen,' zei hij ten slotte, 'dat ik, eh, enigszins… enigszins teleurgesteld ben. Ik had niet gedacht dat de dwargenkaarten zo… lieve help… zo primitief zouden zijn.'

'Dat zijn niet de dwargenkaarten,' zei Eolair fronsend. 'Dat is het nauwgezette werk van twee Hernystiri schriftgeleerden die in een benauwde, bijna volslagen duisternis op een angstwekkende plaats hebben gezwoegd om de stenen landkaarten van de dwargen op iets te kopiëren dat ik naar boven kon brengen.'

'O!' De priester was verootmoedigd. 'O! Vergeef mij, graaf! Het spijt me zo…'

'Hindert niet, Strangyeard.' Jozua wendde zich tot de graaf van Nad Mullach. 'Dit is een onverwacht geschenk, Eolair. Op de dag waarop wij eindelijk voor de muren van de Hayholt kunnen staan, zullen wij jouw naam hemelhoog loven.'

'Je mag ze hebben, Jozua. Het was eigenlijk Maegwins idee. Ik weet niet wat voor goed ze zullen doen, maar kennis is nooit slecht – uw archivaris zal het daar zeker mee eens zijn.' Hij gebaarde naar Strangyeard, die tussen de schapehuiden zat te wroeten als een zwijn dat een bosje truffels had opgegraven. 'Maar ik moet bekennen dat ik naar u toe ben gekomen in de hoop op meer dan dankbaarheid. Toen ik Hernystir verliet, was dat met het idee dat ik uw opstandelingenleger zou vinden en wij gezamenlijk Skali van Kaldskryke van mijn land zouden verdrijven. Maar, naar ik zie, verkeert u nauwelijks in de positie om ergens een leger heen te sturen.'

'Nee.' Jozua's uitdrukking was grimmig. 'Wij zijn nog steeds met heel weinigen. Dagelijks komen er meer binnendruppelen, maar we zouden lang moeten wachten voor we ook maar een kleine compagnie naar Hernystir zouden kunnen sturen om te helpen.' Hij stond op en liep een klein eind door de kamer, de stomp van zijn rechtervuist wrijvend alsof die hem pijn deed. 'Deze hele worsteling is geweest alsof je oorlog voerde met een blinddoek voor: wij hebben de macht die tegenover ons is gesteld nooit gekend of begrepen. Nu wij de aard van onze vijanden beginnen te begrijpen, zijn we met te weinigen om iets anders te doen dan ons hier in de meest afgelegen streek van Osten Ard schuil te houden.'

Deornoth leunde voorover. 'Als we ergens terug konden slaan, mijn prins, zouden mensen voor u in opstand komen. Slechts zeer weinigen voorbij de Tritsingen weten dat u nog leeft.'

'Daar schuilt waarheid in, prins Jozua,' zei Isorn. 'Ik weet dat er veel mensen in Rimmersgaarde zijn die Skali haten. Sommigen hebben geholpen mij te verbergen toen ik uit het oorlogskamp van Scherpneus ontsnapte.'

'Wat dat aangaat, Jozua, is uw overleving ook in Hernystir slechts een vaag gerucht,' zei Eolair. 'Alleen al het terugbrengen van die informatie naar mijn volk in de Grianspog zal mijn reis hiernaartoe tot een groot succes maken.'

Jozua, die had lopen ijsberen, bleef staan. 'Je zult hun meer brengen dan dat, graaf Eolair. Ik zweer u, u zult hun meer hoop brengen dan dat.' Hij streek met zijn hand over zijn ogen, als iemand die te vroeg wakker is geworden. 'Bij de Boom, wat een dag! Laten we ophouden en wat brood eten. In elk geval wil ik graag nadenken over wat ik heb gehoord.' Hij glimlachte vermoeid. 'Ik moet ook naar mijn vrouw gaan kijken.' Hij wuifde met zijn arm. 'Opstaan, allemaal, opstaan. Behalve jij, Strangyeard. Ik neem aan dat jij hier zult blijven?'

De archivaris, omringd door schapevellen, hoorde hem niet eens.

Verzonken in duistere en verwarde gedachten, duurde het enige tijd voor Pryrates het geluid opmerkte.

Toen het ten slotte door de mist van zijn preoccupatie sneed, bleef hij ineens staan, aan de rand van de trede wankelend.

'Azha she'she t'chakó, urun she'she bhabekró…'

Het geluid dat uit het verduisterde trappenhuis opsteeg, was zacht maar ijzingwekkend, een plechtige melodie die zich tussen pijnlijke dissonantie door slingerde: het had de beschouwende hymne van een spin kunnen zijn die haar prooi in kleverige zijde wikkelde. Met ademgeruis en op trage wijze gleed het zuur tussen tonen, maar met een handigheid die suggereerde dat de ogenschijnlijke melodieloosheid opzettelijk was – feitelijk op een volkomen andere opvatting van melodie berustte.

'Mudhul samat'ai. Jabbak s'era memekeza sanayha-z'á
Ninyek she'she, hamut 'tke agrazh'a s'era yé…'

Een mindere man zou zich misschien hebben omgedraaid en terug zijn gevlucht naar de bovenste regionen van het door de dag verlichte kasteel in plaats van de zanger van zo'n verwarrend lied te willen ontmoeten. Pryrates aarzelde niet, maar ging meteen opnieuw omlaag, zijn laarzen kletterend op de stenen treden. Een tweede draad van melodie voegde zich bij de eerste, even vreemd, even afschuwelijk geduldig; samen dreunden ze als wind boven een schoorsteengat.
Pryrates bereikte de overloop en sloeg de gang in. De twee Nornen die voor de zware eiken deur stonden, zwegen abrupt. Toen hij naderde, keken ze hem aan met de onverschillige en vaag beledigende uitdrukking van katten die gestoord worden bij het zonnen.
Ze waren groot voor Hikeda'ya, besefte Pryrates; ieder was lang als een heel lange man, hoewel ze mager waren als uitgehongerde bedelaars. Ze hielden hun zilverwitte lansen losjes vast en hun doodsbleke gezichten waren kalm onder hun donkere kappen.
Pryrates staarde naar de Nornen. De Nornen staarden Pryrates aan.
'Nou? Gaan jullie geeuwen of ga je de deur voor me openmaken?'
Een van de Nornen boog langzaam zijn hoofd. 'Ja, heer Pryrates.' Er was niet de minste zweem van ontzag in zijn ijzige, nadrukkelijke manier van spreken. Hij draaide zich om en trok de grote deur open, waardoor een gang rood van fakkellicht en nog meer trappen te zien waren. Pryrates liep tussen de twee wachten door en ging omlaag; de deur zwaaide achter hem dicht. Voor hij tien stappen had gezet, was de enge spinnemelodie opnieuw begonnen.

Hamers gingen op en neer, rinkelend en kletterend, het afkoelende metaal in vormen slaand welke nuttig waren voor de koning die in een verduisterde troonzaal ver boven zijn metaalgieterij zat. De herrie was vreselijk, de stank – zwavel, witheet ijzer, aarde tot droog zout verschroeid, zelfs de snoepjeszoete geur van verbrand mensenvlees – nog erger zelfs.

De mismaaktheid van de mannen die zich over de vloer van de grote smederij heen en weer spoedden was ernstig, alsof de vreselijke, brandende hitte van deze ondergrondse grot hen gesmolten had als slecht metaal. Zelfs hun zware, gecapitonneerde kleding kon die niet verbergen. In werkelijkheid, wist Pryrates, bleven alleen degenen die lichamelijk of geestelijk hopeloos verwrongen waren hier nog, werkend in Elias' wapenkamer. Enkelen van de anderen waren zo gelukkig geweest vroeg te ontsnappen, maar Duim, de kolossale opzichter had de meesten van hen die gezond van lijf en leden waren laten werken tot ze er dood bij waren neergevallen. Pryrates zelf had een paar kleine groepjes uitgezocht om hem bij enkele van zijn experimenten te helpen; wat er van hen over was, was uiteindelijk naar hier teruggestuurd, om dood dezelfde ovens te voeden waar ze tijdens hun leven dienst hadden gedaan.

De raadsman van de koning loenste door de hangende rook, de smeden gadeslaand terwijl ze onder enorme lasten zwoegden, of achteruit sprongen als verschroeide kikkers wanneer een lekkende vlam te dichtbij kwam. Op de een of andere manier, dacht Pryrates, had Duim afgerekend met allen die mooier of knapper waren dan hijzelf.

Eigenlijk, dacht Pryrates, grinnikend om zijn eigen wrede lichtzinnigheid, als dat de norm was, was het een wonder dat er nog iemand over was om de vuren te stoken of de gesmolten metalen in de grote smeltkroezen te verzorgen.

Er was een luwte in het gekletter van hamers, en in dat ogenblik van bijna-stilte, hoorde Pryrates een piepend geluid achter zich. Hij draaide zich om, ervoor oppassend dat hij niet te gehaast leek, voor het geval iemand keek. Niets kon de rode priester angst aanjagen: het was belangrijk dat iedereen dat wist. Toen hij zag wat het geluid veroorzaakte, grijnsde hij en spoog op de steen.

Het enorme waterrad nam het grootste deel van de wand van de grot achter hem in beslag. Het machtige houten rad, met stalen beslag en bevestigd aan een naaf die van een enorme stam was gemaakt, schepte water uit een krachtige stroom die door de smederij liep, hief het dan op en stortte het in een ingenieus labyrint van goten. Die goten voerden het water naar een aantal verschillende plaatsen door de gieterij, om metaal te koelen of vuren te doven, of zelfs – wanneer Duim een vreemde bui kreeg – om door de uitgedroogde en ongelukkige werklieden van de smederij te worden opgelikt. Het draaiende rad dreef ook een reeks met zwart schuim bedekte ijzeren kettingen aan, waarvan de grootste recht omhoog stond in de duisternis om bepaalde werktuigen die Pryrates na aan het hart lagen aan te drijven. Maar op dit ogenblik werd de verbeelding van de alchimist in beslag genomen door het scheppen en omhoog gaan van de schoepen van het rad. Hij vroeg zich zinloos af of een dergelijk mechanisme, hoog als een berg gebouwd en rondgedraaid door de zwoegende zenuwen van enkele duizenden jammerende slaven, de bodem van de zee niet konden opbaggeren om de geheimen die daar eonen lang in duisternis hadden gelegen te onthullen.

Toen hij overdacht welke boeiende dingen het duizendjarige slik zou kunnen uitbraken, viel een brede hand met zwarte nagels neer op zijn mouw. Pryrates draaide zich snel om en sloeg hem weg.

'Hoe durf je me aan te raken?' siste hij, terwijl zijn donkere ogen zich vernauwden. Hij ontblootte zijn tanden alsof hij de keel van de lange, gebogen figuur die voor hem stond zou doorbijten.

Duim staarde hem op zijn beurt een ogenblik aan alvorens te antwoorden. Zijn ronde gezicht was een mengelmoes van baard en door vuur veroorzaakte littekens. Hij scheen, als altijd, stompzinnig en onvermurwbaar als steen. 'U wilt mij spreken?'

'Raak me nooit meer aan.' Pryrates' stem was nu beheerst, maar hij trilde nog met een dodelijke spanning. 'Nooit.'

Duim fronste en zijn asymmetrische voorhoofd rimpelde. Het gat waar een oog had gezeten, gaapte onaangenaam. 'Wat wilt u van mij?'

De alchimist zweeg en haalde adem, de zwarte woede die naar zijn schedel omhoog was geklommen omlaag dwingend. Pryrates was verbaasd om zijn eigen heftige reactie. Het was dwaasheid om woede aan de liederlijke baas van de smederij te verspillen. Wanneer Duim zijn taak had volbracht, kon hij worden afgemaakt als het stomme beest dat hij was. Tot die tijd was hij nuttig voor de plannen van de koning... en, nog belangrijker, die van Pryrates zelf.

'De koning wil dat de courtine opnieuw wordt versterkt. Nieuwe binten, nieuwe dwarsversterking – de zwaarste boomstammen die we van de Kynslagh kunnen brengen.'

Duim liet zijn hoofd zakken, terwijl hij nadacht. De inspanning was bijna voelbaar. 'Hoe gauw?' zei hij ten slotte.

'Tegen Candlemansa. Een week later en jij en al je slovers zullen boven de Nearulaghpoort de raven gezelschap houden.' Pryrates had moeite om niet te gniffelen bij de gedachte aan Duims misvormde hoofd op een staak boven de poort. De kraaien zouden niet eens om dat hapje vechten. 'Ik wil geen excuses horen – dat geeft je eenderde jaar. En nu we het toch over de Nearulaghpoort hebben, er is nog een aantal andere dingen die je ook moet doen. Enkele verbeteringen aan de bescherming van de poort.' Hij stak zijn hand in zijn mantel en haalde er een perkamentrol uit. Duim ontrolde die en hield hem omhoog zodat het zwakke licht van de ovenvuren er beter op zou schijnen. 'Dat moet ook tegen Candlemansa af zijn.'

'Waar is het zegel van de koning?' Duim had een verrassend slimme blik op zijn pokdalige gezicht.

Pryrates' hand schoot omhoog. Een flikkering van vettig geel licht speelde langs zijn vingertoppen. Na een ogenblik verdween de gloed met een knippering; hij liet zijn hand weer naar zijn zijde terugvallen, verborgen in een omvangrijke scharlaken mouw. 'Als je me ooit weer vragen stelt,' zei de alchimist knarsend, 'zal ik je verzengen tot vlokken as.'

Het gezicht van de baas van de smederij stond ernstig. 'Dan zullen muren en poort niet klaar zijn. Niemand laat ze zo snel werken als doctor Duim.'

'Doctor Duim.' Pryrates trok zijn smalle lip op. 'Usires redde mij, ik heb er genoeg van om met je te praten. Doe gewoon je werk zoals koning Elias wenst. Je hebt meer geluk dan je beseft, kinkel. Je zult het begin van een groots tijdperk zien, een gouden eeuw.' *Maar alleen het begin, en ook niet veel ervan*, beloofde de priester zichzelf. 'Ik kom over twee dagen terug. Dan moet je me vertellen hoeveel mensen je nodig hebt, en wat nog meer.'

Toen hij wegbeende, meende hij dat Duim hem iets nariep, maar toen Pryrates zich omdraaide, stond de baas van de smederij naar de dikke spaken van het waterrad te kijken die in een nooit eindigende kring voorbijgingen. Het gekletter van hamers was fel, maar toch kon Pryrates het logge, naargeestige kraken van het draaiende rad horen.

Hertog Isgrimnur leunde op de vensterbank, zijn pas ontsproten baard strelend en omlaag kijkend naar de vettige waterwegen van Kwanitupul. De storm was gaan liggen, het dunne laagje ontijdige sneeuw was gesmolten, en de moerasachtige atmosfeer, hoewel nog steeds vreemd koel, had zijn gebruikelijke klefheid herkregen. Isgrimnur voelde een sterke drang om iets te ondernemen, om iets te doen.

Verstrikt, dacht hij. *Even zeker vastgeprikt als door boogschutters. Het is alsof de verdomde Slag van het Clodumeer weer helemaal opnieuw is begonnen.*

Maar er waren natuurlijk geen boogschutters, generlei strijdkrachten. Kwanitupul, ten minste tijdelijk bevrijd uit de greep van de kou en in haar gebruikelijke geldbeluste bestaan hersteld, schonk niet meer aandacht aan Isgrimnur dan aan welke van de duizenden anderen die haar krakkemikkige massa, als even zovele vlooien in beslag namen. Nee, het waren de omstandigheden die de vroegere meester van Elvritshalla hadden verstrikt, en de omstandigheden waren nu een onverzoenlijker vijand dan menselijke vijanden, hoe talrijk en goed bewapend ook.

Isgrimnur stond met een zucht op en draaide zich om om naar Camaris te kijken die tegen de muur aan het einde zat, een stuk touw knopend en weer loshalend. De oude man, eens de grootste ridder in Osten Ard, keek op en lachte zijn zachte glimlach als een achterlijk kind. Ondanks de witte haren van zijn bejaardheid waren zijn tanden nog goed. Hij was ook sterk, met een greep waar de meeste jonge herrieschoppers in kroegen jaloers op zouden zijn.

Maar weken van voortdurende inspanning van de kant van Isgrimnur hadden die gekmakende glimlach niet veranderd. Of Camaris behekst, aan het hoofd gewond, of eenvoudig van ouderdom gestoord was, het kwam allemaal op hetzelfde neer: de hertog was niet in staat geweest ook maar een sprankje van herinnering op te roepen. De oude man herkende Isgrimnur niet, herinnerde zich zijn verleden of zelfs zijn eigen ware naam niet. Als de hertog Camaris eens niet zo goed had gekend, zou hij misschien zelfs aan zijn eigen zinnen en geheugen zijn gaan twijfelen, maar Isgrimnur had Johns voornaamste ridder in elk jaargetij, in ieder licht, in goede en slechte tijden gezien. De oude man mocht dan zichzelf niet langer kennen, Isgrimnur vergiste zich niet.

Toch, wat moest er met hem gebeuren? Of hij hopeloos krankzinnig was of niet, hij moest geholpen worden. De meest voor de hand liggende gedachte was om de oude man naar degenen toe te krijgen die zich hem zouden herinneren en respecteren. Ook al was de wereld die Camaris had helpen bouwen nu aan het afbrokkelen, ook al had koning Elias de droom van Camaris' vriend en leenheer John verwoest, toch verdiende de oude man het om zijn laatste jaren op een betere plaats dan in dit achterlijke pesthol door te brengen. Ook, als iemand van prins Jozua's mensen nog in leven waren, behoorden ze te weten dat Camaris nog leefde. De oude man kon een machtig embleem van hoop en van betere tijden zijn – en Isgrimnur, die ondanks al zijn bruuske ontkenningen een slimme staatsman was, kende de waarde van een symbool.

Maar ook als Jozua of een aantal van zijn aanvoerders, op de een of andere manier nog in leven waren en zich ergens ten noorden van hier hergroepeerden, zoals geruchten op de markt van Kwanitupul suggereerden, hoe konden Isgrimnur en Camaris hen door een Nabban vol vijanden bereiken? Hoe kon hij trouwens uit deze herberg weggaan? Pater Dinivan had, met zijn laatste adem, Isgrimnur gevraagd Miriamele hier te brengen. De hertog had haar niet gevonden voor hij was gedwongen de Sancellaanse Aedonitis te ontvluchten, maar Miriamele wist misschien al van dit huis af… misschien had Dinivan er zelf met haar over gesproken! Ze zou misschien hier komen, alleen en zonder vrienden, en merken dat Isgrimnur al vertrokken was. Kon de hertog dat riskeren?

Hij was het aan Jozua verschuldigd – of de prins leefde of dood was – zijn best te doen haar te helpen.

Isgrimnur had gehoopt dat Tiamak – die op een niet nader omschreven manier een vertrouweling van Dinivan was – iets over Miriameles verblijfplaats wist, maar die hoop was onmiddellijk de bodem ingeslagen. Na een hoop gepor had de kleine bruine man toegegeven dat Dinivan hem ook hiernaartoe had gezonden, maar zonder verklaring. Tiamak was erg in beslag genomen geweest door het nieuws van de dood van Dinivan en Morgenes, en had daarna Isgrimnur helemaal niets aangeboden dat hem kon helpen. Eigenlijk vond de hertog hem enigszins stuurs. Hoewel het been van de moerasbewoner kennelijk pijn deed – hij zei dat hij door een krokodil was gebeten – vond Isgrimnur toch dat Tiamak meer kon doen om de verschillende raadselen die hen beiden plaagden te helpen oplossen, met Dinivans plan op de allereerste plaats. Maar in plaats daarvan scheen hij tevreden om in de kamer rond te hangen – een kamer waar Isgrimnur voor had betaald! – of urenlang door te brengen met schrijven of langs de houten wandelwegen van Kwanitupul te hobbelen, zoals hij ongetwijfeld nu deed.

Isgrimnur stond op het punt iets te zeggen om Camaris het zwijgen op te leggen, toen er op de deur werd geklopt. Die ging krakend open en gaf de waardin Charystra te zien.

'Ik heb het eten gebracht waar u om gevraagd hebt.' Haar toon hield in dat ze zich een groot persoonlijk offer had getroost, in plaats van alleen maar Isgrimnurs geld te nemen voor een veel te duur bed en eten. 'Wat lekker brood en soep. Heel lekker. Met bonen.' Ze plaatste de terrine op de lage tafel en zette er kletterend drie kommen naast. 'Ik weet niet waarom u niet beneden kunt komen om met alle anderen te eten.' Alle anderen waren twee Wrannamanse kooplieden en een rondtrekkende diamantslijper uit Naraxi die naar werk zocht.

'Omdat ik ervoor betaal om dat niet te doen,' gromde Isgrimnur.

'Waar is de moerasman?' Ze schepte de lauwe soep op.

'Dat weet ik niet, en ik vind ook dat jou dat niets aangaat.' Hij was woedend. 'Ik heb je vanmorgen met je vriendin zien weggaan.'

'Naar de markt,' zei ze snuivend. 'Ik kan mijn boot niet nemen, omdat hij,' omdat ze de handen vol had knikte ze met haar hoofd in de richting van Camaris, '... hem niet gemaakt heeft.'

'Ik zal hem dat, ter wille van zijn waardigheid, niet laten doen ook... en daar betaal ik je eveneens voor.' Isgrimnurs zure bui werd nog erger. Charystra stelde de grenzen van de ridderlijkheid van de hertog altijd op proef. 'Je bent heel rad met je tong, vrouw, ik vraag me af wat je je vrienden op de markt over mij en je andere vreemde gasten vertelt.'

Ze wierp een angstige blik in zijn richting. 'Niets, echt waar.'

'Dat is je geraden ook. Ik heb je geld gegeven om je mond te houden over… over mijn vriend hier.' Hij keek naar Camaris die vrolijk olie-achtige soep in zijn mond zat te lepelen. 'Maar voor het geval je van plan bent mijn geld aan te nemen en toch verhalen rond te strooien, denk erom: als ik merk dat je over mij en mijn zaken hebt gepraat… *zal ik ervoor zorgen dat je het berouwt.*' Met zijn diepe stem liet hij de woorden rommelen als donder.

Charystra deed ontzet een stap achteruit. 'Ik weet zeker dat ik niets ge-zegd heb! En u hebt geen reden om mij te bedreigen, heer! Geen reden! Het is verkeerd!' Ze liep naar de deur, met de lepel zwaaiend alsof ze klappen afweerde. 'Ik zei dat ik niets zou zeggen, en dat zal ik ook niet doen. Iedereen zal het u vertellen: Charystra houdt haar woord!' Ze maakte vlug het teken van de Boom en glipte toen de gang in, een spat soep op de planken vloer achterlatend.

'Ha,' snoof Isgrimnur. Hij staarde naar de grijsachtige vloeistof die nog in de kom rimpelde. Voor haar zwijgen betalen, welja. Je kon net zo goed de zon betalen om niet te schijnen. Hij had met geld gesmeten alsof het Wranwater was; het zou weldra op zijn. Wat moest hij dan doen? Hij werd al nijdig als hij eraan dacht. 'Ha!' zei hij nogmaals. 'Verdomme.'

Camaris veegde zijn kin af en glimlachte, in het niets starend.

Simon leunde om de staande steen en tuurde omlaag. De bleke zon stond bijna recht boven zijn hoofd; hij sneed omlaag door het struikge-was, een flikkering van een reflectie op de heuvelhelling onthullend. 'Hier is het,' riep hij terug, en leunde toen weer tegen de door de wind gepolijste zuil om te wachten. De witte steen was zijn ochtendkilte nog niet kwijt, en was nog kouder dan de omringende lucht. Na een ogen-blik voelde Simon dat zijn botten ijskoud begonnen te worden. Hij liep weg en draaide zich om om naar de lijn van de rand van de heuvel te kij-ken. De rechtopstaande stenen omcirkelden de top van de Sesuad'ra als de pieken van een koningskroon. Verscheidene van de oude pilaren wa-ren omgevallen, dus zag de kroon er wat haveloos uit, maar de meeste stonden hoog en rechtop, en deden na een spanne van niet te raden eeu-wen nog steeds hun plicht.

Ze lijken op de Woedestenen op de Thisterborg, besefte hij.

Kon dat ook een Sithi plaats zijn? Er waren in ieder geval genoeg vreemde verhalen over in omloop.

Waar zaten die twee? 'Komen jullie?' riep hij.

Toen hij geen antwoord kreeg, klauterde hij om de steen heen en ging een eindje de heuvel af, ervoor zorgend dat hij een vaste greep had op de stevige hei hoewel die daardoor prikte; de grond was modderig en potentieel gevaarlijk. Beneden was het dal vol met grijs water dat nauwelijks rimpelde, zodat het nieuwe meer rond de heuvel massief leek als een stenen vloer. Simon moest onwillekeurig denken aan de dag toen hij naar de klokkekamer van de Groene Engeltoren was geklommen en zich wolkenhoog boven de wereld had gewaand. Hier, op de Sesuad'ra, was het alsof de hele heuvel van steen nu net was geboren, uit de oermodder oprijzend. Het was gemakkelijk om te doen alsof er voorbij deze plaats niets was, dat het zo moest hebben aangevoeld toen God op de berg Den Haloi stond en de wereld schiep, zoals in het Boek van de Aedon verteld wordt.

Jiriki had Simon verteld van de komst van de Tuingeborenen naar Osten Ard. In die tijd, hadden de Sitha gezegd, was het grootste deel van de wereld door de oceaan bedekt, net zoals nu nog het westen. Jiriki's volk was uit de rijzende zon gezeild, over onvoorstelbare afstanden, en geland op de groene kustlijn van een wereld die geen mensen kende, een enorm eiland in een grote omringende zee. Een latere ramp, had Jiriki laten doorschemeren, had daarna het aangezicht van de wereld veranderd: het land was gestegen en de zee was naar het oosten en zuiden weggevloeid, nieuwe bergen en weilanden achterlatend. Daardoor konden de Tuingeborenen nooit meer naar hun verloren thuis terugkeren.

Simon dacht hierover terwijl hij naar het oosten tuurde. Er was vanaf de top van de Sesuad'ra weinig te zien, met uitzondering van sombere steppen, levenloze vlakten van eindeloos grijs en dofgroen, die zich uitstrekten naar gebieden die het oog niet meer kon bereiken. Naar wat Simon had gehoord, waren de oostelijke steppen zelfs vóór deze afschuwelijke winter een onherbergzaam gebied geweest: ze werden steeds kaler en onherbergzamer hoe verder men oostwaarts van het Aldheortewoud kwam. Zelfs de Hyrkas en Tritsingers gingen niet verder dan een bepaald punt, beweerden reizigers. De zon scheen daar nooit echt en het land was in een eeuwigdurende schemering gedompeld. De paar stoutmoedige zielen die deze sombere uitgestrektheid op zoek naar andere landen waren overgestoken, waren nooit teruggekeerd.

Hij besefte dat hij lange tijd had staan staren, maar hij was nog steeds alleen. Hij stond net op het punt opnieuw te roepen toen Jeremias verscheen, voorzichtig door de braamstruiken en tot aan het middel reikend gras naar de rand van de heuvel lopend. Leleth, nauwelijks zichtbaar in het zwaaiende kreupelhout, hield de jonge schildknaap bij de hand. Zij scheen genegenheid voor Jeremias te hebben opgevat, hoewel dit alleen uit haar voortdurende nabijheid bleek. Ze sprak nog steeds niet, en haar uitdrukking bleef voortdurend ernstig en afwezig, maar wanneer ze niet bij Geloë kon zijn, was ze bijna altijd bij Jeremias. Simon vermoedde dat ze bij de jonge schildknaap iets als haar eigen pijn voelde, een gedeelde kwelling van het hart.

'Gaat het omlaag de grond in,' riep Jeremias, 'of over de rand?'

'Allebei,' zei Simon, wijzend.

Ze hadden de loop van deze bron gevolgd van het punt waar zij opdook in het gebouw dat Geloë het Huis der Wateren had genoemd. Na op geheimzinnige wijze uit de rotsen te zijn ontsprongen, liep het water niet weg na aan het begin van de bron een poel te hebben gevormd – waar het Nieuw Gadrinsett vers drinkwater verschafte, en op die manier een van de centra van roddelpraatjes en handel voor de jonge kolonie was geworden – maar gorgelde min of meer uit de kleine vijver in een smal stroompje, uit het Huis der Wateren komend, en dan dwars over de top lopend als een klein beekje, verschijnend en verdwijnend naarmate de eigenschappen van het terrein veranderden. Simon had nooit iets gehoord over een bron, laat staan er een gezien, die zich op die manier gedroeg – wie had eigenlijk ooit van een bron op de top van een heuvel gehoord? – en hij was vastbesloten haar loop, en misschien haar oorsprong te ontdekken, voor de stormen terugkwamen en de jacht onmogelijk zouden maken.

Jeremias voegde zich een eindje heuvelafwaarts bij Simon. Ze stonden beiden over het snelstromende beekje gebogen.

'Denk je dat hij helemaal naar beneden gaat,' vroeg Jeremias, op de grote grijze slotgracht rond de voet van de Steen des Afscheids wijzend, 'of gaat hij terug de heuvel in?'

Simon haalde de schouders op. Water dat ontsprong uit het hart van een heilige Sithi berg zou werkelijk nogmaals terug kunnen gaan in de rots, als een onbegrijpelijk rad van schepping en vernietiging – als de toekomst die naderbij komt om het heden in zich op te nemen en daarna snel weer wegvalt en het verleden wordt. Hij stond op het punt een verder onderzoek voor te stellen, maar Leleth kwam de heuvel af. Simon maakte zich zorgen om haar, hoewel zijzelf weinig aandacht scheen te geven aan het gevaarlijke pad. Ze kon gemakkelijk uitglijden, en de helling was steil en gevaarlijk.

Jeremias deed een paar stappen omhoog en reikte naar haar, haar onder zijn dunne armen vangend en haar optillend om haar naast hen neer te zetten. Terwijl hij dat deed, ging haar losse jurk omhoog, en heel even zag Simon haar littekens, lange ontstoken striemen die haar dijen bedekten. Op haar buik moesten ze nog veel erger zijn, dacht hij.

Hij had de hele ochtend nagedacht over wat hij in het Afscheidshuis over de Grote Zwaarden en andere dingen had gehoord. Die zaken hadden abstract geleken, alsof Simon, zijn vrienden en bondgenoten, Elias, zelfs de afschuwelijke Stormkoning zelf, niet meer waren dan stukken op een shentbord, kleine dingen die in een honderdtal verschillende figuraties konden worden bezien. Nu ineens, werd hij aan de ware gruwelijkheden van het recente verleden herinnerd. Leleth, een onschuldig meisje, was door de honden van de Stormpiek geterroriseerd en aangevallen; duizenden meer, even onschuldig, waren dakloos gemaakt, verweesd, gemarteld, gedood. Simon zwaaide van woede op zijn voeten, alsof de kracht van zijn furie hem zou doen struikelen. Als er rechtvaardigheid was, zou iemand boeten voor wat er gebeurd was – voor Morgenes, Haestan, Leleth, voor Jeremias met zijn nu magere gezicht en onuitgesproken verdriet, voor Simon zelf, thuisloos en droef.

Usires, zij mij genadig, ik zou hen allen doden als ik kon. Elias en Pryrates en hun Nornen met hun witte gezichten… als ik het kon, zou ik hen eigenhandig doden.

'Ik zag haar bij het kasteel,' zei Jeremias. Simon keek op, verrast. Hij had zijn vuisten zo stevig gebald dat zijn knokkels pijn deden.

'Wat?'

'Leleth.' Jeremias knikte naar het meisje, dat haar vuile gezicht besmeurde toen ze naar de ondergelopen vallei staarde. 'Toen zij prinses Miriameles dienstmaagd was, herinner ik mij dat ik dacht "wat een mooi klein meisje". Ze was helemaal in het wit gekleed, en had bloemen in haar hand. Ik vond dat ze er heel schoon uitzag.' Hij lachte stilletjes. 'Moet je haar nu eens zien.'

Simon wilde plotseling niet over droevige dingen praten. 'En kijk eens naar jezelf,' zei hij. 'Jij moet nodig over schoon praten.'

Jeremias liet zich niet afleiden. 'Heb je haar echt gekend, Simon? De prinses bedoel ik.'

'Ja.' Simon wilde Jeremias dat verhaal niet opnieuw vertellen. Hij was bitter teleurgesteld toen hij had gezien dat Miriamele niet bij Jozua was, en ontsteld dat niemand wist waar zij was. Hij had ervan gedroomd dat hij haar zijn avonturen vertelde, en hoe haar heldere ogen zich zouden opensperren wanneer hij haar van de draak vertelde. 'Ja,' herhaalde hij. 'Ik heb haar gekend.'

'En was ze mooi, zoals een prinses behoort te zijn?' vroeg Jeremias, plotseling gespannen.

'Ik neem aan van wel.' Simon had geen zin om over haar te praten. 'Ja, dat was ze… ik bedoel, dat is ze.'

Jeremias stond op het punt om iets anders te vragen, maar werd in de rede gevallen. 'Ho!' riep een stem van boven. 'Dáár zijn jullie dus!'

Een vreemd, tweekoppig silhouet dat zich naast de staande steen bevond, keek op hen neer. Een van de koppen had puntige oren.

'We proberen erachter te komen waar de bron vandaan komt en waar hij heen gaat, Binabik,' riep Simon.

De wolf hief haar kop op en blafte.

'Qantaqa vindt dat je nu maar moet ophouden met je water-volgen, Simon,' zei Binabik lachend. 'Er is veel om over te praten.'

'We komen.'

Simon en Jeremias namen elk een van Leleths kleine koude handen en klauterden terug naar de top van de heuvel. De zon scheen op hen allen neer als een melkachtig oog.

Allen die in de ochtend waren verzameld, waren naar het Afscheidshuis teruggekeerd. Ze spraken rustig, misschien overweldigd door de grootte en de vreemde afmetingen van het huis, zoveel verwarrender wanneer het was gevuld met een afleidende menigte zoals de vorige avond. Het ziekelijke middaglicht lekte door de ramen naar binnen, maar met zo weinig kracht dat het uit geen enkele richting scheen te komen, de hele ruimte gelijkelijk vlekkend; de onberispelijke reliëfs in de muren glansden als door hun eigen flauwe inwendige licht en deden Simon denken aan het glinsterende mos in de tunnels onder de Hayholt. Hij was daar toen verdwaald in een verstikkende, worgende zwartheid. Hij was in een oord geweest dat de wanhoop te boven ging. Dat te overleven betekende zeker iets. Hij was zeker met reden gespaard!

Alstublieft Heer Aedon, bad hij, *breng mij niet helemaal hiernaartoe om me alleen maar te laten sterven.*

Maar hij had God al vervloekt omdat hij Haestan had laten omkomen. Het was ongetwijfeld te laat om het weer goed te maken.

Simon opende zijn ogen en zag dat Jozua was aangekomen. De prins was bij Vorzheva geweest, en verzekerde hen allen dat zij zich beter voelde.

Jozua werd vergezeld door twee lieden die niet bij de ochtendvergadering waren geweest, Sludig – die de rand van het dal had verkend – en een zware jongeman uit Falshire, Freosel genaamd, die door de kolonisten als slotvoogd van Nieuw Gadrinsett was gekozen. Ondanks zijn betrekkelijke jeugdigheid had Freosel de behoedzame, lodderige blik van een oude straatvechter. Hij had een groot aantal littekens en hij miste twee van zijn vingers.

Nadat Strangyeard een korte zegen had uitgesproken en de nieuwe slotvoogd was gewaarschuwd de dingen die hij te horen zou krijgen geheim te houden, stond prins Jozua op.

'Wij hebben vele beslissingen te nemen,' zei hij, 'maar voor we beginnen wil ik tegen jullie praten over geluk en hoopvollere tijden.

Toen het scheen dat er niets anders over was dan wanhoop en ongeluk, was God ons nabij. We zijn nu in een veilige plaats, terwijl wij een seizoen geleden over de wereld waren verspreid, de verstotenen van oorlog. Wij ondernamen een queeste naar een van de drie Grote Zwaarden, die wellicht onze hoop op victorie zijn, en die queeste is geslaagd. Meer mensen scharen zich dagelijks onder onze banier zodat wij, als wij alleen maar lang genoeg kunnen wachten, spoedig een leger zullen hebben dat zelfs mijn broeder, de Hoge Koning, tot nadenken zal stemmen.

Onze behoeften zijn natuurlijk nog steeds groot. Van de mensen die in heel Erkynland uit hun huizen zijn verdreven, kunnen wij inderdaad een leger formeren maar om de Hoge Koning te overwinnen, zullen wij er nog veel meer nodig hebben. Het staat ook vast dat wij het al moeilijk genoeg hebben om degenen die hier zijn te voeden en onderdak te bieden. En het is zelfs mogelijk dat geen leger, hoe groot ook en goed voorzien ook, groot genoeg zal zijn om de bondgenoot van Elias, de Stormkoning, te verslaan.' Jozua zweeg. 'Daarom zijn er, naar mijn mening, drie belangrijke vragen die wij vandaag moeten beantwoorden: Wat is mijn broer van plan? Hoe kunnen wij een strijdmacht bijeenbrengen die dat zal verhinderen? En hoe kunnen wij de andere twee zwaarden, Glanzende Nagel en Smart, terugkrijgen opdat wij de hoop kunnen koesteren de Nornen en hun duistere meester en meesteres te verslaan?'

Geloë hief haar hand op. 'Vergiffenis, Jozua, maar ik denk dat er nog een vraag is: Hoeveel tijd hebben we om deze dingen te doen?'

'Je hebt gelijk, Valada Geloë. Als wij in staat zullen zijn deze plaats nog een jaar lang te verdedigen, zullen we misschien een strijdmacht kunnen verzamelen die groot genoeg is om een poging te wagen om Elias op zijn eigen terrein weerstand te bieden, of in elk geval zijn grensgebieden... maar evenals jij betwijfel ik of men ons zo lang met rust zal laten.'

Anderen verhieven hun stem, vragend welke verdere versterking kon worden verwacht uit het oosten en uit de gebieden ten noorden van Erkynland, gebieden die leden onder de zware hand van koning Elias, en waar misschien andere bondgenoten konden worden gevonden. Na een tijdje maande Jozua de aanwezigen opnieuw tot stilte.

'Voor wij een van deze raadselen kunnen oplossen,' verklaarde hij, 'denk ik dat we de eerste en belangrijkste moeten oplossen, namelijk, wat wil mijn broer?'

'Macht!' zei Isorn. 'De macht om met de levens van mensen te spelen alsof het dobbelstenen waren.'

'Die had hij al,' antwoordde Jozua. 'Maar ik heb lang nagedacht, en kan geen ander antwoord bedenken. Zeker, de wereld heeft andere koningen gezien die niet tevreden waren met wat ze hadden. Misschien blijft het antwoord op deze cruciale vraag wel helemaal tot aan het einde voor ons verborgen. Als wij de aard van Elias' overeenkomst met de Stormkoning kenden, zouden we de verborgen bedoeling van mijn broer begrijpen.'

'Prins Jozua,' zei Binabik. 'Ik heb zelf over iets anders zitten piekeren. Wat uw broer ook wil doen, de macht en donkere toverkracht van de Stormkoning zullen hem helpen. Maar wat wil de Stormkoning in ruil daarvoor?'

De grote stenen zaal werd een ogenblik in stilte gehuld; toen verhieven de stemmen van degenen die daar verzameld waren zich opnieuw, redetwistend tot Jozua met zijn laars op de grond moest stampen om hen tot zwijgen te brengen.

'Je stelt een vreselijke vraag, Binabik,' zei de prins. 'Inderdaad, wat zou de duistere willen?'

Simon dacht aan de schaduwen onder de Hayholt waar hij in een afschuwelijke, door geesten beheerste droom had gestrompeld. 'Misschien wil hij zijn kasteel terug,' zei hij.

Simon had zacht gesproken, en anderen in het vertrek die hem niet hadden gehoord, bleven rustig met elkaar praten maar Jozua en Binabik draaiden zich beiden om en keken hem aan.

'Genadige Aedon,' zei Jozua. 'Zou dat het geval kunnen zijn?'

Binabik dacht een ogenblik lang na, schudde toen langzaam zijn hoofd. 'Er is iets mis met die gedachte… hoewel het knap gedacht is, Simon. Vertel mij, Geloë, wat is het dat ik mij half herinner?'

De tovenares knikte. 'Ineluki kan nooit naar dat kasteel terugkeren. Toen Asu'a viel, waren zijn ruïnes zo gezegend door priesters en zo vast in toverformules gewikkeld dat hij niet kon terugkeren voor het einde van de tijd. Nee, ik denk niet dat hij het terug *kan* hebben, hoezeer hij er ongetwijfeld naar hunkert om het weer op te eisen… maar misschien wil hij door middel van Elias regeren over datgene waar hij zelf niet over kan regeren. Ondanks heel hun macht zijn de Nornen gering in aantal, maar als de schaduw achter de Drakentroon, zou de Stormkoning over alle landen van Osten Ard kunnen heersen.'

Jozua's gezicht stond ernstig. 'En te bedenken dat mijn broer zo weinig om zijn volk of zijn troon geeft dat hij ze voor een habbekrats aan de vijand van de mensheid zou verkopen.' Hij richtte zich tot de anderen die daar verzameld waren, de boosheid slecht verborgen op zijn magere gezicht. 'Wij zullen voorlopig als de waarheid aannemen dat de Stormkoning door middel van mijn broer over de mensheid wil regeren. Ineluki, hoor ik, is een schepsel dat voornamelijk door haat wordt gevoed, dus hoef ik u niet te vertellen welk soort regering die van hem zou zijn. Simon heeft ons verteld dat de Sitha vrouw Amerasu voorzag wat de Stormkoning voor mensen begeerde, en zij noemde het "verschrikkelijk". Wij moeten alles doen wat wij kunnen – zo nodig zelfs onze levens tiendplichtig maken – om hen beiden tegen te houden. Nu moeten we de andere vragen behandelen. Hoe bestrijden wij hen?'

In de uren die volgden, werden vele plannen voorgesteld. Freosel opperde voorzichtig om alleen maar in dit toevluchtsoord te wachten terwijl de vijandigheid jegens Elias in heel Osten Ard toenam. Hotvig, die voor een man van de vlakte behoorlijk met het gekuip van steenbewoners begon mee te doen, bracht een stoutmoedig plan naar voren om er mannen opuit te sturen die, met Eolairs kaarten, de Hayholt zouden binnensluipen om zowel Elias als Pryrates te doden.

Pater Strangyeard raakte van streek door het idee om de kostbare landkaarten mee te geven aan een groep brute moordenaars. Naarmate de verdiensten van deze en andere voorstellen naar voren werden gebracht en besproken, begon men geprikkeld te raken. Toen Isorn en Hotvig, die anders vrolijke kameraden waren, op een gegeven moment bijna slaags waren geraakt, maakte Jozua uiteindelijk een einde aan de discussie.

'Vergeet niet dat wij hier vrienden en bondgenoten zijn,' zei hij. 'Wij delen allen een gemeenschappelijk verlangen om onze landen de vrijheid te hergeven.' De prins keek het vertrek rond, zijn opgewonden raadslieden met een strenge blik aankijkend, zoals van een Hyrka africhter werd gezegd dat hij paarden kalm maakte zonder ze aan te raken. 'Ik heb allen gehoord, en ik ben u dankbaar voor uw hulp, maar nu moet ik beslissen.' Hij legde zijn hand op de stenen tafel, bij Doorns in zilver omwikkelde gevest. 'Ik ben het ermee eens dat wij nog een tijdje moeten wachten voor wij klaar zullen zijn om Elias aan te vallen,' hij knikte in Freosels richting, '… maar we mogen ook niet stilstaan. Bovendien, onze bondgenoten in Hernystir zitten in de val. Zij zouden een waardevolle prikkel op de westelijke flank van Elias kunnen zijn als ze weer vrij waren om zich te bewegen. Als de westelijken enkelen van hun verspreide landgenoten zouden verzamelen, konden ze zelfs nog meer zijn dan dat. Daarom heb ik besloten twee doeleinden te combineren en te zien of die elkaar niet kunnen dienen.'

Jozua wenkte de heer van Nad Mullach naar voren te komen. 'Graaf Eolair, ik zal u met meer dan dank naar uw volk terugsturen, zoals ik beloofde. Isorn, de zoon van hertog Isgrimnur zal met u meegaan.' Gutrun kon hierop een gedempte kreet van droefheid niet onderdrukken, maar toen haar zoon zich omdraaide om haar te troosten, lachte ze dapper en klopte hem op de schouder. Jozua boog zijn hoofd naar haar toe, als erkenning van haar verdriet. 'Wanneer u mijn plan hoort, hertogin, zult u begrijpen dat ik dit niet zonder reden doe. Isorn, neem een half dozijn manschappen of zo mee. Misschien zullen enkelen van Hotvigs randwachters je willen vergezellen; zij zijn dappere krijgers en onvermoeibare ruiters. Op je reis naar Hernystir zul je zoveel van je rondzwervende landslieden verzamelen als je kunt. Ik weet dat de meesten van hen niet van Skali Scherpneus houden en, naar ik hoor, leven velen nu ontheemd op de Vorstmark. Dan, naar je eigen inzicht, kun je degenen die je vindt dienst laten doen – hetzij om te helpen Skali's beleg van Eolairs volk te breken of, als dat niet mogelijk is, om met jou hier terug te keren om ons in de strijd tegen mijn broer te helpen.' Jozua keek met genegenheid naar Isorn die met neergeslagen ogen geconcentreerd luisterde, alsof hij ieder woord uit zijn hoofd wilde leren. 'Je bent de zoon van de hertog. Ze respecteren je, en ze zullen je geloven wanneer je hun vertelt dat dit de eerste stap is om hun eigen landen terug te krijgen.'

De prins richtte zich weer tot de vergadering. 'Terwijl Isorn en de anderen deze missie ondernemen, zullen wij hier werken om onze andere zaken te behartigen. En er is waarlijk veel te doen. Het noorden is zo grondig door de winter, door Skali, door Elias en zijn bondgenoot de Stormkoning geschonden, dat ik vrees dat, hoe succesvol Eolair ook is, de landen ten noorden van Erkynland niet voldoende zullen blijken om alle strijdkrachten te leveren die wij nodig hebben. Nabban en het zuiden bevinden zich stevig in de greep van Elias' vrienden, vooral Benigaris, maar ik moet het zuiden zelf hebben. Alleen dan zullen wij werkelijk het aantal soldaten hebben om Elias het hoofd te bieden. Dus, wij zullen werken, praten en denken. Er moet een manier zijn om Benigaris van Elias' hulp af te snijden, maar op dit ogenblik zie ik niet hoe.'

Simon had ongeduldig geluisterd, maar had zijn mond gehouden. Nu, toen het scheen dat Jozua klaar was met wat hij te zeggen had, kon Simon zich niet langer stilhouden. Terwijl de anderen hadden geschreeuwd, had hij met toenemende opwinding zitten denken aan de dingen die hij die ochtend met Binabik had besproken.

'Maar prins Jozua,' riep hij uit, 'en de zwaarden dan?'

De prins knikte. 'Daar zullen we ook over moeten nadenken. Maak je geen zorgen, Simon. Ik heb die niet vergeten.'

Simon haalde adem, vastbesloten om door te drukken. 'Het beste zou zijn om Elias te verrassen. Stuur Binabik, Sludig en mij om Glanzende Nagel te bemachtigen. Die bevindt zich buiten de muren van de Hayholt. Wij alleen met ons drieën zouden naar het graf van uw vader kunnen gaan om het te zoeken, en dan weg kunnen zijn voor de koning ook maar zou weten dat we er waren geweest. Hij zou nooit vermoeden dat we zoiets zouden doen.' Simon had heel even een visioen van hoe het zou gaan: hij en zijn metgezellen die Glanzende Nagel op glorieuze wijze naar Sesuad'ra zouden terugbrengen, terwijl Simons nieuwe drakenbanier boven hen wapperde.

Jozua glimlachte maar schudde zijn hoofd. 'Niemand twijfelt aan je dapperheid, heer Seoman, maar wij kunnen het er niet op wagen.'

'Wij hebben Doorn gevonden terwijl niemand dacht dat we dat konden.'

'Maar de Erkynwacht marcheerde niet dagelijks langs de plaats waar Doorn lag.'

'De draak wel!'

'Genoeg.' Jozua hief zijn hand op. 'Nee, Simon, het is nog geen tijd. Wanneer we Elias vanuit het westen of zuiden kunnen aanvallen en op die manier zijn blik van Swertcliff en de grafheuvels kunnen afleiden, dan zal het tijd zijn. Je hebt grote eer verworven en ongetwijfeld zul je nog meer verwerven, maar je bent nu een ridder van het rijk, met alle verantwoordelijkheden die bij je titel behoren. Ik heb het betreurd dat ik je heb weggestuurd om Doorn te zoeken en eraan gewanhoopt dat ik je ooit weer zou zien. Nu je boven alle hoop geslaagd bent, wil ik je graag een tijdje hier houden; Binabik en Sludig ook... die je hebt verzuimd te raadplegen voor je ze voor deze dodelijke missie aanmeldde.' Hij glimlachte om de klap te verzachten. 'Kalm, jongen, kalm.'

Simon was vervuld van hetzelfde verstikkende, verstrikte gevoel dat hem in Jaoé-Tinukai had overvallen. Begrepen ze niet dat als ze te lang wachtten met aanvallen dit kon betekenen dat ze hun kans zouden verliezen? Dat het kwaad ongestraft zou blijven? 'Mag ik met Isorn meegaan?' smeekte hij. 'Ik wil helpen, prins Jozua.'

'Leer een ridder te zijn, Simon, en geniet van deze periode van betrekkelijke vrijheid. Er zal later nog genoeg gevaar zijn.' De prijs was vastgesteld. Simon zag onwillekeurig de vermoeidheid in zijn uitdrukking. 'Dat is genoeg. Eolair, Isorn en degenen die Isorn kiest, moeten zich gereedmaken om over twee dagen te vertrekken. Laat ons nu gaan. Er is een maaltijd bereid... niet zo overvloedig als het feestmaal voor Simons ridderschap, maar niettemin iets dat ons allen goed zal doen.' Met een handgebaar sloot hij de vergadering.

Binabik kwam naar Simon toe, want hij wilde praten, maar Simon was boos en wilde aanvankelijk niet antwoorden. Het was weer het oude liedje, of niet? *Wacht Simon, wacht. Laat anderen de beslissingen nemen. Jij zult gauw genoeg te horen krijgen wat je moet doen.*

'Het was een goed idee,' mompelde hij.

'Het zal later ook nog een goed idee zijn,' zei Binabik, 'wanneer we Elias afleiden, zoals Jozua zei.'

Simon keek hem boos aan, maar iets in het ronde gezicht van de trol maakte dat zijn woede dwaas scheen. 'Ik wil alleen maar van nut zijn.'

'Je bent veel meer dan dat, vriend Simon. Maar er is een tijd voor alles, "*Iq ta randayhet suk biqahuc*", zoals wij in mijn land zeggen. 'Winter is niet de tijd om naakt te zwemmen.'

Simon dacht hier een ogenblik over na. 'Dat is stom,' zei hij.

'Zo,' antwoordde Binabik korzelig. 'Je mag zeggen wat je wilt, maar kom dan niet bij mijn vuur huilen wanneer je een verkeerd jaargetij hebt uitgekozen om te zwemmen.'

Ze liepen zwijgend over de grazige heuvel, geplaagd door de koude zon.

4

Het stille kind

Hoewel de lucht warm en stil was, leken de donkere wolken onnatuurlijk zwaar. Er had bijna de hele dag geen beweging in het schip gezeten; de zeilen hingen slap aan de masten.

'Ik vraag me af wanneer de storm losbarst,' zei Miriamele hardop.

Een jonge matroos die vlakbij stond keek verbaasd op. 'Vrouwe? Hebt u het tegen mij?'

'Ik zei dat ik me afvroeg wanneer de storm losbarst.' Ze wees naar de klomp laaghangende wolken.

'Ja, vrouwe.' Hij scheen niet op zijn gemak als hij met haar sprak. Zijn beheersing van de Westerlingse taal was niet groot; ze vermoedde dat hij van een van de kleinere zuidelijke eilanden kwam, op sommige waarvan de bewoners niet eens Nabbanai spraken. 'Storm komt.'

'Ik weet dat hij komt. Ik vroeg me alleen af wanneer?'

'Ah.' Hij knikte, keek toen heimelijk om zich heen, alsof de waardevolle kennis die hij op het punt stond mee te delen dieven zou kunnen aantrekken. 'Storm komt heel gauw.' Hij wierp haar een brede, stroperige glimlach toe. Zijn blik ging van haar schoenen naar haar gezicht en zijn grijns werd breder. 'Heel knap.'

Haar tijdelijke genoegen om een gesprek te voeren, hoe beperkt ook, werd in de kiem gesmoord. Ze herkende de uitdrukking in de ogen van deze matroos, de onbeschaamde blik. Hoe vrijpostig hij ook was in zijn onderzoek, hij zou haar nooit durven aanraken, maar alleen omdat hij haar als een stuk speelgoed beschouwde dat rechtens aan de eigenaar van het schip, Aspitis, toebehoorde. Haar flits van verontwaardiging was vermengd met een plotselinge onzekerheid. Had hij gelijk? Ondanks alle twijfels die zij nu koesterde jegens de graaf – die, als wat Gan Itai zei juist was, Pryrates ontmoet had, en als hetgeen Cadrach zei juist was, zelfs in dienst was van de rode priester – had zij in elk geval geloofd dat zijn aangekondigde plan om met haar te trouwen oprecht was. Maar nu vroeg ze zich af of het misschien alleen maar een list was, iets om haar plooibaar en dankbaar te houden tot hij haar in Nabban kon afdanken en naar nieuw vlees kon gaan zoeken. Hij dacht ongetwijfeld dat ze zich te veel zou schamen om iemand te vertellen wat er was gebeurd.

Miriamele was er niet zeker van wat haar op dit punt meer van streek maakte; de mogelijkheid gedwongen te worden met Aspitis te trouwen, of de strijdige mogelijkheid dat hij tegen haar kon liegen met dezelfde luchthartige neerbuigendheid als waarmee hij een mooie hoer in een herberg misschien zou bejegenen.

Ze staarde koel naar de matroos tot die zich ten slotte, bevreemd, omdraaide en terugliep naar de boeg van het schip. Miriamele keek hem na, in stilte wensend dat hij zou struikelen en met zijn zelfvoldane gezicht tegen het dek zou slaan, maar haar wens werd niet vervuld. Ze richtte haar ogen weer op de roetachtig grijze wolken en de doffe metaalachtige oceaan.

Een drietal kleine voorwerpen dobberde in het water voor de boeg, op ruim een steenworp afstand van het schip. Terwijl Miriamele toekeek, kwam een van de voorwerpen dichterbij, opende toen het rode gat van zijn bek en toeterde. Het gorgelende geluid van de kilpa droeg ver over het kalme water; Miriamele sprong verbaasd op. Toen zij zich bewoog, draaiden alle drie de koppen zich met natte starende ogen en lummelachtige openhangende bekken naar haar om. Miriamele deinsde achteruit en maakte het teken van de Boom, draaide zich toen om om aan de lege ogen te ontsnappen en liep Thures, de jonge page die graaf Aspitis bediende, bijna van de sokken.

'Vrouwe Marya,' zei hij, en probeerde een buiging te maken, maar hij was te dicht bij haar. Hij botste met zijn hoofd tegen haar elleboog en slaakte een kreetje van pijn. Toen ze haar handen uitstak om hem gerust te stellen, trok hij zich in verlegenheid terug. 'De graaf wil u spreken.'

'Waar, Thures?'

'Hut.' Hij vermande zich. 'In zijn hut, mevrouw.'

'Dank je.'

De jongen ging achteruit alsof hij haar wilde leiden, maar Miriameles ogen werden weer getroffen door iets dat in het water beneden bewoog. Een van de kilpa was van de andere twee weggedreven en kwam nu langzaam naast het schip zwemmen. Met zijn lege ogen op haar gevestigd, stak het zeewezen een gladde grijze hand uit het water omhoog en liet zijn lange vingers langs de romp glijden alsof hij terloops naar houvast zocht om te klimmen. Miriamele keek met geboeide afschuw toe, niet in staat zich te bewegen. Na een ogenblik viel het onaangenaam mensachtige schepsel weer weg, eenvoudig in de zee verdwijnend om enkele ogenblikken later op een steenworp afstand aan de achterkant van het schip weer op te duiken. Het dreef daar, met glinsterende bek, de kieuwen op zijn nek uitpuilend en krimpend. Miriamele staarde, verstijfd als in een nachtmerrie. Ten slotte scheurde zij haar blik los en dwong zich van de reling weg te gaan. De jonge Thures keek haar nieuwsgierig aan.

'Vrouwe?'

'Ik kom.' Ze volgde hem, draaide zich om en keek nog één keer achterom. De hoofden gingen in het zog van het schip op en neer als dobbers van hengelaars.

Thures liet haar in de smalle gang buiten Aspitis' hut achter en verdween toen weer de ladder op, waarschijnlijk om andere klusjes te doen. Miriamele nam het ogenblik van eenzaamheid te baat om te bedaren. Ze kon de herinnering aan de boosaardige ogen van de kilpa, zijn kalme en weloverwogen nadering tot het schip niet van zich afschudden. De manier waarop hij had gekeken... bijna onbeschaamd, alsof hij haar uitdaagde om te proberen hem tegen te houden. Ze huiverde.

Haar gedachten werden onderbroken door een reeks rustig rinkelende geluiden uit de hut van de graaf. De deur was niet helemaal dicht, dus liep ze naar voren en tuurde door de spleet.

Aspitis zat aan zijn kleine schrijftafel. Een of ander boek lag open voor hem, de perkamenten bladzijden weerkaatsten crème-achtig lamplicht. De graaf veegde nog twee stapels zilveren geldstukken van de tafel in een zak en gooide die toen leeg in een open kist aan zijn voeten, die bijna vol scheen met andere dergelijke zakken. Aspitis maakte daarna een aantekening in het boek.

Er kraakte een plank – of het door haar gewicht veroorzaakt werd of door de beweging van het schip wist Miriamele niet – maar ze ging haastig achteruit voor Aspitis kon opkijken en haar in de smalle spleet van de deuropening zou zien. Een ogenblik later liep ze naar voren en klopte vastberaden.

'Aspitis?' Ze hoorde hem het boek met een gedempte klap dichtslaan en toen een ander geluid dat, naar zij vermoedde, de kist was die over de vloer werd geschoven.

'Ja, vrouwe, kom binnen.'

Ze duwde tegen de deur, liep erdoor en deed hem zacht achter zich dicht, maar liet de klink niet in het slot vallen. 'U hebt naar mij gevraagd?'

'Ga zitten, mooie Marya.' Aspitis wees naar het bed, maar Miriamele deed alsof ze het niet gezien had en ging in plaats daarvan op een stoel naast de verste wand zitten. Een van Aspitis' jachthonden rolde zich opzij om ruimte voor haar voeten te maken, bonsde met zijn zware staart en viel toen weer in slaap. De graaf droeg zijn gewaad met het wapen van de visarend, dat zij bij hun eerste gezamenlijke avondmaal zozeer had bewonderd. Nu keek ze naar de met goud bestikte klauwen, volmaakte werktuigen om mee te grijpen en vast te houden, en werd vervuld van wroeging om haar eigen dwaasheid.

Waarom heb ik mij ooit in deze stomme leugens laten verstrikken! Ze zou hem dat nooit hebben gezegd, maar Cadrach had gelijk gehad. Als zij zou hebben gezegd dat ze alleen maar een burgermeisje was, zou Aspitis haar misschien met rust hebben gelaten; ook al had hij haar gedwongen met hem naar bed te gaan, hij zou in elk geval niet op het idee gekomen zijn ook nog met haar te trouwen.

'Ik heb drie kilpa naast het schip zien zwemmen.' Ze keek hem uitdagend aan, alsof hij zou ontkennen dat het waar was. 'Een kwam naast het schip zwemmen en keek alsof hij aan boord wilde klimmen.'

De graaf schudde zijn hoofd, maar hij glimlachte. 'Zoiets doen ze niet, vrouwe, heb maar geen angst. Niet op de *Wolk Eadne.*'

'Hij raakte het schip aan!' Ze hief haar hand op, gevormd tot een grijpende klauw. 'Op deze manier. Hij zocht naar houvast.'

Aspitis' glimlach vervaagde. Hij keek grimmig. 'Ik zal aan dek gaan wanneer we klaar zijn met praten. Ik zal een paar pijlen in ze schieten, de visachtige duivels. Ze moeten van mijn schip afblijven.'

'Maar wat willen de kilpa?' Ze kon de grijze wezens niet uit haar gedachten bannen. En ze had ook geen haast om met Aspitis te praten over datgene waaraan hij dacht. Ze wist nu stellig dat ze geen goeds te verwachten had van de plannen van de graaf.

'Ik weet niet wat ze willen, vrouwe.' Hij schudde ongeduldig met zijn hoofd. 'Of beter, ik weet het wel... eten. Maar er zijn vele gemakkelijkere manieren voor de kilpa om hun maaltijden te vangen dan op een schip vol gewapende mannen te komen.' Hij keek haar aan. 'Hemeltje. Dat had ik niet moeten zeggen. Nu ben je bang.'

'Eten ze... mensen?'

Aspitis schudde zijn hoofd, deze keer heftiger. 'Ze eten vis, en soms vogels die niet vlug genoeg opvliegen wanneer ze op het water drijven.' Hij nam haar sceptische blik in zich op. 'Ja, ook andere dingen, wanneer zij die kunnen vinden. Ze hebben soms kleine vissersboten omzwermd, maar niemand weet precies waarom. Hoe dan ook, het is niet belangrijk. Ik verzeker je, ze zullen de *Wolk Eadne* geen kwaad doen. Er is geen betere zeewacht dan Gan Itai.'

Miriamele bleef een ogenblik zwijgend zitten. 'Ik ben er zeker van dat u gelijk hebt,' zei ze ten slotte.

'Goed.' Hij stond op, zich onder een balk van het lage dak van de hut bukkend. 'Ik ben blij dat Thures je gevonden heeft... hoewel je niet ver weg kon zijn op een schip op zee, nietwaar?' Zijn glimlach leek wat hardvochtig. 'We hebben veel dingen te bespreken.'

'Mijn heer.' Ze voelde een vreemd gevoel van matheid over zich komen. Misschien als ze geen verzet bood, niet protesteerde, vooral als ze onverschillig deed, zouden de dingen gewoon op deze onbevredigende maar niet permanente manier voortgaan. Ze had zichzelf beloofd dat ze zich zou laten meedrijven, drijven...

'We zijn door windstilte overvallen,' zei Aspitis, 'maar ik denk dat er weldra winden zullen opsteken, ver vóór de storm. Met enig geluk zouden we morgenavond op het eiland Spenit kunnen zijn. Denk je dat eens in, Marya! We zullen daar trouwen, in de kerk gewijd aan de nagedachtenis van de Heilige Lavennin.'

Het zou zo gemakkelijk zijn geen weerstand te bieden, maar alleen maar te drijven, als de *Wolk Eadne* zelf, langzaam meegevoerd op de ambitieloze adem van de wind. Er zou zeker een kans zijn om te ontsnappen wanneer ze in Spenit aanlegden? Ja toch?

'Mijn heer,' hoorde zij zichzelf zeggen. 'Ik… er zijn… problemen.'

'Ja?' De graaf hield zijn goudblonde hoofd schuin. Miriamele vond dat hij eruitzag als iemands afgerichte hond, beschaving nabootsend terwijl hij aan prooi snuffelde. 'Problemen?'

Ze verzamelde de stof van haar jurk in haar vochtige hand en haalde toen diep adem. 'Ik kan niet met u trouwen.'

Aspitis lachte onverwachts. 'O, wat dwaas! Natuurlijk kun je dat! Maak je je zorgen over mijn familie? Ze zullen van je gaan houden, net zoals ik. Mijn broer is met een Perdruinese vrouw getrouwd, en nu is ze mijn moeders lievelingsdochter. Wees niet bang!'

'Dat is het niet.' Ze hield haar jurk nog steviger vast. 'Het… het enige is dat er iemand anders is.'

De graaf fronste. 'Wat bedoel je?'

'Ik ben al aan iemand anders beloofd. Thuis. En ik houd van hem.'

'Maar ik heb het je gevraagd! Je zei me dat er niemand was. En je hebt jezelf aan mij gegeven.'

Hij was boos, maar tot dusverre had hij zijn goede humeur bewaard. Miriamele voelde haar angst ietwat afnemen. 'Ik had ruzie met hem en weigerde met hem te trouwen; daarom heeft mijn vader me naar het klooster gestuurd. Maar ik heb beseft dat ik ongelijk had. Ik was oneerlijk tegenover hem… en ik was oneerlijk tegenover u.' Ze verafschuwde zichzelf om deze uitspraak. Het leek slechts een zeer geringe kans dat ze werkelijk oneerlijk tegen Aspitis was; hij was zeker niet al te ridderlijk tegenover haar geweest. Toch, dit was de tijd om edelmoedig te zijn. 'Maar van jullie tweeën, hield ik het eerst van hem.'

Aspitis deed een stap in haar richting, zijn mond vertrekkend. Zijn stem had een vreemde, trillende spanning. 'Maar je hebt jezelf aan mij gegeven.'

Ze sloeg haar blik neer, hopend geen aanstoot te geven. 'Ik had mij vergist. Ik hoop dat u me wilt vergeven, hoewel ik het niet verdien.'

De graaf draaide haar abrupt de rug toe. Zijn woorden waren nog gespannen, nauwelijks beheerst. 'En jij denkt dàt is dàt? Je hoeft alleen maar te zeggen: "Vaarwel, graaf Aspitis!" Is dat wat je denkt?'

'Ik kan mij alleen verlaten op uw eer als heer, graaf.' Het kleine vertrek scheen nog kleiner. Ze dacht dat ze kon voelen dat de lucht zelf zich spande, alsof het dreigende noodweer naar haar omlaag reikte. 'Ik kan alleen smeken om uw vriendelijkheid en medelijden.'

Aspitis' schouders begonnen te schudden. Een laag, klagend geluid welde uit hem op. Miriamele deinsde van afschuw terug tegen de muur, half ervan overtuigd dat hij voor haar ogen in een verslindende wolf zou veranderen, zoals in een oud bakersprookje.

De graaf van Eadne en Drina draaide zich snel om. Zijn tanden waren ontbloot in een wolfachtige grimas, maar hij was aan het lachen.

Ze was stomverbaasd. *Waarom is hij...?*

'O, mevrouw!' Hij was nauwelijks in staat zijn vrolijkheid te beheersen. 'Je bent een slimmerik.'

'Ik begrijp het niet,' zei ze ijzig. 'Vindt u dit grappig?'

Aspitis sloeg zijn handen tegen elkaar. De plotselinge donderklap van geluid maakte Miriamele aan het schrikken. 'Je bent zo slim.' Hij schudde zijn hoofd. 'Maar je bent niet helemaal zo slim als je denkt... prinses.'

'W-wat?'

Hij glimlachte. Het was niet langer ook maar in de verste verte charmant. 'Je denkt vlug en je bent heel goed in het verzinnen van leugentjes, maar ik was op de begrafenis van je grootvader, en ook op de kroning van je vader. Je bent Miriamele. Dat wist ik al van de eerste avond af waarop je aan mijn tafel aanzat.'

'U... u...' Haar hoofd zat vol met woorden, maar geen enkel daarvan was zinnig. 'Wat...?'

'Ik vermoedde iets toen je bij mij werd gebracht.' Hij stak een hand uit en liet die langs Miriameles gezicht in haar haar glijden, en zijn sterke vingers hielden haar achter het oor vast. 'Kijk,' zei hij, 'je haar is kort, maar het gedeelte dat het dichtst bij je hoofd zit is heel blond... net als het mijne.' Hij giechelde. 'Nu, een jonge edelvrouw op weg naar een klooster zou haar haren kunnen knippen voor ze daar aankwam... maar het ook nog verven terwijl het al zo'n mooie kleur had? Je kunt er zeker van zijn dat ik die avond bij het eten heel goed naar je gezicht heb gekeken. Daarna was het niet moeilijk. Ik had je eerder gezien, hoewel niet van dichtbij. Het was algemeen bekend dat Elias' dochter in Naglimund was, en zoek was nadat het kasteel was gevallen.' Hij knipte met zijn vingers, grijnzend. 'Dus. Nu ben je van mij, en wij zullen op Spenit in het huwelijk treden, aangezien je in Nabban, waar je nog altijd familie hebt, misschien een manier zou vinden om te ontsnappen.' Hij gniffelde opnieuw, in zijn sas. 'Nu zal het ook mijn familie zijn.'

Het was moeilijk om te spreken. 'Wilt u werkelijk met mij trouwen?'

'Niet vanwege je schoonheid, vrouwe, hoewel je knap bent. En niet omdat ik je bed heb gedeeld. Als ik met alle vrouwen moest trouwen met wie ik heb gevreeën, zou ik mijn leger van vrouwen hun eigen kasteel moeten geven, als de woestijnkoningen van Nascadu.' Hij ging op de sprei zitten, achterover leunend tot hij zijn hoofd tegen de wand van de hut kon laten rusten. 'Nee, je zult mijn vrouw worden. Dan, wanneer de veroveringen van je vader ten einde zijn en hij eindelijk Benigaris beu wordt, zoals ik lang geleden – wist je dat hij, nadat hij zijn vader had gedood, wijn dronk en de hele nacht lang huilde! Als een kind! – wanneer je vader genoeg krijgt van Benigaris, wie kan Nabban dan beter regeren dan degene die zijn dochter vond, verliefd op haar werd, en haar weer naar huis bracht?' Zijn glimlach was als de schittering van een mes. 'Ik.' Ze staarde hem aan en haar huid werd koud; ze had bijna het gevoel dat ze gif kon spuwen als een slang. 'En als ik hem vertel dat u mij hebt ontvoerd en onteerd?'

Hij schudde geamuseerd zijn hoofd. 'Je bent niet zo'n goede intrigante als ik dacht, Miriamele. Velen zijn er getuige van geweest dat je onder een valse naam aan boord van mijn schip bent gekomen, en hebben gezien dat ik je het hof maakte, hoewel mij verteld was dat je de dochter van een onbeduidende baron was. Wanneer het eenmaal bekend is dat je bent... onteerd, zei je, denk je dat je vader een wettige echtgenoot van hoge afkomst zou beledigen? Een echtgenoot die reeds zijn bondgenoot is, en die je vader vele' – hij reikte naar voren en klopte met zijn hand tegen iets dat Miriamele niet kon zien – 'belangrijke diensten heeft bewezen?'

Zijn felle ogen brandden in de hare, spottend en enorm vergenoegd. Hij had gelijk. Zij kon niets doen om het hem te beletten. Hij bezat haar. *Bezat haar.*

'Ik ga.' Ze stond wankel op.

'Gooi jezelf niet in de oceaan, mooie Miriamele. Mijn mannen zullen erop letten dat je dat soort kunstjes niet uithaalt. Je bent levend veel te waardevol.'

Ze duwde tegen de deur, maar die ging niet open. Ze was hol, leeg en had pijn, alsof alle lucht uit haar geperst was.

'Trek eraan,' opperde Aspitis.

Miriamele wankelde de gang in. De beschaduwde ruimte leek waanzinnig te hellen.

'Ik kom later naar jouw hut, mijn liefste,' riep de graaf. 'Maak je gereed voor me.'

Ze was nauwelijks de trap af en op het dek toen ze op haar knieën neerzonk. Zij wilde in duisternis vallen en verdwijnen.

Tiamak was boos.

Hij had heel wat doorgemaakt ter wille van zijn drooglandse bondgenoten – het Verbond van het Geschrift, zoals ze zich noemden, hoewel Tiamak soms vond dat een groep van een half dozijn of zo een beetje klein was om een Verbond te worden genoemd. Maar toch, doctor Morgenes was er lid van geweest en Tiamak vereerde de doctor, dus had hij altijd zijn best gedaan wanneer iemand in het verbond inlichtingen wilde hebben die alleen de kleine Wrannaman kon verschaffen. De drooglanders hadden niet vaak moeraswijsheid nodig, had Tiamak opgemerkt maar wanneer dat wel het geval was – wanneer, bij voorbeeld, een van hen een monster van draaigras of Gele Prutser, kruiden die op geen enkele drooglandse markt te vinden waren, nodig had – krabbelden ze snel genoeg een briefje aan Tiamak. Af en toe, zoals die keer toen hij ijverig een bestiarium van moerasdieren voor Dinivan had samengesteld, compleet met zijn eigen nauwkeurige illustraties, of had nagegaan, en aan Jarnauga gerapporteerd, welke rivieren de Wran in stroomden en wat er gebeurde wanneer hun zoete water het zout van de Baai van Firannos bereikte, ontving hij meestal een lange dankbare brief van de ontvanger – eigenlijk had Jarnauga's brief de drager ervan zo zwaar belast dat de reis van de duif twee keer zo lang had geduurd als gewoonlijk. In deze dankbare brieven zinspeelden leden van het Verbond er af en toe op dat Tiamak nu spoedig officieel tot de hunnen zou worden gerekend.

Omdat hij weinig gewaardeerd werd door zijn eigen dorpsgenoten, hunkerde Tiamak vreselijk naar een dergelijke erkenning. Hij herinnerde zich zijn tijd in Perdruin, de vijandigheid en achterdocht die hij had gevoeld van de kant van de andere jonge geleerden, die verbaasd waren geweest een knaap uit het moeras in hun midden te vinden. Het was aan Morgenes' vriendelijkheid te danken geweest dat hij niet naar de moerassen terug was gevlucht. Toch, achter Tiamaks beschroomde uiterlijk, was meer dan een spoor van trots. Was hij, per slot van rekening, niet de eerste Wrannaman geweest die ooit de moeraslanden had verlaten om bij de Aedonitische broeders te gaan studeren? Zelfs zijn dorpsgenoten wisten dat er geen andere moerasbewoner was als hij. Dus toen hij bemoedigend nieuws van de Dragers van het Geschrift had ontvangen, had hij gevoeld dat zijn tijd aanstaande was. Op een dag zou hij lid zijn van het Verbond van het Geschrift, de hoogste geleerde kring, en eens in de drie jaar naar het huis van een van de andere leden reizen voor een bijeenkomst... een bijeenkomst van gelijken. Hij zou de wereld zien en een beroemde geleerde zijn... of zo had hij het zich vaak voorgesteld.

Toen de kolossale Rimmersman Isgrimnur naar *Pelippa's Kom* was gekomen en hem de begeerde hanger van Geschriftdrager had gegeven – de gouden perkamentrol en ganzepen – had Tiamaks hart een hoge vlucht

genomen. Al zijn opofferingen waren de beloning waard geweest! Maar
een ogenblik later had hertog Isgrimnur uitgelegd dat de hanger uit
Dinivans stervende hand kwam, en toen de verbijsterde Tiamak naar
Morgenes had geïnformeerd, deelde Isgrimnur hem het verpletterende
nieuws mee dat de doctor eveneens dood was, dat hij bijna een halfjaar
geleden was gestorven.

Veertien dagen later begreep Isgrimnur Tiamaks wanhoop nog steeds
niet. Hij scheen te denken dat, hoewel het droevig was dat de twee
mannen waren gestorven, Tiamaks tobbende melancholie extreem was.
Maar de Rimmersman had geen nieuwe strategie, geen nuttige raad
meegebracht; hij was, erkende hij, niet eens lid van het Verbond!
Isgrimnur scheen niet te begrijpen dat dit Tiamak – die vele pijnlijke
weken had gewacht op bericht van wat Morgenes van plan was – vreselijk stuurloos had achtergelaten, als een platbodem in een draaikolk
ronddraaiend. Tiamak had zijn plicht jegens zijn volk verzaakt voor
een drooglandse opdracht, of althans zo scheen het soms wanneer hij zo
boos was dat hij vergat dat het de aanval van de krokodil was geweest
die hem had gedwongen zijn missie naar Nabban op te geven. In elk
geval was hij duidelijk jegens de bewoners van Dorpsbosje te kort ge-
schoten.

Tiamak moest erkennen dat Isgrimnur ten minste voor zijn kamer en
eten betaalde op een tijd toen het krediet van de Wrannaman was uitgeput. Dat was in elk geval iets, maar nogmaals, het was alleen maar eerlijk: de drooglanders hadden talloze jaren lang geld verdiend aan het
zweet van de moeraslieden. Tiamak zelf was op de markten van Ansis
Pelippé bedreigd, achtervolgd en uitgescholden.

Morgenes had hem toen gered, maar nu was Morgenes dood. Tiamaks
eigen volk zou het hem nooit vergeven dat hij hen had verzaakt. En Isgrimnur was bezeten van de oude Ceallio, de portier, die naar hij beweerde de grote ridder Camaris was. Isgrimnur scheen het niet langer te
kunnen schelen of de kleine moerasman leefde of dood was. Al met al
was het Tiamak duidelijk dat hij nu even nutteloos was als een krab
zonder poten.

Hij keek geschrokken op. Hij was ver van *Pelippa's Kom* afgedwaald in
een gedeelte van Kwanitupul dat hij niet herkende. Het water hier was
nog grijzer en vettiger dan gewoonlijk, bespikkeld met de lijken van
vissen en zeevogels. De vervallen gebouwen die over de kanalen uitke-
ken, scheen bijna te buigen onder het gewicht van eeuwen van vuil en
zout.

Een duizelig makend gevoel van naargeestigheid en verlies overviel
hem.

Hij Die Altijd op Zand loopt, laat mij weer veilig thuis komen. Laat mijn vo-
gels in leven zijn. Laat mij...
'*Moerasman!*' De balkende stem onderbrak zijn gebed. '*Hij komt!*'
Verschrikt keek Tiamak rond. Drie jonge drooglanders gekleed in witte
gewaden van Vuurdansers stonden aan de andere kant van het smalle
kanaal. Een van hen zette zijn kap achterover om een gedeeltelijk geschoren schedel te onthullen, waarop ongeknipte bosjes haar nog als onkruid overeind stonden. Zijn ogen schenen zelfs van deze afstand onbetrouwbaar.
Tiamak wist wie en wat deze mannen waren; hij wilde niets met hun
waanzin te maken hebben. Hij draaide zich om en hinkte terug over de
oneffen wandelweg. De gebouwen die hij passeerde, waren met planken
dichtgetimmerd, zonder leven.
'De Stormkoning komt! Hij zal dat been heel maken!' Aan de overkant
van het kanaal waren de drie Vuurdansers ook omgekeerd. Ze bevonden
zich recht tegenover Tiamak, en liepen stap voor hobbelende stap met
hem op, roepend terwijl ze liepen. 'Heb je het nog niet gehoord? Zie-
ken en lammen zullen worden geteisterd. Vuur zal hen verbranden, ijs
hen begraven!' Tiamak zag een opening in de lange muur rechts van
hem. Hij ging erdoor, hopend dat die weg niet dood zou lopen. De be-
spottingen van de Vuurdansers achtervolgden hem.
'Waar ga je heen, kleine bruine man? Wanneer hij komt zal de Stormkoning je vinden, al verberg je je in het diepste hol of op de hoogste
berg! Kom terug en praat met ons, anders zullen we je komen halen!'
De deuropening leidde naar een grote open binnenplaats die eens misschien een scheepswerf was geweest, maar nu slechts enkele afdankers
van zijn verdwenen eigenaren bevatte, een stapel door het weer verwrongen grijze masten, versplinterde gereedschappen en scherven van
wat eens serviesgoed was. De planken van de vloer van de binnenplaats
waren zo kromgetrokken dat hij lange strepen van het modderige kanaal onder zich kon zien wanneer hij omlaag keek.
Tiamak baande zich voorzichtig een weg over de twijfelachtige vloer
naar een deur aan de andere kant van de binnenplaats, en vandaar naar
een andere wandelweg. De kreten van de Vuurdansers werden vager,
maar schenen niettemin feller boos te worden toen hij snel wegliep.
Voor een Wrannaman was Tiamak behoorlijk vertrouwd met steden,
maar zelfs de inwoners raakten in Kwanitupul gemakkelijk de weg
kwijt. Weinige van de gebouwen bleven lang in gebruik, of zelfs maar
staan; de kleine groep uitverkoren ondernemingen die een paar eeuwen
hadden bestaan, waren ook tien keer van plaats veranderd – de zeelucht
en het troebele water vrat zowel de verf als het heiwerk weg. Niets in
Kwanitupul was blijvend.

Na een tijdje te hebben gelopen, begon Tiamak een paar vertrouwde oriëntatiepunten te herkennen – de gammele spits van de afbrokkelende St.-Rhiappa, de kleurige maar verwerende verf van de koepel van de Markthal. Toen zijn nervositeit over verdwaald raken en bedreigd worden bedaarde, begon hij nogmaals over zijn dilemma na te denken. Hij zat in de val in een onvriendelijke stad. Als hij in zijn onderhoud wilde voorzien, moest hij zijn diensten als schrijver en vertaler aan de man brengen. Dat zou betekenen dat hij in de buurt van de markt moest wonen, aangezien nachtelijke zaken, vooral de kleine transacties waarmee Tiamak in zijn levensbehoeften voorzag, nooit konden wachten tot het daglicht. Als hij niet werkte, was hij afhankelijk van de voortdurende liefdadigheid van hertog Isgrimnur. Tiamak voelde geen behoefte om de gastvrijheid van de verschrikkelijke Charystra nog een ogenblik langer te verdragen en in een poging om dit probleem op te lossen, had hij Isgrimnur voorgesteld om met z'n allen dichter naar de markt te verhuizen, zodat Tiamak geld kon verdienen terwijl de hertog de idiote portier verpleegde. De Rimmersman was echter onvermurwbaar geweest. Hij was er zeker van dat er een goede reden was geweest waarom Dinivan had gewild dat ze in *Pelippa's Kom* zouden wachten – hoewel hij niet kon zeggen wat die reden kon zijn. Dus, ondanks het feit dat Isgrimnur de herbergierster evenmin mocht als Tiamak, was hij niet bereid om weg te gaan. Tiamak maakte zich ook zorgen over de vraag of hij feitelijk lid van het Verbond van het Geschrift was. Hij was blijkbaar gekozen om zich erbij aan te sluiten, maar de leden die hij persoonlijk kende waren dood, en hij had in maanden van geen van de anderen iets gehoord. Wat werd hij verondersteld te doen?

Het laatste, maar zeker niet de minste van zijn problemen was, dat hij boze dromen had. Of liever, verbeterde hij zichzelf, niet zozeer boze als wel vreemde dromen. De afgelopen paar weken was zijn slaap bezocht door een verschijning; wat hij ook droomde, hetzij dat hij door een krokodil met een oog in elk van zijn duizenden tanden werd nagezeten, of dat hij met zijn herrezen familie in Dorpsbosje een schitterende maaltijd van krab en platvis nuttigde, er was een spookachtig kind aanwezig – een klein drooglands meisje met zwart haar dat alles zwijgend gadesloeg. Het kind bemoeide zich nooit ergens mee, of de droom angstaanjagend of aangenaam was, en scheen feitelijk op de een of andere manier minder echt dan de dromen zelf. Als ze niet voortdurend van droom tot droom aanwezig was, zou hij haar helemaal hebben vergeten. De laatste tijd leek zij telkens wanneer zij verscheen vager te worden, alsof haar beeld zich in de duisternis van de droomwereld terugtrok, haar boodschap nog steeds stemloos...

Tiamak keek op en zag de haven waar de schuiten werden geladen. Hij was er vrijwel zeker van dat hij daar op de heenweg langs was gekomen. Goed. Hij was weer op bekend terrein. Hier was dus nog een raadsel – wie of wat was dit zwijgzame kind? Hij probeerde zich te herinneren wat Morgenes hem over dromen en de Droomweg had verteld, en wat een dergelijke verschijning kon betekenen, maar hij kon zich niets nuttigs herinneren. Misschien was zij een boodschapper uit het land van de doden, een geest die door wijlen zijn moeder was gestuurd, hem woordloos straffend voor zijn falen…

'*De kleine moerasman!*'

Tiamak draaide zich snel om en zag de drie Vuurdansers op de wandelweg staan, enkele passen achter hem. Deze keer was er geen kanaal dat hen van elkaar scheidde.

De leider trad naar voren. Zijn witte gewaad was allesbehalve smetteloos, besmeurd met vieze handafdrukken en teerspatten, maar zijn ogen waren nog angstaanjagender dan ze van op een afstand waren geweest, helder en brandend als door een inwendige gloed verlicht. Zijn starende blik leek bijna uit zijn gezicht te springen.

'Je loopt niet erg vlug, bruine man?' Hij grijnsde en vertoonde kromme tanden. 'Heeft iemand je benen verbogen, ja? Erg verbogen?'

Tiamak deed een paar passen achteruit. De drie jongemannen wachtten tot hij bleef staan en slenterden toen naar voren, achteloos weer dichterbij komend. Het was duidelijk dat ze hem niet zouden laten weglopen. Tiamak liet zijn hand op het hecht van zijn mes zakken. Zijn heldere ogen verwijdden zich, alsof de slanke moerasman een nieuwer en interessanter spel voorstelde.

'Ik heb jullie niets gedaan,' zei Tiamak.

De leider lachte geluidloos, zijn lippen terugtrekkend en zijn rode tong uitstekend, als een hond. 'Hij komt, weet je. Je kunt niet van Hem weglopen.'

'Stuurt jullie Stormkoning jullie om onschuldige wandelaars te treiteren?' Tiamak probeerde zijn stem krachtig te doen laten klinken. 'Ik kan niet geloven dat een dergelijk schepsel zo diep zou zinken.' Hij maakte het mes voorzichtig los in de schede.

De leider trok een geamuseerd gezicht toen hij naar zijn makkers keek. 'Ah, hij praat goed voor een klein bruin mannetje, nietwaar?' Hij richtte zijn glinsterende ogen weer op Tiamak. 'De meester wil zien wie fit is, wie sterk is. Hij zal streng zijn voor de zwakken wanneer Hij komt.'

Tiamak begon achteruit te lopen, hopende dat hij òf een plaats zou bereiken waar anderen waren om hem te helpen – niet erg waarschijnlijk in dit achterafgedeelte van Kwanitupul – òf in elk geval een plek zou vinden waar zijn rug beschermd zou worden door een muur, en waar dit drietal aan weerskanten van hem niet zoveel bewegingsvrijheid zou hebben. Hij bad tot *Hen die Kijken en Vormen* dat hij niet zou struikelen. Hij zou graag met zijn hand achter zich hebben willen voelen, maar wist dat hij die arm wellicht nodig zou hebben om de eerste klap af te weren en zichzelf een kans te geven om zijn mes te trekken.

De drie Vuurdansers volgden hem, elk gezicht even meedogenloos als dat van een krokodil. Feitelijk, dacht Tiamak, terwijl hij probeerde zichzelf dapper te maken, had hij tegen een krokodil gevochten en hij had het gevecht overleefd. Deze beesten waren niet veel anders, behalve dan dat de krokodil hem zou hebben opgegeten. De jongemannen zouden hem louter voor hun plezier doden, of om een of ander pervers idee van wat hun Stormkoning verlangde. Terwijl hij achteruitliep, in een vreemde dodendans met zijn achtervolgers verstrengeld, terwijl hij wanhopig naar een plaats zocht om stelling te nemen, vroeg Tiamak zich onwillekeurig af hoe de naam van een weinig bekende duivelslegende uit het noorden dezer dagen op de lippen van straatterroristen in Kwanitupul kon zijn. De dingen waren inderdaad veranderd sinds hij de moerassen had verlaten.

'Voorzichtig, kleine man.' De leider keek langs Tiamak heen. 'Je zult erin vallen en verdrinken.'

Geschrokken keek Tiamak achterwaarts over zijn schouder in de verwachting het niet omheinde kanaal vlak achter zich te zullen aantreffen. Toen hij daarentegen besefte dat hij voor de ingang van een kort steegje stond, en dat hij was misleid, draaide hij zich vlug naar zijn achtervolgers om, net op tijd om de bliksemsnelle slag van een knuppel met een ijzeren punt te ontwijken die tegen de houten wand naast hem terechtkwam. Splinters vlogen in het rond.

Tiamak trok zijn mes uit de schede en haalde uit naar de hand die de knuppel hanteerde; hij miste die, maar scheurde de mouw van een witte mantel. Twee Vuurdansers, waarvan er een spottend met een gehavende mouw wuifde, gingen aan beide kanten van hem staan terwijl de leider zelf een positie recht voor hem innam. Tiamak liep achteruit het steegje in, met zijn mes zwaaiend in een poging het drietal op een afstand te houden. De leider lachte terwijl hij zijn eigen knuppel onder zijn gewaad vandaan haalde. Zijn ogen waren vervuld van een angstwekkende, onschuldige vreugde.

De jongeman links slaakte plotseling een zachte kreet en deinsde achterwaarts naar de ingang van het steegje dat naar de wandelweg leidde die ze net hadden verlaten. Tiamak vermoedde dat hij als uitkijk diende terwijl zijn vrienden met hun slachtoffer afrekenden. Een ogenblik later verscheen de knuppel van de verdwenen jongeling zonder zijn eigenaar, door het steegje vliegend en de Vuurdanser aan Tiamaks rechterzijde treffend, hem tegen de muur van het steegje werpend. Zijn hoofd liet een rode veeg op de planken vloer achter toen hij tot een wit bemantelde hoop ineenkromp. Terwijl de kaalhoofdige leider verbaasd stond te kijken, kwam een lange gestalte het steegje in lopen, greep hem stevig bij zijn nek en zwiepte hem toen door de lucht tegen de reling van de wandelweg aan, die versplinterde alsof hij door de steen uit een katapult was getroffen. Het slappe lichaam gleed van de overblijfselen van de wandelweg af en viel in het kanaal; toen, na een lang, stil ogenblik, verdween het in het olieachtige water.

Tiamak merkte dat hij onbedwingbaar rilde van opwinding en angst. Hij keek omhoog naar het vriendelijke, lichtelijk verwarde gezicht van Ceallio, de portier.

Camaris. De hertog zei dat hij Camaris is, dacht Tiamak daas. *Een ridder, die een eed heeft afgelegd... om de onschuldigen te redden.*

De oude man legde zijn hand op Tiamaks schouder en leidde hem het steegje uit.

Die nacht droomde de Wrannaman van in het wit gehulde figuren met ogen als vlammende wielen. Ze kwamen over het water op hem af als klapperende zeilen. Hij was aan het spartelen in een van de zijrivieren van de Wran, in een wanhopige poging te ontsnappen, maar iets hield zijn been vast. Hoe meer hij spartelde, des te moeilijker het werd om te blijven drijven.

Het kleine donkerharige meisje keek vanaf de oever naar hem, ernstig en zwijgend. Deze keer leek zij zo vaag dat hij haar nauwelijks kon zien, alsof ze van mist was gemaakt. Uiteindelijk, voor de droom eindigde en hij hijgend wakker werd, vervaagde zij helemaal.

Diawen de waarzegster had van haar grot in de diepten van de berg iets gemaakt dat heel erg leek op het kleine huis dat ze eens aan de grens van Hernysadharc, vlak bij de zoom van de Circoille had bewoond. De kleine grot was met wollen sjaals die voor deuropeningen waren gehangen van zijn buren afgescheiden. Toen Maegwin een van die afschuttende sjaals zachtjes opnam, bolde er een golf van zoetachtige rook naar buiten.

De droom van flikkerende lichten was zo levendig en zo duidelijk belangrijk geweest dat Maegwin moeite had gehad om zich de hele morgen met haar zaken bezig te houden. Hoewel de behoeften van haar volk vele waren, en ze haar best had gedaan die te bevredigen, had ze de hele dag in een soort mist rondgelopen, ver weg in haar hart en geest zelfs terwijl ze de bevende handen van een bejaarde aanraakte of een van de kinderen in haar armen nam.

Diawen was vele jaren geleden een priesteres van Mircha geweest, maar had haar geloften gebroken – niemand wist waarom, of in elk geval kon niemand het met zekerheid zeggen, hoewel er voortdurend over gespeculeerd werd – en was toen uit de Orde getreden om op zichzelf te gaan wonen. Ze had de reputatie dat ze gek was, maar was ook bekend om haar waarzeggen, droomuitleggen en helen. Menige verontruste burger van Hernysadharc wachtte, na een kom fruit en een geldstuk voor Brynioch of Rhynn te hebben achtergelaten, tot na het invallen van de duisternis en ging dan naar Diawen voor meer directe hulp. Maegwin herinnerde zich dat zij haar eens op de markt bij de Taig had gezien, haar lange, lichtbruine haar wapperend als een wimpel. Maegwins kinderjuffrouw had haar vlug weggetrokken, alsof het alleen al gevaarlijk was om naar Diawen te kijken.

Dus, geconfronteerd met een machtige maar verwarrende droom, en na een ernstige fout te hebben gemaakt met haar laatste interpretatie, had Maegwin deze keer besloten hulp te zoeken. Als iemand de dingen die met haar gebeurden zou begrijpen, zou het Diawen zijn, voelde ze.

Ondanks heel de rookachtige nevel die dicht hing als mist in Inniscrich, was het interieur van haar grot verrassend netjes. Ze had de weinige bezittingen die ze uit haar huis in Hernysadharc had gered zorgvuldig gerangschikt: een verzameling glanzende voorwerpen die de jaloezie van een ekster die zijn nest bouwde zou hebben opgewekt. Aan de ruwe wanden van de grot hingen tientallen glinsterende kralen halssnoeren, die het licht opvingen als door dauw beparelde spinnewebben. Kleine bergjes van glanzende snuisterijen – voornamelijk kralen van metaal en gepolijste steen – waren uitgestald op het platte rotsblok dat Diawens tafel was. In verschillende nissen rond het vertrek stonden de even glanzende werktuigen van het waarzeggersvak: spiegels waarvan de grootte varieerde van een dienblad tot de nagel van een duim, gemaakt van gepolijst metaal of kostbaar glas, sommige rond, andere vierkant, andere elliptisch als een katteoog. Het fascineerde Maegwin er zoveel op één plaats te zien. Als kind van een landelijk hof waar de handspiegel van een dame, na haar reputatie, misschien wel haar dierbaarste bezit was, had ze nooit zoiets gezien.

Diawen was eens mooi geweest, althans dat zei iedereen altijd. Dat viel nu moeilijk te zeggen. De opgeheven bruine ogen en brede mond van de waarzegster stonden in een ingevallen, verweerd gezicht. Haar haren, nog steeds uitzonderlijk lang en vol, waren een heel alledaags ijzergrijs geworden. Maegwin vond dat ze er gewoon uitzag als een magere vrouw die snel aan het verouderen was.

Diawen glimlachte spottend. 'Ah, kleine Maegwin. Ben je voor een liefdesdrank gekomen? Als je achter de graaf aanzit, zul je eerst zijn bloed heet moeten maken anders werkt het tovermiddel niet. Hij is een voorzichtige, dat is-ie.'

Maegwins aanvankelijke verbazing maakte vlug plaats voor geschoktheid en woede. Hoe kon deze vrouw haar gevoelens voor Eolair kennen? Wist iedereen het dan? Was zij het voorwerp van spot bij ieder kookvuur? Een ogenblik vervluchtigde haar diepe gevoel van verantwoordelijkheid voor de onderdanen van haar vader. Waarom zou ze vechten om zo'n troep gniffelende ondankbaren te redden?

'Waarom zeg je dat?' snepte ze. 'Waarom denk je dat ik verliefd ben?'

Diawen lachte, onverschillig voor Maegwins boosheid. 'Ik ben degene die dingen weet. Dat is mijn werk, koningsdochter.'

Een ogenblik lang, terwijl haar ogen pijn deden van de klittende rook en haar trots die gegriefd was door Diawens boude bewering, wilde Maegwin zich alleen maar omdraaien en weggaan. Ten slotte kreeg haar verstandige kant de overhand. Misschien werd er lichtzinnig over Lluths dochter gesproken, zeker – zoals de oude Craobhan had gezegd, dat gebeurde altijd. En Diawen was net het type om rond te sluipen, luisterend naar waardevolle roddelpraat... nuttige kleine feiten die, wanneer ze werden opgepoetst en daarna listig onthuld, haar voorspellingen griezeliger zouden doen schijnen. Maar als Diawen het type was dat zich op dergelijke bedriegerij verliet, zou zij dan van enig nut zijn voor hetgeen Maegwin nu nodig had?

Alsof ze haar gedachten voelde, gebaarde Diawen haar om op een plat stuk steen te gaan zitten dat met een sjaal bedekt was en zei: 'Ik heb praatjes gehoord, dat is waar. Er waren geen toverkunsten voor nodig om je gevoelens voor graaf Eolair te onthullen; alleen al om jullie eens samen te zien, leerde mij alles wat ik moest weten. Maar Diawen heeft meer dan alleen maar scherpe oren en ogen.' Ze pookte in het vuur en maakte de vonken aan het dansen, weer een golf van geelachtige rook ontketenend, en richtte toen een berekenende blik op Maegwin. 'Wat wilt u dan?'

Toen Maegwin haar vertelde dat ze de hulp van de waarzegster wilde om een droom uit te leggen, werd Diawen heel zakelijk. Ze weigerde Maegwins aanbod van eten of kleding. 'Nee, koningsdochter,' zei ze met een harde glimlach. 'Ik zal u nu helpen, maar u zult mij een dienst verschuldigd zijn. Dat komt me beter uit. Akkoord?'

Na de verzekering te hebben gekregen dat die gunst niet zou worden terugbetaald met haar eerstgeboren zoon, met haar schaduw, ziel, stem of iets dergelijks, stemde ze toe.

'Erger u niet,' gniffelde Diawen. 'Dit is geen verhaaltje voor bij de haard. Nee, op een dag zal ik eenvoudig hulp nodig hebben... en u zult mij die geven. U bent een kind van het Huis van Hern, en ik slechts een arme waarzegster, ja? Dat is mijn reden.'

Maegwin vertelde Diawen de essentie van de droom, en de andere vreemde dingen die ze in de voorgaande maanden had gedroomd, en ook wat er was gebeurd toen ze zich door de visioenen met Eolair omlaag in de aarde had laten voeren.

De rook in de kleine ruimte was zo dicht dat toen ze klaar was met over Mezutu'a en zijn inwoners te vertellen, ze even langs het wandtapijt naar buiten moest gaan om te ademen. Haar hoofd was heel vreemd gaan aanvoelen, alsof het los van haar lichaam zweefde, maar enkele ogenblikken buiten in de hoofdgrot gaf haar weer een helder gevoel.

'Dat verhaal is bijna een voldoende beloning, koningsdochter,' zei de waarzegster toen Maegwin terugkwam. 'Ik had de geruchten gehoord, maar wist niet of ik ze moest geloven. Het dwargenvolk levend en wel in de aarde onder ons!' Ze maakte een vreemd hakend gebaar met haar vingers. 'Natuurlijk, ik heb altijd al gedacht dat er meer achter de tunnels in de Grianspog stak dan alleen maar het dode verleden.'

Maegwin fronste. 'Maar hoe zit het dan met mijn droom? Met die "Hoge Plaats", met die tijd die is aangebroken?'

Diawen knikte. De waarzegster kroop op handen en knieën naar de wand. Ze liet haar vingers over enkele van de spiegels glijden, koos er ten slotte een en bracht die mee terug naar het vuur. Hij was klein, gevat in een houten lijst die bijna zwart was geworden door onnoemelijke jaren van gebruik.

'Mijn grootmoeder noemde dit een "drakenspiegel",' zei Diawen, hem Maegwin aanreikend om te onderzoeken. Hij zag eruit als een heel gewone spiegel, het houtsnijwerk dermate versleten dat het bijna helemaal glad was.

'Een drakenspiegel? Waarom?'

De waarzegster haalde haar magere schouders op. 'Misschien werd hij in de tijd van Drochnathair en de andere grote draken gebruikt om te zien of zij eraan kwamen. Of misschien is hij gemaakt van de klauwen of tanden van een draak.' Ze grijnsde, alsof ze wilde tonen dat zij zelf, ondanks haar beroep, wars was van dit soort bijgeloof. 'Hoogstwaarschijnlijk werd de lijst eens bewerkt om er als een draak uit te zien. Maar toch, het is een goed hulpmiddel.'

Ze hield de spiegel boven de vlammen, hem lange tijd in langzame cirkels bewegend. Toen ze hem ten slotte weer rechtop hield, was de oppervlakte met een dun laagje roet bedekt. Diawen hield hem voor Maegwins gezicht omhoog, het spiegelbeeld was verduisterd als door mist. 'Denk aan je droom, en blaas dan.'

Maegwin probeerde de vreemde optocht, de mooie maar vreemde figuren in haar geest te fixeren. Een klein wolkje roet woei van de oppervlakte van de spiegel.

Diawen draaide de spiegel rond en bekeek hem, op haar onderlip bij-

tend terwijl ze zich concentreerde. Met het licht van het vuur recht achter haar, scheen haar gezicht nog magerder, bijna skeletachtig. 'Het is vreemd,' zei de waarzegster ten slotte. 'Ik kan patronen zien, maar die zijn mij alle onbekend. Het is alsof iemand luid spreekt in een huis dichtbij, maar in een taal die ik nooit eerder heb gehoord.' Haar ogen vernauwden zich. 'Er is hier iets niet in de haak, koningsdochter. Weet je zeker dat dit je eigen droom was en niet een die iemand anders je heeft verteld?' Toen Maegwin boos bevestigde dat het de hare was, fronste Diawen. 'Ik kan je weinig vertellen, en niets van de spiegel.'
'Wat betekent dat?'
'De spiegel zegt vrijwel niets. Hij spreekt wel, maar ik begrijp het niet. Daarom zal ik je van je belofte aan mij ontslaan, maar ik zal je ook iets vertellen, je mijn eigen raad geven.' Haar stem hield in dat dit even goed zou zijn als wat de spiegel hen zou hebben kunnen vertellen. 'Als het werkelijk de bedoeling van de goden is dat dit duidelijk aan je wordt gemaakt, doe dan wat zij zeggen.' Ze veegde de spiegel bruusk schoon met een witte doek en zette hem weer terug in zijn nis in de wand van de grot.
'Wat is dat?'
Diawen wees omhoog, alsof ze naar het dak van de grot wees. 'Ga naar de Hoge Plaats.'

Maegwin voelde haar laarzen glijden op door sneeuw glad geworden rots en stak een gehandschoende hand uit om een uitstekend stuk steen naast het steile pad te grijpen. Ze boog haar knieën en bracht haar voeten voorzichtig onder haar lichaam tot ze haar evenwicht had hervonden, en ging toen weer rechtop staan, achterom langs de witte helling van de heuvel omlaag kijkend naar de gevaarlijke afstand die ze al had geklommen. Als ze hier uitgleed, kon ze gemakkelijk van het smalle pad vallen; daarna zou niets anders haar beletten de helling af te tuimelen dan de boomstammen waartegen lang voordat ze beneden was haar hersens te pletter zouden slaan.
Ze stond te hijgen, en merkte tot haar geringe verbazing dat ze niet erg geschrokken was. Een dergelijke val zou stellig op de een of andere manier met de dood eindigen – hetzij onmiddellijk, of door haar kreupel op een besneeuwde berg in de Grianspog achter te laten – maar Maegwin gaf haar leven weer terug in de handen van de goden: wat voor verschil kon het maken of ze besloten haar nu of later tot zich te nemen? Bovendien, het was heerlijk om weer buiten onder de hemel te zijn, hoe koud en grimmig het ook was.
Ze schuifelde nog wat verder naar de buitenste rand van het pad en richtte haar blik omhoog. Bijna de helft van de hoogte van de heuvel te-

kende zich nog flauw af tussen Maegwin en haar bestemming: Bradrach Piek, die van de top uitstak als de boeg van een stenen schip, waarvan de onderkant ontbloot was van de sneeuw die de hellingen bedekte. Als ze er hard tegenaanging, zou ze de top bereiken voor de zwakke ochtendzon, die haar nu recht in het gezicht scheen, ver voorbij haar middaghoogte was gestegen.

Maegwin nam haar tas op de schouder en richtte haar aandacht weer op het pad, met voldoening opmerkend dat de dwarrelende sneeuw de meeste sporen van haar recente weg nu al had uitgewist. Aan de voet van de heuvel waar ze begonnen was, waren de sporen ongetwijfeld helemaal verdwenen. Als een van Skali's Rimmersmannen in dit deel van de Grianspog kwam rondsnuffelen, zou er geen teken zijn dat zij hier was geweest. De goden deden hun deel. Dat was een goed teken.

Het steile pad dwong haar om gedurende het grootste deel van de bestijging naar voren te leunen, de steunen voor de handen die zich voordeden grijpend. Ze voelde een kleine, zure trots vanwege de kracht van haar lichaam, de manier waarop haar spieren zich rekten en spanden, haar even vlug de heuvel optrekkend als de meeste mannen konden klimmen. Maegwins lengte en kracht waren altijd meer een vloek voor haar geweest dan een zegen. Ze wist hoe onvrouwelijk de meesten haar vonden, en had het grootste deel van haar leven doorgebracht met te doen alsof haar dat niets kon schelen. Maar toch was het op de een of andere manier bevredigend te voelen dat haar bekwame ledematen functioneerden. Treurig genoeg was het haar lichaam zelf dat de grootste belemmering vormde voor de haar opgedragen taak. Maegwin wist zeker dat ze het zou kunnen loslaten als het moest, hoewel het niet gemakkelijk zou zijn, maar het was nog moeilijker geweest om zich tegen Eolair te keren, een verachting jegens hem voor te wenden die tegengesteld was aan haar gevoelens. Toch, ze had het gedaan, hoe misselijk het haar ook maakte. Soms was er een verhard hart voor nodig om te doen wat de goden vroegen.

De klim werd er niet gemakkelijker op. Het besneeuwde pad dat ze volgde, was werkelijk weinig meer dan een pad van dieren. Op vele plaatsen verdween het helemaal, haar dwingend moeizaam over uitstekende stenen te gaan, op bosjes kale hei of de takken van de door de wind verwrongen bomen te vertrouwen om haar gewicht te dragen tot ze zich naar een ander gebied van betrekkelijke veiligheid kon ophijsen. Ze bleef enige keren staan om op adem te komen, of haar doorweekte handschoenen uit te wringen en het gevoel in haar vingers terug te wrijven. Tegen de tijd dat ze de laatste helling was opgeklauterd en zag dat ze op de top van de Bradach Tor was aangekomen, stond de bewolkte zon een heel eind aan de westelijke hemel. Zij schraapte sneeuw weg, en zeeg toen ineen op de zwarte door de wind gladgeschuurde rots neer.

De beboste zomen van de Grianspog spreidden zich beneden haar uit. Achter de voet van de berg, door wervelende sneeuw aan haar blik onttrokken, stond Hernysadharc, het ouderlijke huis van Maegwins familie. Daar beende Skali de usurpator door de eiken zalen van de Taig en zijn plunderaars paradeerden door de wit-beklede straten van Hernysadharc. Er diende iets te worden gedaan; blijkbaar was het iets dat alleen de dochter van de koning kon doen.

Ze rustte niet lang. De hitte die door haar inspanning werd opgewekt, werd snel door de wind weggezogen en ze kreeg het koud. Ze ledigde haar tas, alle bezittingen waarvan ze dacht dat zij ze in deze wereld nodig zou hebben op de zwarte steen gooiend. Ze wikkelde zich in de zwarte deken en probeerde niet kinderachtig te blijven denken dat het vallen van de nacht de reeds onaangename koude nog zou verergeren. Haar leren tas met vuurstenen en tondel legde ze opzij; ze zou weer van de tor af moeten klauteren om wat brandhout te vinden.

Maegwin had geen eten meegenomen, niet alleen om haar vertrouwen in de goden te tonen, maar ook omdat zij het moe was aan de eisen van haar lichaam toe te geven. Het vlees dat zij bewoonde, kon niet leven zonder maaltijden, zonder liefde – in werkelijkheid was het de gewone klei waarvan zij was gemaakt die haar had verward met zijn voortdurende behoefte aan eten en warmte en de goede wil van anderen. Nu was het tijd om dat soort aardse dingen te laten wegvallen, zodat de goden haar wezen konden zien.

Er lagen twee voorwerpen genesteld in de onderste vouwen van haar tas. Het eerste was een geschenk van haar vader, een gebeeldhouwde nachtegaal, embleem van de godin Mircha. Eens, toen een jongere Maegwin ontroostbaar had gehuild om een kinderlijke teleurstelling, had koning Lluth de bevallige vogel van de dakspanten van de Taig geplukt waar hij te midden van de duizenden andere beeldjes van goden hing en hem toen in haar kleine handen gelegd. Het was het enige dat haar nog restte om haar eraan te herinneren hoe het vroeger was geweest, aan wat er verloren was gegaan. Na het een ogenblik tegen haar koude wangen te hebben gedrukt, zette ze het op een ronde dagzomende aardlaag, waar het in de stevige bries schommelde.

De laatste schat in de tas was de steen die Eolair haar gegeven had, het geschenk van de dwerg. Maegwin fronste, het stenen voorwerp tussen haar handpalmen rollend. Ze had gedaan alsof de reden waarom ze het had ingepakt was dat ze het had vastgehouden toen ze de door god gezonden droom had gehad, maar ze wist eigenlijk beter. De graaf had hem haar gegeven, daarna was hij weggereden.

Moe en versuft van haar klim, keek Maegwin naar de steen en haar naam-rune tot haar hoofd pijn deed. Het was een volmaakt nutteloos ding – waarmee haar naam een soort valse onsterfelijkheid was gegeven, evenzeer bedrog als de grote stenen stad onder de grond. Alle dingen van de zware aarde waren verdacht, begreep ze nu.

Op duidelijke aandrang van de goden was ze naar deze hoge plek gegaan. Deze keer, had Maegwin besloten, zou ze de goden laten doen wat ze wilden, zich niet inspannend om hen vóór te zijn. Als ze wilden dat zij voor hen zou verschijnen, dan zou ze pleiten voor redding van haar volk en de vernietiging van Skali en de Hoge Koning, het beestachtige paar dat zo'n vernedering over een schuldloos volk had gebracht; als de goden haar niet wilden helpen, zou ze sterven. Maar wat het uiteindelijke resultaat ook was, zij zou hier bovenop de tor zitten tot de goden hun wensen kenbaar zouden maken.

'Brynioch Heer van de Hemel!' riep ze in de wind. 'Mircha gehuld in regen! Murhagh de Armloze, en stoutmoedige Rhynn! Ik heb uw roep gehoord. Ik wacht op uw oordeel!'

Haar woorden werden opgeslokt in grijs en wervelend wit.

Wachtend vocht Miriamele tegen de slaap, maar Aspitis zweefde lange tijd op de rand van slapeloosheid, op het bed naast haar mompelend en woelend. Zij had grote moeite om haar eigen gedachten geconcentreerd te houden. Toen de klop op de deur van haar hut klonk, zweefde ze in een soort halfslaap en besefte eerst niet wat het geluid was.

De klop kwam opnieuw, ietsje luider. Geschrokken, draaide Miriamele zich om. *'Wie is het?'* siste zij. Het moest Gan Itai zijn, besloot ze... maar wat zou de graaf ervan vinden dat de Niskie Miriamele in haar kamer bezocht? Een tweede gedachte volgde snel: zij wilde niet dat Gan Itai Aspitis hier in haar bed zou zien. Miriamele had geen illusies over wat de Niskie wist, maar zelfs in haar ellende wilde ze een paar greintjes zelfrespect behouden.

'Is de meester daar?' De stem, tot haar schaamte en opluchting, was die van een man, een van de matrozen.

Aspitis ging naast haar in bed rechtop zitten. Zijn slanke lichaam was onbehaaglijk warm tegen haar huid. 'Wat is er?' vroeg hij, geeuwend.

'Neem me niet kwalijk, heer. De roerganger heeft u nodig. Dat wil zeggen, hij smeekt u om vergiffenis, maar vraagt om u. Hij denkt dat hij tekenen van een storm ziet. Vreemde.'

De graaf ging opnieuw op zijn rug liggen. 'Bij de Gezegende Moeder! Hoe laat is het, man?'

'De Kreeft is net over de horizon verdwenen, heer Aspitis. Hondewacht, vier uur tot zonsopgang. Het spijt me zeer, heer.'

Aspitis vloekte opnieuw en zocht toen op de vloer van de hut naar zijn laarzen. Hoewel hij moest hebben geweten dat Miriamele wakker was, zei hij geen woord tegen haar. Miriamele zag het bebaarde gezicht van de zeeman in lamplicht geëtst toen de deur openging, en luisterde toen de twee paar voetstappen de gang door gingen naar de ladder naar het dek.

Ze lag minuten die zich voortsleepten in de duisternis, luisterend naar haar eigen hartslag die luider was dan de nog rustige oceaan. Het was duidelijk dat alle opvarenden wisten waar Aspitis was – ze verwachtten de graaf in het bed van zijn minnares aan te treffen! Schaamte verstikte haar. Een ogenblik dacht ze aan die arme Cadrach daar beneden in het donkere ruim. Hij was gebonden met ijzeren ketenen, maar waren haar eigen kluisters gemakkelijker omdat ze onzichtbaar waren?

Miriamele kon zich niet voorstellen hoe ze ooit weer onder de ogen van die grinnikende matrozen over het dek kon lopen – kon het zich evenmin voorstellen als dat ze naakt voor hen zou staan. Het was één ding om te worden verdacht, maar iets heel anders om deel te zijn van wat het hele schip toevallig wist: wanneer Aspitis 's nachts tijdens de wacht nodig was, was hij in haar bed te vinden. Deze laatste vernedering leek haar te bekruipen als een zware, verdovende kilte. Hoe kon ze de hut ooit nog verlaten? En ook als ze het deed, wat stond haar anders te wachten dan een gedwongen huwelijk met de goudharige monstruositeit? Ze zou liever dood zijn.

In het donker maakte Miriamele een zacht geluid. Langzaam, alsof ze een gevaarlijk dier naderde, dacht ze een ogenblik na over dit laatste idee – het was magnifiek in zijn macht, zelfs als een onuitgesproken gedachte. Zij had zichzelf beloofd dat ze alles kon overleven, dat ze op ieder tij kon drijven en gelukkig in de zon zou liggen op ieder strand dat haar ontving, maar was het waar? Kon ze wel met Aspitis trouwen, die haar tot zijn hoer had gemaakt, die had geholpen haar oom te vermoorden en een gewillig werktuig van Pryrates was? Hoe kon een meisje – nee, een vrouw nu, bedacht ze meelijdend – hoe kon een vrouw met het bloed van Prester John in haar aderen toestaan dat er zoiets met haar gebeurde?

Maar als het leven dat zich voor haar uitstrekte zo ondraaglijk was dat de dood verkieslijk scheen, dan hoefde ze niet langer bang te zijn. Zij kon alles doen. Na zich snel te hebben aangekleed, ging ze naar buiten de smalle gang in.

Miriamele beklom de ladder zo stil als ze kon, haar hoofd net ver genoeg boven het luik uit tillend om zich ervan te vergewissen dat Aspitis nog met de roerganger aan het praten was. Ze schenen een heel geanimeerd gesprek te voeren, met hun lampen zwaaiend zodat de vlammende pitten strepen over de zwarte hemel achterlieten. Miriamele liet zich zo vlug als ze kon weer in de gang vallen. Een soort koude slimheid was over haar gekomen, te zamen met haar nieuwe vastberadenheid, en ze liep geruisloos en met trefzekere pas de gang door naar de deur van Aspitis. Toen ze door de deur geglipt was en die achter zich gesloten had, nam ze de kap van haar lamp.

Een snel onderzoek van Aspitis' vertrek leverde niets nuttigs op. Het zwaard van de graaf lag op zijn bed als een heidens huwelijkssymbool, een slank, prachtig vervaardigd zwaard in de vorm van een zeearend met uitgespreide vleugels. Het was het lievelingsbezit van de graaf – misschien op haar na, dacht Miriamele gedeprimeerd – maar het was niet wat ze zocht. Ze begon iets grondiger te zoeken, de plooien van al zijn kleren nakijkend, de dozen waarin hij zijn juwelen en dobbelstenen bewaarde onderzoekend. Hoewel ze wist dat ze steeds minder tijd had, dwong ze zich om elk kledingstuk weer op te vouwen en terug te leggen op de plaats waar het gelegen had. Het zou haar zaak geen goed doen om Aspitis te alarmeren.

Toen ze klaar was, keek Miriamele teleurgesteld de hut rond, niet bereid te geloven dat ze eenvoudig kon falen. Ineens herinnerde zij zich de kist waarin ze Aspitis zakken geld had zien stouwen. Waar was die gebleven? Ze liet zich op haar knieën vallen en schoof het gordijn voor het bed opzij. De kist was daar, met Aspitis' op een na beste mantel eroverheen gedrapeerd. Wetend dat de graaf van Eadne en Drina ieder ogenblik door de deur zou komen, dwong Miriamele zich onder het bed en sjorde haar eronderuit in het licht, huiverend bij het luide schurende geluid dat werd veroorzaakt toen de metalen hoeken in de planken vloer sneden.

De kist zat vol met zakken geld, zoals zij had gezien. De geldstukken waren voornamelijk zilver, maar iedere zak bevatte ook een behoorlijk aantal gouden Imperators. Het was een klein fortuin, maar Miriamele wist dat Aspitis en zijn familie een zeer groot fortuin bezaten, waarbij vergeleken dit slechts een handvol was. Ze haalde er voorzichtig een paar zakken uit, proberend ze niet te laten rinkelen, en met enige belangstelling opmerkend dat haar handen, die hadden behoren te beven, vast als steen waren. Verborgen onder de bovenste rij zakken lag een in leer gebonden register. Het bevatte lijsten in Aspitis' verrassend kieskeurige handschrift van plaatsen die de *Wolk Eadne* had aangedaan – Vinitta en Grenamman, en ook andere namen die, besloot Miriamele, havens moesten zijn geweest die op andere reizen waren bezocht; naast iedere naam stond een regel met cryptische aantekeningen. Miriamele kon er geen wijs uit worden, en na er een ogenblik ongeduldig op te hebben gestudeerd, legde zij het register opzij. Onder het register, in een bundeltje gerold, bevond zich een mantel met kap van grove witte stof – maar dit was ook niet wat zij zocht. De koffer bevatte geen verdere geheimen, dus pakte zij hem weer zo goed mogelijk in en schoof hem toen weer onder het bed.

De tijd begon te dringen. Miriamele zat op de grond, vol vreselijke, koude haat. Misschien zou het 't eenvoudigst zijn om eenvoudig aan dek te glippen en zich in de oceaan te storten. Het duurde nog uren voor het dag werd; niemand zou weten waar ze heen was totdat het te laat was om haar tegen te houden. Maar ze dacht aan de kilpa, geduldig wachtend, en kon zich niet voorstellen dat zij ze gezelschap ging houden in de zwarte zee.

Toen ze opstond, zag zij het eindelijk. Het had de hele tijd aan een haak achter de deur gehangen. Ze haalde het eraf en liet het in haar riem onder haar mantel glijden, en glipte toen de deur door. Toen ze er zeker van was dat er niemand aankwam, schermde zij haar lamp af en ging terug naar haar eigen hut.

Miriamele kroop onder haar deken toen ze plotseling de betekenis van het witte gewaad begreep. In haar vreemd onthechte toestand was dit besef slechts een zoveelste post op de overladen rekening van de graaf, maar het hielp om haar besluit te ondersteunen. Ze lag zonder zich te bewegen, rustig ademhalend, op Aspitis' terugkeer te wachten, haar geest zo stevig op haar koers gezet dat ze niet wilde dat een gedachte haar zou afleiden – geen herinneringen aan haar jeugd en haar vrienden, geen spijt om de plaatsen die ze nooit zou zien. Haar oren brachten haar elk gekraak van het hout van het schip en iedere klap van de golven tegen de romp, maar terwijl de uren zich voortsleepten, klonken de stappen van zijn laarzen niet in de gang. Haar deur ging niet krakend open. Aspitis kwam niet.

Eindelijk, toen de dageraad in de hemel boven het dek glinsterde, viel ze in een zware, troebele slaap met de dolk van de graaf nog steeds in haar vuist geklemd.

Ze voelde de handen die haar schudden, en hoorde de rustige stem; maar haar geest wilde niet naar de wakkere wereld terugkeren.

'Meisje, word wakker!'

Ten slotte, draaide Miriamele zich kreunend om en opende haar ogen. Gan Itai keek op haar neer met een blik van bezorgheid die haar al gerimpelde voorhoofd nog dieper groefde. Ochtendlicht van het luik in de gang buiten viel door de open deur. De pijnlijk schrijnende herinneringen van de vorige dag, gedurende de eerste ogenblikken afwezig, golfden weer over haar heen.

'Ga weg,' zei ze tegen de Niskie. Ze probeerde haar hoofd onder de deken te stoppen, maar Gan Itai's sterke handen grepen haar en trokken haar rechtop.

'Wat hoor ik aan dek zeggen? De matrozen zeggen dat graaf Aspitis op Spenit gaat trouwen... gaat trouwen met u! Is dat waar?'

Miriamele sloeg haar handen voor haar ogen, proberend het licht buiten te sluiten. 'Is de wind opgestoken?'

Gan Itai's stem klonk verbaasd. 'Nee, we liggen nog steeds in een windstilte. Waarom stelt u zo'n vreemde vraag?'

'Omdat hij niet met me kan trouwen, als we daar niet kunnen komen,' fluisterde Miriamele.

De Niskie schudde haar hoofd. 'Bij de Niet in Kaart Gebrachte, dan is het dus waar! O, meisje, dit is niet wat je wilt, wel?'

Miriamele opende haar ogen.

Gan Itai maakte een klein zoemend geluid van ontsteltenis. Ze hielp Miriamele haar voeten uit bed en op de vloer te krijgen, en bracht haar toen de kleine spiegel die Aspitis aan Miriamele had gegeven toen hij nog vriendelijkheid had voorgewend.

'Wil je je haar niet borstelen?' vroeg de Niskie. 'Het ziet er warrig en verwaaid uit, en ik denk dat je dat niet prettig vindt.'

'Het kan me niet schelen,' zei ze, maar de blik op Gan Itai's gezicht trof haar: de zeewachtvrouw kon geen andere manier bedenken om te helpen. Ze stak haar hand uit naar de spiegel. Het hecht van Aspitis' dolk, die in de plooien van de deken verborgen was geweest, bleef in haar mouw haken en viel kletterend op de grond. Zowel Miriamele als de Niskie staarden er een ogenblik naar. Plotseling, verkillend, zag Miriamele haar ene deur van ontsnapping dichtgaan. Ze sprong van het bed om de dolk te grijpen, maar Gan Itai was haar voor geweest. De Niskie hield hem omhoog in het licht, een blik van verbazing in haar goudgevlekte ogen.

'Geef hem aan mij,' zei Miriamele.

Gan Itai staarde naar de zilveren visarend die zo was bewerkt dat hij op het gevest van de dolk scheen neer te strijken. 'Dit is de dolk van de graaf.'

'Hij heeft hem hier achtergelaten,' loog ze. 'Geef hem aan mij.'

De Niskie draaide zich met een ernstig gezicht naar haar om. 'Hij heeft hem hier niet achtergelaten. Hij draagt dit alleen in combinatie met zijn beste kleren, en ik zag wat hij droeg toen hij vannacht aan dek kwam. In elk geval droeg hij zijn andere dolk aan zijn riem.'

'Hij heeft hem mij cadeau gegeven, een geschenk...' Ineens barstte ze in tranen uit, grote krampachtige snikken die haar hele lichaam deden schokken. Gan Itai sprong verontrust op en duwde de deur dicht.

'Ik haat hem!' klaagde Miriamele, heen en weer wiegend. Gan Itai sloeg een magere arm om haar schouders. 'Ik haat hem!'

'Wat doe je met zijn mes?' Toen ze geen antwoord kreeg, vroeg ze het nogmaals. 'Vertel het me, meisje.'

'Ik ga hem vermoorden.' Miriamele putte kracht uit die woorden; een ogenblik nam haar tranenstroom af. 'Ik zal dat hoererende zwijn doorsteken en wat er daarna gebeurt kan me niet schelen.'

'Nee, nee, dit is waanzin,' zei de Niskie, fronsend.

'Hij weet wie ik ben, Gan Itai.' Miriamele snakte naar adem. Het was moeilijk om te spreken. 'Hij weet dat ik de prinses ben, en hij zegt dat hij met me zal trouwen... zodat hij meester van Nabban kan zijn wanneer mijn vader de hele wereld heeft veroverd.' Het idee scheen onwerkelijk, maar wat kon verhinderen dat het zou gebeuren? 'Aspitis heeft ook geholpen mijn oom Leobardis te vermoorden. En hij geeft geld aan de Vuurdansers.'

'Wat bedoel je?' Gan Itai's ogen waren gespannen. 'De Vuurdansers, dat zijn krankzinnigen.'

'Misschien, maar hij heeft een kist vol met zakken zilver en goud, en er is een boek waarin betalingen zijn opgetekend. Hij heeft ook het gewaad van een Vuurdanser, opgerold en verborgen. Aspitis zou nooit zo'n grof weefsel dragen.' Het was zo duidelijk geweest, plotseling, zo belachelijk voor de hand liggend: Aspitis zou liever doodgaan voordat hij zoiets gewoons droeg... tenzij er een reden was. En dan te bedenken dat zij eens onder de indruk was geweest van zijn mooie kleren! 'Ik weet zeker dat hij zich onder hen begeeft. Cadrach zei dat hij doet wat Pyrates hem vraagt.'

Gan Itai lichtte haar arm van Miriameles schouder en ging met haar rug tegen de muur zitten. In de stilte zweefde het geluid van mensen die aan dek heen en weer liepen omlaag door het plafond van de hut. 'De Vuurdansers hebben een deel van Niskiestad in Nabban platgebrand,' zei de oude vrouw langzaam. 'Ze hebben deuren vastgewigd, met kinderen en ouden van dagen binnen. Ze hebben op andere plaatsen waar mijn volk woont ook brand gesticht en gemoord. En de hertog van Nabban en andere mensen doen niets. Niets.' Ze streek met haar hand door haar haren. 'De Vuurdansers voeren altijd een reden aan, maar in werkelijkheid is er nooit een reden, ze houden er alleen maar van om andere mensen te zien lijden. Nu zegt u dat de meester van mijn schip hun goud brengt.'

'Het hindert niet. Hij zal dood zijn voor we land in zicht krijgen.'

Gan Itai schudde haar hoofd van wat verbazing leek. 'Onze oude meesters hebben Ruyan de Zeevaarder in de boeien geslagen. Onze nieuwe meesters verbranden onze kinderen, en schenden en doden onze eigen jeugd ook.' Ze legde een koele hand op Miriameles arm en liet die daar lange tijd liggen. Haar opgeheven ogen vernauwden zich terwijl ze nadacht. 'Verberg het mes,' zei ze ten slotte. 'Gebruik het niet voordat ik weer met u spreek.'

'Maar…' begon Miriamele. Gan Itai kneep hard.

'Nee,' zei de Niskie scherp. 'Wacht! U moet wachten!' Ze stond op en liep het vertrek uit. Toen de deur achter haar dichtsloeg, was Miriamele alleen achtergebleven, tranen opdrogend op haar wangen.

5

Woestenij van dromen

De hemel was vol warrelende grijze wimpels. Een dikkere kluwen wolken doemde als een opgeheven vuist aan de verre noordelijke horizon op, dreigend purper en zwart.

Het was weer bitter koud geworden. Simon was heel dankbaar voor zijn dikke nieuwe wollen hemd. Het was een cadeau geweest van een mager meisje uit Nieuw Gadrinsett, een van de twee jonge meisjes die op zijn ridderfeest toenadering hadden gezocht. Toen het meisje en haar moeder het geschenk waren komen aanbieden, was Simon passend beleefd en dankbaar geweest, zoals een ridder betaamde naar hij meende. Hij hoopte alleen maar dat ze niet dachten dat hij met het meisje zou gaan trouwen of zo. Hij had haar nu een keer of zes ontmoet, maar ze had nog steeds nauwelijks een woord tegen hem gezegd, hoewel ze veel giechelde. Het was leuk om te worden bewonderd, had Simon uitgemaakt, maar onwillekeurig wenste hij toch dat iemand anders dan dit dwaze meisje en haar even dwaze vriendin, de rol van bewonderaarster zou spelen. Toch, het hemd was goed gemaakt en warm.

'Kom, heer ridder,' zei Sludig, 'ga je die stok nu gebruiken, of geven we er voor vandaag de brui aan? Ik ben even moe en steenkoud als jij.'

Simon keek op. 'Neem me niet kwalijk. Ik was aan het denken. Het is inderdaad koud, nietwaar?'

'Het schijnt dat ons korte proefje van de zomer ten einde is,' riep Binabik vanaf zijn zitplaats op een omgevallen pilaar. Ze waren midden in de Vuurtuin, zonder beschutting tegen de harde, ijzige wind.

'Zomer!?' snoof Sludig. 'Omdat het veertien dagen lang niet gesneeuwd heeft? Ik heb nog steeds iedere ochtend ijs in mijn baard.'

'Er is in elk geval een verbetering in het weer opgetreden vergeleken bij wat we daarvoor moesten verduren,' zei Binabik sereen. Hij gooide nòg een kiezelsteen naar Qantaqa die op de grond enkele stappen van hen vandaan in een bontachtige lus lag gerold. Ze keek hem van opzij aan, maar toen, na blijkbaar te hebben besloten dat af en toe een kiezelsteen niet de moeite waard is om voor op te staan en haar meester te bijten, sloot ze opnieuw haar gele ogen. Jeremias, die naast de trol zat, sloeg de wolf ongerust gade.

Simon pakte zijn houten oefenzwaard nogmaals op en bewoog zich over de tegels naar voren. Hoewel Sludig nog steeds geen echte zwaarden wilde gebruiken, had hij Simon geholpen stukken steen aan de houten te binden zodat ze meer het gewicht van echte zwaarden benaderden.

Simon hief het zijne voorzichtig op, proberend de balans te vinden. 'Vooruit dan,' zei hij.

De Rimmersman beende naar voren tegen de aanzwellende wind, zijn zware tuniek wapperend, en haalde met een verrassende twee-handige zwaai zijn zwaard om. Simon stapte opzij, Sludigs klap bovenwaarts afwerend en kwam terug met zijn eigen risposte. Sludig blokkeerde hem; de echo van hout dat tegen hout sloeg zweefde boven de tegels.

Ze oefenden bijna een uur lang terwijl de versluierde zon boven hun hoofden voorbij trok. Simon begon zich eindelijk op zijn gemak te voelen met een zwaard in zijn hand: zijn wapen gaf hem vaak het gevoel dat het een deel van zijn arm vormde, zoals Sludig altijd zei dat het behoorde te zijn. Het was voornamelijk een kwestie van balans, besefte hij nu – niet alleen maar met een zwaar voorwerp zwaaien, maar ermee bewegen, waarbij zijn benen en rug de kracht leverden en hij zich door zijn eigen snelheid in de volgende defensieve positie liet brengen, in plaats van naar zijn tegenstander uit te halen en dan weer weg te springen.

Terwijl ze schermutselden, dacht hij aan shent, het ingewikkelde spel van de Sithi, met zijn schijnbewegingen en raadselachtige aanvallen, en vroeg zich af of dezelfde dingen voor het zwaardgevecht golden. Hij liet zich door zijn volgende paar slagen steeds verder uit het evenwicht brengen tot Sludig het wel moest opmerken; toen, terwijl de Rimmersman achter een van Simons zwaaiende missers aanstormde met de bedoeling hem te treffen op het moment dat hij zich te ver vooroverboog en hem tegen de ribben te striemen, liet Simon zich door zijn zwaai met een snelle buiteling helemaal mee naar voren zwiepen. Het houten zwaard van de Rimmersman suisde over hem heen. Simon ging toen rechtop staan en gaf Sludig keurig een klap op de zijkant van zijn knie. De noorderling liet zijn zwaard vallen en sprong vloekend op en neer.

'*Ummu Bok!* Heel goed, Simon,' riep Binabik. 'Een verrassende beweging.' Jeremias zat naast hem te grijnzen.

'Dat deed pijn.' Sludig wreef over zijn been. 'Maar het was een knappe gedachte. Laten we ophouden voordat onze vingers te gevoelloos zijn om de gevesten vast te houden.'

Simon was erg met zichzelf ingenomen. 'Zou dat in een echt gevecht werken, Sludig?'

'Misschien. Misschien niet als je wapenrusting droeg. Dan zou je misschien omvallen als een schildpad en niet op tijd overeind kunnen komen. Wees heel zeker voor je je voeten ooit van de grond neemt, anders zul je meer dood zijn dan slim. Maar toch, mijn compliment.' Hij ging rechtop staan. 'Het bloed bevriest in mijn aderen. Laten we naar de smidsen gaan om ons te warmen.'

Freosel, Nieuw Gadrinsetts nieuwe slotvoogd, had verscheidene van de kolonisten aan het werk gezet om in een van de luchtiger grotten een smederij te bouwen. Ze hadden die taak enthousiast en vol plichtsbesef aanvaard, en waren nu bezig het weinige schroot dat op de Sesuad'ra te vinden was te smelten, hopend nieuwe wapens te smeden en de oude te repareren.

'De smidsen, om warm te worden,' stemde Binabik in. Hij klikte met zijn tong tegen Qantaqa, die opstond en zich uitrekte.

Terwijl ze liepen, viel de verlegen Jeremias terug tot hij enkele passen achter hen aanliep. De wind blies snijdend over de Vuurtuinen, en het zweet achterop Simons nek was ijzig koud. Hij merkte dat zijn uitbundige stemming enigszins bedaarde.

'Binabik,' vroeg hij plotseling, 'waarom konden wij niet met graaf Eolair en Isorn meegaan naar Hernystir?' Dat paar was de vorige dag in het grijs van de vroege ochtend vertrokken, vergezeld door een kleine erewacht voornamelijk bestaande uit Tritsingse ruiters.

'Ik denk dat de redenen die Jozua je gaf juist waren,' antwoordde Binabik. 'Het is niet goed dat dezelfde mensen altijd de risico's lopen... of de overwinning behalen.' Hij trok een zuur gezicht. 'Er zal in de komende dagen voor allen genoeg te doen zijn.'

'Maar wij hebben hem Doorn gebracht. Waarom zouden we niet op z'n minst proberen ook Minneyar te krijgen, of nog liever Glanzende Nagel?'

'Omdat je nu een ridder bent, jongen, wil dat nog niet zeggen dat je voortdurend je zin krijgt,' snauwde Sludig. 'Prijs je gelukkig en wees tevreden. Tevreden en rustig.'

Verrast wendde Simon zich tot de Rimmersman. 'Je klinkt alsof je boos bent.'

Sludig wendde zijn blik af. 'Ik niet, ik ben maar een soldaat.'

'En geen ridder.' Simon dacht dat hij het begreep. 'Maar je weet waarom dat zo is, Sludig. Jozua is geen koning. Hij kan alleen zijn eigen Erkynlanders ridderen. Jij bent hertog Isgrimnurs soldaat. Ik weet zeker dat hij je zal onderscheiden wanneer hij terugkomt.'

'*Als* hij terugkomt.' Er klonk bitterheid in Sludigs stem. 'Ik ben het beu om hierover te praten.'

Simon dacht zorgvuldig na alvorens hij sprak. 'We weten allen wat voor rol jij gespeeld hebt, Sludig. Jozua heeft het aan iedereen verteld – maar Binabik en ik zijn erbij geweest en wij zullen het nooit vergeten.' Hij raakte de arm van de Rimmersman aan. 'Wees alsjeblieft niet boos op me. Ook al ben ik een ridder, ik ben nog steeds hetzelfde uilskuiken aan wie jij hebt geleerd met een zwaard om te gaan. Ik ben nog steeds je vriend.'

Sludig keek hem een ogenblik van onder borstelige wenkbrauwen aan.

'Genoeg,' zei hij. 'Je bent inderdaad een uilskuiken, maar ik moet iets te drinken hebben.'

'En een warm vuur.' Simon probeerde niet te glimlachen.

Binabik, die zwijgend naar het gesprek had geluisterd, knikte plechtig.

Geloë wachtte hen aan de rand van de Vuurtuin op. Ze was ingepakt tegen de kou, een sjaal om haar gezicht gewonden zodat alleen haar ronde gele ogen te zien waren. Ze hief een door de kou rood geworden hand op toen ze naderbij kwamen.

'Binabik. Ik wil dat jij en Simon vlak voor zonsondergang bij me komen, in het Observatorium.' Ze wees op het bouwvallige skelet enkele honderden stappen naar het westen. 'Ik heb jullie hulp nodig.'

'Hulp van een magische trol en een drakendodende ridder.' Sludigs glimlach was niet helemaal overtuigend.

Geloë richtte haar roofdierachtige blik op hem. 'Het is geen eer. Bovendien, Rimmersman, ook al kon je het, ik denk niet dat je de Weg van Dromen zou willen bewandelen. Niet nu.'

'De Droomweg?' Simon was geschrokken. 'Waarom?'

De tovenares wuifde naar de afschuwelijke kolking van wolken aan de noordelijke hemel. 'Er is weer een storm op komst. Behalve wind en sneeuw zal die ook de geest en hand van onze vijand dichterbij brengen. Het droompad wordt steeds riskanter en het zal binnenkort misschien onmogelijk te begaan zijn.' Ze stopte haar handen onder haar mantel. 'We moeten de tijd die wij hebben benutten.' Geloë draaide zich om en liep weg naar de oceaan van golvende tenten. 'Zonsondergang!' riep ze.

'Ah,' zei Binabik na een ogenblik stilte. 'Toch, er is tijd voor de wijn en het warmen van handen waar we het over hadden. Laten we vlug naar de smidsen gaan.' Hij ging op weg. Qantaqa sprong hem achterna.

Jeremias zei iets dat onhoorbaar was boven de luider wordende stem van de wind. Simon bleef staan opdat hij hem kon inhalen.

'Wat?'

De schildknaap schudde zijn hoofd op en neer. 'Ik zei dat Leleth niet bij haar was. Wanneer Geloë uit wandelen gaat, loopt Leleth altijd met haar mee. Ik hoop dat ze het goed maakt.'

Simon haalde de schouders op. 'Laten we ons gaan warmen.'

Ze haastten zich achter de verdwijnende gestalten van Binabik en Sludig aan. In de verte was Qantaqa een grijze schaduw in het wuivende gras.

Simon en Binabik liepen door de deuropening het door lampen verlichte Observatorium in. Achter het gebarsten dak maakte de schemering dat de hemel eruitzag als een kom van blauw glas. Geloë was er niet, maar het Observatorium was niet leeg: Leleth zat op een stuk van een ingestorte pilaar, haar dunne benen onder zich opgetrokken. Ze draaide niet eens haar hoofd om toen ze binnenkwamen. Het meisje was gewoonlijk teruggetrokken, maar haar stilte had iets dat Simon verontrustte. Hij ging naar haar toe en zei zacht haar naam, maar hoewel haar ogen open waren, op de hemel boven haar gericht, had zij de slappe spieren en trage ademhaling van iemand die sliep.

'Denk je dat ze ziek is?' vroeg Simon. 'Misschien heeft Geloë ons daarom gevraagd te komen.' Ondanks zijn ongerustheid over Leleth, voelde hij een sprankje opluchting: het maakte hem angstig om aan het bewandelen van de Droomweg te denken. Ook al had hij de veiligheid van de Sesuad'ra bereikt, zijn dromen waren levendig en verwarrend gebleven.

De trol voelde de warme hand van het meisje en liet die toen weer in haar schoot vallen. 'Wij kunnen weinig voor haar doen dat Geloë niet beter zou kunnen doen. We zullen geduldig wachten.' Hij draaide zich om en keek de wijde, cirkelvormige zaal rond. 'Ik denk dat dit eens een heel mooi gebouw is geweest. Mijn volk heeft lang in de levende berg gehouwen, maar wij hebben niet een tiende van de vaardigheid die de Sithi hadden.'

De verwijzing naar Jiriki's volk alsof het een verdwenen ras was, ergerde Simon maar hij was nog niet bereid het onderwerp van Leleths welzijn op te geven. 'Weet je zeker dat we niet iets voor haar moeten halen? Een mantel misschien? Het is zo koud.'

'Maak je geen zorgen om Leleth,' zei Geloë vanuit de deuropening. Simon sprong schuldbewust op, alsof hij verraad had beraamd. 'Zij gaat slechts een klein eind op de Droomweg zonder ons. Daar is zij het gelukkigst, denk ik.'

Ze liep verder de kamer in. Pater Strangyeard verscheen achter haar. 'Hallo Simon, Binabik,' zei de priester. Zijn gezicht was gelukkig en opgewonden als dat van een kind in de Aedontijd. 'Ik ga met jullie mee. Dromen, bedoel ik. Op de Droomweg. Ik heb erover gelezen – het heeft mij lang geboeid – maar ik heb nooit kunnen vermoeden…' Hij schudde zijn vinger alsof hij de verrukkelijke onwaarschijnlijkheid van dit alles wilde aantonen.

'Het is geen dag van bessenplukken, Strangyeard,' zei Geloë boos. 'Maar omdat je nu een Drager van het Geschrift bent, is het goed dat je enkele van de weinige Kunsten die ons nog resten leert.'

'Natuurlijk is het niet… ik bedoel, natuurlijk *is* het goed om te leren. Maar bessenplukken… nee, ik bedoel… o.' Strangyeard zweeg, verslagen.

'Nu weten ik waarom Strangyeard zich bij ons voegt,' zei Binabik. 'En ik ben misschien ook goed om te helpen. Maar waarom Simon, Valada Geloë? En waarom hier?'

De tovenares streek met haar hand even door Leleths haren, daarbij geen reactie aan het kind ontlokkend, en ging toen op de zuil naast haar zitten. 'Wat het eerste betreft, is het omdat ik een speciale behoefte heb, en Simon misschien kan helpen. Maar laat mij alles uitleggen, zodat er geen fouten worden gemaakt.' Ze wachtte tot de anderen om haar heen waren gaan zitten. 'Ik heb jullie verteld dat er een nieuwe grote storm op komst is. De Weg van Dromen zal moeilijk te bewandelen zijn, zo niet onmogelijk. Er zijn ook andere dingen op komst.' Ze hief haar hand op om Simons vraag af te weren. 'Meer kan ik niet zeggen. Niet voordat ik met Jozua spreek. Mijn vogels hebben mij nieuws gebracht... maar ook zij zullen naar hun schuilplaatsen gaan wanneer de storm opsteekt. Dan zullen wij bovenop deze rots blind zijn.'

Terwijl zij sprak, bouwde ze behendig een stapel stokjes op de stenen vloer, en stak die toen aan met een twijgje dat ze aan een van de lampen had doen ontvlammen. Ze stak haar hand in de zak van haar mantel en haalde een buideltje te voorschijn. 'Dus,' vervolgde zij, 'zolang het nog kan, zullen we voor de laatste keer proberen hen bijeen te brengen die nuttig voor ons kunnen zijn, of die de beschutting die wij kunnen geven nodig hebben. Ik heb jullie hier laten komen omdat dit de beste plaats is. De Sithi zelf kozen hem toen ze met elkaar over een grote afstand spraken, waarbij ze, zoals de oude kennis zegt, gebruik maakten van "Stenen en Weegschalen, Poelen en Brandstapels", die zij hun Getuigen noemden.' Ze goot een bergje kruiden uit het zakje, het op haar handpalm wegend. 'Daarom heb ik deze plaats het "Observatorium" genoemd. Zoals geestelijken in de observatoria van het oude Imperium eens de sterren uit dat van hen gadesloegen, zo kwamen de Sithi eens naar deze plek om uit te zien op hun keizerrijk van Osten Ard. Dit is een machtige plek om te kijken.'

Simon wist behoorlijk veel over de Getuigen – hij had Aditu met Jiriki's spiegel opgeroepen, en had Amerasu's rampzalige gebruik van de Mistlamp gezien. Hij herinnerde zich plotseling zijn droom uit de nacht van zijn wake – de fakkeloptocht, de Sithi en hun vreemde ceremonie. Kon de aard van deze plaats iets te maken hebben met zijn duidelijke, sterke visioen van het verleden?

'Binabik,' zei Geloë, 'misschien heb je wel eens gehoord van Tiamak, een Wrannaman die een vriend was van Morgenes. Hij stuurde soms boodschappen aan jouw meester Ookequk, denk ik.' De trol knikte. 'Dinivan van Nabban kende Tiamak ook. Hij vertelde mij dat hij een of ander goed bedoeld plan in werking had gezet, en de Wrannaman erbij betrokken had.' Geloë fronste. 'Ik ben er nooit achter gekomen wat het was. Nu Dinivan dood is, vrees ik dat de moerasman verloren en zonder vrienden is. Leleth en ik hebben geprobeerd hem te bereiken, maar we zijn daar niet helemaal in geslaagd. De Droomweg is tegenwoordig erg verraderlijk.'

Ze reikte over de zuil heen en tilde een kleine kruik met water van de met puin bezaaide vloer op. 'Ik hoop dus dat jullie extra kracht ons zal helpen Tiamak te vinden. We zullen hem vragen naar ons toe te komen als hij bescherming nodig heeft. Ook heb ik Jozua beloofd dat ik nog eens zal proberen Miriamele te bereiken. Dat is nog vreemder... er hangt een of andere sluier over haar, een schaduw die mij belet haar te vinden. Jij was heel intiem met haar, Simon. Misschien zal die band ons helpen uiteindelijk door te breken.'

Miriamele. Haar naam zond een stroom van krachtige gevoelens door Simon – hoop, genegenheid, bitterheid. Hij was boos en teleurgesteld geweest toen hij had ontdekt dat ze niet in Sesuad'ra was. In zijn achterhoofd was hij er op de een of andere manier zeker van geweest, dat als hij erin zou slagen de Steen des Afscheids te bereiken, zij daar zou zijn om hem te verwelkomen; haar afwezigheid leek op desertie. Hij was ook bang geweest toen hij ontdekte dat zij verdwenen was met alleen de dief Cadrach als gezelschap.

'Ik zal op iedere manier helpen die ik kan,' zei hij.

'Goed.' Geloë stond op, haar handen aan haar broek afvegend. 'Hier, Strangyeard, ik zal je laten zien hoe je schijnfoelie en nachtschade mengt. Verbiedt je godsdienst dit?'

De priester haalde hulpeloos de schouders op. 'Ik weet het niet. Misschien... dat wil zeggen, dit is een vreemde tijd.'

'Inderdaad.' De tovenares grijnsde. 'Kom dan, ik zal het je laten zien. Beschouw het als een geschiedenisles als je wilt.'

Simon en Binabik wachtten rustig terwijl Geloë de gefascineerde archivaris de juiste verhouding liet zien.

'Dit is de laatste van deze planten tot we deze rots verlaten,' zei ze toen ze klaar waren. 'Een aanmoediging te meer om deze keer te slagen. Hier.' Ze depte een weinig op Simons handpalmen, voorhoofd en lippen, en deed toen hetzelfde bij Strangyeard en Binabik alvorens de pot neer te zetten. Simon voelde het smeerseltje koud worden op zijn huid.

'Maar jij en Leleth dan?' vroeg Simon.

'Ik kan er buiten. Leleth heeft het nooit nodig gehad. Ga nu zitten en neem elkaar bij de hand. Vergeet niet, de Weg van Dromen is vreemd tegenwoordig. Wees niet bang, maar hou je verstand bij elkaar.'

Ze zetten een van de lampen op de grond en gingen in een kring naast de verbrokkelende zuil zitten. Simon greep Binabiks kleine hand aan één kant vast en Leleths even kleine hand aan de andere zijde. Een glimlach verspreidde zich langzaam op het gezicht van het kleine meisje, de blinde glimlach van iemand die van blijde verrassingen droomt.

De ijzige gewaarwording verspreidde zich langs Simons arm omhoog en overal door hem heen. Hoewel de schemering boven nog had moeten blijven hangen, werd de ruimte spoedig donker. Weldra kon Simon alleen nog maar de flakkerende oranje tongen van het vuur zien, en toen verdween zelfs dat licht in zwartheid... en Simon viel erdoorheen.

Achter het zwart was alles een universeel, nevelig grijs – een zee van niets zonder boven of onderkant. Uit die vormloze leegte begon langzaam een vorm te ontstaan, een kleine, snel bewegende figuur die als een mus heen en weer schoot. Het duurde slechts een ogenblik voor hij Leleth herkende, maar het was een droom-Leleth, een Leleth die ronddraaide en -tolde, haar donkere haar wapperend in de wind. Hoewel hij niets kon horen, zag hij haar mond krullen in verrukt lachen toen ze hem wenkte naar voren te komen; zelfs haar ogen schenen levendig op een manier als hij nog nooit had gezien. Dit was het kleine meisje dat hij nooit had ontmoet – het meisje dat op onverklaarbare wijze de malende kaken van de Stormpiek-meute niet had overleefd. Hier was ze weer in leven, bevrijd van de verschrikkingen van de wakkere wereld en van haar eigen gehavende lichaam. Zijn hart sprong op om haar ongekluisterde dans te zien.

Leleth schoot voor hem uit, wenkend, hem zonder woorden smekend zich te haasten, haar te volgen, te volgen! Simon probeerde het, maar in zijn grijze droomwereld was hij degene die verlamd was en achterbleef. Leleths kleine gestalte werd snel onduidelijk en verdween toen in de oneindige grijsheid. Zijn droom-ik voelde met haar een soort warmte verdwijnen. Plotseling was hij weer alleen en aan het zweven.

Er verliep schijnbaar een lange tijd. Simon zweefde zonder houvast tot iets met zachte, onzichtbare vingers aan hem trok. Hij voelde dat hij voorwaarts werd getrokken, eerst geleidelijk, toen met steeds grotere snelheid; hij was nog steeds lichaamloos, maar niettemin gevangen in een onbegrijpelijke stroming. Een nieuwe vorm begon uit de leegheid vóór hem gestalte aan te nemen – een donkere toren van onvaste schaduw, een zwarte maalstroom doorschoten met rode vonken, als een draaikolk van rook en vuur. Simon voelde dat hij er nog sneller naartoe werd getrokken en werd plotseling bang. De dood lag in die kolkende duisternis, de dood of iets ergers nog. Paniek welde in hem op, sterker dan hij zich had voorgesteld dat die kon zijn. Hij dwong zich te herinneren dat dit een droom was, geen plaats. Hij hoefde deze droom niet te dromen als hij niet wilde. Een deel van hem herinnerde zich dat hij op dit eigenste ogenblik, op een of andere plaats, de handen van vrienden vasthield...

Toen hij aan hen dacht, waren zij daar bij hem, onzichtbaar maar aanwezig. Hij kreeg wat meer kracht en slaagde erin zijn binnenwaartse afglijden naar de kokende, vonkende zwartheid tegen te houden. Toen, stukje bij beetje, trok hij zich weg, zijn droom-ik op de een of andere manier tegen de stroom in zwemmend. Toen hij de afstand tussen zichzelf en de zwarte kolking vergrootte, stortte de draaikolk plotseling in en was hij vrij, naar een nieuwe plaats toe zwevend. De grijsheid was hier vreedzaam, en het licht was anders, alsof de zon achter dikke wolken brandde.

Leleth was daar vóór hem. Ze lachte toen hij aankwam, om het genoegen hem bij zich te hebben op die plaats – hoewel Simon nu met zekerheid wist dat hij nooit alles wat zij ervoer deelachtig kon worden.

De vormloosheid van de droom begon te veranderen; Simon had het gevoel dat hij zweefde boven iets dat heel erg op de wakkere wereld leek. Een beschaduwde stad lag onder hem, een enorm uitgestrekt gebied van bouwsels gevormd uit een lukrake verzameling onwaarschijnlijke dingen – wagenwielen, kinderspeelgoed, beelden van onbekende dieren, zelfs omgevallen belegeringstorens uit een lang voorbije oorlog. De toevallige straten tussen de waanzinnig onwaarschijnlijke gebouwen waren vol jachtige lichten. Terwijl hij omlaag keek, voelde Simon zich aangetrokken tot één bepaald gebouw, een torenend bouwwerk dat helemaal was opgetrokken uit boeken en vergelende rollen, die elk ogenblik schenen te kunnen instorten in een vuilnishoop van oud perkament. Leleth, die zich in kringen om hem heen had bewogen, vlug als een honingbij, wervelde nu omlaag naar een glinsterend raam in de boekentoren.

Op een bed lag een figuur. De vorm ervan was onduidelijk, als iets dat je door diep water zag. Leleth spreidde haar dunne armen boven het bed en de donkere gedaante woelde in een onrustige slaap.

'*Tiamak*,' zei Leleth – maar het was Geloë's stem en die bevatte ook sporen van de stemmen van zijn andere metgezellen.

De gestalte op het bed bewoog zich rustelozer, en ging toen langzaam rechtop zitten. De figuur scheen te golven, en het gevoel van onder water te zijn werd versterkt. Simon meende dat hij haar hoorde spreken, maar de stem was aanvankelijk woordloos.

'*...??*'

'*Het is Geloë, Tiamak – Geloë uit het Aldheortewoud. Ik wil dat je bij mij en anderen in Sesuad'ra komt. Je zult daar veilig zijn.*'

De figuur golfde opnieuw. '*... dromen?*'

'*Ja, maar het is een ware droom. Kom naar de Steen des Afscheid. Het is moeilijk om met je te spreken. Hier zie je hoe je hem kunt vinden.*' Leleth strekte haar armen nogmaals boven de schimmige figuur uit, en deze keer begon zich een onduidelijk beeld van de Steen te vormen.

'... Dinivan... wilde...'

'Ik weet het. Alles is nu veranderd. Als je een schuilplaats nodig hebt, kom dan naar Sesuad'ra.' Leleth liet haar handen zakken en het flikkerende beeld was weg. De gedaante op het bed begon ook te vervagen.

'...! ...' Zij probeerde iets dringends te vertellen, maar zij verdween snel in mist, terwijl ook de toren waarin ze lag en de omringende stad aan het verdwijnen waren. '... uit het noorden... bars... vond de oude nacht...' Er verliep enige tijd, toen een laatste heldhaftige poging. '... Nisses' boek...'

De droomschaduw verdween en alles was opnieuw somber grijs.

Toen de ongrijpbare mist hem weer omringde, richtten Simons gedachten zich op Miriamele. Nu ze Tiamak op de een of andere manier hadden bereikt, zou Geloë haar aandacht stellig op de verloren prinses richten. En inderdaad, terwijl Miriameles beeltenis in zijn geest opkwam – hij zag haar zoals ze in Geloë's huis was geweest, gekleed in jongenskleren, het haar zwart geverfd en kortgeknipt – begon dat eigenste beeld zich in het niets voor hem te vormen. Miriamele schitterde een ogenblik – hij dacht dat haar haren misschien goud geworden waren, de natuurlijke kleur ervan – toen ging het beeld in iets anders over. Een boom? Een toren? Simon had een kil voorgevoel. Hij had in vele dromen een toren gezien, en die scheen nooit iets goeds te beduiden. Maar nee, dit was meer dan één hoge vorm. Bomen? Een woud?

Terwijl hij zich inspande om het beeld duidelijker te maken, begon het schimmige visioen te stollen, tot hij eindelijk kon zien dat het een schip was, even vaag en onnauwkeurig als de droom-Tiamak in zijn toren van perkament was geweest. Aan de hoge masten hingen slappe zeilen en wapperende touwen, alle gemaakt van spinnewebben, grijs, stoffig en haveloos. Het schip deinde als in een sterke wind. De zwarte wateren eronder waren bezaaid met gloeiende schuimkoppen, en de hemel erboven was even zwart. Een of andere kracht duwde tegen Simon, hem van het vaartuig weghoudend, ondanks zijn vertwijfeling om er dichter bij te komen. Hij vocht er hard tegen. Miriamele zou daar kunnen zijn!

Zijn wil tot het uiterste inspannend, probeerde Simon zich ertoe te dwingen dichter bij het spookachtige schip te komen, maar er viel een groot donker gordijn voor hem neer, een storm van regen en mist zo dicht dat die bijna massief was. Hij hield op, verloren en hulpeloos. Leleth was plotseling naast hem, haar glimlach verdwenen, haar kleine gezicht vertrokken in een grimas van inspanning.

Miriamele! riep Simon. Zijn stem schalde – niet uit zijn eigen mond, maar uit die van Leleth. Miriamele! riep hij opnieuw. Leleth dwong zich wat dichter naar het fantoom toe, als om zijn woorden er zo dicht mogelijk heen te brengen voor ze uit haar mond kwamen. *Miriamele, kom naar de Steen des Afscheids!*

De boot was nu helemaal verdwenen en de storm verbreidde zich en strekte zich over de hele zwarte zee uit. In het midden ervan, meende Simon bogen van rood licht te zien springen als die welke de grote draaikolk hadden doorboord. Wat betekende dit? Was Miriamele op de een of andere manier in gevaar? Waren haar dromen geschonden? Hij dwong zich tot een laatste inspanning, hard tegen de wervelende droomstorm duwend, maar tevergeefs. Het schip was weg. De storm zelf had hem volledig omringd. Hij kon voelen hoe die door zijn hele wezen bromde als het kleppen van koperen klokken, hem zo krachtig schuddend dat hij dacht dat hij zich in tweeën voelde breken. Nu was Leleth ook weg. De door vonken doorschoten zwartheid hield hem vast als een inktachtige vuist, en hij dacht plotseling dat hij hier zou sterven, op deze plaats die geen plaats was.

Een lichtplek verscheen in de verte, klein en grijs als een dof geworden zilveren geldstuk. Hij bewoog zich ernaartoe terwijl de zwartheid hem striemde en de rode vonken door hem heen sisten als kleine messen van vuur. Hij probeerde de handen van zijn vrienden te voelen, maar kon het niet. Het grijs scheen niet dichterbij te zijn. Hij begon moe te worden, als een zwemmer ver in zee.

Binabik, help me! dacht hij, maar zijn vrienden waren verloren voorbij de oneindige zwartheid. *Help mij!* Zelfs het kleine plekje grijs was aan het vervagen. *Miriamele*, dacht hij, *ik wilde je weer zien...*

Hij reikte een laatste keer naar de lichtplek en voelde een aanraking, als van een vingertop die tegen de zijne drukte, hoewel hij geen handen had om mee aan te raken of aangeraakt te worden. Er kwam een beetje kracht, en hij gleed dichter naar het grijs toe... dichter, met zwart overal rondom... dichter...

Deornoth dacht dat hij in andere omstandigheden zou hebben gelachen. Om Jozua te zien zitten, met zo'n vervoerde en eerbiedige aandacht luisterend naar dit ongewone stel raadgevers – een vrouw met een haviksgezicht, mannelijk haar en mannenkleren, en een heuphoge trol – was om de omgekeerde wereld verpersoonlijkt te zien.

'Dus wat hoopt u dat deze Tiamak zal brengen, Valada Geloë?' vroeg de prins. Hij zette de lamp dichterbij. 'Als hij ook een wijze is als Morgenes en uzelf, zullen we hem zeker welkom heten.'

De tovenares schudde haar hoofd. 'Hij is geen Beoefenaar van de Kunst, Jozua en hij is zeker niet iemand die oorlogen beraamt. In werkelijkheid is hij een verlegen kleine man uit het moeras die veel afweet van kruiden die in de Wran groeien. Nee, ik heb hem alleen geprobeerd hierheen te roepen omdat hij het Verbond onderschrijft en omdat ik voor zijn leven vrees. Dinivan had plannen om hem te gebruiken, maar Dinivan is dood. Tiamak had niet in de steek moeten worden gelaten. Voor de storm komt, moeten wij alles redden wat wij kunnen.'

Jozua knikte, maar zonder veel enthousiasme. Naast hem zag Vorzheva er niet gelukkiger uit. Deornoth vond dat de vrouw van de prins er misschien aanstoot aan zou nemen als er nog meer verantwoordelijkheden op de schouders van haar echtgenoot zouden worden gestapeld, zelfs één heel kleine verantwoordelijkheid uit het moerasland.

'Dank je wel, Geloë,' zei hij. 'En dank dat je nog eens hebt geprobeerd mijn nichtje Miriamele te bereiken. Ik begin me steeds ongeruster over haar te maken.'

'Het is vreemd,' zei de tovenares. 'Er is iets vreemds aan de hand, iets dat ik niet begrijp. Het is alsof Miriamele een barrière tegen ons heeft opgericht, maar ze heeft daarvoor de aanleg niet. Ik sta voor een raadsel.' Ze richtte zich op, alsof ze een nutteloze gedachte bevrijdde. 'Maar ik heb u nog meer te vertellen.'

Binabik had heen en weer staan schuifelen. Voor Geloë verder kon gaan, tikte hij op haar arm. 'Vergeef me, maar ik moet naar Simon gaan kijken, om er zeker van te zijn dat de onaangenaamheid van de Droomweg hem verlaten heeft en dat hij goed rust.'

Geloë lachte bijna. 'Jij en ik kunnen later praten.'

'Ga, Binabik,' drong Jozua aan. 'Ik zal straks zelf naar hem toe gaan. Hij is een dappere jongen, hoewel misschien wat al te enthousiast.'

De trol maakte een diepe buiging en draafde door de tentflap naar buiten.

'Ik wou dat mijn andere nieuws goed was, prins Jozua,' zei Geloë, 'maar de vogels hebben mij verontrustende berichten gebracht. Er is een grote strijdmacht van gepantserde lieden uit het westen naar ons op komst.'

'Wat?' Jozua ging rechtop zitten, verbaasd. Naast hem vouwde Vorzheva haar handen beschermend over haar buik. 'Ik begrijp het niet. Wie heeft je die boodschap gezonden?'

De tovenares schudde haar hoofd. 'Ik bedoel geen vogels als die van Jarnauga, die kleine stukjes perkament bij zich hebben. Ik bedoel de vogels van de hemel. Ik kan met ze praten... enigszins. Genoeg om de zin van dingen te begrijpen. Er is een klein leger op mars uit de Hayholt. Het is door de steden van het Hasudal gereden en volgt nu de zuidelijke grens van het grote woud naar de graslanden.'

Deornoth keek haar aan. Toen hij sprak, klonk zijn stem zwak en twistziek, zelfs in zijn eigen oren. 'Jij spreekt met vogels?'

Geloë keek hem scherp aan. 'Uw leven is er wellicht door gered. Hoe denkt u dat ik wist dat ik naar u toe moest gaan op de oevers van de

Stefflod, terwijl u tegen Hotvigs mannen in het donker zou hebben gevochten? En hoe denkt u dat ik u in de eerste plaats in heel de uitgestrektheid van het Aldheorte gevonden heb?'

Jozua legde zijn hand op Vorzheva's schouder als om haar gerust te stellen, hoewel ze er heel kalm uitzag. Toen hij sprak klonk zijn stem onnatuurlijk hard. 'Waarom heb je ons dit niet eerder verteld, Geloë? Welke andere informatie hadden wij kunnen hebben?'

De bosvrouw scheen een scherp antwoord te onderdrukken. 'Ik heb u alles van wezenlijk belang meegedeeld. Er is tijdens deze jaar-lange winter heel weinig geweest om u deelgenoot van te maken. De meeste van de vogels zijn dood, of schuilen voor de kou… maar vliegen zeker niet. Maar ook, begrijp me niet verkeerd: ik kan niet met ze praten zoals u en ik nu praten. Hun gedachten zijn geen mensengedachten, en ze zijn niet altijd onder woorden te brengen, en ook begrijp ik ze niet altijd. Het weer begrijpen ze, en angst, maar die tekens zijn duidelijk genoeg voor ons geweest om zelf te zien. Daarbuiten is het alleen maar zoiets duidelijks als een grote groep mensen te voet en te paard die hun aandacht kan trekken. Tenzij een mens op hen jaagt, denken ze heel weinig aan ons.'

Deornoth besefte dat hij zat te staren en keek de andere kant uit. Hij dacht dat ze meer deed dan alleen maar met vogels praten – hij herinnerde zich het gevleugelde wezen dat hem geslagen had in het bosje boven de Stefflod – maar hij wist dat het dwaas was het te berde te brengen. Het was meer dan dwaas, besloot hij plotseling, het was grof. Geloë was een trouwe bondgenote en behulpzame vriendin geweest. Waarom misgunde hij haar de geheimen waarop haar leven duidelijk berustte?

'Ik denk dat Valada Geloë gelijk heeft, sire,' zei hij kalm. 'Ze heeft herhaaldelijk bewezen dat ze een waardevolle bondgenote is. Wat nu belangrijk is, is het nieuws dat ze brengt.'

Jozua keek hem een ogenblik aan en knikte toen instemmend. 'Goed dan, Geloë, hebben jouw gevleugelde vrienden enig idee hoeveel mensen er in aantocht zijn, en hoe snel?'

Ze dacht een ogenblik na. 'Ik zou zeggen dat het aantal ergens in de honderden ligt, Jozua, hoewel dat een gissing is. Vogels tellen ook niet zoals wij. Wat hun aankomst hier betreft, ze schijnen zonder haast te reizen, maar toch zou het mij niet verbazen ze binnen een maand te zien.'

'Aedons Bloed,' vloekte Jozua. 'Het is Guthwulf en de Erkynwacht, durf ik wedden. Zo weinig tijd. Ik had gehoopt dat we tot het volgend voorjaar de tijd zouden hebben om ons voor te bereiden.' Hij keek op. 'Ben je er zeker van dat ze hier komen?'

'Nee,' zei Geloë eenvoudig. 'Maar waar anders?'

Voor Deornoth werd de angst die deze aankondiging veroorzaakte bijna overstelpt door een verrassend gevoel van opluchting. Het was niet hetgene waarnaar ze verlangd hadden, niet zo gauw, maar de situatie was geenszins hopeloos. Ondanks hun eigen geringe aantal, zolang ze deze uitstekend verdedigbare, geheel door water omgeven rots bezet hielden, was er in elk geval een kleine kans dat ze een belegerende strijdmacht konden weerstaan. En het zou sinds de verwoesting van Naglimund de eerste kans zijn om Elias een slag toe te brengen. Deornoth voelde de snede van geweld tegen zich aan drukken. Het zou niet geheel en al slecht zijn om de wereld te vereenvoudigen, omdat er geen andere keus scheen te zijn. Wat zei Einskaldir altijd? *Vecht en leef, vecht en sterf, God wacht op allen.* Ja, dat was het. Eenvoudig.

'Zo,' zei Jozua ten slotte. 'Gevangen tussen een bittere nieuwe storm en het leger van mijn broer.' Hij schudde zijn hoofd. 'We moeten ons verdedigen, dat is het enige. Zo gauw al nadat we dit toevluchtsoord hebben gevonden, moeten wij weer vechten en sterven.' Hij stond op, draaide zich toen om en boog zich voorover om zijn vrouw te kussen.

'Waar ga je heen?' Vorzheva hief een hand op om zijn wang aan te raken, maar keek hem niet in de ogen. 'Waarom ga je weg?'

Jozua zuchtte. 'Ik moet met de jongen Simon gaan praten. Daarna zal ik een tijdje wat rondlopen en nadenken.'

Hij liep de nacht in, de snelle wind tegemoet.

In de droom zat Simon op een enorme troon gemaakt van gladde witte steen. Zijn troonzaal was helemaal geen zaal, maar een groot gazon van stug groen gras. De lucht erboven was onnatuurlijk blauw en zonder diepte, als een beschilderde kom. Een enorme kring van hovelingen stond voor hem; evenals de hemel leken hun vreemde glimlachen star en vals.

De koning brengt wedergeboorte! riep iemand. De dichtstbijzijnde hoveling liep omhoog naar de troon. Het was een donkerogige vrouw gekleed in grijs met lang steil haar; haar gezicht had iets vreselijk bekends. Ze zette een van bladeren en rietstengels gevlochten pop voor hem neer, liep toen weer weg en verdween, hoewel er aan alle kanten schuilplaatsen ontbraken. De volgende persoon nam haar plaats in. *Wedergeboorte!* riep iemand; *Red ons!* riep een ander. Simon probeerde hun te vertellen dat hij een dergelijke macht niet bezat, maar de wanhopige gezichten bleven voorbij cirkelen, voortdurend en niet te onderscheiden als de spaken van een ronddraaiend wiel. De stapel offergaven groeide aan. Er waren andere poppen, en schoven zomergele tarwe, alsook bossen bloemen waarvan de felgekleurde bloemblaadjes even kunstmatig leken als de verfblauwe hemel. Manden met fruit en kazen werden voor hem neergezet, zelfs beesten van de boerderij, geiten en kalveren, waarvan het geblaat boven de dringende stemmen uitsteeg.

'*Ik kan jullie niet helpen!*' riep Simon. '*Er kan niets worden gedaan!*'

De eindeloze stoet van gezichten ging verder. De kreten en het gekreun begonnen aan te zwellen, een oceaan van smeekbeden die pijn deed aan zijn oren. Ten slotte keek hij achterom en zag dat een kind op de groeiende massa offergaven was neergezet, als op een dodenbaar. Het gezicht van de zuigeling was somber, de ogen wijdopen.

Terwijl Simon zijn handen naar het kind uitstrekte, werd zijn oog getroffen door de pop die het eerste geschenk was geweest. Hij was voor zijn ogen aan het wegrotten, zwart en slap wordend tot het weinig meer was dan een vlek op het obsceen groene gras. De andere offergaven veranderden ook, met een vreselijke snelheid verterend – de vruchten werden eerst gekwetst en geput, en schenen daarna bijna te schuimen toen een deken van schimmel over hen heen viel. De bloemen verdroogden tot asachtige vlokken, de tarwe werd tot grijs stof herleid. Terwijl Simon met afgrijzen toekeek, zakten zelfs de dieren aan hun lijnen in, zwollen op en veranderden toen door het werk van een pulserende massa krioelende witte larven binnen enkele hartslagen in skeletten.

Simon probeerde van zijn troon af te klauteren, maar de onwaarschijnlijke zetel was onder hem gaan wankelen en glijden, hellend als bij een aardbeving. Hij viel op zijn knieën in de drek. Waar was de baby? Waar? Die zou worden verteerd als de rest, verrotten tenzij hij hem redde! Hij dook naar voren, gravend door de rottende, stinkende humus die de stapel offergaven was geweest, maar er was geen spoor van het kind – tenzij het een glinstering van goud was daar beneden in de hoop… Simon groef omlaag in de donkere massa tot die overal om hem heen was, zijn neus verstoppend en zijn ogen vullend als aarde van een kerkhof. Was dat daar goud, door de schaduwen glanzend? Hij moest dieper gaan. Had het kind een gouden armband gedragen? Of was het een ring geweest, een gouden speld…? Dieper. Het was zo moeilijk om adem te halen…

Hij werd in het donker wakker. Na een ogenblik van paniek, bevrijdde hij zich uit zijn mantel en rolde naar de deuropening, frommelde toen de flap open zodat hij de paar sterren kon zien die niet door wolken waren gedoofd. Zijn hart bonsde minder snel. Hij was in de tent die hij en Binabik deelden. Geloë en Strangyeard en de trol hadden hem geholpen van het Observatorium hiernaartoe te strompelen. Toen ze hem eenmaal op zijn matras hadden neergelegd, was hij in een diepe slaap gevallen en had een vreemde droom gehad. Maar er was ook nog een andere droom geweest, of niet? – de reis op de Droomweg, een schaduwhuis en daarna een spookschip? Het was nu moeilijk zich te herinneren wat het was geweest, en waar de scheiding lag. Zijn hoofd voelde zwaar en verward aan. Simon stak zijn hoofd naar buiten en ademde de koude lucht in, die indrinkend als wijn. Geleidelijk werden zijn gedachten helderder. Ze waren allen naar het Observatorium gegaan om de Droomweg te bewandelen, maar ze hadden Miriamele niet gevonden. Dat was het belangrijke, veel belangrijker dan een nachtmerrie over poppen en babies en gouden ringen. Ze hadden geprobeerd Miriamele te bereiken, maar iets had dat verhinderd, een mogelijkheid waarvoor Geloë had gewaarschuwd. Simon had geweigerd op te geven. Doorzettend toen de anderen dat niet deden, had hij zichzelf bijna in iets slechts verloren – iets werkelijk heel slechts.

Ik had haar bijna bereikt! Ik weet dat ik het zou kunnen doen als ik het nog eens probeerde!

Maar ze hadden de laatste van Geloë's kruiden gebruikt, en in ieder geval, de tijd waarop de Droomweg kon worden bewandeld, was bijna ten einde. Hij zou nooit meer een andere kans krijgen… *tenzij…*

Het idee – een angstaanjagend, knap idee – had zijn aanwezigheid net voelbaar gemaakt toen hij uit zijn verstrooide gedachten werd opgeschrikt.

'Het verbaast me je wakker te vinden.' De lamp die Jozua omhoog hield, beeldde zijn magere gezicht uit in geel licht. 'Binabik zei dat hij je slapend had achtergelaten.'

'Ik ben net wakker geworden, hoogheid.' Simon probeerde te gaan staan, maar verstrikte zich in de tentflap en viel bijna weer.

'Je hoort niet op te zijn. De trol zei dat je het moeilijk had gehad. Ik begrijp niet wat je allemaal deed, maar ik weet genoeg om te vinden dat je in bed behoort te zijn.'

'Ik voel me goed.' Als de prins dacht dat hij ziekelijk was, zou hij hem nooit ergens heen laten gaan. Simon wilde niet dat hij bij verdere expedities zou worden overgeslagen. 'Echt waar. Het was alleen maar een soort boze droom. Ik mankeer niets.'

'Hmm.' Jozua keek hem sceptisch aan. 'Als jij zegt dat het zo is. Kom dan, ga een eindje met me lopen. Misschien zul je daarna weer kunnen slapen.'

'Lopen…?' Inwendig vervloekte Simon zichzelf. Net op een tijd dat hij echt alleen wilde zijn, had zijn stomme trots hem weer parten gespeeld. Toch, het was een kans om met Jozua te praten.

'Ja, een klein eindje maar naar de top van de heuvel. Neem iets om je in te wikkelen. Binabik zal het me nooit vergeven als je koorts krijgt terwijl je aan mijn zorg bent toevertrouwd.'

Simon dook de tent weer in en vond zijn mantel.

Ze liepen een tijdje zonder te spreken. Het licht van Jozua's lamp weerkaatste spookachtig van de gebroken stenen van Sesuad'ra.

'Ik wil een steun voor u zijn, prins Jozua,' zei hij ten slotte. 'Ik wil u het zwaard van uw vader terugbezorgen.'

Jozua gaf geen antwoord.

'Als u Binabik met mij mee laat gaan, zullen we niet worden opgemerkt. Wij zijn te klein om de aandacht van de koning te trekken. Wij hebben u Doorn bezorgd, we kunnen u Glanzende Nagel ook brengen.'

'Er is een sterk leger in aantocht,' zei de prins. 'Het schijnt dat mijn broer van onze ontsnapping heeft gehoord en zijn eerdere laksheid wil goedmaken.'

Terwijl Jozua Geloë's nieuws vertelde, voelde Simon een verrassend gevoel van bevrediging in zich groeien. Dus per slot van rekening zou de kans om iets te doen hem niet worden ontzegd! Een ogenblik later herinnerde hij zich de vrouwen, kinderen en bejaarden die nu van Nieuw Gadrinsett hun thuis maakten en schaamde hij zich voor zijn genoegen.

'Wat kunnen wij doen?' vroeg hij.

'We wachten.' Jozua bleef voor de schimmige massa van het Huis van Wateren staan. Een donker stroompje liep langs de verbrokkelende stenen duiker aan hun voeten. 'Alle andere wegen zijn nu voor ons gesloten. Wij wachten, en we bereiden ons voor. Wanneer Guthwulf, of wie zijn troep ook aanvoert, aankomt – het zou zelfs mijn broer zelf kunnen zijn – zullen we vechten om ons nieuwe thuis te verdedigen. Als we verliezen... welnu, dan is alles verloren.' De wind van de top van de heuvel deed hun mantels opwaaien en rukte aan hun kleren. 'Als God op de een of andere manier toestaat dat wij winnen, zullen we proberen voorwaarts te gaan en onze overwinning van enige nut te doen zijn.'

De prins ging op een gevallen blok metselwerk zitten, en gebaarde Simon toen naast hem te komen zitten. Hij zette de lamp neer; hun schaduwen werden reusachtig groot op de wanden van het Huis van Wateren geworpen. 'Wij moeten ons leven nu van dag tot dag leven. Wij moeten niet te ver vooruit denken, anders zullen we het weinige dat we hebben verliezen.'

Simon keek naar de dansende vlam. 'En hoe zit het met de Stormkoning?'

Jozua trok zijn mantel dichter om zich heen. 'Ik weet het niet... het is een te omvangrijke zaak. Wij moeten ons houden bij de dingen die we kunnen begrijpen.' Hij hief zijn hand op naar de slapende tentenstad. 'Er moeten onschuldigen beschermd worden. Je bent nu een ridder, Simon. Dat is jouw gezworen taak.'

'Dat weet ik, prins Jozua.'

De oudere man zweeg even. 'En ik moet ook om mijn eigen kind denken.' Zijn grimmige glimlach was een kleine beweging in de gloed van
de lamp. 'Ik hoop dat het een meisje is.'

'Meent u dat?'

'Eens, toen ik een jongere man was, hoopte ik dat mijn eerstgeborene
een zoon zou zijn.' Jozua hief zijn gezicht naar de sterren op. 'Ik droomde van een zoon die van kennis en gerechtigheid zou houden, maar geen
van mijn tekortkomingen zou hebben.' Hij schudde zijn hoofd. 'Maar
nu hoop ik dat ons kind een meisje is. Als we zouden verliezen en hij
het overleefde, zou een zoon van mij voor altijd worden opgejaagd. Elias
zou hem niet in leven kunnen laten. En als we toch zouden winnen...'
Zijn stem stierf weg.

'Ja?'

'Als we zouden winnen en ik op de troon van mijn vader zou zitten, zou
ik eens mijn zoon eropuit moeten sturen om iets te doen dat ik niet kan
doen... iets gevaarlijks en vermaards. Zo gaat het met koningen en hun
zonen. En ik zou nooit meer een oog dichtdoen, terwijl ik wachtte om
te horen dat hij was gedood.' Hij zuchtte. 'Dat verafschuw ik van regeren en koningschap, Simon. Het zijn levende, ademende mensen waarmee een prins de spelletjes van staatsmanschap speelt. Ik heb jou en Binabik en de anderen het gevaar in gestuurd... jij, die weinig meer was
dan een kind. Nee, ik weet dat je nu een jonge man bent – wie heeft je,
per slot van rekening geridderd? – maar dat verlicht mijn wroeging
niet. Met Aedons genade, jij hebt mijn aandacht overleefd, maar met
andere metgezellen van je was dat niet zo.'

Simon aarzelde een ogenblik voor hij sprak. 'Maar als je een vrouw bent
wil dat niet zeggen dat je niet door oorlog kunt worden overweldigd,
prins Jozua. Neem Miriamele. Denk maar aan uw echtgenote, vrouwe
Vorzheva.'

Jozua knikte langzaam. 'Ik ben bang dat je gelijk hebt. En nu zal er nog
meer strijd zijn, meer oorlog... en meer hulpelozen zullen sterven.' Na
een ogenblik van nadenken keek hij verschrikt op. 'Elysia, Moeder van
God, dit is wonderbaarlijke medicijn voor iemand die last heeft van
nachtmerries!' Hij grinnikte beschroomd. 'Binabik zal me hiervoor
schoppen... zijn pupil meenemen en dan met hem over dood en ellende
te praten.' Hij sloeg zijn armen even om Simons schouder en stond toen
op. 'Ik zal je naar je tent terugbrengen. De wind begint vinnig te worden.'

Toen de prins zich boog om de lamp op te pakken, keek Simon naar zijn
magere gezicht en voelde een pijnlijk soort liefde voor Jozua, een liefde
vermengd met medelijden, en vroeg zich af of alle ridders op die manier
voor hun meesters voelden. Zou Simons eigen vader Eahlferend streng

maar vriendelijk als Jozua zijn geweest als hij nog had geleefd? Zouden hij en Simon met elkaar over dit soort dingen hebben gesproken?

Het belangrijkste van alles, dacht Simon toen ze door het wuivende gras liepen, zou Eahlferend trots op zijn zoon zijn geweest?

Ze zagen Qantaqa's glanzende ogen voor ze Binabik konden onderscheiden – een kleine donkere figuur die naast de ingang van de tent stond.

'Ah, goed,' zei de trol. 'Ik was, moet ik bekennen, vol zorgen toen ik merkte dat je weg was, Simon.'

'Het is mijn schuld, Binabik. We waren aan het praten.' Jozua wendde zich tot Simon. 'Ik laat je in bekwame handen achter. Welterusten, jonge ridder.' Hij glimlachte en nam afscheid.

'Nu hoor je meteen terug naar bed te gaan,' zei Binabik streng. Hij leidde Simon door de deur en volgde hem toen naar binnen. Simon onderdrukte een kreun toen hij ging liggen. Zou dit een nacht zijn waarin iedereen in Nieuw Gadrinsett met hem wilde praten?

Zijn kreun werd werkelijkheid toen Qantaqa, die hen in de tent volgde, op zijn buik ging staan.

'Qantaqa! *Hinik aia!*' Binabik gaf de wolf een klap. Ze gromde en liep achteruit door de deurflap. 'Nu, tijd om te gaan slapen.'

'Je bent mijn moeder niet,' mompelde Simon. Hoe kon hij ooit iets aan zijn idee doen terwijl Binabik rondhing? 'Ga jij nu ook slapen?'

'Ik kan niet.' Binabik pakte een extra mantel en gooide die ook over Simon heen. 'Ik heb vanavond met Sludig de wacht. Ik zal in stilte naar de tent terugkeren wanneer die voorbij is.' Hij hurkte naast Simon neer. 'Wou je een tijdje praten? Heeft Jozua je verteld van de gewapende mannen die op weg zijn hiernaartoe?'

'Hij heeft het me verteld.' Simon deed alsof hij gaapte. 'Ik zal er morgen met je over praten. Ik heb inderdaad slaap, nu je het zegt.'

'Je hebt een dag vol moeilijkheden gehad. De Droomweg was verraderlijk, zoals Geloë heeft gezegd.'

Simons verlangen om verder te gaan met zijn plannen werd een ogenblik door nieuwsgierigheid afgestompt. 'Wat was dat, Binabik, dat ding op de Droomweg. Als een storm, met vonken erin. Heb jij het ook gezien?'

'Geloë weet het niet, en ik evenmin. Een storing, noemde ze het. Een storm is een goed woord, want ik denk dat het zoiets was als slecht weer op de Weg van Dromen. Maar waardoor het werd veroorzaakt, is iets waar je alleen maar naar kunt raden. En zelfs het raden is niet goed voor de nacht en het donker.' Hij stond op. 'Welterusten, vriend Simon.'

'Goedenacht, Binabik.' Hij luisterde toen de trol naar buiten ging en

Qantaqa floot; toen lag hij daarna lange tijd rustig, tweehonderd hart-slagen tellend voor hij onder de beschuttende mantels uit gleed en op zoek ging naar Jiriki's spiegel.

Hij vond die in de zadeltassen die Binabik van Thuisvinder had gered. De Witte Pijl zat er ook in, evenals een zware zak met een trekkoord die hem even voor een raadsel stelde. Hij tilde hem op, had toen moeite met het geknoopte koord. Plotseling herinnerde hij het zich weer: Adi-tu had hem die bij hun afscheid gegeven en gezegd dat het iets was dat van Amerasu aan Jozua werd gestuurd. Nieuwsgierig vroeg Simon zich een ogenblik af of hij het zou meenemen en op een meer besloten plaats openen, maar hij voelde dat de tijd drong. Binabik zou eerder dan ver-wacht terug kunnen komen; het zou beter zijn een uitbrander te krijgen omdat hij afwezig was dan om te moeten ophouden voor hij een kans had gehad zijn idee op de proef te stellen. Met tegenzin stopte hij de zak weer in de zadeltas. Later, beloofde hij zichzelf. Dan zou hij het aan de prins geven, zoals hij had beloofd.

Alleen ophoudend om het zakje dat zijn vuurstenen bevatte eruit te ha-len, glipte hij de tent uit, de koude nacht in.

Schaars maanlicht lekte door de wolken, maar het was voldoende voor hem om zijn weg over de top van de heuvel te vinden. Een paar schim-mige figuren bewogen door de tentenstad met een of andere boodschap, maar niemand hield hem staande, en weldra had hij Nieuw Gadrinsett verlaten en was hij in de centrale ruïnes van Sesuad'ra.

Het Observatorium was verlaten. Simon kroop door het diep bescha-duwde interieur tot hij de resten van het vuur vond dat Geloë had ge-maakt. De as was nog warm. Hij gooide er een paar stukken aanmaak-hout op die naast de sintels lagen, en sprenkelde er toen een handjevol zaagsel uit zijn zak op. Hij sloeg met zijn vuursteen op de stompe rand van zijn ijzer tot hij er ten slotte in slaagde een vonk te trekken. Die doofde voor hij hem kon aanblazen, dus herhaalde hij de procedure moeizaam, zachtjes vloekend. Eindelijk lukte het hem een klein vuur aan het branden te krijgen.

De bewerkte rand van Jiriki's spiegel leek warm toen hij die aanraakte, maar toen hij de weerspiegelende oppervlakte vlak bij zijn wang hield, was die zo koud als een plaat ijs. Hij blies er vervolgens op zoals hij op de moeizaam verkregen vonk had geblazen en hield die toen voor zijn gezicht omhoog.

Zijn litteken had iets van zijn felle gloed verloren; het was nu een rood met witte streep die met een boog van zijn oog over zijn wang naar zijn kaak liep. Het gaf hem, vond hij, een zeker soldatesk uiterlijk – het voorkomen van iemand die had gevochten voor wat juist en achtens-waard was. De sneeuwwitte streep die door zijn haar liep, scheen er ook een tikje volwassenheid aan toe te voegen. Zijn baard, waarvan hij niet met zijn vingers af kon blijven terwijl hij staarde, gaf hem het aanzien van, zo niet een ridder, dan toch eerder van een jonge man dan een knaap. Hij vroeg zich af wat Miriamele zou denken als ze hem nu kon zien.

Misschien zal ik daar spoedig achter komen.

Hij hield de spiegel ietwat schuin, zodat de gloed van het vuur zijn gezicht slechts voor de helft verlichtte, de rest in een roodgetinte schaduw latend. Hij dacht zorgvuldig na over wat Geloë over het Observatorium had gezegd: dat het eens een plaats was geweest waar de Sithi elkaar over grote afstanden zagen en met elkaar spraken. Hij probeerde de ouderdom en stilte ervan als een cape om zich heen te trekken. Hij had Miriamele een keer eerder in de spiegel aangetroffen zonder het te proberen; waarom dan nu niet, op deze machtige plaats?

Terwijl hij naar zijn gehalveerde spiegelbeeld keek, scheen de hoedanigheid van het licht van de vuurgloed te veranderen. Het geflakker werd een zachte flikkering en vertraagde toen tot een methodische pulsering van rood licht. Het gezicht in de spiegel loste op in rokerig grijs, en terwijl hij voelde dat hij er voorover in viel, had hij tijd voor een korte, triomfantelijke gedachte.

En niemand wilde mij toverkunst leren!

De lijst van de spiegel was verdwenen en de grijsheid was overal om hem heen. Na zijn reizen eerder op de dag, was hij onvervaard: dit was oud en vertrouwd terrein. Maar terwijl hij zich dit voorhield, kreeg hij plotseling een andere gedachte. Hij had altijd eerder een gids gehad, en andere reizigers bij zich. Deze keer zou er geen Leleth zijn om zijn moeilijkheden te delen, en geen Geloë of Binabik om hem te helpen als hij te ver ging. Een dunne rijp van angst daalde neer, maar Simon bood er weerstand aan. Hij had de spiegel toch ook een keer gebruikt om Jiriki te roepen? Er was toen ook niemand geweest om hem te helpen. Toch, iets in hem vermoedde dat om hulp roepen misschien wat minder moeilijk zou zijn dan op zijn eentje de Weg van Dromen onderzoeken.

Maar Geloë had gezegd dat de tijd drong, dat de Droomweg weldra onbegaanbaar zou zijn. Dit was wellicht zijn laatste kans om Miriamele te bereiken, zijn laatste kans om haar te redden en haar terug te leiden. Als Binabik en de anderen erachter kwamen, zou het zeker zijn laatste kans zijn. Hij moest voorwaarts gaan. Bovendien, Miriamele zou zo verbaasd zijn, zo blij en verrast...

De grijze leegte scheen deze keer dichter. Als hij zwom, was het in ijzige, modderige wateren. Hoe vond je hier je weg, zonder oriëntatiepunten of tekens? Simon vormde zich het beeld van Miriamele in zijn geest, hetzelfde dat hij bij zonsondergang had gehad toen hij met de anderen op droomreis was. Maar deze keer wilde het beeld niet bijeenblijven. Zo zagen Miriameles ogen er toch zeker niet uit? En haar haren, zelfs toen ze het had geverfd om zich te vermommen, had het toch nooit die rossig-bruine kleur gehad? Hij vocht met het weerbarstige visioen, maar de gelaatstrekken van de verloren prinses waren al maar niet juist. Hij had zelfs moeite zich te herinneren hoe ze eruit behoorden te zien. Simon had het gevoel dat hij probeerde een gebrandschilderd raam samen te stellen met gekleurd water: de vormen liepen door en versmolten, geen acht slaand op zijn pogingen.

Terwijl hij zich inspande, begon de grijsheid rondom hem te veranderen. Het verschil was niet meteen duidelijk, maar als Simon in zijn lichaam was geweest – en hij wenste plotseling dat hij dat wèl was – zouden zijn nekharen overeind zijn gaan staan en kippevel zou zijn huid puistig hebben gemaakt. Iets deelde de leegte met hem, iets dat veel groter was dan hij. Hij voelde de buitenwaartse deining van zijn macht, maar in tegenstelling tot de droom-storm die hem eerder had gegrepen, was dit ding geen geestloze kracht: het straalde intelligentie en boosaardig geduld uit. Hij voelde zijn meedogenloze onderzoek als een zwemmer in de open zee een wezen met grote vinnen zou kunnen voelen dat in de zwarte diepten onder hem langs zwom.

Simons eenzaamheid scheen plotseling een soort afschuwelijke naaktheid. Hij streed wanhopig om contact te maken met iets dat hem misschien weg zou trekken van deze leegte zonder beschutting. Hij voelde dat hij kleiner werd van angst, druipend als een kaarsvlam – hij wist niet hoe hij weg moest komen! Hoe kon hij dit oord verlaten? Hij probeerde zichzelf uit zijn droom te doen opschrikken, wakker te worden, maar als in kindernachtmerries kon de betovering niet worden verbroken. Hij was deze droom binnengegaan zonder te slapen, dus hoe kon hij eruit ontwaken?

Het onduidelijke beeld dat niet Miriamele was bleef. Hij probeerde zich ernaartoe te dwingen, zich weg te trekken van het grote, trage ding dat hem besloop.

Help mij! riep hij geluidloos, en voelde ergens aan de horizon van zijn gedachten een glimp van herkenning. Hij reikte ernaar, ernaar grijpend als een schipbreukeling naar een balk. Deze nieuwe tegenwoordigheid werd iets sterker, maar terwijl het in kracht toenam, gebruikte het wezen dat de leegte met hem deelde iets meer van zijn eigen kracht, net genoeg om te zorgen dat hij niet ontsnapte. Hij voelde een boosaardig vreemd temperament dat zijn hopeloze worsteling heerlijk vond, maar hij voelde ook dat het wezen genoeg begon te krijgen van zijn divertissement en spoedig een eind aan het spelletje zou maken. Een soort dodelijke kracht strekte zich naar hem uit en omringde hem, een koude van de ziel die zijn pogingen bevroor op hetzelfde moment dat hij nog-maals reikte naar de vage aanwezigheid. Toen raakte hij haar aan, over een afschuwelijke droomspanne, en hield vast.

Miriamele? dacht hij, biddend dat het waar was, doodsbang om het ijle contact te verbreken. Wie zij ook was, ze scheen eindelijk te beseffen dat hij daar was maar het wezen dat hem had, versaagde nu niet. Een zwarte schaduw bewoog over en door hem heen, licht en gedachten smorend...

Seoman!? Plotseling was er een andere aanwezigheid bij hem – niet de aarzelende vrouwelijke, niet de duistere dodelijke andere. *Kom bij mij, Seoman! riep die. Kom!*

Iets warms raakte hem aan. De kille greep van de andere kneep een ogenblik harder, liet toen los – niet overmeesterd, voelde hij aan zijn te-rugtrekkende gedachte, maar verveeld en niet genegen zich met derge-lijke onbeduidende zaken bezig te houden, zoals een kat zijn belang-stelling verliest voor een muis die onder een steen is gevlucht. Het grijs kwam terug, nog steeds gezichtsloos en richtingloos, en begon toen te kolken als door de wind verwrongen wolken. Er vormde zich een ge-zicht voor hem –met dunne botten, met ogen die eruitzagen als vloei-baar goud.

'*Jiriki!*'

'*Seoman,*' zei de ander. Zijn gezicht was bezorgd. '*Ben je in gevaar? Heb je hulp nodig?*'

'*Ik ben nu veilig, denk ik.*' Inderdaad, de loerende tegenwoordigheid scheen helemaal verdwenen. '*Wat was dat afschuwelijke wezen?*'

'*Ik weet niet zeker wat jou in zijn macht had, maar als het niet van Nakkiga kwam, is er nog meer kwaad in de wereld dan zelfs wij vermoedden.*' Ondanks de vreemde onsamenhangendheid van het droomvisioen, kon Simon zien dat de Sitha hem nauwkeurig opnam. '*Wil je zeggen dat je geen reden had om me te roepen?*'

'*Ik was helemaal niet van plan je te roepen,*' antwoordde Simon, enigszins beschaamd nu het ergste voorbij was. '*Ik probeerde Miriamele te vinden, de dochter van de koning. Ik heb je over haar verteld.*'

'*In je eentje, op de Weg van Dromen?*' Behalve de boosheid was er ook een soort kille vermaaktheid. '*Idioot mensenkind. Als ik niet aan het rusten was geweest, en derhalve nabij de plaats waar jij bent – nabij in gedachten, bedoel ik – dan zou alleen het Bosje weten wat er van je zou zijn geworden.*' Na een ogenblik werd het gevoel van zijn tegenwoordigheid warmer. '*Toch ben ik blij dat je het goed maakt.*'

'*Ik ben ook blij om jou te zien.*' En dat was hij ook. Simon had niet beseft hoezeer hij Jiriki's rustige stem had gemist. '*Wij zijn bij de Steen des Af-scheids – Sesuad'ra. Elias stuurt troepen. Kun je ons helpen?*'

Het hoekige gezicht van de Sitha werd grimmig. *'Ik kan niet gauw naar je toekomen, Seoman. Je moet jezelf in veiligheid stellen. Mijn vader Shima'onari is stervende.'*

'Dat... dat spijt mij.'

'Hij heeft de hond Niku'a gedood, het grootste dier dat ooit in de kennels van Nakkiga werd geworpen maar toen hij dat deed, liep hij zijn dodelijke wond op. Het is een nieuwe knoop in de al te lange streng — een bloedschuld te meer aan Utuk'ku en...' hij aarzelde, *'de andere. Toch, de Huizen komen bijeen. Wanneer mijn vader uiteindelijk naar het Bosje wordt gebracht, zullen de Zida'ya weer ten strijde trekken.'* Na zijn eerdere flits van woede was de Sitha weer in zijn gewone onverstoorbaarheid vervallen, maar Simon meende dat hij daaronder een gevoel van spanning, van opwinding kon ontdekken.

Simons hoop nam toe. *'Wil je je bij Jozua aansluiten? Wil je met ons meevechten?'*

Jiriki fronste. *'Dat kan ik niet zeggen, Seoman... en ik wil je geen valse beloften doen. Als ik mijn zin krijg, zullen we het doen, en zullen de Zida'ya en Sudhoda'ya een laatste keer samen vechten. Maar er zijn velen die zullen spreken wanneer ik spreek, en velen zullen hun eigen denkbeelden hebben. Wij hebben het einde van het jaar vele honderden keren gedanst sinds alle Huizen bijeen waren voor een oorlogsberaad. Kijk!'*

Jiriki's gezicht flikkerde en vervaagde, en een ogenblik lang kon Simon alleen maar een bewolkt tafereel zien, een enorme kring van zilverbladige bomen die zich hoog als torens verhieven. Aan hun voeten was een groot leger Sithi verzameld, honderden onsterfelijken gekleed in wapenrusting van waanzinnig uiteenlopende vormen en kleuren, wapenrusting die glansde en schitterde in de zuilen zonlicht die door de boomtoppen vielen.

'Kijk. De leden van alle Huizen zijn verzameld bij Jaoé-Tinukai'i. Cheka'iso Amberhaar is hier, en ook Zinjadu, Kennis-meesteres van het verloren Kementari, en Yizashi Grijsspeer. Zelfs Kuroyi de lange ruiter is gekomen, die niet met het Huis van Jaardansen heeft meegedaan sinds de tijd van Shi'iki en Senditu. De ballingen zijn teruggekeerd, en wij zullen vechten als één volk, zoals wij niet hebben gedaan sinds de val van Asu'a. In dit opzicht zal Amerasu's dood en het offer van mijn vader niet vergeefs zijn.'

Het visioen van het gepantserde leger vervaagde; toen stond Jiriki nogmaals tegenover Simon. *'Maar ik bezit slechts weinig macht om deze verzamelde strijdkrachten te leiden,'* zei hij, *'en wij Zida'ya hebben vele verplichtingen. Ik kan niet beloven dat we zullen komen, Seoman, maar ik zal mijn best doen om mijn eigen verplichtingen tegenover jou gestand te doen. Als jouw nood groot is, roep mij dan. Je weet dat ik zal doen wat ik kan.'*

'Ik weet het, Jiriki.' Er leken vele andere dingen die hij hem behoorde te vertellen, maar het duizelde Simon. *'Ik hoop dat wij elkaar spoedig zien.'*

Ten slotte glimlachte Jiriki. '*Zoals ik eens eerder heb gezegd, mensenkind, een heel onmagische wijsheid zegt mij dat wij elkaar weer zullen ontmoeten. Wees dapper.*'

'*Dat zal ik zijn.*'

Het gezicht van de Sitha werd ernstig. '*Ga nu alsjeblieft. Zoals je hebt bemerkt zijn de Getuigen en de Droomweg niet langer betrouwbaar – feitelijk zijn ze gevaarlijk. Ik betwijfel ook of de woorden die hier worden gesproken veilig zijn voor luisterende oren. Dat de Huizen bijeen zijn is geen geheim, maar wat de Zida'ya zullen doen wèl. Vermijd die gebieden, Seoman.*'

'*Maar ik moet Miriamele vinden,*' zei Simon koppig.

'*Je zult alleen maar moeilijkheden zoeken, vrees ik. Laat het rusten. Bovendien, misschien houdt ze zich schuil voor dingen die haar misschien niet zullen vinden tenzij jij, zonder dat dat de bedoeling is, ze naar haar toe leidt.*'

Simon dacht schuldbewust aan Amerasu; hij besefte dat het niet Jiriki's bedoeling was geweest hem daaraan te herinneren, maar alleen om hem te waarschuwen. '*Als jij dat zegt,*' stemde hij in. Dus was het allemaal voor niets geweest.

'*Goed.*' De Sithi vernauwde zijn ogen, en Simon voelde dat zijn tegenwoordigheid begon te vervagen. Plotseling kwam er een gedachte bij hem op.

'*Maar ik weet niet hoe ik terug moet!*'

'*Ik zal je helpen. Vaarwel voor dit ogenblik, mijn Hikka Staja.*'

Jiriki's gelaatstrekken werden onduidelijk en losten op, slechts een glinsterend grijs achterlatend. Toen ook die ledigheid begon te vervagen, voelde Simon weer een flauwe aanraking, de vrouwelijke tegenwoordigheid waarnaar hij in zijn ogenblik van angst had gereikt. Was ze de hele tijd bij hem geweest? Was zij een spionne, waarvoor Jiriki had gewaarschuwd? Of was het werkelijk Miriamele, op de een of andere manier van hem gescheiden, maar niettemin voelend dat hij nabij was? Wie was het?

Toen hij tot zichzelf terugkeerde, huiverend in de kou onder de gescheurde koepel van het Observatorium, vroeg hij zich af of hij het ooit te weten zou komen.

6

Het zeegraf

Miriamele had zo vaak door de kleine hut heen en weer gelopen dat ze bijna kon voelen dat de planken vloer onder haar in pantoffels gestoken voeten sleet.

Ze had zich in hoge mate opgepept, klaar om de graaf de keel door te snijden terwijl hij lag te slapen. Maar nu had ze, op aanwijzing van Gan Itai, de gestolen dolk verborgen en wachtte... hoewel ze niet wist waarop. Ze beefde, maar niet langer alleen maar van boosheid en teleurstelling: de knagende angst die ze had weten te onderdrukken met de gedachte dat alles vlug voorbij zou zijn, had de kop weer opgestoken. Hoe lang kon het duren voor Aspitis merkte dat zijn dolk gestolen was? En zou hij ook maar één moment twijfelen voor hij de schuld op de meest voor de hand liggende schoof? Deze keer zou hij voorbereid en op zijn hoede naar haar toe komen; dan zou zij naar haar aanstaande huwelijk gaan met ketenen even echt als die van Cadrach, in plaats van de banden van schaamte en die van de grote wereld.

Terwijl ze ijsbeerde, bad ze tot de gezegende Elysia en Usires om hulp, maar op de nonchalante manier waarop je tegen een oud familielid praat dat lang geleden doof en seniel is geworden. Ze koesterde weinig twijfel dat wat er op dit drijvende schip met haar gebeurde nauwelijks van belang was voor een God die in de eerste plaats had goedgevonden dat ze in deze droeve situatie was beland.

Er was twee keer gebleken dat ze het mis had. Na een jeugd omringd door vleiers en pluimstrijkers, was ze er zeker van geweest dat de enige manier om een leven levenswaard te maken was om uitsluitend naar haar eigen raad te luisteren en dan tegen iedere belemmering in te gaan, zich door niemand van wat belangrijk scheen te laten weerhouden – maar het was juist die gedragslijn die haar in deze afschuwelijke positie had gebracht. Ze was het kasteel van haar oom ontvlucht, zeker dat alleen zij kon helpen de loop der gebeurtenissen te veranderen, maar de trouweloze getijden van tijd en geschiedenis hadden niet op haar gewacht, en juist de dingen waarvan ze hoopte dat die voorkomen hadden kunnen worden, waren toch gebeurd – Naglimund gevallen, Jozua verslagen – haar doelloos achterlatend. Dus had het 't verstandigst geleken om niet langer te vechten, om een eind te maken aan een leven lang van koppig verzet, en zich eenvoudig door de gebeurtenissen te laten meevoeren. Maar dat plan was even dwaas gebleken als het eerste, want haar lusteloosheid had haar naar het bed van Aspitis gevoerd, en weldra zou hij haar tot zijn koningin maken. Een tijdlang had dit besef Miriamele laten terugvallen in onvoorzichtigheid – ze zou hem doden, en dan waarschijnlijk door Aspitis' manschappen worden gedood; er zou geen geknoei zijn met compromissen, geen ingewikkelde verantwoordelijkheden. Gan Itai had haar tegengehouden, en nu dreef ze net als de *Wolk Eadne* op de windloze wateren in kringen rond.

Dit was het ogenblik van beslissingen – het soort waarover Miriamele van haar leraren had gehoord – zoals toen Pelippa, de verwende vrouw van een edelman, moest beslissen of zij haar geloof in de veroordeelde Usires openlijk moest uitspreken. De prentjes in haar kindergebedenboek lagen nog vers in haar geheugen. Als jonge prinses was ze voornamelijk geboeid geweest door de zilverkleurige verf op Pelippa's jurk. Miriamele had weinig over Pelippa zelf nagedacht, over de werkelijke mensen betrokken bij legenden, onderwerp van geschreven verhalen, van muurschilderingen. Hadden de elkaar beoorlogende vorsten die op de wandtapijten in de Sancellaan waren vereeuwigd, in hun oude burchten lopen ijsberen terwijl ze zich pijnigden over besluiten, zonder zich veel te bekommeren over wat mensen in toekomstige eeuwen zouden zeggen, maar veeleer de kleine feiten van het ogenblik op een rij zettend, proberend een patroon te zien dat hen misschien tot een wijze keuze zou brengen?

Terwijl het schip zachtjes deinde en de zon aan de hemel steeg, liep Miriamele heen en weer en dacht na. Er moest toch een manier zijn om stoutmoedig te zijn zonder stom te zijn, om veerkrachtig te zijn zonder kneedbaar en zacht als kaarsvet te worden. Zou er tussen deze twee uitersten een weg zijn die ze kon overleven? En als die er was, kon ze daar dan een leven van maken dat het waard was om te leven?

In de door een lamp verlichte hut, verscholen voor de zon, peinsde Miriamele. Ze had de vorige nacht niet veel geslapen en ze betwijfelde of ze in de komende nacht slapen zou... als ze die nog zou meemaken.

Toen de klop op haar deur kwam, was het een rustige. Ze dacht dat ze klaar was om zelfs Aspitis onder ogen te komen, maar haar vingers beefden toen die zich naar de deurknop uitstrekten.

Het was Gan Itai, maar een ogenblik dacht Miriamele dat er een andere Niskie aan boord was gekomen, zo anders zag de zeewachtvrouw eruit. Haar goudbruine huid scheen bijna grijs. Haar gezicht was slap en verwilderd en haar ingevallen, roodomrande ogen schenen naar Miriamele te staren als over een verre afstand. De Niskie had haar mantel stevig om zich heen gewikkeld, alsof zij zelfs in de gezwollen, vochtige lucht die een storm voorspelde bang was kou te vatten.

'Genade van Aedon!' Miriamele trok haar naar binnen en duwde de deur dicht. 'Ben je ziek, Gan Itai? Wat is er gebeurd?' Aspitis had de diefstal ontdekt en was natuurlijk onderweg – dat kon de enige reden zijn waarom de Niskie er zo afschuwelijk uitzag. Miriamele zag deze conclusie met een soort koude opluchting onder ogen. 'Heb je iets nodig? Water om te drinken?'

Gan Itai hief haar verweerde hand op. 'Ik heb niets nodig. Ik heb… zitten denken.'

'Denken? Wat bedoel je?'

De Niskie schudde haar hoofd. 'Laat me uitpraten, meisje. Ik heb je dingen te zeggen. Ik heb mijn eigen besluit genomen.' Ze ging op Miriameles bed zitten, zich bewegend alsof ze veertig jaar ouder was geworden. 'In de eerste plaats, weet je waar het landingsvaartuig is?'

Miriamele knikte. 'Bij het middenschip aan stuurboord, hangend aan de touwen van de windas.' Het grootste deel van haar jonge leven te midden van zeevaarders te hebben gewoond, verschafte in elk geval enig voordeel.

'Goed. Ga er vanmiddag heen, wanneer je zeker bent dat niemand je ziet. Verstop deze daar.' De Niskie lichtte haar mantel op en gooide verscheidene bundeltjes op het bed. Vier waren tot barstens toe gevulde waterzakken, twee andere waren in jute gewikkelde pakjes. 'Brood, kaas en water,' legde Gan Itai uit. 'En wat benen vishaken, dus misschien kun je proberen je proviand met wat vlees aan te vullen. Er is een aantal andere dingen die misschien ook nuttig zullen blijken.'

'Wat betekent dit?' Miriamele keek de oude vrouw aan. Gan Itai zag eruit alsof ze een afschuwelijke last torste, maar haar ogen hadden iets van hun bezorgde blik verloren. Ze glinsterden nu.

'Het betekent dat je gaat vluchten. Ik kan het niet aanzien dat jou een dergelijke slechtheid wordt opgedrongen. Ik zou niet een van de ware kinderen van de Zeevaarder zijn als ik dat wel deed.'

'Maar het kan niet gebeuren!' Miriamele vocht tegen de aanstormende stomme hoop. 'Ook al zou ik van het schip af kunnen komen, Aspitis zou me binnen een paar uur opsporen. De wind zal opsteken lang voordat ik land zal bereiken. Denk je dat ik in twaalf mijlen lege zee kan verdwijnen of harder kan roeien dan de *Wolk Eadne* vaart?'

'Harder roeien? Nee.' Er school een vreemde trots in Gan Itai's uitdrukking. 'Natuurlijk niet. Ze is zo snel als een dolfijn. Maar wat betreft hoe… laat dat maar aan mij over, kind. Dat is de rest van mijn plicht. Jij moet echter één ander ding doen.'

Miriamele slikte haar tegenwerpingen in. Onvoorzichtig, koppig doordouwen had haar in het verleden niet veel goed gedaan. 'Wat?'

'In het ruim, in een van de vaten bij de stuurboordwand, zijn werktuigen en andere metalen goederen in olie verpakt. Er staat iets op het vat

geschreven, dus wees niet bang dat je het niet zult vinden. Ga na zonsondergang naar het ruim, neem een beitel en hamer uit het vat, en hak
Cadrachs ketenen door. Dan moet hij het feit dat de ketenen verbroken
zijn verbergen, voor het geval er iemand komt.'

'Zijn ketenen verbreken? Maar iedereen op het schip zal me horen.' Vermoeidheid overviel haar. Het scheen nu al duidelijk dat het plan van de
Niskie niet kon slagen.

'Tenzij mijn neus me verraadt, zal de storm spoedig hier zijn. Een schip
op zee in een zware wind maakt vele geluiden.' Gan Itai hief haar hand
op om verdere vragen te bezweren. 'Doe alleen die dingen, verlaat dan
het ruim en ga naar je hut of ergens anders heen, maar *laat je door niemand opsluiten.*' Ze schudde nadrukkelijk met haar langer vingers. 'Ook
als je misselijkheid of krankzinnigheid moet veinzen, laat niemand een
grendel tussen jou en de vrijheid schuiven.' De gouden ogen keken in
Miriameles ogen tot Miriamele haar twijfels voelde wegschrompelen.

'Ja,' zei ze. 'Ik zal het doen.'

'Dan, om middernacht, wanneer de maan precies daar staat,' de Niskie
wees naar een plek op het plafond, 'moet je je geleerde vriend gaan halen en hem in de landingsboot helpen. Ik zal ervoor zorgen dat je een
kans krijgt hem overboord te zetten.' Ze keek op, verrast door een plotselinge gedachte. 'Bij de Niet-In-kaart-Gebrachte, meisje, vergewis je
ervan dat de riemen in de boot liggen! Controleer ze wanneer je het
voedsel en het water verbergt.'

Miriamele knikte. Dus de zaak was opgelost. Ze zou haar best doen om
te blijven leven, maar als ze er niet in slaagde, zou ze zich niet tegen het
onvermijdelijke verzetten. Net zoals haar echtgenoot, Aspitis Preves,
haar niet tegen haar wil in leven kon houden. 'En wat zul jij doen, Gan
Itai?' vroeg ze.

'Wat ik moet doen.'

'Maar het was geen droom!' Tiamak begon boos te worden. Wat was ervoor nodig om deze grote bruut van een Rimmersman te overtuigen?
'Het was Geloë, de wijze vrouw uit het woud Aldheorte. Ze sprak tegen
mij via een kind dat de afgelopen tijd in al mijn dromen is geweest. Ik
heb hierover gelezen. Het is een magisch foefje, iets dat adepten kunnen
doen.'

'Hou je kalm, man. Ik heb niet gezegd dat het verbeelding was.' Isgrimnur wendde zich van de oude man af, die geduldig wachtte op de
volgende vraag die de hertog hem misschien zou stellen. Hoewel hij
niet in staat was te antwoorden, scheen de aandacht hem-die-Camaris-
was-geweest een kalme, kinderlijke bevrediging te geven, en zat dan
uren achtereen tegen Isgrimnur terug te lachen. 'Ik heb van die Geloë

gehoord. Ik geloof je man. En wanneer we kunnen vertrekken, is jouw Steen des Afscheids een even goede bestemming als welke andere ook; ik heb gehoord dat Jozua's kamp ergens in de buurt is van de plaats die jij zegt. Maar ik kan mij nog door geen enkele droom, hoe dringend ook, laten wegnemen.'

'Maar waarom?' Tiamak was er zelf niet eens zeker van waarom het zo belangrijk scheen om weg te gaan. Het enige dat hij wist, was dat hij het beu was zich waardeloos te voelen. 'Wat kunnen wij hier doen?'

'Ik wacht op Miriamele, het nichtje van prins Jozua,' zei de Rimmersman. 'Dinivan heeft me naar deze godvergeten herberg gestuurd. Misschien heeft hij haar ook gestuurd. Aangezien het mijn gezworen plicht is haar te vinden, en ik het spoor bijster ben, moet ik hier, waar het spoor eindigt, enige tijd blijven.'

'Als hij haar gestuurd heeft, waarom is ze er dan nu niet?' Tiamak wist dat hij moeilijkheden maakte, maar kon er niets aan doen.

'Misschien is ze opgehouden. Het is een lange reis te voet.' Isgrimnurs masker van kalmte zakte een beetje af. 'Wees nu stil, verdomme! Ik heb je alles verteld wat ik wist. Als je wilt gaan, ga dan! Ik zal je niet tegenhouden.'

Tiamak deed zijn mond met een klap dicht, draaide zich toen om en hinkte ongelukkig naar zijn bundeltje bezittingen. Hij begon ze te ordenen in een halfslachtige voorbereiding om te vertrekken.

Zou hij weggaan? Het was een lange reis die stellig beter met metgezellen kon worden gemaakt, hoe kortzichtig en onverschillig voor zijn gevoelens die ook mochten zijn. Of misschien was het beter alleen maar naar zijn woning in de boom terug te sluipen, diep in het moeras buiten Dorpsbosje. Maar zijn volk zou willen weten wat er van zijn verzaakte boodschap naar Nabban namens hen was geworden, en wat moest hij hun vertellen?

Hij Die Altijd op Zand Loopt, bad Tiamak, *spaar mij deze vreselijke beslissing!*

Zijn rusteloze vinger betastte zwaar perkament. Hij haalde de bladzijde uit Nisses' verloren boek en sloot het heel even in zijn handen. Deze kleine triomf kon niemand hem in elk geval afnemen. Hij was degene die het had gevonden, en niemand anders. Maar, het droevigste van alles was dat Morgenes en Dinivan niet langer leefden om zich erover te kunnen verwonderen.

'... *Breng uit Nuanni's Rotstuin,*'

las hij stil,

'... de Man die hoewel Blind kan Zien,
ontdek het Zwaard dat De Roos Bevrijdt
aan de Voet van de Rimmers' grote Boom,
vind de Roep waarvan de luide Eis
de naam van de drager van de Roep uitspreekt
in een Schip op de Ondiepste Zee —
— Wanneer Zwaard, Roep en Mens
komen naar de Prins zijn Rechterhand
zal de Gevangene weer Vrij zijn...'

Hij herinnerde zich de bouwvallige kapel voor Nuanni die hij bij zijn omzwervingen een paar dagen geleden had gezien. De amechtige, half-blinde oude priester had hem weinig van belang kunnen vertellen, hoe-wel hij heel graag had gepraat nadat Tiamak een paar cintis-stukken in de offerschaal had laten vallen. Nuanni was blijkbaar een zeegod van het oude Nabban wiens glorietijd al voorbij was toen de omhooggevallen Usires verscheen. De volgelingen van de oude Nuanni waren in die tijd inderdaad zeer gering in getal, had de priester hem verzekerd: als de kleine haarden van verering die zich op de bijgelovige eilanden nog steeds aan het leven vastklampten er niet waren geweest, zou geen le-vend wezen zich Nuanni's naam herinneren, hoewel de god eens over de Grote Groene, die in de harten van alle zeevaarders op de eerste plaats kwam, was gestapt. Hoe dan ook, de oude priester vermoedde dat zijn kapel de laatste op het vasteland was.

Tiamak was blij geweest dat de nu vertrouwde naam van zijn perka-ment eindelijk inhoud had gekregen, maar had er weinig meer van ge-vonden dan dat. Nu liet hij zijn gedachten over de eerste regel van het raadselachtige rijm gaan en vroeg zich af of 'Nuanni's rotstuin' mis-schien sloeg op de verspreide eilanden van de Baai van Firannos zelf...?

'Wat heb je daar, kleine man? Een landkaart, nietwaar?' Naar het ge-luid van zijn stem te oordelen, probeerde Isgrimnur vriendelijk te zijn, misschien in een poging om zijn eerdere barsheid goed te maken, maar Tiamak wilde daar niets van weten.

'Niets. Het gaat u niet aan.' Hij rolde het perkament vlug op en stopte het terug in zijn samengepakte bezittingen.

'Je hoeft me niet op te eten,' gromde de hertog. 'Kom man, praat tegen me. Ga je werkelijk weg?'

'Ik weet het niet.' Tiamak wilde zich niet omdraaien en hem aankijken. De Rimmersman was zo groot en indrukwekkend dat hij maakte dat de Wrannaman zich vreselijk klein voelde. 'Misschien wel. Maar het zou een lange weg voor iemand zijn om alleen te gaan.'

'Maar hoe zou je gaan?' Isgrimnurs belangstelling klonk oprecht.

Tiamak dacht na. 'Als ik niet met jullie tweeën meeging, zou ik niet onopvallend hoeven te zijn. Dus zou ik de kortst mogelijke weg nemen, over land door Nabban en de Tritsingen. Het zou een heel eind lopen zijn, maar ik ben niet bang voor inspanning.' Hij fronste toen hij aan zijn gewonde been dacht. Dat zou misschien nooit genezen, en was zeker nu niet in staat hem over een lange afstand te dragen. 'Of misschien zou ik een ezel kopen,' voegde hij eraan toe.

'Je spreekt werkelijk goed Westerlings voor een Wrannaman,' zei Isgrimnur glimlachend. 'Je gebruikt woorden die ik zelf niet ken.'

'Ik heb u gezegd,' zei Tiamak stijf. 'Ik heb bij de Aedonitische broeders in Perdruin gestudeerd. En Morgenes zelf heeft mij veel geleerd.'

'Natuurlijk.' Isgrimnur knikte. 'Maar, hmm, als je zou moeten reizen, onopvallend, zei je, denk ik? Als je werkelijk moest reizen zonder opgemerkt te worden, wat dan? Een paar geheime moerasmantunnels of iets dergelijks?'

Tiamak keek op. Isgrimnur sloeg hem nauwlettend gade. Tiamak sloeg zijn blik vlug neer en probeerde zelfs een glimlach te verbergen. De Rimmersman probeerde hem beet te nemen, alsof Tiamak een kind was! Het was eigenlijk grappig. 'Ik verbeeld me dat ik zou vliegen.'

'Vliegen!?' Tiamak kon bijna horen dat de blik van ongeloof de gelaatstrekken van de hertog vertrok. 'Ben je gek?'

'O nee,' zei Tiamak ernstig, 'het is een kunst die alle bewoners van de Wran bekend is. Waarom denkt u dat wij in plaatsen als Kwanitupul alleen worden waargenomen wanneer we gezien willen worden? U weet toch zeker dat grote blunderende drooglanders de Wran binnenkomen zonder ooit een sterveling te zien. Dat komt omdat we kunnen vliegen wanneer het moet. Net als vogels.' Hij wierp vlug een zijdelingse blik. Isgrimnurs verbijsterde gezicht was alles waarop hij kon hopen. 'Bovendien, als we niet konden vliegen... hoe zouden we de nesten in de toppen van de bomen kunnen bereiken waar we onze eieren leggen?'

'Rood Bloed! Aedon aan de Boom!' vloekte Isgrimnur explosief. 'Verdomme, moerasman! Drijf de spot maar met me!'

Tiamak kromp ineen in de verwachting dat hij een of ander zwaar voorwerp naar zijn hoofd zou krijgen, maar een ogenblik later keek hij op en zag de hertog grinniken en zijn hoofd schudden. 'Ik neem aan dat ik erom gevraagd heb. Jullie Wrannamannen hebben gevoel voor humor, schijnt het.'

'Sommige drooglanders misschien ook.'

'Toch, het probleem is er nog.' Isgrimnur keek dreigend. 'Het leven schijnt tegenwoordig alleen maar uit moeilijke keuzes te bestaan. Bij de naam van de Verlosser, ik heb de mijne gedaan en moet ermee leven: als Miriamele op de eenentwintigste dag van Octander – dat wil zeggen

Zielendag – niet is komen opdagen, zal ik ook "genoeg" zeggen en op weg gaan naar het noorden. Dat is mijn keus. Nu moet jij de jouwe maken: blijven of gaan.' Hij wendde zich weer tot de oude man, die hun hele gesprek met welwillend onbegrip had aangehoord. 'Ik hoop dat je blijft, kleine man,' voegde de hertog er rustig aan toe.

Tiamak staarde een ogenblik, stond toen op en liep naar het raam. Beneden glansde het troebele kanaal als groen metaal in de middagzon. Hij hees zich op de vensterbank en liet zijn gewonde been uit het raam bungelen.

'Inihe Rood-bloem had donker haar,'

zong hij, terwijl hij een platbodem voorbij zag dobberen.

'Donker haar, donkere ogen. Slank als een rank was zij,
en ze zong tot de grijze duiven.
Ah-ye, ah ye, zong ze tot hen heel de nacht.

Shoaneg Snel-Roeiend hoorde haar,
hoorde haar, hield van haar. Sterk als een banyan was hij,
maar hij had geen kinderen.
Ah-ye, ah-ye, niemand om zijn naam te dragen.

Shoaneg riep tegen Rood-bloem,
dong naar haar. Vlug als libellen was hun liefde,
en ze ging met hem mee naar zijn huis.
Ah-ye, ah-ye, haar veer hing boven zijn deur.

Inihe, ze baarde een jongetje,
zoogde hem, hield van hem. Zoet als de koele wind was hij,
en hij droeg Snel-roeiends naam.
Ah-ye, ah-ye, water was veilig voor hem als zand.
Het kind groeide op om te zwerven,
roeien, rennen. Vrij als een konijn was hij,
reisde ver van zijn huis.
Ah-ye, ah-ye, hij was een vreemde voor de haard.

Op een dag kwam zijn boot leeg aan,
tollend, drijvend. Leeg als een notedop was hij,
Rood-bloems kind was weg.
Ah-ye, ah-ye, hij was weggewaaid als distelpluis.

Shaoneg zei: "Vergeet hem",
harteloos, onnadenkend. Als een dwaze nestvogel was hij,
die uitvliegt van huis.
Ah-ye, ah-ye, zijn vader vervloekte zijn naam.

Inihe kon 't niet geloven
miste hem, treurde om hem. Droef als zwevende bladeren was zij,
haar tranen doordrenkten de biezen op de vloer.
Ah-ye, ah-ye, ze huilde om haar verloren zoon.

Rood-bloem verlangde vurig hem te vinden
hopend, biddend. Als een jagende uil was zij.
Wie zou haar zoon gaan zoeken.
Ah-ye, ah-ye, zij zou haar verloren kind vinden.

Shoaneg zei dat hij 't haar verbood
schreeuwde, beval. Boos als een bijenkorf was hij,
als ze wegging, had hij geen vrouw.
Ah-ye, ah-ye, hij zou haar veer van zijn deur blazen...'

Tiamak hield op. Een schuit, bemand door schreeuwende Wrannamannen, werd onhandig een smal zijkanaal in geboomd. Hij schuurde hard
tegen het paalwerk van de kade dat als rotte tanden aan de voorkant van
de herberg uitstak. De oppervlakte van het water kolkte van de golven.
Tiamak draaide zich om en keek Isigrimnur aan, maar de hertog had
het vertrek verlaten. Alleen de oude man was er nog, zijn ogen op niets
gericht, zijn gezicht ledig op een kleine, geheimzinnige glimlach na.
Het was lang geleden sinds Tiamaks moeder dat liedje voor hem gezongen had. Het verhaal van de verschrikkelijke keuze van Inihe Rood-
bloem was haar favoriet geweest. Wanneer hij aan haar dacht, werd Tiamaks keel dichtgeknepen. Hij had het vertrouwen geschonden waarvan
ze had gewild dat hij het zou behouden – de schuld die hij aan zijn eigen volk had. Wat moest hij nu doen? Hier wachten bij deze drooglanders? Naar Geloë en de andere Dragers van het Geschrift gaan die hem
hadden gevraagd te komen? Of met schande naar zijn eigen Dorpsbosje
teruggaan? Waar hij ook heen ging, hij wist dat de geest van zijn moeder hem zou gadeslaan, rouwend omdat haar zoon zijn volk de rug had
toegekeerd.
Hij fronste alsof hij iets bitters proefde. Isgrimnur had echter in één
ding gelijk. In deze tijd, in deze naargeestige tijd, scheen het leven alleen maar uit moeilijke keuzen te bestaan.

'Trek haar terug!' zei de stem. 'Vlug!'

Maegwin werd wakker en zag dat ze recht omlaag in het witte niets staarde. De overgang was zo vreemd dat ze een ogenblik dacht dat ze nog droomde. Ze leunde naar voren, proberend door deze leegte te bewegen zoals ze door de grijze droom-leegte had bewogen, maar iets hield haar tegen. Ze hijgde toen ze de felle, snijdende kou voelde. Ze leunde over een afgrond van warrelende sneeuw. Ruwe handen grepen haar bij haar schouders.

'Hou haar vast!'

Ze gooide zich naar achteren, graaiend naar veiligheid, zich verzettend tegen degenen die haar vasthielden. Toen ze aan alle kanten harde steen onder zich kon voelen, liet ze een diepe stroom vastgehouden adem ontsnappen en werd slap. De wervelende sneeuwvlokken vulden vlug de deuken op die haar knieën aan de buitenste rand van de afgrond hadden gemaakt. Vlakbij was de as van haar kleine kampvuur bijna onder een mantel van wit verdwenen.

'Vrouwe Maegwin... wij zijn hier om u te helpen!'

Ze keek rond, versuft. Twee mannen hielden haar stevig vast; een derde stond enkele passen achter haar. Allen droegen zware mantels en hadden sjaals om hun gezicht gewonden. Een van hen droeg het gehavende embleem van de Croichclan.

'Waarom hebben jullie me teruggebracht?' Haar stem scheen traag en onbeholpen. 'Ik was bij de goden.'

'U stond op het punt te vallen, mevrouw,' zei de man aan haar rechterschouder. Ze kon aan de hand die haar vasthield voelen dat hij rilde. 'We hebben drie dagen naar u gezocht.'

Drie dagen! Maegwin schudde haar hoofd en keek naar de lucht. Naar de onduidelijke glans van de zon te oordelen, was het pas even na zonsopgang. Was ze werkelijk al die tijd bij de goden geweest? Het had nauwelijks een ogenblik geleken. Als deze mannen alleen maar niet gekomen waren...

Nee, zei ze tegen zichzelf. *Dat is egoïstisch. Ik moest terugkomen... en ik zou van geen nut zijn geweest als ik van de berg af was gevallen en gestorven was.*

Per slot van rekening had ze nu de plicht om te overleven. Ze had meer dan een plicht.

Maegwin wikkelde haar koude vingers los van de dwargsteen en liet hem op de grond vallen. Ze voelde haar hart in zich zwellen. Ze had gelijk gehad! Ze had de Bradach Piek beklommen zoals haar in de droom was gevraagd. Nu, hier op deze hoge plaats, had ze opnieuw gedroomd, dromen even dwingend als die haar hier hadden gebracht.

Maegwin had de boodschapper van de goden naar haar voelen reiken, een boodschapper in de vorm van een lange, roodharige jongeling. Hoewel zijn gelaatstrekken door haar droom waren beneveld, vermoedde zij dat hij erg knap was. Misschien was hij een gevallen held uit het oude Hernystir, Airgad Eikenhart, of prins Sinnach, die waren weggenomen om in de hemel bij Brynioch en de anderen te wonen!

Tijdens het eerste visioen in de grot had ze alleen gevoeld dat hij naar haar zocht maar toen ze had geprobeerd hem te bereiken, was de droom vervluchtigd, haar koud en eenzaam bovenop de rots achterlatend. Daarna, toen ze weer in slaap was gevallen, had ze opnieuw gevoeld dat de boodschapper haar zocht. Ze had gevoeld dat zijn behoefte dringend was, dus had ze zich tot het uiterste ingespannen, proberend even helder te branden als een lamp, zodat hij haar kon vinden, zich door het wezen van de droom uitstrekkend, zodat ze hem kon bereiken. En toen ze hem eindelijk had aangeraakt, had hij haar meteen naar de drempel van het land gedragen waar de goden woonden.

En dat was zeker een van de goden geweest die zij daar had gezien! Opnieuw was het droomvisioen in nevel gehuld geweest – misschien konden levende stervelingen de goden niet in hun ware gedaanten zien – maar het gezicht dat voor haar was verschenen, was niets dat geboortig was uit man of vrouw. Dat zouden alleen de brandende, onmenselijke gouden ogen al hebben bewezen. Misschien had ze de wolkendragende Brynioch zelf gezien. De boodschapper, wiens geest bij haar was gebleven, scheen de god iets over een hoge plaats te vertellen – wat alleen maar de plek kon zijn waar Maegwins slapende lichaam lag terwijl haar ziel in een droom zweefde – en daarna spraken de boodschapper en de god over de dochter van een koning en een dode vader. Het was allemaal erg verwarrend geweest, de stemmen schenen verdraaid en weerkaatsend tot haar te komen, als door een heel lange tunnel of over een machtige afgrond… maar over wie anders hadden ze kunnen spreken dan Maegwin zelf en haar eigen vader Lluth, die gestorven was terwijl hij zijn volk beschermde?

Niet alle woorden die gesproken werden, bereikten haar maar de betekenis ervan was duidelijk: de goden maakten zich gereed voor de strijd. Dat kon stellig slechts betekenen dat ze eindelijk gingen ingrijpen. Een ogenblik was het haar zelfs vergund geweest een blik in de zalen van de Hemel zelf te werpen. Een machtig hemels leger had daar gewacht, met felle ogen en wapperende haren, gekleed in wapenrusting kleurig als de vleugels van vlinders, hun speren en zwaarden schitterend als bliksem aan een zomerhemel. Maegwin had de goden zelf in hun macht en heerlijkheid gezien. Het was waar, dat moest wel! Hoe kon er nu enige twijfel bestaan? De goden waren van plan ten strijde te trekken en wraak te nemen op Hernystirs vijanden.

Ze zwaaide heen en weer en de twee mannen hielden haar overeind. Ze voelde dat zij, als ze op dit ogenblik van de Bradach Piek zou springen, niet zou vallen maar zou vliegen als een spreeuw, pijlsnel langs de berg omlaag om haar volk het wonderbaarlijke nieuws te vertellen. Ze lachte om zichzelf en haar dwaze ideeën, lachte toen opnieuw van blijdschap dat zij door de goden van veld, water en hemel was uitverkoren om hun boodschap van komende verlossing te brengen.

'Mevrouw?' De bezorgdheid van de man was duidelijk in zijn stem te horen. 'Bent u ziek?'

Ze negeerde hem, vol enthousiaste ideeën. Ook al kon ze niet echt vliegen, ze moest zich de berg af spoeden naar de grot waar de Hernystiri natie in ballingschap zwoegde. Het was tijd om te gaan!

'Ik heb me nooit beter gevoeld,' zei ze. 'Breng mij naar mijn volk.'

Terwijl haar begeleiders haar langs de piek hielpen, rommelde Maegwins maag. Haar honger kwam snel terug, besefte ze. Drie dagen had ze geslapen en gedroomd en van deze hoge plaats in de besneeuwde verte gekeken, en in die tijd had ze bijna niets gegeten. Vol van de woorden van de hemel, was zij nu ook zo hol als een lege ton. Hoe zou ze ooit verzadigd raken? Ze lachte luidruchtig en bleef staan, de sneeuw in poederachtige witte vlagen van haar kleren slaand. Het was enorm koud, maar zij was warm geworden. Ze was ver van haar huis, maar ze had haar plotselinge gedachten als gezelschap. Ze wenste dat ze dit gevoel van triomf met Eolair kon delen, maar de gedachte aan hem stemde haar niet eens droevig, zoals vroeger. Hij deed wat hij behoorde te doen, en als de goden het zaad van zijn heengaan in haar geest hadden geplant, moest er een reden voor zijn. Hoe kon ze eraan twijfelen dat, terwijl al het andere dat beloofd scheen was gegeven, het op een na laatste en grootste geschenk dat zij kende spoedig zou komen.

'Ik heb met de goden gesproken,' vertelde zij de drie bezorgde mannen. 'Zij zijn bij ons in deze vreselijke tijd; zij zullen naar ons toe komen.'

De man die het dichtst bij haar was, keek zijn metgezellen vlug aan, deed toen zijn best om te glimlachen terwijl hij zei: 'Geprezen zijn al hun namen.'

Maegwin verzamelde haar schaarse bezittingen zo haastig in haar zak dat ze de houten vleugel van Mircha's vogel afbrak. Ze stuurde een van de mannen terug om de dwargensteen te halen, die zij in de sneeuw aan de rand van de klif had laten vallen. Voor de zon een handbreedte boven de horizon was geschoven, was ze op weg omlaag langs de besneeuwde helling van de Grianspog.

Ze had honger en was heel moe, en ze was ten slotte ook de kou gaan voelen. Zelfs met behulp van haar redders was de reis omlaag nog moeilijker dan de klim naar boven. Toch, Maegwin voelde vreugde zacht in zich pulseren als een kind dat erop wacht geboren te worden – een vreugde die, als een kind, zou groeien en steeds mooier worden. Nu kon ze haar volk vertellen dat er hulp op komst was! Wat kon welkomer zijn na deze barre twaalf maanden?

Maar wat diende er verder te worden gedaan, vroeg zij zich plotseling af. Wat moest het Hernystiri volk doen om zich op de terugkeer van de goden voor te bereiden?

Maegwin richtte haar gedachten hierop toen het gezelschap voorzichtig omlaag ging en de ochtend over de wand van de Grianspog vergleed. Ze besloot eindelijk dat ze, voor ze iets anders deed, weer met Diawen moest spreken. De waarzegster had gelijk gehad wat de Bradach Piek betrof en had onmiddellijk het belang van de andere dromen begrepen. Diawen zou Maegwin helpen te besluiten wat ze vervolgens moest doen.

De oude Craobhan kwam de opsporingsexpeditie tegemoet, vol boze woorden en slecht verhulde bezorgdheid, maar zijn woede om haar achteloosheid rolde van Maegwin af als regen van geolied leer. Ze glimlachte en bedankte hem dat hij mannen had gestuurd om haar veilig naar beneden te krijgen, maar wilde niet worden gehinderd; ze negeerde hem toen hij eerst eiste, en toen vroeg en haar ten slotte smeekte te rusten en zich te laten verzorgen. Uiteindelijk, omdat hij haar niet kon overhalen hen te vergezellen en geen geweld wilde gebruiken in een grot vol nieuwsgierige toeschouwers, gaven Craobhan en zijn mannen het op.

Diawen stond voor haar grot alsof ze had verwacht dat Maegwin precies op die tijd zou aankomen. De waarzegster nam haar bij de arm en leidde haar de rokerige ruimte binnen.

'Ik kan het aan uw gezicht zien.' Diawen keek ernstig in Maegwins ogen. 'Geprezen zij Mircha, u hebt nog een droom gehad.'

'Ik ben naar de Piek van Bradach geklommen, net zoals je voorstelde.' Ze wilde haar opwinding uitschreeuwen. 'En de goden hebben tegen mij gesproken.'

Ze vertelde alles wat ze had meegemaakt en probeerde niet te overdrijven of het mooier voor te stellen, de naakte werkelijkheid was immers al mooi genoeg! Toen ze klaar was, keek Diawen haar zwijgend aan, de ogen schitterend van wat tranen leken.

'Ah, God zij dank,' zei de waarzegster. 'U hebt een Getuigenis mogen meemaken, zoals in de oude verhalen.'

Maegwin glimlachte gelukkig. Diawen begreep het, zoals Maegwin had geweten dat ze zou doen. 'Het is wonderlijk,' stemde ze in. 'Wij zullen gered worden.' Ze zweeg terwijl de gedachte die ze had ingehouden zich voelbaar had gemaakt. 'Maar wat moeten we doen?'

'De wil van de goden,' antwoordde Diawen zonder aarzeling.

'Maar wat is dat?'

Diawen zocht in haar verzameling spiegels en koos er ten slotte een uit gemaakt van glanzend brons met een handvat in de vorm van een opgerolde slang. 'Stil nu, ik ben niet in dromen met u mee geweest, maar ik heb mijn eigen manieren.' Ze hield de spiegel boven het smeulende vuur, blies toen het opgehoopte roet weg. Lange tijd staarde zij erin, haar donkerbruine ogen schijnbaar gericht op iets achter de spiegel. Haar lippen bewogen geluidloos. Uiteindelijk legde zij de spiegel neer.

Toen Diawen sprak, was haar stem ver weg. 'De goden helpen de stoutmoedigen. Bagba gaf vee aan Herns volk omdat ze hun paarden hadden verloren terwijl zij voor de goden vochten. Mathan onderwees de kunst van het weven aan de vrouwen die haar verborgen voor de woede van haar echtgenoot Murhagh. De goden helpen hen die stoutmoedig zijn.' Ze knipperde en streek een grijze haarlok uit haar ogen. Haar stem herkreeg zijn gewone toon. 'Wij moeten naar de goden toe gaan. Wij moeten hen laten zien dat Herns kinderen hun hulp waardig zijn.'

'Wat betekent dat?'

Diawen schudde haar hoofd. 'Dat weet ik eigenlijk niet.'

'Moeten wij zelf de wapenen opnemen? Weggaan en Skali uitdagen?' Maegwin fronste. 'Hoe kan ik het volk vragen dat te doen, met zo weinigen en zwak als we zijn?'

'Aan de wil van de goden gehoorzamen is nooit gemakkelijk.' Diawen zuchtte. 'Dat weet ik. Toen ik jong was, kwam Mircha in een droom tot mij, maar ik kon niet doen wat zij vroeg. Ik was bang.' Het gezicht van de waarzegster, in herinneringen verzonken, was vol hevige spijt. 'Aldus faalde ik toen het eropaan kwam en was niet langer haar priesteres. Ik heb haar aanraking sindsdien nooit meer gevoeld, niet in al die eenzame jaren...' Ze zweeg. Toen ze haar blik nogmaals op Maegwin richtte, sprak ze vlot als een wolkoopman. 'De wil van de goden kan beangstigend zijn, koningsdochter, maar om die te weigeren betekent dat je ook hun hulp weigert. Meer kan ik u niet vertellen.'

'Om de wapenen op te nemen tegen Skali en zijn plunderaars...' Maegwin liet de gedachte door zich heen stromen als water. Het idee had een zekere krankzinnige schoonheid, een schoonheid die de hemelen werkelijk zou kunnen behagen. Het zwaard van Hernystir nogmaals tegen de invallers op te heffen, al was het maar heel even... De goden zelf zouden stellig juichen om een dergelijk trots uur te zien! En met zekerheid zou de hemel op dat moment wel opengaan en al Rhynns bliksemschichten zouden eruit springen om Skali Scherpneus en zijn leger tot stof te verbranden...

'Ik moet nadenken, Diawen. Maar wanneer ik met het volk van mijn vader spreek, zul je mij dan steunen?'

De waarzegster knikte, glimlachend als een trotse ouder. 'Ik zal u steunen, koningsdochter. Wij zullen het volk vertellen wat de goden zeiden.'

Een stortbad van warme regen viel neer, de eerste voorbode van de naderende storm. De dikke wolkenbank langs de horizon was grijs en zwart gestippeld, aan de randen gekleurd door de oranje gloed van de late middagzon die hij bijna had opgeslokt. Miriamele kneep haar ogen dicht tegen de spetterende druppels en keek behoedzaam om zich heen. De meeste matrozen waren druk bezig zich voor te bereiden op de storm, en geen van hen scheen enige aandacht aan haar te schenken. Aspitis was in zijn hut waar hij, hoopte zij, te zeer verdiept zou zijn in zijn kaarten om de diefstal van zijn lievelingsdolk op te merken.

Ze liet de eerste van de waterzakken uit haar cape met ceintuur glijden, maakte toen een knoop los die het zware dekzeil over de open landingsboot op zijn plaats hield. Na de omgeving nog één keer vlug in zich te hebben opgenomen, liet ze de waterzak naast de riemen in de boot glijden, en liet de andere toen snel volgen. Terwijl ze op het puntje van haar tenen stond om de pakjes met brood en kaas erin te doen, riep iemands iets in het Nabbaans.

'Hoy! Laat dat!'

Miriamele verstijfde als een in het nauw gedreven konijn, met bonzend hart. Ze liet de pakjes met eten uit haar vingers in de boot omlaag glijden, en draaide zich toen langzaam om.

'Stommeling! Je hebt 'm ondersteboven gezet!' schreeuwde de matroos van boven in het want. Twintig ellen hoog keek hij verontwaardigd naar een andere matroos die boven hem aan de mast werkte. Het voorwerp van zijn kritiek gaf hem het teken van de geit en ging vrolijk door met datgene te doen dat zo aanstootgevend was gebleken. De eerste matroos ging nog een tijdje door met schreeuwen, lachte toen en spoog in de wind alvorens zijn eigen werkzaamheden te hervatten.

Miriamele sloot haar ogen terwijl ze wachtte tot haar knieën ophielden met knikken. Ze haalde diep adem, haar neusgaten vullend met de geuren van teer, natte planken en de drijfnatte wol van haar eigen mantel, en ook de prikkelende, geheime geur van de naderende storm, en deed toen haar ogen weer open. Het was harder gaan regenen en de druppels liepen nu van haar capuchon af, een kleine waterval die net voorbij het puntje van haar neus viel. Tijd om benedendeks te gaan. De zon zou weldra ondergaan en ze wilde Gan Itai's plannen niet simpelweg door achteloosheid in de war sturen, hoe gering de hoop op welslagen ook was. En ook, hoewel het niet onverklaarbaar was dat Miriamele zich in deze snel verergerende regen aan dek bevond, als ze Aspitis tegen het lijf liep zou hij dat achteraf misschien vreemd vinden. Miriamele wist niet precies wat de Niskie bekokstoofde, maar ze wist dat dit niet zou worden bevorderd door ervoor te zorgen dat de graaf op zijn hoede was.

Ze ging zonder aandacht te trekken de trap van het luikgat af, en liep toen stil de gang door tot ze de spaarzaam gemeubileerde hut van de Niskie bereikte. De deur was niet vergrendeld en Miriamele glipte vlug naar binnen. Gan Itai was er niet – weg om de meesterzet van haar plan voor te bereiden, wist Miriamele zeker, hoe hopeloos zelfs de Niskie dat zelf vond. Gan Itai had stellig een vermoeide en wanhopige indruk gemaakt toen zij haar 's ochtends had gezien.

Nadat Miriamele haar rok had opgebonden, trok ze het losse gedeelte van het wandpaneel eruit en pijnigde zich toen een ogenblik lang met de vraag of ze de buitendeur van het vertrek zou vergrendelen. Als ze het paneel niet volmaakt van binnen de verborgen gang kon terugzetten, zou iedereen die het vertrek in kwam onmiddellijk weten dat er iemand door was gegaan, en zou belangstellend genoeg kunnen zijn om op onderzoek uit te gaan. Maar als ze de grendel dichtschoof, zou Gan Itai kunnen terugkeren zonder erin te kunnen.

Na enige overweging besloot ze de deur met rust te laten en het risico van een toevallige ontdekking te nemen. Ze haalde een stompje kaars onder haar mantel vandaan, hield die bij de vlam van Gan Itai's lamp en trok het paneel achter zich dicht. Ze hield het eind van de kaars in haar mond toen ze de ladder beklom, een stil gebed opzeggend om te danken dat haar haar nog nat en kortgeknipt was. Ze wuifde haastig een beeld weg van wat er zou kunnen gebeuren als iemands haar op een nauwe plaats als deze vlam vatte.

Toen ze het luikgat bereikte, liet ze wat kaarsvet op de vloer van de gang vallen om de kaars in vast te zetten, lichtte toen het luik op en keek door de spleet. Het ruim was donker – een goed teken. Ze betwijfelde of een van de matrozen zonder licht tussen de voorzichtig opgestapelde vaten zou rondlopen.

'Cadrach!' riep ze zacht. 'Ik ben het, Miriamele!'

Er kwam geen antwoord, en een ogenblik was ze er zeker van dat ze te laat was gekomen, dat de monnik hier in het donker was gestorven. Ze slikte de brok in haar keel weg, pakte haar kaars weer op, en ging toen voorzichtig de ladder af die aan de rand van het luikgat was bevestigd. Hij eindigde een eindje boven de grond, en toen ze zich de rest van de afstand liet vallen, kwam ze eerder neer dan ze verwachtte. De kaars viel uit haar hand en rolde over de houten vloer. Ze krabbelde er achteraan, zich met een paniekerige greep brandend, maar hij ging niet uit.

Miriamele haalde diep adem. 'Cadrach?'

Zonder antwoord te hebben gekregen, baande ze zich slingerend een weg door de hellende stapels van scheepsvoorraden. De monnik lag slap op de vloer naast de wand, het hoofd op zijn borst gezonken. Ze greep zijn schouder en schudde hem, waardoor zijn hoofd heen en weer ging. 'Word wakker, Cadrach.' Hij kreunde maar werd niet wakker. Ze schudde harder.

'Ah, goden,' brabbelde hij, 'dat *smearech fleann*... dat vervloekte boek...' Hij zwaaide met zijn armen alsof hij gevangen was in een vreselijke nachtmerrie. 'Doe het dicht! Doe het dicht! Ik wou dat ik het nooit had opengeslagen...' Zijn woorden verstierven in onverstaanbaar gemompel.

'Vervloekt jij, word wakker!' siste zij.

Eindelijk gingen zijn ogen open. 'Mijn... vrouwe?' Zijn verwarring was meelijwekkend. Iets van zijn omvang was tijdens zijn gevangenschap weggeschrompeld; zijn huid hing los aan de beenderen van zijn gezicht en zijn ogen keken troebel uit diepe oogkassen. Hij zag eruit als een oude man. Miriamele nam zijn hand, zich er enigszins over verbazend dat ze dat zonder aarzeling deed. Was dit dezelfde pimpelende verrader die zij in de Baai van Emettin had geduwd en had gehoopt te zullen zien verdrinken? Maar zij wist dat hij dat niet was. De man voor haar was een ellendig schepsel dat geketend en geranseld was – en niet voor een echte misdaad, maar alleen omdat hij was weggelopen, omdat hij had geprobeerd zijn eigen leven te redden. Nu wilde ze dat ze met hem mee was gevlucht. Miriamele had medelijden met de monnik en herinnerde zich dat hij niet helemaal verdorven was geweest. In sommige opzichten was hij zelfs een vriend geweest.

Miriamele schaamde zich plotseling voor haar harteloosheid. Ze was zo zeker van dingen geweest, zo zeker van wat goed en wat slecht was, dat ze op het punt had gestaan hem te laten verdrinken. Het was moeilijk om nu naar Cadrach te kijken, zijn ogen gewond en bang, zijn hoofd deinend boven de besmeurde pij. Ze drukte zijn koude hand en zei: 'Wees niet bang, ik kom zo terug.' Ze nam haar kaars en ging weg om in de rij vaten naar Gan Itai's beloofde werktuigen te zoeken.

Ze loenste naar vervaagde merktekens terwijl er boven heen en weer gaande voetstappen weerklonken. Het schip rolde ineens, krakend in de greep van de eerste vlagen van de storm. Ten slotte vond ze een vat dat behulpzaam gemerkt was met het woord 'Otillenaes'. Toen ze ook een koevoet had gevonden die bij de ladder hing, haalde ze het deksel van het vat. Een schat aan werktuigen was erin gestouwd, allemaal netjes in leer verpakt en drijvend in olie, als exotische vogels voor het avondmaal. Ze beet op haar lip en dwong zich ertoe rustig en zorgvuldig te werk te gaan, de druipende pakjes één voor één uit te pakken tot ze een beitel en een zware hamer vond. Na ze aan de binnenkant van haar mantel te hebben afgeveegd, nam zij ze mee naar Cadrach.

'Wat doet u, vrouwe? Bent u van plan mij te begunstigen met een klap van die varkensslachter? Dat zou werkelijk een gunst zijn.'

Ze fronste terwijl ze de kaars met hete was op de vloer bevestigde. 'Wees geen dwaas. Ik ga je ketenen doorsnijden. Gan Itai helpt ons te ontsnappen.'

De monnik keek haar een ogenblik aan, zijn opgezwollen ogen verrassend gespannen. 'Je moet weten dat ik niet kan lopen, Miriamele.'

'Als het moet zal ik je dragen. Maar we gaan niet voor vanavond. Dat zal je een kans geven om weer wat leven in je benen te wrijven. Misschien kun je even opstaan en proberen een paar passen te lopen, als je het maar stil doet.' Ze trok aan de keten die aan zijn enkels hing. 'Ik veronderstel dat ik die aan beide kanten moet doorsnijden, anders rinkel je als een ketellapper wanneer je loopt. Cadrachs glimlach, vermoedde ze, was voornamelijk ter wille van haar.

De lange ketting tussen de boeien om zijn benen liep door een van de bevestigingsringen in de vloer van het ruim. Miriamele trok één kant strak en zette toen het scherpe blad van de beitel tegen de schakel die het dichtst bij de boei zat. 'Kun je die voor me vasthouden?' vroeg ze. 'Dan kan ik de hamer met twee handen gebruiken.'

De monnik knikte en hield de ijzeren haakbout vast. Miriamele hief de hamer een paar keer bij wijze van oefening op, en hief hem toen boven haar hoofd.

'Je ziet eruit als Deanagha met de Bruine Ogen,' fluisterde hij.

Miriamele probeerde te luisteren naar het krakende ritme van de bewegingen van de boot, hopende een lawaaiig ogenblik te vinden waarop zij kon slaan. 'Als wie?'

'Deanagha met de Bruine Ogen.' Hij lachte. 'Rhynns jongste dochter. Toen zijn vijanden hem omringden en hij ziek was, sloeg zij met haar lepel op zijn bronzen kookpot totdat de goden kwamen om hem te redden.' Hij keek naar haar. 'Ze was moedig.'

De boot rolde opnieuw en het houtwerk kreunde lang en schokkend.

'Mijn ogen zijn groen,' zei Miriamele en liet de hamer toen zo hard zij kon neerkomen. De klap klonk luid als donder. Zeker dat Aspitis en zijn mannen zich nu naar het ruim zouden spoeden, keek ze omlaag. De beitel was een eind doorgedrongen, maar de keten was nog niet doorgesneden.

'Vervloekt,' fluisterde zij en bleef een lang, angstig moment luisteren. Er schenen geen ongewone geluiden van het dek boven te komen, dus hief ze de hamer op, maar kreeg toen een idee. Ze trok haar mantel uit en vouwde die eroverheen, en vouwde hem toen nog een keer om. Ze liet dit kussen onder de keten glijden. 'Hou dit vast,' beval ze, en sloeg nog een keer.

Er waren enkele slagen voor nodig, maar de mantel hielp het geluid te dempen, hoewel hij het ook moeilijker maakte om hard te slaan. Ten slotte brak de ijzeren verbinding. Miriamele sloeg toen ook moeizaam de andere kant door, en slaagde er zelfs in één kant van Cadrachs handboeien los te krijgen alvorens te moeten ophouden. Haar armen voelden aan alsof ze in brand stonden; ze kon de zware hamer niet langer boven haar schouder tillen. Cadrach probeerde het maar was te zwak. Nadat hij er verschillende keren op had geslagen zonder een noemenswaardige deuk te maken, gaf hij haar de hamer terug.

'Dit is wel voldoende,' zei hij. 'Eén kant is genoeg om mij te bevrijden, en ik kan de keten om mijn arm winden zodat hij geen lawaai maakt. De benen waren het voornaamste, en die zijn vrij.' Hij wiebelde voorzichtig met zijn voeten om het te demonstreren. 'Denk je dat je in dit ruim een stuk zwarte stof kunt vinden?'

Miriamele keek hem nieuwsgierig aan, maar stond op en begon vermoeid te zoeken. Ten slotte kwam ze terug. Aspitis' mes dat met een sjaal om haar been gebonden was geweest, had ze in haar hand. 'Er is niets te vinden. Als je het werkelijk nodig hebt, zullen we het van de zoom van mijn mantel halen.' Ze knielde en hield het mes boven de donkere stof. 'Zal ik maar?'

Cadrach knikte. 'Ik zal het gebruiken om de schakels bijeen te binden. Op die manier zullen ze het houden tenzij iemand er hard aan trekt.' Hij deed zijn best om te glimlachen. 'In dit licht zullen mijn bewakers nooit opmerken dat een van de schakels van zachte Erkynlandse wol is gemaakt.'

Toen ze dit hadden gedaan, en toen alle werktuigen weer waren omwikkeld en teruggelegd, pakte Miriamele haar kaars op en ging staan. 'Ik kom om middernacht bij je terug, of vlak daarvoor.'

'Hoe denkt Gan Itai dit kunstje uit te voeren?' Er was een zweem van zijn oude ironische toon teruggekeerd in zijn stem.

'Dat heeft ze me niet gezegd. Waarschijnlijk denkt zij dat het 't beste is dat ik weinig weet, zodat ik me minder zorgen zal maken.' Miriamele schudde haar hoofd. 'Op dat punt heeft ze gefaald.'

'Het is niet waarschijnlijk dat we van de boot af zullen komen en evenmin dat we, ook als dat wel lukt, ver zullen komen.' De pijnlijke inspanning van het afgelopen uur was te zien in iedere haperende beweging die Cadrach maakte.

'Helemaal niet waarschijnlijk,' stemde zij in. 'Maar Aspitis weet dat ik de dochter van de Hoge Koning ben en hij dwingt mij met hem te trouwen, dus kan het mij niet schelen wat waarschijnlijk of onwaarschijnlijk is.' Ze draaide zich om en wilde weggaan.

'Nee, vrouwe, ik stel me voor dat u dat niets kan schelen. Tot vanavond dus.'

Miriamele bleef staan. Ergens in het uur dat net verlopen was, terwijl de ketenen wegvielen, was er een onuitgesproken begrip tussen beiden ontstaan, een soort vergeving.

'Vanavond,' zei ze. Ze nam de kaars en ging terug de ladder op, de monnik opnieuw in duisternis achterlatend.

De avonduren schenen heel langzaam te verlopen. Miriamele lag in haar hut naar de toenemende storm te luisteren, zich afvragend waar ze morgen om deze tijd zou zijn.

De windstoten werden sterker en de *Wolk Eadne* deinde en rolde. Toen de page van de graaf kwam en op de deur klopte om te zeggen dat zijn meester haar verzocht te komen voor een laat avondmaal, zei ze dat ze misselijk was van de woelige zeeën en sloeg de uitnodiging af. Enige tijd later kwam Aspitis zelf.

'Het spijt me te horen dat je ziek bent, Miriamele.' Hij stond in de deuropening, lenig als een roofdier. 'Misschien wil je vanavond in mijn hut slapen, zodat je niet alleen bent met je ellende?'

Ze moest bijna lachen om een dergelijke afschuwelijke ironie, maar bood er weerstand aan. 'Ik ben ziek, heer. Wanneer u met mij getrouwd bent, zal ik doen wat u zegt. Laat mij deze laatste avond voor mezelf hebben.'

Hij scheen geneigd om tegen te spreken, maar haalde in plaats daarvan de schouders op. 'Zoals je wilt. Ik heb een lange avond gehad, voorbereidingen treffend voor de storm. En zoals je zegt, we hebben ons hele leven nog voor ons.' Hij glimlachte, een streep dun als de snee van een mes. 'Dus, goedenacht.' Hij ging naar voren en kuste haar koude wang, liep toen naar de kleine tafel en kneep in de kous van haar lamp, de vlam dovend. 'Dit wordt een zware nacht. Je moet geen brand stichten.'

Hij liep naar buiten, de deur achter zich dichttrekkend. Zodra zijn voetstappen door de gang waren verstorven, sprong ze haar bed uit om zich ervan te vergewissen dat hij haar niet had binnengesloten. De deur zwaaide onbelemmerd open, de donkere gang onthullend. Zelfs met het bovenluik dicht, was het geklaag van de wind luid, vol wilde macht. Ze sloot de deur en ging terug naar haar bed.

Rechtop zittend, zwaaiend met de krachtige bewegingen van het schip, zweefde Miriamele een lichte, rusteloze slaap in en uit, af en toe met een schokje boven komend, de fragmenten van dromen nog klittend, en zich dan naar de gang haastend en de ladder op om even naar de hemel te kijken. Een keer moest ze zo lang wachten tot de maan weer aan de zwaarbewolkte hemel verscheen dat zij, nog niet helemaal wakker, vreesde dat die geheel verdwenen was, op de een of andere manier door haar vader en Pryrates verjaagd. Toen ze op het laatst verscheen, een knipperend oog achter de duisternis, en zij zag dat zij nog ver van de plaats af stond waarover de Niskie had gesproken, glipte Miriamele terug naar haar bed.

Een keer, terwijl ze half wakker lag, leek het alsof Gan Itai de deur opende en naar binnen tuurde. Maar als zij het werkelijk was, dan zei de Niskie niets; een ogenblik later was de deuropening leeg. Spoedig daarna, tijdens een stilte tussen windvlagen in, hoorde Miriamele het lied van de zeewachtvrouw door de nacht klagen.

Toen ze niet langer kon wachten, stond Miriamele op. Ze haalde de tas te voorschijn die ze onder het bed had verborgen en haalde haar monnikskleren eruit, die ze had verruild voor de mooie japonnen die Aspitis had verschaft. Na de broek en het hemd te hebben aangetrokken en de losse mantel nauw om haar middel te hebben gegespt, trok ze haar oude schoenen aan, en gooide toen enkele uitgezochte voorwerpen in de tas. Aspitis' mes, dat ze die middag had gedragen, stak ze nu onder haar riem. Het was beter om het bij de hand te hebben dan je zorgen te maken dat het ontdekt zou worden. Als ze iemand tegenkwam tussen hier en Gan Itai's hut, zou ze moeten proberen het mes onder de wijde mouw van de mantel te verbergen.

Een snelle inspectie toonde aan dat de gang leeg was. Miriamele stopte haar zak onder haar arm en liep zo stil als ze kon de gang door, in haar heimelijkheid geholpen door de regen die op het dek boven haar hoofd neer kletterde als een trommel waarop door duizend handen werd geslagen. Het lied van de Niskie, dat boven het lawaai van de storm uitsteeg, had een enge, wisselvallige hoedanigheid. Misschien was het de kennelijke droefheid van de Niskie die in haar lied tot uiting kwam, dacht Miriamele. Ze schudde zorgelijk haar hoofd.

Zelfs een korte blik uit het luikgat liet haar drijfnat achter. De stortregens werden bijna zijwaarts geveegd door de wind, en de paar lampen die nog in hun kappen van doorschijnend hoorn brandden, klapperden en dansten tegen de masten. De opvarenden van de *Wolk Eadne*, gehuld in wapperende mantels, spoedden zich over de dekken als apen in paniek. Het was een tafereel van wilde verwarring, maar toch voelde Miriamele haar hart in de schoenen zinken. Iedere zeeman aan boord scheen aan dek hard aan het werk te zijn, met ogen die op hun hoede waren voor een scheurend zeil of een klapperend touw. Het zou onmogelijk zijn voor haar en Cadrach om ongezien van de ene kant van de boot naar de andere te sluipen, laat staan de zware landingsboot te laten zakken en over de kant te ontsnappen. Wat Gan Itai ook had beraamd, de storm zou het plan stellig in duigen doen laten vallen.

Hoewel de maan vrijwel helemaal verduisterd was, scheen zij bij de plaats te zijn die de Niskie had aangewezen. Terwijl Miriamele in de regen loenste, naderde een paar vloekende zeelui het luikgat, een zware tros meezeulend. Ze liet het luik vlug zakken, klauterde de ladder af en haastte zich door de gang naar Gan Itai's vertrek en het Niskiegat dat naar Cadrach leidde.

De monnik was wakker en wachtte. Hij leek ietsje beter, maar zijn bewegingen waren nog zwak en traag. Terwijl Miriamele het stuk ketting om zijn arm wond en met de stroken van haar jas vastbond, vroeg ze zich bezorgd af hoe ze hem over het dek naar de landingsboot kon krijgen zonder gezien te worden.

Toen ze klaar was, hief Cadrach zijn arm op en bewoog die dapper heen en weer. 'Het weegt bijna niks, vrouwe.'

Ze keek naar de zware schakels, fronsend. Hij loog natuurlijk. Ze kon de inspanning op zijn gezicht en in zijn houding zien. Een ogenblik dacht ze erover het vat opnieuw open te maken en een nieuwe poging met de hamer en beitel te ondernemen, maar ze durfde er de tijd niet voor te nemen. Ook nu het schip zo op en neer ging, was er een grote kans dat ze zichzelf of Cadrach per ongeluk op de een of andere manier zou verwonden. Ze betwijfelde of hun ontsnapping zou lukken, maar het was hun enige hoop. Nu de tijd gekomen was, was ze vastbesloten haar best te doen.

'We moeten spoedig gaan. Hier.' Ze haalde een slanke fles uit haar tas en gaf die aan Cadrach. 'Een paar slokken maar.'

Hij nam hem met een verwonderde blik aan. Na de eerste teug verspreidde zich een glimlach over zijn gezicht. Hij nam nog een paar ferme teugen.

'Wijn.' Hij likte zijn lippen af. 'Goede, rode Perdruin! Bij Usires en Bagba en... en... alle anderen! God zegene u, vrouwe!' Hij haalde adem en zuchtte. 'Nu kan ik gelukkig sterven.'

'Sterf niet. Nog niet. Geef dat maar aan mij.'

Cadrach keek haar aan en met tegenzin overhandigde hij haar toen de fles. Miriamele hield hem omhoog en dronk de laatste paar teugen; ze voelde de warmte door haar keel druppelen en zich in haar maag nestelen. Ze verborg de lege fles achter een van de vaten.

'Nu zullen we gaan.' Ze pakte haar kaars en leidde hem naar de ladder.

Toen Cadrach ten slotte de ladder op en het Niskiegat in was gegaan, bleef hij staan om op adem te komen. Terwijl hij hijgde, dacht Miriamele na over de volgende stap. Boven hen zoemde en trilde het schip onder de stortregen.

'Er zijn drie manieren waarop we eruit kunnen komen,' zei ze hardop. Cadrach, die zich vasthield vanwege het schommelen van het schip, scheen niet te luisteren. 'Het luikgat uit het ruim, maar dat komt vlak voor het achterdek uit, waar altijd een roerganger is. Met dit weer zal daar zeker iemand zijn die klaarwakker is. Dus dat is uitgesloten.' Ze draaide zich naar de monnik om en keek hem aan. In de kleine kring van het kaarslicht, keek hij omlaag naar de planken van de gang beneden hem. 'Wij hebben twee keuzen. Omhoog door het luikgat in de hoofdgang, vlak langs Aspitis en al zijn zeelieden, of deze gang door tot het andere eind, dat waarschijnlijk op het voordek uitkomt.'

Cadrach keek op. 'Waarschijnlijk?'

Gan Itai heeft mij dat niet verteld, en ik ben vergeten het te vragen. Maar dit is een Niskiegat; zij gebruikt het om vlug het schip over te steken. Aangezien ze altijd op het voordek zingt, moet dat de plaats zijn waar hij heen gaat.'

De monnik knikte mat. 'Ah.'

'Dus denk ik dat we daarheen moeten gaan. Misschien wacht Gan Itai op ons. Ze heeft niet gezegd hoe we de landingsboot in moesten komen of wanneer ze ons zou ontmoeten.'

'Ik zal u volgen, vrouwe.'

Toen ze de nauwe gang door kropen, scheen een enorme knallende bons de lucht in hun oren te doen barsten. Cadrach slaakte een gedempte kreet van angst.

'Goden, wat is het?' zei hij hijgend.

'Donder,' zei Miriamele. 'Het onweer is hier.'

'Usires Aedon in Zijn genade, redt mij voor boten en de zee,' kreunde Cadrach. 'Ze zijn allen vervloekt. Vervloekt.'

'Van de ene boot naar een andere, en zelfs nog dichter bij de zee.' Miriamele begon weer langzaam voortwaarts te gaan. 'Daar gaan we heen… als we geluk hebben.' Ze hoorde Cadrach achter zich aan krabbelen.

Donder rolde nog twee keer voor ze het einde van de gang bereikten, iedere klap luider dan de vorige. Toen ze ten slotte onder het luikgat hurkten, draaide Miriamele zich om en legde haar hand op de arm van de monnik.

'Ik ga de kaars doven. Wees nu stil.'

Ze duwde het zware luik langzaam omhoog tot de opening even breed was als haar hand. Regen woei en spetterde. Ze waren vlak onder het vooronder – de treden liepen slechts enkele stappen van het luik omhoog – en ongeveer twintig ellen van de bakboordreling. Een gloed van bliksem verlichtte even het hele dek. Miriamele zag de silhouetten van bemanningsleden overal in het rond afgetekend, gevangen in half afgemaakte gebaren alsof ze op een muurschildering waren afgebeeld. De lucht drukte neer op het schip, een kolking van nijdige zwarte wolken die de sterren smoorden. Ze ging omlaag en liet het luik dichtvallen toen er weer een donderslag door de nacht ratelde.

'Er lopen overal mensen rond,' zei ze, toen de echo's waren verstorven. 'Maar geen van hen is te dichtbij. Als we naar de reling gaan en onze kappen op zetten, zullen ze misschien niet merken dat we niet tot de bemanning behoren. Dan kunnen we naar achteren naar de boot gaan.'

Zonder de kaars kon ze de monnik niet zien, maar ze kon hem in de nauwe ruimte naast haar horen ademhalen. Een gedachte kwam plotseling bij haar op.

'Ik heb Gan Itai niet gehoord. Ze was niet aan het zingen.'

Er was een ogenblik stilte voor Cadrach sprak. 'Ik ben bang, Miriamele,' zei hij schor. 'Als we moeten gaan, laten we dan vlug gaan voor ik de weinige moed die ik heb verlies.'

'Ik ben ook bang,' zei ze, 'maar ik moet even nadenken.' Ze strekte haar hand uit, vond zijn kille hand en hield die vast terwijl ze nadacht. Zij bleven enige tijd zo zitten voor ze weer sprak. 'Als Gan Itai niet op het voordek is, dan weet ik niet waar ze wèl is. Misschien wacht ze op ons bij de landingsboot, misschien ook niet. Wanneer we daar aankomen, zullen we de touwen waarmee hij aan het schip is vastgemaakt moeten losmaken – alle op één na. Ik zal haar gaan zoeken, en wanneer ik terugkom, zullen we de boot laten vallen en in het water springen. Als ik niet terugkom, moet je het alleen doen. Het is maar één knoop. Er zal niet veel kracht voor nodig zijn.

'Springen... in het water?' stotterde hij. 'In dit vreselijke onweer? En met die duivelsschepselen, die *kilpa* die daar rondzwemmen?'

'Natuurlijk, springen,' fluisterde zij, proberend haar ergernis te onderdrukken. 'Als we de boot laten gaan terwijl wij erin zitten, zullen we waarschijnlijk onze rug breken. Maak je geen zorgen, ik zal eerst gaan en jou een riem geven om je aan vast te houden.'

'U maakt mij beschaamd, vrouwe,' zei de monnik, maar liet haar hand niet los. 'Ik zou u behoren te beschermen. Maar u weet dat ik de zee haat.'

Ze kneep in zijn vingers. 'Dat weet ik. Vooruit dan. Denk erom, als iemand je roept doe dan alsof je hem niet goed kunt horen en blijf lopen. En houd je hand aan de reling, want het dek zal ongetwijfeld glibberig zijn. Je wilt zeker niet overboord gaan voor we de landingsboot in het water hebben.'

Cadrachs lachje was lichtzinnig van angst. 'Daar hebt u gelijk in, vrouwe. God beware ons allen.'

Een ander geluid steeg ineens boven het gebrul van het onweer uit, iets rustiger dan donder, maar op de een of andere manier even machtig.

Miriamele voelde het door zich heen gaan en moest zich een ogenblik schrap zetten tegen de wand toen haar knieën slap werden. Ze kon niet bedenken wat het kon zijn. Het had iets verschrikkelijks, iets dat naar het hart ging als een ijsspies, maar er was geen tijd meer om te aarzelen. Een ogenblik later, toen ze zichzelf weer onder controle had, duwde ze het luik naar boven en klauterde naar buiten de striemende regen in.

Het vreemde geluid klonk overal in het rond, doordringend zoet maar tegelijkertijd angstwekkend dwingend als de zuiging van een getijde-stroom. Een ogenblik scheen het omhoog te komen, buiten het bereik van sterfelijke oren, zodat alleen een zweem van zijn volheid overbleef en haar schedel vol echo's zat die piepten als vleermuizen; toen, een ogenblik later, daalde het even snel, zo rommelend diep omlaag dui-kend dat het de trage en rotsachtige taal van de oceaanbodem zou kun-nen zingen. Miriamele voelde zich alsof ze in het nest van een zoemende wesp stond groot als een kathedraal: het geluid kwam helemaal omlaag trillen naar haar ingewanden. Een deel van haar gloeide van de behoefte om haar lichaam in sympathische beweging te werpen, te dansen en te gillen en in kringen rond te rennen; een ánder deel van haar wilde alleen maar gaan liggen en haar hoofd tegen het dek slaan tot het geluid op-hield.

'God bewaar ons, wat is dat voor vreselijk lawaai?' jammerde Cadrach. Hij verloor zijn evenwicht en viel op zijn knieën.

Haar tanden op elkaar klemmend, boog Miriamele haar hoofd en dwong zich centimeter voor centimeter van de trap naar de reling van het voorschip te gaan. Haar botten schenen te ratelen. Ze greep de mouw van de monnik en trok hem met zich mee, hem als een slee over de glibberige planken voortslepend. 'Het is Gan Itai,' zei ze hijgend, vechtend tegen de verbijsterende macht van het lied van de Niskie. 'We zijn te dichtbij.'

De fluwelen duisternis, alleen verlicht door de geel-schijnende lanta-rens, werd plotseling zuiver blauw en wit. De reling voor haar, Ca-drachs hand in de hare, de lege zwartheid van de zee achter beiden – alle waren in een explosief moment op haar netvlies gebrand. Een hartslag later flitste de bliksem opnieuw, en Miriamele zag, gevangen in de flits, een glad rond hoofd boven de stuurboordreling omhoog steken. Toen de bliksem verflauwde en donder twee keer kraakte, kwamen nog een half dozijn lenige gedaanten het schip op zwermen, glad en glanzend in het flauwe licht van de lantarens. Het besef sloeg toe, hard als een fysie-ke klap; Miriamele draaide zich om en dook glijdend naar de stuur-boordzijde van het schip, Cadrach achter zich aan slepend.

'Wat gebeurt er?' riep hij.

'Het is Gan Itai!' Voor haar renden matrozen heen en weer als mieren uit een verstoord nest, maar het was niet langer de bemanning van de *Wolk Eadne* waar ze bang voor was. 'Het is de Niskie!' Haar mond vulde zich met regenwater en ze spuwde. 'Zij zingt de kilpa omhoog!'

De bliksem flitste opnieuw, een leger van grijze, kikvorsachtige lichamen onthullend die over de stuurboordreling glibberden. Toen de kilpa op het dek neerflopten, zwaaiden ze de open bekken in hun gezicht heen en weer, starend als pelgrims die eindelijk een grote schrijn hadden bereikt. Een van hen stak een dunne arm uit en ving een wankelend bemanningslid, scheen zich toen om hem heen te vouwen, de schreeuwende man omlaag sleurend in duisternis terwijl de donder dreunde. Met een misselijk gevoel draaide Miriamele zich om en haastte zich over de lengte van het schip naar de plaats waar de landingsboot hing. Water trok aan haar voeten en enkels. Als in een nachtmerrie voelde ze dat ze niet hard kon lopen, dat ze trager en trager vooruitkwam. De grijze wezens bleven over de kant vallen, als spoken in een kinderverhaal uit een ongewijd graf zwermend. Achter haar riep Cadrach iets onsamenhangends. Het gekmakende lied van de Niskie hing boven allen en deed de nacht pulseren als een machtig hart.

De kilpa schenen overal te zijn, met een vreselijke, slingerende onverhoedsheid bewegend. Zelfs door het lawaai van de storm en Gan Itai's zingen, weerschalde het dek van de wanhopige kreten van de belegerde bemanning. Aspitis en twee van zijn officieren werden achteruit tegen een van de masten gedreven, een half dozijn van de zeebeesten afwerend; hun zwaarden waren weinig meer dan dunne schitteringen van licht, schietend, flitsend. Een van de kilpa wankelde achteruit, krampachtig een arm vasthoudend die niet langer aan zijn lichaam vastzat. Het wezen liet het lichaamsdeel op het dek vallen, en boog zich er toen puffend overheen. Zwart bloed sproeide uit de stomp.

'O, genadige Aedon!' Voor zich uit kon Miriamele ten slotte de donkere schaduw zien die de boot was. Terwijl ze Cadrach ernaartoe trok, sloeg een van de lampen tegen de zaling boven en een smeulende vonk viel op Miriameles mouw. Terwijl ze de vlam haastig uitsloeg, barstte de nacht in oranje licht uit. Ze keek omhoog in een verblindende stortvloed van regendruppels. Een zeil had, ondanks de storm, vlam gevat en de mast werd snel een fakkel.

'De knopen, Cadrach!' riep zij. Vlakbij werd de verstikkende kreet van iemand begraven in het gerommel van donder. Ze greep naar het door regen glad geworden touw en zwoegde, voelend dat een van haar vingernagels scheurde toen ze het gezwollen touw probeerde los te maken. Eindelijk gleed het los en zij begon aan dat ernaast. De landingsboot zwaaide met het rollen van het schip, haar wegbotsend van haar taak, maar ze ging door. Naast haar zwoegde Cadrach, bleek als een lijk, met een van de andere vier touwen die de windas boven het dek van de *Wolk Eadne* hield.

Nog voor het wezen haar aanraakte, voelde zij een golf van kou. Ze draaide zich vlug om, glijdend en achterover tegen de romp van de landingsboot vallend, maar de kilpa kwam een stap dichterbij en pakte haar slepende mouw in zijn webvingerige hand. Zijn ogen waren zwarte poelen waarin de vlammen van het brandende zeil gloeiden. De mond ging open en toen weer dicht, open en dicht. Miriamele gilde toen hij haar dichterbij sleurde.

Er was een plotselinge vlaag van beweging van buiten de schaduwen achter haar. De kilpa viel achterover, maar behield zijn greep op haar arm, haar achter zich omlaag trekkend zodat haar uitgestoken hand tegen zijn glibberige veerkrachtige buik sloeg. Ze snakte naar adem en probeerde zich los te scheuren, maar de vlieshand had haar te stevig in zijn greep. Zijn stank omhulde haar, modder en rottende vis.

'Ren, vrouwe!' Cadrachs gezicht verscheen achter de schouder van het schepsel. Hij had zijn keten strak om diens keel gespannen, maar terwijl hij de worggreep verstevigde, zag Miriamele de kieuwen op de nek van de kilpa in het halflicht pulseren, doorschijnende vleugels van teer grijs vlees, roze aan de randen. Ze besefte met een verlammend gevoel van verslagenheid dat het beest zijn keel niet nodig had om adem te halen: Cadrach had de keten te hoog. Terwijl hij zich inspande, trok de kilpa haar naar de andere reikende arm toe, naar zijn slappe mond en ijzige ogen.

Gan Itai's lied eindigde abrupt, hoewel de echo ervan ogenblikken lang scheen te blijven hangen. De enige geluiden die nu boven de wind uitstegen, waren kreten van angst en het doffe getoeter van de zwermende zeeduivels.

Miriamele had aan haar riem zitten frommelen, maar eindelijk sloot haar hand zich om Aspitis' haviksmes. Haar hart sloeg over toen het gevest in een plooi van haar doorweekte gewaad bleef haken, maar met een ruk kwam het los. Ze schudde hard om het uit de schede te krijgen en haalde toen uit naar de grijze arm die haar vasthield. Het mes drong door, een straal inktachtig bloed veroorzakend, maar slaagde er niet in de greep van het schepsel te doen verslappen.

'Ach, God help ons!' gilde Cadrach.

De kilpa rondde zijn bek, maar maakte geen geluid, trok haar alleen maar dichter naar zich toe tot ze de regen op zijn glanzende huid zag parelen en de zachte, bleke natheid achter zijn lippen kon zien. Met een kreet van walgende woede, wierp Miriamele zich naar voren en dreef het mes in het rubberachtige middengedeelte van het schepsel. Nu maakte het een geluid, een zacht, verrast gefluit. Bloed borrelde naar buiten over Miriameles hand en ze voelde de greep van het wezen verslappen. Ze stak opnieuw, en opnieuw. De kilpa sidderde en schopte gedurende wat een eeuwigheid scheen, en viel ten slotte slap neer. Zij rolde weg. Toen, plotseling, dompelde ze haar handen in reinigend water. Cadrachs keten was nog om de nek van het wezen geslagen en vormde een weerzinwekkend tafereel voor de volgende bliksemflits. De ogen van de monnik waren wijdopen in het lijkwitte gezicht.

'Laat hem gaan,' zei Miriamele hijgend. 'Hij is dood.' Donder herhaalde haar.

Cadrach gaf het wezen een schop en kroop toen op handen en knieën naar de landingsboot, naar adem snakkend. Na enkele ogenblikken was hij voldoende hersteld om zijn twee knopen los te maken; toen hielp hij Miriamele, wier handen onbeheerst beefden, met die van haar. Met een van de riemen duwden zij de stellage van de zijkant van het schip naar buiten, haar leidend tot zij loodrecht op het dek stond en de boot slechts met een knoop aan de windas boven het donkere golvende water hing.

Miriamele draaide zich om en keek over het schip. De mast brandde als een Yrmansolboom, een zuil van vuur gegeseld door de windvlagen. Er waren haarden van vechtende mannen en kilpa verspreid over het dek, maar er scheen ook een betrekkelijk duidelijke lijn tussen de landingsboot en het vooronder te zijn.

'Blijf hier,' zei ze, terwijl ze haar kap omlaag trok om haar gezicht onherkenbaar te maken. 'Ik moet Gan Itai vinden.'

Cadrachs blik van verbazing verkeerde spoedig in woede. 'Ben je gek? *Goirach cilagh!* Het zal je dood zijn!'

Miriamele nam niet de moeite hem tegen te spreken. 'Blijf hier. Gebruik de riem om jezelf te beschermen. Als ik niet gauw terug ben, laat de boot dan vallen en volg hem. Ik zal naar je toe zwemmen als ik kan.' Ze draaide zich om en holde terug over het dek met het mes in haar hand geklemd.

De mooie *Wolk Eadne* was een helleschip geworden, iets dat gemaakt kon zijn door de scheepsbouwers van de duivel om zondaren in de diepste zeeën van verdoemenis te kwellen. Een groot deel van het dek stond onder water, en het vuur van de middelste mast had zich naar enkele van de andere zeilen verspreid. Brandende vodden reden als demonen op de wind. De paar bebloede zeelui die nog aan dek bleven, hadden het verpletterde, gebrutaliseerde uiterlijk van gevangenen die veel meer straf hadden ondergaan dan enige misdaad kon billijken. Vele kilpa waren ook gedood – een stapel van hun lijken lag bij de mast waar Aspitis en zijn officieren hadden gevochten, hoewel er minstens één menselijk been uit de hoop stak – en nog een paar meer van de zeewezens schenen een maaltijd te hebben gepakt en weer overboord te zijn gesprongen, maar andere sprongen en glibberden nog achter overlevenden aan.

Miriamele waadde naar het voordek zonder te worden aangevallen, hoewel ze veel dichter langs enkele groepen etende kilpa moest dan haar lief was. Een deel van haar kwam tot de verbazende ontdekking dat ze naar dergelijke dingen kon kijken zonder door angst te worden overweldigd. Haar hart, leek het, was verhard: een jaar geleden zou elk van deze wreedheden haar aan het huilen hebben gemaakt en naar een plaats om zich te verstoppen hebben doen zoeken. Nu voelde ze dat ze door vuur zou kunnen lopen als dat moest.

Ze bereikte de trap en liep vlug omhoog naar het vooronder. De Niskie was nog niet helemaal met zingen opgehouden: een iel gonzende melodie hing nog over het voordek, een dunne schaduw van de macht die zelfs harder had gestormd dan de wind. De zeewachtvrouw zat met gekruiste benen op het dek, voorover gebogen zodat haar gezicht de planken bijna raakte.

'Gan Itai,' zei Miriamele. 'De boot is klaar! Kom!'

Aanvankelijk reageerde de Niskie niet. Toen, terwijl ze rechtop ging zitten, snakte Miriamele naar adem. Ze had nog nooit zoveel ellende op het gezicht van een levend wezen gezien.

'Ah, nee!' kraste de Niskie. 'Bij de Onbekende, ga weg! Ga!' Ze wuifde zwak met haar hand. 'Ik heb dit gedaan voor uw vrijheid. Maak het misdrijf niet zinloos door uw ontsnapping te laten mislukken!'

'Maar ga je niet mee?'

De Niskie kreunde. Haar gezicht scheen honderd jaar ouder te zijn geworden. Haar ogen waren diep in haar hoofd verzonken, hun glans weggebrand. 'Ik kan niet weggaan. Ik ben de enige hoop van het schip op overleving. Het zal mijn schuld niet veranderen, maar het zal mijn verwoeste hart verlichten. Moge Ruyan mij vergeven – het is een boze wereld die mij hiertoe heeft gebracht!' Ze gooide haar hoofd achterover en slaakte een kreun van ellende die Miriamele tot tranen bracht. 'Ga!' jammerde de Niskie. 'Ga! Ik smeek het u!'

Miriamele probeerde haar opnieuw over te halen, maar Gan Itai bracht haar gezicht weer omlaag naar het dek. Na een lange stilte hervatte ze eindelijk haar zwakke, klaaglijke lied. De regen nam even wat af toen de wind van richting veranderde. Miriamele zag dat slechts enkele figuren op het door vuur verlichte dek beneden bewogen. Ze keek naar de ineengedoken Niskie, maakte toen het teken van de Boom en ging de trap af. Ze zou later wel denken. Later zou ze zich afvragen waarom. Later.

Het was een gewonde zeeman, geen kilpa, die Miriamele bij haar terugkeer greep. Toen ze naar zijn hand jaapte, liet de matroos los en viel ach-

terover op het drijfnatte dek. Ze waadde een paar stappen verder langs
het lijk van Thures, de jonge page van de graaf. Zijn lichaam toonde
geen tekenen van geweld. Het dode gezicht van de jongen was vredig
onder het ondiepe water, zijn haar golvend als zeewier.

Cadrach was zo blij om haar te zien dat hij geen enkel woord van verwijt sprak of vragen stelde over haar eenzame terugkeer. Miriamele
keek naar waar het laatste windastouw was vastgebonden, stak toen haar
dolk naar voren en zaagde het door, achterover leunend toen het doorgesneden eind met een zwaai losschoot. De windtrommel draaide rond en
de landingsboot stortte omlaag. Een fontein van witte stuifnevel sprong
op toen hij op de golven klapte.

Cadrach overhandigde haar de riem die hij had vastgehouden. 'Hier,
Miriamele. Je bent moe. Die zal je helpen je drijvende te houden.'

'Mij?' zei ze van verbazing bijna glimlachend.

Een derde stem viel hen in de rede. 'Daar ben je dus, mijn lieveling?'

Ze draaide zich snel om en zag een afschuwelijke figuur naar hen toe
hinken. Aspitis was op een twaalftal plaatsen tot bloedens gestoken en
een lange snee die langs zijn wang omlaag kronkelde, had een oog
dichtgemaakt en zijn gouden lokken met bloedkoek gevlekt, maar hij
hield zijn lange zwaard nog in de hand. Hij was nog altijd even mooi en
angstaanjagend als een sluipend luipaard.

'Was je van plan me in de steek te laten?' vroeg hij spottend. 'Wilde je
niet blijven om te helpen schoon te maken na onze...' hij grijnsde, een
afschuwelijk gezicht, en maakte een gebaar naar hem '... onze *bruilofts-
gasten?*' Hij deed nog een pas naar voren, het zwaard langzaam van de
ene kant naar de andere zwaaiend. Het glansde in het licht van brandende zeilen als een snorhaar van roodgloeiend ijzer. Het was vreemd boei-
end om het heen en weer te zien gaan... heen en weer...

Miriamele schudde haar hoofd en ging meer rechtop staan. 'Loop naar
de duivel.'

Aspitis' glimlach verdween. Hij bracht het puntje van zijn zwaard ter
hoogte van haar oog. Cadrach, die achter haar stond, vloekte hulpeloos.
'Moet ik je doden,' peinsde de graaf, 'of zul je toch nog van nut zijn?'
Zijn ogen waren even onmenselijk als die van een kilpa.

'Vooruit, dood me maar. Ik sterf liever dan me nog eens door jou te laten nemen.' Ze keek hem aan. 'Jij betaalt de Vuurdansers, nietwaar?
Voor Pryrates?'

Aspitis schudde zijn hoofd. 'Slechts enkele. Degenen die geen... overtuigde gelovigen zijn. Maar zij zijn allen nuttig.' Hij fronste. 'Ik wil
niet over dergelijke onbelangrijke dingen praten. Jij bent van mij. Ik
moet beslissen...'

'Ik heb iets dat wèl van jou is,' zei ze, en hief de dolk voor zich op. Aspitis glimlachte vreemd, maar hief zijn zwaard op om een plotselinge worp te weren. In plaats daarvan gooide Miriamele het mes in het water aan zijn voeten. Zijn dromende oog ving de glinstering en volgde die naar omlaag. Toen zijn hoofd een eindje naar beneden ging, stak Miriamale de riem in zijn buik. Hij snakte naar adem en deinsde een stap achteruit, zijn zwaard blindelings prikkend als de steek van een gewonde bij. Miriamele hief de riem weer met beide handen omhoog, en zwaaide toen met alle kracht van haar handen en rug, hem rondzwaaiend in een wijde boog die eindigde met een knerpend geluid van botten. Aspitis gilde en viel op het dek, met zijn handen voor zijn gezicht. Bloed spoot tussen zijn vingers uit.

'Ha!' Cadrach schreeuwde van opgetogen opluchting. 'Kijk jou eens, duivel. Nu zul je iets anders moeten vinden om als aas in je vrouwenval te stoppen.'

Miriamele viel op haar knieën, en duwde toen de riem over het gladde dek naar Cadrach toe. 'Ga,' zei de hijgend. 'Neem dit en spring.'

De monnik bleef een ogenblik in verwarring staan, alsof hij zich niet kon herinneren waar hij was, liep toen wankelend naar de zijkant van het schip. Miriamele stond op en wierp een laatste blik op de graaf, die rood schuim op het dek aan het sproeien was, krabbelde toen naar de reling en duwde zich de ledigheid in. Een ogenblik lang viel ze, door het duister vliegend. Toen het water zich als een koude vuist boven haar sloot, vroeg ze zich af of ze ooit weer boven zou komen, of dat zij alleen maar verder omlaag zou gaan naar de uiterste diepten, de zwartheid en stilte in.

Ze kwam weer boven. Toen ze de boot had bereikt en Cadrach hielp aan boord te klauteren, maakten ze de riemen vast en begonnen weg te roeien van het gehavende schip. De storm zweefde nog boven hun hoofd, maar nam af. De *Wolk Eadne* werd kleiner achter hen tot het slechts een brandend lichtpuntje aan de zwarte horizon was, een kleine vlam dansend als een uitdovende ster.

7

Het aambeeld van de Stormkoning

Aan de noordelijkste rand van de wereld stond de berg, een omhoogstekende slagtand van ijzige steen die het hele landschap beschaduwde, zelfs hoog boven de andere toppen uit torenend. Wekenlang waren rook, stoom en damp uit gaten in de flank van de berg gekropen. Nu omkransten ze de kroon van de Stormpiek, rondwervelend in de ontzagwekkende winden die de berg omcirkelden, aangroeiend en donker wordend alsof ze het wezen van de ultieme nacht van tussen de sterren inzogen.

De storm groeide aan en breidde zich uit. De paar verspreide lieden die nog binnen het gezicht van de vreselijke berg woonden, kropen in hun gemeenschapshuizen bijeen terwijl de balken kraakten en de wind huilde. Wat een onophoudelijke sneeuwjacht scheen, stapelde zich boven hun muren en op hun daken op, tot het enige dat overbleef witte heuvels waren als evenzovele grafheuvels, die zich alleen door de dunne vaantjes rook die boven de schoorsteengaten zweefden als woningen van de levenden kenmerkten.

De enorme uitgestrektheid van open gebieden bekend als de Vorstmark was ook door sneeuwjachten verzwolgen. Slechts enkele jaren geleden was de enorme vlakte bezaaid geweest met kleine gehuchten, welvarende steden en nederzettingen die door het verkeer van de wegen van de Wealdhelm en de Vorstmark werden gevoed. Na een zestal seizoenen van onafgebroken sneeuw, met lang afgestorven oogsten en vrijwel alle dieren gevlucht of opgegeten, was het land een troosteloze woestenij geworden. Zij die in de heuvels aan de voet ervan of in de beschuttende wouden bijeen waren gekropen, kenden het alleen maar als de woonplaats van wolven en rondwarende geesten, en waren de Vorstmark bij een nieuwe naam gaan noemen – het Aambeeld van de Stormkoning. Nu beukte een nog grotere storm, een afschuwelijke hamer van vorst en kou, opnieuw op dat aambeeld.

De lange hand van de storm reikte zelfs nog verder dan Erkynland in het zuiden, vlagen ijskoude wind over de open graslanden zendend, de Tritsingen voor de eerste keer in mensenheugenis wit makend als beenderen. En sneeuw keerde terug naar Perdruin en Nabban – voor de tweede keer in één jaargetij, maar slechts voor de derde maal in vijf eeuwen, zodat degenen die eens op de Vuurdansers en hun naargeestige waarschuwing hadden geschimpt, hun harten nu van angst voelden samenknijpen, een angst veel ijzingwekkender dan de poederachtige sneeuw die op de koepels van de twee Sancellanen neerzweefde.

Als een getij dat naar een onvoorstelbare hoogwaterlijn toe bewoog, breidde de storm zich verder uit dan ooit tevoren, vorst brengend naar zuidelijke landen die zijn aanraking nooit eerder hadden gevoeld, een grote koude lijkwade over heel Osten Ard leggend. Het was een storm die harten gevoelloos maakte en geesten verpletterde.

'Die kant uit!' riep de voorste ruiter, naar links wijzend. 'A prenteiz, mannen, erachteraan!' Hij reed zo snel naar voren dat zijn omfloerste adem in de lucht achter hem bleef hangen. Sneeuw spoot op van onder de hoeven van zijn paard.

Hij stormde op de lege ruimte tussen twee bouwvallige met sneeuw bedekte woningen af, waarbij zijn ros even moeiteloos door de sneeuwjacht sneed als door mist. Een donkere gedaante sprong van achter een van de gebouwen naar het open terrein en snelde weg, grillig over het vlakke terrein springend. De voorste achtervolger sprong over een lage met sneeuw bedekte haag, landde en zat hem dicht op de hielen. De bonzende stappen van het paard wisten de kleinere sporen van zijn vluchtende prooi uit, maar het spoor hoefde nu niet langer gevolgd te worden; het einde was in zicht. Een zestal ruiters kwam van tussen de huizen stormen en spreidde zich uit als een waaier die wordt opengevouwen, de prooi omringend als het net van een visser. Een ogenblik om het net dicht te trekken – de ruiters die als een zich vernauwende kring intoomden – toen was de jacht voorbij. Een van de mannen die op de vleugel hadden gereden, leunde voorover tot zijn lans de zwoegende zijde van de gevangene raakte. De leider steeg af en deed een pas naar voren.

'Goed gelopen,' zei hertog Fengbald, grijnzend. 'Dat was een uitstekende jacht.'

De jongen keek naar hem op, ogen wijd van angst.

'Zal ik hem de genadeslag geven, heer?' vroeg de ruiter met de lans. Hij gaf de jongen een harde por. Het kind gilde en deinsde terug voor de scherpe punt van de lans.

Fengbald trok zijn pantserhandschoen uit, draaide zich toen om en wierp die de ruiter in het gezicht. Het metalen kralenwerk liet op de wang van de man een dubbele arcering achter, waar bloed uit welde. 'Hond!' snauwde Fengbald. 'Wat ben ik... een duivel? Daar zul je zweepslagen voor krijgen.' De ruiter deinsde terug, en liet zijn paard enkele stappen achteruit lopen, de kring verlatend. Fengbald keek hem nijdig na. 'Ik vermoord geen onschuldige kinderen.' Hij keek omlaag naar de ineengedoken jongen. 'We hebben een spelletje gespeeld, dat is alles. Kinderen zijn dol op spelletjes. Deze heeft zo goed met ons gespeeld als hij kon.' De hertog raapte zijn pantserhandschoen op, trok die weer aan en glimlachte toen. 'En we hebben van de jacht genoten, jongen? Hoe heet je?'

Het kind trok een grimas, zijn tanden ontblotend als een kat die in een boom gevangen zit, maar maakte geen geluid.

'Ah, jammer,' zei Fengbald met een filosofische houding. 'Als hij niet wil praten, wil hij niet praten. Breng hem bij de anderen; een van die hutvrouwen zal hem te eten geven. Ze zeggen dat een teef de jongen van een vreemde altijd te eten geeft.'

Een van Fengbalds soldaten steeg af en greep de jongen, die geen weerstand bood toen hij over de voorkant van het zadel van de soldaat werd gelegd.

'Ik denk dat hij de laatste is,' zei Fengbald. 'En ook de laatste van onze jacht. Jammer, maar toch beter dan wanneer we ze voor ons uit te laten rennen en ze onze verrassing bederven.' Hij grijnsde breed, tevreden met zijn eigen geestigheid. 'Kom, ik wil een warme beker wijn om de kou te verdrijven. Dit was een harde, koude rit.'

Hij sprong omhoog in het zadel, liet zijn paard omdraaien en leidde zijn compagnie terug door de in sneeuw gesmoorde resten van Gadrinsett.

De rode tent van hertog Fengbald stond in het midden van de besneeuwde weide als een robijn in een plas melk. De zilveren valk, het familiewapen van de hertog, strekte zijn vleugels van de ene hoek tot de andere boven de deurflap uit; in de stevige winden die door het rivierdal woeien, trilde de grote vogel alsof hij ernaar verlangde op te stijgen. De tenten van het leger van de hertog waren eromheen gegroepeerd, maar stonden er op een eerbiedwaardige afstand vandaan.

Binnen leunde Fengbald achterover tegen een stapel met patronen versierde kussens, zijn beker warme wijn – enige keren opnieuw gevuld sinds hij was teruggekeerd – losjes in de hand, zijn donkere haren los over zijn schouders hangend. Bij de kroning van Elias was Fengbald slank geweest als een jonge hond. Nu was de meester van Falshire, Utanyeat, en de Westfold wat pafferig rond het middel en in het gezicht geworden. Een vrouw met blonde haren knielde op de vloer voor zijn voeten. Een magere page, bleek en benauwd kijkend, wachtte aan de rechterhand van zijn meester.

Aan de overkant van het komfoor dat de tent verwarmde, stond een lange man met schele ogen en een baard, gekleed in het leer en ruwe wol van de Tritsingsbewoners. Weigerend te zitten zoals stadsmensen, stond hij met de benen wijd uiteen, de armen gekruist. Wanneer hij zich bewoog maakte zijn halsketting van vingerkootjes een rinkelende muziek.

'Wat valt er verder te weten?' vroeg hij. 'Waarom nog meer gepraat?'
Fengbald staarde hem aan, langzaam met de ogen knipperend. 'Hij was een beetje beneveld door de drank, die voor een keer zijn strijdlustigheid scheen te verzwakken. Ik moet je wel aardig vinden, Lezhdraka,' zei hij ten slotte, 'anders zou ik al lang geleden ziek zijn geworden van je vragen.'
Het huurling-opperhoofd keek hem op zijn beurt aan, niet onder de indruk. 'We weten waar ze zijn. Wat meer vragen wij?'
De hertog nam nog een slok, veegde toen zijn mond met de mouw van zijn zijden hemd af en gebaarde tegen zijn page. 'Meer, Izaak.' Hij richtte zijn aandacht weer op Lezhdraka. 'Ik heb het een en ander van de oude Guthwulf geleerd, ondanks al zijn tekortkomingen. Ik heb de sleutels tot een groot koninkrijk gekregen. Die heb ik in mijn hand, en ik zal ze niet weggooien door overijld te handelen.'
'Sleutels tot een koninkrijk?' zei de Tritsingsman smalend. 'Wat voor steenbewonersonzin is dat?'
Fengbald scheen het onbegrip van de huurling deugd te doen. 'Hoe hopen jullie lieden van de vlakten mij en de andere stadsbewoners ooit in zee te drijven, waar jullie het altijd over hebben. Jullie hebben geen raffinement, helemaal geen raffinement. Ga die oude man nou maar halen. Jij houdt van de avondlucht – slapen, eten, pissen en vrijen jouw mensen niet onder de sterren?' De hertog giechelde.
De Rechterhand van de Hoge Koning, die zich had omgedraaid om te zien hoe zijn page zijn beker vulde, zag de giftige blik van de Tritsingsman niet toen hij de tent uitging. Op het gezoem van de wind die de stof deed trillen na, werd de tent stil.
'Zo, mijn liefje,' zei Fengbald ten slotte, de zwijgende vrouw met zijn bepantoffelde voet porrend, 'wat is het voor gevoel om te weten dat je toebehoort aan de man die eens heel het land in zijn greep zal hebben?' Toen ze niet antwoordde, porde hij haar opnieuw, ruwer. 'Zeg wat, vrouw.'
Ze keek langzaam op. Haar mooie gezicht was ledig, doodsbleek als dat van een lijk. 'Het is goed, mijn heer,' mompelde zij eindelijk, de Westerlingse woorden met een zware Hernystiri brouw-r uitsprekend. Ze liet haar hoofd weer zakken, waardoor haar haren als een gordijn voor haar gezicht vielen. De hertog keek ongeduldig rond.
'En jij, Izaak? Wat vind jij?'
'Het is goed, meester,' zei de page haastig. 'Als u zegt dat het gebeurt, dan gebeurt het ook.'
Fengbald glimlachte. 'Natuurlijk. Hoe kan ik falen?' Hij zweeg een ogenblik, fronsend bij de uitdrukking van de jongen, haalde toen zijn schouders op. Er waren ergere dingen dan gevreesd te worden.

'Alleen een dwaas,' ging hij verder, snel weer in het onderwerp opgaand, 'alleen een dwaas, zeg ik, zou niet zien dat Elias ten dode is opgeschreven.' Hij wuifde omstandig met zijn hand, wat wijn over de rand van zijn beker morsend. 'Of hij een slopende ziekte onder de leden heeft, of dat de priester Pryrates hem langzaam vergiftigt, kan me niet schelen. De rode priester is een idioot als hij denkt dat hij het koninkrijk kan regeren – hij is de meest gehate man in Osten Ard. Nee, wanneer Elias sterft, zal alleen iemand van adel kunnen regeren. En wie zal dat zijn? Guthwulf is blind geworden en weggelopen.' Hij lachte even. 'Benigaris van Nabban? Hij kan niet eens zijn eigen moeder regeren. En Skali de Rimmersman is evenmin nobel of beschaafd als dat beest Lezhdraka. Dus wanneer ik Jozua heb gedood – als hij werkelijk nog in leven is – en deze flutopstand heb neergeslagen, wie anders zal dan geschikt zijn om te regeren?' Opgewonden door zijn eigen woorden, sloeg hij de rest van zijn beker in een keer achterover. 'Wie anders? En wie zou mij tegenstand bieden? De dochter van de koning, die overspelige slet?' Hij zweeg en keek de page strak aan, zodat de jongeling zijn ogen neersloeg. 'Nee, misschien als Miriamele mij op haar knieën kwam smeken, zou ik haar misschíen tot mijn koningin maken... maar ik zou haar heel goed in de gaten laten houden. En ze zou gestraft worden omdat ze mij heeft afgewezen.' Hij meesmuilde en leunde voorover, zijn hand op de bleke nek van de vrouw leggend die voor hem knielde. 'Maar wees niet bang, kleine Feurgha, ik zou jou niet voor haar aan de kant zetten. Ik zal jou ook houden.' Toen ze terugdeinsde, verstevigde hij zijn greep, haar vasthoudend, van de spanning van haar tegenstand genietend.

De tentflap bolde en klapte naar binnen. Lezhdraka kwam binnen, sneeuwvlokken glinsterden in zijn haren en baard. Hij hield de arm vast van een oude man wiens kale hoofd rood was van te veel zon en wiens witte korte baard vuil en verkleurd was door het sap van citrilwortel. Lezhdraka duwde de man ruw naar voren. De gevangene deed een paar strompelende stappen en viel toen stijf op zijn knieën voor Fengbalds voeten en keek niet op. Zijn nek en schouders, die ontbloot waren door de open kraag van zijn zijn dunne hemd, waren bedekt met vergelende kneuzingen.

Toen de zenuwachtige page de beker van de hertog opnieuw had gevuld, schraapte Fengbald zijn keel. 'Je ziet er enigszins bekend uit. Ken ik je?' De oude man schudde zijn hoofd heen en weer. 'Zo. Je mag opkijken. Je beweert dat je de burgemeester van Gadrinsett bent?'

De oude man knikte langzaam. 'Dat ben ik.'

'Dat was je. In ieder geval zou het niet erg roemrijk zijn om burgemeester van dit pestgat te zijn. Vertel me, wat weet je van Jozua?'

'Ik… ik begrijp het niet, heer.'

Fengbald leunde voorover en gaf hem een korte, maar stevige duw. De burgemeester viel om en kwam op één zijde terecht; hij scheen niet genoeg kracht te hebben om weer overeind te komen. 'Hou me niet voor de gek, oude man. Wat heb je gehoord?'

Nog op zijn zijde liggend, hoestte de burgemeester. 'Niets dat u niet al weet, hertog Fengbald,' zei hij beverig, 'niets. Ruiters kwamen van het onheilspellende dal de Stefflod op. Ze zeiden dat Jozua Zonderhand aan zijn broer was ontsnapt, dat hij samen met een groep krijgers en tovenaars de demonen had uitgedreven en een fortificatie op de heksenberg in het midden van het dal hadden gemaakt. Dat allen die zich daar bij hem voegden te eten zouden krijgen en plaatsen zouden hebben om te wonen, en dat ze beschermd zouden worden tegen bandieten en tegen… en tegen…' zijn stem zakte weg, '… de soldaten van de Hoge Koning.'

'En je vindt het jammer dat je niet naar die verraderlijke geruchten hebt geluisterd, hè?' vroeg Fengbald. 'Je denkt dat prins Jozua je misschien van de wraak van de koning zou hebben gered?'

'Maar wij hebben geen kwaad gedaan, heer!' klaagde de oude man. 'Wij hebben geen kwaad gedaan!'

Fengbald keek hem volmaakt ijzig aan. 'Je hebt verraders onderdak verleend want iedereen die zich bij Jozua aansluit, is een verrader. Nu, hoevelen zijn er bij hem op die heksenberg?'

De burgemeester schudde heftig zijn hoofd. 'Ik weet het niet, heer. Na verloop van tijd zijn een paar honderd van onze mensen weggegaan. De eerste ruiters die kwamen zeiden dat er al honderd tot honderdtwintig waren, denk ik.'

'Vrouwen en kinderen meegerekend?'

'Ja, heer.'

Fengbald knipte met zijn vingers. 'Izaak ga een gardesoldaat zoeken en vraag hem bij mij te komen.'

'Ja, sire.' De jongeling spoedde zich weg, gelukkig met een boodschap die hem gedurende enkele ogenblikken buiten bereik van zijn meester zou brengen.

'Nog een paar vragen.' De hertog ging weer tegen de kussens aan leunen. 'Waarom geloofde je volk dat het Jozua was? Waarom zouden zij een veilige woonplaats verlaten om naar een plaats met een slechte reputatie te gaan?'

De oude man haalde hulpeloos de schouders op. 'Een van de vrouwen die daar woonde beweerde dat ze Jozua had ontmoet, dat zij hem zelf naar de rots had gestuurd. Een praatziek schepsel, maar goed bekend. Ze zwoer dat ze hem bij haar haardstee te eten had gegeven en hem onmiddellijk als de prins had herkend. Velen werden door haar overtuigd. Anderen gingen omdat... omdat ze hoorden dat u eraan kwam, hertog Fengbald. Mensen uit Erkynland en de westelijke Tritsingen kwamen hier, vluchtend... naar het oosten trekkend voor de opmars van uedele.' Hij kromp ineen alsof hij een klap verwachtte. 'Vergeef me, heer.' Een traan liep over zijn gerimpelde wang.

De tentflap ritselde. Izaak de page kwam binnen, gevolgd door een gehelmd lid van de Erkynwacht. 'U wilde mij spreken, heer?' zei de soldaat.

'Ja.' Fengbald wees op de oude man. 'Neem deze terug naar de hokken. Behandel hem ruw, maar verwond hem niet. Ik wil later weer met hem praten.' De hertog draaide zich om. 'Jij en ik hebben dingen te bespreken, Lezhdraka. De gardesoldaat trok de burgemeester overeind. Fengbald zag de procedure met verachting aan. 'Burgemeester, nietwaar?' snoof hij. 'Je bent niet eens jezelf meester, boerenpummel.'

De druipende ogen van de oude man gingen wijdopen, naar Fengbald starend. Een ogenblik zag het ernaar uit dat hij misschien iets volkomen waanzinnigs zou doen; hij schudde echter zijn hoofd als iemand die uit een droom ontwaakt. 'Mijn broer was een edelman,' zei hij hees, en toen rolde er een nieuwe tranenregen over zijn wangen. De soldaat pakte hem bij de elleboog en loodste hem haastig de tent uit.

Lezhdraka keek Fengbald brutaal aan. *'Doe hem geen pijn?* Ik dacht je harder was dan dat, stadsmens.'

Een trage, dronken glimlach verspreidde zich over Fengbalds gezicht. 'Wat ik zei was: "behandel hem ruw, maar verwond hem niet". Ik wil niet dat de rest van zijn volk weet dat hij iedere keer dat ik hem ondervraag doorslaat. En hij zou op de een of andere manier wel eens nuttig voor me kunnen zijn, hetzij als spion in de hokken of als spion onder Jozua's mensen. Die verraders nemen iedereen op die voor mijn vreselijke wraak vlucht, is het niet?'

De Tritsingsman loenste. 'Denk je dat mijn ruiters en jouw gepantserde stadsbewoners de vijanden van uw koning niet in de pan kunnen hakken?'

Fengbald zwaaide met een vermanende vinger. 'Gooi nooit een wapen weg. Je weet nooit wanneer je het nodig kunt hebben. Dat is nòg een les die de blinde dwaas Guthwulf me heeft geleerd.' Hij lachte en zwaaide toen met zijn beker. Zijn page haastte zich naar de wijnkan.

Buiten was de duisternis gevallen. De tent van de hertog gloeide scharlaken, smeulend als een sintel half begraven in as in de haard.

Een rat, dacht Rachel bitter. *Nu ben ik niet beter dan een rat in de muren.* Ze gluurde uit de verduisterde keuken en onderdrukte een bittere vloek. Het was maar goed dat Judith de Hayholt al lang geleden verlaten had. Als de omvangrijke Meesteres van de Keuken, statig als een galjoen, de toestand van haar geliefde domein nu zou kunnen zien, zou dat waarschijnlijk haar dood zijn. Rachel de Draaks eigen door werk vereelte handen jeukten toen ze zich verscheurd voelde tussen een verlangen om de schade te herstellen, en een even grote drang om degene die het kasteel tot deze afschuwelijke staat had laten vervallen te wurgen.

De grote keuken van de Hayholt zou als een leger van wilde honden geworden kunnen zijn. De deuren van de provisiekamer hingen uit hun scharnieren en de paar resterende zakken met levensmiddelen lagen gescheurd en verspreid in het vertrek. Het was zowel de verspilling als de smerigheid die het vuur van woede in Rachels hart ontstak. Meel lag overal over de vloeren, in de spleten tussen de tegels vermalen, doorsneden door de afdrukken van onachtzame, gelaarsde voeten. De grote ovens waren zwart van het vet, de bakvormen geblakerd door ondeskundig gebruik. Toen ze uit haar schuilplaats achter een hangend gordijn naar de ravage keek, voelde Rachel de tranen over haar gezicht lopen.

God behoort degenen die dit gedaan hebben te laten doodvallen. Dit is doelloze boosaardigheid... duivelswerk.

En de keuken was, ondanks alle schade die was aangericht, een van de plaatsen die het minst waren getroffen door de boze veranderingen die de Hayholt hadden overvallen. Rachel had veel gezien wanneer ze uit haar schuilplaats op strooptocht ging, en het was allemaal om neerslachtig van te worden. De vuren brandden niet langer in de grote kamers, en de donkere gangen waren bijna mistig van de kou. De schaduwen schenen langer geworden te zijn, alsof een vreemde schemering over het kasteel was neergedaald; zelfs op de dagen waarop de zon door de wolken brak, waren de gangen en tuinen van de Hayholt in schaduw gedompeld. Maar de nacht zelf was bijna te angstwekkend geworden om te verdragen. Wanneer de fletse zon onderging, vond Rachel schuilplaatsen voor zichzelf op de verlaten plaatsen van het kasteel en verroerde zich niet tot aan de dageraad. De onaardse geluiden die door de duisternis zweefden, waren genoeg om te maken dat ze een sjaal over haar hoofd trok, en soms als de avond kwam waren er bewegende, vluchtige gedaanten die net aan de rand van het gezicht zweefden. En wanneer de klokken het middernachtelijk uur sloegen, liepen in het donker gehulde demonen stil door de zalen.

Het was duidelijk dat er overal in het rond een vreselijke toverkracht aan het werk was. Het oude kasteel leek bijna te ademen, doordrenkt van een verkillende vitaliteit die het, ondanks heel zijn illustere geschiedenis, nooit eerder had gehad. Rachel kon een sluipende aanwezigheid voelen, geduldig maar waakzaam als een roofdier, die in de stenen zelf scheen te huizen. Nee, deze verwoeste keuken was alleen maar het kleinste, mildste voorbeeld van het kwaad dat Elias over haar geliefde thuis had gebracht.

Ze wachtte, luisterend, tot ze er zeker van was dat er niemand in de buurt was en kwam toen achter het gordijn vandaan. De kast achter dit gordijn had een valse achterwand met schappen vol azijn- en mosterdpotten; die schappen verborgen een corridor naar een netwerk van gangen die achter, boven en onder de muren van de Hayholt liepen. Rachel, die nu al vele weken lang in deze tussenplaatsen had gehuisd, verwonderde zich nog steeds over het web van geheime wegen waardoor zij haar hele leven omringd was geweest, ongezien en niet herkend als een wirwar van mollengangen onder een vormelijke tuin.

Nu weet ik waar die kwajongen van een Simon naar placht te verdwijnen. Bij de Gezegende Moeder, geen wonder dat ik soms dacht dat de jongen door de aarde was opgeslokt wanneer er werk te doen was.

Ze liep uit haar schuilplaats naar het midden van de keuken, zo stil bewegend als haar stijve oude botten het haar toestonden opdat ze de geluiden van iemand die naderde niet onhoorbaar zou maken. Er waren tegenwoordig in de grote burcht nog maar weinig mensen over – Rachel beschouwde de bleke demonen van de koning niet als mensen – maar er was in de tientallen lege vertrekken van het kasteel nog altijd een aantal huursoldaten uit de Tritsingen en elders ingekwartierd. Het waren dit soort barbaren, wist Rachel zeker, die Judiths keuken tot zijn afzichtelijke staat hadden doen vervallen. Gruwels als die duivelse Nornen aten stellig niet eens aards eten. Dronken hoogstwaarschijnlijk bloed, als je op het Boek van de Aedon kon afgaan – en dat was Rachels enige leidraad geweest sinds ze oud genoeg was geweest om te begrijpen wat de priesters zeiden.

Er was nergens iets te vinden dat ook maar in de verste verte vers was. Meer dan eens opende Rachel een pot en kwam dan tot de ontdekking dat de inhoud bedorven was, bedekt met blauwe of witte schimmel, maar na veel geduldig gezoek slaagde ze erin twee bakjes met gezouten rundvlees en een kan gepekelde groenten te vinden die onder een tafel waren gerold en niet waren opgemerkt. Ze ontdekte in een van de provisiekasten ook drie broden, hard en oudbakken, gewikkeld in een servet. Hoewel het stuk dat ze uit een brood trok pijnlijk hard was om te kauwen – Rachel had weinig tanden over, en was er zeker van dat dergelijke kost het einde van de overlevenden zou betekenen – was het eetbaar en wanneer het in het pekelwater van het rundvlees werd gedoopt, zou het werkelijk een aangename verandering zijn. Toch had deze strooptocht weinig resultaat opgeleverd. Hoeveel langer zou ze zich in leven kunnen houden met wat ze uit de onbewaakte provisiekamers van de Hayholt kon stelen? Wanneer ze aan de toekomst dacht, huiverde ze. Het was afgrijselijk koud, zelfs in de stenen uitgestrektheid van de inwendige gangen van het kasteel. Hoe lang kon zij het nog uithouden?

Ze wikkelde de vruchten van haar strooptocht in haar sjaal en sleepte het zware pak over de vloer naar de kast en zijn geheime deur, haar best doend om de sporen die ze in het meel maakte uit te wissen. Toen ze de kast bereikte, waar het meel – dat zo griezelig op de sneeuw buiten leek – nog niet was verstoven, pakte ze haar buit een ogenblik uit en gebruikte de sjaal om al de dichtstbijzijnde tekenen uit te wissen, zodat niemand zich zou kunnen verbazen over sporen die in een verlaten kast verdwenen, zonder er weer uit op te duiken.

Toen ze haar buit opnieuw inpakte, hoorde ze stemmen in de gang buiten. Een ogenblik later begonnen de grote keukendeuren binnenwaarts open te zwaaien. Terwijl haar hart ineens even snel klopte als dat van een vogel, leunde Rachel naar voren, pakte het gordijn met frommelende vingers beet en trok het voor de ingang van de kast net toen de buitendeur tegen de muur aan bonsde en gelaarsde voetstappen op de tegels klonken.

'Waar zit-ie met zijn vervloekte grijnzende smoel?'

Rachels ogen sperden zich open toen ze de stem van de koning herkende.

'Ik weet dat ik iemand hierbinnen heb gehoord!' riep Elias uit. Er klonk een klap toen er iets van de bekraste tafels werd geveegd, gevolgd door het ritmische gekletter van iemand die over de lange keukenvloer liep te ijsberen. 'Ik hoor alles in dit kasteel, elke voetstap, elk gemompel, tot mijn hoofd ervan bonst! Hij moet hier zijn geweest. Wie zou het anders kunnen zijn?'

'Ik zei u, majesteit, ik weet het niet.'

Het hart van het Hoofd van de Kamermeisjes sloeg een slag over en scheen te haperen tussen slagen. Dat was Pryrates. Zij herinnerde zich hem zoals hij voor haar had gestaan – haar mes dat uit zijn rug stak niet doeltreffender dan een twijgje – en voelde zich naar de vloer zinken. Ze stak een hand uit om zich houvast te geven en streek langs een koperen treeft die aan de muur hing, waardoor die ging zwaaien. Rachel greep hem beet, het zware gewicht ervan van de muur afhoudend zodat hij geen geluid zou maken.

Als een rat! Haar gedachten waren wild en onsamenhangend, *Als een rat. Gevangen tussen de muren. Katten buiten.*

'Moge Aedon hem verbranden en vernietigen, hij mag niet van mijn zijde wijken!' Elias' hese stem, wankelend op de rand van een vreemde wanhoop, scheen bijna Rachels eigen paniek te weerspiegelen. 'Heng-fisk!' riep hij. 'Verdoemd zij je ziel, waar zit je?' Het geluid van het woedende ijsberen van de koning ging verder. 'Wanneer ik hem vind, zal ik hem zijn keel afsnijden.'

'Ik zal uw beker voor u klaarmaken, majesteit. Ik zal het nu voor u doen. Kom.'

'Dat is niet het enige. Wat voert hij uit? Hij heeft niet het recht er zomaar vandoor te gaan!'

'Hij zal spoedig terug zijn, dat weet ik zeker,' zei de priester. Hij klonk ongeduldig. 'Hij heeft weinig behoeften, en die worden gemakkelijk bevredigd. Kom nu, Elias, we behoren naar uw kamer terug te gaan.'

'Hij verbergt zich!' Rachel kon horen dat de voetstappen van de koning ineens luider werden. Hij bleef staan en zij hoorde scharnieren piepen toen hij aan een van de kapotte deuren rukte. 'Hij houdt zich ergens in de schaduwen schuil!'

De voetstappen kwamen dichterbij. Rachel hield haar adem in en probeerde zo stil te zijn als steen. Ze hoorde de koning naderbij komen, boos mopperend terwijl hij aan deuren trok en stapels gevallen gordijnen uit zijn weg schopte. Haar hoofd duizelde. Duisternis scheen voor haar ogen neer te dalen, een duisternis die doorschoten was met fladderende vonkjes licht.

'Majesteit!' De stem van Pryrates was scherp. De koning hield op met zijn wilde gedoe en ging rustig de keuken binnen. 'Hier bereikt u niets mee. Kom. Laat mij uw beker voor u klaarmaken. U bent oververmoeid.'

Elias kreunde zacht, een vreselijk geluid als van een dier in doodsnood. Eindelijk zei hij: 'Wanneer zal er aan dit alles een eind komen, Pryrates?'

'Spoedig, majesteit.' De stem van de priester hervond zijn sussende toon. 'Er moeten bepaalde rituelen worden voltrokken op Heiligenavond. Dan, na de jaarwisseling, zal de ster komen en die zal tonen dat de laatste dagen nabij zijn. Spoedig daarna, zal uw wachten voorbij zijn.'

'Soms kan ik de pijn niet verdragen, Pryrates. Soms vraag ik me af of iets deze pijn waard is.'

'Stellig is het grootste geschenk van alle iedere prijs waard, Elias.' Pryrates' voetstappen kwamen dichterbij. 'Net zoals de pijn groter is dan wat anderen moeten verdragen, zo bent u dapperder dan andere mensen. Uw beloning zal even schitterend zijn!'

De twee gingen weg van haar schuilplaats. Rachel liet haar adem in een vrijwel onhoorbaar gesis ontsnappen.

'Ik brand op.'

'Ik weet het, mijn koning.' De deuren vielen met een bons achter hen dicht.

Rachel de Draak zonk hurkend op de vloer van de kast neer. Haar handen beefden toen ze het teken van de Boom maakte.

Guthwulf kon steen in zijn rug voelen en steen onder zijn voeten, maar toch had hij op hetzelfde moment het gevoel dat hij voor een diepe afgrond stond. Hij ging op zijn knieën zitten en reikte voorzichtig voor zich uit, de grond bekloppend, zeker dat hij zijn hand ieder ogenblik in lege ruimte zou voelen zwaaien. Maar er was niets anders voor hem dan nog meer eindeloze steen van de vloer van de gang.

'God sta mij bij, ik ben vervloekt!' riep hij uit. Zijn stem ratelde en weerkaatste van een ver plafond, een ogenblik het fluisterende koor dat hem een tijd waarvan hij de duur niet kon raden had omringd uitwissend. 'Vervloekt!' Hij viel voorover, zijn gezicht in een onbewuste bidhouding op zijn uitgestrekte handen leggend, en huilde.

Hij wist alleen dat hij ergens onder het kasteel moest zijn. Sinds het ogenblik dat hij door de onzichtbare deur was gestapt, vluchtend voor vlammen die zo heet waren dat hij er zeker van was dat ze hem tot sintels zouden verbranden, was hij zo verloren geweest als een verdoemde ziel. Hij had zo lang door deze doolhofachtige diepten gezworven dat hij zich het gevoel van wind en zon op zijn gezicht niet langer kon herinneren, zich niet langer de smaak kon herinneren van ander voedsel dan koude wormen en kevers. En altijd hadden de... anderen... hem vergezeld, het rustige gemompel net onder het peil van verstaanbaarheid, de spookachtige dingen die naast hem schenen te bewegen maar zijn blindheid bespotten door weg te glippen voor hij ze kon aanraken. Talloze dagen had hij wezenloos door deze onderwereld van klaaglijke fluisteringen en veranderende vormen gestrompeld, tot het leven alleen datgene was dat hem gevoelig voor kwelling maakte. Hij was weinig meer geworden dan een touw dat strak gespannen was tussen verschrikking en honger. Hij was vervloekt. Er was geen andere verklaring mogelijk.

Guthwulf rolde zich op zijn zijde en ging langzaam rechtop zitten. Als de hemel hem strafte voor de slechtheid van zijn leven, hoe lang zou het dan doorgaan? Hij had altijd op de priesters en hun gepraat over eeuwigheid geschimpt, maar nu wist hij dat zelfs een uur zich tot een verschrikkelijke, oneindige lengte kon uitrekken. Wat kon hij doen om een eind te maken aan dit afschuwelijke vonnis?

'Ik heb gezondigd!' riep hij uit, zijn stem een hees gekras. 'Ik heb gelogen en gemoord, ook al wist ik dat het verkeerd was! Gezondigd!' De echo's vlogen weg en losten zich op. 'Gezondigd,' fluisterde hij.

Guthwulf kroop nog een el naar voren, biddend dat de kuil die hij had gevoeld werkelijk vóór hem lag, een gat waarin hij zou vallen en misschien de bevrijding van de dood zou vinden... als hij al niet dood was. Alles was verkieslijker dan deze eindeloze leegte. Als het niet een even ernstige zonde was als de moord op een ander, zou hij al lang geleden zijn hoofd tegen de steen die hem omringde hebben geslagen tot het leven vlood, maar hij was bang dat hij alleen maar zou ontdekken dat hij ontwaakt was om een nog vreselijker vonnis te ondergaan nadat de misdaad van zelfdoding daar nog bijgekomen was. Hij tastte wanhopig voor zich uit, maar zijn krabbelende vingers vonden alleen maar nog meer steen, de eindeloze, slingerende vloer van de gang.

Dit was zeker nog een element van zijn straf, de veranderende werkelijkheid van zijn gevangenis. Net zoals hij een ogenblik eerder met grote zekerheid had geweten dat er een immense afgrond voor hem lag – een niet bestaande afgrond zoals zijn vingers nu bewezen – was hij andere keren grote zuilen tegengekomen die naar het plafond oprezen, en had hij zijn handen over hun ingewikkelde reliëfs laten glijden, in een poging in hun bewerkte textuur een boodschap van hoop te lezen, slechts om enkele ogenblikken later tot de ontdekking te komen dat hij middenin een grote, lege ruimte stond waarin evenmin zuilen waren als ander menselijk gezelschap.

Hoe was het met de anderen, vroeg hij zich plotseling af. Hoe was het met Elias en die duivel Pryrates? Als er goddelijke gerechtigheid was geschied, zouden zij zeker niet ontsnapt zijn – niet met misdaden op hun geweten groter en slechter dan Guthwulf op zijn armzalige kerfstok had. Wat was er met hen en met al die talloze andere zondaren die op de wentelende aarde hadden geleefd en waren gestorven gebeurd? Was elk van hen veroordeeld tot zijn of haar eigen eenzame verdoemenis? Liepen anderen die evenzeer geteisterd waren als Guthwulf alleen maar aan de andere kant van de stenen muren, zich afvragend of zij ook de laatste schepselen in het heelal waren?

Hij klauterde overeind en strompelde naar de muur, er met de vlakke hand op bonzend. 'Hier ben ik!' riep hij. 'Ik ben!' Hij liet zijn vingers langs de koele, lichtelijk vochtige oppervlakte slepen toen hij weer op de grond zakte.

In alle jaren waarin hij had geleefd – want hij kon er niets aan doen dat hij het gevoel had dat zijn leven nu voorbij was, ook al scheen hij nog in een lichaam te huizen dat pijn deed en honger had – had Guthwulf nooit het eenvoudige wonder van kameraadschap beseft. Hij had van zijn omgang met anderen genoten – het ruwe gezelschap van mannen, de bevredigende inschikkelijkheid van vrouwen – maar hij had het altijd zonder hen kunnen stellen. Vrienden waren gestorven of weggegaan. Sommigen was Guthwulf gedwongen geweest de rug toe te keren wanneer ze hem tegenwerkten, een of twee had hij, ondanks eerdere kameraadschap, uit de weg moeten ruimen. Zelfs de koning had zich uiteindelijk tegen hem gekeerd, maar Guthwulf was sterk geweest. Behoeften hebben betekende dat je zwak was. Zwak zijn betekende dat je geen man was.

Nu dacht Guthwulf aan het kostbaarste dat hij bezat. Het was niet zijn eer, want hij wist dat hij die had opgegeven toen hij geen hand had uitgestoken om Elias te helpen tegen zijn groeiende waanzin te strijden; het was niet zijn trots, want die had hij met zijn gezichtsvermogen verloren, toen hij een strompelende invalide werd die moest wachten tot een bediende hem een nachtspiegel bracht. Zelfs zijn moed was niet langer van hem om te geven of te ontvangen, want die was gevlucht toen Elias hem had gedwongen het grijze zwaard aan te raken en hij het afschuwelijke, koude lied van het staal als gif door hem heen had voelen lopen. Nee, het enige dat hem restte was het kortstondigste van alle, de kleine vonk die nog leefde en nog hoopte, al was die ook begraven onder zo'n last van wanhoop. Misschien was het een ziel, dat ding waar priesters over wauwelden, en misschien ook niet – het kon hem niet langer schelen. Maar hij wist dat hij zelfs die laatste, cruciale vonk weg zou geven als hij nog maar één keer kameraadschap kon beleven, als er een einde kon komen aan deze afschuwelijke eenzaamheid.

De ledige duisternis werd plotseling gevuld door een sterke wind, een wind die door hem heen woei, maar geen haar op zijn hoofd bewoog. Guthwulf kreunde zacht: hij had dit eerder gevoeld. De leegte die hem omringde, vervulde hem met kwebbelende stemmen die rakelings klagende en zuchtende woorden langs hem heen zonden die hij niet kon verstaan, maar die, naar zijn gevoel vol verlies en angst waren. Hij strekte een hand uit, wetende dat hoewel hij dat deed er niets te grijpen was... maar zijn hand raakte iets aan.

Naar adem snakkend van de schok, trok Guthwulf zijn hand terug. Een ogenblik later, toen de stormloop van jammerende schaduwen door de eindeloze gang minder werd, raakte iets hem opnieuw, deze keer tegen zijn uitgestrekte been botsend. Hij kneep zijn oogleden dicht, alsof datgene dat daar was zelfs de ogen van een blinde met afschuw zou vervullen. Er was weer een hardnekkige duw tegen zijn been. Hij stak opnieuw langzaam zijn hand uit en voelde... bont.

De kat – want dat moest het wel zijn; hij kon de welving van zijn rug onder zijn hand, de golvende staart tussen zijn vingers voelen – botste tegen zijn knie met zijn kleine, harde kop. Hij liet zijn vingers erop rusten en durfde zich niet te bewegen uit angst dat hij zou schrikken en zou vluchten. Guthwulf hield zijn adem in, half ervan overtuigd dat dit net zo zou blijken te zijn als andere dingen van deze veranderlijke onderwereld, dat het in een ogenblik in lucht zou opgaan. Maar de kat scheen vergenoegd met zijn eigen stoffelijkheid; hij legde twee poten op zijn dunne been, zijn klauwen voorzichtig in zijn huid slaand toen Guthwulf onder zijn voorzichtige aanraking bewoog.

Een ogenblik, terwijl hij krauwde en aaide, en het onzichtbare dier wriggelde van genot, herinnerde hij zich dat hij niets anders dan kruipende wezens had gegeten sinds hij naar dit oord van verdoemenis was gekomen. Het warme vlees bewoog zich onder zijn hand, een banket van vlees voor een hongerend mens, en warm, zilt bloed door slechts een dun laagje bont van hem gescheiden.

Het zou zo gemakkelijk zijn, dacht hij, terwijl zijn vingers zacht om de nek van de kat cirkelden. Toen, terwijl zijn vingers zich een klein beetje spanden, begon de kat te spinnen. De trillingen gingen omhoog door zijn keel en naar zijn vingers, een puls van tevredenheid en vertrouwen even indringend mooi als welke muziek van engelenkoren ook. Voor de tweede keer in een uur barstte Guthwulf in tranen uit.

Toen de voormalige graaf van Utanyeat wakker werd, had hij er geen idee van hoe lang hij had geslapen, maar voor het eerst in vele dagen voelde hij zich alsof hij echt had gerust. Zijn ogenblik van vrede eindigde snel toen hij besefte dat het warme lijf dat in zijn schoot had genesteld weg was. Hij was opnieuw alleen.

Net toen de ledigheid hem weer overviel, was er een zachte druk tegen zijn been, waarop een kleine koude neus zich tegen zijn hand aan drukte.

'Terug,' fluisterde hij. 'Je bent teruggekomen.' Hij reikte omlaag om de kop van de kat aan te raken, maar in plaats daarvan merkte hij dat hij op iets kleiners drukte, iets warms en glibberig nats. De kat spon toen Guthwulf het ding bevoelde dat hij tegen zijn heup aan had gedrukt: het was een pas gedode rat.

Guthwulf ging rechtop zitten, een stil dankgebed uitsprekend, en trok de offergave met trillende vingers uit elkaar. Hij gaf een gelijk deel aan de vinder van het feestmaal.

Diep onder de grote massa van de berg Stormpiek, gingen de ogen van Utuk'ku Seyt-Hamakha plotseling open. Ze lag roerloos in de onyx crypte die haar bed was, omhoog starend naar de volmaakte zwartheid van haar stenen kamer. Ze was ver langs haar web gezworven, naar plaatsen in de droomwereld waar alleen de oudsten van de onsterfelijken konden gaan – en in de schaduwen van de verste onwaarschijnlijkheden had zij iets gezien dat ze niet verwachtte. Een scherpe splinter van ongerustheid doorboorde haar oude hart. Ergens aan de buitenste randen van haar plannen was een draad geknapt. Wat dat betekende, kon ze niet weten, maar er was een onzekerheid bijgekomen, een fout in het patroon dat zij zo lang en zo feilloos had geweven.

De Nornkoningin ging rechtop zitten, met haar langvingerige hand naar haar zilveren masker klauwend. Ze zette het op haar gezicht, zodat ze opnieuw even sereen emotieloos leek als de maan; toen zond ze een koude, vluchtige gedachte uit. Een deur ging open in de zwartheid en donkere gedaanten kwamen binnen, een beetje licht met zich meebrengend, want ook zij droegen maskers, en die van hen waren van flauw gloeiende bleke steen. Ze hielpen hun meesteres opstaan uit haar gewelf en brachten haar vorstelijke gewaden van ijswit en zilver, die ze met de rituele zorg van priesters, die de doden voor een begrafenis inwikkelen, om haar heen sloegen. Toen ze gekleed was, haastten ze zich weg, Utuk'ku weer alleen latend. Ze zat enige tijd in haar onverlichte vertrek; zo zij ademde, dan maakte ze daarbij geen geluid. Alleen het bijna onwaarneembare gekraak van de ingewanden van de berg bezoedelde de pure stilte.

Na enige tijd stond de Nornkoningin op en liep door de slingerende gangen die haar bedienden in de diepten van het verleden voor haar uit het vlees van de berg hadden uitgehakt. Zij kwam ten slotte bij de Kamer van de Ademende Harp en ging op de grote troon van zwarte rots zitten. De Harp zweefde in de nevels die uit de enorme bron opstegen, zijn veranderende dimensies glanzend in de lichten die uit de diepten beneden schenen. De Lichtlozen waren ergens in de diepten van de Stormpiek aan het zingen, hun holle stemmen volgden de vormen van liederen die al in de Verloren Tuin, Venyha Do'Sae oud en verboden waren. Utuk'ku zat daar en keek naar de Harp, en liet haar gedachten de ingewikkeldheden volgen terwijl de damp uit de kuil de ijzige lucht van het vertrek ontmoette en als rijp vorst op haar oogleden neersloeg.

Ineluki was daar niet. Hij was weggegaan, zoals hij soms deed, naar die plaats die geen plaats was, waar hij alleen kon gaan – een plaats even ver voorbij de droomwereld als dromen voorbij waken waren, even ver voorbij de dood als de dood voorbij het leven was. Deze keer zou de Nornkoningin zich niet bloot moeten geven.

Hoewel haar glinsterende gezicht even uitdrukkingsloos was als altijd, voelde Utuk'ku niettemin een schaduw van ongeduld terwijl ze in de onbewoonde Bron keek. De tijd begon nu te dringen. Een leven voor een van de zich reppende stervelingen was voor de oudste nauwelijks een seizoen, dus kon de korte spanne die zich tussen nu en het uur van triomf uitstrekte nauwelijks meer schijnen dan enkele hartslagen als zij verkoos dat zo te zien. Maar dat verkoos zij niet. Ieder ogenblik was kostbaar. Ieder ogenblik bracht de overwinning dichterbij, maar om die overwinning te bewerkstelligen mochten er geen fouten worden gemaakt.

De koningin van de Nornen was verontrust.

8

Nachten van vuur

Simons bloed leek bijna in zijn aderen te koken. Hij keek om zich heen, naar de ondergesneeuwde heuvels, naar de donkere bomen die zich in de felle, ijzige winden bogen, en vroeg zich af hoe hij zich zo vol vuur kon voelen. Het was de opwinding, de gewaarwording van verantwoordelijkheid... en van gevaar. Simon voelde zich springlevend.

Hij legde zijn wang tegen Thuisvinders nek en klopte op haar stevige schoft. Haar door de wind gekoelde huid was vochtig van het zweet.

'Ze is moe,' zei Hotvig, de zadelriem van zijn eigen ros aanhalend. 'Ze is niet bestemd voor zulke snelle reizen.'

'Ze is voortreffelijk,' antwoordde Simon. 'Ze is sterker dan je denkt.'

'De Tritsingers weten meer van paarden af dan van wat dan ook,' zei Sludig over zijn schouder. Hij draaide zich om van de boomstam, zijn broek dichtrijgend. 'Doe niet zo trots, Simon.'

Simon keek de Rimmersman een ogenblik aan voordat hij sprak. 'Het is geen trots. Ik heb heel ver op dit paard gereden. Ik wil het houden.'

Hotvig hief zijn hand verzoenend op. 'Het was niet mijn bedoeling je boos te maken. Het gaat er alleen om dat prins Jozua gunstig over je denkt. Je bent zijn ridder. Je zou zo een van onze snelle clan-paarden kunnen krijgen als je zou willen.'

Simon richtte zijn starende blik op de graslander met de gevlochten baard en probeerde toen te lachen. 'Ik weet dat je het goed bedoelde, Hotvig, en een van je paarden zou werkelijk een geschenk zijn. Maar dit is anders. Ik heb dit paard Thuisvinder genoemd, en daar zal het met mij heen gaan. Naar huis.'

'En waar is dat, jonge vrijheer?' vroeg een van de andere Tritsingers.

'De Hayholt,' zei Simon vastberaden.

Hotvig lachte. 'De plaats waar Jozua's broer regeert? Jij en je paard moeten wel geweldige reizigers zijn om in zulk vreselijk weer te rijden.'

'Dat kan wel zijn.' Simon draaide zich om en keek de anderen aan, loensend tegen het schuine middaglicht dat langs de bomen viel. 'Als jullie allemaal klaar zijn, is het tijd om te gaan. Als we langer wachten, zal de storm misschien gaan liggen. Vanavond hebben we het licht van een bijna volle maan. Ik geef de voorkeur aan de sneeuw en bij het vuur neergehurkte schildwachten.'

Sludig wilde iets zeggen, maar bedacht zich. De Tritsingers knikten instemmend en sprongen moeiteloos in hun zadels.

'Ga voor, vrijheer.' Hotvigs lach was kort maar niet onvriendelijk. Het kleine gezelschap kwam behoedzaam het bosje uit, terug in de bittere greep van de wind.

Simon was bijna even dankbaar voor de eenvoudige kans om iets te doen als hij was voor het blijk van Jozua's vertrouwen. De dagen van slechter wordend weer, te zamen met de belangrijke taken die zijn metgezellen hadden gekregen maar hij niet, hadden Simon rusteloos en slechtgehumeurd gemaakt. Binabik, Geloë en Strangyeard waren in een diep gesprek verwikkeld over de zwaarden en de Stormkoning; Deornoth hield toezicht op de bewapening en voorbereiding van het krakkemikkige leger van Nieuw Gadrinsett; zelfs Sangfugol, al vond hij de taak ondankbaar, moest Towser in de gaten houden. Voor prins Jozua hem naar de tent had geroepen, was Simon zich gaan voelen zoals in de tijd die naar hij had gehoopt lang geleden was: als een tamboersjongen die achter de soldaten van de keizer aanholt.

'Gewoon wat spionagewerk,' zo had Jozua die taak omschreven, maar Simon scheen het bijna even schitterend toe als het ogenblik waarop hij tot ridder was geslagen. Hij moest een paar van Hotvigs graslanders meenemen om de naderende strijdkrachten te verspieden.

'Je moet niets doen,' had de prins nadrukkelijk gezegd. 'Alleen maar kijken. Tenten tellen, en paarden, als je die ziet. Kijk uit naar banieren en wapenschilden als het licht is. Maar zorg ervoor dat je niet gezien wordt, en als dat toch gebeurt, rijd dan weg. Snel!'

Simon had het beloofd. Een ridder die zijn manschappen naar de strijd leidde; dat was hij geworden. Ongeduldig om op weg te gaan op deze roemruchte queeste, had hij zich niet op zijn gemak gevoeld, zonder dat overigens te laten blijken, hoopte hij – terwijl hij wachtte tot Jozua klaar was met zijn instructies.

Tot zijn verrassing had Sludig gevraagd of hij mee mocht. Simons hoge eer stak de Rimmersman nog steeds, maar Simon vermoedde dat Sludig, net als Simon zelf, het gevoel had dat hij enigszins was veronachtzaamd, en zelfs liever een tijdje de ondergeschikte van Simon zou zijn dan teleurgesteld op de Sesuad'ra te moeten wachten. Sludig was een krijgsman, geen generaal; de Rimmersman raakte alleen geïnteresseerd wanneer de strijd echt werd, staal op staal.

Hotvig had zijn diensten eveneens aangeboden. Simon vermoedde dat prins Jozua, die de Tritsingsman niet alleen sympathiek was gaan vinden maar hem nu ook vertrouwde, Hotvig wellicht gevraagd had om mee te gaan en een oogje op zijn jongste ridder te houden. Verrassend genoeg kon deze mogelijkheid Simon niet schelen. Hij was iets van de last van de macht gaan begrijpen en wist dat Jozua voor alle betrokkenen zijn best probeerde te doen. Dus had Simon besloten dat Hotvig

Jozua's oog mocht zijn; hij zou de graslander iets goeds te melden geven.

De storm verergerde. Het hele dal van de Stefflod was met sneeuw bedekt, en de rivier zelf slechts een donkere streep die door een wit veld liep. Simon trok zijn mantel dicht om zich heen en wond zijn wollen sjaal nog strakker om zijn gezicht.

De Tritsingsmannen waren, ondanks heel hun zelfverzekerde badinage, behoorlijk bang voor de veranderingen die de stormwinden hun vertrouwde graslanden hadden gebracht. Simon zag hun ogen wijder worden toen ze rondkeken, de ongeruste manier waarop ze hun paarden door de hogere sneeuwhopen voerden, de kleine onwillekeurige tekenen die ze met gekruiste vingers maakten om kwaad af te weren. Alleen Sludig, kind van het ijzige noorden, scheen niet beïnvloed te zijn door het naargeestige weer.

'Dit is werkelijk een zwarte winter,' zei Hotvig. 'Als ik Jozua al niet geloofd had toen hij zei dat er een kwade geest aan het werk was, zou ik hem nu geloven.'

'Een zwarte winter, ja... en de zomer is net voorbij.' Sludig veegde sneeuw uit zijn ogen. 'De landen ten noorden van de Vorstmark hebben al meer dan een jaar geen voorjaar gezien. Wij vechten tegen meer dan mensen.'

Simon fronste. Hij wist niet hoe bijgelovig de mannen van de clan waren, maar hij wilde geen angsten opwekken die hun taak zou kunnen belemmeren. 'Het is inderdaad een magische storm,' zei hij hard genoeg om zich boven de wind die de mantels deed klepperen hoorbaar te maken, 'maar het is toch alleen maar een storm. De sneeuw kan je geen kwaad doen, maar ze zou je staart eraf kunnen laten vriezen.'

Een van de Tritsingsmannen wendde zich met een grijns tot hem. 'Als staarten afvriezen, zul jij het meeste lijden op dat scharminkel van een paard van je, jonge leenheer.' De andere mannen giechelden. Simon, blij met de manier waarop hij van gespreksonderwerp was veranderd, lachte met hen mee.

De middag ging snel over in de avond terwijl ze reden, een stille tocht op het zachte ploffen van de paardehoeven en het eeuwige klagen van de wind na. De zon, die de hele dag door wolken was bedekt, gaf zich ten slotte gewonnen en zonk achter de lage heuvels. Een violet, schaduwloos licht omhulde het dal. Weldra was het bijna te donker voor het kleine gezelschap om te zien waar het reed; de maan omgeven door wolken, was zo goed als onzichtbaar. Er waren geen tekenen van sterren.

'Moeten we niet stilhouden en een kamp opslaan?' riep Hotvig boven de wind uit.

Simon dacht er een ogenblik over na. 'Ik denk het niet,' zei hij ten slotte. 'We zijn niet zo ver weg, misschien hoogstens nog een uur rijden. Ik denk dat we wel een fakkel kunnen riskeren.'

'Moeten we soms ook nog op een paar trompetten blazen?' vroeg Sludig hard. 'Of misschien kunnen we een paar omroepers vinden om vooruit te rijden en aan te kondigen dat we Fengbalds positie komen verspieden.'

Simon keek stuurs maar hapte niet. 'We hebben de heuvels nog tussen ons en Fengbalds kamp in Gadrinsett. Als de mensen die zijn leger ontvluchtten gelijk hebben over de plaats waar hij is, kunnen we ons licht gemakkelijk doven voor we binnen het gezicht van zijn schildwachten zijn.' Hij verhief zijn stem om zijn woorden te benadrukken. 'Denk je dat het beter zou zijn om te wachten tot het ochtendlicht, wanneer Fengbald en zijn manschappen uitgerust zijn en de zon er is om ons nog beter zichtbaar te maken?'

Sludig wuifde met zijn hand, hem gelijk gevend.

Hotvig haalde een fakkel te voorschijn – een mooie dikke tak, omwonden met stroken stof en in pek gedrenkt – en sloeg met zijn vuurstenen een vonk. Hij beschermde de vlam tegen de wind tot die goed brandde, hief de tak toen op en reed enkele stappen voor de anderen uit, de helling van de rivieroever bestijgend op weg naar de grotere beschutting van de helling. 'Volg dan,' riep hij.

De optocht ging verder, nu iets langzamer vooruitkomend. Ze reden over het oneffen terrein van de heuvels, waarbij ze de paarden hun weg lieten zoeken. Hotvigs fakkel werd een hotsende vuurbal, het enige in de door de storm verduisterde vallei dat een zwervend oog kon treffen: Simon had bijna het gevoel dat hij een dwaallichtje over het mistige kale terrein volgde. De wereld was een lange zwarte tunnel geworden, een eindeloze gang die zich omlaag wentelde in het onverlichte hart van de aarde.

'Kent iemand een lied?' vroeg Simon uiteindelijk. Zijn stem verheven tegen de klaaglijke wind klonk broos.

'Een lied?' Sludig plooide verbaasd zijn voorhoofd.

'Waarom niet? We zijn nog altijd ver van iedereen vandaan. In elk geval, jij bent een armslengte van mij vandaan en ik kan je nauwelijks horen door die verdomde wind. Een lied dus, ja!'

Hotvig en zijn Tritsingers boden niet aan om te zingen, maar ze schenen geen bezwaar te maken. Sludig trok een gezicht alsof het idee ongelooflijk dwaas was.

'Dan is het aan mij zeker?' Simon glimlachte. 'Aan mij. Jammer dat Simon Stalknecht niet hier is. Hij kent meer liederen en verhalen dan wie ook.' Hij vroeg zich even af wat er met Shem was gebeurd. Woonde hij nog steeds gelukkig in de grote stallen van de Hayholt? 'Ik zal een van zijn liederen voor jullie zingen. Een lied over Jack Mundwode.'

'Wie?' vroeg een van de Tritsingsmannen.
'Jack Mundwode. Een beroemde bandiet. Hij woonde in het woud Aldheorte.'
'Als hij ooit geleefd heeft,' schimpte Sludig.
'Als hij ooit geleefd heeft,' stemde Simon in. 'Dus zal ik een van de liederen over Mundwode zingen.' Hij sloeg zijn teugels weer om zijn handen, leunde vervolgens achterover in het zadel, terwijl hij probeerde zich het eerste couplet voor de geest te halen.

'Dappere Jack Mundwode,'

begon hij ten slotte, op de maat van het bonzende ritme van Thuisvinders gang,

'Zei: "Ik zal naar Erchester gaan,
ik hoor er is een meisje lief
dat daar woont.

Hruse is haar naam:
haar van zacht golvend goud
schouders bleek als wintersneeuw
Hruse, jong en mooi."

Jacks boeven zeiden hem:
"De stad is geen plaats voor jou.
Hun heer heeft gezworen je hoofd te nemen
en hij wacht daar."

Jack lachte toen slechts.
De schout kende hij al lang
menigmaal was Jack hem ontsnapt
op een haar na.

Jack kleedde zich duur,
zijde en verlovingsring,
zei tegen Osgal: "Jij bent de dienaar
die achter mijn stoel zal staan.

Hertog van Bloemen zal ik zijn,"
zei Jack "... een rijke edelman,
die met geschenken en met goud
naar de jaarmarkt kwam."'

Simon zong net luid genoeg om zijn stem boven de wind uit te laten komen. Het was een lang lied, met veel strofen.

Ze volgden Hotvigs fakkel door de heuvels terwijl Simon het verhaal vervolgde van hoe Jack Mundwode in vermomming in Erchester aankwam en Hruses vader, een baron die meende een rijke vrijer voor zijn dochter te hebben gevonden, inpalmde. Hoewel Simon af en toe moest ophouden om op adem te komen, of woorden in zijn herinnering terug te halen – Shem had hem het lied heel lang geleden geleerd – werd zijn stem zekerder terwijl ze voortgingen. Hij zong over hoe Jack de oplichter de mooie Hruse het hof maakte – oprecht, want hij was op het eerste gezicht verliefd op haar geworden – en naast de niets vermoedende schout aan het souper van de baron zat. Jack haalde de hebberige baron er zelfs toe over een magische rozestruik als Hruses bruidsschat te aanvaarden, een struik wiens prachtige bloemen elk een glanzend gouden Imperator bevatte en die, zo verzekerde de zogenaamde hertog van Bloemen Hruses vader en de schout, elk jaargetij nieuwe geldstukken zou dragen zo lang zijn wortels in de grond staken.

Pas toen Simon aan het einde van het lied kwam – hij was begonnen met de strofe waarin verhaald werd hoe een dronken opmerking van de bandiet Osgal Jacks vermomming bedierf en ertoe leidde dat de mannen van de schout hem gevangen namen – liet Hotvig zijn paard stilhouden en wuifde met zijn arm om stilte.

'Ik denk dat we heel dichtbij zijn.' De Tritsingsman wees. De heuvel glooide voor hen omlaag, en zelfs door de warrelende sneeuw was het duidelijk dat er open terrein voor hen lag.

Sludig kwam naar Simon toe rijden. De koude adem van de Rimmersman hing om zijn hoofd in de lucht. 'Beëindig het lied op de terugweg, jongen. Het is een goed verhaal.'

Simon knikte.

Hotvig rolde over zijn zadel omlaag op de grond, en doofde toen zijn fakkel in een hoop sneeuw. Hij klopte haar droog op zijn zadeldeken alvorens haar onder zijn riem te steken en zich met een verwachtingsvolle blik naar Simon toe te keren.

'Laten we dan gaan,' zei Simon. 'Maar voorzichtig nu we geen licht hebben.'

Zij gaven hun paarden de sporen. Voor zij de lange heuvel voor de helft waren afgedaald, zag Simon in de verte lichtjes, een spaarzame verzameling glanzende puntjes.

'Daar!' wees hij, en was meteen bezorgd omdat hij te luid gesproken had. Zijn hart bonsde. 'Is dat Fengbalds kamp?'

'Dat is wat er van Gadrinsett over is,' zei Sludig. 'Fengbalds kamp zal er vlakbij zijn.'

In het dal voor hen, waar de onzichtbare Stefflod met de eveneens onzichtbare Ymstrecca samenvloeide, brandden slechts hier en daar enkele vuren. Maar aan de rechterkant, bij wat Simon zeker meende dat de noordelijke oever van de Ymstrecca was, was een grotere concentratie van lichtjes over de verduisterde weiden verspreid, een groot aantal vurige punten gerangschikt in ruwe cirkels.

'Je hebt gelijk.' Simon keek. 'Dat daar zal de Erkynwacht zijn. Fengbald zit waarschijnlijk in het midden van die kring van tenten. Zou het niet aardig zijn om een pijl door zijn deken te schieten?'

Hotvig kwam wat dichterbij rijden. 'Hij is daar, ja. En ik zou hem graag zelf willen doden, alleen maar om hem te laten boeten voor de dingen die hij tijdens onze laatste ontmoeting over de Hengstenclan zei. Maar wij hebben vanavond andere dingen te doen.'

Simon knikte, peinzend. 'Ja. Dus we tellen nu de vuren, rijden dan dichterbij en zoeken dan uit of iedere tent er een heeft of elk dozijn.'

'Niet te dichtbij,' waarschuwde Sludig. 'Ik houd evenveel van vechten als welke godvrezende man ook, maar ik houd van een iets betere kans.'

'Je bent heel wijs,' zei Simon met een glimlach. 'Je zou Binabik als leerling moeten aannemen.'

Sludig snoof.

Na de kleine vuurpunten te hebben geteld, reden ze de heuvel af.

'We hebben geluk,' zei Hotvig rustig. 'Ik denk dat de schildwachten van de steenbewoners vanavond dicht bij hun kampvuren zullen staan, uit de wind blijvend.'

Simon rilde, zich iets dichter naar Thuisvinders nek toe buigend. 'Niet alle steenbewoners zijn zo slim.'

Toen ze omlaag kwamen op de besneeuwde weiden, voelde Simon zijn hart weer snel kloppen. Ondanks zijn angst, had het iets bedwelmends en opwindends om zo dicht bij de vijand te zijn, stil door de duisternis te bewegen op een nauwelijks grotere afstand dan de vlucht van een pijl van gewapende mannen verwijderd. Hij voelde zich heel erg levend, alsof de wind recht door zijn mantel en hemd woei en zijn vlees aan het tintelen maakte. Tegelijkertijd was hij er half van overtuigd dat Fengbalds troepen zijn kleine compagnie al in de gaten hadden gekregen, dat de hele Erkynwacht op ditzelfde ogenblik met getrokken bogen op de loer lag, hun ogen glinsterend in de diepe duisternis tussen de beschaduwde tenten.

Ze beschreven traag een cirkel om Fengbalds kamp heen, proberend van de beschutting van het ene groepje bomen naar het andere te gaan, maar bomen waren onbehaaglijk schaars aan de rand van de graslanden. Pas toen ze dicht bij de kant van de rivier en het meest westelijke eind van het kamp kwamen, voelden ze zich een tijdje beschermd tegen starende ogen.

'Als er hier minder dan duizend soldaten zijn, ben ik een Hyrka,' zei Sludig.

'Er zijn Tritsingsmannen in dat kamp,' zei Hotvig. 'Mannen-van-geen-clan van het Tritsingmeer, voor zover ik weet.'

'Hoe kun je dat weten?' vroeg Simon. Vanaf deze afstand vertoonden de tenten geen tekens of kenmerken – vele van hen waren weinig meer dan schuilplaatsen van doek met staken aan de grond bevestigd en daarna aan struiken of rechtopstaande stenen vastgemaakt – en geen van de bewoners van de rand van het kamp was in zulk bar weer buiten.

'Luister.' Hotvig hield een hand achter zijn oor. Zijn met littekens bedekte gezicht stond ernstig.

Simon hield zijn adem in en luisterde. Het lied van de wind ging boven alles uit, en overstemde zelfs het geluid van de mannen die naast hem reden. 'Waarnaar luisteren?'

'Luister aandachtiger,' zei Hotvig. 'Het zijn de tuigen.' Naast hem knikte een van zijn stamgenoten ernstig met zijn hoofd.

Simon spande zich in om te horen wat de graslander hoorde. Hij meende een vaag gerinkel te kunnen onderscheiden. 'Dat?' vroeg hij.

Hotvig glimlachte, waardoor de spleet tussen zijn tanden zichtbaar werd. Hij wist dat het een indrukwekkende prestatie was. 'Die paarden dragen Meerlandse tuigen, dat weet ik zeker.'

'Kun je aan het geluid horen wat voor tuigen ze dragen?' Simon was verbaasd. Hadden deze weidemensen oren als konijnen?

'Onze breidels verschillen evenveel als de veren van vogels,' zei een van de andere Tritsingsmannen. 'Tuigen uit Meerland, Weide en Hoge Tritsingen verschillen voor onze oren alle evenzeer als jouw stem van die van de noorderling verschilt, jonge leenheer.'

'Hoe zouden we anders 's nachts van een afstand onze eigen paarden kunnen onderscheiden?' Hotvig fronste. 'Bij de Viervoeters, hoe beletten jullie steenbewoners je buren om van je te stelen?'

Simon schudde zijn hoofd. 'Dus we weten waar Fengbalds huurlingen vandaan komen. Maar kun je ook zeggen hoeveel van de mannen daar beneden Tritsingers zijn?'

'Naar hun tenten te oordelen, schat ik dat meer dan de helft van deze troepen stamlozen zijn,' antwoordde Hotvig.

Simons uitdrukking werd grimmig. 'En goede vechtjassen, wed ik.'

Hotvig knikte. De stand van zijn kaak vertoonde duidelijk een spoor van trots. 'Alle graslanders kunnen vechten. Maar degenen zonder stam zijn het...' hij zocht naar een woord, '... het felst.'

'En de Erkynwacht is niet zachtaardiger.' Sludigs stem klonk zuur, maar zijn ogen vertoonden een flauwe roofzuchtige schittering. 'Het zal een sterk en bloedig gevecht zijn wanneer staal en staal elkaar ontmoeten.'

'Tijd om terug te gaan.' Simon keek uit over de strook van donkere leegte die de Ymstrecca was. 'Tot dusver hebben we geluk gehad.'

Het kleine gezelschap reed terug over de open ruimten. Simon voelde weer hun kwetsbaarheid, de nabijheid van duizend vijanden, en dankte de hemel dat het stormachtige weer hen in staat had gesteld het kamp dicht te naderen zonder hun paarden achter te hoeven laten. Het idee om te voet te moeten vluchten als ze door bereden schildwachten waren ontdekt – en dan ook nog door wind en sneeuw te moeten vluchten – was ontmoedigend.

Ze bereikten de beschutting van een bosje met door de wind ontbladerde vlierbomen die eenzaam op de helling van de laagst gelegen heuvels stonden. Toen Simon omkeerde om nog eens te kijken naar de weinige lichtjes die de rand van Fengbalds stille kamp markeerden, begon de woede die door zijn opwinding verborgen was geweest, plotseling in hem op te wellen – een koude furie bij de gedachte aan al die soldaten die veilig in hun tenten lagen, als rupsen die zich hadden volgevreten aan de bladeren van een prachtige tuin en nu veilig in hun cocons lagen opgerold. Dit waren de plunderaars, de Erkynwachten, die gekomen waren om Morgenes te arresteren, die hadden geprobeerd Jozua's kasteel in Naglimund te verwoesten. Onder Fengbald hadden ze de hele stad Falshire verpletterd, even achteloos als een kind een mierenhoop omver zou schoppen. En wat voor Simon het belangrijkste was, zij hadden hem van zijn thuis verdreven, en nu zouden ze proberen hem ook van de Sesuad'ra te verdrijven.

'Wie van jullie heeft een boog?' vroeg hij ineens.

Een van de Tritsingers keek verbaasd op. 'Ik.'

'Geef hem aan mij. Ja, en ook een pijl.' Simon nam de boog en hing die over zijn zadelknop, nog steeds naar de donkere vormen van de bijeenstaande tenten kijkend. 'Geef mij nu die fakkel, Hotvig.'

De Tritsinger keek hem een ogenblik aan, trok toen de onaangestoken fakkel uit zijn riem en gaf die aan hem. 'Wat ben je van plan?' vroeg hij rustig. Zijn uitdrukking verried alleen maar kalme belangstelling.

Simon gaf geen antwoord. In plaats daarvan, terwijl zijn concentratie op andere zaken hem een ogenblik van zelfbewustzijn bevrijdde, sprong hij met verbazend gemak uit het zadel. Hij pelde de pekachtige doek van het einde van de fakkel en wikkelde die om de punt van de pijl, die stevig vastbindend met het stuk leren riem dat zijn Qanucse schede tegen zijn dijbeen had gehouden. Knielend, door Thuisvinders massa tegen de wind beschut, haalde hij zijn vuurstenen en stuk ijzer te voorschijn.

'Kom, Simon.' Sludig klonk half bezorgd, half boos. 'We hebben datgene gedaan waarvoor we gekomen zijn. Wat voer je in je schild?'

Simon negeerde hem, tegen het ijzer slaand tot er zich een vonk nestelde in de kleverige vouwen van de doek die om de pijlpunt was gewonden. Hij blies erop tot de vlam pakte, deed toen zijn vuurstenen in zijn zakken en sprong weer met een zwaai in het zadel. 'Wacht op me,' zei hij en reed op Thuisvinder het groepje bomen uit, de helling af. Sludig wilde hem achterna gaan, maar Hotvig stak zijn hand uit en greep het tuig van het ros van de Rimmersman, hem tegenhoudend. Ze vervielen in een geanimeerde maar gefluisterde woordenwisseling.

Simon had sinds de verschrikkelijke, snelle strijd buiten Haethstad toen Ethelbearn was gedood, weinig kans gehad om met een boog te oefenen, en helemaal geen om van de rug van een paard te schieten. Toch, nauwkeurigheid of vaardigheid waren nu niet zo belangrijk als zijn verlangen om iets te doen, om Fengbald en zijn zelfverzekerde troepen een kleine boodschap te sturen. Hij zette de pijl op de boog terwijl hij de teugels nog vasthield, met zijn benen tegen het zadel drukkend, terwijl Thuisvinder over de ongelijkmatige sneeuw bonkte. De vlam woei terug langs de schacht van de pijl tot hij de hitte ervan op zijn knokkels kon voelen. Ten slotte, na omlaag te zijn geijld naar de bodem van de vallei, hield hij stil. Hij gebruikte zijn benen om Thuisvinder langzaam in een wijde cirkel te laten draaien, en trok toen de boogpees terug tot aan zijn oor. Zijn lippen bewogen, maar Simon wist zelf niet wat hij zei, zo volledig ging hij op in de bal van vuur die aan het eind van de schacht trilde. Hij haalde diep adem, en liet de pijl toen gaan.

Hij vloog weg, helder en snel als een verschietende ster en beschreef een boog door de nachtelijke hemel als een in bloed gedoopte vinger die over een zwarte doek wordt getrokken. Simon voelde zijn hart opspringen toen hij zijn grillige vlucht volgde, naar de wind keek die de vlam bijna uitdoofde die hem eerst naar deze kant, toen naar de andere droeg, en hem ten slotte tussen de dicht opeenstaande schaduwen van het kamp liet neerkomen. Enkele ogenblikken later steeg een kleurige bloesem van licht op toen een van de tenten vlam vatte. Simon keek er een ogenblik naar, terwijl zijn hart even snel klopte als dat van een vogel, draaide zich toen om en liet Thuisvinder terug de heuvel op rijden. Hij zei niets over de pijl toen hij de rest van zijn metgezellen inhaalde. Zelfs Sludig stelde hem geen vragen. In plaats daarvan sloot het kleine gezelschap zich rond Simon aan en samen reden ze snel door de verduisterde heuvels terwijl de wind kil in hun gezicht woei.

'Ik zou willen dat je ging liggen,' zei Jozua.

Vorzheva keek op. Ze zat op een kleedje naast het komfoor met de mantel die zij aan het herstellen was over haar schoot uitgespreid. Het jonge meisje uit Nieuw Gadrinsett dat haar hielp, keek ook op en sloeg toen haar ogen weer vlug neer naar haar verstelwerk.

'Gaan liggen?' zei Vorzheva, haar hoofd vragend schuin houdend. 'Waarom?'

Jozua hervatte zijn geijsbeer. 'Het... het zou beter zijn.'

Vorzheva streek met haar hand door haar zwarte haar terwijl ze hem van de ene wand van de tent naar de andere zag gaan, en toen weer terug, een afstand van hooguit tien ellen. De prins was zo lang dat hij alleen precies in het midden van de tent rechtop kon staan, wat zijn geijsbeer een vreemd, gebocheld aanzien gaf.

'Ik wil niet gaan liggen, Jozua,' zei ze ten slotte, nog steeds naar hem kijkend. 'Wat is er met je aan de hand?'

Hij bleef staan en boog zijn vingers. 'Het zou beter zijn voor het kind... en voor jou... als je ging liggen.'

Vorzheva staarde hem een ogenblik aan en lachte toen. 'Jozua, je bent dwaas... het kind komt niet voor het einde van de winter.'

'Ik maak me zorgen om jou, vrouwe,' zei hij klagend. 'Het bittere weer, het harde leven dat wij hier leiden.'

Zijn vrouw lachte opnieuw, maar deze keer klonk er iets van scherpte in haar stem. 'De vrouwen van de Hengstenclan, wij baren staande op de graslanden, daarna gaan wij weer aan ons werk. Wij zijn geen stads-vrouwen. Wat heb je toch, Jozua?'

De prins bloosde hevig. 'Waarom moet je het altijd met me oneens zijn?' vroeg hij. 'Ben ik niet je man? Ik vrees voor je gezondheid, en ik vind het niet prettig je laat op de avond zo ingespannen te zien werken.'

'Ik ben geen kind,' snauwde Vorzheva. 'Ik draag er alleen maar een. Waarom loop je heen en weer, heen en weer? Blijf staan en praat met me!'

'Ik probeer met je te praten, maar je maakt ruzie met me!'

'Omdat je mij vertelt wat ik moet doen, alsof ik een kind ben. Ik ben niet stom, ook al praat ik niet zoals jouw dames op het kasteel!'

'Aedonverdomme, ik heb nooit gezegd dat je stom was!' schreeuwde hij. Het ogenblik waarop de woorden zijn mond uit waren, hield hij op met zijn opgewonden geloop. Na een ogenblik naar de grond te hebben gestaard, sloeg hij zijn ogen op naar Vorzheva's jeugdige helpster. Het meisje was beschaamd ineen gedoken en deed haar best in de schadu-wen te verdwijnen. 'Jij,' zei hij. 'Zou je ons even alleen willen laten? Mijn vrouw en ik willen graag alleen zijn.'

'Ze helpt mij!' zei Vorzheva boos.

Jozua keek het meisje met zijn harde grijze ogen aan. 'Ga.'

De jonge vrouw sprong overeind en vluchtte door de tentflap naar buiten, haar verstelwerk op een hoop op de vloermatten achterlatend. De prins keek haar een ogenblik na en richtte zijn aandacht toen weer op Vorzheva. Hij scheen op het punt te staan iets te zeggen, hield toen op en draaide zich snel om naar de tentflap.

'Gezegende Elysia,' mompelde hij. Het was moeilijk uit te maken of het een bede of een vloek was. Hij liep naar de opening, en ging de tent uit.

'Waar ga je heen?' riep Vorzheva hem na.

Jozua loenste in de duisternis. Ten slotte zag hij een lichtere gedaante tegen een van de tenten niet ver weg. Hij liep ernaartoe, zijn vuist afwisselend ballend en ontspannend.

'Wacht!' Hij stak zijn hand uit om de schouder van de jonge vrouw aan te raken. Haar ogen verwijdden zich. Ze was ruggelings tegen de tent gaan staan; nu hief ze haar handen voor zich op alsof ze een klap wilde afweren. 'Vergeef me,' zei hij. 'Dat was niet aardig van me. Jij bent lief voor mijn vrouw geweest en ze vindt je aardig. Vergeef me alsjeblieft.'

'U vergeven, heer!' snoof ze. 'Ik? Ik ben niemand.'

Jozua huiverde. 'God meet iedere ziel met dezelfde maat. Ga nu alsjeblieft naar de tent van pater Strangyeard daarginds. Daar, je kunt het licht van zijn vuur zien. Het zal er warm zijn, en ik weet zeker dat hij je iets te eten en te drinken zal geven. Ik zal je komen halen wanneer mijn vrouw en ik zijn uitgesproken.' Een droevige, vermoeide glimlach besloop zijn magere gezicht. 'Een man en een vrouw moeten enige tijd alleen zijn, ook wanneer zij de prins en zijn vrouw zijn.'

Ze snoof opnieuw, probeerde toen een revérence te maken, maar werd zo stevig tegen het materiaal van de tent achteruit gedrukt dat ze geen buiging kon maken. 'Ja, prins Jozua.'

'Ga dan.' Jozua zag hoe ze zich over de besneeuwde grond naar de kring van Strangyeards vuur haastte. Hij zag de archivaris en iemand anders opstaan om haar te begroeten, draaide zich toen om en liep naar de tent terug.

Vorzheva keek hem aan toen hij binnenkwam, nieuwsgierigheid duidelijk met boosheid op haar gezicht vermengd. Hij vertelde haar wat hij had gedaan.

'Je bent de vreemdste man die ik ooit heb gekend.' Ze haalde diep, hortend adem, sloeg haar blik neer, loensend naar haar naaiwerk.

'Als de sterken de zwakken zonder schaamte kunnen overdonderen, hoe verschillen wij dan van de dieren van het bos en het veld?'

'Verschillen?' Ze meed zijn ogen nog steeds. 'Hoezo verschillen? Je broer jaagt ons na met soldaten. Mannen sterven, vrouwen sterven, kinderen sterven, allemaal voor weiland en namen en vlaggen. Wij zijn beesten, Jozua. Heb je dat niet gezien?' Ze keek weer naar hem op, vriendelijker deze keer, zoals een moeder naar haar kind kijkt dat de harde lessen van het leven niet heeft geleerd. Ze schudde haar hoofd en hervatte haar werkzaamheden.

De prins ging naar de matras en ging toen tussen de stapels kussens en dekens zitten. 'Kom bij me zitten.' Hij klopte op het bed naast hem. 'Het is hier warmer, dicht bij het vuur.' Vorzheva scheen op te gaan in haar naaiwerk.

'Het zou net zo warm zijn als wij hier samen zaten.'

Vorzheva zuchtte, legde toen haar naaiwerk neer, stond op, en liep naar het bed. Ze liet zich naast hem neervallen, en leunde achterover op de kussens. Samen keken zij omhoog naar het dak van de tent, dat inzakte onder zijn last van sneeuw.

'Het spijt me,' zei Jozua. 'Het was niet mijn bedoeling zo ongevoelig te zijn. Maar ik maak me zorgen. Ik vrees voor je gezondheid en voor de gezondheid van het kind.'

'Hoe komt het dat mannen denken dat ze dapper zijn en dat vrouwen zwak zijn? Vrouwen zien meer bloed en pijn dan mannen ooit doen, tenzij mannen vechten... en dat is dwaas bloed.' Vorzheva trok een gezicht. 'Vrouwen verzorgen de wonden die niet te genezen zijn.'

Jozua gaf geen antwoord. In plaats daarvan liet hij zijn arm om haar schouder glijden en liet zijn vingers in de donkere krullen van haar haren spelen.

'Je hoeft voor mij niet bang te zijn,' zei ze. 'Stamvrouwen zijn niet zwak. Ik zal niet huilen. Ik zal ons kind maken en het zal sterk en gezond zijn.'

Jozua zweeg nog een tijdje, toen haalde hij diep adem. 'Ik geef mezelf de schuld,' zei hij. 'Ik heb je geen kans gegeven om te begrijpen wat je deed.'

Ze draaide zich plotseling om en keek hem aan, haar gezicht van angst vertrekkend. Ze hief haar hand op, haalde zijn hand uit haar haar en hield die toen stevig vast. 'Wat zeg je?' vroeg ze. 'Vertel het mij.'

Hij aarzelde, naar woorden zoekend. 'Het is iets anders om de vrouw van een prins te zijn dan zijn maîtresse.'

Ze schoof vlug een eindje over het bed zodat ze in staat was zich om te draaien en hem kon aankijken. 'Wat zeg je? Dat jij een andere vrouw hierheen zou willen brengen om mijn plaats in te nemen? Ik zal jou en haar vermoorden, Jozua! Ik zweer het bij mijn stam!'

Hij lachte zacht, hoewel ze er op dat ogenblik uitzag alsof ze er volkomen toe in staat was haar dreiging ten uitvoer te brengen. 'Nee, dat bedoel ik niet. Allerminst.' Hij keek haar aan en zijn glimlach verflauwde. 'Alsjeblieft, mevrouw, denk nooit zoiets.' Hij reikte naar haar en greep nogmaals haar hand. 'Ik bedoelde alleen dat je als vrouw van de prins niet bent zoals andere vrouwen... en ons kind niet is als andere kinderen.'

'En?' De vrees bleef nog hangen. Ze was nog niet gesust.

'Ik kan niet toestaan dat er iets met jou of ons kind gebeurt. Als ik er niet meer ben, is het leven dat je in je draagt misschien nog de enige schakel met de wereld zoals die was.'

'Wat betekent dat?'

'Het betekent dat ons kind moet leven. Als wij falen – als Fengbald ons verslaat, of zelfs als wij deze slag overleven, maar ik sterf – dan zal ons kind ons eens moeten wreken.' Hij wreef zijn gezicht. 'Nee, dat bedoel ik niet. Dit is belangrijker dan wraak. Ons kind zou het laatste licht kunnen zijn in een eeuw van duisternis. Wij weten niet of Miriamele bij ons zal terugkomen, of zelfs of ze leeft. Als ze is omgekomen, dan zou de zoon van een prins – of mogelijk de dochter van een prins, in ieder geval een kleinkind van Prester John – de enige banier hooghouden die een oppositie tegen Elias en zijn goddeloze bondgenoot zou kunnen samenbrengen.'

Vorzheva was opgelucht. 'Ik heb je gezegd, wij Tritsingsvrouwen brengen sterke kinderen ter wereld. Je hoeft je geen zorgen te maken: ons kind zal leven en jou van trots vervullen. En wij zullen hier winnen, Jozua. Je bent sterker dan je denkt.' Ze ging dichter naar hem toe. 'Je maakt je te veel zorgen.'

Hij zuchtte. 'Ik bid dat je gelijk hebt. Usires en Zijn genade, is er iets ergers dan een heerser te zijn? Wat zou ik graag willen dat ik eenvoudig weg kon lopen.'

'Dat zou je niet doen. Mijn echtgenoot is geen lafaard.' Ze verhief zich om hem goed te bekijken, alsof hij een bedrieger zou kunnen zijn, en ontspande zich toen weer.

'Nee, je hebt gelijk. Het is mijn lot, mijn proef misschien... mijn eigen Boom. En iedere nagel is werkelijk scherp en koud. Maar zelfs de veroordeelde mag van vrijheid dromen.'

'Maar praat hier niet meer over,' zei ze tegen zijn schouder. 'Je zult ongeluk brengen.'

'Ik kan ophouden met spreken, mijn lief, maar ik kan mijn gedachten niet zo gemakkelijk het zwijgen opleggen.'

Zij duwde haar hoofd tegen hem aan als een jonge vogel die probeert uit zijn eierschaal te breken. 'Wees stil nu.'

Het ergste van de storm was voorbij, naar het zuiden trekkend. Hoewel de maan bewolkt en onzichtbaar was, gaf zij toch genoeg licht om de sneeuw zacht te doen glanzen, alsof het hele rivierdal tussen Gadrinsett en Sesuad'ra besprenkeld was met verpulverde diamanten.

Simon keek naar de sneeuwfontein die van de hoeven van Sludigs paard opspoot en vroeg zich af of hij nog lang genoeg te leven had om op dit jaar terug te kunnen kijken? Een ridder, natuurlijk, was al iets zo groots dat hij het zich slechts in zijn kinderlijkste dagdromen had verbeeld – maar wat deed een ridder? Hij vocht voor zijn leenheer in de oorlog, natuurlijk, maar Simon wilde niet aan oorlogen denken. Als het eens vrede werd, en als hij die zou meemaken – twee mogelijkheden die droevig ver verwijderd waren – wat voor soort leven zou hij dan hebben?

Wat deden ridders? Regeerden over hun lenen als ze land hadden. Dat was min of meer als wanneer je een boer was, nietwaar? Het scheen zeker niet groots, maar plotseling leek het idee om na een natte dag door de velden te hebben gelopen thuis te komen hoogst aantrekkelijk. Hij zou zijn mantel en laarzen uittrekken, zich in zijn pantoffels wurmen, en zich dan voor een groot laaiend vuur warmen. Iemand zou hem wijn brengen, en die met behulp van een hete pook verwarmen... maar wie? Een vrouw? Een echtgenote? Hij probeerde een geschikt gezicht uit de duisternis te toveren, maar dat lukte niet. Ook Miriamele zou, als ze haar erfenis verloor en erin toestemde met een gewone burger te trouwen, en in elk geval als ze Simon koos – met andere woorden, als rivieren heuvelopwaarts stroomden en vissen konden vliegen – Miriamele zou, voelde hij, niet het soort vrouw zijn dat thuis rustig zou zitten wachten tot haar man van de velden terugkwam. Om je haar op die manier voor te stellen, was bijna om aan een mooie vogel te denken wiens vleugels waren vastgebonden.

Maar als hij niet trouwde en een huishouden had, wat dan? De gedachte aan toernooien, die hoofdschotel van het voorjaars- en zomervermaak van de ridder die zijn opgewonden gedachten enige jaren lang had beziggehouden, maakte hem nu bijna onpasselijk. Dat gezonde mannen elkaar zonder reden verwondden, ogen, ledematen en zelfs hun leven verloren voor een spel terwijl de wereld al zo'n vreselijk en gevaarlijk oord was, maakte Simon woedend. 'Schijnoorlog' noemden sommigen het, alsof iedere sport, hoe gevaarlijk ook, de gruwelijkheid van de dingen die Simon had gezien, ook maar kon benaderen. Oorlog was als een zware storm of een aardbeving, iets vreselijks waarmee je niet lichtvaardig kon omspringen. Dat na te bootsen leek bijna godslasterlijk. Oefenen voor het steekspel en zwaardvechten was iets dat je deed om in leven te blijven als je door oorlog werd overvallen. Wanneer dit allemaal voorbij was – àls het ooit voorbij zou zijn – wilde Simon zo ver mogelijk van oorlog, schijn of anderszins, verwijderd blijven.

Maar je zocht niet altijd oorlog, pijn en verschrikking op; de dood hoefde je niet op te zoeken. Dus moest een ridder dan niet altijd klaarstaan om zijn plicht te doen, zichzelf en anderen verdedigend? Dat zei heer

Deornoth, en Deornoth scheen Simon niet iemand toe die onnodig of blijmoedig vocht. En wat had doctor Morgenes eens over de grote Camaris gezegd? Dat hij zijn grote hoorn niet stak om hulp te krijgen of zichzelf vermaard te maken, maar om zijn vijanden te laten weten dat hij eraan kwam zodat ze veilig konden ontkomen. Morgenes had keer op keer in zijn boek geschreven dat Camaris geen genoegen schepte in de strijd, dat zijn machtige vaardigheden alleen maar een last waren, aangezien ze aanvallers aantrokken en hem dwongen te doden terwijl hij dat niet wilde. Dat was een paradox. Hoe bedreven je ook was, iemand zou je altijd op de proef willen stellen. Dus was het beter om je op de oorlog voor te bereiden dan om die te vermijden?

Een klomp sneeuw viel van een tak en vermeed, alsof hij leven bezat, zijn zware sjaal en gleed gladweg achter langs zijn nek. Simon uitte een gedempte piep van ontzetting, keek toen vlug rond in de hoop dat geen van de anderen hem zo'n weinig mannelijk geluid had horen maken. Niemand keek naar hem; de aandacht van al zijn metgezellen scheen gericht op de zilvergrijze heuvels en piekerige, beschaduwde bomen.

Dus wat was beter? Om de oorlog te ontvluchten, of te proberen je zo sterk te maken dat niemand je pijn kon doen? Morgenes had hem verteld dat dergelijke problemen het wezen van het koningschap vormden, het soort vraag dat goedhartige vorsten 's nachts uit de slaap hield wanneer al hun onderdanen sliepen. Toen Simon had geklaagd over zo'n vaag antwoord, had de doctor droef geglimlacht.

'*Dat antwoord is stellig onbevredigend, Simon,*' had de oude man gezegd. '*Als er juiste antwoorden waren, zou de wereld ordelijk zijn als een kathedraal – platte steen op platte steen, zuivere hoek aansluitend op zuivere hoek – en alles even solide en onbeweeglijk als de muren van de Sint-Sutrin.*' Hij had zijn bierkroes in een soort saluut schuin gehouden. '*Maar zou er in zo'n wereld liefde bestaan, Simon? Schoonheid of charme, zonder lelijkheid om ze mee te vergelijken? Wat voor plaats zou een wereld zonder verrassingen zijn?*' De oude man had een lange teug genomen, zijn mond afgeveegd, en was toen op een ander onderwerp overgegaan. Simon had niet meer gedacht aan wat de doctor weer had gezegd... tot op dit ogenblik.

'Sludig.' Simons stem was schrikwekkend luid toen die de lange stilte verbrak.

'Wat?' Sludig draaide zich rond in het zadel om achterom te kijken.

'Zou jij liever in een wereld zonder verrassingen leven? Ik bedoel zowel zonder goede als slechte?'

De Rimmersman keek hem een ogenblik boos aan. 'Spreek geen onzin,' bromde hij, draaide zich toen om, zijn knieën gebruikend om het paard om een grote kei heen te laten lopen die zich kaal tegen de witte sneeuwhopen aftekende.

Simon haalde de schouders op. Hotvig, die ook achterom had gekeken, staarde een ogenblik gespannen, draaide zich toen weer vlug om.

De gedachte wilde echter niet helemaal weggaan. Terwijl Thuisvinder onder hem voortploeterde, herinnerde Simon zich een fragment van een recente droom — een grasveld waarvan de kleur zo effen was dat het geschilderd had kunnen zijn, een hemel even koud en onveranderlijk als een stuk aardewerk, het hele landschap eeuwig en doods als steen.

Ik zal voor de verrassing kiezen, besloot Simon. *Zelfs met de slechte inbegrepen.*

Ze hoorden de muziek eerst, een iele, fluitende melodie die zich door het geluid van de wind heen vlocht. Toen ze van de helling van de heuvel in het komvormige dal om de Sesuad'ra kwamen, zagen ze een klein vuur branden aan de rand van het grote zwarte bergmeer dat de heuvel omringde. Een kleine ronde gedaante verhief zich naast het vuur, gehuld in schaduw, afgetekend door vlammen, toen hij zijn benen fluit liet zakken.

'We hoorden je spelen,' zei Simon. 'Ben je niet bang dat iemand anders je ook zou kunnen horen? Een onvriendelijk iemand?'

'Ik heb voldoende bescherming.' Binabik glimlachte heel even. 'Dus je bent terug.' Hij klonk bestudeerd kalm, alsof zich zorgen maken absoluut het laatste was wat hij had gedaan. 'Zijn jullie allen in orde?'

'Ja, Binabik, wij maken het goed. Alle schildwachten van Fengbald zijn dicht bij hun vuren gebleven.'

'Zoals ik zelf heb gedaan,' zei de trol. 'De platbodems zijn daar waar ik wijs. Zou je willen rusten en je verwarmen, of moeten we nu de heuvel opgaan?'

'We moeten waarschijnlijk Jozua het nieuws zo gauw mogelijk vertellen,' besliste Simon. 'Fengbald heeft een kleine duizend man, en Hotvig zegt dat bijna de helft van hen huurlingen uit de Tritsingen zijn.' Hij werd afgeleid door een figuur die zich langs de beschaduwde oever bewoog. Toen die voor een hoge sneeuwhoop langs ging, zag hij dat het Qantaqa was die als een druppel kwikzilver langs de rand van het water glipte. De wolf draaide zich om om naar hem te kijken, waarbij haar ogen het licht van het vuur weerkaatsten, en Simon knikte. Ja, Binabik werd inderdaad beschermd: niemand zou Qantaqa's meester besluipen zonder eerst met haar te moeten afrekenen.

'Dat is niet echt goed nieuws, maar ik denk dat het minder goed zou kunnen zijn,' zei Binabik terwijl hij de onderdelen van zijn wandelstok verzamelde. 'De Hoge Koning had al zijn strijdkrachten tegen ons kunnen inzetten, zoals hij bij Naglimund deed.' Hij zuchtte. 'Toch, duizend soldaten is geen troostrijke gedachte.' De trol stak de in elkaar gezette stok tussen zijn riem en nam de teugels van Thuisvinder. 'Jozua is gaan slapen, maar ik denk dat je er verstandig aan doet wanneer je zegt dat je meteen naar boven gaat. Het is beter dat we allen naar de veiligheid van de Steen gaan. Ook al zijn de legers van de koning nog ver weg, dit is een wild oord, en ik denk dat de storm wel eens met vreemde dingen in de nacht kan komen.'

Simon rilde. 'Laten we ons dan uit de kou van de nacht naar een warme tent begeven.'

Ze volgden Binabiks korte passen omlaag naar de rand van het meer. Het scheen een vreemde glans te hebben.

'Waarom ziet het water er zo vreemd uit?' vroeg Simon.

Binabik trok een gezicht. 'Dat is mijn nieuws, het spijt me het te moeten zeggen. Ik vrees dat die laatste storm meer ongeluk heeft gebracht dan we hadden vermoed. Onze slotgracht, zoals jullie kasteelbewoners zouden zeggen, is bevroren.'

Sludig, die vlakbij stond, vloekte overdadig. 'Maar het meer is onze beste afweer tegen de troepen van de koning!'

De kleine man haalde de schouders op. 'Het is nog niet helemaal bevroren, anders zouden er vreselijke moeilijkheden zijn om onze boten naar de andere kant te krijgen. Misschien valt de dooi in, en dan zal het water weer een schild voor ons zijn.' De blik op zijn gezicht, die door Sludig werd gedeeld, gaf te kennen dat dit niet erg waarschijnlijk was.

Twee grote platbodems wachtten aan de rand van het meer. 'Mensen en wolven moeten met deze gaan,' zei Binabik, gebarend. 'De andere zal de paarden nemen en één man om op ze te passen. Hoewel ik denk, Simon, dat jouw paard voldoende aan Qantaqa is gewend om de tocht in onze boot te verduren.'

'Ik ben degene om wie je je zorgen behoort te maken, trol,' gromde Sludig. 'Ik houd nog minder van boten dan van wolven, en ik houd niet veel meer van wolven dan de paarden.'

Binabik wuifde met een kleine afwijzende hand. 'Je maakt grapjes, Sludig. Qantaqa heeft haar leven aan jouw zijde vele keren geriskeerd, en dat weet je.'

'Dus nu moet ik het mijne weer op een van je rotboten riskeren,' klaagde de Rimmersman. Hij scheen een glimlach te onderdrukken. Simon verbaasde zich weer over de vreemde kameraadschap die tussen Binabik en de noorderling scheen te zijn ontstaan. 'Nou, goed dan,' zei Sludig, 'ik zal gaan. Maar als je over dat grote beest struikelt en in het water valt, ben ik de laatste die je achterna zal springen.'

'Trollen,' zei Binabik met grote waardigheid, 'vallen er niet in.'

De kleine man haalde een brandende tak uit de vlammen, doofde het kampvuur met een paar handenvol sneeuw, klauterde toen op de dichtstbijzijnde platbodem. 'Je fakkels zijn te fel,' zei hij. 'Doof ze. Laten we van deze nacht genieten, nu er eindelijk een paar sterren te zien zijn.' Hij stak de met hoorn afgeschermde lamp aan die vooraan het vaartuig hing, stapte toen behendig van het ene deinende dek op het andere en stak de kous op de andere boot eveneens aan. Het lamplicht, halvemaanvormig en sereen, verspreidde zich over het water toen Binabik zijn fakkel overboord gooide. Hij verdween met gesis en een oprisping van stoom. Simon en de anderen doofden hun eigen fakkels en volgden de trol aan boord.

Een van Hotvigs stamgenoten werd afgevaardigd om de paarden in de tweede schuit over te zetten maar de merrie Thuisvinder scheen, zoals Binabik had voorspeld, onverstoord door Qantaqa's aanwezigheid en werd dus geschikt bevonden om met de rest van het gezelschap mee te gaan. Zij stond op het achterdek van de voorste boot en keek achterom naar de andere paarden als een hertogin die een stel dronkaards bekijkt die onder haar balkon aan het zwelgen zijn. Qantaqa rolde zich op aan Binabiks voeten, de tong uit de bek hangend, en sloeg Sludig en Hotvig gade terwijl ze de eerste schuit het meer op boomden. Mist steeg overal in het rond op; in een ogenblik was het land achter hen verdwenen en dreven de twee boten door een onderwereld van mist en zwart water.

Op de meeste plaatsen was het ijs weinig meer dan een dun vlies op het water, broos als kandijsuiker. Toen de voorkant van de boot erdoor ging, kraakte en knetterde het ijs, een zacht maar enerverend geluid dat de haren in Simons nek rechtop deed staan. Boven hun hoofden had het voorbijtrekken van deze golf van de storm de hemel bijna helder achtergelaten; zoals Binabik had gezegd, er waren inderdaad enkele sterren te zien die in het duister knipperden.

'Kijk,' zei de trol zacht. 'Terwijl mensen zich op vechten voorbereiden, doet Sedda nog altijd haar werk. Ze heeft haar echtgenoot Kikkasut nog niet gevangen, maar ze geeft het niet op.'

Simon stond naast hem en keek omhoog in de diepe put van de hemel. Behalve het zachte getinkel van de bevroren korst van het water dat zich voor hen scheidde, en af en toe een gedempte bons wanneer ze tegen een groter stuk drijvend ijs aanvoeren, was het dal bovennatuurlijk stil.

'Wat is dat?' vroeg Sludig ineens. 'Daar.'

Simon boog zich om zijn blik te volgen. De met bont beklede arm van de Rimmersman wees over het water naar de donkere rand van het woud Aldheorte, dat als de buitenmuur van een kasteel boven de noordelijke oever van het meer stond.

'Ik kan niets zien,' fluisterde Simon.

'Het is nu weg,' zei Sludig fel, alsof Simon uit ongeloof in plaats van onvermogen had gesproken. 'Er waren lichten in het woud. Ik heb ze gezien.'

Binabik ging dichter naar de rand van de boot, de duisternis in turend. 'Dat is vlak bij waar de stad Enki-e-Shao'saye staat, of wat ervan over is.' Hotvig ging nu ook naar voren. De schuit schommelde zacht. Simon dacht dat het goed was dat Thuisvinder nog onbewogen op het achterdek stond, anders zou de ondiepe platbodem misschien gekapseisd zijn. 'In de spookstad?' Het met littekens bedekte gezicht van de Tritsingsman was plotseling kinderlijk in zijn angst. 'Zie je lichten daar?'

'Ja,' zei Sludig. 'Ik zweer bij het Bloed van Aedon dat ik ze zag. Maar nu zijn ze weg.'

'Hmmm.' Binabik keek verontrust. 'Misschien kaatsten onze eigen lampen op de een of andere manier terug van een spiegelende oppervlakte daar in de oude stad.'

'Nee.' Sludig hield voet bij stuk. 'Een was groter dan van onze lampen. Maar ze doofden zo snel!'

'Heksenlichten,' zei Hotvig macaber.

'Het is ook mogelijk,' opperde Binabik, 'dat je ze slechts een ogenblik door bomen of verwoeste gebouwen zag, en dat we daarna de plaats waar we ze konden zien voorbij waren.' Hij dacht een ogenblik na, wendde zich toen tot Simon. 'Jozua heeft jouw taak voor vanavond vastgesteld, Simon. Moeten we een eindje terugvaren om te zien of we die lichten in het woud kunnen terugvinden?'

Simon probeerde kalm te denken wat het beste was, maar hij wilde eigenlijk niet weten wat er aan de andere kant van het zwarte water was. Vanavond niet.

'Nee.' Hij probeerde zijn stem afgemeten en vast te laten klinken. 'Nee, we zullen niet gaan kijken. Niet nu we nieuws hebben dat Jozua nodig heeft. Veronderstel dat het een verkennerspatrouille van Fengbald is? Hoe minder ze van ons zien, des te beter.' Op die manier gezegd, klonk het nogal redelijk. Hij voelde een ogenblik van opluchting, maar dat werd snel gevolgd door schaamte dat hij deze mannen, die hun levens onder zijn bevel op het spel hadden gezet, valselijk probeerde te beïnvloeden. 'En ook,' zei hij, 'ben ik moe en verontrust, nee, ik ben bang. Dit is een zware avond geweest. Laten we Jozua gaan vertellen wat we hebben gezien, met inbegrip van die lichtjes in het woud. De prins behoort te besluiten.' Toen hij was uitgesproken, was hij zich plotseling bewust van een enorme tegenwoordigheid naast zijn schouder. Hij draaide zich vlug om, verschrikt, en zag zich gesteld tegenover de grote massa van de Sesuad'ra die uit het water naast hem opdoemde; hij was zo onverwacht door de mist verschenen dat hij op hetzelfde moment van onder de zwarte oppervlakte van het meer omhoog was opgedoken als een walvis die uit het water springt. Hij ging staan en keek er met open mond naar.

Binabik aaide Qantaqa's brede kop. 'Ik denk dat Simon verstandig spreekt. Prins Jozua behoort te beslissen wat er aan dit mysterie gedaan moet worden.'

'Ze waren er,' zei Sludig boos, maar schudde zijn hoofd alsof hij er nu niet meer zo zeker van was als eerst.

De platbodems voeren verder. De oever van het woud verdween opnieuw in de omhullende mist, als een droom die wijkt voor het licht en de geluiden van de ochtend.

Deornoth sloeg Simon gade toen die zijn verslag uitbracht, en zag dat hetgene wat hij zag hem beviel. De jonge man zag rood van de opwinding over zijn nieuwe verantwoordelijkheden, en het grijze ochtendlicht werd weerspiegeld in ogen die misschien een beetje te helder waren voor de ernst van de dingen die werden besproken – namelijk Fengbalds leger en zijn overweldigende superioriteit in mankracht, uitrusting en ervaring – maar Deornoth merkte met genoegen op dat de jongeling zijn verklaringen niet afraffelde, geen overhaaste conclusies trok, en zorgvuldig nadacht alvorens elk van prins Jozua's vragen te beantwoorden. Deze nieuwbakken ridder had veel gezien en gehoord in zijn korte leven, scheen het, en had opgelet. Toen Simon hun avontuur vertelde en Sludig en Hotvig knikkend met de conclusies van de jongeman instemden, merkte Deornoth dat hij ook knikte. Hoewel Simons baard nog het donzige aanzien had van de jeugd, zag Deornoths ervaren oog er de belofte van een prachtige man in. Hij vermoedde dat de jongen eens iemand zou worden die andere mensen tot hun voordeel zouden volgen.

Jozua hield zijn beraad voor zijn tent, waar een laaiend vuur de ochtendkilte op een afstand hield, en die als het middelpunt voor hun beraadslagingen diende. Terwijl de prins vroeg en sondeerde, schraapte Freosel, de gezette schout van Nieuw Gadrinsett zijn keel om Jozua's aandacht te trekken.

'Ja, Freosel?'

'Het valt mij op, sire, dat alle dingen die uw ridder hier zei dat hij heeft gezien, overeenstemmen met wat de burgemeester ons heeft verteld.'

Simon wendde zich tot de man uit Falshire. 'Burgemeester? Wie is dat?'

'Helfgrim, die eens burgemeester van Gadrinsett was,' legde Jozua uit. 'Hij kwam naar ons toe vlak nadat u en de anderen wegreden. Hij is uit Fengbalds kamp ontsnapt en hiernaartoe gekomen. Hij is ziekelijk en ik heb hem naar bed gestuurd, anders zou hij op dit ogenblik bij ons zijn. Hij had een lange koude reis te voet, en Fengbalds mannen hadden hem slecht behandeld.'

'Zoals ik zei, hoogheid,' hervatte Freosel, beleefd maar vastberaden, 'wat heer Seoman hier zegt, bevestigt Helfgrims woorden. Dus wanneer Helfgrim zegt dat hij weet hoe Fengbald zal aanvallen, en waar en wanneer...' de jongeman haalde zijn schouders op, 'welnu, het komt me voor dat we moeten oppassen. Het zou een weldaad voor ons zijn, want we hebben weinig om mee te werken.'

'Ik begrijp wat je bedoelt, Freosel. Je zei dat de burgemeester een man is die je kunt vertrouwen, en jij die ook uit Falshire komt, kent hem het best.' Jozua keek de kring rond. 'Wat vinden jullie allen ervan? Geloë?'

De tovenares keek vlug op, verbaasd. Ze had in de veranderende oranje diepten van het vuur zitten staren. 'Ik beweer niet dat ik een oorlogsstrateeg ben, Jozua.'

'Dat weet ik, maar je hebt een scherp oordeel over mensen. Hoeveel gewicht kunnen we aan de woorden van de oude burgemeester toekennen? We hebben te weinig strijdkrachten... we kunnen niets missen voor een riskante zaak.'

Geloë dacht een ogenblik na. 'Ik heb alleen maar heel even met hem gesproken, Jozua, maar ik wil dit zeggen: er is een duisternis in zijn ogen die mij niet bevalt, een schaduw. Ik raad je aan om heel voorzichtig te zijn.'

'Een schaduw?' Jozua keek haar gespannen aan. 'Zou het een teken van zijn lijden kunnen zijn, of zeg je dat je verraad in hem ziet?'

De bosvrouw schudde haar hoofd. 'Nee, ik zou niet zo ver gaan om iets over verraad te zeggen. Het zou zeker pijn kunnen zijn. Of misschien is hij in de war door een hardvochtige behandeling, en is datgene dat ik in hem zie een geest die zich voor zichzelf verschuilt, zich verschuilend achter de verbeelding dat hij weet wat de groten denken en doen. Maar wees voorzichtig, Jozua.'

Deornoth ging meer rechtop zitten. 'Geloë is wijs, sire,' zei hij vlug, '... maar we moeten niet de fout begaan zo voorzichtig te zijn dat we geen gebruik maken van wat ons zou kunnen redden.'

Terwijl hij sprak, vroeg Deornoth zich af of hij zo ongerust was dat de tovenares zijn meester ertoe zou overhalen niets te doen, dat hij de mogelijke waarheid van wat zij zei negeerde. Toch was het belangrijk in deze laatste dagen om Jozua vastbesloten te houden. Als de prins stoutmoedig en doortastend was, zou dat vele kleine fouten overwinnen – dat was, naar Deornoths ervaring, zoals het in de oorlog ging. Als Jozua wankelde en te lang aarzelde, wat deze zaak of andere betrof, zou het misschien de weinige strijdlust die Nieuw Gadrinsetts leger van overlevenden nog over had kunnen wegnemen.

'Ik geloof dat wij grote aandacht moeten schenken aan wat Helfgrim de burgemeester te bieden heeft,' verklaarde hij.

Hotvig zei dat hij Deornoth steunde, en Freosel was het er duidelijk al mee eens. De anderen hielden hun mond, hoewel Deornoth onwillekeurig opmerkte dat Binabik de trol een ongeruste blik op zijn ronde gezicht had toen hij met een stok het vuur opporde. De kleine man hechtte te veel belang aan Geloë en haar magische attributen, meende Deornoth. Maar dit was anders. Dit was oorlog.

'Ik denk dat ik vanavond een gesprek met de burgemeester zal hebben,' zei Jozua ten slotte. 'Dat wil zeggen, als hij sterk genoeg is. Zoals je zegt, Deornoth, we kunnen het ons niet veroorloven te trots te zijn om hulp te aanvaarden. Wij hebben die nodig, en God verschaft, zoals men zegt, wat Zijn kinderen nodig hebben als ze op Hem vertrouwen. Maar ik zal je woorden niet vergeten, Geloë. Dat zou ook neerkomen op het weggooien van waardevolle gaven.'

'Vergiffenis, prins Jozua,' zei Freosel. 'Als u hiemee klaar bent, zijn er andere dingen waarover ik moet spreken.'

'Natuurlijk.'

'We hebben meer problemen dan alleen maar ons gereed te maken om te vechten,' zei de man uit Falshire. 'U weet dat voedsel vreselijk schaars is. Wij hebben de rivieren bevist tot ze bijna leeg waren, maar nu het ijs is gekomen, kunnen we dat nauwelijks nog doen. Iedere dag trekken jagers er verder op uit en komen met minder terug. Deze vrouw,' hij knikte naar Geloë, 'heeft ons geholpen planten en vruchten te vinden waarvan we niet wisten dat ze eetbaar waren, maar dat helpt alleen maar voorraden aan te vullen die heel klein zijn geworden.' Hij hield op en slikte, bang om zo brutaal te zijn, maar vastbesloten te zeggen waar het op stond. 'Ook al winnen we hier en slaan we het beleg af...' bij dat woord voelde Deornoth een bijna onmerkbare huivering door de kring heen gaan, '... zullen wij niet kunnen blijven. Niet genoeg eten om de winter mee door te komen, daar komt het op neer.'

Zijn onopgesmukte verklaring dompelde de geïmproviseerde vergadering in stilzwijgen.

'Wat jij zegt is niet echt een verrassing,' zei Jozua ten slotte. 'Geloof me, ik weet dat onze mensen honger hebben. Ik hoop dat de kolonisten van Nieuw Gadrinsett zich ervan bewust zijn dat jij en ik en deze anderen niet beter eten dan zij.'

Freosel knikte. 'Dat weten ze, hoogheid, en dat heeft ergere moeilijkheden dan gemopper en klagen tegengehouden. Maar als mensen honger lijden, zal het hen niet kunnen schelen dat u ook honger lijdt. Ze zullen vertrekken. Sommigen zijn al weggegaan.'

'Lieve hemel!' zei Strangyeard. 'Maar waar kunnen zij naartoe? O, die arme schepselen!'

'Dat hindert niet.' Freosel schudde zijn hoofd. 'Terug om langs de randen van Fengbalds leger om restjes te bedelen, of terug over de vlakten naar Erkynland. Slechts een paar zijn vertrokken. Tot dusver.'

'Als we winnen,' zei Jozua, 'zullen we verder trekken. Dat was mijn plan, en dit bewijst alleen maar dat ik gelijk had. Als de wind in ons voordeel draait, zouden we dwaas zijn niet te bewegen terwijl wij hem in de rug hebben.' Hij schudde zijn hoofd. 'Altijd meer moeilijkheden. Angst en pijn, dood en honger... wat heeft mijn broer veel om zich voor te verantwoorden!'

'Het is niet alleen hij, prins Jozua,' zei Simon, zijn gezicht strak van boosheid. 'De koning heeft deze storm niet gemaakt.'

'Nee, Simon, je hebt gelijk. Wij kunnen het ons niet veroorloven de bondgenoten van mijn broer te vergeten.' Jozua scheen ergens aan te denken, want hij wendde zich tot de jonge ridder. 'En nu ik eraan herinnerd ben. Jij zei dat er gisteravond lichten te zien waren op de noordoostelijke oever.'

Simon knikte. 'Sludig zag ze, maar wij zijn er zeker van dat ze er waren,' voegde hij er haastig aan toe, en wierp toen een blik in de richting van de Rimmersman, die aandachtig luisterde. 'Ik dacht dat het 't beste was het u te vertellen alvorens iets te doen.'

'Dit is een raadsel te meer. Het zou een list van Fengbald kunnen zijn, veronderstel ik, een poging om ons te overvleugelen. Maar het is niet erg zinnig.'

'Vooral nu zijn hoofdleger nog zo ver weg is,' zei Deornoth. In elk geval leek het niet erg op Fengbalds methode, dacht hij. De hertog van Falshire was nooit erg subtiel geweest.

'Het schijnt mij toe, Simon, dat het jouw vrienden de Sithi zouden kunnen zijn die zich bij ons komen aansluiten. Dat zou een gelukkig toeval zijn.' Jozua trok een wenkbrauw op. 'Ik meen dat je onlangs een gesprek met je prins Jiriki hebt gehad?'

Het amuseerde Deornoth om te zien hoe de wangen van de jongeman vuurrood werden. 'Ik... inderdaad, hoogheid,' mompelde Simon. 'Ik had dat niet moeten doen.'

'Daar gaat het niet om,' zei Jozua droog. 'Je misdrijven, als je die zo kunt noemen, zijn niet voor deze vergadering bestemd. Ik wil liever weten of je denkt dat zij het zijn.'

'Het elfenvolk?' flapte Freosel eruit. 'Deze knaap praat met het elfenvolk?'

Simon boog verlegen zijn hoofd. 'Jiriki scheen te zeggen dat het lang zou kunnen duren voor hij zich bij ons kon aansluiten, zo hij dat al kon.

Ook – en ik kan dit niet bewijzen, hoogheid, het is maar een gevoel – ik denk dat hij het me op de een of andere manier zou laten weten als hij ons hulp kwam brengen. Jiriki weet hoe ongeduldig wij stervelingen zijn.' Hij glimlachte droevig. 'Hij weet hoeveel moed het ons zou geven als we wisten dat hij kwam.'

'Genadige Aedon en Zijn moeder.' Freosel was nog steeds verbijsterd. 'Elfen!'

Jozua knikte nadenkend. 'Zo. Welnu, als de lieden die die lichten maken geen vrienden zijn, zijn het hoogstwaarschijnlijk vijanden – hoewel, nu ik erover nadenk, misschien hebben jullie de kampvuren gezien van sommigen van de lieden waar Freosel het over had, degenen die uit Sesuad'ra zijn weggegaan.' Hij fronste. 'Ik zal hier ook over nadenken. Misschien zullen we morgen een groep verkenners sturen. Ik wil niet onkundig blijven van wie ons kleine hoekje van Osten Ard met ons deelt.' Hij stond op, as van zijn broek vegend, en stak de stomp van zijn rechterpols in zijn mantel. 'Dat is alles. Ik laat jullie gaan om de schaarse proviand voor jullie ontbijt te zoeken.'

De prins draaide zich om en liep zijn tent binnen. Deornoth keek hem na, draaide zich toen om en keek naar de rand van de grote heuvel waar de staande stenen tegen een grijze mist opdoemden, alsof de Sesuad'ra in een zee van niets dreef. Hij fronste bij die gedachte en ging dichter naar het vuur toe.

In de droom stond doctor Morgenes voor Simon, gekleed als voor een lange reis, een reismantel dragend met een kap met kwastjes en brandvlekken die de rand ervan hadden geblakerd, alsof de eigenaar ervan door vlammen had gereden. Weinig van het gezicht van de oude man was zichtbaar in de verduisterde diepten van de kap – een glinstering van zijn bril, de witte flits van zijn baard, maar verder was het gezicht van de doctor slechts suggestie en schaduw. Achter Morgenes lag geen vertrouwd uitzicht, maar alleen een wervelend stuk parelend niets als het oog van een sneeuwstorm.

'Het is niet genoeg om uitsluitend terug te vechten, Simon,' zei de stem van de doctor, '... ook al vecht je alleen maar om in leven te blijven. Er moet meer zijn.'

'Meer?' Zo verrukt als hij was om deze droom-Morgenes te zien, wist Simon op de een of andere manier dat hij slechts ogenblikken had om te begrijpen wat de oude man tegen hem zei. Kostbare tijd vergleed. 'Wat betekent dat, "meer"?'

'Het betekent dat je ergens voor moet vechten. Anders ben je niet meer dan een vogelverschrikker in een tarweveld – je kunt de kraaien afschrikken, je kunt ze zelfs doden, maar je zult ze nooit veroveren. Je kunt niet alle kraaien in de wereld stenigen.'

'Kraaien doden? Wat bedoel je?'

'Haat is niet genoeg, Simon... het is nooit genoeg.' De oude man stond op het punt meer te zeggen, maar de witte ledigheid achter hem werd ineens doorsneden door een grote streep verticale schaduw die uit het niets zelf scheen te ontstaan. Hoewel onstoffelijk, leek de schaduw toch drukkend zwaar – een dikke zuil van duisternis die een toren, of een boom of de rechtopstaande rand van een naderend wiel had kunnen zijn; hij doorsneed de leegte achter de figuur van de doctor even keurig als een heraldisch blazoen.

'Morgenes!' riep Simon, maar in deze droom was zijn stem plotseling zwak, bijna verstikt door de zwaarte van de lange schaduw. 'Doctor! Ga niet weg!'

'Ik heb een hele tijd geleden weg moeten gaan,' riep de oude man, wiens stem ook zwak was. 'Jij hebt het werk zonder mij gedaan. En vergeet niet – de valse boodschapper!' De stem van de doctor ging plotseling omhoog in toonhoogte tot hij een fluitende gil werd. 'Vals!' riep hij. 'Valsss!'

Zijn met een kap bedekte gedaante begon te verschrompelen en te krimpen, de mantel waanzinnig fladderend. Ten slotte was de oude man verdwenen; waar hij had gestaan, wiekte een kleine zilveren vogel met zijn vleugels. Plotseling schoot hij omhoog in de ledigheid, eerst zonwaarts cirkelend, toen in tegengestelde richting tot hij nog maar een vlekje was. Een ogenblik later was hij verdwenen.

'Doctor!' Simon loenste hem na. Hij strekte zijn armen omhoog, maar iets hield ze tegen, een zwaar gewicht dat aan hem kleefde en hem omlaag duwde, alsof de melkachtige leegte dik was geworden als een kletsnatte deken. Hij verzette zich ertegen. 'Nee! Kom terug! Ik moet meer weten...'

'Ik ben het, Simon!' siste Binabik. 'Wees stil, alsjeblieft!' De trol verschoof zijn gewicht nog eens tot hij bijna op de borst van de jongeman zat. 'Hou nu op! Als je doorgaat met die vechtbewegingen zul je mij nog een klap op mijn neus geven.'

'Wat...' Simon hield geleidelijk op met te keer te gaan. 'Binabik?'

'Van gekneusde neus tot gewonde tenen,' snoof de trol. 'Ben je nu klaar met dat gezwaai van armen en benen?'

'Heb ik je wakker gemaakt?' vroeg Simon.

Binabik gleed omlaag en hurkte naast de matras. 'Nee. Ik ben jou wakker komen maken, zo zit het. Maar wat was die droom die je zoveel zorgen en angst baarde?'

Simon schudde zijn hoofd. 'Het is niet belangrijk. Ik herinner me hem in elk geval niet erg goed.'

Feitelijk herinnerde hij zich ieder woord, maar hij wilde er een tijdje over nadenken voordat hij het onderwerp met Binabik besprak. Morgenes had in deze droom duidelijker geleken dan hij in andere was geweest, hij was echter geweest. In zekere zin was het bijna geweest alsof hij een laatste ontmoeting met de doctor had gehad. Simon was gierig geworden met de dingen die hij de zijne kon noemen; hij wilde niemand anders nog deelgenoot maken van dit kleine voorval. 'Waarom heb je me wakker gemaakt?' Hij geeuwde om de verandering van onderwerp te verdoezelen. 'Ik hoef vanavond niet op wacht te staan.'

'Dat is zo.' Binabiks verrassende glimlach was een korte bleke vlek in het licht van de dovende sintels. 'Maar ik wil dat je opstaat, je schoenen en andere kleren aantrekt om naar buiten te gaan, en dan met mij mee te komen.'

'Wat?' Simon zat rechtop, luisterend naar het geluid van alarm of aanval, maar hoorde niets luiders dan de altijd aanwezige wind. Hij liet zich weer in zijn bed zakken en rolde zich om, de trol zijn rug toekerend. 'Ik wil nergens heen. Ik ben moe. Laat me weer gaan slapen.'

'Dit is iets dat je de moeite waard zult vinden.'

'Wat is het?' gromde hij in zijn bovenarm.

'Een geheim, maar een geheim van grote opwindendheid.'

'Breng het me morgenochtend maar. Dan zal ik erg opgewonden zijn.'

'Simon!' Binabik was iets minder joviaal. 'Wees niet zo lui. Dit is heel belangrijk! Heb je geen vertrouwen in me?'

Kreunend alsof het hele gewicht van de aarde op zijn schouders was gekiept, draaide Simon zich weer om en hees zich in een zittende positie. 'Is het werkelijk belangrijk?'

Binabik knikte.

'En je wilt me niet vertellen wat het is?'

Binabik schudde zijn hoofd. 'Maar je zult er gauw genoeg achter komen. Dat beloof ik je.'

Simon staarde de trol aan, die onmenselijk opgewekt scheen voor dit donkere uur van de nacht. 'Wat het ook is, het heeft je zeker in een goed humeur gebracht,' gromde hij.

'Kom.' Binabik stond op, opgewonden als een kind op het Aedonfeest. 'Ik heb Thuisvinder al gezadeld. Qantaqa wacht ook met enorm wolfachtig geduld. Kom!'

Simon liet zich in laarzen en een dik wollen hemd dwingen. Zijn van het bed warme mantel om zich heen slaand, strompelde hij achter Binabik aan de tent uit, draaide zich toen bijna om en strompelde onmiddellijk weer naar binnen. 'Boomverdomme!' vloekte hij. 'Het is koud!'

Binabik tuitte zijn lippen bij die vloek, maar zei niets. Nu Simon ridder was geworden, scheen de trol te hebben besloten dat hij een volwassen man was en kon vloeken als hij dat wilde. In plaats daarvan hief de kleine man een hand op om naar Thuisvinder te wijzen, die enkele stappen verder op de besneeuwde grond stond te stampen, badend in het licht van een fakkel die met het handvat naar voren in de sneeuw was gegooid. Simon naderde haar, en bleef staan om haar over de neus te strelen en een paar vage woorden in haar warme oor te fluisteren, en hees zich toen onhandig in het zadel. De trol floot zacht en Qantaqa verscheen geluidloos uit de duisternis. Binabik begroef zijn vingers in haar dikke grijze vacht en klauterde op haar brede rug, leunde toen voorover om de fakkel op te pakken alvorens de wolf voorwaarts te laten gaan.

Ze gingen de stad van dicht op elkaar staande tenten uit en over de brede top van de Sesuad'ra, door de Vuurtuin, waar de wind kleine draaikolken van sneeuw over de half begraven tegels deed warrelen, toen langs het Afscheidshuis, waar een paar schildwachten stonden. Niet ver voorbij de gewapende mannen was een rechtopstaande steen die de rand van de brede weg aangaf die zich van de top omlaag slingerde. De schildwachten, ingepakt tegen de kou zodat slechts de glans van hun ogen onder hun helmen te zien was, hieven hun speren bij wijze van groet op. Simon wuifde, verbaasd.

'Ze schijnen niet erg nieuwsgierig te zijn waar we heen gaan.'

'Wij hebben permissie.' Binabik glimlachte geheimzinnig.

De luchten boven hun hoofd waren bijna helder. Toen ze over de verbrokkelende stenen van de oude Sithiweg omlaag reden, keek Simon omhoog en zag dat de sterren weer terug waren. Het was een opwekkend gezicht hoewel hij er zich lichtelijk over verbaasde dat geen van hen eigenlijk helemaal vertrouwd was. De maan, die een ogenblik van achter een groep wolken verscheen, toonde hem dat het vroeger was dan hij aanvankelijk had geloofd – misschien slechts een paar uren na zonsondergang. Toch was het al zo laat dat bijna heel Nieuw Gadrinsett naar bed was. Waar in 's hemelsnaam kon Binabik hem heen brengen?

Een paar keer dacht Simon, toen ze om de Steen heen wentelden, dat hij lichtjes in het verre woud zag schitteren, kleine puntjes nog flauwer dan de sterren aan de hemel. Maar toen hij ernaar wees, knikte de trol alleen maar alsof een dergelijk gezicht niet meer was dan hij had verwacht.

Tegen de tijd dat ze de plaats bereikten waar de oude weg weer breder werd, was de bleke Sedda achter een gordijn van mist aan de horizon verdwenen. Ze kwamen terecht op de helling aan de voet van de heuvel. Het water van het grote meer klotste tegen de steen. Een paar boomtoppen staken nog boven de oppervlakte uit als de hoofden van reuzen die onder de zwarte wateren sliepen.

Zonder één woord te spreken, steeg Binabik af en leidde Qantaqa naar een van de platbodems die aan het einde van de weg lagen aangemeerd. Simon, die in een blindelingse dromerigheid was gewiegd, gleed uit het zadel en bracht zijn paard aan boord. Toen Binabik de lamp op de boeg eenmaal had aangestoken, hieven zij hun vaarbomen op en duwden af op het vrieskoude water.

'We kunnen op deze manier niet veel tochten meer maken,' zei Binabik rustig. 'Gelukkig zal dat binnenkort van geen belang meer zijn.'

'Waarom zal dat van geen belang zijn?' vroeg Simon, maar de trol wuifde slechts met zijn kleine hand.

Weldra begon de helling van het ondergelopen dal onder de boot weg te vallen, totdat hun vaarbomen omlaag staken zonder iets aan te raken. Ze pakten de peddels die op de ondiepe bodem van de schuit lagen. Het was zwaar werk – het ijs scheen zowel de romp als de peddelbladen te grijpen en zich eraan vast te hechten, als om er bij de boot op aan te dringen stil te houden en deel te worden van de grotere stolling. Simon merkte een tijd lang niet op dat Binabik hen naar de noordoostelijke oever had gestuurd, waar Enki-e-Shao'saye eens had gestaan en waar de vreemde schitteringen waren verschenen.

'We gaan naar de lichtjes toe!' zei hij. Zijn stem scheen te zuchten en snel te vervagen, verdwijnend in de enormiteit van de verduisterde vallei.

'Ja.'

'Waarom? Zijn de Sithi daar?'

'Niet de Sithi, nee.' Binabik staarde over het door de wind gerimpelde water met de houding van iemand die zich nauwelijks in bedwang kon houden. 'Ik denk dat jij juist hebt gesproken: Jiriki zou zijn komst niet geheim houden.'

'Wie is daar dan?'

'Dat zul je wel zien.'

De hele aandacht van de trol was nu gericht op de andere oever, die steeds dichterbij kwam. Simon zag de grote façade van bomen opdoemen, beschaduwd en ondoordringbaar, en herinnerde zich ineens hoe de schrijver-priesters thuis op de Hayholt hun hoofden bijna als één man ophieven wanneer er een boodschap naar hun heiligdom werd gebracht – een grote menigte oude mannen opgeschrikt uit hun perkamentachtige dromen door zijn stommelende binnenkomst.

Weldra maakte de bodem van de boot een schurend geluid, en liep toen aan de grond. Simon en Binabik stapten uit en trokken hem naar een veiliger plaats terwijl Qantaqa in een wijde, spetterende cirkel om hen heen draafde. Toen Thuisvinder met zoete woorden aan land was gebracht, stak Binabik zijn fakkel weer aan en reden ze het woud in.

De bomen van Aldheorte stonden hier dicht bijeen, alsof ze elkaar warm wilden houden. De fakkel onthulde een ongelooflijke overdaad van bladeren in een ontelbare verscheidenheid van vormen en grootten, en ook bescheen het alle soorten slingerplanten, korstmossen en mos, allemaal samengegroeid in een wanordelijke weelde van vegetatie. Binabik leidde hen naar een smaller hertenspoor. Simons laarzen waren nat en zijn voeten waren koud en werden al maar kouder. Hij vroeg zich weer af wat ze op een dergelijk uur in dit oord deden.

Hij hoorde het lawaai lang voordat hij iets anders kon zien dan de dicht opeenstaande bomen, een jankend, vals gesnerp van fluiten dat zich tussen een diep, bijna onhoorbaar tromgeroffel door slingerde. Simon wendde zich tot Binabik, maar de trol luisterde en knikte en zag Simons vragende blik niet. Weldra konden zij licht zien, iets warmers en minder bestendigs dan maanlicht, dat door de dichte bomen schitterde. De vreemde muziek werd luider, en Simon voelde dat zijn hart sneller begon te kloppen. Binabik wist ongetwijfeld wat hij deed, berispte hij zichzelf. Na alle afschuwelijke gebeurtenissen die zij samen hadden doorgemaakt, kon Simon zijn vriend vertrouwen. Maar Binabik scheen zo vreemd verstrooid! Het hoofd van de kleine man stond schuin in een houding welke die van Qantaqa weerspiegelde, alsof hij dingen in de vreemde melodie en het onophoudelijke getrommel had gehoord waar Simon niet eens naar kon raden.

Simon was vervuld van zenuwachtige verwachting. Hij besefte dat hij lange tijd iets vaag bekends had geroken. Ook nadat hij het niet langer kon negeren, was hij er aanvankelijk zeker van dat het niets anders kon zijn dan de geur van zijn eigen kleding, maar weldra viel de doordringendheid, de *levendheid* ervan niet langer te ontkennen.

Natte wol.

'Binabik!' riep hij en toen, de waarheid herkennend, begon hij te lachen.

Ze kwamen omlaag naar een wijde open plek. De verbrokkelde ruïnes van de oude Sithi stad lagen overal in het rond, maar nu was de dode steen beschilderd met laaiende vlammen; het leven was teruggekeerd, hoewel niet het leven dat de bouwers ervan hadden bedoeld. Langs het hele bovenste gedeelte van het kleine dal, dicht opeen en rustig blatend, hobbelde een grote kudde sneeuwwitte rammen. De bodem van het dal, waar de vuren vrolijk brandden, was gelijkmatig gevuld met trollen. Sommigen waren aan het dansen of zingen. Anderen speelden op trolachtige instrumenten, de levendige fluitende muziek voortbrengend. De meesten keken eenvoudig toe en lachten.

'*Sisqinanamook!*' riep Binabik. Zijn gezicht was uitgerekt in een onmogelijk verrukte glimlach. '*Henimaatuq! Ea kup!*' Twintig, veertig, zestig of meer gezichten draaiden zich om en keken omhoog naar de plek waar hij en Simon stonden. In een oogwenk drong een grote menigte zich langs de ontevreden, zuur blatende rammen. Eén kleine figuur was vlugger dan de rest, en had binnen enkele ogenblikken Binabiks wijd uitgespreide armen bereikt.

Simon werd omringd door babbelende trollen. Ze schreeuwden en giechelden terwijl ze aan zijn kleren trokken en hem beklopten; de welwilligheid op hun gezichten was onmiskenbaar. Hij voelde zich plotseling te midden van oude vrienden en merkte dat hij op zijn beurt stralend naar hen keek, zijn ogen overlopend van emotie. De sterke geur van olie en vet die hij zich zo goed van Yiqanuc herinnerde, steeg in zijn neusgaten op, maar op dit ogenblik was het werkelijk een heel aangename geur. Hij draaide zich verbluft om en zocht Binabik.

'Hoe wist je het?' riep hij.

Zijn vriend stond een eindje verder weg, een arm om Sisqi geslagen. Ze glimlachte bijna even breed als hij en er was kleur op haar wangen verschenen. 'Mijn knappe Sisqinanamook stuurde mij een van Ookequks vogels!' zei Binabik. 'Mijn volk heeft twee dagen hier gekampeerd, boten bouwend!'

'Boten bouwend?' Simon voelde zich zacht van de ene kant naar de andere geduwd door de oceaan van kleine mensen die hem insloten.

'Om ons meer over te steken en zich bij Jozua aan te sluiten,' zei Binabik lachend. 'Sisqi brengt ons honderd dappere trollen om ons te helpen! Nu zul je werkelijk zien waarom de Rimmersmannen hun kinderen nog steeds bang maken met gefluisterde verhalen over de Huhinkavallei!' Hij draaide zich om en omhelsde haar opnieuw.

Sisqi drukte haar hoofd een ogenblik in de zijkant van zijn nek en draaide zich toen naar Simon om. 'Ik heb het boek van Ookequk gelezen,' zei ze, met een moeilijk maar verstaanbaar Westerlings accent. 'Ik spreek meer nu, jouw taal.' Haar knik was bijna een buiging. 'Gegroet, Simon.'

'Gegroet, Sisqi,' zei hij. 'Het is goed je weer te ontmoeten.'

'Daarom wilde ik dat je meeging, Simon.' Binabik wuifde met zijn hand rond de open plek. 'Morgen zal er genoeg tijd zijn om over oorlog te praten. Vanavond zijn vrienden weer bij elkaar. We zullen zingen en dansen!'

Simon grinnikte om de vreugde die op Binabiks gezicht geschreven stond, een geluk dat weerspiegeld werd in de donkere ogen van zijn verloofde. Simons eigen vermoeidheid was gesmolten. 'Dat lijkt me leuk,' zei hij, en meende het.

9

Bladzijden in een oud boek

Handen als klauwen grepen naar haar. Lege ogen staarden. Ze waren overal om haar heen, grijs en glanzend als kikkers, en ze kon niet eens roepen.

Miriamele werd wakker met een zo toegesnoerde keel dat hij pijn deed. Er waren geen grijpende handen, geen ogen, alleen een gordijn van stof boven haar en het geluid van klotsende golven. Ze lag ogenblikken lang op haar rug, naar adem snakkend, ging toen rechtop zitten.

Geen handen, geen ogen, beloofde zij zichzelf. De kilpa, blijkbaar verzadigd door hun feestmaal op de *Wolk Eadne*, hadden het de landingsboot nauwelijks moeilijk gemaakt.

Miriamele gleed onder de geïmproviseerde luifel die zij en de monnik van het geoliede dekzeil hadden gemaakt en loenste, proberend een spoor van de zon te vinden, zodat ze het uur van de dag kon peilen. De oceaan die haar omringde zag er saai, loodgrijs uit, alsof het enorme watervlak dat de boot omringde door een legioen smeden was uitgehamerd. De grijsgroene oppervlakte strekte zich naar alle kanten uit, glad, op de toppen van de golven na die in het diffuse licht glinsterden.

Cadrach zat voor haar op een van de voorste banken, de handgrepen van de riemen onder zijn armen terwijl hij op zijn handen neerkeek. De stukken mantel die hij ter bescherming om zijn handpalmen had gewikkeld, waren aan flarden gescheurd door het herhaalde glijden van de handgrepen van de riemen.

'Je arme handen.' Miriamele werd verrast door haar eigen schurende stem. Cadrach, meer verschrikt dan zij, deinsde terug.

'Vrouwe.' Hij keek haar aan. 'Is alles in orde?'

'Nee,' zei ze, maar probeerde te glimlachen. 'Ik heb pijn. Ik heb overal pijn. Maar kijk je handen eens, ze zien er vreselijk uit.'

Hij keek zielig naar zijn rauwe huid. 'Ik heb een beetje te veel geroeid, vrees ik. Ik ben nog steeds niet sterk.'

Miriamele fronste. 'Je bent gek, Cadrach! Je bent dagenlang geketend geweest; hoe haal je het in je hoofd om te gaan roeien? Het zal je dood worden!'

De monnik schudde zijn hoofd. 'Ik heb het niet lang gedaan. Die wonden aan mijn handen zijn een eerbewijs aan de zwakheid van mijn vlees, niet aan de ijver van mijn inspanningen.'

'En ik heb niets om erop te doen,' tobde Miriamele, en keek toen ineens op. 'Welk uur van de dag is het?'

De monnik had er een ogenblik voor nodig om die onverwachte vraag te beantwoorden. 'Wel, vroeg in de avond, prinses. Vlak na zonsondergang.'

'En je hebt me de hele dag laten slapen! Hoe heb je dat kunnen doen!'

'U had slaap nodig, vrouwe. U had boze dromen, maar ik weet zeker dat het u goed heeft gedaan...' Cadrachs stem stierf weg, toen hief hij zijn vingers op in een gebaar van ontoereikendheid. 'In elk geval was het 't beste.'

Miriamele siste van ergernis. 'Ik zal iets voor die handen zoeken. Misschien in een van Gan Itai's pakken.' De uitdrukking van haar mond bleef vastberaden, hoewel ze voelde dat de hoeken trilden wanneer ze de naam van de Niskie uitsprak. 'Blijf daar en beweeg die riemen geen centimeter als je leven je lief is.'

'Ja, vrouwe.'

Voorzichtig bewegend om haar pijnlijke spieren te sparen, haalde Miriamele ten slotte het kleine zeildoeken pakje met nuttige voorwerpen te voorschijn dat Gan Itai te zamen met de waterzakken en het eten had ingepakt. Het bevatte de beloofde vishaken, alsmede een stuk sterk en vreemd dofkleurig touw van een soort dat Miriamele nog nooit eerder had gezien; er was ook een klein mes en een zak die een verzameling kleine potjes bevatte, geen ervan groter dan een mannenduim. Miriamele opende ze één voor één, voorzichtig aan elk ervan ruikend.

'Hier zit zout in, denk ik,' zei ze, 'maar waar heeft iemand op zee met zout voor nodig wanneer je het kunt krijgen door water te laten verdampen?' Ze keek naar Cadrach, maar hij schudde slechts zijn ronde hoofd. 'In deze zit een geelachtig poeder.' Ze sloot haar ogen om nog eens te ruiken. 'Het ruikt geurig, maar niet als iets eetbaars. Hmmm.' Ze opende er nog drie, en trof in een ervan fijngestampte blaadjes, zoete olie in het tweede, en een bleek smeersel in het derde aan dat haar ogen aan het tranen maakte toen ze zich er overheen boog.

'Ik ken die geur,' zei Cadrach. 'Schijnfoelie. Goed voor compressen en zo, het belangrijkste artikel in de apotheek van een rustieke genezer.'

'Dan is dat hetgene waar ik naar zocht.' Miriamele sneed enkele repen uit het nachthemd dat ze nog onder haar mannelijke kleding aan had, wreef de zalf toen op enkele van de repen en bond ze stevig om Cadrachs door blaren geteisterde handen. Toen ze klaar was, wikkelde ze een paar stukken droge stof om de buitenkant om de andere schoon te houden. 'Ziezo. Dat zal in elk geval iets helpen.'

'U bent te vriendelijk, vrouwe.' Hoewel zijn toon luchtig was, zag Miriamele een onverwachte glinstering in zijn oog alsof een traan was opgebloeid. Verlegen en een beetje onzeker keek ze niet al te aandachtig. De hemel die zijn helderder kleuren al lang verloren had, begon nu snel paarsblauw te worden. De wind nam toe en Miriamele en Cadrach trokken hun mantels dichter om hun hals. Miriamele leunde een lang, stil ogenblik achteruit tegen de reling van de boot en voelde het lange vaartuig op de wiegende wateren rollen.

'En wat doen we nu? Waar zijn we? Waar gaan we heen?'

Cadrach zat nog aan de verbanden om zijn hand te peuteren. 'Welnu, wat betreft waar we ons nu bevinden, vrouwe, zou ik zeggen ergens tussen Spenit en de Risa-eilanden, midden in de Baai van Firannos. We zijn hoogstwaarschijnlijk drie mijlen uit de kust – een paar dagen roeien, ook als we de hele dag aan de riemen trekken…'

'Dat is een goed idee.' Miriamele kroop naar voren naar de bank waarop Cadrach had gezeten en liet de riemen in het water zakken. 'We kunnen net zo goed wat doen terwijl we praten. Gaan we de goede kant uit?' Ze lachte zuur. 'Maar hoe zou je dat kunnen zeggen terwijl we waarschijnlijk niet eens weten waar we naartoe gaan?'

'In werkelijkheid zitten we goed zoals we nu gaan, prinses. Ik zal nog eens kijken wanneer de sterren te voorschijn komen, maar de zon was al wat ik nodig had om te weten dat we naar het noordoosten gaan, en dat is uitstekend voor dit ogenblik. Maar weet u zeker dat u zich wilt vermoeien? Misschien kan ik nog wel even doorgaan…'

'O, Cadrach, jij met je bloedende handen!? Onzin.' Ze stak de riemen in het water en trok, achteruit glijdend op de bank toen een van hen uit het water kwam. 'Nee, doe het niet voor,' zei ze vlug. 'Ik heb geleerd hoe het moet toen ik klein was; ik heb het alleen lang niet gedaan.' Ze fronste geconcentreerd het voorhoofd, op zoek naar de half-herinnerde slag. 'Wij oefenden vroeger op een paar van de kleine binnenwateren van de Gleniwent. Mijn vader nam me altijd mee.'

De herinnering aan Elias op een roeibank voor haar, lachend wanneer een van de riemen op groen schuimend water wegdreef, woei door haar heen. In die flits van herinnering scheen haar vader nauwelijks ouder dan zij nu zelf was – misschien, besefte ze ineens met een soort verraste verbazing, was hij in sommige opzichten nog een jongen geweest, ondanks zijn mannelijke leeftijd. Het leed geen twijfel dat het indrukwekkende gewicht van zijn machtige, legendarische en geliefde vader zwaar op hem had gedrukt, hem tot steeds wildere dappere daden dwingend. Ze herinnerde zich dat haar moeder bij een of ander verslag van Elias' waanzinnige gedrag op het slagveld angstige tranen bedwong, tranen die de brengers van het verhaal nooit hadden begrepen. Het was vreemd om op die manier aan haar vader te denken. Misschien was hij, ondanks heel zijn dapperheid, onzeker en bang geweest – doodsbang dat hij altijd een kind zou blijven, een zoon met een onsterfelijke vader. In haar verwarring probeerde Miriamele de vreemd hardnekkige herinnering uit haar geest te bannen en haar aandacht te richten op hoe zij het oude ritme van riemen in het water weer kon vinden.

'Goed, vrouwe, u doet het heel goed.' Cadrach leunde achterover, zijn verbonden handen en ronde gezicht bleek als het vlees van een paddestoel in de snel donker wordende avond. 'Dus we weten waar we zijn – een paar miljoen emmers zeewater meer of minder. Wat betreft waar we heen gaan… welnu, wat zegt u, prinses? U bent per slot van rekening degene die mij gered hebt.'

Ze voelde de riemen plotseling zwaar als steen in haar hand. Een mist van doelloosheid sloeg over haar heen. 'Ik weet het niet,' fluisterde zij. 'Ik heb geen plek om heen te gaan.'

Cadrach knikte alsof hij haar antwoord had verwacht. 'Laat me dan een homp brood en een stuk kaas voor u afsnijden, vrouwe, dan zal ik u zeggen wat ik denk.'

Miriamele wilde niet ophouden met roeien, dus stemde de monnik er vriendelijk in toe haar tussen slagen in hapjes te voeren. Zijn komische blik terwijl hij de achteruitzwaai van de riemen ontweek, maakte haar aan het lachen; een droge korst bleef in haar keel steken. Cadrach sloeg haar op de rug en gaf haar toen een slok water.

'Dat is genoeg, vrouwe. U moet even ophouden en uw maaltijd opeten. Daarna mag u weer beginnen, als u wilt. Het zou tegen Gods genade indruisen om te ontsnappen aan de kil… de vele gevaren die wij lopen, en dan te sterven aan een dwaze verstikking.' Hij bekeek haar kritisch terwijl ze at. 'U bent ook mager. Een meisje van uw leeftijd behoort wat vlees aan haar botten te hebben. Wat hebt u aan boord van dat vervloekte schip gegeten?'

'Wat Gan Itai mij bracht. Vorige week kon ik het niet verdragen om aan dezelfde tafel te zitten als… die man.' Ze bedwong een nieuwe golf van wanhoop en wuifde in plaats daarvan verontwaardigd met haar broodkorst. 'Maar kijk jou eens! Jij bent een skelet; jij hebt mooi praten!' Ze dwong het stuk kaas dat hij haar had gegeven terug in zijn hand. 'Eet dat.'

'Ik wou dat ik een kan had.' Cadrach slikte het hapje met een kleine slok water door. 'Bij Aedons Gouden Haar, een paar droppeltjes rode Perdruin zouden wonderen doen.'

'Maar die heb je niet,' antwoordde Miriamele, geïrriteerd. 'Het is nog een heel eind… voor er weer wijn is. Dus doe in plaats daarvan iets anders. Zeg mij waar jij meent dat we heen moeten gaan, als je werkelijk een idee hebt.' Ze likte haar vingers af, strekte zich tot haar gekneusde spieren pijn deden, en pakte toen de riemen. 'En vertel me verder ook alles wat je wilt. Leidt me af.' Langzaam hervatte zij haar ritmische peddelen.

Een tijd lang was het kletsende geruis van de bladen die doken en aan de oppervlakte kwamen het enige geluid, met uitzondering van het eindeloze gemompel van de zee.

'Er is een plaats,' zei Cadrach. 'Het is een herberg… een pension, veronderstel ik, in Kwanitupul.'

'De moerasstad?' vroeg Miriamele achterdochtig. 'Waarom zouden we daarheen gaan, en als we het wel deden, wat voor verschil zou het maken welke herberg we kiezen? Is de wijn er zo goed?'

De monnik trok een gezicht van beledigde waardigheid. 'Vrouwe, u doet mij onrecht.' Zijn uitdrukking werd ernstiger. 'Nee, ik stel het voor omdat het een toevluchtsoord kan zijn in deze gevaarlijke tijd… en omdat Dinivan van plan was u daarnaartoe te sturen.'

'Dinivan!' De naam was een schok. Miriamele besefte dat ze dagenlang niet aan de priester had gedacht, ondanks zijn vriendelijkheid, ondanks de vreselijke manier waarop Pryrates hem had omgebracht. 'Waarom zou jij in godsnaam weten wat Dinivan wilde doen? En waarom zou dat nu van belang zijn?'

'Hoe ik weet wat Dinivan wilde, is gemakkelijk genoeg om uit te leggen. Ik heb aan sleutelgaten – en op andere plaatsen – geluisterd. Ik heb hem met de lector over u en zijn plannen met u horen spreken… hoewel hij de lector niet alle redenen vertelde.'

'Heb je zoiets gedaan!?' Miriameles woede werd snel gedempt toen ze zich herinnerde dat ze zelf precies iets dergelijks had gedaan. 'O, laat maar. Ik kan er me niet meer over verbazen. Maar je moet je manieren veranderen, Cadrach. Dat soort gegluip… dat past bij het drinken en gelieg.'

'Ik denk niet dat u veel van wijn afweet, vrouwe,' zei hij met een glimlach, 'dus kan ik u niet als een goede lerares in die studierichting beschouwen. Wat mijn andere tekortkomingen betreft, welnu, nood breekt wet, zoals ze in Abaingeat zeggen. En die tekortkomingen zouden wel eens ons beider redding kunnen blijken, tenminste uit onze huidige situatie.'

'Dus waarom was Dinivan van plan mij naar die herberg te sturen?' vroeg ze. 'Waarom mij niet op de Sancellaanse Aedonitis laten blijven, waar ik veilig zou zijn?'

'Even veilig als Dinivan en de lector waren, vrouwe?' Ondanks de hardheid klonk er echte pijn in zijn stem. 'U weet wat daar is gebeurd – hoewel de aanblik ervan uw jonge ogen, god zij dank, bespaard is gebleven. In elk geval hadden Dinivan en ik ruzie, maar hij was een goede man en geen dwaas. Te veel mensen in en uit dat paleis, te veel lieden met te veel verschillende behoeften en noden en problemen om op te lossen… en het ergste van alles, te veel kletsende tongen. Ik zweer het, ze noe-

men Aedons monument Moeder Kerk, maar in de Sancellaan is zij de meest babbelzieke oude roddelaarster in de geschiedenis van de wereld.'
'Dus hij was van plan om me naar een of andere herberg in de moerassen te sturen?'
'Ik denk van wel, ja, hij sprak in algemene termen zelfs met de lector, zonder namen te noemen. Maar ik ben ervan overtuigd dat ik het bij het juiste eind heb omdat het een etablissement is dat wij allen kenden. Doctor Morgenes heeft de eigenaar ervan geholpen het te kopen. Het is een plaats die nauw verweven is met de geheimen die Dinivan, Morgenes en ik deelden.'
Miriamele hield ineens op met roeien, op de riemen leunend terwijl ze Cadrach aankeek. Hij keek haar rustig aan, alsof hij niets ongewoons had gezegd. 'Mevrouw?' zei hij ten slotte.
'Doctor Morgenes... van de Hayholt?'
'Natuurlijk.' Hij liet zijn kin zakken tot die op zijn sleutelbeen leek te rusten. 'Een groot man. Een vriendelijke, vriendelijke man. Ik hield van hem, prinses Miriamele. Hij was als een vader voor zovelen van ons.'
Mist begon boven de oppervlakte van het water te zweven, bleek als watten. Miriamele haalde diep adem en huiverde. 'Ik begrijp het niet. Hoe kwam het dat je hem kende? Wie is "wij"?'
De monnik liet zijn blik van haar gezicht naar de verhulde zee gaan. 'Dat is een lang verhaal, prinses, een heel lang verhaal. Hebt u ooit van iets gehoord dat het Verbond van het Geschrift wordt genoemd?'
'Ja, in Naglimund. De oude man Jarnauga maakte er deel van uit.'
'Jarnauga.' Cadrach zuchtte. 'Nog zo'n brave man, hoewel de goden weten, dat wij onze moeilijkheden hebben gehad. Ik heb me voor hem verscholen terwijl ik in Jozua's bolwerk was. Hoe was hij?'
'Ik vond hem aardig,' zei Miriamele langzaam. 'Hij was een van die mensen die werkelijk luisteren, maar ik heb slechts een paar keer met hem gesproken. Ik vraag me af wat er met hem is gebeurd toen Naglimund viel.' Ze keek Cadrach scherp aan. 'Wat heeft dat alles met jou te maken?'
'Zoals ik zei, het is een lang verhaal.'
Miriamele lachte maar haar lach ging snel weer over in een huivering. 'We hebben niet veel anders te doen. Vertel het me.'
'Laat me eerst iets vinden om u warm te houden.' Cadrach kroop terug naar de schuilgelegenheid en bracht haar monnikspij mee. Hij drapeerde die om Miriameles schouders en trok de kap over haar korte haar. 'Nu ziet u eruit als de edelvrouwe die op weg is naar het klooster zoals u eens beweerde te zijn.'
'Praat alleen maar tegen mij, dan voel ik de kou niet.'
'Maar u bent nog steeds zwak. Ik wou dat u de riemen neerlegde en mij

weer eens liet roeien, of in elk geval onder de luifel ging liggen, uit de wind.'

'Behandel me niet als een klein meisje, Cadrach.' Hoewel ze fronste, was ze vreemd ontroerd. Was dit dezelfde man die ze had geprobeerd te verdrinken, dezelfde man die had geprobeerd haar als slavin te verkopen? 'Je zult de riemen vanavond niet aanraken. Wanneer ik te moe word, werpen we het anker uit. Tot dan zal ik langzaam roeien. Praat nu.'

De monnik wuifde met zijn handen in een gebaar van overgave. 'Goed dan.' Hij trok zijn eigen mantel dichter om zich heen, en ging toen met zijn rug tegen een bank zitten, zijn knieën voor zich opgetrokken, zodat hij uit de duisternis van de bodem van de boot naar haar opkeek. De hemel was bijna volslagen zwart geworden, en er was net genoeg maanlicht om zijn gezicht te kunnen zien. 'Ik ben bang dat ik niet weet waar ik precies moet beginnen.'

'Bij het begin natuurlijk.' Miriamele tilde haar riemen uit het water en liet ze weer terugglijden. Een paar druppels opstuivend water bespatten haar gezicht.

'Ah, ja.' Hij dacht een ogenblik na. 'Welnu, als ik terugga naar het eigenlijke begin van mijn verhaal, dan zullen de latere gedeelten misschien gemakkelijker te begrijpen zijn... en op die manier kan ik ook de meest beschamende verhalen nog wat langer uitstellen. Het is geen vrolijk verhaal, Miriamele, en het slingert zich door heel veel schaduw... schaduw die nu over vele mensen is gevallen, en niet alleen over een monnik uit Hernystir.

Ik ben geboren in Crannhyr, weet je – wanneer ik zeg dat ik Cadrach ec-Crannhyr ben, dan is alleen het laatste gedeelte waar. Ik werd geboren als Padreic. Ik heb ook andere namen, weinige van hen prettig, maar als Padreic werd ik geboren en nu ben ik Cadrach, veronderstel ik.

Ik doe de waarheid geen geweld aan wanneer ik zeg dat Crannhyr een van de vreemdste steden in heel Osten Ard is. Het is ommuurd als een groot fort, maar het is nooit aangevallen, en ook bevat het niets dat de moeite van het stelen waard is. De mensen van Crannhyr zijn terughoudend op een manier die zelfs andere Hernystiri niet begrijpen. Iemand uit Crannhyr, zegt men, zou liever iedereen in de herberg iets van hem laten drinken dan zelfs zijn beste vriend bij zich thuis uit te nodigen – en niemand heeft ooit een bewoner van Crannhyr voor iemand anders dan zichzelf een drankje zien kopen. Mensen uit Crannhyr zijn gesloten; dat is het beste woord, denk ik. Ze praten met weinig woorden – hoe anders dan de anderen in Hernystir, die poëzie in hun bloed hebben! – en ze maken helemaal geen goede sier met rijkdom of geluk, uit angst dat de goden jaloers zullen worden en het terug willen nemen. Zelfs de straten zijn gesloten als samenzweerders; de gebouwen hellen op sommige plaatsen zo dicht naar elkaar over dat je al je adem moet uitblazen voor je erin gaat en geen lucht meer kunt inzuigen voor je er aan de andere kant weer uitkomt.

Crannhyr was een van de eerste steden die door mensen in Osten Ard werden gebouwd, en die ouderdom ademt alles in, zodat mensen van hun geboorte af rustig spreken alsof ze bang zijn dat de oude muren zullen omvallen als ze te hard praten en al hun geheimen aan het daglicht bloot zullen geven. Sommige mensen zeggen dat de Sithi een hand hebben gehad in de bouw van die stad, maar hoewel wij Hernystiri niet zo dwaas zijn om de Sithi niet te geloven – in tegenstelling tot sommige van onze buren – geloof ik persoonlijk niet dat de Vreedzamen iets met Crannhyr te maken hebben gehad. Ik heb Sithi ruïnes gezien, en die lijken helemaal niet op de verkrampte en zelfbeschermende muren van de stad waarin ik mijn jeugd heb doorgebracht. Nee, mensen hebben haar gebouwd, angstige mensen, als mijn ogen mij iets vertellen.'

'Maar zo te horen is het een vreselijke plaats,' zei Miriamele. 'Al dat gefluister!'

'Ja, ik vond er zelf ook niet veel aan,' zei Cadrach glimlachend, een kleine glinstering in de schaduw. 'Het grootste deel van mijn kindertijd wilde ik er vandaan. Mijn moeder stierf toen ik jong was, ziet u, en mijn vader was een harde, kille man, net geschikt voor die harde, koude stad. Hij sprak nooit een woord meer tegen mij of mijn broers en zusters dan nodig was, en smukte die woorden nooit op met vriendelijkheid. Hij was een koperslager, en ik veronderstel dat de hele dag achter een heet vuur staan hameren om ons te eten te geven toonde dat hij zijn verplichtingen erkende, dus had hij het gevoel dat hij niet meer hoefde te doen. De meeste Crannhyri zijn zo: stug en smalend tegenover hen die niet zo zijn. Ik wist niet hoe gauw ik mijn eigen weg in de wereld moest gaan.

Maar vreemd genoeg – en zo gaat het vaak – voor iemand zo bedorven door geheimen en zwijgzaamheid, ontwikkelde ik een verrassende liefde voor oude boeken en oude wijsheid. Door de ogen van de antieken gezien – geleerden als Plesinnen Myrmenis en Cuimnhes Fretis – was zelfs Crannhyr wonderbaarlijk en mystiek, omdat haar geheime manieren niet alleen oude onaangenaamheden verborgen, maar ook vreemde wijsheid waarop vrijere, minder esoterische plaatsen zich niet konden beroemen. In de Tethtainse bibliotheek – eeuwen geleden in onze stad gesticht door de grote Hulstkoning zelf – vond ik de enige verwante zielen in die hele ommuurde gevangenis, mensen die, als ikzelf, leefden voor het licht van vroegere tijden, en die ervan genoten iets van verloren wijsheid op te sporen, zoals sommige mensen er genoegen in scheppen een mannetjeshert op te jagen en een pijl in zijn hart te schieten.

En daar heb ik Morgenes ontmoet. In die tijd – en dat is bijna veertig jaar geleden, mijn jonge prinses – was hij nog reislustig. Als er iemand is die meer heeft gereisd dan Morgenes, die meer plaatsen heeft bezocht, dan heb ik nooit van hem gehoord. De doctor bracht vele uren door tussen de geschriften van de Tethtainse bibliotheek en kende de archieven nog beter dan de oude priesters, die ze beheerden. Hij zag mijn belangstelling voor historische zaken en vergeten wijsheid en nam me bij de hand, mij naar nuttige paden leidend die ik anders nooit zou hebben gevonden. Toen er enige jaren voorbij waren gegaan en hij zag dat mijn toewijding tot kennis niet iets was dat met de jeugd zou verdwijnen, vertelde hij me van het Verbond van het Geschrift, dat lang geleden was opgericht door Sint-Eahlstan Fiskerne, de Visserkoning van de Hayholt. Eahlstan erfde Fingils kasteel en zijn zwaard Minneyar, maar hij wilde niets te maken hebben met de erfenis van vernietiging van de Rimmersman – vooral de vernietiging van kennis. Eahlstan daarentegen wilde kennis bewaren die anders in schaduw zou verdwijnen, en die kennis gebruiken wanneer dat nodig leek.'

'Waarvoor gebruiken?'

'Daarover hebben wij vaak geredetwist, prinses. Het was nooit "voor Welzijn" of "voor Gerechtigheid" – de dragers van het Geschrift beseffen dat wanneer een dergelijk breed ideaal eenmaal op zijn plaats is, iedereen zich met alles moet bemoeien. Ik veronderstel dat de duidelijkste verklaring is dat het Verbond handelt om zijn eigen kennis te beschermen, om een duistere eeuw te voorkomen die de geheimen weer zou begraven die het zo moeizaam aan het licht had gebracht. Maar andere keren heeft het Verbond alleen gehandeld om zichzelf in plaats van zijn produkten te beschermen.

Maar ik wist toen weinig van dergelijke moeilijke vraagstukken af. Voor mij klonk het Verbond als een hemelse droom: een gelukkige broederschap van bijzondere geleerden die samen de geheimen van de Schepping op het spoor kwamen. Ik was koortsachtig verlangend mee te doen. Dus toen onze wederzijdse liefde voor kennis tot vriendschap was gerijpt – hoewel het van mijn kant meer als de liefde voor een vriendelijke vader was – nam Morgenes mij mee om kennis te maken met Trestolt, die Jarnauga's vader was, en de oude Ookequk, een wijze man van het trollenvolk dat in het verre noorden woont. Morgenes stelde mij voor als een geschikte kandidaat voor het Verbond, en dit tweetal nam mij zonder aarzeling aan, even van harte en vertrouwensvol alsof ze mij hun hele leven hadden gekend – maar dat was vanwege Morgenes, ziet u. Met uitzondering van Trestolt, wiens vrouw een paar jaar eerder was gestorven, was geen van de andere dragers van het Geschrift getrouwd. Dit is door de eeuwen van het bestaan van het Verbond heen vaak het geval geweest. De leden ervan zijn over het algemeen het soort lieden – en dat geldt ook voor de vrouwen die Dragers van het Geschrift zijn geweest – die meer verliefd zijn op kennis dan op de mensheid. Niet dat ze niet om andere mensen geven, begrijp mij goed, maar ze houden meer van hen wanneer zij ze op een afstand kunnen houden; in de praktijk zijn mensen een afleiding. Dus voor de Dragers van het Geschrift werd het Verbond zelf een soort familie. Derhalve was het geen verrassing dat een kandidaat die door de doctor naar voren werd geschoven warm werd begroet. Hoewel Morgenes ieder initiatief om hem macht te geven weerstond, was hij in zekere zin een vader voor alle leden van het Verbond, ondanks het feit dat sommigen van hen ouder leken dan hij. Maar wie zal ooit weten wanneer of waar Morgenes was geboren?'

Beneden in de duisternis van de romp lachte Cadrach. Miriamele dompelde de riemen langzaam in het water, dromerig naar zijn woorden luisterend terwijl de boot op en neer ging.

'Later,' ging hij verder, 'ontmoette ik de andere Drager van het Geschrift, Xorastra van Perdruin. Zij was non geweest, hoewel ze toen ik haar ontmoette uit de orde was getreden. Tussen twee haakjes, de herberg in Kwanitupul waar ik eerder over sprak is haar eigendom. Zij was een felle knappe vrouw, door haar sexe het leven ontzegd dat zij anders zou hebben geleid: zij zou een minister van een koning geweest moeten zijn. Xorastra accepteerde mij eveneens, en stelde mij toen voor aan een paar van haar eigen kandidaten, want zij en Morgenes waren lang van plan geweest om het ledental van het Verbond weer op zeven te brengen, dat volgens de traditie het maximum was geweest.

Beiden waren jonger dan ik. Dinivan was in die tijd nog maar een jongeling, die bij de Usireaanse broeders studeerde. De scherpogige Xorastra had de vonk in hem gezien, en dacht dat die vonk, als hij met Morgenes en de anderen in contact werd gebracht, een groot en verwarmend vuur zou kunnen worden waar de kerk waarvan zij nog altijd hield, grote baat bij zou kunnen hebben. De ander die zij voordroeg was een knappe jonge priester, pas gewijd, die van een arme familie van het eiland kwam, maar die door de vlugheid van zijn geest een zekere mate van bekendheid had gekregen. Na veel gesprekken met Xorastra en hun twee noordelijke collega's, aanvaardde Morgenes deze twee nieuwe aanwinsten. Toen wij elkaar allen het volgende jaar in Tungoldyr in het gemeenschapshuis van Trestolt ontmoetten, bedroeg het aantal leden van het Verbond van het Geschrift weer zeven.'

Cadrachs woorden waren zwaar en traag geworden, en toen hij ten slotte zweeg, dacht Miriamele dat hij misschien bezig was in slaap te vallen. Maar in plaats daarvan klonk er, toen hij weer sprak, een vreselijke leegte in zijn stem. 'Het zou beter zijn geweest als ze ons allen eruit hadden gehouden. Beter als het Verbond zelf in het stof van de geschiedenis was teruggevallen.'

Toen hij niet verder sprak, ging Miriamele rechtop zitten. 'Wat bedoel je, Cadrach? Wat heb jij kunnen doen dat zo slecht was?'

Hij kreunde. 'Ik niet, prinses, mijn zonden kwamen later pas. Nee, het was op het moment dat wij die jonge priester in ons midden haalden... want dat was Pryrates.'

Miriamele haalde diep adem en ondanks haar warmere gevoelens voor Cadrach, voelde ze dat een web van een vreselijke samenzwering zich om haar samentrok. Waren al haar vijanden met elkaar verbonden? Speelde de monnik een of ander dieper spel, zodat zij nu volkomen in zijn handen was, op drift op een verlaten zee? Toen herinnerde zij zich de brief die Gan Itai haar had gebracht.

'Maar jij hebt me dat verteld,' zei ze opgelucht. 'Jij hebt mij geschreven en iets over Pryrates gezegd... dat jij hem had gevormd tot wat hij was.'

'Als ik dat heb gezegd,' antwoordde Cadrach droef, 'dan heb ik in mijn verdriet overdreven. Hij moet de kiemen van een groot kwaad al in zich hebben gehad, anders had het nooit zo snel en krachtig kunnen bloei- en... dat vermoed ik althans. Mijn eigen rol kwam veel later, en mijn schande is dat ik, hoewel ik al wist dat hij een harteloos wezen met een zwarte ziel was, hem toch heb geholpen.'

'Maar waarom? En hoe geholpen?'

'Ah, prinses, ik voel de dronken eerlijkheid van de Hernystiri vanavond zonder ook maar een slok wijn te proeven, maar toch zijn er dingen die ik liever niet wil vertellen. Het verhaal van mijn val behoort alleen mij toe. De meeste van mijn vrienden die mij in die jaren na stonden, zijn nu dood. Laat mij alleen dit zeggen: om vele redenen, zowel vanwege de zaken die ik bestudeerde, waarvan ik er vele liever met rust zou hebben gelaten, en vanwege mijn eigen pijn en de vele dronken nachten die ik doorbracht in een poging die te stillen, vervaagde de vreugde die ik een tijdlang in het leven schepte. Toen ik een kind was, geloofde ik in de goden van mijn volk. Toen ik ouder werd, begon ik aan hen te twijfe- len, en geloofde in plaats daarvan in de ene god van de Aedonieten – de ene, hoewel hij vreselijk door elkaar wordt gehaspeld met Usires Zijn zoon en Elysia de gezegende moeder. Later, in de eerste bloei van mijn studie, verloor ik mijn geloof in alle goden, zowel oude als nieuwe. Maar een zekere angst greep mijn hart toen ik een man werd, en nu ge- loof ik opnieuw in de goden... Ach, en hoe... want ik weet van mezelf dat ik vervloekt ben.' De monnik veegde zijn ogen en neus vlug aan zijn mouw af. Hij was nu verzonken in een schaduw waarin zelfs het maan- licht niet kon doordringen.

'Vervloekt? Wat bedoel je? Hoezo vervloekt?'

'Ik weet het niet, anders zou ik al lang geleden een hage-tovenaar hebben gezocht om een toverpoeder voor me te malen. Nee, ik maak maar een grapje, mevrouw, en het is een morbide grapje. Er bestaan vloeken in de wereld die geen toverformule ongedaan kan maken, evenals er, zoals ik aanneem, geen geluk is dat een boos oog of jaloerse rivaal omver kan werpen, maar dat alleen door de bezitter kan worden verloren. Ik weet alleen dat lang geleden de wereld een zware last voor mij werd, een die te zwaar is gebleken voor mijn zwakke schouders. Ik werd in ernst een dronkaard, geen plaatselijke grappenmaker die te veel kroezen drinkt en de buren op weg naar huis wakker zingt, maar een ongevoelige, eenzame zoeker naar vergetelheid. Mijn boeken waren mijn enige troost, maar zelfs die leken mij vervuld te zijn met de adem van graven; ze spraken alleen over dode levens, dode gedachten en, het ergste van alles, dode en saploze hoop, een miljoen van hen doodgeboren voor elk die een kort vlinderachtig ogenblik onder de zon had.

Dus dronk ik en voer uit tegen de sterren, en ik dronk. Mijn dronkenschap zond mij omlaag in de kuil van wanhoop en mijn boeken; vooral die waarin ik toen heel erg opging, maakten mijn angst alleen maar erger. Dus leek vergetelheid nog begeerlijker. Weldra was ik niet gewenst op plaatsen waar ik eens ieders vriend was geweest, hetgeen mij nog meer verbitterde. Toen de conservatoren van de Tethtain bibliotheek mij zeiden dat ik daar niet langer welkom was, viel ik in een diep gat, een maandenlange braspartij van zwarte dronkenschap, waaruit ik ontwaakte en toen merkte ik dat ik aan de kant van de weg buiten Abaingeat lag, naakt en zonder een rooie cintis. Alleen gehuld in braamstruiken en bladeren als het laagste dier, ging ik 's nachts naar het huis van een edelman die ik kende, een goed mens en een minnaar van de wetenschap, die van tijd tot tijd mijn bereidwillige beschermheer was geweest. Hij liet mij binnen, gaf mij te eten en gaf me toen een bed voor de nacht. Toen de zon opging, gaf hij mij de monnikspij die aan zijn broer toebehoorde en wenste mij geluk en goede reis weg van zijn huis.

Er stond walging in zijn ogen te lezen die ochtend, vrouwe, een soort afkeer die u, bid ik, nooit in de ogen van iemand anders moge zien. Hij wist van mijn gewoonten af, ziet u, en mijn verhaal over ontvoering en beroving hield hem niet voor de gek. Ik wist, toen ik in zijn deuropening stond, dat ik voorbij de muren was gegaan die mijn medemensen omringden, dat ik nu als iemand was die onrein is door de pest. Ziet u, al mijn drinken en smerige daden hadden alleen dit resultaat gehad: het had mijn vloek voor anderen even duidelijk zichtbaar gemaakt als hij al veel eerder voor mij was geweest.'

Cadrachs stem, die gedurende deze voordracht steeds doodser was geworden, verstierf nu tot een schor gefluister. Miriamele luisterde lange tijd naar zijn ademhaling. Ze wist niet wat ze moest zeggen.

'Maar wat had je dan feitelijk gedaan?' probeerde ze ten slotte. 'Je zegt dat je vervloekt was, maar je had niets verkeerds gedaan, dat wil zeggen, behalve te veel wijn drinken.'

Cadrachs lach was onaangenaam gebarsten. 'O, de wijn was alleen maar om de pijn te stillen. Dat is het met deze smetten, mevrouw. Hoewel anderen, vooral onschuldigen als uzelf, ze niet altijd kunnen zien, is de smet er toch, en anderen voelen haar, zoals de dieren des velds voelen dat een van hen ziek of gek is. U hebt zelf geprobeerd mij te verdrinken, nietwaar?'

'Maar dat was anders!' Miriamele zuchtte verontwaardigd. 'Dat was voor iets dat je gedaan had.'

'Daar hoeft u niet bang voor te zijn,' mompelde de monnik. 'Ik heb genoeg verkeerds gedaan sinds die avond op de weg in Abaingeat om mijn straf te rechtvaardigen.'

Miriamele haalde de riemen binnenboord. 'Is het ondiep genoeg om het anker uit te gooien?' vroeg ze, terwijl ze probeerde haar stem kalm te doen klinken. 'Mijn armen zijn moe.'

'Ik zal kijken.'

Terwijl de monnik het anker uit het vooronder haalde en zich ervan overtuigde dat het touw stevig aan de boot was bevestigd, probeerde Miriamele iets te bedenken dat ze kon doen om hem te helpen. Hoe meer ze hem liet praten, des te dieper schenen de wonden te zijn. Zijn eerdere opgewektheid, voelde zij, was alleen maar een dunne huid die over deze rauwe plekken was gegroeid. Was het beter hem aan het praten te maken, terwijl het duidelijk pijnlijk was, of eenvoudig om het te laten gaan? Ze wilde dat Geloë er was, of de kleine Binabik met zijn slimme en voorzichtige manier van doen.

Toen het anker met een plons overboord was gegaan en het touw borrelend in de diepten daarachter was verdwenen, zat het tweetal een tijdje zonder iets te zeggen. Ten slotte sprak Cadrach, zijn stem iets luchtiger dan hij daarvoor was geweest.

'Het touw is maar een el of twintig afgerold voor het de bodem raakte, dus we zijn misschien dichter bij de kust dan ik had gedacht. Toch, u moet proberen weer te gaan slapen, Miriamele. Het wordt een lange dag morgen. Als we de kust willen bereiken, zullen we om beurten moeten roeien, zodat we de hele dag kunnen blijven varen.'

'Zou er niet ergens in de buurt een schip kunnen zijn dat ons ziet en ons oppikt?'

'Ik weet niet of dat wel zo gelukkig voor ons zou zijn. Vergeet niet dat

Nabban nu helemaal aan je vader en Pryrates toebehoort. Ik denk dat we het gelukkigst zullen zijn als we rustig naar de kust kunnen komen en in de armere buurten van Nabban verdwijnen, en dan de weg kunnen vinden naar Xorastra's herberg.'

'Je hebt me nooit iets uitgelegd over Pryrates,' zei ze vrijpostig, inwendig biddend dat ze er niet verkeerd aan deed. 'Wat is er tussen jullie voorgevallen?'

Cadrach zuchtte. 'Zou u me werkelijk dwingen u zulke duistere dingen te vertellen, vrouwe? Alleen zwakheid en angst brachten mij ertoe er in mijn brief gewag van te maken, toen ik bang was dat u de graaf van Eadne per abuis voor iets beters zou houden dan hij was.'

'Ik zou je niet dwingen iets te doen dat je nog meer pijn bezorgt, Cadrach. Maar ik zou het graag willen weten. Dit zijn de geheimen die achter onze moeilijkheden steken, weet je nog. Het is niet de tijd om ze te verzwijgen, hoe erg ze ook zijn.'

De monnik knikte langzaam. 'Gesproken als een koningsdochter, maar goed gesproken. Ah, goden van aarde en hemel, als ik geweten had dat ik eens dergelijke verhalen zou moeten vertellen en zeggen "dat is mijn leven", dan denk ik dat ik mijn hoofd in de pottenbakkersoven van mijn vader zou hebben gestoken.'

Miriamele gaf geen antwoord, maar trok haar mantel dicht om zich heen. Iets van de mist was weggewaaid en de zee strekte zich als een groot zwart tafelblad onder hen uit. De sterren omhoog schenen te klein en te koud om licht uit te stralen; ze hingen zonder schittering, als vlekken van melkachtige steen.

'Ik heb het gezelschap van gewone mensen niet helemaal met lege handen verlaten,' begon Cadrach. 'Er waren bepaalde dingen die ik verkregen had, vele van hen wettig, in de eerste tijd van mijn studie. Een ervan was een grote schat waarvan niemand wist dat ik die bezat. Mijn bezittingen – die welke ik niet had verkocht om wijn te kopen – waren aan een oude vriend toevertrouwd. Toen besloten was dat ik niet langer geschikt was voor het gezelschap van degenen die ik gekend had, nam ik ze van hem terug... ondanks zijn tegenwerpingen, want hij wist dat ik geen vertrouwde bewaarder was. Zodoende, als het een bijzonder slechte tijd werd, kon ik meestal een handelaar in zeldzame manuscripten of door de kerk verboden boeken vinden en – gewoonlijk tegen prijzen zo laag dat het bijna diefstal was – wat geld krijgen in ruil voor mijn kostbare boeken. Maar, zoals ik zei, één ding dat ik had gevonden was duizend keer meer waard dan alle andere. Het verhaal van hoe ik eraan kwam, is op zichzelf een verhaal voor een nacht, maar het was lange tijd het enige ding waar ik geen afstand van wilde doen, hoe wanhopig mijn omstandigheden ook waren. Want, ziet u, ik had een exemplaar gevonden van *Du Svardenvyrnd*, het legendarische boek van de waanzinnige Nisses, het enige exemplaar dat naar ik ooit gehoord heb in de moderne tijd is overgeleverd. Of het 't origineel was, weet ik niet want de band was sinds lang verdwenen maar de… persoon van wie ik het kreeg, zwoer dat het echt was; voorwaar, als het een falsificatie was, dan was dat op zichzelf een briljant werkstuk. Maar kopie of geen kopie, het bevatte de feitelijke woorden van Nisses, dat leed geen twijfel. Niemand kon over de afschuwelijke dingen die ik deed lezen en vervolgens naar de wereld om hem heen kijken, en het niet geloven.'

'Ik heb ervan gehoord,' zei Miriamele. 'Wie was Nisses?'

Cadrach lachte heel even. 'Een vraag voor de eeuwen. Hij was een man die uit het noorden, voorbij Elvritshalla kwam, uit het land van de Zwarte Rimmersmannen die onder de Stormpiek wonen, en zich bij Fingil, koning van Rimmersgaarde, aandiende. Hij was geen hofgoochelaar, maar men zegt dat hij koning Fingil de macht gaf die hem in staat stelde de helft van Osten Ard te veroveren. Die macht is misschien wijsheid geweest, want Nisses kende de feiten over dingen waarvan niemand ooit had gedroomd dat ze bestonden. Nadat Asu'a was veroverd en Fingil eindelijk gestorven was, diende Nisses Fingils zoon Hjeldin. Het was in die tijd dat hij zijn boek schreef – een boek dat een deel van de afschuwelijke kennis bevatte die hij had meegebracht toen hij in een moorddadige sneeuwstorm voor Fingils poorten verscheen. Hij en Hjeldin stierven beiden in Asu'a – de jonge koning door zich uit het raam van de toren te gooien die zijn naam draagt. Nisses werd dood aangetroffen in het vertrek waaruit Hjeldin was gesprongen, zonder dat er iets aan hem te zien was. Er lag een glimlach op zijn gezicht; het boek hield hij in zijn handen geklemd.'

Miriamele huiverde. 'Dat boek. Daar werd in Naglimund over gesproken. Jarnauga zei dat het verondersteld wordt te verhalen van de komst van de Stormkoning en andere zaken.'

'Ah, Jarnauga,' zei Cadrach treurig. 'Wat zou hij het graag hebben gezien! Maar ik heb het hem nooit laten zien, en ook niet aan iemand anders van de Dragers van het Geschrift.'

'Maar waarom? Als jij het had, ook al was het maar een kopie, waarom liet je het dan niet aan Morgenes en de anderen zien? Ik dacht dat jullie Verbond er juist voor dat soort dingen was.'

'Misschien. Maar tegen de tijd dat ik het gelezen had, was ik niet langer een Drager van het Geschrift. Ik kende het van buiten. Vanaf het ogenblik dat ik de laatste bladzijde omsloeg, gaf ik de liefde voor kennis op voor de liefde voor vergetelheid – die twee gaan niet samen. Zelfs voor ik Nisses' boek vond, was ik al ver het verkeerde pad op gegaan, dingen lerend die geen mens die 's nachts goed wil slapen behoort te leren. En ik was jaloers op mijn mede-Dragers van het Geschrift, Miriamele, jaloers op hun eenvoudige geluk met hun studies, boos op hun rustige zekerheid dat alles dat te onderzoeken was kon worden begrepen. Ze waren er zo zeker van dat ze, als ze de natuur van de wereld aandachtig genoeg konden bekijken, al haar bedoelingen konden ontdekken... maar ik had iets dat zij niet hadden, een boek dat alleen door het te lezen hun niet alleen dingen zou bewijzen die ik al had gesuggereerd, maar de zuilen van hun begrip zou doen verbrokkelen. Ik was vol woede, Miriamele, maar ik was ook vol wanhoop.' Hij zweeg even, de pijn in zijn stem duidelijk hoorbaar. 'De wereld is anders wanneer Nisses die eenmaal heeft uitgelegd. Het is alsof de bladzijden van dit boek in een langzaam werkend vergif waren gedompeld dat de geest doodt. Ik heb ze alle aangeraakt.'

'Het klinkt afgrijselijk.' Miriamele herinnerde zich het beeld dat ze in een van Dinivans boeken had gezien, een gehoornde reus met rode ogen. Ze had dat beeld sindsdien gezien in vele verontrustende dromen. Was het misschien beter sommige dingen niet te weten, blind te zijn voor sommige afbeeldingen en ideeën?

'Inderdaad afgrijselijk, maar alleen omdat het de ware verschrikking weerspiegelde die onder de wakende wereld op de loer lag, de schaduwen die het omgekeerde beeld van zonlicht zijn. Toch, zelfs zoiets machtigs als Nisses' boek werd uiteindelijk slechts een werktuig voor me om te vergeten: toen ik het zo vaak had gelezen dat het mij ziek maakte om er ook maar naar te kijken, begon ik de pagina's ervan te verkopen, één voor één.'

'Elysia, Moeder van Genade! Wie koopt zoiets?'

Cadrach grinnikte rauw. 'Zelfs degenen die er zeker van waren dat het een handige falsificatie was, wisten niet hoe gauw ze één enkele pagina uit mijn handen moesten nemen. Een verboden boek heeft een machtige fascinatie, meisje, maar een werkelijk zondig boek – en er zijn er niet veel – trekt de nieuwsgierigen aan zoals honing vliegen aanlokt.' Zijn gelach zwol een ogenblik aan, en werd toen verstikt in wat als een snik klonk. 'Lieve Usires, ik wou dat ik het had verbrand!'

'Maar hoe zit het met Pryrates?' spoorde ze hem aan. 'Heb je bladzijden aan hem verkocht?'

'Nooit en te nimmer!' Cadrach schreeuwde bijna. 'Ik wist toen al dat hij een duivel was. Hij werd lang voor mijn eigen val uit het Verbond gezet, en elk van ons wist welk een gevaar hij was!' Hij hervond zijn zelfbeheersing. 'Nee, ik vermoed dat hij alleen maar dezelfde kooplieden in antiquiteiten bezocht als ik – het is een nogal kleine gemeenschap, weet u – en dat sommige stukken hem in handen zijn gevallen. Hij is enorm geleerd in duistere zaken, prinses, vooral de gevaarlijkste gebieden van de Kunst. Het was niet moeilijk voor hem, daar ben ik zeker van, om erachter te komen wie de eigenaar was geweest van het machtige ding waaruit die bladzijden kwamen. Evenmin was het moeilijk voor hem mij te vinden, ondanks het feit dat ik mezelf zo diep mogelijk in de schaduwen had teruggetrokken, heel mijn kennis erop richtend om mezelf dermate onbelangrijk te maken dat ik bijna onzichtbaar werd. Maar, zoals ik al zei, hij vond mij. Hij stuurde enkele van uw vaders eigen soldaten achter mij aan. Ziet u, hij was al een raadsman van prinsen geworden – of in het geval van uw vader, koningen in spe.'

Miriamele dacht aan de dag dat ze Pryrates voor het eerst had ontmoet. De rode priester was naar de vertrekken van haar vader in Meremund gekomen, Elias' nieuws over gebeurtenissen in Nabban brengend. De jonge Miriamele had het moeilijk gevonden om met haar vader te praten, zich inspannend om iets te bedenken dat zij hem kon vertellen dat hem misschien even zou doen glimlachen, zoals hij vaak had gedaan in de tijd dat zij zijn oogappel was. Omdat staatszaken een nuttig excuus waren om weer een ongemakkelijk gesprek met zijn dochter te vermijden, had Elias haar weggestuurd. Nieuwsgierig had ze Pryrates' blik toen ze de deur uitging opgevangen.

Ook als jong meisje was Miriamele gewend geraakt aan de verscheidenheid van blikken die zij onder de hovelingen van haar vader uitlokte – van ergernis bij degenen die haar als een belemmering voor hun zaken beschouwden, van medelijden bij hen die haar eenzaamheid en verwarring herkenden, eerlijke berekening bij hen die zich afvroegen met wie ze eens zou trouwen, of ze een aantrekkelijke vrouw zou worden, of dat ze na de dood van haar vader een plooibare koningin zou zijn. Maar tot op dat ogenblik was ze nooit bekeken met iets dat op Pryrates' onmenselijke blik leek, een starende blik koud als een onderdompeling in ijswater. Zijn zwarte ogen schenen geen greintje menselijk gevoel te bevatten; ze had op de een of andere manier geweten dat als ze gevild vlees op de tafel van een slager zou zijn geweest, zijn uitdrukking precies eender geweest zou zijn. Tegelijkertijd had het geleken alsof hij recht in en door haar heen keek, alsof elk van haar gedachten werd gedwongen naakt voor hem te paraderen, ineenkrimpend bij zijn onderzoek. Ontsteld had ze zich van zijn vreselijke blik afgewend en was de gang door gevlucht, onverklaarbaar huilend. Achter zich hoorde zij het droge gezoem van de stem van de alchimist toen hij begon te spreken. Ze besefte dat zij voor de nieuwe vertrouweling van haar vader niet meer betekende dan een vlieg – dat hij haar zou negeren door nooit meer aan haar te denken, of haar genadeloos te verpletteren als dat in zijn kraam te pas kwam. Voor een meisje dat was grootgebracht in de voedende zekerheid van haar eigen belangrijkheid, een belangrijkheid die zelfs de liefde van haar vader had overleefd, was dit een gruwelijk besef.

Ondanks al zijn fouten was haar vader nooit een monster van dat soort geweest. Waarom had hij Pryrates dan in zijn kleine kring gehaald, zodat de duivel-priester uiteindelijk zijn naaste en meest vertrouwde raadgever werd? Het was een diep verontrustende vraag, een vraag waarop ze nooit een antwoord had gevonden.

Nu, in de licht deinende boot, spande ze zich in om haar stem gelijkmatig van toon te houden. 'Vertel me wat er gebeurd is, Cadrach.'

Het was duidelijk dat de monnik niet wilde beginnen. Miriamele kon zijn vingers over de houten bank horen krassen, alsof hij in de duisternis ergens naar zocht. 'Ze vonden me in de stal van een herberg in Zuid-Erchester,' zei hij langzaam, 'in de modder slapend. De soldaat sleurde mij eruit, en gooide me toen achterin een wagen en we reden naar de Hayholt. Het was tijdens het ergste jaar van die vreselijke droogte, en in het late middaglicht was alles goud en bruin, zelfs de bomen stijf en saai als opgedroogde modder. Ik herinner me dat ik staarde, terwijl mijn hoofd galmde als een kerkklok – ik had natuurlijk een lange roes liggen uitslapen – en ik vroeg me af of dezelfde droogte waardoor mijn ogen en neus en mond aanvoelden alsof ze vol stof zaten, op de een of andere manier ook alle kleuren van de wereld hadden weggezogen.

Ik ben er zeker van dat de soldaten dachten dat ik alleen maar een misdadiger was, en iemand die na die middag geen lang leven beschoren was. Ze praatten alsof ik al dood was, klagend over de moeilijke plicht om een lijk te moeten wegdragen en begraven zo stinkend en ongewassen als het mijne. Een soldaat zei zelfs dat hij een extra uur soldij voor het onaangename werk zou eisen. Een van zijn metgezellen meesmuilde en zei: "Van Pryrates?" en de opschepper zweeg. Sommigen van de andere soldaten lachten om zijn verwarring, maar hun stemmen klonken geforceerd alsof alleen al het idee om iets van de rode priester te eisen voldoende was om de dag te bederven. Dit was de eerste keer dat ik enig idee had waar ik heen ging, en ik wist dat het heel wat erger zou zijn dan eenvoudig als een dief of een verrader – hetgeen ik allebei was – te worden opgeknoopt. Ik probeerde mezelf uit de wagen te gooien, maar werd vlug weer naar binnen getrokken. "Ho," zei een van hen, "hij kent de naam!"

"Alsjeblieft," smeekte ik, "breng me niet naar die man. Als er Aedonitische genade in jullie is, doe alles met me wat je wilt, maar geef me niet aan die priester." De soldaat die het laatste gesproken had keek me aan, en ik denk dat er misschien enig medelijden in zijn harde ogen was, maar hij zei: "En zijn woede over ons brengen? Onze kinderen vaderloos achterlaten? Nee, schep moed en verdraag het als een man."

Ik huilde de hele weg naar de Nearulaghpoort. De wagen hield stil bij de met ijzer beslagen voorzijde van Hjeldins Toren en ik werd naar binnen gesleurd, van wanhoop te zwak om me te verzetten – niet dat mijn uitgeputte lichaam veel zou hebben uitgericht tegen vier gewapende Erkynwachten. Ik werd half door de wachtkamer gedragen, toen wat een miljoen treden schenen op. Bovenaan, zwaaiden twee grote eiken deuren open. Ik werd er als een zak meel door geschoven, en viel op mijn knieën op de harde tegels van een volle kamer.

Het eerste wat ik dacht, prinses, was dat ik ergens in een meer van bloed was gevallen. De hele kamer was vuurrood, iedere nis en spleet; mijn handen die ik voor mijn gezicht had geslagen, waren ook van kleur veranderd. Ik keek met afschuw op naar de hoge ramen. Elk ervan was van boven tot onderen gevuld met ruiten van helderrood glas; de ondergaande zon stroomde erdoorheen, het oog verblindend, alsof elk raam een grote robijn was. Het rode licht ontdeed alles in de kamer van kleur, net als de avond doet. Er leken geen andere kleuren dan zwart en rood te zijn. Er waren tafels, en hoge overhellende planken, waarvan er geen de ene gebogen buitenmuur van het vertrek aanraakte, maar die in plaats daarvan naar het midden van de kamer kwamen. Iedere oppervlakte was bekleed met boeken en perkamentrollen en... andere dingen, waarvan ik er vele niet lang kon aanzien. De priester is vreselijk nieuwsgierig. Hij deinst nergens voor terug om de waarheid omtrent iets te weten te komen – althans het soort waarheden die belangrijk voor hem zijn. Vele van de onderwerpen van zijn studies, voornamelijk dieren, waren opgesloten in kooien die lukraak te midden van boeken waren opgestapeld; de meeste van hen leefden nog, hoewel het beter voor hen zou zijn geweest als dat niet zo was. Gezien de chaos in het midden van het vertrek was de muur merkwaardig overzichtelijk, kaal op enkele geschilderde symbolen na.

"Ah," zei een stem. "Gegroet, mede-Drager van het Geschrift." Dat was Pryrates natuurlijk, gezeten op een smalle zetel met hoge rug in het midden van dit vreemde nest. "Ik neem aan dat uw reis comfortabel was?"

"Laat ons niet schermen met woorden," zei ik. Met de wanhoop was een zekere berusting gekomen. "Jij bent niet langer een Geschriftdrager, Pryrates, en ik ook niet. Wat wil je?"

Hij grijnsde. Hij was niet in de stemming om wat voor hem een prettige afleiding was, te bespoedigen. "Eens lid van het Verbond, altijd lid, denk ik," gniffelde hij. "Want zijn wij beiden niet nog altijd nauw betrokken bij oude dingen, oude geschriften... oude boeken?"

Toen hij dit laatste zei, stokte mijn hart in mijn borst. Eerst dacht ik dat hij me alleen maar wilde kwellen, wraak nemen omdat hij uit het

Verbond was gegooid – hoewel anderen daar meer verantwoordelijk voor waren dan ik; ik was mijn terugval in duisternis al begonnen toen hij eruit was gezet. Nu besefte ik dat hij iets heel anders wilde. Het was duidelijk dat hij een boek begeerde waarvan hij dacht dat ik het bezat... en ik had weinig twijfel wat het boek dat het zou kunnen zijn betrof.

Ik duelleerde een klein uur met hem, woorden gebruikend zoals een zwaardvechter zijn zwaard gebruikt en hield mij staande – het laatste wat een dronkaard verliest, ziet u, is zijn slimheid: die overleeft zijn ziel lange tijd – maar wij wisten beiden dat ik het ten slotte zou opgeven. Ik was moe, ziet u, heel moe en ziek. Terwijl wij spraken, kwamen twee mannen het vertrek binnen. Dit waren geen Erkynwachten, maar nogal somber geklede mannen met kaalgeschoren hoofden met het donkere haar en de donkere huid van bewoners van zuidelijke eilanden. Geen van beiden sprak – misschien waren ze stom – maar hun bedoeling was niettemin duidelijk: zij zouden me vasthouden, zodat Pryrates zijn handen en aandacht vrij zou hebben terwijl hij overging tot krachtigere onderhandelingsmethoden. Toen het tweetal mijn armen beetpakte en me dicht naar de zetel van de priester toe sleurde, gaf ik het op. Het was niet de pijn die ik vreesde, Miriamele, of zelfs de andere zielegruwelijkheden die hij had kunnen toebrengen. Dat zweer ik, hoewel ik niet weet waarom dat van belang zou zijn. Eigenlijk kon het mij niet meer schelen. Laat hem maar van me krijgen wat hij wil, dacht ik. Laat hem ermee doen wat hij wil. Het was niet zo, zei ik tegen mezelf, alsof deze van zonde geblakerde wereld onverdiende straf zou krijgen... want ik had zo lang in de diepten vertoefd dat het enige goede dat ik zag het niets zelf was.

"Je bent vrijmoedig omgegaan met bladzijden uit een zeker oud boek, Padreic," zei hij. "Of herinner ik mij dat je jezelf nu anders noemt? Hindert niet. Ik heb dat boek nodig. Als je me vertelt waar je het verborgen hebt, zul je vrij de avondlucht in lopen." Hij wees naar de wereld achter de rode ramen. "Zo niet..." Hij wees naar bepaalde voorwerpen die vlak bij zijn hand op de tafel lagen, voorwerpen die al waren bezoedeld met haar en bloed.

"Ik heb het niet meer," vertelde ik hem. Dat was de waarheid. Ik had de laatste paar bladzijden een paar weken eerder verkocht: ik had van de opbrengst mijn roes in die lawaaiige stal uitgeslapen.

Hij zei: "Ik geloof je niet, mannetje"; toen deden zijn dienaren iets met mij tot ik schreeuwde. Toen ik hem nog steeds niet kon vertellen waar het was, begon hij zelf een actievere rol te spelen, alleen ophoudend wanneer ik niet langer kon gillen en mijn stem een gebroken gefluister was. "Hmmm," zei hij, aan zijn kin krabbend alsof hij doctor Morgenes nadeed, die vaak op die manier over een moeilijke vertaling nadacht. "Misschien moet ik je per slot van rekening toch geloven. Ik vind het moeilijk te denken dat uitschot zoals jij op louter morele gronden zou blijven zwijgen. Vertel mij aan wie je het verkocht hebt – alle stukken."

Mezelf stil verdoemend voor de dood van deze verschillende kooplieden – want ik wist dat Pryrates ze zonder een ogenblik van aarzeling zou laten vermoorden en hun waren zou laten confisceren – gaf ik hem alle namen die ik mij kon herinneren. Toen ik aarzelde, werd ik verder geholpen door... door... zijn dienaren...'

Cadrach brak plotseling in diep, piepend snikken uit. Miriamele hoorde dat hij het probeerde te onderdrukken, toen hield hij op in een hoestbui. Ze boog zich voorover en pakte zijn koude hand, er hard in knijpend om hem te laten weten dat zij bij hem was. Na een tijdje werd zijn ademhaling regelmatiger.

'Neem me niet kwalijk, prinses,' zei hij schor. 'Ik vind het niet prettig om eraan te denken.'

Ook in Miriameles ogen stonden tranen. 'Het is mijn schuld. Ik had je er nooit over moeten laten praten. Laten we ophouden, dan kun jij slapen.'

'Nee.' Ze kon voelen dat hij beefde. 'Nee, ik ben het begonnen. In elk geval zal ik niet goed slapen. Misschien zal het mij helpen als ik het verhaal afmaak.' Hij stak zijn hand uit en klopte op haar hoofd. 'Ik dacht dat hij alles van me had gekregen dat hij zich kon wensen, maar ik had het mis. "Wat als die heren de stukken die ik nodig heb niet langer in hun bezit hebben, Padreic?" vroeg hij. Ach, goden, er is niets smerigers dan de glimlach van die priester! "Ik vind dat je mij behoort te vertellen wat je je herinnert – er is nog wat vernuft over in dat door wijn doordrenkte hoofd, nietwaar? Kom, reciteer voor mij, kleine acoliet."

En ik vertelde het hem, elk stukje en iedere regel die ik mij kon herinneren, de volgorde even erg in de war als je zou verwachten van een schepsel ellendig als ik was. Hij scheen het meest geïnteresseerd in Nisses' cryptische woorden over de dood, vooral iets dat "spreken door de sluier" werd genoemd, waarvan ik aannam dat het de rituelen waren die iemand in staat stellen wat Nisses "liederen van de bovenlucht" had genoemd te bereiken – dat wil zeggen de gedachten van hen die op de een of andere manier de sterfelijkheid te boven zijn, zowel de doden als de nimmer-levenden. Ik onthulde het allemaal, verlangend te behagen, terwijl Pryrates daar zat te knikken en te knikken met zijn glimmende hoofd glanzend in het vreemde licht.

Op de een of andere manier, middenin deze vreselijke ervaring, merkte ik iets vreemds op. Het duurde enige tijd, zoals u zich zult kunnen

voorstellen, maar sinds ik vrijuit over mijn herinneringen aan Nisses'
boek was gaan praten, was ik niet gemolesteerd – een van de zwijgende
dienaren gaf me zelfs een beker water zodat ik duidelijker kon spreken.
Terwijl ik verder ratelde, iedere vraag van Pryrates even gretig beant-
woordend als een kind op zijn eerste heilige mansa, merkte ik iets ver-
ontrustends op aan de manier waarop het licht door het vertrek bewoog. Aanvankelijk was ik er, in mijn vermoeide, pijnlijke toestand,
van overtuigd dat Pryrates er op de een of andere manier in was geslaagd de zon terug te laten draaien in haar baan, want het licht dat van
oost naar west door de bloederige ramen was gevallen, gleed in plaats
daarvan de andere kant uit. Ik peinsde hierover – op dergelijke tijden is
het goed om iets anders te hebben om over na te denken dan wat er met
je gebeurt – en besefte eindelijk dat de wetten van de hemel per slot
van rekening niet waren herroepen. Het was veeleer de toren zelf, of in
elk geval het bovenste gedeelte waar wij waren, dat zich langzaam naar
de zon toe draaide, ietsje vlugger dan de loop van de zon zelf – zo langzaam dat het in combinatie met de gelijkvormigheid van de bovenste
verdieping van de toren, denk ik van buitenaf nooit door iemand is opgemerkt.

Dus dat was de reden waarom er niets tegen de stenen van deze kamer-
wanden mocht leunen, dacht ik! Zelfs in mijn uiterste nood van pijn en
angst, verwonderde ik mij over de enorme mechanismen en raderen die
onhoorbaar achter de mortel of onder mijn voeten moesten bewegen.
Dergelijke dingen waren eens een genot voor mij geweest – ik bracht
vele uren van mijn jeugd door met het bestuderen van de mechanische
wetten van de ronddraaiende aarde en de hemellichamen. En, de goden
helpen mij, het gaf mij iets om aan te denken naast wat mij was aangedaan en wat ik, op mijn beurt, mijn medemensen aandeed.

De ronde kamer rondkijkend terwijl ik verder wauwelde, zag ik voor
het eerst de subtiele merktekens die in het rode glas van de ramen waren aangebracht, en hoe deze merktekens, naar voren gericht als vage
lijnen van donkerder rood, over de vreemde symbolen bewogen die
overal in het rond op de binnenmuur van de toren stonden. Ik kon geen
andere verklaring bedenken dan dat Pryrates de top van Hjeldins Toren
had veranderd in een soort enorme waterklok, een uurwerk van fantastische grootte en ingewikkeldheid. Ik heb gepeinsd en gepeinsd, maar tot
op de dag van vandaag kan ik niets anders bedenken dat met de feiten
overeenstemt. De zwarte kunsten waarbij Pryrates betrokken is geraakt,
hebben, veronderstel ik, zandloper en zonnewijzer onbruikbaar onnauwkeurig gemaakt.'

Miriamele liet hem lange tijd pauzeren. 'Dus wat gebeurde er, Cadrach?'

Cadrach aarzelde nog. Toen hij zijn verhaal vervolgde, sprak hij iets vlugger, alsof dit gedeelte nog verontrustender was dan het voorafgaande. 'Nadat ik Pryrates alles wat ik wist had verteld, zat hij daar te denken gedurende de tijd die het laatste schijfje van de zon ervoor nodig had om door een van de ramen te vallen en aan de rand van de volgende te verschijnen. Toen stond hij op, maakte een handgebaar en een van zijn bedienden kwam van achteren naar mij toe. Ik kreeg met een voorwerp een klap op het hoofd en wist niets meer. Toen ik wakker werd, lag ik in een bosje in de Kynslagh, mijn kleren besmeurd met de vloeistoffen van mijn eigen lichaam. Ik geloof dat ze dachten dat ik dood was. Stellig vond Pryrates dat ik geen verdere inspanning waard was, niet eens de inspanning om mij behoorlijk af te maken.' Cadrach hield op en haalde diep adem.

'U zou denken dat ik waanzinnig blij zou zijn geweest om nog te leven, om het te hebben overleefd hoewel ik dat niet verwachtte, maar het enige dat ik kon doen was dieper in het struikgewas kruipen en wachten op de dood. Maar dat waren warme, droge dagen; ik stierf niet. Toen ik voldoende hersteld was, ging ik naar Erchester. Daar stal ik wat kleren en eten. Ik baadde zelfs in de Kynslagh, zodat ik de gelegenheden binnen kon gaan waar wijn werd verkocht.' De monnik kreunde. 'Maar ik kon de stad niet verlaten, ook al brandde ik van verlangen om dat te doen. De aanblik van Hjeldins Toren die boven de buitenmuur van de Hayholt oprees, maakte mij doodsbang, maar toch kon ik niet vluchten. Ik voelde mij alsof Pryrates een deel van mijn ziel eruit had getrokken om mij aan het lijntje te houden, zodat hij mij iedere keer wanneer hij dat wilde terug kon roepen, en ik zou gaan. Dit ondanks het feit dat het duidelijk was dat het hem niet kon schelen of ik leefde of dood was. Ik bleef in de stad, stelend, drinkend, zonder succes proberend het vreselijke, verraderlijke iets dat ik gedaan had te vergeten. Ik heb het niet vergeten, natuurlijk – ik zal het nooit vergeten – hoewel ik uiteindelijk sterk genoeg werd om mij los te rukken van de schaduw van de toren en uit Erchester vluchtte.' Hij keek een ogenblik alsof hij iets meer wilde zeggen, maar huiverde en verviel in zwijgen.

Miriamele greep opnieuw de hand van de monnik, die kribbig aan de houten bank had gekrabd. Ergens in het zuiden verhief een zeemeeuw zijn eenzame stem. 'Maar je kunt jezelf niet de schuld geven, Cadrach. Dat is dwaas. Iedereen zou hebben gedaan wat jij deed.'

'Nee, prinses,' mompelde hij droevig. 'Sommigen zouden dat niet hebben gedaan. Sommigen zouden zijn gestorven voordat ze dergelijke vreselijke geheimen zouden hebben verteld. En wat belangrijker is, anderen zouden in de eerste plaats geen schat hebben opgegeven – vooral zo'n gevaarlijke schat als Nisses' boek – voor de prijs van een paar kannen wijn. Ik had een heilige plicht. Daar is het Verbond van het Geschrift voor bedoeld, Miriamele, om kennis te bewaren, en ook om Osten Ard te behoeden voor lieden als Pryrates die de oude kennis willen gebruiken om macht over anderen uit te oefenen. Ik heb op beide punten gefaald. En het Verbond was ook bedoeld om op te passen voor de terugkeer van Ineluki, de Stormkoning. Daar heb ik het jammerlijkst van alles gefaald, want het lijkt mij duidelijk dat ik Pryrates de middelen heb verschaft om die verschrikkelijke geest te vinden en hem opnieuw voor de mensheid te interesseren – en al dit kwaad heb ik zo eenvoudig bewerkstelligd opdat ik wijn kon zwelgen, opdat ik mijn al vage brein nog een beetje donkerder kon maken.'

'Maar waarom wilde Pryrates dit alles weten? Waarom was hij zo geïnteresseerd in de dood?'

'Ik weet het niet.' Cadrach was vermoeid. 'Hij is een geest die rot is geworden als een stuk oud fruit – wie weet wat voor vreemde wonderen uit zoiets zullen ontspruiten?'

Boos kneep Miriamele in zijn hand. 'Dat is geen antwoord.'

Cadrach ging wat meer rechtop zitten. 'Het spijt mij, vrouwe, maar ik heb geen antwoorden. Het enige dat ik kan zeggen, is dat de vragen die Pryrates mij stelde me niet de indruk gaven dat hij contact zocht met de Stormkoning – aanvankelijk niet. Nee, hij had een andere belangstelling voor, zoals hij het noemde, "spreken door de sluier". En ik denk dat hij, toen hij die lichtloze regionen begon te onderzoeken, werd opgemerkt. De meeste levende stervelingen die daar worden ontdekt, worden vernietigd of tot waanzin gedreven, maar mijn vermoeden is dat Pryrates werd herkend als een mogelijk werktuig voor een wraakzuchtige Ineluki. Uit wat anderen mij hebben verteld, maak ik op dat hij waarlijk een zeer nuttig werktuig is geweest.'

Miriamele, verkild door de nachtelijke bries, kromp ineen. Iets in wat Cadrach zonet had gezegd, trok aan haar gedachten, vragend te worden onderzocht. 'Ik wil nadenken,' zei ze.

'Als ik u heb doen walgen, vrouwe, is dat alleen maar redelijk.' Hij scheen heel afstandelijk. 'Ik ben onuitsprekelijk van mezelf gaan walgen.'

'Wees geen idioot.' Impulsief lichtte zij zijn koude hand op en drukte die tegen haar wang. Verbijsterd liet hij die daar een ogenblik alvorens hem terug te trekken. 'Je hebt fouten gemaakt, Cadrach. Maar ik ook, en met mij vele anderen!' Ze gaapte. 'Nu moeten wij slapen, zodat we morgenochtend kunnen opstaan en weer gaan roeien.' Ze kroop langs hem heen naar de geïmproviseerde hut van de boot.

'Vrouwe?' zei de monnik, zijn stem duidelijk verrast, maar ze zei niets meer.

Enige tijd later, toen Miriamele in slaap zonk, hoorde ze hem naar binnen kruipen in de schuilplaats van zeildoek. Hij rolde zich op bij haar voeten, maar zijn ademhaling bleef rustig, alsof hij ook aan het denken was. Weldra trok de zachte golfslag en het deinen van de voor anker liggende boot haar omlaag in dromen.

10

Ruiters van de dageraad

Ondanks de kille ochtendnevels die Sesuad'ra als een grijze mantel bedekten, was Nieuw Gadrinsett bijna in een feeststemming. De troep trollen die door Binabik en Simon over het langzaam bevriezende meer werd teruggeleid, was een nieuw en aangenaam wonder in een jaar waarvan de andere vreemde gebeurtenissen bijna allemaal slecht waren geweest. Toen Simon en zijn kleine vrienden het laatste slingerende stuk van de oude Sithi weg op gingen, begon een stroom babbelende kinderen, die voor hun ouders uit waren gelopen, zich rondom hen te verzamelen. De bergrammen, gehard door de herrie van Qanucse dorpen, liepen gewoon door. Sommige van de kleinere kinderen werden door ruwe bruine handen opgetild en in het zadel gezet om met trollenherders en jageressen mee te rijden. Eén klein jongetje, dat zo'n plotselinge en intieme kennismaking met de pas aangekomenen niet verwachtte, begon hard te huilen. Ongerust door zijn dunne baard grijnzend, hield de trollenman die hem had opgepakt de spartelende knaap voorzichtig maar ferm op zijn plaats, opdat hij niet viel en gewond werd door de met hun horens stotende rammen. Het gejammer van de jongen was zelfs hoorbaar boven het geschreeuw van de andere kinderen en het ongebreidelde gebons en getoeter van de Qanucse marsmuziek.

Binabik had Jozua van de komst van zijn volk verteld alvorens Simon mee te nemen naar het woud; op zijn beurt had de prins zijn best gedaan ervoor te zorgen dat hun een passende ontvangst werd bereid. De rammen werden naar warme grotstallen gebracht, waar ze tevreden op hooi kauwden naast de paarden van Nieuw Gadrinsett; toen marcheerden Sisqi en de rest van haar trollencontingent naar de door de wind gepolijste massa van het Afscheidshuis, nog steeds omringd door een groep verbaasde kolonisten. De schaarse voorraden van Seduad'ra werden samengevoegd met de reisproviand van de trollen, en er werd een karige maaltijd gedeeld. Er waren nu zoveel burgers in Nieuw Gadrinsett dat ook de toevoeging van honderd of meer nog van zulke kleine mannen en vrouwen de grotachtige Sithi zaal tot barstens toe vulde, maar de gezelligheid maakte het tot een warmere plaats. Er was weinig eten, maar het gezelschap was exotisch opwindend.

Sangfugol stond op, gekleed in zijn beste – hoewel misschien ietwat versleten – wambuis en pofbroek, en zong een paar geliefkoosde oude liederen. De trollen applaudisseerden door met hun handpalmen tegen hun laarzen te slaan, een gewoonte die de burgers van Nieuw Gadrinsett amuseerde. Een man en vrouw van de Qanucs brachten vervolgens, door hun kameraden aangespoord, met veel gespring en getuimel een acrobatische dans waarvoor twee van hun kromme schaapsherderssperen nodig waren. De meeste mensen van Nieuw Gadrinsett, ook degenen die met achterdocht jegens de kleine vreemdelingen de zaal waren binnengekomen, merkten dat ze de nieuwelingen aardig begonnen te vinden. Alleen onder de paar kolonisten die oorspronkelijk uit Rimmersgaarde kwamen, scheen er een blijvend gevoel van wrok te zijn: de van oudsher bestaande vijandschap tussen trollen en Rimmersmannen kon niet worden uitgebannen door één enkel feestmaal en wat dansen en zingen.

Simon zat trots toe te kijken. Hij dronk niet, aangezien het bloed nog steeds onbehaaglijk in zijn hoofd bonsde van de *kangkang* van de vorige avond, maar hij voelde zich even aangenaam duizelig alsof hij net een volle zak achterover had geslagen. Alle verdedigers van de Sesuad'ra waren dankbaar voor de komst van nieuwe bondgenoten – wat voor bondgenoten ook. De trollen waren klein, maar Simon herinnerde zich van Sikkihoq wat een dappere strijders zij waren. Er was nog altijd een kleine kans dat Jozua's lieden Fengbald op een afstand zouden kunnen houden, maar de kansen waren in elk geval beter dan ze de vorige dag waren geweest. Het beste van alles echter, was dat Sisqi Simon plechtig had gevraagd aan de zijde van de trollen te vechten. Voor zover hij kon opmaken, hadden ze nog nooit eerder een *Utku* gevraagd, wat het werkelijk tot een eer maakte. De Qanucs hadden een hoge dunk van zijn dapperheid, zei ze hem, en de trouw die hij Binabik had betoond.

Simon vergenoegde zich onwillekeurig een beetje, hoewel hij had besloten het voorlopig voor zich te houden. Toch kon hij het niet helpen dat hij aan de lange tafel opgewekt glimlachte tegen iedereen wiens blik hij opving.

Toen Jeremias verscheen, dwong Simon hem naast hem te gaan zitten. In het gezelschap van de prins en de andere 'voorname lieden', zoals Jeremias hen noemde, was de vroegere kaarsenmakersjongen gewoonlijk beter op zijn gemak wanneer hij Simon als zijn lijfknecht bediende – iets dat Simon helemaal niet aangenaam vond.

'Het is niet juist,' bromde Jeremias, omlaag kijkend naar de beker die Simon voor hem had neergezet. 'Ik ben jouw schildknaap, Simon. Ik behoor niet aan de tafel van de prins te zitten. Ik behoor jouw beker te vullen.'

'Onzin.' Simon wuifde luchtig met zijn hand. 'Zo gaan de dingen hier niet. Bovendien, als jij het kasteel uit was gegaan toen ik het deed, was jij degene geweest die de avonturen had beleefd, en ik degene die met Duim in de kelder terecht was gekomen…'

'Dat moet je niet zeggen!' zei Jeremias hijgend, zijn ogen plotseling vol angst. 'Jij weet niet...' Hij had moeite zich te beheersen. 'Nee, Simon, zeg het niet, je zult ongeluk brengen, maken dat het waar wordt!' Zijn uitdrukking veranderde, waarbij de angst geleidelijk plaatsmaakte voor een weemoedige blik. 'Bovendien heb je het mis. Dat soort dingen zou mij niet overkomen zijn, Simon – de draak, het elfenvolk, en dergelijke. Als jij niet kunt zien dat je bijzonder bent, dan...' Hij haalde diep adem, '... dan ben je alleen maar dom.'

Dit soort gepraat zorgde ervoor dat Simon zich nog onbehaaglijker ging voelen. 'Bijzonder of dom, je moet wel tot een besluit komen.'

Jeremias keek hem aan alsof hij zijn gedachten voelde. Hij scheen te overwegen om op het onderwerp door te gaan, maar na enkele ogenblikken vertrok zijn gezicht in een spottende glimlach. ' "Hmmm. Bijzonder dom", zou waarschijnlijk juist zijn, nu je er toch over begint.'

Opgelucht zich op een veiligere basis te vinden, doopte Simon zijn vingers in zijn wijnbeker en spetterde druppels op Jeremias' bleke gezicht, zijn vriend aan het mopperen makend. 'En jij, mijnheer bent geen haar beter. Ik heb u gezalfd en nu doop ik u "Heer Bijzonder Dom".' Ernstig spetterde hij nog een paar druppels. Jeremias grauwde en sloeg naar de beker, de droesem op Simons hemd morsend, en toen begonnen zij te armworstelen, lachend en heen en weer kletsend met hun vrije armen als spelende jonge beren.

'Bijzonder Dom!'

'Dom Bijzonder!'

Hoewel de strijd nog goedaardig was, werd hij weldra wat verhitter; degenen die het dichtst bij de strijdenden zaten gingen achteruit om hun ruimte te geven. Ondanks bepaalde bedenkingen vond Jozua het moeilijk om zijn blik van afstandelijk fatsoen te bewaren. Vrouwe Vorzheva lachte openlijk.

De trollen, wier staatsaangelegenheden zich in de indrukwekkende uitgestrektheid van Chidsik jub Lingit afspeelden en nooit iets zo triviaals inhielden als twee vrienden die met elkaar worstelden en wijn in elkaars haren wreven, sloegen de gebeurtenissen met ernstige belangstelling gade. Verscheidenen vroegen zich hardop af of een bijzondere voorspelling of profetie werd bepaald door de winnaar van deze wedstrijd, anderen of het beledigend zou zijn voor de religieuze opvattingen van hun gastheer als ze stilletjes wedden wie de winnaar zou zijn. Wat dit laatste betrof, scheen men het er stilzwijgend over eens te zijn dat wat niet werd opgemerkt ook geen aanstoot kon geven; de kansen wisselden enige keren naarmate de een of de ander van de strijdenden zich op de rand van een verpletterende nederlaag leek te bevinden.

Terwijl er momenten voorbijgingen waarin geen van de twee strijdenden een teken van overgave vertoonde, groeide de belangstelling van de

trollen. Dat zoiets zo lang doorging op een feestbanket in de grot van de
Herder en Jageres van deze laaglanders – welnu, het was duidelijk, legden de meer kosmopolitisch ingestelden van het Qanucse volk uit, dat
het meer moest zijn dan zomaar een wedstrijd. Het was eerder, zeiden
zij tegen hun kameraden, een zeer ingewikkeld soort dans die geluk en
kracht van de goden vroeg voor de aanstaande strijd. Nee, zeiden anderen, het was waarschijnlijk gewoonweg een strijd voor het recht om te
huwen. Rammen deden dat, dus waarom laaglanders niet?

Toen Simon en Jeremias beseften dat vrijwel iedereen in het vertrek naar
hen keek, kwam er plotseling een einde aan de armworstelwedstrijd. De
twee verlegen deelnemers, met rode gezichten en zwetend, zetten hun
stoelen recht en richtten zich op hun eten, zonder naar een van de andere
gasten te durven opkijken. De trollen fluisterden droevig. Wat jammer
dat Sisqi noch Binabik aanwezig was geweest om hun vele vragen over
het vreemde ritueel te vertalen. Een kans op een grotere waardering voor
Utku gewoonten was verloren gegaan, tenminste voorlopig.

Buiten het Afscheidshuis stonden Binabik en zijn verloofde tot aan de
enkels in de sneeuw die de verbrokkelende tegels van de Vuurtuin bedekte. De kou hinderde hen helemaal niet – het einde van de lente in
Yiqanuc kon veel erger zijn, en ze waren in lange tijd niet met z'n
tweeën geweest.

Het paar stond dicht bij elkaar, van aangezicht tot aangezicht, elkaars
wangen met hun adem verwarmend. Binabik hief een tedere hand op en
veegde een smeltend vlokje sneeuw van Sisqi's wang.

'Je bent nog mooier,' zei hij. 'Ik had gedacht dat mijn eenzaamheid mij parten
speelde, maar je bent nog mooier dan ik mij herinnerde.'

Sisqi lachte en trok hem dicht naar zich toe. 'Vleierij, Zingende Man,
vleierij. Heb je geoefend op deze enorme laaglandse vrouwen? Pas maar op, een
van hen zou aanstoot kunnen nemen en je platslaan.'

Binabik deed alsof hij fronste. 'Ik zie niemand anders dan jou, Sisqinanamook, en dat heb ik ook niet gedaan sinds de eerste keer dat jouw ogen voor de
mijne opengingen.'

Ze sloeg zijn armen om zijn borst en drukte zo hard ze kon. Toen ze
hem losliet, draaide ze zich om en ging weer lopen. Binabik hield gelijke tred met haar.

'Jouw nieuws was welkom,' zei hij. 'Ik heb me zorgen gemaakt om ons volk
sinds de dag dat ik van het Blauwe Moddermeer wegging.'

Sisqi haalde haar schouders op. 'Wij redden ons wel. Sedda's kinderen doen
dat altijd. Toch, het was alsof je een steen van de poot van een boze ram nam om
mijn ouders ervan te overtuigen mij zelf deze kleine verzameling van ons volk te
laten brengen.'

'De Herder en Jageres mogen verzoend zijn met de waarheid van wat Ookequk schreef,' zei Binabik, 'maar omdat men weet dat iets onaangenaams waar is, wordt het daardoor nog niet aanvaardbaar. Toch, Jozua en de anderen zijn werkelijk dankbaar – iedere arm, ieder oog, zal helpen. De Herder en Jageres hebben een goede daad gedaan, hoe ongaarne ook.' Hij zweeg. 'En jij hebt ook iets goeds gedaan. Ik dank je voor de vriendelijkheid tegenover Simon.'

Sisqi keek hem verwonderd aan. 'Wat bedoel je?'

'Hem te vragen zich bij de Qanucse troep aan te sluiten. Dat betekende veel voor hem.'

Ze glimlachte. 'Het was geen gunst, geliefde. Het is een verdiende eer, en onze keus – en niet alleen maar de mijne, Binabik, maar van de lieden die met mij meegekomen zijn.'

Binabik keek haar verbaasd aan. 'Maar zij kennen hem niet!'

'Sommigen wel. Enkelen die onze mars omlaag van Sikkihoq hebben overleefd behoren tot deze honderd. Je hebt Snenneq zeker wel gezien? En zij die in Sikkihoq waren, hebben verhalen naar de rest teruggebracht. Je jonge vriend heeft een sterke indruk op ons volk gemaakt, geliefde.'

'Jonge Simon.' Binabik dacht hier een ogenblik over na. 'Het is vreemd om het te denken, maar ik weet dat je de waarheid spreekt.'

'Hij is erg gegroeid, je vriend, sinds wij afscheid namen bij het meer. Je hebt dat toch zeker wel gezien?'

'Ik weet dat je niet bedoelt in grootte – hij is altijd lang geweest, zelfs voor iemand van zijn volk.'

Sisqi lachte en kneep hem weer. 'Nee, natuurlijk niet. Ik bedoel dat hij, sinds hij omlaag is gekomen van onze bergen, eruitziet als iemand die de Wandeling van de Mannelijkheid heeft gemaakt.'

'De laaglanders doen niet als wij, liefste – maar ik denk dat het hele afgelopen jaar in zeker opzicht zijn mannelijkheidswandeling is geweest. En ik denk niet dat die al afgelopen is.' Binabik schudde zijn hoofd, nam toen haar hand in de zijne. 'Maar toch, ik heb Simon geen dienst bewezen door te vermoeden dat jij dit gegeven had bij wijze van vriendelijk gebaar. Hij is jong en hij verandert snel. Wij zijn zulke dikke vrienden, misschien zie ik de veranderingen niet zo duidelijk als jij.'

'Jij ziet duidelijker dan wie van ons ook, Binbiniqegabenik. Daarom houd ik van je – en daarom mag je ook geen kwaad overkomen. Ik gunde mijn ouders geen rust voor ik aan je zijde kon staan met een troep van je eigen volk.'

'Ah, Sisqi,' zei hij droevig, 'duizend maal duizend van de dapperste trollen zouden ons niet kunnen beveiligen in deze vreselijke tijd – maar het is beter dan één miljoen speren om je weer dicht bij mij te hebben.'

'Alweer vleierij,' zei ze lachend. 'Maar zo prachtig gezegd.'

Arm in arm liepen ze door de sneeuw.

Proviand was schaars, maar hout niet; in het Afscheidshuis was het vuur hoog opgetast met blokken, zodat de rook het plafond blakerde. Normaal gesproken zou Simon in de war zijn geweest om de heilige plaats van de Sithi zo besmeurd te zien, maar vanavond zag hij het als niet meer dan wat nodig was – een dapper en gelukkig gebaar in een tijd waarin hoop schaars was. Hij keek naar de kring van mensen die zich om het laaiende vuur verzameld had toen het avondeten eenmaal voorbij was.

De meeste kolonisten waren naar hun tenten en slaapgrotten teruggegaan, vermoeid na een lange dag en een onverwachte feestviering. Enkele trollen waren ook weggegaan, een paar om naar de rammen te gaan kijken – want wat, hadden ze zich afgevraagd, wisten laaglanders eigenlijk van schapen af? – en anderen naar bed beneden in de grotten die de mensen van de prins voor hen in gereedheid hadden gebracht. Binabik en Sisqi zaten nu aan de hoofdtafel rustig met de prins te praten, hun gezichten veel ernstiger dan die van de andere feestvierders, die een paar kostbare wijnzakken aan de kring rond het vuur doorgaven. Simon beraadde zich een ogenblik, en ging toen naar de groep toe die bij het vuur verzameld was.

Vrouwe Vorzheva had de tafel van de prins verlaten en liep naar de deur – hertogin Gutrun liep naast haar, de elleboog van de Tritsingsvrouw voorzichtig vasthoudend als een moeder die klaarstaat om een impulsief kind in bedwang te houden – maar toen Vorzheva Simon zag, bleef ze staan. 'Daar ben je dus,' zei ze, en wenkte. Het kind dat in haar groeide begon zichtbaar te worden, een bolling bij haar middel.

'Vrouwe, hertogin.' Hij vroeg zich af of hij een buiging voor hen zou maken, maar herinnerde zich toen dat ze hem beiden kortgeleden Jeremias hadden zien stompen. Hij bloosde en boog haastig zodat ze zijn gezicht niet konden zien.

Vorzheva klonk alsof ze lachte. 'Prins Jozua zegt dat deze trollen je gezworen bondgenoten zijn, Simon, of moet ik je heer Seoman noemen?'

Het begon al maar erger te worden. Zijn wangen voelden pijnlijk warm aan. 'Alstublieft, vrouwe, alleen maar Simon.' Hij wierp een heimelijke blik op hen en kwam toen langzaam overeind.

Hertogin Gutrun gniffelde. 'De hemel helpe je, jongen, maak je niet zo bezorgd. Laat hem naar de anderen toe gaan, Vorzheva – hij is een jongeman en wil laat opblijven, drinkend en opscheppend.'

Vorzheva keek haar een ogenblik scherp aan, maar toen werd haar uitdrukking zachter. 'Ik wilde hem alleen maar zeggen…' Ze wendde zich tot Simon. 'Ik wilde je alleen maar zeggen dat ik wou dat ik meer van je afwist. Ik had gedacht dat onze levens vreemd waren sinds wij uit Naglimund zijn weggegaan, maar wanneer Jozua mij vertelt wat voor dingen jij hebt gezien...' Ze lachte weer, een beetje droevig, en spreidde haar lange vingers op haar buik uit. 'Maar het is goed van je ons hulp te brengen. Ik heb nooit zoiets gezien als deze trollen.'

'Je hebt... mmmmhh... Binabik lang gekend,' zei Gutrun, achter haar hand geeuwend.

'Ja, maar om één klein iemand te zien, is anders dan om er velen te zien, zo velen.' Vorzheva wendde zich tot Simon om hulp. 'Begrijp je het?'

'Ja, vrouwe Vorzheva.' Hij grijnsde bij de herinnering. 'De eerste keer dat ik de stad zag waar Binabiks volk woont — honderden grotten in de helling van de berg, en zwaaiende touwbruggen, en meer trollen dan u zich kunt voorstellen, jong en oud — ja, het was heel anders dan toen ik alleen maar Binabik kende.'

'Precies.' Vorzheva knikte. 'Welnu, ik dank je nogmaals. Misschien kom je mij eens meer over je reizen vertellen. Ik ben nu sommige dagen misselijk, en Jozua maakt zich zoveel zorgen om me wanneer ik uitga en rondloop...' ze glimlachte weer, maar er was een zweem van bitterheid in, 'dus is het goed om gezelschap te hebben.'

'Natuurlijk vrouwe, het zal mij een eer zijn.'

Gutrun trok aan Vorzheva's mouw. 'Kom nu mee, Vorzheva. Laat de jongeman met zijn vrienden gaan praten.'

'Ja. Wel, goedenacht, Simon.'

'Dames.' Hij boog toen ze weggingen, iets bevalliger deze keer. Blijkbaar was het iets dat al doende beter ging.

Sangfugol keek op toen Simon bij het vuur aankwam. De harpspeler zag er moe uit. De oude Towser zat naast hem, de helft van een wijdlopige woordenwisseling vervolgend — een woordenwisseling die Sangfugol een tijdje eerder scheen te hebben opgegeven.

'Daar ben je dus,' zei de harpspeler. 'Ga zitten. Neem wat wijn.' Hij hield hem de wijnzak voor.

Simon nam een slok, alleen om gezellig te zijn. 'Ik vond dat lied dat je vanavond hebt gezongen erg aardig — dat over de beer.'

'Het Osgal-wijsje? Dat is een goeie. Ik herinner me dat je zei dat ze in het trollenland beren hebben, dus dacht ik dat ze het wel leuk zouden vinden.'

Simon had de moed niet om te onthullen dat slechts een van de honderd nieuwe gasten ook maar één woord Westerlings sprak — dat de harpspeler over moerasvogels had kunnen zingen zonder dat ze dat gemerkt zouden hebben. Maar hoewel het onderwerp een volmaakt mysterie was geweest, hadden de Qanucs van de energieke coupletten van het lied en Sangfugols sluwe blikken genoten. 'Ze hebben er wat je noemt voor geklapt,' zei Simon. 'Ik dacht dat het dak naar beneden zou komen.'

'Ze kletsten tegen hun laarzen, heb je dat gezien?' Terugdenkend aan zo'n triomf richtte Sangfugol zich zichtbaar meer op. Hij zou wel eens de enige harpspeler kunnen zijn die ooit door trollenvoeten was toegejuicht – zoiets werd niet eens van de legendarische Eoin-ec-Cluias gezegd.

'Laarzen?' Towser leunde voorover en greep zich aan Sangfugols knie vast. 'En wie heeft hun geleerd laarzen te dragen, dat zou ik wel eens willen weten. Wilden uit de bergen dragen geen laarzen.'

Simon wilde antwoorden, maar Sangfugol schudde geërgerd zijn hoofd. 'Je kraamt weer onzin uit, Towser. Je weet helemaal niets van trollen af.'

Beschaamd keek de nar om zich heen, de brok in zijn keel op en neer gaand. 'Ik vond het alleen maar vreemd dat...' Hij keek naar Simon. 'En jij kent ze, jongen? Die kleine lieden?'

'Inderdaad. Binabik is mijn vriend – je hebt hem hier toch vaak gezien, nietwaar?'

'Inderdaad, inderdaad.' Towser knikte, maar zijn waterige ogen stonden vaag. Simon zei voorzichtig: '... die berg die wij dank zij jouw hulp hebben gevonden, Towser, met je herinneringen aan het zwaard Doorn – nadat we op de berg waren, gingen we naar de plaats waar Binabiks volk woont en hebben hun koning en koningin ontmoet. En nu hebben ze deze lieden gezonden om onze bondgenoten te zijn.'

'Ah, heel vriendelijk. Dat is heel vriendelijk.' Towser loenste achterdochtig over het vuur naar de dichtstbijzijnde groep trollen, een zestal mannen die aan het lachen was en in het vochtige zaagsel dobbelstenen wierp. De bejaarde nar keek op, opgewekt. 'En zij zijn hier vanwege wat ik zei?'

Simon aarzelde, zei toen: 'In zekere zin, ja. Dat is waar.'

'Ha!' Towser grijnsde, de stompjes van zijn paar overgebleven tanden ontblotend. Hij zag er werkelijk gelukkig uit. 'Ik heb Jozua en al die anderen over het zwaard verteld, nietwaar? Over beide zwaarden.' Hij keek weer naar de trollen. 'Wat zijn ze aan het doen?'

'Aan het dobbelen.'

'Aangezien ik ze hier heb gebracht, zou ik ze moeten laten zien hoe een spel werkelijk gespeeld dient te worden. Ik zou ze de Stierehoorn moeten leren.' Towser stond op en strompelde een paar passen naar waar de trollen aan het gokken waren, liet zich toen met gekruiste benen in hun midden vallen en begon een poging te doen uit te leggen hoe Stierehoorn gespeeld diende te worden. De trollen giechelden om zijn duidelijke dronkenschap, maar leken ook van het bezoek te genieten. Weldra waren de nar en de pas aangekomenen in een uitgelaten pantomime verwikkeld toen Towser, al beneveld door de drank en de opwinding van de avond, de fijnere nuances van het dobbelspel trachtte over te brengen aan een groep kleine bergmensjes die niet konden begrijpen wat hij zei.

Lachend, draaide Simon zich weer naar Sangfugol om. 'Dat zal hen waarschijnlijk voor de volgende paar uur bezighouden, op zijn minst.' Sangfugol trok een zuur gezicht. 'Ik wou dat ik dat zelf bedacht had. Ik zou hem lang geleden naar hen toe hebben gestuurd om hen te pesten.' 'Jij hoeft Towsers hoeder niet te zijn. Ik weet zeker dat, als je Jozua zou vertellen hoe onprettig je die taak vindt, hij iemand anders zou vragen om het te doen.' De harpspeler schudde zijn hoofd. 'Zo eenvoudig is het niet.' 'Zeg mij eens.' Van dichtbij kon Simon donker vuil in de ondiepe plooien rond Sangfugols ogen zien, een veeg op zijn voorhoofd onder zijn krullende bruine haar. De harpspeler leek veel van zijn kieskeurigheid te hebben verloren, maar Simon was er niet zeker van dat dat goed was: een onverzorgde Sangfugol scheen iets tegennatuurlijks, zoals een slonzige Rachel of een onhandige Jiriki.

'Towser was een goed mens, Simon.' De woorden van de harpspeler kwamen er langzaam uit, met tegenzin. 'Nee, dat is niet eerlijk. Hij is nog steeds een goed mens, veronderstel ik, maar tegenwoordig is hij meestal oud en dwaas – en dronken wanneer hij de kans krijgt. Hij is niet slecht, hij is alleen maar vervelend. Maar toen ik pas met mijn werk begon, nam hij de tijd om mij te helpen, hoewel ik hem niets verschuldigd was. Hij was de vriendelijkheid zelf. Hij bracht mij liedjes en toonsoorten bij die ik niet kende, leerde mij mijn stem behoorlijk te gebruiken zodat die me in tijd van nood niet in de steek zou laten.' Sangfugol haalde de schouders op. 'Hoe kan ik mij van hem afwenden, alleen omdat hij me verveelt?'

De stemmen van de nabije trollen waren luider geworden maar wat een ogenblik het begin van een twist had geleken, was in feite het aanzwellen van een lied, een keelachtig en horterig gezang; de melodie was zo vreemd als zij maar zijn kon, maar zelfs in een vreemde taal was het zo onmiskenbaar grappig dat Towser, te midden van de zangers, lachte en in zijn handen klapte.

'Kijk hem eens,' zei Sangfugol met een zweem van verbijstering. 'Hij is net een kind, en zo zullen wij misschien eens allemaal zijn. Hoe kan ik hem haten, evenmin als ik een kind zou haten dat niet wist wat het deed?' 'Maar hij schijnt je gek te maken!' De harpspeler snoof. 'En maken kinderen hun ouders soms niet gek? Maar op een dag worden de ouders zelf als kinderen en worden op hun zonen en dochters gewroken, want dan zijn het de bejaarde ouders die huilen en spugen en zich branden aan het vuur, en zijn het de kinderen die moeten lijden.' Er was weinig vrolijkheid in zijn lach. 'Ik dacht dat het goed was om weg te zijn van mijn moeder toen ik eropuit trok om mijn fortuin te maken. Kijk nu eens wat ik heb geërfd voor mijn ontrouw.' Hij gebaarde naar Towser die, het hoofd achterover, met de trollen meezong, woordloos en onmelodieus, blaffend als een hond onder een volle maan.

De glimlach die deze aanblik opriep, verdween snel van Simons gezicht. Sangfugol en anderen hadden tenminste een keus of zij bij hun ouders wilden blijven of niet. Voor wezen was dat anders.

'Dan is er de andere kant.' Sangfugol draaide zich om en keek naar Jozua die nog steeds in een diep gesprek met de Qanucs was gewikkeld. 'Er zijn er ook die, ook wanneer hun ouders sterven, toch niet van hen kunnen loskomen.' De blik die hij zijn prins toewierp was vol liefde en, verrassend, boosheid. 'Soms schijnt hij bijna bang om iets te doen, uit angst dat hij over de schaduw van de herinnering aan de oude koning John moet stappen.'

Simon keek naar Jozua's lange, bezorgde gezicht. 'Hij maakt zich zoveel zorgen.'

'Ja, zelfs wanneer dat geen nut heeft.' Terwijl Sangfugol sprak, kwam Towser terug wankelen. De *kangkang* van zijn Qanucse dobbelgenoten scheen de oude man naar een nieuwer en alerter stadium van dronkenschap te hebben getild.

'We staan op het punt door Fengbald en duizend man te worden aangevallen, Sangfugol,' gromde Simon. 'Dat is stellig een reden voor Jozua om zich zorgen te maken. Soms wordt zorgen maken "plannen maken" genoemd, weet je.'

De harpspeler wuifde verontschuldigend met zijn hand. 'Ik weet het, en ik kritiseer hem niet als oorlogsleider. Als iemand een manier kan bedenken om deze strijd te winnen, dan is het onze prins. Maar ik zweer je, Simon, ik denk soms dat als hij ooit omlaag naar zijn voeten zou kijken en de mieren en vlooien zag die hij met iedere stap moet doden, hij nooit meer zou lopen. Je kunt geen leider zijn – laat staan een koning – wanneer iedere krenking die iemand van je volk moet ondergaan jou kwetst alsof die jou betrof. Jozua lijdt te veel, denk ik, om ooit gelukkig op een troon te zijn.'

Towser had geluisterd, zijn ogen helder en gespannen. 'Hij is het kind van zijn vader, dat is zeker.'

Sangfugol keek geërgerd op. 'Je praat weer onzin, ouwe baas. Prester John was precies het tegenovergestelde, zoals iedereen weet – zoals jij beter behoorde te weten dan wie dan ook.'

'Ah,' zei Towser plechtig, zijn gezicht onverwacht ernstig. 'Ah, ja.' Na een ogenblik van stilte, toen het leek alsof hij meer ging zeggen, draaide de nar zich abrupt om en liep weer weg.

Simon negeerde de vreemde opmerking van de oude man. 'Hoe kan een goede koning zich niet bezeerd voelen wanneer zijn volk pijn lijdt,

Sangfugol?' vroeg hij. 'Moet hij het zich niet aantrekken?'

'Dat hoort hij zeker te doen. Aedons Bloed, ja! – anders zou hij geen haar beter zijn dan Jozua's krankzinnige broer. Maar wanneer je je in je vinger snijdt, ga je dan liggen zonder je te verroeren tot hij weer genezen is? Of stelp je het bloed en ga je verder met wat je moet doen?'

Simon dacht hierover na. 'Je bedoelt dat Jozua als de boer in dat oude verhaal is – degene die het mooiste, dikste varken op de jaarmarkt kocht en het toen niet kon verdragen om het te slachten, zodat hij en zijn familie van de honger omkwamen, maar het varken bleef leven.'

De harpspeler lachte. 'Ik veronderstel, ja. Hoewel ik niet zeg dat Jozua zijn volk zou moeten laten afslachten als zwijnen – alleen maar dat er soms slechte dingen gebeuren, hoe hard een aardige prins ook zijn best doet om het te voorkomen.'

Ze zaten in het vuur te kijken terwijl Simon nadacht over wat zijn vriend had gezegd. Toen Sangfugol ten slotte besloot dat Towser veilig was in het gezelschap van de Qanucs – de oude nar leerde hun moeizaam oude ballades van twijfelachtig allooi – vertrok de harpspeler om te gaan slapen. Simon bleef een tijdje naar het concert zitten luisteren tot zijn hoofd pijn begon te doen, en ging toen weg om een paar woorden met Binabik te wisselen.

Zijn trollenvriend zat nog steeds met Jozua te praten, hoewel Sisqi nu praktisch sliep, haar hoofd rustend op Binabiks schouder, haar ogen met de lange wimpers half gesloten. Ze glimlachte flauw toen Simon eraan kwam, maar zei niets. De twee geliefden en Jozua hadden gezelschap gekregen van de gezette slotvoogd Freosel en een magere oude man die Simon niet herkende. Na een ogenblik besefte hij dat dit Helfgrim moest zijn, de vroegere burgemeester van Gadrinsett die uit Fengbalds kamp was gevlucht.

Terwijl hij Helfgrim gadesloeg, herinnerde Simon zich de twijfels die Geloë omtrent hem had gekoesterd. Hij zag er wat je noemt angstig en onzeker uit terwijl hij met de prins sprak, alsof hij ieder ogenblik iets verkeerds zou zeggen en zich een vreselijke straf op de hals zou halen. Simon vroeg zich onwillekeurig af in hoeverre ze deze zenuwachtige man moesten vertrouwen, maar een ogenblik later berispte hij zichzelf om zulke harteloosheid. Wie wist welke kwellingen die arme oude Helfgrim had moeten doorstaan waardoor hij er zo uitzag? Had Simon zelf niet als een wild dier in de bossen rondgezworven na zijn ontsnapping uit de Hayholt? Wie had hem toen kunnen zien en hem betrouwbaar hebben gevonden?

'Ah, vriend Simon.' Binabik keek op. 'Ik ben blij je te zien. Ik doe iets waarvoor ik morgen je hulp nodig zal hebben.'

Simon knikte om te laten zien dat hij beschikbaar was.

'Eigenlijk,' zei Binabik, 'zijn het twee dingen. Het ene is dat ik je wat Qanucs moet leren, zodat je met mijn volk in de strijd kunt praten.'

'Natuurlijk.' Simon was blij dat Binabik het zich herinnerde. Het maakte het echter, om het in de ernstige aanwezigheid van Jozua te horen spreken. 'Als ik de toestemming van de prins heb om met de Qanucs mee te vechten, natuurlijk.' Hij keek naar Jozua.

De prins zei: 'Binabiks mensen zullen ons het meest helpen als zij kunnen begrijpen wat wij van hen nodig hebben. Hun eigen veiligheid zal op die manier ook het beste gediend zijn. Je hebt mijn toestemming, Simon.'

'Dank u, hoogheid. En wat nog meer, Binabik?'

'Wij moeten ook alle boten verzamelen die aan de bevolking van Nieuw Gadrinsett toebehoren.' Binabik grijnsde. 'Er moeten er veertig zijn, in het totaal.'

'Boten? Maar het meer rondom Sesuad'ra is bevroren. Wat voor goed zullen zij ons doen?'

'Niet de boten zelf zullen goed doen,' zei de trol. 'Maar gedeelten van ze wel.'

'Binabik heeft een plan voor de verdediging van deze plaats,' verduidelijkte Jozua. Hij keek twijfelachtig.

'Het is niet alleen maar een plan.' Binabik glimlachte weer. 'Niet alleen maar een idee dat als een steen op me is gevallen. Het is een bepaalde Qanucse manier die ik jullie *Utku* zal laten zien – en dat is een groot geluk voor jullie.' Hij gniffelde zelfvoldaan.

'Wat is het?'

'Dat zal ik je morgen vertellen wanneer we op de botenjacht zijn.'

'Nog iets, Simon,' zei Jozua. 'Ik weet dat ik er al eerder over gesproken heb, maar ik denk dat het 't waard is om nog eens te vragen. Denk je dat er enige kans bestaat dat je vrienden, de Sithi, zullen komen? Dit is hun heilige plaats, nietwaar? Zullen zij die niet verdedigen?'

'Ik weet het niet, Jozua. Zoals ik zei, Jiriki scheen te denken dat er heel wat voor nodig zou zijn om zijn volk te overtuigen.'

'Jammer.' Jozua trok zijn vingers door zijn kortgeknipte haar. 'Waarlijk, ik vrees dat we met iets te weinig mensen zijn, zelfs met de komst van die dappere trollen. De hulp van de Elfen zou een grote zegen zijn. Ha! Het leven is vreemd, nietwaar? Mijn vader ging er prat op dat hij de laatsten van de Sithi had gedwongen onder te duiken; nu bidt zijn zoon dat ze komen om te helpen de resten van het koninkrijk van zijn vader te verdedigen.'

Simon schudde droef zijn hoofd. Er viel niets te zeggen. De oude burgemeester die zwijgend naar dit gesprek had geluisterd, keek nu op naar

Simon, hem aandachtig in zich opnemend. Simon probeerde of hij in de waterige ogen van de oude man een aanwijzing omtrent diens gedachten kon zien, maar hij kon er niets uit opmaken.

'Wek mij wanneer het tijd is om te gaan, Binabik,' zei Simon ten slotte. 'Goedenacht allemaal. Welterusten, prins Jozua.' Hij draaide zich om en liep naar de deur. Het zingen van de trollen en laaglanders rond het vuur was rustiger geworden, de melodieën waren nu langzaam en melancholiek. Het laag brandende vuur maakte dat er rood licht langs de beschaduwde muren flakkerde.

De late ochtendhemel was vrijwel onbewolkt. De lucht was bitterkoud; Simons adem werd een nevel voor zijn gezicht. Hij en Binabik hadden sinds het ochtendgloren een paar belangrijke woorden in de Qanucse taal geoefend en Simon, die van meer geduld blijk gaf dan gewoonlijk, maakte goede vorderingen.

'Zeg "nu". Binabik trok een wenkbrauw op.

'*Ummu.*'

Qantaqa, die naast hem liep, hief haar kop op en snoof, en vond toen haar stem voor een korte blaf. Binabik lachte.

'Ze begrijpt niet waarom je nu tegen haar praat,' legde hij uit. 'Dit zijn woorden die ze alleen van mij hoort.'

'Maar ik dacht dat je zei dat jouw volk een heel andere taal heeft waarmee je tegen jullie dieren spreekt.' Simon sloeg zijn gehandschoende handen tegen elkaar om te beletten dat zijn vingers in ijspegels zouden veranderen.

Binabik wierp hem een verwijtende blik toe. 'Ik praat niet met Qantaqa zoals wij trollen met onze rammen, of tegen vogels of vissen spreken. Ik praat tegen haar zoals ik met een vriend zou doen.'

'O.' Simon keek naar de wolf. 'Hoe zeg je "het spijt mij", Binabik?'

'*Chem ea dok.*'

Hij draaide zich om en klopte op de brede rug van de wolf. '*Chem ea dok,* Qantaqa.' Ze keek hem met een brede grijns aan, terwijl de damp uit haar mond sloeg.

Nadat ze een eindje verder waren gelopen, zei Simon: 'Waar gaan we naartoe?'

'Zoals ik gisteravond zei: we gaan de boten verzamelen. Of liever, we moeten de eigenaren van de boten naar de smidse sturen waar Sludig en anderen de boten zullen ontmantelen. Maar wij zullen elk van hen één van deze geven...' hij liet een bundel met stukjes perkament zien op elk waarvan Jozua's rune groot stond afgebeeld, 'zodat ze weten dat ze het woord van de prins hebben dat zij zullen worden terugbetaald.'

Simon was verwonderd. 'Ik begrijp nog steeds niet wat je gaat doen.

Die mensen hebben hun boten nodig om vis te vangen, om zichzelf en hun gezinnen te voeden.'

Binabik schudde zijn hoofd. 'Niet terwijl de rivieren zo vol ijs zitten. En als wij hier niet winnen, zal het van weinig belang zijn wat voor plannen de bevolking van Nieuw Gadrinsett heeft.'

'Dus jij gaat me vertellen wat jouw plan is.'

'Binnenkort, Simon, binnenkort. Wanneer we klaar zijn met het werk van vanmorgen, zal ik je meenemen naar de smederij, dan kun je het zelf zien.'

Ze liepen verder naar de nederzetting.

'Fengbald zal waarschijnlijk spoedig aanvallen.'

'Daar ben ik zeker van,' zei Binabik. 'Deze kou moet de geestkracht van zijn mannen wel ondermijnen, ook al worden zij betaald met het goud van de koning.'

'Maar zij zullen met te weinigen zijn om een beleg op te slaan, denk je niet? Sesuad'ra is behoorlijk groot, zelfs voor duizend man.'

'Ik ben het eens met je gedachte, Simon.' Binabik dacht na. 'Jozua en Freosel en anderen hadden het daar gisteravond over. Ze denken dat Fengbald niet zal proberen de heuvel te belegeren. In elk geval betwijfel ik of hij weet hoe droevig wij zijn voorbereid of hoe schaars onze voorraden zijn.'

'Dus wat zal hij dan doen?' Simon probeerde te denken als Fengbald. 'Ik vermoed dat hij eenvoudig zal proberen ons te overweldigen. Naar wat ik over hem heb gehoord, is hij geen geduldig type.'

De trol keek waarderend naar hem op, een schittering in zijn donkere ogen. 'Ik denk dat je goed hebt nagedacht, Simon. Dat komt mij ook heel waarschijnlijk voor. Als jij een groep verspieders naar Fengbalds kamp hebt kunnen leiden, is het alleen maar logisch dat hij ook spionnen hiernaartoe heeft gestuurd – Sludig en Hotvig denken dat zij daar bewijzen van hebben gezien, paardesporen en zo. Dus zal hij weten dat er een brede weg is die de heuvel op voert, en hoewel het iets is dat wij kunnen verdedigen, is het niet als een kasteelmuur waar je stenen van naar beneden kunt gooien. Ik vermoed dat hij zal proberen de tegenstand met zijn sterkere en geduchtere soldaten te overvallen en de hele weg naar de heuveltop zal doorstoten.'

Simon dacht hierover na. 'Wij hebben meer manschappen dan hij misschien weet, nu jouw mensen hier zijn. Misschien kunnen we hem langer tegenhouden dan hij denkt.'

'Ongetwijfeld,' zei Binabik vief. 'Maar uiteindelijk zullen wij falen. Ze zullen andere wegen hellingopwaarts vinden; ook kan de heuvel, in tegenstelling tot een kasteel, door vastberaden mannen worden beklommen, zelfs in dit koude en gladde weer.'

'Wat kunnen wij dan doen, niets?'

'We kunnen zowel onze hersens als onze harten gebruiken, vriend Simon.' Binabik glimlachte – een vriendelijke, gele glimlach. 'Daarom zoeken wij nu naar boten, of liever naar de spijkers die boten bijeenhouden.'

'Spijkers?' Simon was nog verbaasder.

'Je zult het zien. Nu, vlug, geef mij het woord dat "aanval" betekent.'

Simon dacht na. '*Nihuk*'.

Binabik leunde voorover en gaf hem een duwtje tegen zijn heup. '*Nihut*. Met het geluid van "t", niet "k".'

'*Nihut*,' zei Simon luid.

Qantaqa gromde en keek rond, op zoek naar een vijand.

Simon droomde dat hij in de grote troonzaal van de Hayholt stond, en keek hoe Jozua en Binabik en een heleboel anderen naar de drie zwaarden zochten. Hoewel ze iedere hoek doorsnuffelden, elk wandkleed om beurten oplichtend en zelfs onder de malachieten slippen van de standbeelden van de vroegere koningen van de Hayholt keken, scheen alleen Simon te kunnen zien dat de zwarte Doorn, de grijze Smart en een derde zilverachtig zwaard dat koning Johns Glanzende Nagel moest zijn, duidelijk zichtbaar rechtop op de grote troon van vergeeld ivoor, de Drakentroon, stonden.

Hoewel Simon, toen hij op de Hayholt woonde, dit derde zwaard nooit van dichterbij dan dertig meter had gezien was het opmerkelijk duidelijk in zijn droomvisioen, het gouden gevest bewerkt tot de curve van een heilige Boom, de rand zo gepolijst dat hij zelfs in het duistere vertrek schitterde. De zwaarden leunden tegen elkaar aan, de gevesten in de lucht, als een ongewone kruk met drie poten: de grote grijnzende schedel van de draak Shurakai strekte zich boven hen uit, alsof hij ze ieder ogenblik kon opslokken, ze voor altijd aan het gezicht onttrekkend. Hoe konden Jozua en de anderen ze niet zien? Het was zo duidelijk! Simon probeerde zijn vrienden te vertellen wat hun ontging, maar hij was zijn stem kwijt. Hij probeerde te wijzen, een geluid te maken dat hun aandacht zou trekken, maar op de een of andere manier had hij zijn lichaam verloren. Hij was een geest, en zijn dierbare vrienden en bondgenoten maakten een vreselijke, vreselijke vergissing...

'Verdomme, Simon, sta op!' Sludig schudde hem ruw door elkaar. 'Hotvig en zijn mannen zeggen dat Fengbald in aantocht is. Hij zal hier zijn voor de zon boven de boomlijn uit is.'

Simon kwam moeizaam in een zittende houding. 'Wat?' gorgelde hij. 'Wat?'

'Fengbald komt eraan.' De Rimmersman had zich naar de deur teruggetrokken. 'Sta op!'

'Waar is Binabik?' Zijn hart klopte snel terwijl hij probeerde klaarwakker te worden. Wat werd hij verondersteld te doen?

'Hij is al bij prins Jozua en de anderen. Kom nu.' Sludig schudde zijn hoofd en grijnsde toen met felle blijdschap. 'Eindelijk iemand om tegen te vechten!' Hij dook onder de tentflap door en was weg.

Simon krabbelde onder zijn mantel te voorschijn en trok klungelig zijn laarzen aan, in zijn haast met koude vingers een duimnagel scheurend. Hij vloekte stil toen hij zijn overhemd aantrok, vond toen zijn Qanucse mes en maakte het op de schede vast. Het zwaard dat Jozua hem had gegeven, lag in zijn poetsdoek gewikkeld onder zijn matras; toen hij het loswikkelde was het staal ijzig koud tegen zijn hand. Hij huiverde. Fengbald kwam eraan. Het was de dag waarover ze zo vele weken lang hadden gepraat. Mensen zouden sterven, een aantal misschien zelfs wel vooraleer de grijze zon haar middaghoogte bereikte. Misschien zou Simon zelf wel een van hen zijn.

'Boze gedachten,' mompelde hij toen hij zijn zwaardriem aangordde. 'Ongeluk.' Hij maakte het teken van de Boom om zijn eigen ongelukswoorden af te weren. Hij moest zich haasten. Men had hem nodig.

Toen hij in de hoek van de tent naar zijn handschoenen zocht, zag hij het vreemd gevormde pakje dat Aditu hem had gegeven. Hij had het vergeten sinds de nacht dat hij uit het Observatorium was geslopen. Wat was het? Hij herinnerde zich plotseling met een gevoel van misselijkheid dat Amerasu had gewild dat hij het aan Jozua zou geven.

Genadige Aedon, wat heb ik gedaan?

Was het iets dat hen had kunnen redden? Had hij, in zijn dwaasheid en uilskuikenachtige vergeetachtigheid, een wapen veronachtzaamd dat kon helpen het leven van zijn vrienden te redden? Of was het iets waarmee hij de hulp van de Sithi kon inroepen? Zou het nu te laat zijn?

Terwijl zijn hart bonsde vanwege de ernst van zijn fout, pakte hij de tas op — zelfs in zijn vreselijke haast de vreemde, glibberige zachtheid van het weefsel ervan opmerkend — en snelde toen naar buiten het ijzige licht van de dageraad in.

Een enorme menigte verzamelde zich in het Afscheidshuis, verwikkeld in een razende activiteit die op elk moment op een paniekerig handgemeen scheen te kunnen uitlopen. In het midden van dit alles trof Simon Jozua aan met een kleine groep waaronder Deornoth, Geloë, Binabik, en Freosel. De prins, die nu geen spoor van besluiteloosheid meer vertoonde, riep bevelen, herzag plannen en regelingen, en spoorde sommigen van de bangere verdedigers van Nieuw Gadrinsett aan. De hel-

derheid van Jozua's ogen maakte dat Simon zich een verrader voelde.
'Hoogheid.' Hij deed een stap naar voren, en viel toen op een knie neer voor de prins, die met gematigde verbazing omlaag keek.
'Sta op, Simon,' zei Deornoth ongeduldig. 'Er is werk aan de winkel.'
'Ik ben bang dat ik een vreselijke vergissing heb begaan, prins Jozua.'
De prins bleef staan, zich zichtbaar tot rustige aandacht dwingend.
'Wat bedoel je, mijn jongen?'
Mijn jongen. Die woorden kwamen heel hard bij Simon aan. Hij wilde dat Jozua echt zijn vader had kunnen zijn – de man had ongetwijfeld iets waarvan hij hield. 'Ik denk dat ik iets doms heb gedaan,' zei hij. 'Iets heel doms.'
'Pas op wat je zegt,' zei Binabik. 'Vertel alleen maar de feiten die van belang zijn.'
Prins Jozua's verontruste uitdrukking verflauwde toen hij naar Simons bezorgde uitleg luisterde. 'Geef het dan aan me,' zei hij toen Simon klaar was. 'Het heeft geen zin jezelf te kwellen tot we weten wat het is. Naar de uitdrukking van je gezicht te oordelen, vreesde ik dat je iets had gedaan om ons aan een aanval bloot te stellen. Het ziet er echter naar uit dat je pakje hoogstwaarschijnlijk slechts een of ander aandenken is.'
'Een elfengeschenk?' vroeg Freosel twijfelachtig. 'Zijn die niet levensgevaarlijk?'
Jozua hurkte en nam de zak van Simon aan. Hij had moeite om het geknoopte koord met zijn ene hand los te maken, maar niemand durfde hem hulp te bieden. Toen de prins hem eindelijk los had, draaide hij de zak om. Iets dat in een geborduurde zwarte stof was gewikkeld, viel in zijn schoot.
'Het is een hoorn,' zei hij toen hij de verpakking wegtrok en hem omhoog hield. Hij was gemaakt uit één stuk ivoor van niet vergeeld bot, helemaal met prachtige reliëfs bewerkt. De lip en het mondstuk waren gestoken in een zilverachtig metaal, en de hoorn zelf hing aan een zwarte bandelier, even overdadig bewerkt als de verpakking. De vorm ervan had iets ongewoons, iets dwingends maar niet helemaal herkenbaar wezenlijks. Terwijl iedere lijn op ouderdom en veelvuldig gebruik wees, gaf hij tegelijkertijd toch de indruk alsof hij pas was gemaakt. Hij was machtig, zag Simon; hoewel hij niet was als Doorn, die soms bijna scheen te ademen, had de hoorn iets dat het oog aantrok.
'Het is een prachtig ding,' mompelde Jozua. Hij bekeek het van alle kanten, naar de reliëfs loensend. 'Ik kan geen van hen lezen, hoewel sommige eruitzien als schrijfrunen.'
'Prins Jozua.' Binabik stak zijn handen uit. Jozua gaf hem de hoorn. 'Het zijn allemaal Sithi runen – geenszins verrassend op een geschenk van Amerasu.'

'Maar de doek eromheen en de bandelier zijn door stervelingen geweven,' zei Geloë ineens. 'Dat is iets vreemds.'

'Kun je iets van het schrift lezen?' vroeg Jozua.

Binabik schudde zijn hoofd. 'Nu niet. Maar misschien wel na enige studie.'

'Misschien kun je dit lezen.' Deornoth leunde voorover en haalde een stuk glimmend perkament uit de beker van de hoorn. Hij opende het, floot verbaasd, en gaf het toen aan Jozua.

'Het is geschreven in ons Westerlingse schrift!' zei de prins. *"Moge dit aan zijn rechtmatige eigenaar worden gegeven wanneer alles verloren schijnt!"* Dan staat er een vreemd teken – als een "A".'

'Amerasu's teken.' Geloë's diepe stem klonk droevig. 'Haar teken.'

'Maar wat kan het betekenen?' vroeg Jozua. 'Wat is het, en wie zou de rechtmatige eigenaar ervan kunnen zijn? Het is duidelijk iets van waarde.'

'Neem me niet kwalijk, prins Jozua,' zei Freosel zenuwachtig, 'maar misschien is het 't beste om u niet met dergelijke dingen te bemoeien, misschien rust er een vloek op of iets dergelijks. De geschenken van de Vreedzamen, zeggen ze, zijn een tweesnijdend zwaard.'

'Maar als het bedoeld is om er hulp mee te roepen,' zei Jozua, 'dan lijkt het zonde om het niet te gebruiken. Als wij vandaag worden overwonnen, zal alles niet alleen maar verloren lijken, maar zal het verloren zijn.'

Hij aarzelde een ogenblik, bracht toen de hoorn aan zijn lippen en blies. Het was verbazend, maar er kwam helemaal geen geluid. Jozua staarde in de beker van de hoorn om te kijken of hij verstopt was, bolde toen zijn wangen weer en blies tot hij bijna dubbel was gebogen, maar de hoorn zweeg nog steeds. Hij ging met een beverige lach rechtop staan. 'Welnu, ik schijn niet de rechtmatige eigenaar van het ding te zijn. Laat iemand anders het proberen, het hindert niet wie.'

Deornoth pakte het instrument ten slotte van hem aan, maar had evenmin geluk als Jozua. Freosel wuifde hem weg. Simon nam hem, en hoewel hij blies tot er zwarte vlekken voor zijn ogen dwarrelden, bleef de hoorn zwijgen.

'Waar dient hij voor?' Simon hijgde.

Jozua haalde zijn schouders op. 'Wie zal het zeggen? Maar ik denk niet dat je enig kwaad hebt gedaan, Simon. Als het bedoeld is om een of ander doel te dienen, dan is dat doel ons nog niet onthuld.' Hij pakte de hoorn weer in, en deed hem toen weer in de zak en legde hem naast zijn voeten neer. 'We hebben andere dingen waarmee we ons nu bezig moeten houden. Als we deze dag overleven, zullen wij er opnieuw naar kijken – misschien zal Binabik of Geloë het graveerwerk kunnen ontcijferen. Breng mij nu de stand van het aantal manschappen, Deornoth, en laten we het definitieve strategische plan opstellen.'

Binabik trok zich terug van de groep, ging naar Simon toe en nam hem bij de arm. 'Er zijn nog altijd een paar dingen die je moet hebben,' zei hij, 'daarna moet je je bij je Qanucse troep gaan voegen.'

Simon volgde zijn kleine vriend door de rondlopende verwarring van het Afscheidshuis. 'Ik hoop dat je plannen werken, Binabik.'

De trol maakte een handgebaar. 'Zoals ik ook hoop. Maar we zullen ons best doen. Dat is alles wat de goden, of jouw God, of onze voorouders kunnen verwachten.'

Tegen de verste hoek van de westelijke muur stond een rij manschappen voor een kleiner wordende stapel houten schilden, waarvan sommige nog de vlekken van riviermos uit hun vroegere bestaan als planken van boten droegen. Sangfugol, die een soort grijs gerafeld gevechtstuniek droeg, hield toezicht op de verdeling ervan.

De harpspeler keek op. 'Daar ben je dus. Hij staat in de hoek. Hé, hou op daarmee, jij!' snauwde hij tegen een oudere man met een baard die door de stapel rond klauwde. 'Neem die daar bovenop.'

Binabik ging naar de plaats die Sangfugol had aangewezen en haalde iets onder een stapel jute zakken vandaan. Het was ook een houten schild, maar dit exemplaar was beschilderd met de wapens die Vorzheva en Gutrun voor Simons banier hadden ontworpen, het zwarte zwaard en de witte draak verstrengeld over Jozua's grijs en rood.

'Het is niet met een kunstzinnige hand gedaan,' zei de trol. 'Maar het is gedaan met de hand van vriendschap.'

Simon boog zich en omhelsde hem, nam toen het schild en sloeg er met de rug van zijn hand op. 'Het is volmaakt.'

Binabik fronste. 'Ik wou alleen dat je meer tijd had om ermee te oefenen, Simon. Het is niet gemakkelijk om te rijden en een schild te gebruiken en dan ook nog te vechten.' Zijn blik werd bezorgder toen hij Simons vingers in zijn eigen kleine hand nam. 'Wees niet dwaas, Simon. Jij bent zelf van groot belang, en mijn volk is ook heel belangrijk... maar het mooiste van alles dat ik ken zal ook bij je zijn.' Hij wendde zijn ronde gezicht af. 'Zij is een jageres van ons volk, en dapper als een onweersbui, maar – Qinkipa! – wat zou ik graag willen dat Sisqi vandaag niet aan deze strijd meedeed.'

'Zul jij dan niet bij ons zijn?' vroeg Simon verbaasd.

'Ik zal bij de prins zijn, in de rol van boodschapper omdat Qantaqa en ik vlug en stil kunnen bewegen waar een grotere man op een paard gezien zou kunnen worden.' De trol lachte zacht. 'Maar toch, ik zal voor het eerst sinds mijn mannelijkheidswandeling een speer dragen. Het zal vreemd zijn om die in mijn handen te hebben.' Zijn glimlach verdween. '"Nee" is het antwoord op je vraag, Simon – ik zal niet bij je zijn, in elk geval niet dichtbij. Dus, alsjeblieft, goede vriend, houd een oogje op Sisqinanamook. Als je haar in veiligheid houdt, houd je een slag op mijn eigen hart weg die mijn dood zou kunnen betekenen.' Hij kneep weer in Simons hand. 'Kom. Er zijn dingen die wij nog moeten doen. Het is niet genoeg om plannen te hebben,' hij tikte op zijn voorhoofd en lachte spottend, 'als ze niet behoorlijk worden afgerond.'

Ze kwamen ten slotte in de Vuurtuin bijeen, alle verdedigers van Sesuad'ra, degenen die zouden vechten en zij die achter zouden blijven, verzameld op de grote betegelde binnenplaats. Hoewel de zon al lang aan de hemel stond, was de dag donker en heel koud; velen hadden fakkels meegebracht. Simon voelde een steek toen hij de vlammen op deze open plek zag flakkeren, zoals ze in zijn visioen van het verleden hadden gedaan. Duizend Sithi hadden hier eens gewacht, net zoals zijn vrienden en bondgenoten nu wachtten, op iets dat hun leven voor altijd zou veranderen.

Jozua stond op een gedeelte van de ingestorte muur zodat hij de zwijgende menigte kon overzien. Simon, die vlak naast hem stond, zag de uitdrukking van teleurstelling op het gezicht van de prins. De verdedigers waren met zo weinigen, zei zijn gezicht duidelijk, en ze waren zo slecht voorbereid.

'Volk van Nieuw Gadrinsett en onze vriendelijke bondgenoten van Yiqanuc,' riep Jozua, 'het is nauwelijks nodig te spreken over wat wij doen. Hertog Fengbald, die de vrouwen en kinderen van zijn eigen leen in Fallshire heeft afgeslacht, is in aantocht. Wij moeten hem bestrijden. Er zit weinig anders op. Hij is het werktuig van een groot kwaad, en dat kwaad moet hier een halt worden toegeroepen, anders zal er niets meer over zijn om het tegen te houden. Een overwinning hier zal onze vijanden allerminst ten val brengen, maar als we verliezen, zal dat betekenen dat die vijanden een grote en totale overwinning hebben behaald. Ga en doe je best, zowel zij die zullen vechten als degenen die met hun eigen taken achterblijven. God kijkt ongetwijfeld toe en zal getuige zijn van jullie dapperheid.'

Het gemompel dat was ontstaan toen Jozua over kwaad sprak, veranderde in gejuich toen hij ophield. De prins reikte toen naar beneden om pater Strangyeard op zijn plaats te helpen om de zegen uit te spreken.

De archivaris streek gemelijk zijn paar lokken glad. 'Ik weet zeker dat ik het door elkaar zal halen,' fluisterde hij.

'Je kent het volmaakt,' zei Deornoth. Simon dacht dat hij het vriendelijk bedoelde, maar de ridder slaagde er niet in niet ongeduldig te klinken.

'Ik ben bang dat ik niet voor het ambt van oorlogspriester bestemd ben.'

'En dat hoor je ook niet te zijn,' zei Jozua hardvochtig. 'Geen enkele priester zou dat moeten zijn, als God alles deed wat hij behoort te doen.'

'Prins Jozua!' Geschrokken, zoog pater Strangyeard lucht in en hoestte. 'Pas op voor godslastering!'

De prins was grimmig. 'Na deze laatste paar jaren van kwelling in het hele land, moet God toch geleerd hebben om een beetje… plooibaar te zijn. Ik weet zeker dat Hij mijn woorden zal begrijpen.'

Strangyeard kon alleen maar zijn hoofd schudden.

Toen de priester klaar was met zijn zegen, waarvan veel onverstaanbaar was voor de grote menigte, beklom Freosel de muur met het gemak van iemand die gewend is te klimmen. De zware man had een steeds grotere last van de verdediging op zich genomen, en de verantwoordelijkheid scheen hem goed te doen.

'Vooruit dan,' zei hij luid, en zijn ruwe stem bereikte iedereen van de honderden die op die koude winderige plek waren verzameld. 'Jullie hebben gehoord wat prins Jozua zei. Wat meer hoeven jullie te weten? Ons huis verdedigen, dat zullen wij. Zelfs een das doet dat zonder er een ogenblik bij na te denken. Willen jullie Fengbald laten komen om jullie huis van je af te nemen, je gezinnen te doden? Willen jullie dat?'

Het verzamelde volk riep een rauwe maar hartgrondige ontkenning.

'Goed. Laten we er dus op afgaan.'

Simon werd een ogenblik geroerd door Freosels woorden. Sesuad'ra was zijn thuis, tenminste voorlopig. Als hij enige hoop had om iets permanenters te vinden, zou hij deze dag moeten overleven – en ze zouden ook Fengbalds leger terug moeten slaan. Hij draaide zich om naar Snenneq en de andere trollen die rustig een eindje van de rest van de verdedigers af wachtten.

'*Nenit, henimaatuya,*' zei Simon, hen naar de stallen wuivend waar de rammen – en Simons paard – geduldig wachtten. 'Vooruit, vrienden.'

Ondanks de kou van de dag, merkte Simon dat hij erg zweette onder zijn helm en maliënkolder. Terwijl hij en de trollen van de hoofdweg afsloegen en heuvelafwaarts gingen door het klittende struikgewas, besefte hij dat er niemand in de buurt zou zijn die hem werkelijk kon begrijpen. Wat als hij zich ten overstaan van de trollen een lafaard betoonde, of er iets met Sisqi gebeurde? Wat als hij Binabik teleurstelde?

Hij zette die gedachten van zich af. Er moesten dingen gedaan worden die zijn concentratie vereisten. Er mocht geen uilskuikenachtige dwaasheid zijn, zoals het vergeten van het geschenk van Amerasu.

Toen ze de voet van de heuvel en de verborgen plaatsen bij het einde van de weg naderden, steeg Simons compagnie af en leidde haar dieren naar hun plaats. De helling van de heuvel was hier bedekt met door ijs geteisterde varens die naar hun voeten grepen en mantels scheurden, dus deden zij er bijna een uur over voor ze hun plaatsen eindelijk hadden ingenomen en het gekraak en geritsel waren opgehouden. Toen de hele troep was geïnstalleerd, klom Simon uit de ondiepe geul zodat hij de barricade van gevelde bomen kon zien die Sludig en anderen aan de zoom van de heuvel hadden opgericht, de toegang tot de brede, met stenen geplaveide weg blokkerend. Het was zijn verantwoordelijkheid om de bevelen van de prins over te brengen.

Voorbij de uitgestrektheid van ijs die eens de slotgracht van Seduad'ra was geweest, was de dichtstbijzijnde oever bedekt met een donkere, krioelende massa. Simon had er enkele ogenblikken van verbijstering voor nodig om te beseffen dat dit Fengbalds leger was, dat posities had ingenomen langs de rand van het bevroren water. Het was meer dan een leger, want de hertog bleek een groot deel van de kolonistenstad Gadrinsett te hebben meegebracht; tenten en kookvuren en geïmproviseerde smidsen spreidden zich klonterig in de verte uit, het kleine dal met dampen en stoom vullend. Simon wist dat het hooguit een leger van ongeveer duizend man was, maar voor iemand die de tien keer grotere strijdmacht die Naglimund had belegerd niet had gezien, zou het even enorm lijken als de legendarische Monstering van Anitulles die de heuvels van Nabban als een deken van speren had bedekt. Koud zweet begon weer op zijn voorhoofd te parelen. Ze waren zo dichtbij! Tweehonderd ellen of meer nog scheidden Fengbalds strijdkrachten van Simons verborgen plek, toch kon hij onder de gepantserde mannen duidelijk individuele gezichten zien. Het waren mensen, levende mensen, en ze waren gekomen om hem te doden. Simons metgezellen zouden op hun beurt proberen zoveel mogelijk van deze soldaten te doden. Er zouden aan het einde van deze dag vele nieuwe weduwen en wezen zijn.

Een onverwachte melodische triller achter hem maakte dat Simon opsprong. Hij draaide zich snel om en zag een van de trollen langzaam heen en weer wiegen, zijn hoofd opgeheven in een rustig lied. De trol die door Simons plotselinge beweging was gealarmeerd, keek vragend naar hem op. Simon probeerde te glimlachen en beduidde de kleine man verder te gaan. Na een ogenblik klonk de klaaglijke stem van de trol opnieuw in de vrieslucht, eenzaam als een vogel in een bladerloze boom.

Ik wil niet sterven, dacht Simon. *En God, alstublieft, ik wil Miriamele weerzien – dat wil ik werkelijk, echt.*

Hij kreeg plotseling een visioen van haar, een herinnering aan hun laatste wanhopige ogenblik bij de Steil, toen de reus zich op hen had gestort net toen Simon zijn fakkel eindelijk had ontstoken. Haar ogen, Miriameles ogen... ze waren bang geweest maar vastberaden. Ze was dapper, herinnerde hij zich hulpeloos, dapper en mooi. Waarom had hij haar nooit verteld hoezeer hij haar bewonderde, ook al was zij een prinses?

Er bewoog iets beneden op de helling bij de barricade van omgevallen boomstammen. Jozua, wiens invalide rechterarm hem zelfs van een afstand herkenbaar maakte, klom op de geïmproviseerde muur. Een in mantels met kappen gehuld drietal besteeg die om naast hem te staan. Jozua zette zijn hand aan zijn mond. '*Waar is Fengbald?*' riep hij. Zijn stem weerschalde over het bevroren meer en weerkaatste in de holten van de dichtbij oprijzende heuvels. '*Fengbald!*'

Na enkele ogenblikken maakte een groep figuren zich los van de horde langs de oever en kwam een eindje het ijs op. In hun midden, gezeten op een hoog paard, reed iemand die in zilver was gepantserd en een vuurrode mantel droeg. Een zilveren vogel spreidde zijn vleugels op zijn helm, die hij afzette en onder zijn arm hield. Zijn lange haar was zwart, en wapperde in de harde wind.

'Dus je bent daar uiteindelijk toch, Jozua,' riep de ruiter. 'Ik begon het me af te vragen.'

'Je bent op verboden terrein, Fengbald. Wij erkennen mijn broer Elias hier niet, want zijn misdaden hebben hem het recht ontnomen om over het koninkrijk van mijn vader te regeren. Als je nu vertrekt, mag je vrijelijk gaan en hem dat vertellen.'

Lachend gooide Fengbald zijn hoofd achterover in wat oprechte geamuseerdheid leek. 'Heel goed, Jozua, heel goed!' brulde hij. 'Nee, jij bent degene die míjn aanbod in overweging moet nemen. Als je je overgeeft aan de gerechtigheid van de koning, beloof ik je dat allen, behalve de weinigen van jouw verraderlijke troep die het schuldigst zijn, terug zullen mogen gaan om hun plaats als eerbare onderdanen in te nemen. Geef je over, Jozua, en zij zullen gespaard worden.'

Simon vroeg zich af wat voor uitwerking deze belofte zou hebben op het angstige en moedeloze leger van Nieuw Gadrinsett. Fengbald vroeg zich dat ongetwijfeld ook af.

'Je liegt, moordenaar!' riep iemand in Jozua's buurt, maar de prins hief zijn hand op in een kalmerend gebaar.

'Heb je diezelfde belofte niet gedaan aan de wolkooplieden van Falshire,' riep Jozua, 'voor je hun vrouwen en kinderen in hun bedden verbrandde?'

Fengbald was te ver weg om zijn uitdrukking te kunnen zien, maar aan de manier waarop hij rechtop in het zadel ging zitten, zich in de stijgbeugels opdrukkend tot hij bijna stond, kon Simon de woede die in hem opwelde schatten. 'Je verkeert niet in de positie om zo onbeschaamd te spreken, Jozua,' schreeuwde de hertog. 'Je bent alleen maar een prins van bomen en een paar haveloze, hongerige schaapherders. Wil je je overgeven en veel bloedvergieten voorkomen?'

Nu trad een van de andere figuren die naast Jozua stonden naar voren. 'Hoor mij aan!' Het was Geloë; ze trok haar kap achterover toen ze sprak. 'Weet dat ik Valada Geloë ben, beschermster van het woud.' Ze zwaaide met haar bemantelde arm naar de beschaduwde rand van het Aldheorte, dat als een enorme, stille getuige op de top van de heuvel opdoemde. 'U kent mij misschien niet, heer van de steden, maar uw Tritsingse bondgenoten hebben van mij gehoord. Vraag uw huurlingvriend Lezhdraka of hij zich mijn naam herinnert.'

Fengbald gaf geen antwoord, maar scheen in gesprek te zijn met iemand die naast hem stond.

'Als u ons wilt aanvallen, bedenk dan dit,' riep Geloë. 'Deze plaats Sesuad'ra, is een van de heiligste plaatsen van de Sithi. Ik denk niet dat ze die graag bedorven zouden zien door uw komst. Als u probeert met geweld binnen te dringen, zoudt u wel eens kunnen ondervinden dat zij een geduchtere vijand zijn dan u kunt vermoeden.'

Simon was er zeker van, of dacht dat in elk geval, dat de woorden van de tovenares een loze bedreiging waren, maar hij merkte dat hij opnieuw wenste dat Jiriki was gekomen. Was dit wat een veroordeelde voelde wanneer hij door het smalle raam zat te kijken hoe zijn galg werd opgericht? Simon voelde een doffe zekerheid dat hij en Jozua en de anderen niet konden winnen. Fengbalds leger leek een grote smet op de besneeuwde vlakte achter het meer, een pestilentie die hen allen zou vernietigen.

'Ik zie,' riep Fengbald plotseling, 'dat jij zelf niet alleen gek bent geworden, maar dat je je ook met andere gekken hebt omringd. Het zij zo! Zeg de oude vrouw dat ze zich moet haasten en haar bosgeesten moet roepen — misschien zullen de bomen je komen redden. Mijn geduld is op!' Fengbald wuifde met zijn hand en een regen van pijlen brak los van de mannen langs de oever. Ze haalden geen van alle de barricade en stuiterden over het ijs. Jozua en de anderen klauterden omlaag in het kreupelhout dat de stapel houtblokken omringde, opnieuw uit Simons gezicht verdwijnend.

Op een nieuwe kreet van Fengbald bewoog zich iets dat op een enorme schuit leek langzaam naar voren over het ijs. Dit oorlogswerktuig werd door zware sleperspaarden getrokken die zelf met gecapitonneerde wapenrusting waren bedekt, en terwijl het over het ijs kraste, maakte het voortdurend een krijsende herrie. Naar het afgrijselijke geluid te oordelen, had het een marktwagen vol verdoemde zielen kunnen zijn.

De bodem van de slee was hoog opgestapeld met uitpuilende zakken.

Simon schudde onwillekeurig zijn hoofd, ondanks zijn plotselinge angst onder de indruk. Iemand in Fengbalds kamp had goede plannen gesmeed.

Terwijl de grote slee zich over het ijs voortbewoog, ketste de magere zwerm pijlen die de verdedigers terugschoten – ze hadden er in de eerste plaats weinig, en Jozua had hen herhaaldelijk gewaarschuwd ze niet te verspillen – machteloos van zijn met staal beslagen zijkanten af, of bleven onschadelijk in de bepantsering van de paarden die hem trokken steken tot ze op een fabelachtig soort langpotige stekelvarkens begonnen te lijken. Waar de slee voorbijkwam, schuurden zijn kruiselingse ribben ruw over het ijs. Uit gaten in de berg van zakken, druppelde een brede stroom van zand langs de hellende bodem van de slee en spetterde over de bevroren oppervlakte van het meer. Fengbalds soldaten, die de slee in een brede colonne volgden, hadden een veel steviger houvast voor hun voeten dan Jozua en de verdedigers ooit hadden verwacht.

'Aedon vervloeke hen!' Simon voelde dat de moed hem in de schoenen zonk. Fengbalds leger, een pulserende colonne als een stroom mieren, bewoog zich voorwaarts over de slotgracht.

Een van de trollen, met wijdopen ogen, zei iets dat Simon slechts gedeeltelijk kon verstaan.

'*Shummuk.*' Voor het eerst voelde Simon echte angst in zich kronkelen als een slang, hoop verpletterend. Hij moest zich aan het plan houden, hoewel alles nu twijfelachtig scheen. 'Wachten. Wij zullen wachten.'

Ver van Sesuad'ra, maar op de een of andere manier toch dichtbij, was er een beweging in het hart van het oude woud Aldheorte bespeurbaar. In een diep bosje dat slechts licht was aangeraakt door de sneeuwbuien die de bossen vele maanden lang hadden bedekt, reed een ruiter tussen twee rechtopstaande stenen vandaan en liet zijn ongeduldige ros al maar in een kring om het midden van de open plek draaien.

'Kom naar buiten!' riep hij. De taal die hij sprak was de oudste in Osten Ard. Zijn wapenrusting was blauw met geel en zilvergrijs, tot glimmens toe gepoetst. 'Kom door de Poort van Winden!'

Andere ruiters en hun paarden begonnen tussen de hoge stenen uit te komen tot het kleine dal mistig was van de wolken van hun adem.

De eerste ruiter toomde zijn paard in voor de verzamelde menigte. Hij hief een zwaard voor zich op, hief het op alsof het de wolken zou doorboren. Zijn haar, alleen door een band van blauwe stof bijeengehouden, was eens lavendelkleurig geweest. Nu was het even wit als de sneeuw die aan de takken van de bomen kleefde.

'Volg mij, en volg Indreju, zwaard van mijn grootvader,' riep Jiriki.

'Wij gaan vrienden te hulp. Voor het eerst in vijf eeuwen, zullen de Zi-da'ya uitrijden.'

De anderen hieven hun wapens op, ermee tegen de hemel schuddend. Een vreemd lied begon aan te zwellen, diep als het brommen van roerdompen in het moeras, wild als het gehuil van een wolf, tot allen aan het zingen waren en de open plek dreunde van de kracht ervan.

'Weg, Huizen van de Dageraad!' Jiriki's magere gezicht was fel, zijn ogen vlammend, brandend als kolen. 'Weg, kom mee! En laat onze vijanden beven. De Zida'ya rijden weer uit.'

Jiriki en de anderen – zijn moeder Likimeya op haar hoge zwarte paard, Yizashi van de grijze speer, de stoutmoedige Cheka'iso Amberlok, zelfs Jiriki's in het groen geklede oom Khendraja'aro met zijn grote handboog – allen lieten hun paarden met een luide kreet en gezang uit de open plek rijden. Zo groot was het lawaai waarmee zij vertrokken, dat de bomen zich voor hen uiteen schenen te buigen en de wind, als beteuterd, even stil was in hun spoor.

De weg terug

Miriamele liet zich lager in haar mantel zakken in een poging om te verdwijnen. Het scheen dat iedereen die langskwam langzamer ging lopen om naar haar te kijken, de slanke Wrannamannen met hun kalme bruine ogen en streng uitdrukkingsloze gezichten, en ook de Perdruinese kooplieden in hun enigszins sjofele opschik. Allen scheen de verschijning van dit kortgeknipte meisje in een groezelige monnikspij tot nadenken te stemmen, en het maakte haar erg bang. Waarom bleef Cadrach zo lang weg? Ze had onderhand toch beter moeten weten dan hem alleen een herberg binnen te laten gaan.

Toen de monnik eindelijk terugkwam, zag hij er zelfvoldaan uit, alsof hij een enorm moeilijke taak had volbracht.

'Het is bij de Turfschuitkade, zoals ik me had moeten herinneren. Een nogal ongure wijk.'

'Je hebt wijn gedronken.' Haar toon was hardvochtiger dan ze het bedoelde, maar ze was koud en kribbig.

'En hoe kon ik verwachten dat een herbergier mij goede aanwijzingen zou geven als ik niets bestelde?' Cadrach was niet zo gemakkelijk van zijn stuk te brengen. Hij scheen te zijn opgeleefd uit de wanhoop die hem op de boot had vervuld, hoewel Miriamele kon zien waar die onvolmaakt verborgen was, waar de dodelijke somberheid langs de rafelige randen van de joligheid die hij als een mantel over zich heen had getrokken kwam kijken.

'Maar we hebben geen geld!' klaagde zij. 'Daarom moeten wij door deze hele vervloekte stad lopen om een herberg te vinden die jij beweerde te kennen!'

'Ssst, vrouwe. Ik ben een kleine weddenschap aangegaan met kruis of munt en heb gewonnen; maar goed ook, want ik had het geld van de inzet niet. Maar alles is nu in orde. In elk geval, ik ben in de war geraakt doordat ik te voet door deze stad van kanalen moest gaan, maar dankzij de aanwijzingen van de herbergier zullen we verder geen problemen hebben.'

Geen problemen meer. Miriamele moest daarom lachen, hoewel bitter. Ze hadden drie weken lang als bedelaars geleefd – verscheidene dagen uitgedroogd op de boot, toen door de kuststeden van Zuidoost-Nabban ploeterend, om eten bedelend waar ze konden en met boerenwagens meerijdend wanneer ze zo gelukkig waren die te passeren. Het grootste deel van de tijd was doorgebracht met lopen, lopen en nog eens lopen, tot Miriamele het gevoel had dat, als ze haar benen op de een of andere manier van haar lichaam kon afnemen, die zonder haar verder zouden stappen. Dit soort leven was Cadrach niet onbekend, en hij scheen er zelfgenoegzaam naar te zijn teruggekeerd, maar Miriamele begon er meer dan genoeg van te krijgen. Ze zou nooit meer aan het hof van haar vader kunnen leven, maar plotseling scheen de verstikkende omgeving van oom Jozua's kasteel in Naglimund heel wat aantrekkelijker dan een paar maanden geleden.

Ze draaide zich om en wilde iets scherps tegen Cadrach zeggen – ze kon de wijnlucht van zijn adem op een armlengte afstand ruiken – en betrapte hem, onverhoeds. Hij had zijn luchthartige uitdrukking vergeten; de holheid van zijn eens ronde wangen en de kringen onder zijn opgejaagde ogen louterden Miriamele tot een soort geërgerde liefde.

'Welnu... vooruit dan.' Ze nam hem bij de arm. 'Maar als je die plaats niet gauw vindt, duw ik je in het kanaal.'

Aangezien ze het geld niet hadden om een schipper te betalen, hadden Cadrach en Miriamele er het grootste deel van de ochtend voor nodig om hun weg te vinden door de ontmoedigende doolhof van Kwanitu-puls houten wandelwegen naar de Turfschuitkade. Iedere bocht scheen hen naar een andere doodlopende weg te voeren, nog een gang die eindigde in een verlaten scheepswerf of een afgesloten deur met roestige scharnieren of een gammele heg waarachter weer een van de alomtegenwoordige waterwegen lag. Gedwarsboomd, liepen ze dan weer terug, probeerden een andere afslag, en dan begon de ergerlijke procedure opnieuw. Eindelijk, toen de middagzon de bewolkte hemel wit maakte, strompelden ze de hoek van een lang en heel vervallen pakhuis om en merkten dat ze naar een door zout aangevreten houten uithangbord keken dat verkondigde dat de herberg waar het voor hing *Pelippa's Kom* heette. Het was inderdaad, zoals Cadrach had gewaarschuwd, in een nogal ongure wijk.

Terwijl Cadrach naar de deur zocht – de voorkant van het gebouw was een bijna uniforme muur van grijs, verweerd hout – liep Miriamele naar het voorplankier van de herberg en keek neer op een krans van gele en witte bloemen die op het golvende kanaal bij de ladder van de kade dreven.

'Dat is een krans van Zielendag,' zei ze.

Cadrach, die de deur had gevonden, knikte.

'Hetgeen betekent dat het meer dan vier maanden geleden is dat ik uit Naglimund ben weggegaan,' zei ze langzaam. De monnik knikte opnieuw, trok toen de deur open en wenkte. Miriamele voelde een wild verdriet door zich heen gaan. 'En het is allemaal voor niets geweest! Omdat ik een koppige zottin was!'

'De dingen zouden niet beter, en misschien slechter, zijn gegaan als je bij je oom was gebleven,' merkte Cadrach op. 'In elk geval leeft u, mevrouw. Laten we we nu eens gaan kijken of *Soria* Xorastra zich een oude, hoewel verdorven, vriend herinnert.'

Ze gingen de herberg via de voortuin binnen, langs de roestende rompen van een paar vissersboten, en kregen vlug twee onaangename verrassingen. De eerste was dat de herberg zelf slecht onderhouden was en duidelijk naar vis stonk. De tweede was dat Xorastra al drie jaar dood was, en haar nicht met de vooruitstekende kaak, Charystra, al vlug een heel ander soort herbergierster bleek te zijn dan haar voorgangster.

Ze staarde naar hun versleten en door het reizen vuil geworden kleren. 'Jullie uiterlijk staat me niet aan. Laat me jullie geld zien.'

'Kom nu,' zei Cadrach zo sussend als hij kon. 'Je tante was een goede vriendin van me. Als je ons voor vannacht een bed geeft, zullen we morgenochtend geld hebben om je te betalen; ik ben goed bekend in deze stad.'

'Mijn tante was gek en waardeloos,' zei Charystra, niet zonder enige tevredenheid, '… en haar stinkende liefdadigheid heeft mij alleen maar opgezadeld met deze vervallen schuur.' Ze wuifde met haar hand naar de gelagkamer met zijn lage plafond, die meer leek op een hol dat aan een mismoedig dier toebehoorde. 'De dag dat ik hier een monnik en zijn lichtekooi zonder betalen laat logeren, is de dag waarop ze me in een houten kist naar Perdruin terugbrengen.'

Miriamele verheugde zich onwillekeurig op een dergelijke dag, maar ze vond het verstandiger dit de herbergierster niet te laten weten. 'De dingen zijn niet wat ze voorgeven te zijn,' zei ze. 'Deze man is mijn leraar. Ik ben het kind van een edelman – baron Seoman van Erkynland is mijn vader. Ik ben ontvoerd, en mijn leraar hier heeft mij gevonden en gered. Mijn vader zal heel aardig voor eenieder zijn die mij helpt terug te keren.' Naast haar ging Cadrach meer rechtop staan, blij om de held te zijn, ook al was het maar van een mythische redding.

Charystra loenste. 'Ik heb de laatste tijd heel wat wilde verhalen gehoord.' Ze beet op haar lip. 'Eén ervan bleek waar te zijn, maar dat wil niet zeggen dat dat van jullie dat ook is.' Zij kreeg een zure uitdrukking op haar gezicht. 'Ik moet de kost verdienen, of uw vader een baron of de Hoge Koning op de Hayholt is. Ga weg en haal het geld, als u zegt dat het zo gemakkelijk is. Laten uw vrienden u helpen.'

Cadrach begon opnieuw te flikflooien en te vleien, nu de draden oppakkend van het verhaal dat Miriamele was begonnen, en ze tot een rijkere compositie wevend, een waarin Charystra stil zou gaan leven met zakken vol goud, een geschenk van de dankbare vader. Toen ze de wilde manier hoorde waarop het verhaal zich door Cadrachs manipulatie ontwikkelde, begon Miriamele bijna medelijden te krijgen met de vrouw, wier praktische aanleg duidelijk door haar hebzucht op de proef werd gesteld, maar net toen Miriamele op het punt stond hem te vragen ermee op te houden, zag ze een grote man langzaam de trap naar de gelagkamer afkomen. Ondanks zijn kleren – hij droeg een mantel met kap die sterk op die van Cadrach leek, omgord met een touw – en een baard die nauwelijks een vingerbreedte dik was, kwam hij haar meteen zo bekend voor dat Miriamele haar ogen niet kon geloven. Toen hij in het licht van de talglampen naar beneden kwam, bleef de man ook staan, met wijdopen ogen.

'Miriamele?' zei hij ten slotte. Zijn stem was dik en aarzelend. 'Prinses!'

'Isgrimnur!' riep zij uit. 'Hertog Isgrimnur!' Haar hart scheen in haar borst op te zwellen tot ze dacht dat ze zou stikken. Ze liep het volgepropte vertrek door, de krompotige banken ontwijkend en wierp zich toen huilend tegen zijn omvangrijke buik.

'O, arm ding,' zei hij, haar omhelzend, zelf ook huilend. 'O, mijn arme Miriamele.' Hij tilde haar een ogenblik op, haar met rode ogen aankijkend. 'Ben je gewond? Maak je het goed?' Hij kreeg Cadrach in het vizier en zijn ogen vernauwden zich. 'En daar is de schurk die je heeft ontvoerd!'

Cadrach, die evenals Charystra met open mond had staan toekijken, kromp ineen. Isgrimnur wierp een grote schaduw.

'Nee, nee,' zei Miriamele, door haar tranen lachend. 'Cadrach is mijn vriend. Hij heeft me geholpen. Ik ben weggelopen – het is niet zijn schuld.' Ze omhelsde hem opnieuw, haar gezicht in zijn geruststellende omvang begravend. 'O, Isgrimnur, ik ben zo ongelukkig geweest. Hoe gaat het met oom Jozua? En met Vorzheva, en Simon, en Binabik de trol?'

De hertog schuddde zijn hoofd. 'Ik weet weinig meer dan jij, vrees ik.' Hij zuchtte, zijn adem was beverig. 'Dit is een wonder. God heeft mijn gebeden eindelijk verhoord. Gezegend. Gezegend. Kom, ga zitten.' Isgrimnur richtte zich tot Charystra en wuifde ongeduldig met zijn hand. 'Nou, blijf daar niet staan, vrouw. Breng ons wat bier en ook wat te eten!'

Charystra, nogal verbijsterd, slofte weg.

'Wacht!' riep Isgrimnur. Ze draaide zich naar hem om. 'Als je iemand hierover vertelt,' brulde hij, 'zal ik eigenhandig je dak omver halen.'

De herbergierster, die niet meer verbaasd of bang kon zijn, knikte slapjes en ging op weg naar haar veilige keuken.

Tiamak spoedde zich voort, hoewel zijn kreupele been hem nauwelijks meer snelheid toestond dan wat een normale wandelpas zou zijn geweest. Zijn hart bonsde tegen zijn ribben, maar hij dwong zich de bezorgdheid van zijn gezicht te houden.

Hij die Altijd op Zand Loopt, mompelde hij tegen zichzelf, *laat niemand mij opmerken! Ik ben er bijna!*

Degenen die de smalle wandelwegen met hem deelden, schenen vastbesloten zijn voortgang te verhinderen. Een dikke drooglander die een mandvol zandvissen droeg, botste tegen hem aan en gooide hem bijna omver, draaide zich toen om en riep scheldnamen toen Tiamak verder hobbelde. De kleine man wilde graag iets zeggen – Kwanitupul was per slot van rekening een Wrannamanse stad, hoeveel drooglandse handelaren er ook dure steltwoningen aan de rand van de Chamullagune bouwden, of hun grote schuiten door zwetende bemanningen van Tiamaks volk door de kanalen lieten bomen – maar hij durfde niet. Er was geen tijd te verspillen met ruzies, hoe gerechtvaardigd ook.

Hij haastte zich door de gelagkamer van *Pelippa's Kom*, waarbij hij de eigenares nauwelijks een blik gunde, ondanks Charystra's vreemde uitdrukking. De herbergierster, met een bord met brood, kaas en olijven in de hand, stond aan de voet van de trap te zwaaien alsof het een overweldigende inspanning was te besluiten of ze naar boven zou gaan of niet.

Tiamak kronkelde zich langs haar heen en hobbelde de smalle trap op, toen naar de overloop en de eerste scheefgetrokken, slecht scharnierende deur in de gang. Hij duwde hem open, terwijl zijn borst zich al met lucht vulde om zijn nieuws eruit te gooien, bleef toen staan, verbaasd door het vreemde tafereel voor hem.

Isgrimnur zat op de vloer. In de hoek stond een korte, potige man, evenals de hertog gekleed in de dracht van een rondtrekkende Aedonitische monnik, zijn vierkante gezicht vreemd gesloten. De oude Camaris zat op het bed, zijn lange benen op zeemanswijze gekruist. Naast hem zat een jonge vrouw met blond kortgeknipt haar. Zij droeg ook een monnikspij en haar mooie gezicht met scherpe gelaatstrekken had een bijna even volmaakte uitdrukking van verbijstering als dat van Charystra.

Tiamak deed zijn mond met een klap dicht, en opende die toen weer. 'Wat?' zei hij.

'Ah!' Isgrimnur scheen enorm vrolijk, bijna lichtzinnig. 'En dit is Tiamak, een nobele Wrannaman, een vriend van Dinivan en Morgenes. De prinses is hier, Tiamak. Miriamele is gekomen.'

Miriamele keek niet eens op, maar bleef de oude man aanstaren. 'Dit is... Camaris?'

'Dat weet ik, dat weet ik,' zei Isgrimnur lachend. 'Ik kon het zelf niet geloven, God zal me straffen – maar het is 'm! In levenden lijve na al die tijd!' Het gezicht van de hertog werd plotseling ernstig. 'Maar hij is zijn verstand kwijt, Miriamele. Hij is als een kind.'

Tiamak schudde zijn hoofd. 'Ik... ik ben blij, Isgrimnur. Blij dat je vrienden hier zijn.' Hij schudde nogmaals zijn hoofd. 'Ik heb ook nieuws.'

'Niet nu.' Isgrimnur straalde. 'Later, kleine man. Vanavond vieren we feest.' Hij verhief zijn stem. 'Charystra! Waar zit je, vrouw!?'

De eigenares van de herberg was net doende de deur open te duwen toen Tiamak zich omdraaide en die in haar gezicht dichtsloeg. Hij hoorde een verbaasd gegrom en de bons van een zwaar brood dat de trap af stuiterde. 'Nee,' zei Tiamak. 'Dit kan niet wachten, Isgrimnur.'

De hertog fronste tegen hem, dikke wenkbrauwen optrekkend. 'Nou?'

'Er zijn mannen op zoek naar deze herberg. Nabbaanse soldaten.'

Isgrimnurs ongeduld viel plotseling weg. Hij richtte zijn volle aandacht op de kleine Wrannaman. 'Hoe weet je dat?'

'Ik heb ze gezien bij de Markthal. Ze stelden vragen aan de schippers daar en behandelden hen erg ruw. De leider van de soldaten probeerde wanhopig deze herberg te vinden.'

'En zijn ze erachter gekomen?' Isgrimnur stond op en liep het vertrek door, zijn zwaard Kvalnir oppakkend uit een foudraal in de hoek.

Tiamak haalde de schouders op. 'Ik wist dat ik niet veel vlugger zou kunnen zijn dan de soldaten, ook al weet ik zeker dat ik de stad beter ken dan zij. Toch wilde ik hen ophouden, dus ben ik naar hen toe gegaan en heb de soldaten gezegd dat ik met de schippers zou praten omdat het allemaal Wrannamannen waren zoals ik.' Voor de eerste keer sinds hij zijn verhaal begon, draaide Tiamak zich om en keek de jonge vrouw aan. Haar gezicht was heel bleek geworden, maar de verbijsterde uitdrukking was verdwenen. Ze luisterde aandachtig. 'In onze moerastaal vertelde ik de schippers dat dit slechte mensen waren, dat ze alleen met mij moesten praten, en alleen in onze taal. Ik vertelde hun dat wanneer de soldaten vertrokken, zij ook moesten weggaan en pas later naar de Markthal moesten terugkeren. Nadat ik nog enkele ogenblikken langer met hen had gepraat, waarbij ik deed alsof ik aanwijzingen van hen ontving – in werkelijkheid vertelden ze mij alleen maar dat deze drooglanders zich als gekken gedroegen! – vertelde ik de leider van de soldaten waar hij en zijn manschappen *Pelippa's Kom* konden vinden. Kijk niet zo dreigend, hertog Isgrimnur! Ik heb hun verteld dat die aan de andere kant van de stad staat, natuurlijk! Maar het was zo vreemd, toen ik het die man vertelde, rilde hij over zijn hele lichaam, alsof de wetenschap waar dit huis was hem de kriebels bezorgde.'

'Hoe... hoe zag de leider eruit?' Miriameles stem klonk gespannen.

'Hij was heel vreemd.' Tiamak aarzelde. Hij wist niet hoe hij tegen een drooglandse prinses moest spreken, ook niet tegen een die als man was gekleed. 'Hij was de enige die niet als soldaat was gekleed. Lang en sterk om te zien, met dure drooglandse kleren, maar zijn gezicht was paars van de kneuzingen, zijn ogen rood als die van een wild zwijn, vol met bloed. Hij zag eruit alsof zijn hoofd in de bek van een krokodil gekraakt was. Hij miste ook tanden.'

Miriamele kreunde en gleed van de matras op de grond. 'O, Elysia, red mij! Het is Aspitis!' Haar woedende stem was nu een en al wanhoop. 'Cadrach, hoe kon hij weten waar wij heen gingen?! Heb je me weer verraden?'

De monnik huiverde, maar zijn woorden bevatten geen woede. 'Nee, vrouwe. Klaarblijkelijk is hij aan land gekomen, en ik vermoed dat hij toen op de een of andere manier boodschappen met zijn ware meester heeft uitgewisseld.' Cadrach wendde zich tot Isgrimnur. 'Pryrates kent deze plaats goed, heer hertog, en Aspitis is zijn werktuig.'

'Aspitis?' Isgrimnur, die zijn zwaardriem om zijn brede middel gordde, schudde verbaasd het hoofd. 'Ik ken hem niet, maar ik heb de indruk dat hij geen vriend is.'

'Nee.' Cadrach keek naar Miriamele zoals zij op de vloer zat met het hoofd in de handen. 'Hij is geen vriend.'

Isgrimnur maakte een diep geluid in zijn keel. Tiamak draaide zich met een verraste blik naar hem om, want de hertog klonk op zijn zachtst als een nijdige beer, maar Isgrimnur was alleen maar aan het denken, met zijn vingers in zijn korte baard woelend. 'Vijanden zitten ons op de hielen,' zei hij ten slotte. 'Ook al hadden wij de Camaris van veertig jaar geleden bij ons – ah, Heer heb hem lief, Miriamele, hij was de machtigste man van allen – toch zou ik de kans niet durven wagen. Dus, we moeten vertrekken... en vlug ook.'

'Waar kunnen we heen gaan?' vroeg Cadrach.

'Naar het noorden, naar Jozua.' Isgrimnur wendde zich tot Tiamak. 'Wat zei je toen ook alweer, kleine man? Dat je, als je met Camaris en mij als vluchtelingen reisde, een andere weg zou vinden?'

Tiamak voelde zijn keel spannen. 'Ja, maar het zal niet gemakkelijk zijn.' Hij voelde een kilte, alsof de koude adem van Haar Die Wacht om Alles Terug te Nemen tegen zijn nek fluisterde. Plotseling was hij niet meer zo gebrand op het idee om deze drooglandse vrienden naar de doolhofachtige Wran te brengen.

Miriamele stond op. 'Is Jozua in leven?'

'Dat zeggen de geruchten, prinses.' Isgrimnur schudde zijn hoofd. 'Ten noordoosten van de Tritsingen, beweert men. Maar het kan valse hooop zijn.'

'Nee!' Miriameles gezicht, nog vlekkerig van tranen, vertoonde een vreemde uitdrukking van zekerheid. 'Ik geloof het.'

Cadrach, die nog in de hoek geleund stond als een verwaarloosde huisgod, haalde zijn schouders op. 'Er is niets verkeerds aan geloof, als dat het enige is waaraan we ons kunnen vastklampen. Maar wat is die andere weg?' Hij richtte zijn peinzende ogen op de moerasman.

'Door de Wran.' Tiamak schraapte zijn keel. 'Het zal vrijwel onmogelijk voor hen zijn om ons te volgen, denk ik. We kunnen noordwaarts gaan naar het buitenste deel van het Tritsingmeer.'

'Waar wij te voet midden in honderd mijl open terrein verstrikt zullen worden,' zei Cadrach grimmig.

'Verdomme, man,' grauwde Isgrimnur, 'wat kunnen we anders doen? Proberen ons een weg te banen door Kwanitupul, langs deze kerel Aspitis, en dan door heel het vijandige Nabban? Kijk eens naar ons. Kun je je een onwaarschijnlijker en gedenkwaardiger gezelschap voorstellen? Een meisje, twee monniken – een met een baard – een kindse oude reus en een Wrannaman? Welke keus hebben we?'

De Hernystirman scheen bereid om te redetwisten, maar na een ogenblik van aarzeling haalde hij nogmaals de schouders op, zich in zichzelf terugtrekkend als een schildpad in zijn schild. 'Ik veronderstel dat er geen keus is,' zei hij rustig.

'Wat moeten wij doen?' Miriameles angst was wat geweken. Hoewel nog geschokt, scheen ze helderogig en vastberaden. Tiamak moest haar geestkracht onwillekeurig bewonderen.

Isgrimnur wreef zich in zijn grote handen. 'Ja. We moeten vertrekken, zeker voordat er een uur is verstreken, of zo mogelijk nog eerder, dus is er geen tijd te verspillen. Tiamak ga aan de voorkant van de herberg op de uitkijk staan. Iemand anders zou die soldaten wel eens betere aanwijzingen kunnen geven dan jij hebt gedaan, en als ze ons verrassen, zijn we verloren. Jij valt waarschijnlijk het minste op.' Hij keek rond, denkend. 'Ik zal Camaris aan het werk zetten om de minst gehavende van die boten in de voortuin op te lappen. Cadrach, jij moet hem helpen. Denk erom, hij is zwakzinnig, maar hij heeft hier jarenlang gewerkt; hij weet wat te doen en begrijpt een heleboel woorden, hoewel hij niet praat. Ik zal de rest van onze spullen verder bijeenzoeken, dan zal ik jullie komen helpen de boot klaar te maken en die naar het water te dragen.'

'En ik, Isgrimnur?' Miriamele stond feitelijk van de ene voet op de andere te springen omdat ze met alle geweld iets wilde doen.

'Neem die feeks van een herbergierster mee en ga naar de keuken om ons te bevoorraden. Neem dingen die houdbaar zijn, want we weten niet hoe lang we zonder moeten doen...' Hij zweeg, gestoord door een plotselinge gedachte. 'Water! Zoet water! Lieve Usires, we gaan naar de moerassen. Neem al wat je kunt, en ik zal komen helpen de kruiken te dragen, of wat je anders vindt om het in te doen. Er staat een regenton in de tuin achter de herberg – vol, denk ik. Ha, ik wist dat dit smerige weer ergens goed voor zou zijn!' Hij trok aan zijn vingers, als een razende denkend. 'Nee, prinses, ga nog niet. Zeg tegen Charystra dat ze betaald wordt voor alles wat we meenemen, maar rep met geen woord over onze bestemmingen. Ze zou onze onsterfelijke ziel versjaggeren voor een kromme centis per stuk. Ik wou dat ik net zo was, maar ik zal haar betalen voor wat we meenemen, hoewel het de bodem van mijn beurs zichtbaar zal maken.' De hertog haalde diep adem. 'Zo! Ga nu aan het werk. En waar jullie allemaal ook zijn, luister naar Tiamaks roep en ren naar de voortuin als je die hoort.'

Hij draaide zich om en trok de deur open; Charystra zat op de bovenste tree te midden van verspreid liggende levensmiddelen, haar gezicht een masker van verwarring. Isgrimnur keek een ogenblik naar haar, liep toen naar Miriamele toe en boog zich naar haar oor toe; Tiamak stond er dicht genoeg bij om hem te horen fluisteren.

'Laat haar niet van je weggaan,' mompelde de hertog. 'Misschien moeten we haar meenemen, in elk geval ver genoeg om het geheim van onze bestemming te beschermen. Als ze moeilijkheden maakt, hoef je alleen maar te roepen, dan ben ik meteen bij je.' Hij pakte Miriamele bij de elleboog en leidde haar naar Charystra's zitplaats op de trap.

'Opnieuw gegroet, beste vrouw,' zei de prinses tegen haar. 'Mijn naam is Marya. We hebben elkaar beneden ontmoet. Kom nu, laten we naar de keuken gaan om wat eten voor mijn vrienden en mij te halen – wij hebben gereisd en hebben erge honger.' Ze boog zich voorover en hielp Charystra overeind, maar boog zich toen weer om het brood en de kaas die gevallen waren op te rapen. 'Zie je?' zei ze opgewekt, de verbijsterde vrouw bij de arm nemend. 'Wij zullen ervoor zorgen dat er niets wordt verspild, en wij zullen voor alles betalen.'

Ze verdwenen de trap af.

Miriamele was aan het werk in een soort nevel. Ze concentreerde zich zo hevig op haar taak dat ze de redenen waarom ze het deed helemaal uit het oog had verloren tot ze de opgewonden kreet van Tiamak en zijn konijnachtige geroffel op het dak boven haar hoorde. Terwijl haar hart sneller begon te kloppen, griste ze een handjevol verschrompelde uien op – Charystra deed weinig moeite om haar provisiekast goed bevoorraad te houden – en snelde naar de voortuin, de protesterende herbergierster voor zich opjagend.

'Hé, wat denk je dat je aan het doen bent?' klaagde Charystra. 'Er is geen reden om me op die manier te behandelen, wie je ook bent!'

'Stil. Alles komt in orde.' Ze wou dat ze het kon geloven.

Toen ze de deur van de gelagkamer bereikte, hoorde zij Isgrimnurs zware voetstappen op de trap. Hij haalde hen vlug in, de tegenstribbelende Charystra weinig ruimte latend om te ontsnappen, en samen gingen ze de voortuin in. Camaris en Cadrach waren zo ingespannen aan het werk dat ze niet opkeken bij de komst van hun kameraden. De oude ridder had een met pek ingesmeerde borstel in de hand, de monnik een strook zwaar zeildoek waarin hij met een mes aan het hakken was.

Een ogenblik later kwam Tiamak uit de dakspanten omlaag glijden. 'Ik heb niet ver weg soldaten gezien,' zei hij buiten adem. 'Ze zijn duizend stappen hiervandaan, misschien minder, en ze komen hiernaartoe!'

'Zijn het dezelfde?' vroeg Isgrimnur. 'Verdomme, natuurlijk! We moeten gaan. Is de boot gemaakt?'

'Ik denk dat hij een tijdlang waterdicht zal zijn,' zei Cadrach kalm. 'Als we deze dingen meenemen,' hij wees naar de pek en het zeildoek, 'kunnen we een beter en grondiger karwei doen wanneer we stil houden.'

'Als we al een kans krijgen om stil te houden,' gromde de hertog. 'Goed. Miriamele?'

'Ik heb de provisiekasten leeggehaald. Niet dat daar veel werk voor nodig was.'

Charystra, die iets van haar hooghartigheid had herkregen, ging rechtop staan. 'En wat gaan mijn gasten en ik eten?' vroeg ze. 'De lekkerste tafel in Kwanitupul. Ik sta erom bekend.'

Isgrimnurs gesnuif deed zijn snor trillen. 'Jouw tafel is niet het probleem. Het is de troep die je erop zet. Je zult betaald worden, vrouw, maar eerst ga je een reisje maken.'

'Wat?' gilde Charystra. 'Ik ben een godvrezende Aedonitische vrouw! Wat gaan jullie met me doen?'

De hertog trok een gezicht en keek de anderen aan. 'Ik vind het niet prettig, maar we kunnen haar niet hier laten. We zullen haar ergens op een veilige plaats afzetten… met haar geld.' Hij wendde zich tot Cadrach. 'Neem een stuk van dat touw en bindt haar vast, wil je? En probeer haar geen pijn te doen.'

De laatste paar voorbereidingen waren getroffen onder begeleiding van Charystra's woedende protesten. Tiamak, die erg bezorgd scheen dat Isgrimnur misschien enkele kostbare stukken van hun bagage had vergeten, rende naar boven om zich ervan te overtuigen dat er niets was achtergelaten. Toen hij terugkwam, hielp hij de anderen om de grote boot door de brede zijdeur van de tuin naar buiten te brengen.

'Iedere behoorlijke scheepswerf zou een windas hebben,' klaagde Isgrimnur. Het zweet liep over zijn gezicht. Miriamele was bezorgd dat een van de twee oudere mannen zich zou verwonden, maar ondanks al zijn jaren scheen het Camaris helemaal niets te doen om zijn deel van het gewicht te delen, en Isgrimnur was nog altijd een sterke man. Het waren eerder Cadrach en de slanke Tiamak, uitgeteerd door hun tegenspoeden, die de meeste moeilijkheden hadden. Miriamele wilde helpen, maar durfde de gebonden Charystra geen ogenblik alleen te laten uit angst dat ze alarm zou slaan of in het water zou vallen en verdrinken.

Toen ze wankelend de helling naar het achterste dok af liepen, meende Miriamele met zekerheid de stampende voetstappen van Aspitis en zijn volgelingen te horen. De voortgang van de boot leek afschuwelijk langzaam, een blinde achtpotige kever die bij iedere smalle bocht bleef haken. 'Haast je!' zei ze. Charystra, die aan haar zorg was toevertrouwd en alleen maar aan haar eigen benarde positie dacht, kreunde.

Eindelijk bereikten ze het water. Toen ze de boot voorzichtig over de rand van het drijvende dok tilden, reikte Cadrach omlaag tussen de banken en haalde de zware houten hamer uit de stapel werktuigen die ze hadden meegenomen om de romp op te lappen, ging toen terug de helling op naar de herberg.

'Wat doe je?' riep Miriamele. 'Ze kunnen ieder ogenblik hier zijn.'

'Dat weet ik.' Cadrach begon aan een onregelmatige draf, de enorme hamer tegen zijn borst gedrukt.

Isgrimnur was nijdig. 'Is de man gek?'

'Ik weet het niet.' Miriamele duwde Charystra naar de boot toe, die licht tegen de zijkant van het dok schuurde. Toen de herbergierster weerstand bood, stond de oude Camaris op en tilde haar even gemakkelijk omlaag als een vader met zijn kleine dochter zou doen, en zette haar toen op de bank naast zich. De vrouw dook daar ineen, terwijl er een traan over haar gezicht rolde. Miriamele kon het niet helpen dat ze medelijden met haar voelde.

Een ogenblik later verscheen Cadrach weer, de loopplank af snellend. Hij klauterde met behulp van de anderen de boot in, duwde die toen van de kade af. De neus draaide naar het midden van het kanaal.

Miriamele hielp de monnik zich op de bank te wringen. 'Wat heb je gedaan?'

Cadrach had een ogenblik nodig om op adem te komen, en legde de hamer toen voorzichtig terug op het bundeltje zeildoek. 'Er was nòg een boot. Ik wilde ervoor zorgen dat ze er heel wat langer voor nodig zouden hebben om hem op te lappen dan wij voor deze nodig hebben gehad. Zonder boot kun je niemand door Kwanitupul achterna zitten.'

'Goed gedaan, man,' zei Isgrimnur. 'Hoewel ik er zeker van ben dat ze gauw genoeg een boot zullen krijgen.'

Tiamak wees. 'Kijk!' Een twaalftal mannen in blauwe mantels en met helmen liep over de houten wandelweg naar *Pelippa's Kom*.

'Ze zullen eerst aankloppen,' zei Cadrach rustig. 'Dan zullen ze de deur inslaan. Daarna zullen ze zien wat wij gedaan hebben en naar een boot gaan zoeken.'

'Dus kunnen we onze voorsprong maar beter benutten. Roei!' De daad bij het woord voegend, boog Isgrimnur zich naar zijn riem. Camaris boog zich ook en toen hun twee roeiriemen in het groene water beten, sprong de kleine boot naar voren.

Op het achterdek keek Miriamele om naar de kleiner wordende herberg. Ze meende in de mier-achtige bewegingen van mensen bij de ingang heel even een flits van blond haar te onderscheiden. Verslagen sloeg ze haar ogen neer naar het bewogen kanaal en bad tot Gods moeder en verscheidene heiligen dat ze Aspitis nooit meer zou hoeven te zien.

'Het is nog maar een klein eindje verder.' De Rimmersman met de uitpuilende ogen keek even innig naar de palissade van knoestige pijnbomen als naar een vertrouwde straat. 'Daar kun je rusten en eten.'

'Dank je, Dypnir,' zei Isorn. 'Dat zal goed zijn.' Hij had meer kunnen zeggen, maar Eolair had zijn teugel gegrepen en zijn paard afgeremd. Dypnir, die het blijkbaar niet gemerkt had, liet zich door zijn eigen paard een eindje verder rijden tot hij slechts een schaduw in de schemering van het woud was.

'Weet je zeker dat je deze man kunt vertrouwen, Isorn?' vroeg de graaf van Nad Mullach. 'Zo niet, laten wij dan een verder bewijs van hem vragen voor we in een hinderlaag rijden.'

Isorns brede voorhoofd rimpelde zich. 'Hij komt van Skoggey. Die mensen zijn trouw aan mijn vader.'

'Hij zegt dat hij van Skoggey komt. En ze waren inderdaad trouw aan je vader.' Eolair schudde zijn hoofd, verbaasd dat de zoon van een hertog zo weinig raffinement kon hebben. Toch kon hij niet anders dan Isorns vriendelijke en open hart bewonderen.

Iedereen die zichzelf zo kan houden, te midden van al deze verschrikkingen, is iemand om in ere te houden, dacht de graaf, maar hij voelde een verantwoordelijkheid, onder andere voor zijn eigen huid, die hem niet wilde laten zwijgen, ook al liep hij daardoor het risico hertog Isgrimnurs zoon te beledigen.

Isorn glimlachte om Eolairs bezorgdheid. 'Hij kent de lieden die hij behoort te kennen. In elk geval is dit een nogal riskante manier van doen om een half dozijn mannen in een hinderlaag te laten lopen. Denk je niet dat als deze kerel van Skali was, wij eenvoudig door honderd Kaldskrykemannen zouden zijn overvallen?'

Eolair fronste. 'Niet als deze kerel alleen maar een verkenner is, en zijn sporen probeert te verdienen met een slimme vangst. Genoeg dan. Maar ik zal mijn zwaard los in mijn schede houden.'

De jonge Rimmersman lachte. 'En ik ook, graaf Eolair. U vergeet dat ik een groot deel van mijn jeugd bij Einskaldir heb doorgebracht, Aedon hebbe zijn ziel – de meest wantrouwige man die ooit ademde.'

De Hernystirman merkte dat hij ook even lachte. Einskaldirs ongeduld en heetgebakerdheid hadden altijd meer in overeenstemming geschenen met het oude heidense Rimmersgaarde, wiens goden even veranderlijk waren als het weer, hard als de Vestiveggbergen.

Eolair en Isorn en de vier Tritsingsmannen die door Hotvig waren gestuurd, hadden nu verscheidene weken met elkaar gereisd. Hotvigs mannen waren vriendelijk genoeg, maar de reis door de geciviliseerde landen van oostelijk Erkynland – geciviliseerd door huizen en velden die het kenmerk van ontginning droegen, hoewel het op het ogenblik grotendeels onbevolkt leek – had hen met een zekere ongerustheid vervuld. Meer en meer, naarmate de trek voortging en de graslanders zich met de dag verder van de vlakten waar zij geboren waren verwijderd wisten, werden ze humeurig en gemelijk, bijna uitsluitend met elkaar in de keelachtige Tritsingse taal pratend, 's nachts opzittend rond het vuur en de liederen van hun thuisland zingend. Dientengevolge waren Isorn en Eolair vrijwel helemaal op elkaars gezelschap aangewezen.

Tot opluchting van de graaf had hij gemerkt dat er meer in de geelharige beer van een zoon van de hertog stak dan aanvankelijk bleek. Hij was dapper, dat leed weinig twijfel, maar het scheen heel anders dan de dapperheid van vele moedige mannen die Eolair had gekend, die vond dat als je anders was, je op de een of andere manier in de ogen van anderen faalde. De jonge Isorn scheen eenvoudig weinig angst te kennen, en de dingen die hij deed alleen te doen omdat ze juist en nodig waren. Niet dat hij volkomen koelbloedig was. Zijn huiveringwekkende verhaal over zijn gevangenschap te midden van de Zwarte Rimmersmannen, over de martelingen die hij en zijn medegevangenen hadden ondergaan en over de rondwarende tegenwoordigheid van bleekhuidige onsterfelijke bezoekers, greep hem nog steeds zo sterk aan dat hij er moeilijk over kon praten. Toch, meende Eolair, op zijn scherpe intrigantenoog vertrouwend, dat anderen die een dergelijke ervaring hadden gehad het zich nog meer zouden hebben aangetrokken. Voor Isorn was het een vreselijke tijd die nu voorbij was, en dat was dat.

Dus, terwijl het kleine gezelschap langs de heuvelhellingen boven het griezelig lege Hasudal waren getrokken en door de zomen van het Aldheorte, met een wijde boog om de dreiging van het ondergesneeuwde Erchester en de Hayholt heen gaand – en ook, herinnerde Eolair zich onwillekeurig de hoge Thisterborg – was de graaf van Nad Mullach meer en meer gaan houden van deze jonge Rimmersman, wiens liefde voor zijn vader en moeder zo sterk en ongecompliceerd was, wiens liefde voor zijn volk bijna even sterk was en bijkans onlosmakelijk verbonden met zijn gevoelens voor zijn familie. Toch kon Eolair, vermoeid en gekwetst door gebeurtenissen, ziek reeds van de verschrikkingen van de oorlog voor deze laatste was begonnen, er niets aan doen dat hij zich afvroeg of hijzelf ooit zo jong was geweest als Isorn.

'We zijn er bijna.' Dypnirs stem bracht Eolairs gedachten terug naar het onduidelijke bospad.

'Ik hoop alleen maar dat ze iets te drinken hebben,' zei Isorn, grijnzend, 'en genoeg om te delen.'

Toen Eolair zijn mond opendeed om antwoord te geven, klonk er schor een nieuwe stem door de avond.

'Stop! Blijf staan waar je bent!' Het was Westerlings, uitgesproken met de dikke tongval van Rimmersgaarde. Isorn en Eolair haalden de teugels aan. Achter hen brachten de vier Trisingsmannen hun paarden moeiteloos tot staan. Eolair kon hen onder elkaar horen fluisteren.

'Ik ben het,' riep hun gids, met zijn baardige hoofd opzij leunend zodat de verscholen kijker hem kon zien. 'Dypnir. Ik breng bondgenoten.'

'Dypnir?' Er was een toon van twijfel in de vraag. Die werd gevolgd door een vlaag van Rimmerspakk. Isorn scheen aandachtig te luisteren.

'Wat zeggen ze?' fluisterde Eolair. 'Ik kan het niet volgen wanneer ze zo vlug spreken.'

'Over wat je zou verwachten. Dypnir is al enkele dagen weg en ze vragen hem waarom. Hij legt uit over zijn thuis.'

Eolair en zijn metgezellen hadden Dypnir naast een bospad in het westelijke Aldheorte gevonden, zich verschuilend bij het dode lichaam van zijn paard dat zijn been in een gat had gebroken en wiens keel Dypnir zelf enkele ogenblikken eerder had doorgesneden. Na de lasten van een van de pakpaarden te hebben verdeeld, hadden ze dat paard aan de Rimmersman gegeven in ruil voor zijn hulp om mensen te vinden die hen konden helpen – ze waren niet al te duidelijk geweest over het soort hulp dat ze nodig hadden, behalve dat alle partijen schenen te hebben begrepen dat het niet ten behoeve van Skali Scherpneus zou zijn.

'Uitstekend.' De verscholen schildwacht ging weer over op de Westerlingse taal. 'U zult Dypnir volgen. Maar u zult langzaam rijden en uw handen zodanig houden dat we ze kunnen zien. Wij hebben bogen, dus als u denkt dat u dwaze spelletjes met ons kunt uithalen in een donker woud, dan zal u dat berouwen.'

Isorn ging meer rechtop zitten. 'Wij begrijpen het. Maar speel ook geen spelletjes met ons.' Hij voegde er iets in het Rimmerspakk aan toe. Na een ogenblik stilte, werd er een teken gegeven en Dypnir ging naar voren met Eolairs gezelschap achter zich aan.

Ze sjokten een tijdje verder in de vallende avond.

Aanvankelijk was het enige dat de graaf van Nad Mullach kon zien kleine vonkjes als rode sterren. Toen ze verder reden en de lichtjes flakkerden en dansten, besefte hij dat hij de vlammen van een vuur door dicht verstrengelde, naaldloze takken zag. Het gezelschap maakte ineens een draai en reed door een haag van bomen, bukkend op Dypnirs gefluisterde aandrang, en het warme licht van het laaiende vuur rees overal rondom hen op.

Het kamp was wat een Houthakkerszaal genoemd werd, een open plek in een bosje bomen dat was ommuurd tegen de wind met tussen de stammen gebonden bossen denne- en sparretakken. In het midden van de open ruimte, rondom de vuurkuil, zaten misschien drie of vier dozijn mannen, met ogen die glansden van het weerkaatste licht terwijl ze de vreemdelingen zwijgend gadesloegen. Velen van hen droegen de vuile en gerafelde resten van gevechtskleding; allen zagen eruit als mannen die lang in de open lucht hadden geslapen.

Rhynns Heksenketel, het is een kamp van vogelvrijen. We zullen worden beroofd en vermoord. Eolair voelde een korte greep van ontzetting bij de gedachte dat zijn queeste zo nutteloos zou eindigen, en van walging omdat ze zo vol vertrouwen hun dood tegemoet waren gereden.

Sommigen van de mannen die het dichtst bij de ingang van het bosje zaten, trokken hun wapens. De Tritsingsmannen gingen verzitten op hun paarden, terwijl hun handen omlaag kropen naar hun eigen gevesten. Voor een onverhoedse beweging van iemand aanleiding kon geven tot een noodlottige confrontatie, flapte Dypnir met zijn handen in de lucht en gleed omlaag van zijn geleende ros. De donkere Rimmersman, veel minder bevallig op het land dan op de rug van een paard, kloste naar het midden van de open plek.

'Hier,' zei hij. 'Deze mannen zijn vrienden.'

'Niemand die uit onze pot komt eten, is een vriend,' gromde een van de wreedst uitziende. 'En wie zegt dat zij geen spionnen van Skali zijn?'

Isorn, die even rustig had toegekeken als Eolair, leunde plotseling voorover in het zadel. 'Ule?' zei hij vragend. 'Ben jij niet Ule, de zoon van Frekke Grijshaar?'

De man keek hem aan, de ogen dichtgeknepen. Hij was misschien van Eolairs leeftijd. Er zat zoveel vuil op zijn gerimpelde, verweerde gezicht dat hij een masker scheen te dragen. Een handbijl met een gedeukt blad was door zijn riem gestoken. 'Ik ben Ule Frekkeszoon. Hoe ken je mijn naam?' Hij was stijf, gespannen als voor een sprong.

Isorn steeg af en deed een stap in zijn richting. 'Ik ben Isorn, zoon van hertog Isgrimnur van Elvritshalla. Jouw vader was een van de trouwste metgezellen van mijn eigen vader. Herinner je je mij niet, Ule?'

Een droog geritsel van beweging rond de open plek en een paar gefluisterde opmerkingen waren alles wat deze onthulling veroorzaakte. Als Isorn verwachtte dat de man voor hem zou opspringen en hem blij zou omhelzen, werd hij teleurgesteld. 'Je bent gegroeid sinds ik je voor het laatst heb gezien, jongeman,' zei Frekkes zoon, 'maar ik zie je vaders gezicht in het jouwe.' Ule staarde hem aan. Er bewoog iets achter de stille boosheid van de man. 'Je vader is niet langer hertog, en al zijn manschappen zijn vogelvrijen. Waarom kom je ons lastig vallen?'

'Wij komen om je hulp te vragen. Er zijn velen buiten jullie zelf die geen huis meer hebben, en zij zijn begonnen zich te verzamelen om terug te nemen wat van hen gestolen is. Ik breng jullie nieuws van mijn vader, de rechtmatige hertog, en van Jozua van Erkynland, die zijn bondgenoot is tegen Skali Scherpneus.'

Het gemompel van verbazing werd luider. Ule schonk er geen aandacht aan. 'Dit is een droeve list, jongen. Je vader is bij Naglimund gedood, en je prins Jozua met hem. Kom niet bij ons aan met kabouterverhalen omdat je meent dat het aardig zou zijn om weer over een troep lijfeigenen te regeren. Wij zijn nu vrije mannen.' Sommigen van zijn metgezellen gromden instemmend.

'Vrije mannen?' Isorns stem werd plotseling gespannen van woede. 'Kijk jullie eens. Kijk dit eens!' Hij wees rond de open plek. Het verwonderde Eolair deze plotselinge boosheid in de jonge man te zien. 'Vrij om door de bossen te sluipen als honden die uit de burcht zijn geranseld, bedoel je? Waar zijn jullie huizen, je vrouwen, je kinderen? Mijn vader leeft...!' Hij zweeg, zijn stem kalmerend. Eolair vroeg zich af of de gedachte bij Isorn was opgekomen dat Isgrimnurs veiligheid niet zo zeker was als hij het deed klinken. 'Mijn vader zal zijn landen terugkrijgen,' zei hij. 'Degenen die hem helpen zullen hun eigen hofsteden ook terugkrijgen, en meer nog bovendien, want wanneer wij klaar zijn, zullen Skali en zijn Kaldskrykemannen vele vrouwen zonder echtgenoot, vele braakliggende velden achterlaten. Alle trouwe mannen die wij vinden om ons te volgen zullen goed worden beloond.'

Een rauw gelach klonk op onder de toekijkende mannen, maar het was geen spottende lach, maar een blijde lach om de grootspraak. Eolair, wiens gevoeligheid door jaren van hoofse schijngevechten was gewet, kon voelen dat de geest van het ogenblik ten gunste van hen omsloeg.

Ule stond plotseling op, zijn beerachtige lichaam breed in zijn gehavende bont. Het geluid van de toeschouwers verstierf. 'Zeg mij dan, Isorn Isgrimnurszoon,' vroeg hij, 'zeg mij wat er met mijn vader, die jouw vader zijn hele leven heeft gediend, is gebeurd. Wacht hij op mij aan het einde van jouw weg, zoals de manzieke weduwen en de wijde velden zonder meesters waarover je spreekt? Zal hij wachten om zijn zoon te omhelzen?' Hij trilde van woede.

De helderogige Isorn vertrok geen spier. Hij haalde diep adem. 'Hij was bij Naglimund, Ule. Het kasteel viel bij het beleg van koning Elias. Slechts enkelen ontsnapten, maar jouw vader was niet een van hen. Als hij is gestorven, dan stierf hij in elk geval dapper.' Hij zweeg, een ogenblik in herinnering verzonken. 'Hij was altijd heel vriendelijk tegen mij.'

'De verdomde ouwe man hield van je als zijn eigen kleinzoon,' zei Ule bitter en deed een wankele stap naar voren. In het ogenblik van verbijsterde stilte zocht Eolair naar zijn zwaard, zijn eigen traagheid vervloekend. Ule nam Isorn in een omhelzing die zijn ribben deed kraken, de zoon van de hertog naar voren trekkend en de grotere man van de grond tillend.

'God vervloeke Skali!' Tranen lieten lichte sporen op Ules smerige gezicht achter. 'Die moordenaar, die duivelse vervloekte moordenaar! Het is een bloedvete voor altijd!' Hij liet Isorn los en veegde zijn gezicht met zijn mouw af. 'Scherpneus moet sterven. Dan zal mijn vader in de hemel lachen.'

Isorn keek hem een ogenblik aan, toen sprongen tranen in zijn ogen. 'Mijn vader hield van Frekke, Ule, ik hield ook van hem.'

'Bloed aan de Boom, is er niets te drinken op deze ellendige plek?' riep Dypnir. Overal in het rond kwamen de haveloze mannen naar voren om Isorn welkom thuis te wensen.

'Wat ik jullie nu ga zeggen, zal heel vreemd klinken,' zei Maegwin. Zenuwachtiger dan ze had gedacht dat ze zou zijn, nam ze een ogenblik om de plooien van haar oude zwarte japon glad te strijken. 'Maar ik ben de dochter van koning Lluth, en ik heb Hernystir meer lief dan mijn eigen leven. Ik zou nog liever mijn eigen hart uitrukken dan tegen jullie liegen.'

Haar volk, verzameld in de grootste van de grotten onder de Grianspog, de grote catacombe met het hoge plafond waar recht werd gesproken en voedsel uitgedeeld, luisterde aandachtig. Wat Maegwin zei zou inderdaad vreemd kunnen klinken, maar ze zouden haar aanhoren. Wat kon zo vreemd zijn als ongeloofwaardig te zijn in een wereld die zo gek was als die waarin zij zich bevonden?

Maegwin keek achterom naar Diawen, die vlak achter haar stond. De waarzegster, wier ogen straalden van een persoonlijk geluk, glimlachte goedkeurend. 'Vertel het hun!' fluisterde Diawen.

'Jullie weten dat de goden in dromen tot mij gesproken hebben,' zei

Maegwin luid. 'Zij brachten een lied van de oudste tijden in mijn hoofd en leerden mij jullie hier in de rotsachtige grotten te brengen waar wij veilig zouden zijn. Toen bracht Cuamh Aardhond, de god van de diepten, mij naar een geheime plaats die niet meer aanschouwd was sinds Tethtains tijd – een plaats waar de goden een geschenk voor ons in petto hadden. Jij!' Ze wees naar een van de schriftgeleerden die met Eolair naar Mezutu'a was afgedaald om de kaarten van de dwargen te kopiëren. 'Sta op en vertel het volk wat je zag.'

De oude man stond wankel op, voor steun op een van zijn jongere leerlingen leunend. 'Het was inderdaad een stad van de goden,' zei hij met bevende stem, 'diep in de aarde – groter dan heel Hernysadharc, gebouwd in een grot breed als de baai bij Crannhyr.' Hij spreidde zijn armen in een hulpeloze poging om de uitgestrektheid van de stad aan te duiden. 'Er waren daar wezens die ik nog nooit had gezien, fluisterend in de schaduwen.' Hij hief zijn hand op toen verscheidenen van de toeschouwers gebaren maakten om kwaad af te weren. 'Maar zij deden ons geen kwaad, en leidden ons zelfs naar hun geheime plaatsen, waar wij deden wat de prinses ons vroeg te doen.'

Maegwin beduidde de schriftgeleerde te gaan zitten. 'De goden toonden mij de stad en wij vonden daar dingen die zullen helpen het getij van de strijd tegen Skali en zijn meester, Elias van Erkynland, te keren. Eolair heeft die geschenken naar onze bondgenoten gebracht – jullie hebben hem allen zien vertrekken.'

In de menigte knikten hoofden. Onder mensen die zo geïsoleerd waren als deze aardbewoners waren geworden, was het vertrek van de graaf van Nad Mullach op een geheimzinnige missie gedurende enkele weken het onderwerp van roddel geweest.

'Dus de goden hebben twee keer tot mij gesproken. Twee keer is wat ze zeiden juist gebleken.'

Maar terwijl ze dit zei, voelde Maegwin een scheut van bezorgdheid. Was dat werkelijk waar? Had ze zichzelf niet vervloekt door een verkeerde interpretatie, zelfs soms de goden zelf verweten dat ze haar wrede, valse tekens hadden gezonden? Ze zweeg, plotseling overvallen door twijfel, maar Diawen reikte naar voren en raakte haar schouder aan, alsof de schriftgeleerde haar verontruste gedachten had gehoord. Maegwin vond de moed om verder te gaan.

'Nu hebben de goden tot mij gesproken, een derde keer, en met de machtigste woorden van alle. Ik heb Brynioch zelf gezien!' Want stellig, dacht ze, moest hij het zijn geweest. Het vreemde gezicht en de gouden ogen in haar geheugen gebrand als het nabeeld van een zon tegen de zwartheid van gesloten oogleden. 'En Brynioch vertelde mij dat de goden Hernystir hulp zouden sturen!'

Enkelen van het gehoor, meegesleept door Maegwins eigen vurigheid, verhieven hun stemmen in gejuich. Anderen, onzeker maar hoopvol, wisselden blikken met hun buren.

'Craobhan,' riep Maegwin. 'Sta op en vertel onze mensen hoe ik gevonden ben.'

De oude raadsman stond met kennelijke tegenzin op. De blik op zijn gezicht sprak boekdelen: hij was een staatsman, een praktische man die niets ophad met eerzuchtige zaken als profetieën en goden die met prinsessen spraken. Het volk dat in de grot was verzameld, wist dat. Om die reden was hij Maegwins meesterzet.

Craobhan keek de ruimte rond. 'Wij vonden prinses Maegwin op de Bradach Tor,' sprak hij. Zijn stem kon ondanks zijn jaren nog machtig klinken; hij had hem met groot resultaat in dienst van Maegwins vader en grootvader gebruikt. 'Ik heb het niet gezien, maar de mannen die haar naar beneden brachten zijn mij bekend, en... en betrouwbaar. Ze had drie dagen op de berg gelegen, maar had geen nadelige gevolgen ondervonden van de kou. Toen zij haar vonden was zij...' hij keek Maegwin hulpeloos aan, maar zag niets op haar strenge gezicht dat het hem mogelijk zou maken aan dit ogenblik te ontkomen, '... zij was in de greep van een diepe, diepe droom.'

De vergadering gonsde. De Bradach Tor had een vreemde reputatie, en het was nog vreemder dat die door een vrouw in een ijskoude winter werd beklommen.

'Was het alleen maar een droom?' zei Diawen scherp achter Maegwin.

Craobhan keek haar boos aan, haalde toen de schouders op.

'De mannen zeiden dat het op geen enkele droom leek die zij ooit hadden gezien,' zei hij. 'Haar ogen waren open, en ze sprak alsof er iemand voor haar stond... maar er was alleen maar lege lucht.'

'Tegen wie sprak ze?' vroeg Diawen.

De oude Craobhan haalde opnieuw de schouders op. 'Zij... sprak alsof ze zich tot de goden richtte, en af en toe luisterde zij, alsof zij op hun beurt tegen haar spraken.'

'Dank je, Craobhan,' zei Maegwin vriendelijk. 'Je bent een trouwe en eerlijke man. Geen wonder dat mijn vader je zo hoog achtte.' De oude raadsman ging zitten. Hij zag er niet gelukkig uit. 'Ik weet dat de goden tot mij hebben gesproken,' vervolgde zij. 'Ik heb een blik geslagen op de plaats waar de goden wonen, op de goden zelf in hun onoverwinnelijke schoonheid, opgesmukt voor oorlog.'

'Voor oorlog?' riep iemand. 'Tegen wie, vrouwe? Tegen wie vechten de goden?'

'Niet tégen wie,' zei Maegwin een waarschuwende vinger opheffend. 'Maar vóór wie. De goden zullen voor ons vechten.' Ze leunde voorover, het opstijgende gemompel van de menigte onderdrukkend. 'Zij zullen onze vijanden vernietigen, maar alleen als we onze harten volledig aan hen geven.'

'Zij hebben onze harten, vrouwe, waarlijk,' riep een vrouw.

Iemand anders riep: 'Waarom hebben ze ons nooit eerder geholpen? Wij hebben hen altijd eer bewezen.'

Maegwin wachtte tot het lawaai was verstorven. 'Wij hebben hen weliswaar altijd geëerd, maar op de manier waarop men een oud familielid eert, uit een schoorvoetende gewoonte. Wij hebben hun nooit eer betoond die hun macht, hun schoonheid, de gaven die zij ons volk hebben geschonken waardig is!' Haar stem werd luider. Ze kon de nabijheid van de goden weer voelen; de gewaarwording steeg in haar op als een bron van helder water. Het was zo'n oud, bedwelmend gevoel dat ze in lachen uitbarstte, hetgeen verbazing op de gezichten van de mensen rondom haar bracht. 'Nee!' riep ze uit.

'Wij hebben de riten uitgevoerd, de beeldhouwwerken geboend, de heilige vuren ontstoken, maar heel weinigen van ons hebben ooit gevraagd welke andere bewijzen de goden misschien verlangen.'

Craobhan schraapte zijn keel. 'En wat willen zij, Maegwin, denk je?' Hij sprak haar toe op een manier die onbetamelijk familiair was, maar het enige wat ze deed was opnieuw lachen.

'Zij willen dat wij hun ons vertrouwen tonen! Dat wij onze toewijding tonen, onze bereidheid om ons leven in hun handen te leggen, zoals onze levens altijd zijn geweest. De goden zullen ons helpen, dat heb ik zelf gezien, maar alleen als wij laten zien dat wij het waard zijn! Waarom gaf Bagba vee aan de mensen? Omdat mensen hun huizen hadden verloren, vechtend in de oorlogen van de goden, in de tijd van de hevigste nood van de goden.'

Terwijl ze sprak, werd het Maegwin ineens allemaal duidelijk. Hoezeer had Diawen het bij het rechte eind gehad! De dwergen, de angstige Sitha vrouw die door de Scherf had gesproken, de angstwekkend eindeloze winter... het was nu allemaal zo duidelijk!

'Want zie je,' riep zij, 'de goden zelf voeren oorlog! Waarom denken jullie dat er sneeuw is gevallen, dat de winter is gekomen en niet is weggegaan, ook al zijn er twaalf manen gewisseld? Waarom waren oude verschrikkingen door de Vorstmark rond – dingen die sinds Herns tijd niet zijn gezien? Omdat de goden in oorlog verwikkeld zijn zoals wij. Zoals de soldatenspelletjes van kinderen de gevechten van krijgers naapen, zo is ons kleine conflict vergeleken bij de grote oorlog die in de hemel woedt.' Ze haalde adem en voelde het god-gevoel in zich borrelen, haar met vreugdevolle kracht vervullend. Ze wist nu zeker dat ze de waarheid had gezien. Die was helder als zonlicht voor een pas ontwaakte slaper. 'Maar net zoals de lessen van de kindertijd de oorlogen van volwassen lieden vormen, zo beïnvloedt onze strijd hier op de groene aarde de oorlogen van de hemel. Dus als wij de hulp van de goden willen, moeten wij hen op onze beurt helpen. Wij moeten stoutmoedig zijn, en wij moeten vertrouwen hebben in hun goedheid. Wij moeten de grootste magie die wij bezitten inzetten tegen de duisternis.'

'Magie?' riep een stem, het schorre geluid van een oude man. 'Is dat wat de waarzegster u heeft geleerd?'

Maegwin hoorde Diawens gesis van ingezogen adem, maar ze voelde zich te stoutmoedig om kwaad te zijn. 'Onzin!' riep zij. 'Ik bedoel niet het geknoei van goochelaars. Ik bedoel het soort magie dat even luid spreekt in de hemel als op aarde. De magie van onze liefde voor Hernystir en de goden. Wilt u onze vijanden overwonnen zien? Wilt u weer over ons groene land lopen?'

'Zeg ons wat wij moeten doen!' riep een vrouw vooraan.

'Dat zal ik.' Maegwin voelde een groot gevoel van rust en kracht. De grot was stil geworden en enige honderden gezichten tuurden gespannen naar haar omhoog. Vlak voor haar was het zwaar gerimpelde sceptische gezicht van de oude Craobhan geplooid van boosheid en bezorgdheid. Maegwin hield op dat ogenblik van hem, want ze zag in zijn verslagen blik de rechtvaardiging van haar lijden en het bewijs van de macht van haar dromen. 'Ik zal het jullie allen vertellen,' zei ze opnieuw, luider, en haar stem schalde en schalde opnieuw door de grote grot, zo sterk, zo vol triomfantelijke zekerheid dat weinigen eraan konden twijfelen dat ze werkelijk de uitverkoren boodschapper van de goden hoorden.

Miriamele en haar metgezellen treuzelden slechts enkele ogenblikken om Charystra op een afgelegen kade aan de verse rand van Kwanitupul aan land te zetten. De geschonden gevoelens van de herbergierster werden slechts ten dele gesust door de zak met geldstukken die Isgrimnur op de verweerde planken aan haar voeten gooide.

'God zal je straffen dat je een Aedonitische vrouw op die manier hebt behandeld!' riep ze toen ze wegroeiden. Ze stond nog aan de rand van de gammele kade, met een vuist wuivend en onbegrijpelijk schreeuwend toen hun langzaam varende boot een kanaal afvoer omzoomd met verwrongen bomen en ze uit het gezicht verdween.

Cadrach huiverde. 'Als wat wij de laatste tijd hebben ervaren Gods manier is geweest om ons Zijn gunst te tonen, denk ik dat ik voor de verandering wel eens iets van zijn Straf zou willen proberen.'

'Geen godslastering,' gromde Isgrimnur, sterk op zijn riem leunend. 'We leven nog, tegen alle logica in, en zijn nog steeds vrij. Dat is inderdaad een geschenk.'

De monnik haalde zijn schouders op, niet onder de indruk, maar zei niets meer.

Ze dreven naar buiten in een open lagune, zo ondiep dat stengels moerasgras boven de oppervlakte uitstaken en wiegden in de wind. Miriamele zag Kwanitupul achter hen verglijden. In het late middaglicht scheen de lage grijze stad een verzameling drijvend wrakhout dat op een zandbank was blijven vastzitten, uitgestrekt maar doelloos. Ze voelde een hevig verlangen naar een plaats om thuis te noemen, zelfs naar de meest geestloze en verstikkende routines van het alledaagse leven. Op het moment had het idee van op avontuur gaan niets aantrekkelijks meer.

'Er is nog steeds niemand achter ons,' zei Isgrimnur met enige tevredenheid. 'Wanneer we de moerassen eenmaal bereiken, zullen we veilig zijn.'

Tiamak, die in de boeg van de boot zat, slaakte een vreemde, verstikte lach. 'Zeg zoiets niet.' Hij wees naar rechts. 'Daar, ga naar dat kleine kanaal, net tusssen die twee grote apebroodbomen. Nee, praat niet op die manier. Je zou aandacht kunnen trekken.'

'Wat voor aandacht?' vroeg de hertog geïrriteerd.

'Zij Die Duisternis Ademen. Ze houden ervan de dappere woorden van mensen af te nemen en ze met angst naar hen terug te brengen.'

'Heidense geesten,' mompelde Isgrimnur.

De kleine man lachte opnieuw, een droevig en hulpeloos gegiechel. Hij sloeg met zijn hand tegen zijn bottige dij zodat de klap over het trage water weergalmde, werd toen ineens weer somber. 'Ik schaam me zo. Jullie mensen moeten wel denken dat ik een dwaas ben. Ik heb gestudeerd bij de beste geleerden in Perdruin; ik ben even beschaafd als welke drooglander ook! Maar nu gaan wij terug naar mijn thuis... en ik ben bang. Plotseling schijnen de oude goden van mijn kinderjaren echter dan ooit.'

Naast Miriamele zat Cadrach op een koel tevreden manier te knikken.

De bomen en hun gewaad van klittende ranken werden dichter naarmate de middag voortschreed, en de kanalen waar Tiamak hen door stuurde werden steeds kleiner en minder vast omlijnd, vol met dikke wieren. Tegen de tijd dat de zon naar de bebladerde horizon ijlde, konden Camaris en Cadrach – Isgrimnur genoot van een welverdiende rust – hun riemen nauwelijks door het mosachtige water trekken.

'We zullen de riemen weldra alleen als vaarbomen moeten gebruiken.' Tiamak loenste naar de troebele waterbaan. 'Ik hoop dat deze boot klein genoeg is om te gaan waar we we hem moeten nemen. Er is geen twijfel aan dat wij spoedig iets moeten vinden met een geringere diepgang, maar het zou goed zijn om er wat verder in te zijn, zodat er minder kans bestaat dat onze achtervolgers er achter zullen komen wat wij hebben gedaan.'

'Ik heb geen centis meer over.' Isgrimnur waaierde de wolk van kleine insekten weg die om zijn hoofd zweefde. 'Wat zullen we gebruiken om voor een andere boot te betalen?'

'Deze,' zei Tiamak. 'We zullen in ruil niet iets krijgen dat zo stevig is maar degene die met ons handelt, zal weten dat deze in Kwanitupul genoeg geld zal opbrengen om twee of drie platbodems van te kopen, en een vat palmwijn op de koop toe.'

'Over boten gesproken,' zei Cadrach, een ogenblik tegen zijn roeiriem leunend. 'Ik kan meer water tegen mijn tenen voelen dan mij lief is. Zouden wij niet spoedig moeten ophouden en deze oplappen, vooral als we veroordeeld zijn deze nog een paar dagen te houden? Ik zou niet graag in het donker een plaats willen zoeken om een kamp op te slaan op deze modderige grond.'

Terwijl ze langzaam voortgleden, terwijl de Wrannaman op de voorplecht stond om de kustlijn af te zoeken naar een geschikte aanlegplaats, ving Miriamele af en toe door de dicht overhangende bomen een glimp op van kleine gammele hutten. 'Zijn dat de huizen van jouw volk?' vroeg ze aan Tiamak.

Hij schudde zijn hoofd terwijl een lichte glimlach zijn lippen krulde. 'Nee, vrouwe, dat zijn ze niet. Degenen van mijn volk die in Kwanitupul moeten wonen voor hun levensonderhoud wonen in Kwanitupul. Dit is niet de echte Wran, en om op deze plaats te moeten wonen zou erger voor hen zijn dan om eenvoudig de twee seizoenen per jaar die zij in de stad doorbrengen te verduren en naar hun dorpen terug te keren nadat zij hun geld hebben verdiend. Nee, degenen die hier wonen zijn voornamelijk drooglanders, Perdruinezen en Nabbanai die de steden hebben verlaten. Het zijn vreemde lieden die niet erg van hun broeders houden, want velen van hen hebben lang aan de rand van de moerassen gewoond. In Kwanitupul worden zij "zandbankers" of "rand-springers" genoemd en worden vreemd en onbetrouwbaar gevonden.' Hij glimlachte opnieuw, schuw, alsof hij verlegen was vanwege zijn lange uitleg, en ging toen weer verder met het zoeken naar een kampplaats.

Miriamele zag een kringeltje rook van een van de verscholen huizen omhoog stijgen en vroeg zich af hoe het moest zijn om op een dergelijke afgelegen plaats te wonen, om van de vroege ochtend tot de late avond geen menselijke stem te horen. Ze keek omhoog naar de overhangende bomen en hun vreemde vormen, de wortels gekronkeld als slangen waar ze naar het water liepen, de takken knoestig en grijpend. De smalle waterweg, nu beschaduwd tegen de stervende zon, scheen geflankeerd door eenzame vormen die naar hen reikten alsof ze de kleine boot wilden grijpen en vasthouden, hem vastprikkend tot het water zou stijgen en de modder en wortels hem zouden opslokken. Ze rilde. Ergens in de beschaduwde holten, krijste een vogel als een angstig kind.

12

Ravendans

Aanvankelijk scheen de strijd Simon niet echt toe. Vanaf zijn positie op de lagere hellingen van de Sesuad'ra, lag de grote vlakte van het meer voor hem als een marmeren vloer, en daarachter strekte de met sneeuw bespikkelde, beboste lage heuvels zich uit naar de ondergesneeuwde, bosrijke heuvels aan de andere kant van het dal. Alles was zo klein, zo ver weg! Simon kon zichzelf bijna doen geloven dat hij naar de Hayholt was teruggekeerd en uit de Groene Engeltoren neerkeek op de bedrijvige, onschuldige bewegingen van de bewoners van het kasteel.

Vanuit Simons waarnemingspost leek de eerste uitval van de verdedigers van Sesuad'ra – bedoeld om de troepen van hertog Fengbald op het ijs te houden en op een afstand van de barricade van houtblokken die de toegang tot de Sithiweg beschermde – een dartelende vertoning van een ingewikkeld marionettenspel. Mannen zwaaiden met zwaarden en bijlen, vielen dan op het ijs, doorboord door onzichtbare pijlen, even plotseling neervallend alsof een titanische meester hun touwtjes had losgemaakt. Het leek allemaal zo ver weg! Maar terwijl hij zich om de miniatuurstrijd verwonderde, wist Simon dat hetgene waarnaar hij keek dodelijke ernst was, en dat hij het gauw genoeg van dichterbij zou zien. De rammen en hun ruiters begonnen beide rusteloos te worden. Die van Simons Qanucse troep wier schuilplaatsen hen geen uitzicht op het bevroren meer boden, riepen gefluisterde vragen tegen degenen die wèl konden zien. De dampige adem van de hele troep hing laag boven hen. Overal in het rond, glansden de takken van de bomen met druppeltjes smeltende sneeuw.

Simon, even ongeduldig als zijn trollen metgezellen, boog zich over Thuisvinders nek. Hij ademde haar geruststellende geur in en voelde de warmte van haar huid. Hij wilde zo graag op de juiste manier handelen, Jozua en zijn andere vrienden helpen; tegelijkertijd was hij doodsbang van wat daarginds op de glazige oppervlakte van het bevroren meer zou kunnen gebeuren. Maar op dit ogenblik kon hij alleen maar wachten. Zowel de dood als de glorie zouden moeten worden uitgesteld, in elk geval voor Simon en deze kleine krijgers.

Hij keek oplettend, proberend zin in de chaos voor hem te ontdekken. De linie van Fengbalds soldaten, die nauwgezet het zanderige pad volgden dat door hun gevechtssleeën voor hen was uitgezet, rimpelde toen de golf van verdedigers hen aanviel. Maar hoewel zij wankelden, hield Fengbalds strijdmacht stand, en richtte zich toen tegen hun aanvallers, de eerste groep aanvallend en in enkele kleinere groepen verspreidend. De voorste compagnie van Fengbalds soldaten zwermde toen rond hun aanvallers, zodat de vaste lijn van de strijdkrachten van de hertog snel een aantal actief bewegende punten werd, elke kleine schermutseling voornamelijk op zichzelf staand. Simon moest onwillekeurig denken aan wespen die rond verspreide afval zwermen.

De gedempte geluiden van een gevecht stegen op. Het vage gerinkel van zwaarden en bijlen die op harnassen sloegen, het vage gebrul van woede en angst, droegen alle bij tot het gevoel van iets dat zich in de verte afspeelde, alsof de strijd onder het bevroren meer werd gestreden in plaats van erop.

Zelfs voor Simons ongeoefende oog werd het al gauw duidelijk dat de eerste uitval van de verdedigers was mislukt. De overlevenden maakten zich los van Fengbalds linie die nog steeds aanzwol naarmate meer en meer van zijn leger het meer op kwam. Degenen van Jozua's soldaten die zich los konden maken, waren terug aan het glijden en kruipen over het kale ijs naar de twijfelachtige veiligheid van de barricade en de beboste helling van de heuvel.

Thuisvinder brieste onder Simons strelende hand en schudde onrustig met haar hoofd. Simon knarsetandde. Ze hadden geen keus, wist hij. De prins wilde dat ze zouden wachten tot ze werden geroepen, ook al zag het ernaar uit dat alles verloren was voor hun tijd kwam.

Wachten. Simon liet een boze zucht ontsnappen. Wachten was zo moeilijk…

Pater Strangyeard was aan het rondspringen in een marteling van bezorgdheid.

'O!' zei hij, bijna uitglijdend op de modderige aarde. 'Die arme Deornoth!'

Sangfugol stak een hand uit en greep de mouw van de archivaris, de priester voor een lange valpartij langs de helling behoedend.

Jozua stond bovenaan omlaag te kijken naar het gevechtsterrein. Zijn rode Tritsingspaard, Vinyafod, stond vlakbij, de teugels los om een lage tak gebonden. 'Daar!' Jozua kon de opgetogenheid niet uit zijn stem weren. 'Ik zie zijn wapen; hij staat nog overeind!' De prins leunde voorover, gevaarlijk wankelend. Beneden maakte Sangfugol een instinctief gebaar om naar hem toe te gaan, alsof de harpspeler zijn meester zou moeten opvangen zoals hij de priester had gered. 'Nu is hij uitgebroken!' riep Jozua met opluchting in zijn stem. 'Dappere Deornoth! Hij verzamelt de manschappen en zij trekken zich terug, maar langzaam. Ach, Gods vrede, ik heb hem innig lief!'

'Gezegend zij Aedons naam.' Strangyeard maakte het teken van de

Boom. 'Mogen zij allen veilig terugkomen.' Hij bloosde van inspanning en opwinding, zijn ooglap een zwarte plek boven op het vlekkerige roze.

Sangfugol maakte een bitter geluid. 'De helft van hen ligt al bloedend op het ijs. Wat belangrijk is, is dat sommigen van Fengbalds mannen hetzelfde doen.' Hij klauterde boven op een steen en loenste omlaag naar de rondlopende gedaanten. 'Ik denk dat ik Fengbald zie, Jozua!' riep hij.

'Ja,' zei de prins, 'maar is hij op de schijnaanval ingegaan?'

'Fengbald is een idioot,' antwoordde Sangfugol. 'Hij zal erin happen zoals een forel in een vlieg hapt.'

Jozua keek een ogenblik weg van de strijd, zich met een blik van koele, hoewel ietwat verstrooide geamuseerdheid tot de harpspeler wendend. 'O, denk je dat werkelijk? Ik wou dat ik jouw zelfvertrouwen had, Sangfugol.'

De harpspeler bloosde. 'Neem me niet kwalijk, hoogheid. Ik bedoelde alleen dat Fengbald niet de tacticus is die u bent.'

De prins richtte zijn aandacht weer op het meer beneden hem. 'Verspil geen tijd met vleierij, harpspeler, op dit ogenblik, vrees ik, heb ik het te druk om het te waarderen. En bega ook niet de fout om een vijand te onderschatten.' Hij keek, zijn ogen beschaduwend tegen de gloed van de omnevelde zon, die achter de wolken steeg. 'Verdomme! Hij heeft niet gehapt, niet helemaal! Kijk eens, hij heeft slechts een deel van zijn troep naar voren gestuurd. De rest houdt zich nog schuil aan de rand van het meer.'

Sangfugol zei niets, in pijnlijke verlegenheid. Strangyeard was weer op en neer aan het springen. 'Waar is Deornoth? O, vervloekt dit oude oog!'

'Nog steeds aan het terugtrekken.' Jozua sprong van zijn hoge plaats omlaag en ging toen de heuvel af naar waar zij stonden. 'Binabik is nog niet van Hotvig teruggekeerd, maar ik kan niet langer wachten. Waar is Simons jongen?'

Jeremias, die naast een omgevallen stam had gehurkt, proberend uit de weg te blijven, sprong nu overeind. 'Hier, hoogheid.'

'Goed. Ga nu, eerst naar Freosel, dan de heuvel af naar Hotvig en zijn ruiters. Zeg hun dat ze zich gereed maken, dat wij uiteindelijk nu toch zullen aanvallen. Ze zullen binnenkort mijn signaal horen.'

Jeremias maakte een snelle buiging, met een bleek maar beheerst gezicht, draaide zich toen om en stormde het pad op.

Jozua fronste. Beneden, op het ijs, scheen Fengbalds leger van Erkynwachten en huurlingen werkelijk slechts aarzelend naar voren te gaan, ondanks hun succes bij het eerste treffen. 'Helaas,' zei de prins, 'Fengbald is door zijn hogere leeftijd en grotere lasten voorzichtiger geworden. Die verdomde ogen van hem! Toch, wij hebben geen andere keus dan het valluik dicht te trekken en te zien hoeveel van zijn strijdmacht we kunnen vangen. Zijn lach was zuur. 'We zullen morgen naar de Duivel vertrekken.'

'Prins Jozua!' zei Strangyeard hijgend, zo geschokt dat hij ophield met springen. Hij tekende haastig nog een Boom in de lucht voor zich.

De hete adem van mensen en paarden hing als een mist boven het meer. Het was moeilijk meer dan een paar ellen in iedere richting te zien en zelfs de mensen die Deornoth kon onderscheiden, waren vaag en onstoffelijk, zodat het rumoer van de strijd afkomstig leek van een spookgevecht.

Deornoth ving de neerwaartse slag van de soldaat op zijn gevest op. De klap trilde zijn zwaard bijna uit zijn greep los, maar hij slaagde erin het lang genoeg in zijn tintelende vingers te houden om het omhoog te brengen voor een riposte. Zijn slag miste zijn doel, maar sneed in het onbeschermde been van het paard van de soldaat. De appelschimmel krijste en sprong enkele stappen terug, verloor toen zijn evenwicht en viel met een bons en een fontein van poedersneeuw op het gescheurde ijs. Deornoth beteugelde Vildalix; ze dansten weg van het gevallen strijdros, dat wild met de benen rondsloeg. Zijn ruiter was onder hem gevangen, maar in tegenstelling tot het paard, maakte hij geen geluid.

Toen er adem in de beslotenheid van zijn helm floot, hief Deornoth zijn zwaard op en sloeg er zo luid mee tegen zijn schild als hij kon. Zijn hoornblazer, een van de jonge en ongeoefende soldaten van Nieuw Gadrinsett, was in het eerste gedrang gesneuveld en nu was er niemand om de aftocht te blazen.

'Luister naar mij!' riep Deornoth, het gekletter verdubbelend. 'Trek terug, allemaal, trek terug!'

Toen hij rondkeek, kwam er iets zouts in zijn mond en hij spoog. Een rode straal vloog door de verticale spleet van de helm naar buiten op het ijs. Het vocht op zijn gezicht was bloed, waarschijnlijk de wond die hij had opgelopen toen een andere soldaat zijn helm had gedeukt. Hij kon het niet voelen – hij voelde dergelijke kleine pijnen nooit terwijl het gevecht woedde – maar hij smeekte Moeder Elysia vlug dat het bloed niet in zijn ogen zou lopen en hem op een belangrijk ogenblik zou verblinden.

Sommigen van zijn manschappen hadden het gehoord en vielen terug rond zijn positie. Zij waren nog geen echte krijgslieden, dat wist God, maar tot nu toe hadden zij zich dapper gedragen tegenover een formidabele linie van Erkynwachten. Het was niet de bedoeling dat zij Fengbalds hoofdmacht zouden breken, maar alleen vertragen en misschien onomzichtig naar de barricade en de eerste van Jozua's verrassingen lokken: Nieuw Gadrinsetts weinige betrouwbare boogschutters en hun kleine voorraad pijlen. Boogschutters alleen zouden het verloop van deze slag niet veranderen – de ridders te paard aan beide zijden waren te goed gepantserd – maar ze zouden wel enige verwarring veroorzaken, en Fengbalds manschappen dwingen zich twee keer te bedenken alvorens een ongebreidelde aanval op de basis Sesuad'ra te lanceren. Tot dusver waren er van beide zijden heel weinig pijlen afgeschoten, hoewel enkele van Deornoths geïmproviseerde troepen in de eerste ogenblikken van de aanval waren gesneuveld met trillende schachten in hun keel, of zelfs door maliën in een borst of buik doorgedrongen. Nu zou de mist, die door de opgaande zon werd veroorzaakt, het nog moeilijker voor Fengbalds mannen maken om hun bogen te gebruiken.

God zij dank dat Fengbald degene is tegen wie wij vechten, dacht Deornoth. Hij werd bijna meteen gedwongen om weg te duiken, verrast door het zwaaiende zwaard van een soldaat te paard die onverhoeds uit de mist opdook. Het paard klepperde voorbij, opnieuw in onstoffelijkheid verdwijnend. Deornoth haalde een paar keer snel, diep adem.

Ridders te paard en voetknechten kunnen wij aan, in elk geval een tijd lang. Alleen Fengbald zou roekeloos genoeg zijn om een versterkte heuvel te belegeren zonder een paar compagnieën handboogschutters! Ze hadden ons in de eerste ogenblikken allemaal kunnen neerschieten.

Natuurlijk had Fengbald zich, ondanks zijn arrogantie, niet helemaal zo stom betoond als Jozua en de anderen hadden gehoopt. Ze hadden gebeden dat hij eerst minstens een grote strijdmacht van Tritsingsmannen het veld in zou sturen, vertrouwend op hun superieure ruiterkunst op het verraderlijke ijs. De graslanders waren geduchte vechtjassen, maar zij waren dol op de heroïek van het gevecht van man tegen man. De prins was er zeker van geweest dat een paar irriterende aanvallen van Deornoths troepen de huurlingen zouden verleiden hun formatie te verbreken, waardoor er gemakkelijker met hen kon worden afgerekend en Fengbalds opmars ook in verwarring zou raken. Maar geen van allen had op de sleeën gerekend – en wiens slimme plan was dat, vroeg Deornoth zich onwillekeurig af – en de betere steun voor de voeten als gevolg van de deken van zand had de hertog in staat gesteld zijn gedisciplineerde Erkynwacht in te zetten.

Er klonk een geluid als van een aanzwellend tromgeroffel. Deornoth keek op en zag dat de gardesoldaat wiens eerste uitval was mislukt zijn paard ten slotte had doen omkeren – de gladheid was zo afschuwelijk en maakte het voor beide partijen nodig zo voorzichtig te bewegen dat de hele slag het aanzien had van een merkwaardig onderwaterballet – en stormde nu weer uit de mist op hem af, zijn paard aansporend tot niet meer dan een voorzichtige stap. Deornoth gaf Vildalix voorzichtig de sporen, de vos wendend om de aanvaller te confronteren, en hief toen zijn zwaard op. De Erkynwacht hief ook het zijne op, maar vervolgde zijn nadering op weinig meer dan de wandelpas van een mens.

Het was vreemd om de groene kledij van de Erkynwacht een vijand te zien omhullen. Het was nòg vreemder om zoveel tijd te hebben om over de vreemdheid ervan na te denken terwijl je erop wachtte dat die vijand zich weloverwogen over het ijs bewoog. De soldaat bukte zich voor een wilde zwaai met het zwaard van een van Deornoths kameraden, een slag die uit de mist flitste als de vliegensvlugge tong van een slang – Jozua's mannen waren overal in het rond, wanhopig vechtend nu om zich dicht genoeg samen te trekken voor een ordelijke terugtocht – en stormde naar voren, onversaagd. Deornoth vroeg zich heel even onwillekeurig af of het gezicht onder de helm van deze stoutmoedige soldaat er een was dat hij zou herkennen, iemand met wie hij had gedronken, of had gedobbeld...

Vildalix, die ondanks zijn dapperheid soms even gevoelig scheen als een gevilde huid, gehoorzaamde aan Deornoths zachte rukje aan de teugel en helde zwaar naar één kant over net toen de aanvaller hèn bereikte, zodat de eerste houw van de gardesoldaat onschuldig over Deornoths schild schraapte. Vildalix danste toen een ogenblik op de plaats, proberend niet op de verfomfaaide gestalte van de ruiter die eerder onder zijn eigen paard was gevallen te stappen, en daardoor mislukte Deornoths eigen riposte. De aanvallende gardesoldaat hield in, waarbij de benen van zijn paard zich licht spreidden terwijl het uitgleed in een poging om ineens tot stilstand te komen. Toen hij zijn kans schoon zag, trok Deornoth zijn paard rond en ging hem achterna. Het Tritsingspaard, dat op het ijs was geoefend toen Jozua's manschappen zich voorbereidden, kon zich vrij gemakkelijk omdraaien, zodat Deornoth de Erkynwacht inhaalde voor hij zijn eigen onhandige draai had voltooid.

Deornoths eerste klap ketste af op het opgeheven schild van de gardesoldaat, waardoor heel even een pluim van vonken omhoog schoot, maar hij gebruikte de eigen vaart van het zwaard om het rond te zwaaien voor een tweede slag, zijn vuisten rollend en bijna zijwaarts in het zadel leunend opdat hij niet zou worden gedwongen zijn greep te verbreken. Hij gaf de groen geüniformeerde gardesoldaat een harde achterwaartse klap op het hoofd net toen de man zijn schild weer liet zakken; de zijkant van de helm van de Erkynwacht deukte onder een afzichtelijke hoek in. Terwijl het bloed al uit zijn nek op zijn maliën neergutste, viel de soldaat uit het zadel, bleef een ogenblik in zijn strijdbeugels hangen en kwam toen met een smak op het ijs terecht, waar hij zwakjes lag te stuiptrekken. Deornoth wendde zich af, met het gemak van een lange ervaring wroeging uit zijn gedachten zettend. Deze bloedende vleesklomp zou eens misschien iemand zijn geweest die hij kende, maar nu was iedere Erkynsoldaat alleen maar een vijand, verder niets.

'Luister, mannen, luister!' riep Deornoth, rechtop in zijn stijgbeugels staand zodat hij hun positie door de mist beter kon zien. 'Volg mij op de aftocht! Wees voorzichtig!' Het was moeilijk te zeggen, maar hij meende te zien dat iets meer dan de de helft van de strijdmacht die hij had uitgeschakeld hem nu omsingelde. Hij hief zijn zwaard hoog op, en gaf toen Vildalix de sporen in de richting van de grote barricade van houtblokken. Een pijl suisde langs zijn hoofd, toen nog een, maar ze waren slecht gericht, of anders waren de boogschutters verward door de mist. Deornoths manschappen hieven een zwak gejuich aan toen ze wegreden.

'Waar is Binabik?' zei Jozua woedend. 'Hij zou mijn boodschapper zijn maar hij is niet teruggekomen van Hotvig.' De prins trok een gezicht. 'God geve me geduld, luister naar me! Misschien is er iets met hem gebeurd.' Hij wendde zich tot de jonge Jeremias die hijgend bij hem stond. 'En Hotvig en Binabik zijn enige tijd geleden van hem weggegaan?'

'Ja, hoogheid. Hij zei dat de zon een hand heeft opgeheven sinds de trol was weggegaan, wat dat dan ook mag betekenen.'

'Wat een verdomde pech.' Jozua begon te ijsberen, maar nam zijn ogen geen moment van de strijd beneden af. 'Welnu, er is niets aan te doen. Ik verwacht niet dat het signaal zo ver draagt, jongen, dus ga naar Simon en zeg hem dat als hij niets hoort tegen de tijd dat hij tot vijfhonderd heeft geteld nadat Hotvigs mannen zijn uitgereden, hij en de trollen moeten aanstormen. Heb je dat?'

'Als hij de hoorn niet hoort, vijfhonderd tellen wachten nadat Hotvig verschijnt, dan aanvallen, ja.' Jeremias dacht na voordat hij er een 'hoogheid' aan toevoegde.

'Mooi. Ga dan, vlug. Wij zijn op een tijdstip aanbeland waarop ogenblikken belangrijk zijn.' Jozua zwaaide hem na, richtte zich toen tot Sangfugol. 'En jij bent ook klaar?'

'Ja, sire,' zei de harpspeler. 'Ik ben opgeleid door de besten. Het zou mij weinig moeite moeten kosten om een paar toeterende geluiden uit iets zo eenvoudigs als een hoorn te persen.'

Jozua grinnikte grimmig. 'Jouw onbeschaamdheid heeft iets bemoedigends, Sangfugol. Maar denk erom, meester musicus, je moet meer doen dan toeteren: je moet een overwinningssignaal spelen.'

Simon wierp een snelle onderzoekende blik op de kleine troep, voornamelijk om zichzelf bezig te houden, toen hij plotseling besefte dat Sisqi zich niet onder de verzamelde trollen bevond. Hij begaf zich snel onder de Qanucs, elk gezicht inspecterend maar zonder een spoor van Binabiks verloofde te vinden. Zij was hun leidster; waar kon ze heen zijn gegaan? Na een ogenblik te hebben nagedacht, besefte Simon dat hij haar niet had gezien sinds het appel in het Afscheidshuis.

O, Aedons genade, nee, dacht hij wanhopig. *Wat zal Binabik zeggen? Ik heb zijn verloofde verloren nog voor de strijd is begonnen!*

Hij richtte zich tot de dichtstbijzijnde trol. 'Sisqi?' vroeg hij, proberend met schouderophalen en gebaren aan te duiden dat hij wilde weten waar zij was. Twee trollenvrouwen keken hem niet begrijpend aan. Verdomme, zo noemde Binabik haar. Hoe luidde haar naam voluit? 'Sis-Sisqimook?' probeerde hij. 'Sisqinamok?'

Een van de vrouwen knikte heftig, blij dat ze het had begrepen. '*Sisqinanamook.*'

'Waar is zij?' Simon kon zich de trollenwoorden niet herinneren. 'Sisqinanamook? Waar?' Hij wees alle kanten uit en haalde toen weer zijn schouders op, proberend zijn vraag duidelijk te maken. Zijn kleine metgezellen schenen zijn vraag te begrijpen: na een lange ronde van gemompel in de Qanucse taal, beduidden degenen die het dichtst bij hem stonden met volmaakt begrijpelijke gebaren dat ze niet wisten waar Sisqinanamook was heen gegaan.

Simon was volmondig aan het vloeken toen Jeremias aankwam.

'Hallo, Simon, is dit niet luisterrijk?' vroeg zijn schildknaap. Jeremias scheen behoorlijk opgewonden. 'Het lijkt precies op waar we vroeger op de Hayholt van droomden.'

Simon trok een pijnlijk gezicht. 'Behalve dat we elkaar met duigen om de oren sloegen, en die mannen daar beneden in plaats daarvan scherp staal zullen gebruiken. Weet jij waar Sisqi is? Je weet wel, die waar Binabik mee gaat trouwen. Ze werd verondersteld hier te zijn bij de andere trollen.'

'Nee, dat weet ik niet, maar Binabik is ook weg. Maar hou op, Simon, ik moet je eerst Jozua's boodschap geven.' Jeremias ging verder met de aanwijzingen van de prins over te brengen, en nam ze plichtsgetrouw nog een tweede keer door, voor de zekerheid.

'Zeg hem dat ik klaar ben... dat wij klaar zijn. We zullen doen wat er van ons verwacht wordt. Maar Jeremias, ik moet Sisqi vinden. Zij is hun leidster!'

'Nee, dat hoef je niet.' Zijn schildknaap was zelfingenomen. 'Je bent nu een trolse oorlogsleider geworden, Simon, dat is het enige. Ik moet terugrennen naar Jozua. Nu Binabik weg is, ben ik zijn hoofd-boodschap-

per. Zo gaat dat bij veldslagen.' Hij zei het luchtig, maar nogal trots.
'Maar wat als ze me niet willen volgen?' Simon keek Jeremias een ogenblik aan. 'Jij schijnt heel opgewekt,' gromde hij. 'Jeremias, er worden
hier mensen gedood. Wij kunnen de volgenden zijn.'
'Dat weet ik.' Hij werd ernstig. 'Maar in elk geval is het onze keus, Simon. In elk geval is het een eerzame dood.' Een vreemde blik verscheen
op zijn gezicht, zijn uitdrukking vertrekkend alsof hij ineens in tranen
zou uitbarsten. 'Lange tijd, toen ik onder het kasteel was... leek een
snelle zindelijke dood iets moois.' Jeremias draaide zich om, zijn schouders optrekkend. 'Maar ik veronderstel dat ik nu moet blijven leven. Leleth heeft me nodig als vriend... en jij hebt iemand nodig die je vertelt
wat je moet doen.' Hij zuchtte en ging toen rechtop staan, wierp Simon
een vreemd matte glimlach en een halve zwaai toe, en draafde toen terug naar het verhullende groen, verdwijnend in de richting waar hij
vandaan was gekomen. 'Succes, Simon, heer Seoman, bedoel ik.'
Simon wilde hem iets naroepen, maar Jeremias was al weg.

Binabiks terugkeer was abrupt en enigszins opzienbarend. Jozua hoorde
een zacht ritselend geluid en toen hij opkeek, staarde hij in de gele ogen
en scherptandige muil van Qantaqa, die op een helling boven hem
stond te hijgen. De trol, die op haar rug zat, duwde een paar takken van
zijn ronde gezicht weg en leunde voorover. 'Prins Jozua,' zei hij kalm,
alsof ze elkaar tegenkwamen op een plechtigheid aan het hof.
'Binabik!' Jozua deed een stap achteruit. 'Waar ben je geweest?'
'Ik vraag u om vergiffenis, Jozua.' De trol liet zich van Qantaqa af glijden en liep naar de vlakke plek waar de prins stond. 'Ik heb enkelen van
Fengbalds manschappen gezien die aan het onderzoeken waren waar ze
niet heen moesten gaan. Ik ben ze gevolgd.' Hij wierp Jozua een veelbetekenende blik toe. 'Ze zochten naar een plaats waar ze beter kunnen
klimmen. Fengbald is niet zo dom als we dachten; het is duidelijk dat
hij weet dat hij ons misschien niet met zijn eerste aanval zal verdrijven.'
'Met zijn hoevelen waren zij?'
'Niet veel. Zes... vijf.'
'Kon je het niet zien? Van hoe dichtbij heb je ze gadegeslagen?'
Binabiks vriendelijke glimlach bereikte zijn ogen niet. 'Eerst waren ze
met hun zessen.' Hij haalde zijn wandelstok uit elkaar en de holle buis
en de pijlen die daarin zaten. 'Toen viel er weer een van de heuvel af.'
Jozua knikte. 'En de rest?'
'Nadat ze waren weggeleid van de plaatsen waar ze niet behoorden te
zijn, heb ik Sisqi achtergelaten om ze af te leiden, terwijl ik vlug de
heuvel opging. Sommigen van de vrouwen van Nieuw Gadrinsett zijn
omlaag gekomen om ons te helpen.'

'De vrouwen? Binabik, je mag vrouwen en kinderen niet aan gevaar blootstellen.'

De kleine man schudde zijn hoofd. 'U weet dat ze even dapper zullen vechten om hun huis te redden als de eerste de beste man – wij onder de Qanucs hebben nooit anders gekend. Maar wees gerust. Het enige waar ze voor kwamen, was om Sisqi en mij te helpen wat grote stenen te rollen.' Hij stak een vlakke hand uit met een gebaar van voltooiing. 'Die mannen zullen geen gevaar meer voor ons zijn, en hun gezoek zal Fengbald geen beloning opleveren.'

Jozua zuchtte gefrustreerd. 'Ik vertrouw er in elk geval op dat je mijn vrouw niet hebt meegesleept om je te helpen met stenen rollen?'

Binabik lachte. 'Ze was happig om te gaan, prins Jozua, dat moet ik zeggen. U hebt een vrouw met enige felheid – zij zou een goede Qanucse bruid zijn! Maar ze mocht van Gutrun geen stap buiten het kamp zetten.' De trol keek rond. 'Wat gebeurt er beneden? Ik kon niet gemakkelijk kijken toen ik op de terugweg was.'

'Fengbald was, zoals je zei, beter voorbereid dan wij verwachtten. Ze hebben een soort sleeën of wagens die het ijs ruw maken zodat de soldaten gemakkelijker kunnen bewegen. Deornoths aanval is teruggeslagen, maar Fengbalds Erkynwacht heeft hem niet achtervolgd; ze verzamelen zich nog steeds op het meer. Ik sta op het punt om... maar genoeg. Je zult zien wat ik op het punt sta te doen.'

'En hebt u mij nodig om naar Hotvig te gaan?' vroeg Binabik.

'Nee. Jeremias heeft jouw taken op zich genomen terwijl jij Fengbalds spionnen aan de dames van Nieuw Gadrinsett voorstelde.' Jozua glimlachte even. 'Dank je, Binabik, ik wist dat jij, als je niet gewond of gevangen was, met iets belangrijks bezig zou zijn, maar probeer het mij de volgende keer te laten weten.'

'Verontschuldigingen, Jozua. Ik was bang te lang te wachten.'

De prins draaide zich om en wenkte Sangfugol, die snel bij hem kwam. Pater Strangyeard en Towser stonden beiden ernstig naar de strijd te kijken, hoewel Towser lichtelijk scheen over te hellen, alsof zelfs het dodelijke gevecht beneden niet genoeg opwinding verschafte om hem nog veel langer van zijn middagslaapje af te houden.

'Blaas het hoornsignaal voor Freosel,' zei Jozua. 'Drie korte stoten, drie lange.'

Sangfugol bracht de hoorn aan zijn lippen, stak zijn magere borst vooruit en blies. Het signaal weerkaatste beneden langs de beboste helling van de heuvel, en een ogenblik scheen de beroering van de strijd op het ijs te vertragen. De harpspeler zoog hijgend een grote hoeveelheid lucht in, blies toen opnieuw. Toen de echo's verstierven, blies hij het signaal een derde keer.

'Nu,' zei Jozua ferm, 'we zullen zien of Fengbald klaar is voor een echt gevecht. Zie je hem daar beneden, Binabik?'

'Ik denk dat ik hem zie, ja. Met die rode wapperende cape.'

'Ja. Blijf kijken om te zien wat hij doet.'

Terwijl Jozua dat zei, was er plotseling een convulsie in de voorste linie van Fengbalds leger. De klomp soldaten die het dichtst bij de houten barricaden was, bleef ineens staan en draaide in wanorde om.

'Hoera!' riep Strangyeard en sprong op; toen scheen hij zich zijn priestelijke waardigheid te herinneren en mat zich zijn blik van verontruste bezorgdheid weer aan.

'Aedons Bloed, kijk ze eens springen!' zei Jozua met felle blijheid. 'Maar zelfs dit zal hen niet lang tegenhouden. Wat zou ik willen dat we meer pijlen hadden!'

'Freosel zal die welke we hebben goed gebruiken,' zei Binabik. 'Een goed gerichte speer telt voor drie, zoals wij in Yiqanuc zeggen.'

'Maar we moeten gebruik maken van de verwarring die Freosels boogschutters voor ons hebben veroorzaakt.' Jozua ijsbeerde verstrooid terwijl hij toekeek. Toen er enige tijd voorbij was gegaan en hij het wachten niet langer kon verdragen, riep hij: 'Sangfugol, Hotvigs signaal, nu!'

De trompet schalde opnieuw, twee korte, twee lange stoten.

De vlucht van pijlen van de verdedigers van Sesuad'ra verraste Fengbalds mannen; ze deinsden in verwarring achteruit, tientallen van hun kameraden doorstoken op het ijs achterlatend, van wie sommigen probeerden over de glibberige oppervlakte terug te krabbelen, daarbij vegen bloed als de sporen van slakken achterlatend. In de chaos konden Deornoth en zijn resterende troepen ontsnappen.

Deornoth zelf ging drie keer terug om de laatsten van de gewonden langs de grote muur van houtblokken te dragen. Toen hij er zeker van was dat hij niets meer kon doen, zeeg hij in de vertrapte modder in de schaduw van de hoge barricade neer en zette zijn helm af. De geluiden van de strijd woedden nog steeds vlakbij.

'Heer Deornoth,' zei iemand, 'u bloedt.'

Hij wuifde de man weg, want hij had er een hekel aan als men drukte om hem maakte, maar nam een stuk doek aan dat hem werd aangeboden. Deornoth gebruikte de lap en een handvol sneeuw om het bloed van zijn gezicht en haar te vegen, en betastte toen met koude vingers zijn hoofdwond. Het was maar een ondiepe snee. Hij was blij dat hij de man had weggestuurd om hen die in grotere nood waren te helpen. Een strook van de nu bloederige doek was een geschikt verband, en de druk die ontstond toen hij de doek vastknoopte hielp de pijn in zijn hoofd te stillen.

Toen hij klaar was met het inspecteren van zijn andere kwetsuren – alle heel klein, geen enkele zo bloederig als de jaap in zijn hoofd – trok hij zijn zwaard uit de schede. Het was een eenvoudig zwaard, het gevest met leer omwikkeld, de zwaardknop een primitieve havikskop die door lang gebruik bijna glad was geworden. Hij veegde het af met een schoon stuk van de lap, verongenoegd fronsend vanwege de nieuwe inkepingen die erbij waren gekomen, hoe eerzaam ook. Toen hij klaar was, hield hij hem omhoog zodat het flauwe zonlicht erop viel en loenste om zich ervan te vergewissen dat hij geen bloed had achtergelaten dat aan de scherpe rand kon knagen.

Dit is geen beroemd zwaard, dacht hij. *Het heeft geen naam, maar het heeft toch vele jaren goede diensten bewezen. Net als ik, veronderstel ik.* Hij lachte stilletjes bij zichzelf; een paar van de andere soldaten die in de buurt aan het rusten waren, keken naar hem. *Niemand zal zich mij herinneren, denk ik, hoe lang de namen van Jozua en Elias ook worden genoemd. Maar daar ben ik tevreden mee. Ik doe wat de Heer Usires wil dat ik doe – was Hij minder nederig?*

Toch waren er tijden waarop Deornoth wilde dat de mensen van Hewenshire hem nu konden zien, de manier zien waarop hij voor een grote prins vocht, en hoe die prins zich op hem verliet. Was dat te trots voor een goede Aedoniet? Misschien...

Opnieuw snerpte een hoornsignaal van de helling boven hem, zijn gedachten verstorend. Deornoth krabbelde overeind, verlangend te zien wat er aan de hand was, en begon de barricade te beklimmen. Een ogenblik later sprong hij omlaag en ging terug voor zijn helm.

Zinloos om een pijl tussen de ogen te krijgen als ik het kan vermijden, besloot hij. Hij en verscheidene andere mannen tilden zichzelf op zodat ze over de bovenste houtblokken heen konden komen om door de grove kijkspleten te gluren die Sludig en zijn helpers met hun handbijlen hadden gehakt. Toen zij zich op hun plaats wrongen, hoorden ze een luid geschreeuw: een compagnie van ruiters stormde uit de bomen een klein eind naar het oosten, op weg naar het ijs en regelrecht naar Fengbalds zich verzamelende strijdkrachten. Deze compagnie was anders, maar in de verwarring van nevels en met armen en benen zwaaiende mannen en paarden was er een ogenblik voor nodig om te zien wat het was.

'Rij, Hotvig!' riep Deornoth. De mannen naast hem namen de kreet over, hees juichend. Toen de Tritsingsmannen over het bevroren meer stampten, werd het al gauw duidelijk dat zij zich veel gemakkelijker en behendiger bewogen dan Fengbalds mannen. Het leek bijna alsof ze op vaste grond reden, zo zeker was hun ruiterkunst.

'Slimme Binabik,' fluisterde Deornoth tegen zichzelf. 'Jij zult ons misschien nog redden!'

'Zie hen eens rijden!' riep een van de mannen, een baardige oude kerel die voor het laatst aan een slag had meegedaan toen Deornoth nog een ingebakerde zuigeling was. 'Die trollenfoefjes werken, dat is zeker.'

'Maar we zijn nog steeds ver in de minderheid,' waarschuwde Deornoth. 'Rij, Hotvig! Rij!'

In een kwestie van ogenblikken stormden de Trisingsmannen op Fengbalds gardesoldaten af, waarbij de paardehoeven een vreemd kletterende donder op het ijs maakten. Ze troffen de eerste linies van manschappen als een knuppel, en maaiden moeiteloos een pad door hen heen. Het lawaai, het gerinkel van wapenen en schilden, het gekrijs van mensen en paarden, scheen in een ogenblik te verdubbelen. Hotvig zelf, zijn baard versierd met rode oorlogslinten, hanteerde zijn lange speer even vlug als een deskundige riviervisser; iedere keer dat hij hem naar voren liet schieten, leek hij een doel te vinden, vlammende stralen bloed veroorzakend rood als de zijden knopen in zijn bakkebaarden. Hij en zijn graslanders zongen terwijl ze vochten, een schreeuwend gezang met weinig melodie maar een vreselijk soort ritme dat ze gebruikten om iedere stoot en houw nadruk te geven. Ze draaiden met verbazend gemak om Fengbalds mannen heen, alsof de door de strijd geharde Erkynmannen in modder zwommen. De voorste randen van de strijdkrachten van de hertog versaagden en trokken zich terug. Het felle lied van de Tritsingsmannen werd nog luider.

'Gods Ogen!' Fengbald schreeuwde, zijn lange zwaard in doelloze woede zwaaiend, 'hou je linies in stand, verdomme!' Hij draaide zich om naar Lezhdraka. De huurlingen-kapitein keek met toegeknepen, roofdierachtige ogen naar Hotvig en zijn ruiters. 'Ze hebben een verdoemlijke Sithi toverkracht,' fulmineerde de hertog. 'Kijk, ze bewegen over het ijs alsof ze op een toernooiveld zijn.'

'Geen toverkracht,' gromde Lezhdraka. 'Kijk naar de hoeven van hun paarden. Ze dragen een speciaal hoefijzer... kijk, de punten flitsen! Op de een of andere manier heeft jouw Jozua zijn paarden met metalen spijkers beslagen, denk ik.'

'Verdomme!' Fengbald stond hoog in de stijgbeugels en keek rond. Zweet parelde op zijn bleke, knappe gezicht. 'Nou, het is een knappe list, maar het is niet genoeg. We hebben nog steeds een veel te grote overmacht op hem, tenzij hij daarboven een drie keer groter leger verborgen heeft, wat niet het geval is. Breng je mannen naar voren, Lezhdraka. We zorgen ervoor dat mijn Erkynwacht zich zo schaamt dat ze beter hun best zullen doen.' Hij reed een eindje naar zijn voorste strijdkrachten toe en liet zijn stem overgaan in een gil. 'Verraders. Houdt je linies in stand of jullie gaan naar de galg van de koning!'

Lezhdraka gromde van walging om Fengbalds razernij en draaide zich toen om naar de mannen van zijn eerste compagnie van Tritsingse huurlingen, die onaangedaan in het zadel hadden gezeten, zich weinig bekommerend om wat er gebeurde voordat zij aan de beurt zouden komen om hun handwerk uit te oefenen. Ze droegen alle lederen kurassen en met metaal afgezette leren helmen, de wapenrusting van de graslanden. Op een gebaar van Lezhdraka ging de grote compagnie van met littekens overdekte en zwijgende mannen rechtop zitten. Een licht scheen in hun ogen te ontvlammen.

'*Jullie aashonden,*' schreeuwde Lezhdraka in zijn eigen taal, '*luister! Deze steenbewoners en hun Hoog Tritsingse lievelingen denken dat ze ons zullen afschrikken omdat hun paarden ijsschoenen aan hebben. Laten we hun botten gaan blootleggen!*' Hij gaf zijn paard de sporen, ervoor zorgend op het pad te blijven dat een van de oorlogssleden had gemaakt. Met een enkele grimmige schreeuw, gingen zijn huurlingen achter hem aan.

'Doodt ze allemaal,' riep Fengbald, in kringen naast hun colonne rijdend en met zijn zwaard zwaaiend. 'Doodt hen allen, maar vooral *laat Jozua het veld niet levend verlaten.* Jullie meester, koning Elias, eist zijn dood!'

De huurlingen-kapitein keek met slecht verholen minachting naar de hertog, maar Fengbald reed al met zijn paard naar voren, tegen zijn versagende Erkynwacht krijsend. '*Ik geef weinig om deze ruzies tussen steenbewoners,*' schreeuwde Lezhdraka tegen zijn manschappen in de Tritsingse taal, '*maar ik weet iets dat die stommeling niet weet: een levende prins zal ons beter betalen dan Fengbald ooit zou doen — dus wil ik de eenhandige prins levend hebben. Maar als Hotvig of enige andere welp van de Hoge Tritsingen levend dit veld verlaat, zal ik zorgen dat jullie uitschot je eigen ingewanden opvreet.*'

Hij wuifde opnieuw en de colonne stroomde naar voren. De huurlingen grinnikten in hun baard en beklopten hun wapens. De geur van bloed hing in de lucht… een zeer vertrouwde geur.

Deornoth en zijn mannen deden hun best om hun slagorde weer in te nemen toen Jozua verscheen, Vinyafod leidend. Pater Strangeard en de harpspeler Sangfugol sjokten achter hem aan, modderig en in verwarring.

'Binabiks ijshoefijzers hebben gewerkt, of in elk geval hebben ze ons geholpen Fengbald te overrompelen,' riep Jozua.

'We hebben gekeken, hoogheid.' Deornoth gaf de binnenkant van zijn helm nog een klap met het gevest van zijn zwaard, maar de deuk was te diep voor een dergelijke eenvoudige herstelpoging. Hij vloekte en zette hem maar weer op. Er was op geen stukken na genoeg wapenrusting voor iedereen; Nieuw Gadrinsett had zich ingespannen om de weinige wapenen en uitrusting die zij hadden te verschaffen, en als Hotvigs Tritsingsmannen hun eigen leren borstplaten en helmen niet hadden meegebracht zou slechts minder dan een kwart van de verdedigers gepantserd zijn geweest. Er was stellig geen vervangende uitrusting beschikbaar, wist Deornoth, behalve wat er van de pas gesneuvelden kon worden afgepakt. Hij besloot dat hij zijn oorspronkelijke helm zou houden, gedeukt of niet.

'Ik ben blij te zien dat je klaar bent,' zei Jozua. 'Wij moeten elk voordeel dat we hebben uitbuiten voor Fengbalds aantallen ons overmeesteren.'

'Ik wou alleen maar dat we meer van die schoenijzers van de trol hadden om uit te delen.' Terwijl hij dit zei, bond Deornoth zijn eigen paar onder, onbeholpen met gevoelloze handen frommelend. Hij betastte de metalen spijkers die nu uit de zolen staken. 'Maar we hebben elk stukje metaal dat we konden missen gebruikt.'

'Een geringe prijs als dat ons redt, zinloos als dat niet zo is,' zei Jozua. 'Ik hoop dat je voorrang hebt gegeven aan de manschappen die te voet moeten vechten.'

'Dat heb ik gedaan,' antwoordde Deornoth, 'hoewel we in elk geval genoeg hadden voor bijna alle paarden, ook na Hotvigs graslanders te hebben uitgerust.'

'Goed,' zei Jozua. 'Als je een momentje hebt, help me dan deze aan Vinyafod vast te maken.' De prins schonk hem een uitzonderlijke, onverholen glimlach. 'Ik was zo verstandig om ze gisteren apart te houden.'

'Maar heer!' Deornoth keek op, verbijsterd. 'Waar hebt u ze voor nodig?'

'Je denkt toch niet dat ik de hele slag van deze helling af ga gadeslaan, wel?' Jozua's glimlach verdween. Hij scheen oprecht verbaasd. 'Deze dappere mannen vechten en sterven beneden op het meer voor mijn zaak. Hoe zou ik niet met hen mee kunnen vechten?'

'Maar dat is nu juist precies de reden.' Deornoth wendde zich tot Sangfugol en Strangyeard, maar dit tweetal keek beschaamd de andere kant uit. Deornoth vermoedde dat ze over dit punt al met de prins hadden gediscussieerd... en hadden verloren. 'Als er iets met jou gebeurt, Jozua, zal iedere overwinning waardeloos zijn.'

Jozua keek Deornoth met zijn heldere grijze ogen strak aan. 'Ah, maar dat is niet waar, oude vriend. Je vergeet dat Vorzheva nu ons kind draagt. Jij zult haar en onze baby beschermen, zoals je hebt beloofd. Als wij vandaag winnen en ik er niet ben om ervan te genieten, weet ik dat jij de mensen voorzichtig en vaardig van hier verder zult leiden. Mensen zullen zich in drommen onder onze banier scharen – mensen die niet eens zullen weten of het zal kunnen schelen of ik nog leef, maar naar ons toe zullen komen omdat wij tegen mijn broer, de koning, vechten. En ik ben er zeker van dat Isorn spoedig zal terugkeren met mensen uit Hernystir en Rimmersgaarde. En als zijn vader Isgrimnur Miriamele vindt – welnu, voor welke rechtmatiger naam zou je kunnen vechten dan de kleindochter van koning John?' Hij keek een ogenblik naar Deornoths gezicht. 'Maar, Deornoth, trek niet zo'n ernstig gezicht. Als God wil dat ik mijn broer omverwerp, kunnen alle ridders en boogschutters van Aedons aarde mij niet doden. Als Hij dat niet wil, welnu, dan is er geen plaats om je voor je noodlot te verschuilen.' Hij boog zich voorover en tilde een van Vinyafods benen op. Het paard bewoog angstig, maar hield zich staande. 'Bovendien, man, dit is een ogenblik waarop de wereld in wankel evenwicht is. Manschappen die hun prins naast zich zien, weten dat hun niet gevraagd wordt zich op te offeren voor iemand die dat offer niet op prijs stelt.' Hij trok de leren zak met verstevigde onderkant en uitstekende spijkers over Vinyafods hoef, en sloeg de lange koorden rond de enkel van het paard. 'Het heeft geen zin te redetwisten,' zei hij zonder op te kijken.

Deornoth zuchtte. Hij was wanhopig ongelukkig, maar ergens had hij geweten dat zijn prins dit misschien zou doen – eigenlijk zou het hem hebben verbaasd als hij het niet gedaan had. 'Zoals u wenst, hoogheid.'

'Nee, Deornoth.' Jozua stelde de knoop op de proef. 'Zoals ik moet.'

Simon juichte toen Hotvigs ruiters tegen Fengbalds linie beukten. Binabiks knappe list scheen te werken: hoewel ze nog steeds langzamer reden dan normaal, waren de Tritsingsmannen veel sneller dan hun tegenstanders, en het verschil in wendbaarheid was verbijsterend. Fengbalds voorste troepen trokken zich terug, gedwongen zich enkele honderden ellen van de barricade af te hergroeperen.

'Geef ze ervan langs!' riep Simon. 'Dappere Hotvig!' De trollen juichten ook, vreemde balkende kreten. Hun tijd kwam snel naderbij. Simon was stil aan het tellen, hoewel hij de tel al een paar keer was kwijtgeraakt en moest gissen. Tot dusver ontwikkelde de strijd zich precies zoals Jozua en de anderen hadden gezegd.

Hij keek naar zijn vreemde metgezellen, naar hun ronde gezichten en kleine lichamen, en voelde een overweldigende genegenheid en loyaliteit door zich heen stromen. Hij was voor hen verantwoordelijk, in zekere zin. Ze waren van ver gekomen om voor iemands zaak te vechten – ook al zou die uiteindelijk misschien blijken eenieders zaak te zijn – en hij wilde dat zij allen straks hun eigen haard weer veilig zouden bereiken. Ze zouden tegen grotere, sterkere mensen vechten, maar trollen waren gewend in deze winterse omstandigheden te vechten. Zij droegen ook laarzen met spijkers, maar van een veel ingewikkelder soort dan degene die Binabik de smeden had gezegd te maken. Binabik had tegen Simon gezegd dat deze spijkerlaarzen onder zijn volk nu kostbaar waren, omdat de trollen de handelsroutes en handelspartners hadden verloren die het eens mogelijk hadden gemaakt om ijzer naar Yiqanuc te brengen; in de tegenwoordige era ging elk paar spijkerlaarzen echter over van ouder op kind, en ze werden zorgvuldig geolied en regelmatig hersteld. Een paar verliezen was iets verschrikkelijks, want er was tegenwoordig vrijwel geen mogelijkheid om ze te vervangen.

Hun gezadelde rammen hadden natuurlijk geen behoefte aan wissewasjes als ijzeren schoenen; hun zachte, leerachtige hoeven zouden zich aan het ijs vasthouden als de poten van vliegen die tegen de muur lopen. Een vlak meer was nauwelijks een uitdaging vergeleken met de verraderlijke bevroren paden van de hoge Mintahoq.

'Ik kom,' zei iemand achter hem. Simon draaide zich om en zag dat Sisqi verwachtingsvol naar hem opkeek. Het gezicht van de trollenvrouw was blozend en bepareld met zweetdruppeltjes en het jasje van bont dat zij onder haar leren wambuis droeg, was gerafeld en modderig alsof zij door het struikgewas had gekropen.

'Waar was je?' vroeg hij. Hij kon geen spoor van een wond op haar zien, en was daar dankbaar voor.

'Bij Binabik. Binabik helpen te vechten.' Ze hief haar handen op om een of andere ingewikkelde activiteit na te bootsen, haalde toen de schouders op en gaf het op.

'Maakt Binabik het goed?' vroeg Simon.

Ze dacht een ogenblik na en knikte toen. 'Niet gewond.'

Simon haalde opgelucht diep adem. 'Goed.' Voor hij meer kon zeggen, was er enige beroering beneden. Een nieuwe groep gedaanten krabbelde plotseling bij de barricade te voorschijn, zich haastend om zich in de strijd te begeven. Een ogenblik later hoorde Simon de flauwe, klaaglijke roep van een hoorn. Er klonk een lang aangehouden noot, toen vier korte, toen twee lange stoten die iel langs de helling van de heuvel weerkaatsten. Zijn hart sprong op en hij voelde zich plotseling koud maar toch tintelend, alsof hij in ijskoud water was gevallen. Hij was de tel kwijtgeraakt, maar dat hinderde niet. Dat was het signaal – het was tijd!

Ondanks zijn nerveuze opwinding paste hij ervoor op om Thuisvinders flanken niet met zijn ijzers te krassen toen hij in het zadel klauterde. De meeste Qanucse woorden die Binabik hem had geleerd, waren uit zijn hoofd geblazen.

'Nu!' riep hij. 'Nu. Sisqi! Jozua heeft ons nodig!' Hij trok zijn zwaard en zwaaide ermee in de lucht, waar het een ogenblik in een laaghangende tak bleef haken. Wat was het woord voor 'aanval'? Iets met *ni*. Hij draaide zich om en ving Sisqi's blik op. Ze keek ook naar hem; haar kleine gezicht stond ernstig. Zij wist het. De trollenvrouw zwaaide met haar arm en riep iets tegen haar troepen.

Iedereen weet wat er nu gebeurt, besefte hij. *Ze hebben mij niet nodig om hun iets te vertellen.*

Sisqi knikte, hem verlof gevend.

'*Nihut!*' riep Simon uit, en reed toen snel langs het modderige pad omlaag.

Thuisvinders hoeven gleden uit toen ze het bevroren meer raakten, maar Simon – die haar enige dagen eerder onbeslagen op dezelfde oppervlakte had bereden – was opgelucht toen ze vlug haar evenwicht hervond. Het lawaai van de strijd klonk luid voor hen uit, en nu waren zijn trollen-kameraden ook aan het schreeuwen, vreemde oorlogskreten brullend waarin hij de namen van enkele van de bergen van Yiqanuc kon onderscheiden. De herrie van de strijd nam snel toe tot die alle andere gedachten uit zijn geest verdreef. Toen, voor het scheen dat hij ook maar tijd had gehad om te denken, zaten zij er middenin.

Hotvigs eerste aanval had Fengbalds linie gespleten en die ten dele van de veiligheid van de door sleeën geschuurde baan afgesloten. Deornoths soldaten – op een paar na allen te voet – waren toen van achter de barricade uit gestroomd en stortten zich op die Erkynwachten die door Hotvigs actie van hun eigen achterhoede waren afgesneden. De strijd bij de barricade was bijzonder fel, en het verbaasde Simon prins Jozua er middenin te zien, hoog in Vinyafods zadel gezeten, zijn grijze mantel uitwaaierend, zijn geschreeuwde woorden verloren gaand in de verwarring. Maar ondertussen had Fengbald zijn Tritsingse huurlingen naar voren gebracht die, in plaats van te helpen de linie achter de terugtrekkende Erkynwachtsoldaten te versterken, in hun haast om de strijd met Hotvigs ruiters aan te binden, rond de gebroken colonne zwermden.

Simons troepen vielen de huurlingen van de blinde zijde aan; degenen die het dichtst bij de aanstormende Qanucs waren, hadden slechts een ogenblik om verbaasd om zich heen te kijken voordat ze aan de korte speren van de trollen werden geregen. Enkelen van de Tritsingsmannen schenen naar de aansnellende Qanucs te kijken met een schok die dichter bij bijgelovige angst dan alleen maar verbazing kwam. De trollen brulden hun Qanucse oorlogskreten toen ze aanvielen, en lieten stenen aan geoliede koorden over hun hoofden ronddraaien, hetgeen een afgrijselijk zoemend geluid maakte als een zwerm gek geworden bijen. De rammen bewogen snel tussen de tragere paarden, zodat verschillende van de rossen van de huurlingen steigerden en hun meesters afwierpen;

de trollen gebruikten hun werpspiezen ook om de onbeschermde buiken van de paarden te belagen.

De herrie van de strijd, die Simon eerst een luid gebrul had toegeschenen, veranderde snel naarmate hij bij het gevecht betrokken werd, en werd in plaats daarvan een soort stilte, een vreselijke zoemende stilte waarin grauwende gezichten en de dampende bekken van de paarden met hun witte tanden en rode kelen uit de mist opdoemden. Alles leek met een afschuwelijke traagheid te bewegen, maar Simon had het gevoel dat hij nòg langzamer bewoog. Hij zwaaide zijn zwaard in het rond, maar hoewel het alleen maar staal was, leek het op dat ogenblik even zwaar als de zwarte Doorn.

Een handbijl trof een van de trollenmannen naast Simon. Het kleine lichaam werd van de gezadelde ram af gegooid en scheen langzaam als een vallend blad te tuimelen tot het onder Thuisvinders hoeven verdween. Door de zoemende leegte meende Simon vaag een hoge gil te horen, als de kreet van een verre vogel.

Gedood, dacht hij afwezig toen Thuisvinder struikelde en weer vaste voet kreeg. *Hij was gedood.* Een ogenblik later moest hij zijn eigen zwaard voor zich omhoog gooien om een zwaardhouw van een van de bereden huurlingen af te weren. Het leek een eeuw te duren voor de twee zwaarden elkaar raakten; en toen dat gebeurde, met een iele *klink*, voelde hij de schok door zijn arm en in zijn borst omlaag gaan. Iets veegde van de andere kant langs hem heen. Toen hij omlaag keek, zag hij dat zijn geïmproviseerde kuras gescheurd was en dat er bloed welde in een wond over zijn arm; hij kon alleen maar een lijn van ijzige verstijving van pols tot elleboog voelen. Met open mond hief hij zijn zwaard op om terug te slaan, maar er was niemand binnen bereik. Hij liet Thuisvinder omdraaien, loenste door de mist die van het ijs opsteeg, en reed toen naar een kluwen van gedaanten waar hij enkele in het nauw gedreven trollen kon zien.

Daarna verhevigde de strijd rondom hem als een smorende hand en was er weinig uit wijs te worden. Midden in de nachtmerrie werd hij door iemands schild in de borst gestoten en viel uit het zadel. Toen hij overeind wilde krabbelen, besefte hij al gauw dat hij, ook al was hij geschoeid met Binabiks toverspijkers, toch iemand was die zijn best deed om houvast voor zijn voeten te krijgen op een glazige ijsplaat. Hij had het geluk dat de teugels om zijn hand waren blijven zitten, zodat Thuisvinder niet op hol sloeg, maar ditzelfde geluk betekende bijna zijn dood.

Een van de bereden Tritsingsmannen kwam uit de nevel te voorschijn en dwong Simon achteruit, hem klem zettend tegen Thuisvinders flank. De hologige zwaardvechter had een gezicht dat zo bedekt was met rituele littekens dat de huid die onder zijn helm te voorschijn kwam wel boomschors leek. Simon bevond zich in een vreselijke positie, zijn schildarm nog steeds in de teugels verward zodat hij nauwelijks de helft van zijn schild tussen hem en de aanvaller in kon krijgen. De grijnzende huurling verwondde hem twee keer, een oppervlakkige snee over zijn zwaardarm evenwijdig aan zijn eerste aderlating van die dag, en een steek in het dikke gedeelte van zijn dij boven zijn maliënhemd. Hij zou Simon vrijwel zeker enkele ogenblikken later hebben gedood als er niet iemand anders plotseling uit de mist was opgedoemd – nog een Tritsingsman, merkte Simon met verbijstering op – en toevallig tegen Simons tegenstander was opgebotst, waarbij 's mans paard naar Simon werd gestoten en de huurling gedeeltelijk uit het zadel werd geduwd. Simons half wanhopige steek, meer uit zelfverdediging dan iets anders, gleed langs het been van de man omhoog in zijn lies; hij viel op de grond terwijl het bloed uit de wond spoot, gilde toen en kronkelde tot zijn convulsies zijn helm van zijn hoofd schudden. Het magere gezicht van de man met de starende ogen, vertrokken van pijn, bracht een herinnering van de Hayholt bij Simon terug aan een rat die in een regenton was gevallen. Het was afgrijselijk geweest om hem wanhopig met ontblote tanden en uitpuilende ogen te zien spartelen. Simon had geprobeerd hem te redden maar in zijn doodsnood had de rat naar zijn hand gebeten, en dus was hij weggelopen, omdat hij hem niet kon zien verdrinken. Nu keek een oudere Simon een ogenblik naar de gillende huurling, ging toen op zijn borst staan om hem te doen ophouden met rollen en stak het zwaard in de keel van de man, het daar houdend tot alle beweging was opgehouden.

Hij voelde zich vreemd licht in zijn hoofd. Er gingen verscheidene lange ogenblikken voorbij waarin hij de flodderige mouw van het lijk losscheurde en die strak om de wond in zijn eigen been wikkelde. Pas toen hij klaar was en zijn voet in Thuisvinders stijgbeugel zette, besefte hij wat hij zojuist had gedaan. Zijn maag kwam in opstand, maar hij had niet de fout begaan om die ochtend te eten. Na een korte pauze kon hij zich in het zadel hijsen.

Simon had gedacht dat hij een soort onderbevelhebber van de trollen zou zijn, Jozua's rechterhand onder de Qanucse bondgenoten van de prins, maar hij kwam er al gauw achter dat het meer dan werk genoeg was om gewoon in leven te blijven.

Sisqi en haar kleine troep hadden zich over het hele mistige slagveld verspreid. Op een zeker ogenblik was hij erin geslaagd het gebied te vinden waar zij het dichtst geconcentreerd waren, en hij en de trollen waren enige tijd bij elkaar geweest – hij had Sisqi toen gezien, nog in leven, haar slanke speer snel als een wespensteek, haar ronde gezicht in een masker zo fel dat ze eruitzag als een kleine sneeuwduivel – maar uiteindelijk had de eb en vloed van de strijd hen weer uit elkaar gehaald. De trollen vochten niet op hun best in een ordelijke linie, en Simon zag al gauw dat ze van veel meer nut waren wanneer ze zich snel en onopvallend tussen Fengbalds grotere ruiters bewogen. De rammen schenen even vast op hun poten te staan als katten, en hoewel Simon vele kleine gedaanten van Qanucse doden en gewonden hier en daar tussen de andere lijken verspreid kon zien liggen, schenen ze met gelijke munt te betalen, en misschien nog meer.

Simon zelf had verschillende andere gevechten overleefd en had nog een Tritsingsman gedood, deze keer in een min of meer eerlijk gevecht.

Pas toen hij en de ander op elkaar inhakten, had Simon ineens beseft dat hij voor deze vijanden geen kind was. Hij was groter dan deze huurling, en met zijn helm op en in zijn maliënhemd leek hij ongetwijfeld een grote en geduchte vechtjas. Ineens bemoedigd, had hij zijn aanval hernieuwd, de Tritsingsman achteruit drijvend. En toen de man bleef staan en zijn paard tegenover Thuisvinder stond, herinnerde Simon zich Sludigs lessen. Hij veinsde een onhandige zwaai en de huurling beet in het aas, te ver voorover buigend met zijn riposte. Simon zorgde ervoor dat de man door zijn zwaard zijn evenwicht verloor, gaf toen met zijn schild een klap tegen de leren helm van de man, gevolgd door een zwaardhouw die tussen de twee helften van de borstpantsering van de man door gleed in zijn onbeschermde zijde. De huurling bleef in het zadel terwijl Simon Thuisvinder achteruit liet gaan, zijn zwaard lostrekkend, maar vóór Simon wegdraaide, was zijn tegenstander al lomp op het bloederige ijs gevallen.

Hijgend had Simon om zich heen gekeken en zich afgevraagd wie er aan de winnende hand was.

Om het even welk geloof Simon nog over de nobelheid van de oorlog mocht hebben behouden, het stierf in de loop van die lange dag op het bevroren meer. Te midden van een dergelijke slachting, waarin vriend en vijand gelijkelijk lagen verspreid, verminkt en met bloed overdekt, sommigen met een gezicht dat onherkenbaar was door vreselijke wonden; met het gejammer en gesmeek van stervende mannen in zijn oren, hun waardigheid van hen weggescheurd; met de lucht stinkend van de geur van angstzweet, bloed en uitwerpselen, was het onmogelijk om het oorlogsbedrijf als iets anders te zien dan wat Morgenes het eens genoemd had: een soort hel op aarde die de ongeduldige mensheid had georganiseerd, zodat zij niet op het leven hierna hoefde te wachten. Voor Simon was de groteske oneerlijkheid ervan bijna nog het ergste van alles. Voor iedere gepantserde ridder die werd neergehaald, werd een half dozijn voetknechten afgeslacht. Zelfs dieren ondergingen martelingen die men moordenaars en verraders niet eens zou mogen aandoen. Simon zag schreeuwende paarden, kreupel gemaakt door een toevallige slag, achtergelaten om in doodsnood op het ijs te liggen rollen. Hoewel vele van de paarden aan Fengbalds troepen toebehoorden, had niemand hen gevraagd of ze naar de oorlog wilden gaan; ze waren ertoe gedwongen, net zoals Simon en de andere mensen van Nieuw Gadrinsett. Zelfs de Erkynwacht van de koning zou misschien liever ergens anders hebben willen zijn dan hier op dit slagveld waar hun plicht hun had gebracht en hun trouw hen gevangen hield. Alleen de huurlingen waren hier omdat zij dat zelf wilden. Voor Simon was de geest van mensen die hier uit eigen vrije wil naartoe kwamen plotseling even onbegrijpelijk als de gedachten van spinnen of hagedissen – nog minder zelfs, want de kleine schepselen van de aarde vluchtten bijna altijd voor gevaar. Dit waren gekken, besefte Simon, en dat was het ergste probleem van de wereld: dat gekken sterk en onbevreesd waren zodat zij hun wil aan de zwakken en vredelievenden konden opleggen. Als God het bestaan van dergelijke krankzinnigheid toestond, dan was hij een oude God die Zijn greep verloren had, dacht Simon onwillekeurig.

De zon was hoog in de lucht verdwenen, achter de wolken schuilgaand; het was onmogelijk te zeggen hoe lang de strijd had gewoed toen Jozua's hoorn opnieuw schalde. Deze keer was het een roeptoon die door de mistige lucht sneed. Simon, die niet dacht dat hij ooit van zijn leven meer terneergeslagen was geweest, draaide zich om naar de paar trollen vlakbij en riep: '*Sosa!* Kom!'
Enkele ogenblikken later reed hij Sisqi bijna omver, die over haar afgemaakte ram gebogen stond, haar gezicht nog steeds merkwaardig emotieloos. Simon boog zich naar haar over en stak zijn hand uit. Ze pakte die in haar koude droge vingers en trok zich naar zijn stijgbeugel op. Hij hielp haar in het zadel.
'Waar is Binabik?' vroeg ze hem, boven het lawaai uit schreeuwend.
'Ik weet het niet. Jozua roept ons. Wij gaan nu naar Jozua.'
De hoorn schalde opnieuw. De mannen van Nieuw Gadrinsett trokken zich snel terug alsof ze geen ogenblik langer hadden kunnen vechten – hetgeen misschien niet ver bezijden de waarheid was – maar ze trokken zich zo snel terug dat ze bijna rond Simon schenen te vervluchtigen, zoals het achtergebleven schuim van een golf in het strand verdween. Hun vertrek liet een groepje van een half dozijn trollen en een paar van Deornoths voetknechten achter, ingesloten door een kring van bereden Erkynwachtsoldaten ongeveer vijftig el verder op het ijs. Zonder hulp,

wist Simon, zouden de verdedigers onder de voet worden gelopen. Hij keek rond naar de kleine troep en trok een gezicht. Te weinig om iets mee te doen, stellig. En die trollen hadden, net als Simon en de anderen, de aftocht horen blazen – was het zijn plicht om iedereen te redden? Hij was moe en bloedde, en was bang, en een toevlucht was slechts enkele ogenblikken ver weg – hij had het overleefd, en dat was bijna een mirakel! – maar hij wist dat hij die dappere lieden niet kon achterlaten.

'Wij gaan daarheen?' zei hij tegen Sisqi, naar het groepje belegerde verdedigers wijzend.

Ze keek en knikte neerslachtig, riep toen iets tegen de paar omringende Qanucs terwijl Simon Thuisvinder liet omdraaien en op een glibberende draf naar de Erkynwachten reed. De trollen sloten zich achter hem aan. Deze keer werd er niet gejoeld, niet gezongen; de kleine troep reed in de stilte van volslagen uitputting.

En toen was er weer een nachtmerrie van houwen en japen. De bovenkant van Simons schild werd vernield door een zwaardslag, waarbij de splinters beschilderd hout in het rond vlogen. Verscheidene van zijn eigen slagen troffen vaste voorwerpen, maar de chaos maakte het hem onmogelijk te weten wat hij had getroffen. Toen de ingesloten trollen en mensen zagen dat er hulp was gekomen, verdubbelden zij hun inspanningen en slaagden erin zich een uitweg te banen, hoewel er nog minstens één Qanuc sneuvelde. Toen zijn met bloed bespatte ram de laars van zijn dode meester van de stijgbeugel had losgeschud, sprong hij van het lijk weg en rende over het meer alsof door duivels achtervolgd, wild zigzaggend tot hij in de duisterende mist verdween. De vermoeide Erkynwachten die na de eerste ogenblikken evenmin bereid schenen de strijd voort te zetten als Simon en zijn troep, vochten fel maar verloren terrein, proberend Simon en de rest terug te leiden naar de hoofdmacht van Fengbalds strijdkrachten. Simon zag ten slotte een opening en riep naar Sisqi. Met een laatste convulsie van soldaten en paarden en trollen en rammen maakte Simons troep zich los van de Erkynwachten en vluchtte naar Sesuad'ra en de wachtende barricaden.

Jozua's hoorn schalde opnieuw toen Simon en de trollen – minder dan veertig bij elkaar verzameld – de grote muur van houtblokken onderaan het heuvelpad bereikten. Velen van Sesuad'ra's verdedigers omringden hen, en zelfs degenen die niet gewond waren, zagen er even verslagen en grijs uit als stervenden. Een paar van Hotvigs Tritsingers echter, waren schor aan het zingen, en Simon zag dat een van hen wat eruitzag als een paar bloederige hoofden aan zijn zadelknop had bungelen, dansend op de stappen van het paard.

Een enorm gevoel van opluchting overviel Simon toen hij prins Jozua zelf voor de barricade zag staan, Naidel als een banier in de lucht zwaaiend en tegen de terugkerende vechtenden roepend. De prins was bars, maar zijn woorden waren bedoeld als bemoediging.

'Vooruit,' riep hij. 'Wij hebben hen een koekje van hun eigen deeg gegeven! Wij hebben hun onze tanden laten zien. Terug nu, terug, ze zullen vandaag niet meer komen!'

Opnieuw voelde Simon een diepe en genegen trouw jegens Jozua, zelfs door de koude heen die zich als vorst op zijn hart had vastgezet – maar hij wist ook dat de prins weinig anders meer te bieden had dan dappere woorden. De verdedigers van Sesuad'ra hadden zich bijna gehandhaafd tegen beter opgeleide en beter uitgeruste strijdkrachten, maar ze waren nauwelijks man tegen man opgewassen tegen Fengbald – de hertog had bijna drie keer zoveel manschappen – en nu was elk verrassingselement, zoals Binabiks schoenijzers, tot het uiterste uitgebuit. Vanaf nu zou de oorlog een uitputtingsslag zijn, en Simon wist dat hij aan de verliezende kant zou staan.

Op het ijs achter hen deden de raven zich al aan de gesneuvelden te goed. De vogels hipten en pikten en maakten schor ruzie onder elkaar. Half verscholen door de mist, hadden het kleine zwarte duivels kunnen zijn die gekomen waren om zich te verkneukelen over de verwoesting.

Sesuad'ra's verdedigers strompelden de helling op, hun hijgende paarden leidend. Hoewel hij zich vreemd verstijfd voelde, was Simon toch blij om te zien dat meer van de Qanucs het hadden overleefd dan alleen maar die welke hij en Sisqi van het ijs hadden geleid. Deze andere overlevenden snelden naar voren om hun verwanten met kreten van blijdschap te begroeten, hoewel er ook geluiden waren van hevig verdriet, toen de trollen hun verliezen telden.

Voor Simon kwam een nog grotere vreugde toen hij Binabik bij Jozua zag staan. Sisqi zag hem ook. Ze sprong uit Simons zadel en rende naar haar verloofde toe. Het tweetal omhelsde elkaar aan Jozua's zijde, zich niet om de prins of iemand anders bekommerend.

Simon bleef een ogenblik naar hen kijken alvorens wankelend verder te gaan. Hij wist dat hij naar zijn andere vrienden moest zoeken, maar op dit ogenblik voelde hij zich zo geslagen en uitgewrongen dat hij niet meer kon doen dan de ene voet voor de andere zetten. Iemand die naast hem liep, reikte hem een beker wijn aan. Toen hij die had geledigd en de beker teruggaf, deed hij een paar strompelende passen de heuvel op naar waar de kampvuren waren ontstoken. Nu het vechten voor die dag was geëindigd, waren enkele vrouwen van Nieuw Gadrinsett naar beneden gekomen om eten te brengen en te helpen met de verzorging van de gewonden. Een van hen, een jong meisje met vlassig haar, overhandigde Simon een kom met iets dat licht dampte. Hij probeerde haar te bedanken, maar kon de kracht niet opbrengen om iets te zeggen.

Hoewel de zon de westelijke horizon nu raakte en de dag nog behoorlijk licht was, had Simon zijn soep nog niet op of hij merkte dat hij op de modderige grond lag, met al zijn wapenrusting nog aan, behalve zijn helm, zijn hoofd rustend op zijn mantel. Thuisvinder stond vlakbij, een paar dunne grassprietjes grazend die het algemene plattrappen hadden overleefd. Een ogenblik later voelde Simon zich langzaam naar de slaap afglijden. De wereld leek rondom hem op en neer te gaan, alsof hij op het dek lag van een enorm, langzaam rollend schip. Zwartheid daalde snel neer – niet de zwartheid van de nacht, maar een dieper en verstikkend duister dat van binnen uit bij hem opwelde. Als hij droomde, wist hij, zou het voor een keer niet van torens of reusachtige wielen zijn. Hij zou gillende paarden zien en een rat die in een regenton verdronk.

Izaak, de jonge page, leunde dichter naar het komfoor, proberend wat warmte in zich op te nemen. Hij was door en door verkleumd. Buiten tokkelde de wind op de touwen en porde naar de rimpelende wanden van de enorme tent van hertog Fengbald alsof hij die omver wilde gooien en wegvoeren in de nacht. Izaak wilde dat hij nooit was gedwongen de Hayholt te verlaten.

'Jongen!' riep Fengbald. Er klonk iets van nauwelijks bedwongen gewelddadigheid in zijn stem. 'Waar is mijn wijn?'

'Die wordt net verwarmd en gekruid, heer,' zei Izaak. Hij nam de hete pook uit de schenkkan en haastte zich om de drinkbeker van de hertog opnieuw te vullen.

Fengbald negeerde hem terwijl hij schonk, zijn aandacht op Lezhdraka richtend, die nors kijkend naast hem stond, nog steeds gekleed in zijn met bloed bevlekte leren wapenrusting. De hertog daarentegen had gebaad – Izaak was gedwongen om ontelbare kannen water te verwarmen op het ene kleine bed van kolen – en droeg een gewaad van scharlaken zijde. Hij had een paar pantoffels van geiteleer aangetrokken, en zijn lange zwarte haar hing in natte krulletjes op zijn schouders.

'Onzin?' snauwde Lezhdraka. 'Jij zegt dat tegen mij! Ik heb de magische lieden met mijn eigen ogen gezien, steenbewoner!'

Fengbalds ogen vernauwden zich. 'Je kunt beter leren eerbiediger te spreken, vlaktebewoner.'

Lezhdraka balde zijn vuisten, maar hield zijn armen langs zijn lichaam. 'Toch heb ik ze gezien... en jij ook.'

De hertog maakte een geluid van walging. 'Ik heb een troep dwergen gezien, monstertjes, zoals je voor de meeste tronen van Osten Ard kunt zien buitelen en springen. Dat waren niet de Sithi, wat Jozua en zijn werkster Geloë ook mogen beweren.'

'Dwergen of elfen kan ik niet bewijzen, maar die andere is geen gewone vrouw,' zei Lezhdraka dreigend. 'Haar naam is heel bekend in de graslanden... heel bekend en heel gevreesd. Mensen die het bos in gaan keren niet terug.'

'Belachelijk.' Fengbald ledigde zijn beker. 'Ik spot niet gauw met de duistere machten...' hij dwaalde af, alsof een onbehaaglijke herinnering om aandacht vroeg, '... ik spot niet, maar ik laat ook niet met me spotten. En ik laat me niet bang maken door goocheltrucs, hoe die mijn bijgelovige wilden ook aangrijpen.'

De Tritsingsman keek hem een ogenblik aan met een gezicht dat plotseling bijzonder koud was geworden. 'Uw meester, naar wat u eerder hebt gezegd, heeft zich veel beziggehouden met wat u "bijgeloof" noemt.'

De blik waarmee Fengbald hem op zijn beurt aankeek, was even kil. 'Ik noem niemand meester. Elias is de koning, dat is alles.' Het moment van gebiedendheid vervluchtigde snel. 'Izaak!' riep hij geprikkeld. 'Meer wijn, verdomme.' Toen de page zich haastte om hem te bedienen, schudde Fengbald zijn hoofd. 'Genoeg gebekvecht. We hebben een probleem Lezhdraka. Ik wil het oplossen.'

De huurlingenaanvoerder vouwde zijn armen. 'Mijn manschappen vinden het geen prettig idee dat Jozua magische bondgenoten heeft,' gromde hij, '... maar wees niet bang. Ze zijn niet verwijfd. Ze zullen in elk geval vechten. Onze legenden hebben ons lang voorgehouden dat elfenbloed net zo vloeit als mensenbloed. Wij hebben dat vandaag bewezen.'

Fengbald maakte een ongeduldig gebaar. 'Maar we kunnen ons niet veroorloven hen op deze manier te verslaan. Ze zijn sterker dan ik dacht. Hoe kan ik naar Elias terugkeren met zijn Erkynwacht dood door het toedoen van een paar in het nauw zittende boeren?' Hij tikte met zijn vinger op de rand van zijn drinkbeker. 'Nee, er zijn andere manieren die zullen verzekeren dat ik in triomf naar Erkynland terugkeer.'

Lezhdraka snoof. 'Er zijn geen andere manieren. Wat, een verborgen pad, een geheime weg als waar u eerder over sprak? Uw spionnen zijn niet teruggekomen, zie ik. Nee, de enige manier nu is de manier waarop we zijn begonnen. We zullen ze neerslaan tot er geen meer over is.'

Fengbald schonk hem niet langer aandacht. Zijn blik was naar de deurflap van de tent gegaan, naar een soldaat die daar stond, onzeker of hij binnen zou komen. 'Ah,' zei de hertog. 'Ja?'

De soldaat viel op één knie neer. 'De kapitein van de wacht heeft mij gezonden, heer...'

'Goed.' Fengbald leunde achterover in zijn stoel. 'En je hebt een zeker iemand meegebracht, ja?'

'Ja, heer.'

'Breng hem binnen, en wacht dan buiten tot ik je weer roep.'

De soldaat vertrok, proberend een blik van ontsteltenis te verbergen dat hij in de bijtende wind buiten de tent moest staan. Fengbald wierp Lezhdraka een spottende blik toe. 'Eén van mijn spionnen is werkelijk teruggekomen, schijnt het.'

Een ogenblik later ging de tentflap weer open. Een oude man strompelde naar binnen, zijn haveloze kleren bespikkeld met sneeuwvlokken.

Fengbald grijnsde enorm. 'Ah, je bent naar ons teruggekeerd! Helfgrim, is het niet?' De hertog wendde zich tot Lezhdraka, en zijn goede humeur kwam terug toen hij zijn kleine vertoning opvoerde. 'Je herinnert je de burgemeester van Gadrinsett, nietwaar, Lezhdraka? Hij heeft ons een tijdje verlaten om op bezoek te gaan, maar nu is hij teruggekomen.' De stem van de hertog werd hard. 'Ben je ongezien ontsnapt?'

Helfgrim knikte erbarmelijk. 'De toestand is verward. Niemand heeft mij gezien sinds de strijd begon. Er worden ook anderen vermist, en er zijn nog lijken achtergebleven op het ijs en in het woud langs de onderkant van de heuvel.'

'Goed.' Fengbald knipte opgewekt met zijn vingers. 'En natuurlijk heb je gedaan wat ik gevraagd heb.'

De oude man liet het hoofd zakken. 'Er is niets, heer.'

Fengbald keek hem even aan. Het gezicht van de hertog begon rood aan te lopen en hij maakte aanstalten om op te staan, maar ging toen weer zitten, zijn vuisten ballend.

'Wat is dit allemaal?' vroeg Lezhdraka, geïrriteerd.

De hertog negeerde hem. 'Izaak,' riep hij, 'haal de wacht.'

Toen de rillende soldaat binnen was gekomen, riep Fengbald hem aan zijn zijde, fluisterde toen een paar woorden in zijn oor. De soldaat ging opnieuw door de flap.

'We zullen het nog eens proberen,' zei Fengbald, zijn aandacht weer op de burgemeester richtend. 'Wat heb je ontdekt?'

Helfgrim scheen hem niet in de ogen te kunnen kijken. Het roodachtige gezicht met de zwakke kin van de oude man bewoog als met een nauwelijks verborgen verdriet. 'Niets van nut, heer,' zei hij ten slotte.

Fengbald had zijn woede klaarblijkelijk bedwongen, want hij glimlachte alleen maar strak. Enkele ogenblikken later bolde de tentflap weer op. De wacht kwam binnen, deze keer vergezeld van nog twee gardesoldaten. Ze escorteerden een paar vrouwen, beiden van middelbare leeftijd, met grijze draden in hun donkere haar, beiden groezelig en gekleed in versleten mantels. De grijze, angstige uitdrukking van de vrouwen veranderde in verbijstering toen ze de oude man zagen die voor Fengbald kroop.

'Vader!' riep een van hen uit.

'O, genadige Usires,' zei de ander, en maakte het teken van de Boom.
Fengbald bezag het tafereel onbewogen. 'Je schijnt vergeten te zijn wie
de macht heeft, Helfgrim. Laat mij het nog eens proberen. Als je tegen
me liegt, zal ik je dochters pijn moeten doen, hoezeer dat mijn Aedonitische geweten ook verontrust. Toch, zal jouw geweten het meeste lijden, want het zal jouw schuld zijn.' Hij meesmuilde. 'Spreek.'
De oude man keek naar zijn dochters, naar de angst op hun gezicht.
'God vergeef mij,' zei hij. 'God vergeef mij dat ik een verrader ben!'
'Doe het niet, vader,' riep een van de vrouwen. De andere dochter was
hulpeloos aan het snikken, haar gezicht verborgen in de mouw van haar
cape.
'Ik kan niet anders.' Helfgrim wendde zich tot de hertog. 'Ja,' zei hij met
trillende stem. 'Er is een andere weg de heuvel op, een die slechts weinigen van het volk daar kennen. Het is een ander oud Sithi pad. Jozua heeft
er een wacht op gezet, maar slechts een symbolische strijdmacht, aangezien de onderkant ervan door wildgroei wordt verborgen. Hij heeft het
mij laten zien toen we zijn verdediging aan het beramen waren.'
'Een symbolische macht, hè?' Fengbald grijnsde en keek Lezhdraka
triomfantelijk aan. 'En dit pad is breed genoeg voor hoevelen?'
Helfgrims stem was zo zacht dat hij bijna onhoorbaar was. 'Twaalf
mannen zouden er naast elkaar kunnen lopen wanneer de eerste ellen
braamstruiken zijn opgeruimd.'
De huurlingen-kapitein, die lang zwijgend had geluisterd, trad nu naar
voren. Hij was boos, en zijn littekens waren wit tegen zijn donkere gezicht afgetekend. 'U bent te goed van vertrouwen,' snauwde hij tegen
Fengbald. 'Hoe weet u dat dit geen val is? Hoe weet u dat Jozua ons
niet met zijn hele leger zal opwachten?'
Fengbald was onbewogen. 'Jullie graslanders zijn te naïef, Lezhdraka,
heb ik je dat niet al eerder gezegd? Jozua's leger zal druk bezig zijn met
te proberen onze frontale aanval morgen af te slaan – veel te druk om
meer soldaten te kunnen missen dan zijn symbolische strijdmacht –
wanneer wij ons verrassingsbezoek aan Helfgrims andere weg brengen.
Wij zullen een flinke troep meenemen. En om er zeker van te zijn dat er
geen verraad is, zullen wij de burgemeester met ons meenemen.'
Hierop barstten de twee vrouwen in tranen uit. 'Alstublieft, voer hem
niet naar de strijd,' zei een wanhopig. 'Hij is maar een oude man!'
'Dat is waar.' Fengbald scheen hierover na te denken. 'En dientengevolge is hij misschien niet bang om te sterven, als er een soort valstrik is…
als Jozua's strijdmacht meer dan symbolisch is. Dus zullen we jullie ook
meenemen.'
Helfgrim sprong op. 'Nee! U kunt hun levens niet op het spel zetten!
Zij zijn onschuldig!'

'En ze zullen veilig zijn als duiven in een til,' zei Fengbald grinnikend, 'zolang jouw verhaal waar is. Maar als je hebt geprobeerd mij te verraden, zullen ze sterven. Snel, maar wel pijnlijk.'

De oude man smeekte hem opnieuw, maar de hertog zakte weer achterover in zijn stoel, onbewogen. Ten slotte ging de burgemeester naar zijn dochters. 'Het komt allemaal goed.' Hij streelde hen onbeholpen, geremd door de aanwezigheid van wrede vreemden. 'Wij zullen samen zijn. Er zal geen kwaad geschieden.' Hij wendde zich tot Fengbald, met zichtbare woede op zijn bevende gezicht; een ogenblik verloor zijn stem bijna zijn trilling. 'Er is geen valstrik, verdomme – u zult het zien – maar er is een paar dozijn man, zoals ik zei. Ik heb de prins voor u verraden. U moet eer tegenover mijn kinderen betonen, en hen uit het gevaar houden als er wordt gevochten. Alstublieft.'

Fengbald wuifde expansief met zijn hand. 'Wees maar niet bang. Ik beloof op mijn eer als edelman dat wanneer deze afschuwelijke heuvel in ons bezit is en Jozua dood is, jij en je dochters vrij zullen zijn. En je zult degenen die je ontmoet zeggen dat hertog Fengbald zich aan zijn afspraken houdt.' Hij stond op en gebaarde naar de wachten. 'Neem hen alle drie mee, en houd ze weg van de rest van hun mensen.'

Nadat de gevangenen waren weggevoerd, richtte Fengbald zich tot Lezhdraka. 'Waarom zo stil, man? Kun je niet toegeven dat je ongelijk had, dat ik ons probleem heb opgelost?'

De Tritsingsman scheen te willen tegenspreken, maar in plaats daarvan knikte hij weifelend met zijn hoofd. 'Deze steenbewoners zijn slap. Geen Tritsingsman zou zijn volk ter wille van twee dochters verraden.'

Fengbald lachte. 'Wij steenbewoners, zoals je ons noemt, behandelen onze vrouwen anders dan jullie kinkels.' Hij liep naar het komfoor en verwarmde zijn lange handen boven de kolen. 'En morgen, Lezhdraka, zal ik je laten zien hoe deze steenbewoner zijn vijanden behandelt, vooral hen die hem hebben uitgedaagd, zoals prins Jozua.' Hij kneep zijn lippen samen. 'Die vervloekte elfenheuvel zal rood zijn van het bloed.'

Hij staarde in de gloeiende as en een glimlach krulde zijn mondhoeken. De wind klaagde buiten en scheukte tegen het tentdoek als een dier.

13

De nestenbouwers

Tiamak staarde naar het stille water. Zijn gedachten waren slechts half bij zijn taak, dus toen de vis verscheen, een donkere schaduw die tussen de waterlelies flitste, kwam de klap van de Wrannaman veel te laat. Tiamak keek met afkeer neer naar de handvol druipende vegetatie en liet de klomp wier in het modderige water terugvallen.

Zij Die Kijken en Vormen, dacht hij ongelukkig, *waarom hebben jullie mij dit aangedaan?*

Hij bewoog zich dichter naar de rand van de waterweg, waadde zo voorzichtig mogelijk naar het volgende binnenwater, en ging toen zitten om opnieuw aan zijn wacht te beginnen.

Sinds hij een kleine jongen was geweest, scheen het, had hij minder gekregen dan hij wilde. Als de jongste van zes kinderen, had hij altijd het gevoel gehad dat zijn broers en zusters beter aten dan hij, dat er, wanneer de kom eindelijk bij Tiamak kwam, weinig over was. Hij was niet zo groot geworden als een van zijn drie broers of zijn vader Tugumak, en ook had hij nooit zo goed vissen kunnen vangen als zijn vlugge zuster Twiyah, of zoveel nuttige wortels en bessen kunnen vinden als zijn knappe zuster Rimihe. Toen hij eindelijk iets had gevonden waarin hij beter was dan wie ook – namelijk, zich de drooglandse vaardigheden van lezen en schrijven eigen maken en zelfs de drooglandse talen spreken – bleek dit ook een te kleine gave. Dit najagen van de kennis van de drooglanders werd door zijn familie, of de andere bewoners van Dorpsbosje nauwelijks zinvol gevonden. Toen hij naar Perdruin vertrok om aan een drooglandse school te studeren, waren zij toen trots? Natuurlijk niet. Ondanks het feit dat niemand zich heugde dat een Wrannaman dit ooit had gepresteerd – of misschien wel daarom – had zijn familie geen begrip voor zijn ambities. En de drooglanders zelf smaalden, op een enkeling na, openlijk over zijn gaven. De onverschillige leraren en spottende studenten hadden de jonge Tiamak in niet mis te verstane termen te kennen gegeven dat hij, hoeveel perkamentrollen, boeken en geleerde discussies hij ook verslond, nooit meer zou zijn dan een wilde, een afgericht dier dat een knap kunstje machtig was geworden.

Zo was het zijn hele leven geweest tot aan dit fatale jaar, zijn enige schamele troost lag in zijn studie en af en toe de correspondentie met de Dragers van het Geschrift. Nu, alsof Zij die Kijken en Vormen probeerden alles in een enkel jaargetij terug te betalen, was alles dat tot hem kwam te veel – veel, veel te veel.

Dit is de manier waarop de goden ons bespotten, dacht hij bitter. *Ze nemen onze dierbaarste wens, en vervullen die dan op zo'n manier dat we smeken om ervan ontslagen te worden. En dan te bedenken dat ik had opgehouden in hen te geloven!*

Zij Die Kijken en Vormen hadden de val goed genoeg gezet, daaraan was geen twijfel mogelijk. Eerst hadden ze hem gedwongen te kiezen tussen zijn familie en zijn vrienden, toen hadden ze de krokodil gestuurd die hem had gedwongen zijn familie te verzaken. Nu moesten zijn vrienden door de uitgestrekte moeraslanden worden geleid, waren voor hun leven eigenlijk afhankelijk van hem, maar de enige veilige route zou hem terugvoeren door Dorpsbosje, terug naar de mensen die hij in de steek had gelaten. Tiamak wilde alleen dat hijzelf had kunnen leren een dergelijke feilloze val te bouwen – hij zou iedere avond voor zijn avondmaal krabben hebben gegeten.

Hij stond tot aan zijn heupen in het groenachtige water en peinsde. Wat kon hij doen? Als hij terugkeerde naar zijn dorp, zou zijn schande bij iedereen bekend worden. Het was zelfs mogelijk dat ze hem niet weer zouden laten gaan, hem zouden vasthouden als een verrader van de clan. Maar als hij probeerde de toorn van de dorpelingen te vermijden, zou hij een omweg van mijlen moeten maken om een geschikte boot te vinden. De enige andere dorpen dicht bij dit eind van de Wran, Hoge Tak Huizen, Gele Bomen of Bloem-in-de-Steen, lagen alle verder naar het zuiden. Om naar een ervan te gaan zou betekenen dat hij de voornaamste hoofd-waterwegen moest verlaten en enkele van de gevaarlijkste delen van het hele moeras moest oversteken. Toch, hij had geen keus: ze moesten in Dorpsbosje of een van de verdere nederzettingen ophouden, want zonder platbodem zouden Tiamak en zijn metgezellen het Tritsingmeer nooit bereiken. Zoals de zaak er nu voorstond, lekte hun huidige vaartuig erg. Ze waren al gedwongen geweest verschillende gevaarlijke tochten over de onberekenbare modder te maken, de boot om plaatsen in de waterweg die te ondiep waren heen dragend.

Tiamak zuchtte. Wat had Isgrimnur zelf ook alweer gezegd? Het leven scheen tegenwoordig alleen maar uit moeilijke keuzes te bestaan… en hij had gelijk.

Er was een verschietende schaduw tussen zijn knieën. Tiamak liet snel een hand naar beneden schieten en voelde dat zijn vingers zich om iets kleins en glads sloten. Hij hief het hoog op, het stevig vasthoudend. Het was een vis, een klemoog, hoewel geen erg grote. Maar toch was het beter dan helemaal geen vis. Hij draaide zich om en trok de lakense zak omhoog die naast hem dreef, en verankerde die aan een dikke wortel. Hij liet het wriggelende ding erin vallen, trok het touw aan, en liet de zak toen weer in het water neer. Een goed voorteken, misschien. Tiamak sloot zijn ogen om een kort dankgebed te zeggen, hopende dat de goden, als kinderen, door hen te loven zich goed zouden blijven gedragen. Toen hij klaar was, richtte hij zijn aandacht weer op het groene water.

Miriamele deed haar best om het vuur op gang te houden, maar het was moeilijk. Sinds ze de moerassen in waren getrokken, hadden ze niets gevonden dat op droog hout leek en de kleine vuren die ze hadden kunnen aanmaken, hadden alle op zijn best grillig gebrand.

Ze keek op toen Tiamak terugkwam. Zijn magere bruine gezicht was gesloten, en hij knikte slechts toen hij een in bladeren gewikkeld bundeltje neerzette, en ging toen verder naar waar Isgrimnur en de anderen aan de boot werkten. De Wrannaman scheen heel verlegen: hij had in de twee dagen sinds ze Kwanitupul hadden verlaten slechts een paar woorden met Miriamele gewisseld. Ze vroeg zich even af of hij zich misschien schaamde voor zijn zangerige Wrannamanse accent. Miriamele zette die gedachte opzij: Tiamak sprak de Westerlingse taal beter dan de meeste mensen die ermee waren opgegroeid, en Isgrimnurs dikke medeklinkers en Cadrachs muzikale Hernystiri klinkers waren veel opvallender dan de lichtelijk op en neer gaande klank van de spraak van de moerasman.

Miriamele pakte de vissen uit die Tiamak had meegebracht en maakte ze schoon, haar mes afvegend aan de bladeren alvorens het weer in de schede te steken. Ze had voordat ze uit de Hayholt was gevlucht nog nooit van haar leven gekookt, maar toen ze met Cadrach reisde had ze het wel moeten leren, al was het alleen maar om te vermijden dat ze honger zou lijden op die vele avonden wanneer hij te dronken was om te helpen. Ze vroeg zich af of er een moerasplant was die het eten smakelijker zou maken – misschien kon ze de vissen in de bladeren wikkelen en ze stomen. Ze ging naar de Wrannaman om hem om raad te vragen.

Tiamak stond te kijken terwijl Isgrimnur, Cadrach en Camaris voor de vierde of vijfde keer probeerden de lekken te dichten die de bodem van hun kleine boot vrijwel voortdurend vol water hielden. De moerasman hield zich wat afzijdig, alsof het aanmatigend was om schouder aan schouder met deze drooglanders te staan, maar Miriamele merkte plotseling dat zij zich afvroeg of het misschien niet net andersom was: misschien hadden Wrannamannen niet het gevoel dat degenen die buiten het moeras woonden erg veel waard waren. Kon Tiamaks onverstoorbaarheid eerder trots zijn dan verlegenheid? Ze had gehoord dat sommige wilden, als de Tritsingsmannen, feitelijk neerkeken op hen die in steden woonden. Kon dat ook met Tiamak het geval zijn? Ze besefte nu dat ze weinig afwist van mensen buiten de hoven van Nabban en Erkynland, hoewel ze altijd van zichzelf had gedacht dat ze een goede kijk op mensen had. Hoe dan ook, het was een veel grotere en gecompliceerdere wereld aan de andere kant van de kasteelmuren dan ze ooit had vermoed.

Ze stak een hand uit naar de schouder van de Wrannaman, en trok die toen weer terug. 'Tiamak?' zei ze.

Hij sprong geschrokken op. 'Ja, vrouwe Miriamele?'

'Ik zou je graag een paar vragen willen stellen over planten – voor de kookpot namelijk.'

Hij sloeg zijn ogen neer en knikte. Miriamele kon niet geloven dat dit een man was die te trots was om te praten. Het tweetal liep terug naar het vuur. Nadat ze hem enkele vragen had gesteld, en had laten blijken dat ze werkelijk geïnteresseerd was, begon hij meer vrijuit te praten. Miriamele was verbaasd. Hoewel zijn terughoudendheid niet helemaal verdween, bleek de Wrannaman zoveel van planten af te weten, en zo blij om iets daarvan te delen, dat ze spoedig overweldigd werd door informatie. Hij vond een half dozijn bloemen, wortels en bladeren voor haar die veilig konden worden gebruikt om smaak te geven aan voedsel, ze plukkend terwijl hij met haar over het kampterrein naar de rand van het water liep, en hij somde nog twaalf andere op die zij op hun reis door de Wran zouden tegenkomen. Erin opgaand, begon hij op andere planten te wijzen die nuttig waren als medicijn, of om voor inkt of talloze andere dingen te gebruiken.

'Hoe komt het dat je zoveel weet?'

Tiamak bleef staan alsof hij een klap had gekregen. 'Het spijt mij, vrouwe Miriamele,' zei hij rustig. 'U wilde dit niet allemaal horen.'

Miriamele lachte. 'Ik vind het prachtig. Maar waar heb je dit allemaal geleerd?'

'Ik heb deze dingen vele jaren lang bestudeerd.'

'Je moet meer weten dan wie ter wereld ook.'

Tiamak wendde zijn gezicht af. Miriamele was geboeid. Bloosde hij? 'Nee,' zei hij, 'nee, ik ben alleen maar een student.' Hij keek verlegen op, maar met een zweem van trots. 'Maar ik hoop dat mijn studies eens bekend zullen worden, dat men zich mijn naam zal herinneren.'

'Ik ben er zeker van dat dat zal gebeuren.' Ze was enigszins geïntimideerd. Deze slanke kleine man met zijn verwarde dunnende zwarte haardos, nu als iedere andere Wrannaman in niets anders gehuld dan een riem en een lendedoek, scheen even geleerd als welke van de schrijver-priesters van de Hayholt ook! 'Geen wonder dat Morgenes en Dinivan je vrienden waren.'

Zijn blijde blik vervloog ineens, een soort droefheid achterlatend. 'Dank u, vrouwe Miriamele. Nu zal ik weggaan, dan kunt u met die kleine vissen doen wat u wilt. Ik heb u al lang genoeg verveeld.'

Hij draaide zich om en liep terug over de moerasachtige open plek, zonder zichtbare aandacht van de ene kluit vaste aarde op de andere stappend zodat, toen hij de andere kant bereikte en op een blok ging zitten, zijn voeten nog droog waren. Miriamele, die tot aan haar schenen onder de modder zat, kon niet anders dan zijn vaste tred bewonderen.

Maar wat heb ik gezegd waardoor hij van streek raakte? Ze haalde haar schouders op en nam haar handjevol moerasbloemen mee naar de wachtende vissen.

Na het avondeten – Tiamaks pikante snufjes waren zeer welkom gebleken – bleef het gezelschap rond het vuur zitten. De lucht bleef warm, maar de zon was achter de bomen ondergegaan en het moeras vulde zich met schaduwen. Een leger kikkers dat bij de eerste tekenen van de avond was begonnen te brommen en te kwaken, wedijverde met een enorme reeks van fluitende, tsjirpende en krijsende vogels, zodat de schemering even lawaaiig was als een kermis.

'Hoe groot is de Wran?' vroeg Miriamele.

'Hij is bijna even groot als het schiereiland Nabban,' zei Tiamak. 'Maar wij zullen slechts een klein deel ervan behoeven over te steken, omdat wij al in de noordelijkste streek zijn.'

'En hoe lang zal dat duren, gids?' Cadrach leunde achterover tegen een houtblok, proberend een fluit uit een rietstengel te maken. Verscheidene verfomfaaide stengels, de slachtoffers van eerdere pogingen, lagen naast hem.

De droevige blik die Miriamele eerder had gezien, verscheen weer op het gezicht van de Wrannaman. 'Dat hangt ervan af.'

Isgrimnur trok een borstelige wenkbrauw op. 'Hangt waarvan af, kleine man?'

'Van welke weg wij gaan.' Tiamak zuchtte. 'Misschien is het 't beste dat ik mijn zorgen met u deel. Ik veronderstel dat het geen beslissing is die ik alleen behoor te nemen.'

'Spreek op, man,' zei de hertog.

Tiamak vertelde hun van zijn dilemma. Hij maakte duidelijk dat hij niet alleen de schande vreesde om naar zijn dorpsgenoten terug te komen na hun opdracht niet te hebben uitgevoerd maar dat, zelfs als de rest van het gezelschap weer zou mogen vertrekken, dat Tiamak zelf misschien niet zou zijn toegestaan, waardoor ze diep in de Wran zonder gids zouden stranden.

'Zouden we niet een van de andere dorpelingen kunnen huren?' vroeg Isgrimnur. 'Niet dat we willen dat er iets met jou gebeurt, natuurlijk,' voegde hij er haastig aan toe.

'Natuurlijk.' Tiamaks blik was koel. 'Wat uw vraag betreft, ik weet het niet. Onze clan heeft nooit moeilijkheden voor anderen gemaakt, tenzij iemand van Dorpsbosje kwaad wordt aangedaan, maar dat wil niet zeggen dat de oudsten niet iemand in de nederzetting zouden verhinderen jullie te helpen. Het is moeilijk te zeggen.'

Het gezelschap overlegde terwijl de nacht viel. Tiamak deed zijn best om uit te leggen wat de afstand en de gevaren waren die een tocht naar een alternatieve nederzetting ten zuiden van Dorpsbosje met zich meebracht. Eindelijk, toen een troep kwetterende apen boven hun hoofden langs klauterden, en de takken van de bomen deden doorbuigen en zwiepen, kwamen ze tot een beslissing.

'Het is moeilijk, Tiamak,' zei Isgrimnur, 'en we zullen je niet dwingen als je niet wilt, maar het lijkt ons het beste dat wij naar jouw dorp gaan.'

De Wrannaman knikte ernstig. 'Daar ben ik het mee eens. Ook al heb ik niets verkeerds gedaan tegenover het clanvolk van Hoge Tak Huizen of Gele Bomen, er is geen zekerheid dat ze zich vriendelijk tegenover vreemdelingen zullen gedragen. Mijn volk is tenminste tolerant geweest tegenover de paar drooglanders die er zijn geweest.' Hij zuchtte. 'Ik denk dat ik een poosje ga lopen. Blijf alsjeblieft bij het vuur.' Hij stond op en slenterde naar de waterweg, snel in de schaduwen verdwijnend.

Camaris, verveeld door het geprat van de anderen, had zich al lang in elkaar gerold met zijn hoofd op zijn mantel en was gaan slapen, zijn lange benen opgetrokken als die van een klein kind. Miriamele, Isgrimnur en Cadrach keken elkaar over de flakkerende vlammen aan. De verscholen vogels, die stil waren geworden toen Tiamak van de kampplaats was weggelopen, zetten weer een rauwe stem op.

'Hij lijkt erg treurig te zijn,' zei Miriamele.

Isgrimnur gaapte. 'Hij is stabiel genoeg geweest, op zijn manier.'

'Arme man.' Miriamele ging zacht praten, bang dat de Wrannaman zou terugkomen en hen zou horen. Niemand hield ervan bemeelijd te worden. 'Hij weet heel veel van planten en bloemen af. Het is jammer dat hij zo ver weg moet wonen van mensen die hem zouden kunnen begrijpen.'

'Hij is niet de enige met zo'n probleem,' zei Cadrach, voornamelijk tegen zichzelf.

Miriamele keek naar een klein hert, met witte stippen en ronde ogen, dat naar het water was gekomen om te drinken. Ze hield haar adem in toen het op hoge poten langs de zanderige oever liep, nauwelijks drie ellen van de boot; haar metgezellen waren allen stil geworden in de middaghitte, dus was er niets om het hert te verschrikken. Miriamele liet

haar kin op de reling van de boot rusten, zich verbazend over de bevallige bewegingen van het dier.

Toen het zijn neus in de modderige rivier dompelde, kwam er plotseling een snuit vol tanden uit het water omhoog. Voor het achteruit kon
springen, werd het kleine hert door de krokodil gegrepen en spartelend
omlaag gesleurd in de bruine duisternis. Het enige dat overbleef waren
rimpelingen. Hoe snel had de dood toegeslagen!

Hoe meer zij keek, des te grilliger de Wran scheen, een oord van varens,
bewegende schaduwen en voortdurende beweging. Voor iedere schoonheid – grote klokvormige rode bloemen even zwaar geparfumeerd als
een Nabbaanse douairière, of kolibries als fonkelende lichtstrepen – zag
Miriamele een overeenkomstige lelijkheid, zoals de grote grijze spinnen, groot als eetkommen, die zich aan de overhangende takken vastklampten.

In de bomen zag ze vogels met duizend kleuren, en spottende apen en
zelfs gevlekte slangen die als gezwollen ranken van de takken neerhin-
gen. Bij zonsondergang sprongen wolken vleermuizen uit de bovenste
takken en veranderden de hemel in een wervelstorm van vleugels. Ook
waren er overal insekten, zoemend, stekend, met vleugeltjes die glansden in het oneffen zonlicht. Zelfs vegetatie bewoog en veranderde, de
rietstengels en bomen buigend in de wind, de waterplanten dobberend
bij iedere rimpeling. De Wran was een tapijt waarin iedere draad in beweging scheen te zijn. Alles leefde.

Miriamele herinnerde zich het Aldheorte, dat ook een plaats vol leven
was geweest, van diepe wortels en stille macht, maar dat woud was oud
en onveranderlijk geweest. Als een oud volk scheen het zijn eigen statige muziek te hebben gevonden, zijn eigen afgemeten en onveranderlijke tempo. Zij herinnerde zich dat ze had gedacht dat het Aldheorte tot
het einde van de tijd gemakkelijk kon blijven zoals het was. De Wran
scheen zichzelf ieder ogenblik uit te vinden, alsof het een schuimkrul op
de kokende rand van de schepping was. Miriamele kon zich even gemakkelijk indenken dat ze over twintig jaar zou terugkomen en dan een
gierende woestijn zou aantreffen, of een jungle zo dicht dat je er niet
door kon komen, een klomp groen en zwart waar de zich verstrengelende bladeren het licht van de zon zouden buitensluiten.

Toen de dagen verliepen en de boot met zijn kleine bemanning dieper
de moeraslanden invoer, voelde Miriamele dat er een gewicht van haar
wezen werd afgenomen. Ze voelde nog wel boosheid, op haar vader en
zijn verschrikkelijke keuzen, op Aspitis, die haar had bedrogen en ver-
kracht, op haar zogenaamd aardige God die haar eigen leven zo aan haar
greep had ontwrongen... maar het was een boosheid die nu niet zo fel
beet. Terwijl alles om haar heen zo vol van griezelig vibrerend en veran-

derend leven was, was het moeilijk om de bittere gevoelens vast te houden die haar in de weken daarvoor hadden beheerst. Wanneer de wereld zich aan één stuk door aan alle kanten herschiep, was het bijna onmogelijk voor haar niet het gevoel te hebben dat zij ook opnieuw werd geschapen.

'Wat zijn al die botten?' voeg Miriamele. Aan beide kanten van de waterweg was de kustlijn bezaaid met skeletten, een wirwar van ruggegraten en ribbenkasten als de gebleekte stangen van verwoeste schepen, vreemd wit tegen de modder. 'Ik hoop dat ze van dieren zijn.'

'Wij zijn allemaal dieren,' zei Cadrach. 'Wij hebben allemaal botten.'

'Wat probeer je te doen, monnik, het meisje bang maken?' zei Isgrimnur nijdig. 'Kijk naar die schedels. Dat waren krokodillen, geen mensen.'

'Ssst.' Tiamak draaide zich om van de voorsteven van de boot. 'Hertog Isgrimnur heeft gelijk. Dat zijn de beenderen van krokodillen. Maar je moet nu een poosje je mond houden. Wij komen bij de Poel van Sekob.'

'Wat is dat?'

'Het is de oorzaak van al deze overblijfselen.' De ogen van de Wrannaman bleven rusten op Camaris, die zijn geaderde hand door het water liet slepen, de rimpelingen met de in beslag genomen blik van een kind gadeslaand. 'Isgrimnur! Laat hem dat niet doen!'

De hertog draaide zich om en tilde Camaris' hand uit het water. De oude man keek hem met een mild verwijt aan, maar hield zijn druipende hand in zijn schoot.

'Wees nu alsjeblieft even stil,' zei Tiamak. 'En roei langzaam. Spetter niet.'

'Wat betekent dit allemaal?' vroeg Isgrimnur, maar toen de Wrannaman hem aankeek zweeg hij. Hij en Miriamele deden hun best om de riemen voorzichtig en gelijkmatig te hanteren.

De boot dreef een waterweg af die zo was gedrapeerd met de bladeren van overhangende wilgen dat het leek alsof er een dik groen gordijn hing. Toen ze de wilgen voorbij waren, ontdekten ze dat de gang zich plotseling voor hen had geopend in een breed, stil meer. Banyanbomen groeiden tot aan de rand van het water, en slingerende wortels vormden een muur van kronkelend hout rond het grootste deel van het meer. Aan de andere kant vielen de banyans weg en liep de bodem van het meer omhoog in een breed strand van licht zand. Een paar kleine eilanden, bobbels op de oppervlakte van het water bij het strand, waren het enige dat de glazige gladheid van het meer bedierf. Een aantal roerdompen beende langs de rand van het water bij het dichtstbijzijnde eind, zich buigend om in de modder te zoeken. Miriamele dacht dat het brede strand eruitzag als een geweldige plaats om een kamp op te slaan – het meer zelf scheen een aards paradijs na sommige van de natte en warrige plaatsen waar ze hadden stilgehouden – en ze stond op het punt dat te zeggen toen Tiamaks felle blik haar het zwijgen oplegde. Ze veronderstelde dat dit een soort heilige plek was voor de Wrannaman en zijn volk. Toch was er geen reden voor hem om haar te behandelen als een ondeugend kind.

Miriamele wendde zich van Tiamak af en keek uit over het meer, het in haar geheugen prentend zodat ze eens het gevoel van pure vrede dat het vertegenwoordigde zou kunnen oproepen. Terwijl ze dat deed, kreeg ze plotseling een verontrustende gewaarwording dat het meer bewoog, dat het water naar één kant wegstroomde. Een ogenblik later besefte zij dat het feitelijk de kleine eilandjes waren die bewogen. Krokodillen! Ze was eerder bedrogen, had andere houtblokken en zandbanken gezien die ineens tot leven kwamen; ze glimlachte om haar eigen steedse onschuld. Misschien zou het uiteindelijk toch niet zo'n geweldige plaats voor een kamp zijn… hoewel, een paar krokodillen bedierven het aanzien van het oord niet…

De bewegende bobbels rezen steeds verder uit het water toen ze het strand naderden. Pas toen het immense, onmogelijke ding ten slotte het zand opkroop, zijn opgezwollen lichaam in het duidelijke licht van de zon slepend, besefte Miriamele dat er slechts één krokodil was.

'God wees ons genadig!' zei Cadrach in een gesmoord gefluister. Isgrimnur zei het hem na.

Het grote beest, even lang als tien mannen, breed als de schuit van een metselaar, draaide zijn kop om en keek naar de kleine boot die over het meer gleed. Zowel Miriamele als Isgrimnur hielden op met roeien, de handen klam en gevoelloos op de riemen.

'Niet ophouden!' siste Tiamak. 'Langzaam, langzaam, maar blijf roeien!'

Zelfs over de uitgestrektheid van het water, meende Miriamele dat zij het oog van het beest kon zien glinsteren terwijl het hen gadesloeg, zijn koude en oude starende blik kon voelen. Toen de enorme poten bewogen en de klauwen even in de grond groeven alsof de reus zich zou omdraaien om het water weer in te gaan, was Miriamele bang dat haar hart zou stilstaan. Maar de krokodil zond alleen een paar stralen zand de lucht in; toen viel de enorme knobbelige kop neer op het strand en het gele oog ging dicht.

Toen ze naar de uitgang van de waterweg waren overgestoken, begonnen Miriamele en Isgrimnur hard te roeien, alsof ze dat stilzwijgend hadden afgesproken. Na enkele minuten ademden ze zwaar. Tiamak zei hun op te houden.

'We zijn veilig,' zei hij. 'De tijd dat hij ons hierheen kon volgen, is al lang voorbij. Hij is veel te groot geworden.'

'Wat was het?' hijgde Miriamele. 'Het was afgrijselijk.'

'De oude Sekob. Mijn volk noemt hem de grootvader van alle krokodillen. Ik weet niet of dat waar is, maar hij is ongetwijfeld de meester van heel zijn soort. Jaar na jaar komen andere krokodillen om met hem te vechten. Jaar na jaar voedt hij zich met deze uitdagers, slokt ze in hun geheel op, dus hoeft hij nooit meer te jagen. De sterkste van alle ontsnappen soms uit het meer en kruipen helemaal tot aan de rivieroever alvorens te sterven. Die beenderen die jullie zagen waren ooit van hen.'

'Ik heb nog nooit zoiets gezien.' Cadrach was heel bleek geworden, maar er lag iets van blijdschap in zijn toon. 'Als een van de grote draken!'

'Hij is de draak van de Wran,' stemde Tiamak in. 'Daar is geen twijfel over mogelijk. Maar in tegenstelling tot de drooglanders, laten wij moerasbewoners onze draken met rust. Hij betekent geen bedreiging voor ons, en hij doodt vele van de grootste menseneters die anders op het Wranvolk zouden loeren. Dus betonen we hem respect. De oude Sekob is veel te goed gevoed om een miezerig hapje nodig te hebben als wij zouden zijn.'

'Waarom moesten wij dan stil zijn van je?' vroeg Miriamele.

Tiamak wierp haar een droge blik toe. 'Hij hoeft ons dan misschien niet op te eten, maar je gaat ook niet de troonzaal van de koning binnen om daar kinderspelletjes te spelen. Vooral wanneer de koning oud is en gauw boos wordt.'

'Elysia, Moeder van God.' Isgrimnur schudde zijn hoofd. Het zweet parelde op zijn voorhoofd, hoewel de dag niet bijzonder warm was. 'Nee, we zouden die ouwe baas zeker niet van streek willen maken.'

'Kom nu,' zei Tiamak. 'Als we voortgaan tot het eerste duister, moeten we Dorpsbosje morgen tegen de middag kunnen bereiken.'

Toen ze hun weg vervolgden, werd de Wrannaman spraakzamer. Toen ze wateren hadden bereikt die zo ondiep waren dat roeien geen zin had, viel er weinig anders te doen dan naar elkaars verhalen te luisteren terwijl Tiamak stond en de boot verder punterde. Als antwoord op Miriameles vragen vertelde hij hen veel over het leven van de Wran en over zijn eigen ongewone keuzen die hem hadden onderscheiden van zijn mede-dorpsbewoners.

'Maar jouw volk heeft geen koning?' vroeg ze.

'Nee.' De kleine man dacht een ogenblik na. 'Wij hebben oudsten, of zo noemen wij ze, maar sommigen van hen zijn niet ouder dan ik. Iedereen kan het worden.'

'Hoe? Door erom te vragen?'

'Nee. Door feesten te geven.' Hij glimlachte verlegen. 'Wanneer een man een vrouw en kinderen heeft – en wat voor andere familie er bij hem woont – en hen allen kan voeden en nog wat overhoudt, begint hij wat er over is aan anderen te geven. Op zijn beurt vraagt hij misschien om iets als een boot of nieuwe visdobbers, of als hij wil kan hij zeggen: "Ik zal om betaling vragen wanneer ik mijn feest geef." Dan, wanneer men hem genoeg verschuldigd is, "roept hij om de krabben", zoals wij zeggen, wat betekent dat hij al degenen die hem dingen verschuldigd zijn vraagt hem terug te betalen; dan nodigt hij iedereen in het dorp uit voor een feest. Als iedereen tevreden is, wordt zo iemand een oudste. Hij moet dan eens per jaar zo'n feest geven, anders is hij in dat jaar geen oudste.'

'Klinkt dwaas,' mopperde Isgrimnur, krabbend. Hij was verreweg het grootste doel voor het plaatselijke insektenleven geweest; zijn brede gezicht was overdekt met bulten. Miriamele begreep het, en vergaf hem zijn opvliegendheid.

'Niet dwazer dan land van vader op zoon te laten overgaan.' Cadrachs antwoord was mild, maar bevatte een zweem van sarcasme. 'Of het in de eerste plaats te krijgen door je buurman met een bijl de hersens in te slaan, zoals uw mensen tot vrij kort geleden deden, hertog.'

'Men behoort sterk genoeg te zijn om zijn bezit te beschermen,' antwoordde Isgrimnur, maar hij leek meer in beslag genomen door het krabben op een moeilijke plaats tussen zijn schouderbladen dan door het verloop van het debat.

'Ik denk,' zei Tiamak rustig, 'dat het een goede manier is. Het verzekert de bevolking ervan dat er niemand honger lijdt en dat niemand zijn rijkdom koestert. Voordat ik in Perdruin studeerde kon ik me niet voorstellen dat er een andere manier was om de dingen te doen.'

'Maar als iemand geen oudste wil zijn dan is er niets om hem afstand te laten doen van de dingen die hij vergaart,' merkte Miriamele op.

'Ah, maar dan heeft niemand in het dorp een erg hoge dunk van hem.' Tiamak grinnikte. 'En aangezien de oudsten besluiten wat het beste voor het dorp is, zouden ze ook wel eens kunnen besluiten dat de uitstekende visvijver die een rijke en egoïstische man naast zijn huis had gegraven, nu aan heel het dorp toebehoort. Het heeft weinig zin om rijk te zijn en geen oudste te zijn; het geeft aanleiding tot jaloezie, zie je.'

Hertog Isgrimnur bleef krabben. Tiamak en Cadrach vervielen in een rustig gesprek over enkele van de meer ingewikkelde aspecten van de theologie van de Wran. Miriamele, die het praten moe was geworden, nam de gelegenheid te baat naar de oude Camaris te kijken.

Miriamele kon zonder verlegenheid kijken: de lange man scheen volkomen onverschillig, evenmin geïnteresseerd in de aangelegenheden van zijn medereizigers als een paard in een paddock in handelaren die bij de omheining praatten. Toen ze zijn vriendelijke, maar zeker niet domme gezicht gadesloeg, was het bijna onmogelijk te geloven dat ze zich in de tegenwoordigheid van een legende bevond. De naam Camaris-sá Vinitta was bijna even beroemd als die van haar grootvader Prester John, en nog ongeboren generaties zouden beiden, wist ze zeker, herdenken. Maar hier zat hij, oud en kinds, terwijl de hele wereld had gedacht dat hij dood was. Hoe kon zoiets zijn gebeurd? Welke geheimen gingen schuil achter zijn onschuldige uiterlijk?

Haar aandacht werd omlaag getrokken naar de handen van de oude ridder. Hoewel knoestig en vereelt door decennia van arbeid bij *Pelippa's Kom* en op talloze slagvelden, waren ze toch nog heel nobel, groot en met lange, maar zachte vingers. Ze zag hoe hij doelloos aan de stof van zijn gerafelde broek peuterde en vroeg zich af hoe zulke vaardige, voorzichtige handen zo snel en vreselijk konden hebben gedood als zijn legende zei. Toch, ze had zijn kracht gezien, die zelfs voor een man half zo oud als hij indrukwekkend zou zijn geweest, en in de weinige ogenblikken van gevaar die het kleine gezelschap in de Wran hadden meegemaakt, toen de boot bijna was gekapseisd of iemand in een kuil van zuigende modder was gevallen, had hij met verbazingwekkende snelheid gereageerd.

Miriameles ogen dwaalden opnieuw terug naar Camaris' gezicht. Voordat ze hem in de herberg had ontmoet, was ze hem nooit eerder tegengekomen, natuurlijk – hij was een kwart eeuw voor haar geboorte verdwenen – maar zijn gezicht had iets verontrustend vertrouwds. Het was iets dat ze alleen onder bepaalde hoeken zag, een imaginaire flits die haar het gevoel gaf alsof ze op de rand stond van een openbaring, van een diepe herkenning... maar dat moment ging altijd voorbij en de vertrouwdheid verdween. Op dit ogenblik, bij voorbeeld, was dat zeurende gevoel er niet: nu zag Camaris er alleen maar uit als een knappe oude man met een bijzonder serene en bovennatuurlijke uitdrukking.

Misschien waren het alleen maar de schilderijen en wandtapijten, redeneerde Miriamele, per slot van rekening had ze zoveel afbeeldingen van deze beroemde man gezien! Er waren beeltenissen van hem op de Hayholt, in het hertogelijk paleis in Nabban, zelfs in Meremund... hoewel Elias hem alleen had opgehangen toen zijn vader John kwam, om de vriendschap van de oude man met Osten Ards grootste ridder te eren. Haar vader Elias, die zichzelf had beschouwd als de voornaamste ridder van zijn vaders koninkrijk in latere tijd, had weinig geduld gehad met verhalen over de oude tijden van de Grote Tafel, en vooral met verhalen over de glorie van Camaris...

Miriameles gedachten werden onderbroken door Tiamaks aankondiging dat ze Dorpsbosje naderden.

'Ik hoop dat u me zult vergeven als we stilhouden en de nacht in mijn kleine huis doorbrengen,' zei hij. 'Ik heb het enige maanden lang niet gezien en ik zou me er graag van vergewissen dat mijn vogels nog leven. We zouden er nog een uur of zo voor nodig hebben om het dorp te bereiken, en het is later dan ik had gedacht dat het zou worden.' Hij wuifde met zijn hand naar de roodkleurende westelijke hemel. 'We kunnen net zo goed wachten tot de morgen om naar de oudsten te gaan.'

'Ik hoop dat je huis gordijnen heeft om de insekten buiten te houden,' zei Isgrimnur op ietwat klaaglijke toon.

'Je vogels?' Cadrach was geïnteresseerd. 'Van Morgenes?'

Tiamak knikte. 'In de eerste plaats, hoewel ik al sinds lang mijn eigen vogels heb gefokt. Maar Morgenes heeft mij de kunst geleerd, dat is zo.'

'Zouden we ze kunnen gebruiken om een boodschap aan Jozua te sturen?' vroeg Miriamele.

'Niet aan Jozua,' zei Tiamak, nadenkend fronsend. 'Maar als u Dragers van het Geschrift kent die misschien bij hem zijn, zouden we het kunnen proberen. Deze vogels kunnen niet iedereen vinden. Met uitzondering van bepaalde mensen die zij hebben leren opsporen, kennen ze alleen maar plaatsen, zoals de eerste de beste postduif. In elk geval zullen we hierover praten wanneer wij onder mijn dak zijn.'

Tiamak stuurde de boot door een opeenvolging van kleine stroompjes, sommige zo ondiep dat het hele gezelschap werd gedwongen tot het middel in het water te staan om de roeiboot over de zandbanken te tillen. Ten slotte voeren ze een langzaam stromende waterweg op die hen langs een lange laan van banyanbomen voerde. Uiteindelijk legden ze aan voor een hut die zo listig verborgen was dat zij er zeker langs zouden zijn gedreven als de eigenaar ervan de boot niet had bestuurd. Tiamak haakte de ladder van gevlochten ranken omlaag en één voor één klommen zij omhoog naar het huis van de Wrannaman.

Miriamele was teleurgesteld toen ze zag dat het interieur van de hut zo kaal was. Het was duidelijk dat de kleine geleerde een man van zeer bescheiden middelen was, maar ze had in elk geval gehoopt bij haar eerste kennismaking met een Wran woning iets meer op het gebied van uitheemse inrichting te vinden. Er waren bedden, tafels, noch stoelen. Behalve de vuurkuil die in de vloer van het huis onder een knap geventileerd rookgat was aangebracht, bestonden de enige huishoudelijke goederen uit een kleine kist van vlechtwerk, een veel grotere en stevigere houten kast, een schrijfbord van uitgerolde schors, en een paar andere zaken. Toch, het was er droog, en dat was alleen al zo'n verandering vergeleken bij de afgelopen paar dagen, dat Miriamele dankbaar was.

Tiamak liet Cadrach de houtstapel onder de dakranden buiten een van de hoge ramen zien, en liet de monnik toen een vuur aanleggen terwijl hijzelf het dak op klauterde om zijn vogels te verzorgen. Camaris, wiens lengte hem een reus deed schijnen in het kleine huis – hoewel Isgrimnur niet veel kleiner was en zeker heel wat zwaarder – hurkte ongemakkelijk in een hoek.

Tiamak verscheen voor het raam, ondersteboven. Hij leunde over de rand van het dak en het was duidelijk dat hij verrukt was. 'Kijk!' Hij hield een handvol poederachtig grijs omhoog. 'Het is Honingliefje! Ze is teruggekomen! Vele van de andere ook!' Hij verdween uit het gezicht alsof hij door een touwtje omhoog werd gerukt. Na een ogenblik ging Camaris naar het raam en klom met zijn gebruikelijke verbazingwekkende behendigheid achter hem aan naar buiten.

'Als we nu iets te eten konden vinden,' zei Isgrimnur. 'Ik vertrouw Tiamaks moerasrommel eigenlijk niet, niet dat ik niet dankbaar ben.' Hij maakte zijn lippen nat. 'Ik zou alleen geen nee zeggen tegen een stuk rundvlees of iets dergelijks. Houd je op krachten.'

Miriamele moest onwillekeurig lachen. 'Ik denk niet dat er veel koeien in de Wran zijn.'

'Je weet het nooit,' mompelde Isgrimnur verstrooid. 'Het is een vreemd oord. Er zou hier van alles kunnen zijn.'

'We hebben de grootvader van alle krokodillen ontmoet,' zei Cadrach terwijl hij met de vuurstenen aan het rommelen was. 'Zou het kunnen, hertog Isgrimnur, dat ergens in het donkere struikgewas de gigantische grootmoeder van alle koeien op de loer ligt? Met een borst zo groot als een wagen?'

De Rimmersman hapte niet. 'Als je om je manieren denkt, man, laat ik misschien wel een paar hapjes voor je over.'

Er was geen rundvlees. Isgrimnur en de rest van het gezelschap waren gedwongen zich tevreden te stellen met een dunne soep gemaakt van verschillende soorten moerasgras en een paar schijfjes van de ene vis die Tiamak voor het donker had kunnen verschalken. Isgrimnur maakte een achteloze opmerking over de aantrekkelijkheid van een in as geroosterde duif, maar de Wrannaman was zo ontsteld dat de hertog zich vlug verontschuldigde.

'Zo ben ik nou eenmaal, man,' gromde hij. 'Ik heb verdomde spijt. Ik zou je vogels met geen vinger aanraken.'

Ook als hij het ernstig had gemeend, zou hij het misschien moeilijker hebben gevonden dan hij dacht. Camaris had Tiamaks duiven in zijn hart gesloten alsof het lang verloren familie was. De oude ridder bracht het grootste deel van de avond op het dak van het huis met zijn hoofd in het duivenhok door. Hij kwam maar enkele ogenblikken naar beneden om zijn deel van de soep te eten, klom toen weer terug naar het dak, waar hij in zwijgende harmonie met Tiamaks vogels zat tot iedereen zich in zijn mantel op de vloer had opgerold. De oude man kwam ten slotte terug en ging liggen, maar ook toen staarde hij strak naar het door schaduw verduisterde plafond alsof hij door het rieten dak kon kijken waar zijn nieuwe vrienden op stok zaten; zijn ogen waren nog open lang nadat het geluid van het snurken van Isgrimnur en Cadrach het kleine vertrek had gevuld. Miriamele sloeg hem gade tot slaperigheid haar eigen gedachten langzaam deden ronddraaien als een draaikolk.

Zo viel Miriamele in slaap in een huis in een boom met het rustige geklots van water onder haar, de vragende kreten van nachtvogels daarboven.

Verschillende vogels waren aan het krijsen toen het door bomen gefilterde zonlicht haar wekte. Hun stemmen waren grof en herhaalden zich almaar, maar Miriamele vond het niet te storend. Ze had verbazingwekkend goed geslapen – ze voelde zich alsof ze voor het eerst als een blok geslapen had sinds ze uit Nabban was weggegaan.

'Goedemorgen!' zei ze opgewekt tegen Tiamak, die bij het vuur gehurkt zat. 'Iets ruikt lekker.'

De Wrannaman knikte met zijn hoofd. 'Ik heb een pot meel gevonden die ik achter had begraven. Ik zal nooit weten hoe hij droog is gebleven. Gewoonlijk sluit ik ze niet goed af.' Hij wees met zijn lange vingers naar de platte koekjes die op een hete steen pruttelden. 'Het is niet veel, maar ik voel me altijd beter wanneer ik warm eten krijg.'

'Ik ook.' Miriamele snoof de geur diep en proevend op. Hoe verbazend maar toch bemoedigend was het dat iemand die rond de kreunende eettafels van het Erkynlandse vorstenhuis was grootgebracht zich toch zo blij kon voelen om ongedesemde koekjes bereid op een stuk steen – als alleen de omstandigheden maar juist waren. Daar school iets dieps in, wist ze, maar het scheen jammer om zo vroeg in de ochtend te piekeren. 'Waar zijn de anderen?' vroeg ze.

'Aan het proberen wat rotsblokken uit het smalle gedeelte van de waterweg te halen. Als we de boot voorbij die plek kunnen krijgen, zal het gemakkelijk zijn om in Dorpsbosje te komen. We zullen daar ver voor de middag zijn.'

'Goed.' Miriamele dacht een ogenblik na. 'Ik wil mij wassen. Waar kan ik dat doen?'

'Er is een poel met regenwater niet al te ver weg,' zei Tiamak. 'Maar ik behoor u daarnaartoe te brengen.'

'Ik kan alleen gaan,' zei ze, enigszins bruusk.

'Natuurlijk, maar het is heel gemakkelijk om daar een misstap te doen, vrouwe Miriamele.' De slanke man voelde zich pijnlijk verlegen omdat hij haar moest verbeteren, en Miriamele voelde zich meteen beschaamd. 'Het spijt me,' zei ze. 'Het is heel vriendelijk van je mij mee te nemen, Tiamak. Wanneer jij klaar bent, zullen we gaan.'

Hij glimlachte. 'Nu dan, laat me deze koekjes eraf halen, zodat ze niet verbranden. De eerste krabben behoren te gaan naar degene die de val gezet heeft, vindt u niet?'

Het was niet gemakkelijk om van het huis omlaag te klauteren en onderwijl met warme koekjes te jongleren. Miriamele viel bijna van de ladder.

Hun drie metgezellen waren een eindje de riviermonding op gegaan en stonden tot aan hun middel in groen, schuimend water. Isgrimnur ging rechtop staan en wuifde. Hij had zijn hemd uitgetrokken en zijn grote borst en buik, bedekt met roodachtig bruin bont, waren in heel hun glorie onthuld onder de sombere zon. Miriamele giechelde. Hij leek net op een beer.

'Er is eten binnen,' riep Tiamak tegen hen. 'En beslag in de kom om meer te maken.'

Isgrimnur wuifde opnieuw.

Na enkele ogenblikken door het dichte, klittende struikgewas te hebben gewaad, en plekken met zuigende modder te hebben ontweken, begonnen Miriamele en Tiamak een korte, lage helling te beklimmen. 'Dit is een van de kleine heuvels,' zei Tiamak. 'Er zijn er een paar in dit deel van de Wran, de rest is heel vlak.' Hij wees in de verte, die net zo vol stond met bomen als in iedere andere richting. 'U kunt het van hier niet zien, maar het hoogste punt in de Wran is daar, een halve mijl hiervandaan. Het wordt *Ya Mologi* genoemd – Wiegeheuvel.'

'Waarom?'

'Ik weet het niet. Ik denk dat Zij Die De Mensheid Baarde wordt verondersteld daar te hebben gewoond.' Hij keek op, weer verlegen. 'Een van onze goden.'

Toen Miriamele geen opmerking maakte, draaide de kleine man zich om en wees een eindje langs de helling naar een plaats waar het land zich had omgeslagen. Er groeide daar een rij hoge bomen, wilgen, zag Miriamele. Ze schenen robuuster dan de omringende vegetatie. 'Daar.' Tiamak liep naar de plaats waar het land omlaag dook.

Het was een klein ravijn, slechts een rimpel in de helling van de heuvel, nog geen steenworp van de ene kant naar de andere. De bodem was bijna helemaal gevuld door een stilstaande vijver barstensvol hyacinten en waterlelies en lang sliertend gras. 'Het is een regenwatervijver,' zei Tiamak trots. 'Het is de reden waarom mijn vader Tugumak zijn huis hier gebouwd heeft, hoewel we ver van Dorpsbosje waren. Er zijn nog een paar van dergelijke vijvers in dit gedeelte van de Wran, maar dit is de mooiste.'

Miriamele bekeek hem enigszins twijfelachtig. 'Kan ik erin baden? Geen krokodillen, slangen of iets anders?'

'Een paar watertorren, verder niets,' verzekerde de Wrannaman haar. 'Ik zal weggaan zodat u zich kunt wassen. Kunt u de weg terug vinden?'

Miriamele dacht een ogenblik na. 'Ja, ik ben in elk geval dicht genoeg in de buurt om te roepen.'

'Dat is zo.' Tiamak draaide zich om, liep terug de engte door en verdween toen door de haag van wilgen. Toen zij zijn stem weer hoorde, klonk die heel flauw. 'We zullen wat eten voor u bewaren, vrouwe.'

Hij deed dat om me te laten weten dat hij ver weg was, dacht Miriamele, glimlachend. *Zodat ik me er geen zorgen over hoefde te maken dat hij bleef kijken. Zelfs in het moeras zijn heren.*

Ze kleedde zich uit, genietend van de ochtendwarmte die een van de prettige dingen van het moeras was, en waadde toen de vijver in. Ze zuchtte van genot toen het water tot aan haar knieën reikte; het was heel aangenaam, alleen ietsje kouder dan een bad in een tobbe. Tiamak had haar een klein geschenk gegeven, besefte zij; het was van de aardigste die ze in lange tijd gekregen had.

De bodem van de vijver was bedekt met zachte, stevige modder die prettig aanvoelde onder haar tenen. De wilgen die zo dichtbij opdoemden en zo laag overhingen, alsof ze naar het water van de vijver verlangden, maakten dat zij zich bijna beschermd en afgezonderd voelde zoals ze in haar kamer in Meremund was geweest. Na gedeeltelijk rond de rand van de vijver te hebben gewaad, vond ze een plek waar het gras dik onder de oppervlakte groeide. Ze ging erop zitten alsof het een tapijt was, omlaag zakkend tot het water bijna tot haar kin reikte. Ze spatte water op haar gezicht, maakte toen haar haar nat en probeerde de klitten te ontwarren. Nu het weer begon uit te groeien, kon ze het niet zo zorgeloos behandelen als ze de laatste tijd had gedaan.

Toen Miriamele haar vuile en ietwat kwalijk riekende monnikspij weer om haar middel gordde – en in zichzelf mopperde terwijl ze dat deed omdat ze niet vooruitziend genoeg was geweest om schone kleren uit *Pelippa's Kom* mee te nemen – werd het geritsel van de bladeren boven haar hoofd plotseling luider. Miriamele keek omhoog en verwachtte een grote vogel of misschien een van de moerasapen te zien maar wat ze in plaats daarvan zag, maakte dat ze haar adem in geschokte verbazing inhield.

Het wezen dat aan de tak hing, was slechts zo groot als een jong kind, maar dat was toch onaangenaam groot. Het zag er enigszins uit als een kreeft en enigszins als een spin, maar ondanks zijn kreeftachtige uiterlijk had het, voor zover Miriamele kon zien, slechts vier ledematen; elk was geleed en eindigde in een teruggebogen klauw. Het lichaam van het schepsel was bedekt door een hoornachtig, leerachtig schild, grijs en bruin met inktzwarte vlekken, en met een wirwar van oneffen sporen van korstmos. Maar zijn ogen waren het ergste; hun kraalachtige zwarte glinstering – op de een of andere manier zo vreemd intelligent, ondanks de misvormde kop en het schaalachtige lichaam – deed haar achteruit strompelen tot ze er zeker van was dat het haar niet kon bereiken, welk een goede springer het misschien ook zou zijn. Het wezen bewoog niet. Het scheen haar op een verontrustend menselijke manier gade te slaan, maar anderszins was het schepsel allerminst menselijk; ze kon zelfs niet zien dat het een bek had, tenzij het kleine klikkende ding in de spleet onderaan zijn stompe kop daartoe diende.

Miriamele huiverde van walging. 'Ga weg!' riep ze, met haar handen zwaaiend zoals ze zou doen om een hond te verjagen. De glinsterende ogen staarden haar aan met wat bijna een houding van geamuseerde kwaadaardigheid scheen.

Maar het heeft geen gezicht, hield ze zichzelf voor. *Hoe kan het gevoelens hebben?* Het was een dier en het was gevaarlijk of niet. Hoe kon ze denken dat ze gevoelens zag in iets dat niet meer was dan een enorm insekt? Toch vond ze het schepsel angstaanjagend. Hoewel het geen vijandige beweging maakte, liep ze met een wijde boog om de boom heen toen ze omhoog het kleine ravijn uitging. Het schepsel maakte geen aanstalten om haar te volgen, maar het draaide zich om om haar na te kijken.

'Een ghant,' legde Tiamak uit toen ze allen weer in de boot klommen. 'Het spijt mij dat hij u angst heeft aangejaagd, vrouwe Miriamele. Het zijn afzichtelijke schepselen, maar ze vallen zelden mensen aan, en bijna nooit iemand groter dan een kind.'

'Maar hij keek me aan zoals een mens zou doen!' Miriamele rilde. 'Ik weet niet waarom, maar het was afschuwelijk.'

Tiamak knikte. 'Het zijn niet alleen maar lage dieren, vrouwe, of in elk geval geloof ik dat niet, hoewel anderen van mijn volk volhouden dat ze niet intelligenter zijn dan een rivierkreeft. Ik vraag het me echter af: ik heb de enorme nesten gezien die ze bouwen, en de slimme manier waarop ze op vissen jagen en vogels verschalken.'

'Dus je wilt zeggen dat het denkende wezens zijn?' vroeg Cadrach droog. 'Dat zou een verontrustende gedachte zijn voor de hiërarchie van Moeder Kerk, denk ik. Moeten ze dan geen zielen hebben? Misschien zal Nabban missionarissen naar de Wran moeten sturen om hen tot de boezem van het Ware Geloof te brengen.'

'Genoeg gespot, Hernystirman,' gromde Isgrimnur. 'Help me die verdomde boot van de zandbank af te krijgen.'

Het was een korte reis naar Dorpsbosje, dat had Tiamak althans gezegd. De ochtend was mooi en slechts behaaglijk warm, maar toch had de ghant Miriameles stemming gedrukt. Het had haar herinnerd aan de vreselijke, vreemde aard van het moerasland. Dit was niet haar thuis. Tiamak zou hier misschien gelukkig kunnen leven, hoewel ze betwijfelde of dat zelfs met hem het geval was – maar zijzelf zou dat stellig nooit kunnen.

De Wrannaman, die nu boomde met het handvat van de riem, voerde hen door een steeds draaiende opeenvolging van verstrengelde kanalen en stroompjes, elk voor de andere verscholen door het dikke schild van vegetatie dat langs zijn zanderige veranderlijke oevers groeide – dichte muren van bleke rietstengels en donkere, verwarde gewassen versierd met kleurige, maar op de een of andere manier koortsachtig uitziende bloemen – zodat iedere keer dat een zijstroom hen van de ene waterweg naar de andere voerde, de vorige bijna was verdwenen zodra de boeg van de boot naar de nieuwe was overgestoken.

Weldra begonnen de eerste huizen van Dorpsbosje aan beide kanten van de waterweg op te doemen. Sommige waren in bomen gebouwd, zoals dat van Tiamak; andere verrezen op stelten van boomstammen. Nadat ze langs enkele waren gedreven, liet Tiamak de boot stilhouden onder een aanlegsteiger van een grote paalwoning en riep de bewoners luidkeels aan.

'Roahog!' riep hij. Toen er geen antwoord kwam, sloeg hij met het handvat van zijn riem op een van de palen; door het geratel vloog een troep groene en vuurrode vogels krijsend uit de bomen daarboven op, maar bracht geen andere reactie teweeg. Tiamak riep opnieuw, toen haalde hij zijn schouders op.

'De pottenbakker is niet thuis,' zei hij. 'Ik heb ook niemand in de andere huizen gezien. Misschien is er een vergadering bij de landingsplaats.'

Ze boomden verder. De huizen die nu begonnen te verschijnen stonden dichter bij elkaar. Sommige van de woningen schenen te zijn samengesteld uit vele kleine huizen van verschillende vormen en afmetingen die op een oorspronkelijke hut schenen te zijn geënt – groepjes onduidelijke vormen gepokt met onregelmatige zwarte ramen, als de nesten van op rotsen wonende uilen. Tiamak hield stil en riep naar verschillende van hen, maar niemand reageerde op zijn roep.

'De landingsplaats,' zei hij beslist, maar Miriamele vond dat hij bezorgd keek. 'Ze zijn zeker op de landingsplaats.'

Dit bleek een grote platte kade te zijn die halverwege in het midden van het breedste gedeelte van de waterweg uitstak. Aan alle kanten waren huizen er dicht omheen gegroepeerd, en delen van de landingsplaats zelf waren uitgerust met rieten daken en muren. Miriamele vermoedde dat deze gedeelten misschien als marktstalletjes werden gebruikt. Er waren andere tekenen van recent leven – grote versierde manden die naar achteren waren gezet in de schaduw van het lover, boten die aan het eind van hun lijnen dobberden – maar geen mensen.

Tiamak was duidelijk geschokt. 'Zij Die Kijken en Vormen,' fluisterde hij, 'wat is hier gebeurd?'

'Zijn ze weg?' Miriamele keek rond. 'Hoe kan een heel dorp weg zijn?'

'U hebt het noorden niet gezien, mevrouw,' zei Isgrimnur somber. 'Er zijn vele steden in de Vorstmark die zo leeg zijn als een oude pot.'

'Maar die mensen zijn er door oorlog uit verdreven. Maar hier is toch zeker geen oorlog. Nog niet.'

'Sommigen in het noorden zijn door oorlog verdreven,' mompelde Cadrach. 'Anderen door dingen die veel moeilijker te noemen zijn. En er heerst tegenwoordig overal angst.'

'Ik begrijp het niet.' Tiamak schudde met zijn hoofd alsof hij nog steeds zijn ogen niet kon geloven. 'Mijn mensen zouden niet zo maar weglopen, ook al waren ze bang voor de oorlog – waarvan ik betwijfel of ze er zelfs van gehoord hebben. Ons bestaan is hier. Waar zouden ze heen moeten?'

Camaris stond plotseling op, waardoor de boot schommelde, hetgeen de andere passagiers met schrik vervulde; maar toen de oude man zijn evenwicht hervond, reikte hij alleen maar omhoog en plukte een lange geelachtige zaadpeul van een van de takken van een overhangende boom en ging toen weer zitten om zijn aanwinst te onderzoeken.

'Welnu, er zijn hier in elk geval boten,' zei Isgrimnur. 'Dat is precies wat we nodig hebben. Ik wil niet wreed zijn, Tiamak, maar we moeten er een uit zoeken en verder gaan. We zullen onze boot in ruil achterlaten, zoals je zei.' Hij trok een gezicht en probeerde te bedenken wat een ridder onder deze omstandigheden behoorde te doen. 'Misschien kun je een briefje op een van je perkamenten krabbelen of zo, om ze te laten weten wat we gedaan hebben.'

Tiamak keek een ogenblik alsof hij de Westerlingse taal plotseling was vergeten. 'O,' zei hij ten slotte. 'Een nieuwe boot. Natuurlijk.' Hij schudde zijn hoofd. 'Ik weet dat wij ons moeten haasten, hertog Isgrimnur, maar zou u het erg vinden als we hier een tijdje bleven? Ik moet rondkijken of mijn zusters of anderen een boodschap hebben achtergelaten om mee te delen waar ze heen zijn.'

'Nou...' Isgrimnur keek naar de verlaten kade. Miriamele dacht dat de

hertog enigszins scheen te weifelen. Het lege dorp had inderdaad iets
griezeligs. De bewoners schenen heel plotseling te zijn verdwenen, alsof
ze door een sterke wind waren weggevaagd. 'Ik denk wel dat dat kan,
zeker. We dachten per slot van rekening dat we er misschien de hele
dag over zouden doen. Zeker.'
'Dank u.' Tiamak knikte. 'Ik zou het gevoel hebben gehad...' Hij begon opnieuw. 'Tot dusver heb ik niet alles voor mijn volk gedaan dat ik
kon doen. Het zou niet juist zijn om zomaar een platbodem te nemen
en weg te varen zonder ook maar rond te kijken.'
Hij pakte een van de palen beet en maakte hun boot vast aan de landingsplaats.

De bewoners van Dorpsbosje schenen haastig te zijn vertrokken. Een
oppervlakkig onderzoek toonde aan dat vele nuttige dingen waren achtergelaten, waar verschillende manden met fruit en groenten niet de
minste van waren. Terwijl Tiamak wegging om naar een aanwijzing te
zoeken waarom en waarheen zijn mensen waren gevlucht, begonnen
Cadrach en Isgrimnur deze onverwachte gift binnen te halen, hun nieuwe vaartuig – een grote en goedgebouwde platbodem – ladend tot hij
lager in het water lag dan Tiamak vond dat goed was. Op haar eigen
houtje vond Miriamele een paar bloemkleurige jurken in een van de
hutten bij de landingsplaats. Ze waren zakkerig en vormloos, heel anders dan ze ooit thuis zou hebben gedragen, maar onder deze omstandigheden zouden ze goed dienst doen bij wijze van verschoning. Ze
ontdekte ook een paar leren pantoffels, met leer gestikt, die eruitzagen
alsof ze een aangename vervanging zouden zijn van de laarzen die ze
bijna aan één stuk door had gedragen sinds ze uit Naglimund was weggegaan. Na een ogenblik te hebben geaarzeld of het netjes was om iemands bezittingen mee te nemen zonder iets in ruil achter te laten,
dwong zij zich ertoe en nam de kleren. Per slot van rekening, wat had
ze om te ruilen?
Toen de ochtend in de middag overging, kwam Tiamak af en toe terug
om zijn nieuws mee te delen, dat over het algemeen geen nieuws was.
Hij had dezelfde vreemde bewijzen van een haastige terugtocht ontdekt, maar kon niets vinden waaruit bleek waarom de vlucht zich had
voorgedaan. De enige mogelijke aanwijzing was dat er verscheidene
speren en andere wapenen ontvreemd waren uit de hut waar de dorps-
oudsten bijeenkwamen – wapens waarvan Tiamak zei dat ze niet het eigendom van individuen, maar van het dorp als geheel waren, belangrijke wapens die alleen in tijd van oorlog of andere conflicten ter hand
werden genomen.
'Ik denk dat ik naar het huis van de Oudste Mogahib zal gaan,' zei de

Wrannaman. 'Hij is onze voornaamste oudste, dus als er iets belangrijks is, dan zal het daar zijn. Het is een behoorlijk eindje verder langs de stroom, dus zal ik een boot nemen. Ik verwacht terug te zijn voor de zon de lijn van de bomen raakt.' Hij wees om de westelijke baan van de zon aan te duiden.

'Wil je iets eten voor je gaat?' vroeg Isgrimnur. 'Ik heb over enkele ogenblikken een vuur aan de gang.'

Tiamak schudde zijn hoofd. 'Ik kan wachten tot ik terugkom. Zoals ik zei, er zal nog veel van de dag over zijn wanneer ik terug ben.'

Maar de middag verliep en Tiamak kwam niet terug. Miriamele en de anderen aten knolrapen – of althans iets dat op knolrapen leek: bolle, zetmeelachtige dingen die naar Tiamak hen had verzekerd veilig waren om te eten – en een zompige gele vrucht die ze in groene bladeren wikkelden en in de kolen van het vuur bakten. Een bruine, duifachtige vogel die Tiamak met een strik ving, waarvan soep getrokken was, hielp de maaltijd aan te vullen. Toen de schaduwen over het groene water lengden en het gezoem van insekten begon op te stijgen, werd Miriamele ongerust.

'Hij had al terug moeten zijn. De zon is al lang geleden achter de bomen verdwenen.'

'Maak je niet ongerust over de kleine man,' verzekerde Isgrimnur haar. 'Hij heeft waarschijnlijk iets interessants ontdekt, een of ander verdomd perkament van een moerasman of iets dergelijks. Hij zal gauw terug zijn.'

Maar hij kwam niet terug, ook niet toen de zon onder was en de sterren te voorschijn kwamen. Miriamele en de anderen maakten hun bedden buiten op de kade – met enige tegenzin, want ze hadden er nog steeds geen idee van wat er met de verdwenen burgers van Dorpsbosje was gebeurd – en waren blij met de gloeiende as van het vuur. Het duurde heel lang voor Miriamele in slaap viel.

De ochtendzon stond al hoog aan de hemel toen Miriamele wakker werd. Een blik op Isgrimnurs bezorgde gezicht was genoeg om te bevestigen wat zij gevreesd had.

'O, die arme Tiamak! Waar is hij? Wat kan er gebeurd zijn? Ik hoop dat hij niet gewond is.'

'Niet alleen maar arme Tiamak, vrouwe.' Cadrachs bestudeerde zure toon verhulde zijn diepe ongerustheid niet helemaal. 'Ook arme wij. Hoe zullen wij ooit alleen een uitweg uit dit goddeloze moeras vinden?' Ze opende haar mond, en sloot die toen weer. Er was niets te zeggen.

'Er zit niets anders op,' zei Isgrimnur op de tweede Tiamakloze ochtend. 'We kunnen onszelf evengoed aan de grootvader krokodil geven, Rimmersman. Dat zou tenminste tijd besparen.'

'Verdomme,' snauwde Isgrimnur, 'verwacht niet dat ik wegkruip en sterf! Ik heb nog nooit van mijn leven het bijltje erbij neergegooid, en ik heb in nogal wat penibele situaties verkeerd.'

'Je bent nooit eerder in de Wran verdwaald geweest,' merkte Cadrach op.

'Hou op! Hou nu op!' Miriameles hoofd deed pijn. Het geruzie was al sinds het midden van de vorige dag aan de gang. 'Isgrimnur heeft gelijk. Wij hebben geen andere keus.'

Cadrach scheen op het punt te staan iets onaangenaams te zeggen, maar in plaats daarvan hield hij zijn mond en keek weg naar de lege huizen van Dorpsbosje.

'We zullen dezelfde kant uit gaan die Tiamak gegaan is,' verklaarde Isgrimnur. 'Op die manier, als er iets met hem is gebeurd – ik bedoel als hij gewond is of hij zijn boot lek heeft gestoten of iets dergelijks – kunnen we hem misschien toevallig tegenkomen.'

'Maar hij zei dat hij niet ver ging, alleen maar naar het andere einde van het dorp van zijn volk,' zei ze. 'Wanneer we de laatste huizen achter ons hebben, zullen we niet weten waar hij van plan was ons daarna heen te brengen, nietwaar?'

'Nee, vervloekt, en ik was te stom om eraan te denken het hem te vragen toen ik er de gelegenheid voor had,' bromde Isgrimnur. 'Niet dat iets dat hij zei erg logisch zou zijn geweest – deze verdomde rotplaats maakt mijn hoofd alleen maar aan het draaien.'

'Maar de zon is toch dezelfde, zelfs boven de Wran,' zei Miriamele, bij wie een zweem van wanhoop nu voelbaar werd. 'De sterren ook. We behoren ten minste in staat te zijn te bepalen waar het noorden is.'

Isgrimnur glimlachte droevig. 'Ja, dat is waar, prinses. Wij zullen ons best doen.'

Cadrach stond plotseling op, liep toen naar de platbodem die ze hadden uitgekozen, om de oude man Camaris heen stappend, die op de kade zat en zijn voeten in het groene water liet bungelen. Eerder had Miriamele haar eigen voeten op dezelfde manier laten bungelen en was door een schildpad gebeten, maar de oude man scheen vriendelijker relaties met de bewoners van de rivier te onderhouden.

Cadrach boog zich en tilde een van de zakken op die op de kade waren opgestapeld. Hij gooide hem naar Camaris, die hem met gemak opving en in de boot liet vallen. 'Ik zal verder niet meer tegenspreken,' zei de monnik, toen hij zich boog om een tweede zak te pakken. 'Laten we zoveel mogelijk eten en water inladen. In elk geval zullen we niet van honger of dorst omkomen, hoewel we misschien gauw zullen wensen dat we dat wel hadden gedaan.'

Miriamele moest lachen 'Elysia, Moeder van God, Cadrach, zou je nog somberder kunnen zijn als je het probeerde? Misschien zouden we jou nu moeten doden en je uit je ellende verlossen.'
'Ik heb slechtere ideeën gehoord,' gromde Isgrimnur.

Miriamele keek bezorgd toen het centrum van Dorpsbosje achter hen verdween. Hoewel het leeg was geweest, was het niettemin een plaats geweest waar mensen hadden gewoond; de sporen van hun recente bewoning waren overal te zien. Nu verlieten zij en haar vrienden dit bastion van betrekkelijke vertrouwdheid en gingen terug de onkenbare moerassen in. Ze wenste plotseling dat ze hadden besloten nog een paar dagen langer op Tiamak te wachten.
Ze bleven tot ver in de ochtend langs verlaten huizen drijven, hoewel die met steeds grotere tussenruimten van elkaar stonden. Het struweel was even dicht als altijd. Terwijl ze zag hoe de eindeloze muur van vegetatie zich aan weerskanten ontrolde, merkte Miriamele voor de eerste keer dat ze wilde dat ze Tiamak niet hiernaartoe waren gevolgd. De Wran scheen zo achteloos in zijn vegetatieve levensdrang, zo druk onverschillig voor zoiets zinloos als mensen. Ze voelde zich heel klein.

Het was Camaris die het 't eerst zag, hoewel hij niet sprak of enig geluid maakte; alleen door zijn houding, de plotselinge alertheid als een staande jachthond, kwamen de anderen ertoe om langs de waterweg naar de drijvende spikkel te kijken.
'Het is een platbodem!' riep Miriamele uit. 'Er zit iemand in... liggend! O, het moet Tiamak zijn!'
'Het is inderdaad zijn boot,' zei Isgrimnur, '... die met de gele en zwarte ogen voorop geschilderd.'
'O, schiet op, Cadrach!' Miriamele kieperde de monnik bijna in de waterweg toen ze tegen zijn arm duwde. 'Boom vlugger!'
'Als we omslaan en verdrinken,' zei Cadrach tussen opeengeklemde tanden, 'dan zullen we de moerasman weinig goed doen.'
Ze naderden de platbodem. De figuur met donker haar en bruine huid lag opgerold op de bodem terwijl er een arm over de zijkant hing, alsof hij in slaap was gevallen terwijl hij probeerde met zijn hand naar het water te reiken. De boot dreef in een trage cirkel toen Miriamele en haar metgezellen langszij kwamen. De prinses was de eerste die overstapte en beide boten aan het schommelen maakte toen ze zich naar de Wrannaman toe haastte om hem te helpen.
'Voorzichtig, mevrouw,' zei Cadrach, maar Miriamele had het kleine hoofd van de man al op haar schoot getild. Haar adem stokte bij het

zien van het bloed dat op zijn donkere gezicht was gestold; een ogenblik later stokte haar adem opnieuw.
'Het is Tiamak niet!'

De Wrannaman die de afgelopen dagen blijkbaar veel geleden had, was dikker en had een iets lichtere huidkleur dan hun metgezel. Zijn huid was bedekt met een kleverige substantie die zo stonk dat Miriamele onbehaaglijk haar neus optrok. Er viel niets anders te ontdekken, want hij was volkomen bewusteloos. Toen ze de waterzak aan zijn gebarsten lippen bracht, moest Miriamele erg oppassen dat hij niet zou stikken. De vreemdeling slaagde erin een paar slokken binnen te krijgen zonder dat hij ook maar een ogenblik wakker scheen te worden.
'Dus hoe is deze drommelse andere moerasman erin geslaagd Tiamaks boot in zijn bezit te krijgen?' gromde Isgrimnur, de modder met een stok van zijn laarzen schrapend. Ze waren aan land gegaan om een tijdelijk kamp op te slaan terwijl ze besloten wat ze zouden doen; de grond op deze plaats was nogal drassig. 'En wat is er met Tiamak gebeurd? Denk je dat deze kerel hem vanwege zijn platbodem heeft belaagd?'
'Kijk eens naar hem,' zei Cadrach. 'Deze man zou nog geen kat kunnen wurgen, wed ik. Nee, de vraag is niet hoe hij aan de boot is gekomen, maar waarom Tiamak er niet samen met hem in is, en wat er in de eerste plaats met deze ongelukkige man is gebeurd. Vergeet niet, dit is de eerste van Tiamaks volk die wij hebben gezien sinds we uit Kwanitupul naar de moeraslanden zijn vertrokken.'
'Dat is waar.' Miriamele keek naar de vreemdeling. 'Misschien is wat er met Tiamaks dorpelingen gebeurde, ook met deze man gebeurd. Of misschien was hij ervoor op de vlucht... of... of iets dergelijks.' Ze fronste. In plaats van hun gids te zoeken, hadden zij een nieuw mysterie ontdekt om de zaken nog ingewikkelder en onaangenamer te maken. 'Wat doen we?'
'Hem met ons meenemen, veronderstel ik,' zei Isgrimnur. 'We zullen hem vragen willen stellen wanneer hij wakker wordt, maar alleen de Aedon weet hoe lang dat zal duren. Wij kunnen het ons niet veroorloven te wachten.'
'Hem vragen stellen?' mompelde Cadrach. 'En hoe, hertog Isgrimnur, moeten wij dat doen? Tiamak is een zeldzaamheid onder zijn volk, zoals hij ons zelf heeft verteld.'
'Wat bedoel je?'
'Ik betwijfel of deze man iets anders dan de Wrantaal kan spreken.'
'Verdomme! Verdomme, verdomme, en driewerf verdomme!' De hertog bloosde. 'Neem mij niet kwalijk, prinses Miriamele. Maar hij heeft

gelijk.' Hij dacht een ogenblik na, haalde toen de schouders op. 'Maar toch, wat kunnen we anders doen? We zullen hem meenemen.'

'Misschien kan hij afbeeldingen of kaarten tekenen,' opperde Miriamele.

'Dat is het!' Isgrimnur was opgelucht. 'Kaarten! Knap, mevrouw, heel knap. Misschien kan hij dat inderdaad.'

De onbekende Wrannaman sliep de rest van de middag door, en verroerde zich niet eens toen de boot langs de modderige oever werd gesleept en opnieuw te water werd gelaten. Voor het vertrek had Miriamele zijn huid gereinigd en tot haar opluchting ontdekt dat de meeste van zijn wonden niet ernstig waren, in elk geval die welke zij kon zien. Ze kon niets anders bedenken dat zij kon doen.

Isgrimnurs ondankbare taak om een veilige doorgang door dit verraderlijke en onbekende land te vinden, werd vergemakkelijkt door de betrekkelijk ongecompliceerde aard van dit deel van de waterweg. Omdat er weinig zijstromen en weinig vertakkingen waren, had het 't gemakkelijkst geleken om eenvoudig in het midden van de waterweg te blijven, en tot dusver ging dat goed. Hoewel er een paar kruisingen waren geweest waar Isgrimnur een andere weg had kunnen nemen, zagen ze nog steeds af en toe huizen, en dus scheen er geen reden voor bezorgdheid.

Even nadat de zon haar hoogste stand aan de hemel had bereikt, werd de vreemde Wrannaman plotseling wakker, Miriamele, die zijn ogen met een breed blad beschaduwde, aan het schrikken makend terwijl ze zijn voorhoofd afveegde. De bruine ogen van de man gingen wijdopen van angst toen hij haar zag, en schoten toen van de ene kant naar de andere alsof hij door vijanden was omringd. Na enkele ogenblikken bedaarde de opgejaagde blik en werd hij kalmer, hoewel hij nog steeds niet sprak. Hij lag daarentegen lange tijd naar het baldakijn van takken te kijken dat boven hem voorbijtrok. Hij ademde oppervlakkig alsof het 't uiterste van zijn krachten vergde om alleen maar zijn ogen open te houden en te kijken. Miriamele sprak zachtjes tegen hem en ging verder met zijn voorhoofd te betten. Zij was er zeker van dat Cadrach gelijk had toen hij vermoedde dat deze man haar taal niet kon spreken, maar zij probeerde hem niet iets belangrijks te vertellen: een kalme en vriendelijke stem, hoopte zij, zou misschien maken dat hij zich beter voelde, ook al begreep hij niets van haar woorden.

Iets meer dan een uur later was de man eindelijk voldoende hersteld om een beetje rechtop te zitten en wat water tot zich te nemen. Hij scheen nog steeds heel verward en ziek, dus kwam het niet als een verrassing toen het eerste geluid dat hij maakte gekreun van onbehagen was, maar de ongelukkige geluiden hielden zelfs aan toen Miriamele hem opnieuw te drinken gaf. De Wrannaman duwde de leren zak weg, naar de waterweg gebarend en alle tekenen van uiterste ongerustheid vertonend.

'Is hij gek?' Isgrimnur staarde de man achterdochtig aan. 'Net wat we nodig hebben, een of andere gekke moeraskerel.'

'Ik denk dat hij ons probeert te vertellen dat we moeten omkeren,' zei Miriamele en besefte toen met een plotselinge duizelingwekkende val in haar ingewanden wat ze zei. 'Hij vertelt ons dat het... slecht is om de weg die wij nemen te gaan.'

De Wrannaman vond ten slotte zijn woorden. *'Mualum nohoa!'* brabbelde hij, blijkbaar doodsbang. *'Sanbidub nohoa yia ghanta!'* Toen hij dit enige keren had gezegd, probeerde hij zich over de zijkant te trekken om het water in te gaan. Hij was zwak en in de war; Miriamele slaagde er met enige moeite in hem tegen te houden. Ze was geschokt toen hij in tranen uitbarstte, zijn ronde bruine gezicht even weerloos en schaamteloos als dat van een kind.

'Wat kan het zijn?' vroeg ze geschrokken. 'Hij vindt het gevaarlijk, wat het ook is.'

Isgrimnur schudde zijn hoofd. Hij hielp Cadrach de boot van de onoverzichtelijke oever afhouden toen ze door een bocht in de waterweg voeren. 'Wie weet? Kon het een dier zijn of een andere groep moerasmannen die in oorlog was met deze lui. Of kon het een heidens bijgeloof zijn, een spookvijver of iets dergelijks.'

'Of zou het datgene kunnen zijn wat Tiamaks dorp heeft doen leeglopen,' zei Cadrach. 'Kijk.'

De Wrannaman ging weer rechtop zitten, zich inspannend om aan Miriameles greep te ontsnappen. *'Yia ghanta!'* brabbelde hij.

'Ghanta,' fluisterde Miriamele, over de waterweg starend. 'Ghanten? Maar Tiamak zei...'

'Tiamak heeft misschien ontdekt dat hij het bij het verkeerde eind had.' Cadrachs stem was gezakt tot een fluistertoon.

Aan de overkant van de waterbaan, die nu zichtbaar werd toen de platbodem de bocht door voer, stond een enorm en bizar bouwsel. Het zou bijna in navolging van Dorpsbosje gebouwd kunnen zijn, want evenals die plaats was het duidelijk de woonplaats van velen. Maar waar het dorp aantoonbaar het werk van mensenhanden was geweest, was deze overhellende verzameling van modder, bladeren en stokken – hoewel die vele keren de hoogte van een mens van de rand van het water tot in de bomen had en zich over wat meer dan een paar honderd meter langs de oever uitstrekte – was even duidelijk niet door menselijke wezens gebouwd. Er kwam een zoemend, klikkend geluid uit dat over de Wran verder ging, een grote wolk van geluid als een leger van krekels in een galmende, hoge gewelfde ruimte. Sommige van de bouwers van het enorme nest waren duidelijk te zien, zelfs van de overkant van het brede kanaal. Ze bewogen zich op hun kenmerkende manier, handig van een stuk tak naar een lagere vallend, snel de zwarte deuren van het nest in en uit haastend. Een enkele ghant was verontrustend geweest. Naar de afmetingen van het bouwsel te oordelen twijfelde ze er niet aan dat honderden van de onaangename schepselen zich in deze hoop van vuil en stokken schuilhielden.

'Moeder van Usires,' siste Isgrimnur. Hij keerde de boot en boomde weer snel de waterweg op tot de bocht in de rivier hen opnieuw voor het schrikwekkende schouwspel beschutte. 'Wat voor soort hels ding is dat?'

Miriamele voelde zich slecht op haar gemak toen ze zich de spottende ogen herinnerde die haar hadden gadegeslagen toen ze zich baadde, gitzwarte stippen die draaiden in een onmenselijk gezicht. 'Dat zijn de ghanten waar Tiamak ons van heeft verteld.'

De zieke Wrannaman, die in een doodse stilte was vervallen toen het nest in zicht kwam, begon zijn handen heen en weer te bewegen. *'Tiamak!'* zei hij schor. *'Tiamak nib dunou yia ghanta!'* Hij wees achterwaarts naar waar het nest door een muur van groen aan hun gezicht was onttrokken. Miriamele hoefde de Wrantaal niet te spreken om te weten wat de vreemde man zei.

'Tiamak is daarbinnen. O, God help hem, hij is in dat nest. De ghanten hebben hem.'

14

Donkere gangen

De trap was steil en de zak was zwaar, maar niettemin voelde Rachel een zekere vreugde. Nog één tochtje – nog maar een keer meer dat ze gedwongen zou zijn de bovenste spookkamers van het kasteel te trotseren – en dan zou ze klaar zijn.

Vlak na de beschaduwde overloop, halverwege de trap, bleef ze staan en zette haar last neer, voorzichtig om de potten niet te laten rinkelen. De deur ging schuil achter wat naar de vaste overtuiging van Rachel de Draak het oudste, stoffigste wandtapijt in het hele kasteel was. Het bleek wel hoe belangrijk het voor haar was dat het schuilgat onopvallend bleef, dat ze er iedere dag langs kon gaan zonder het schoon te maken. Haar ziel kwam iedere keer dat ze haar handen op de verrottende stof moest leggen in opstand, maar er waren omstandigheden waaronder zelfs schoonmaken op de tweede plaats moest komen. Rachel trok een gezicht. *Moeilijke tijden brengen vreemde veranderingen met zich mee*, had haar moeder altijd gezegd. Welnu, als dat niet Aedons heilige waarheid was, wat was het dan wel?

Rachel had er goed voor gezorgd de scharnieren te smeren, dus toen ze het wandkleed optilde en tegen de deurkruk duwde, zwaaide de deur bijna geluidloos binnenwaarts. Ze tilde haar zak over de lage drempel en liet het zware kleed achter zich terugglijden zodat het de deur opnieuw aan het oog zou onttrekken. Ze schermde de lamp niet langer af, zette die in een hoge nis, en begon uit te pakken.

Toen de laatste pot eruit was gehaald en Rachel met een in lamproet gestoken strootje een beeld van de inhoud op de buitenkant had getekend, ging ze achteruit om haar provisiekast in ogenschouw te nemen. Ze had de afgelopen maand hard gewerkt, zelfs zichzelf verbazend met haar gedurfde kruimeldiefstallen. Nu wilde ze alleen nog de zak met gedroogde vruchten die zij op de strooptocht van vandaag had opgemerkt, dan zou ze de hele winter door kunnen komen zonder de kans om gepakt te worden. Ze had die zak nodig: een gebrek aan fruit om te eten zou constipatie betekenen, zo niet iets ergers, en ze kon het zich niet veroorloven ziek te worden zonder iemand om haar te verzorgen om zich heen te hebben. Ze had alles zorgvuldig beraamd zodat ze alleen kon zijn; er was zeker niemand meer in het kasteel over die ze kon vertrouwen.

Rachel had geduldig naar de juiste plaats gezocht om haar toevlucht te maken. Dit monnikshol, ver beneden in een van de lang in onbruik geraakte gedeelten van de ondergrondse vertrekken van de Hayholt, was volmaakt geweest. Nu was het, dankzij haar onophoudelijke speuren, voorzien van een provisiekamer waar menige heer van het verontruste Erkynland jaloers op zou zijn. Ook had ze een paar trappen hoger nòg een ongebruikte kamer gevonden, weliswaar niet even goed verscholen maar met een klein smal raam dat net boven de grond uitstak. Buiten dat raam hing de waterspuwer van een van de stenen goten van de Hayholt. Rachel had al een volle ton met water in haar cel; zolang het bleef sneeuwen en regenen zou ze iedere dag een emmer bij de waterspuwer buiten de kamer boven kunnen vullen, en haar kostbare voorraad drinkbaar water helemaal niet behoeven aan te spreken.

Ze had ook extra kleding en enkele warme dekens opgescharreld, alsmede een stromatras, en zelfs een stoel om in te zitten – een luxe stoel, tot haar verbazing, met een rug zelfs! Ze had hout voor de kleine haard, en langs de muren waren zoveel rijen potten met ingemaakte groenten en vlees en ingepakte stapels hard gebakken brood opgeslagen, dat er nauwelijks ruimte was om van de deur naar het bed te lopen. Maar het was het waard. Hier, in haar verscholen kamer gevuld met proviand, wist ze dat ze het 't grootste deel van een jaar kon uithouden. Wat er zou kunnen gebeuren tegen de tijd dat de voorraden opraakten, welke gebeurtenis zich zou kunnen voordoen die haar zou toestaan haar hol te verlaten en weer in het daglicht te treden, wist Rachel niet zeker… maar dat was iets waar ze zich geen zorgen om kon maken. Ze zou haar tijd doorbrengen met in veiligheid blijven, haar nest schoonhouden en wachten. Die les was er sinds haar jeugd bij haar ingestampt. Doe wat je kunt. En vertrouw verder op God.

Ze dacht de laatste tijd veel na over haar jeugd. De voortdurende eenzaamheid en de geheimzinnige aard van haar dagelijkse leven spanden samen, haar activiteiten beperkend en haar voor vermaak en troost terugwerpend op haar herinneringen. Ze had zich dingen herinnerd – een Aedonmansa toen gevreesd werd dat haar vader in de sneeuw verloren was, een stropop die haar zuster eens voor haar had gemaakt – waar ze in jaren niet aan had gedacht. Net als de levensmiddelen in de zilte duisternis van de potten die ze aan het herschikken was, wachtten die herinneringen er alleen op om nog eens te voorschijn te worden gehaald.

Rachel duwde de laatste pot een eindje verder achteruit, zodat ze op een gelijke rij stonden. Het kasteel mocht dan wel uiteenvallen, maar hier in haar toevluchtsoord moest ze orde hebben! *Nog maar één tochtje*, dacht ze. *Dan zal ik niet bang meer hoeven te zijn. Dan kan ik eindelijk wat rust krijgen.*

Het Hoofd van de Kamermeisjes had het boveneinde van de trap bereikt en reikte naar de deur toen een gevoel van immense kou plotseling over haar heen veegde. Aan de andere kant van de deur naderden voetstappen, een dof tikkend geluid als water dat op steen druppelt. Er kwam iemand aan! Ze zou gepakt worden!

Haar hart scheen zo snel te kloppen dat ze vreesde dat het recht omhoog uit haar borst zou klimmen. Ze werd aangegrepen door een nachtmerrie-achtige onbeweeglijkheid.

Schiet op, idiote vrouw, schiet op.

De voetstappen werden luider. Eindelijk trok ze haar hand terug en toen ze zag dat het uiteindelijk mogelijk was om te bewegen, dwong ze zich op een lagere trede te gaan staan, wild om zich heen kijkend. Waar moest ze heen, waar kon ze heen? In de val!

Ze liep verder achteruit de glibberige treden af. Waar de trap een bocht beschreef, was een overloop, bijna gelijk aan die waar ze haar nieuwe woning had ontdekt. Deze overloop was ook opgeluisterd met een muf, gehavend wandtapijt. Ze greep ernaar, zwoegend terwijl het zware, stoffige materiaal haar weerstand bood. Het scheen te veel om te hopen dat hier ook een vertrek achter verscholen lag, maar ze kon zich ten minste plat tegen de muur aan drukken en hopen dat degene die op dit moment aan de deur boven haar trok bijziende was, of haast had.

Er was inderdaad een deur! Rachel vroeg zich even af of er ook maar één wandkleed in het uitgestrekte kasteel hing dat niet een verborgen ingang afschermde. Ze trok aan de oude deurknop.

O, Aedon aan de Boom, mompelde ze geluidloos – de scharnieren zouden stellig kraken! Maar de scharnieren maakten geen geluid en de deur zwaaide rustig open, terwijl de deur bovenaan de trap boven haar langs de stenen plavuizen schuurde. Het geluid van laarshakken werd luider toen die de treden afdaalden. Rachel ging door de deur en trok hem achter zich dicht. Hij zwaaide het grootste deel dicht, maar bleef toen op weinig meer dan een handbreedte na steken. Hij wilde niet dichtgaan.

Rachel keek omhoog, wenste dat ze de moed had om haar lantaarn te blinderen, maar was dankbaar dat er tenminste één fakkel grillig in het trappenhuis buiten brandde. Ze dwong zich zorgvuldig te zoeken, ook al warrelden er zwarte vlekken voor haar ogen en jachtte haar hart in haar borst. Kijk! De bovenkant van het wandtapijt was in de deur bekneld… maar het was ver buiten haar bereik. Ze greep het dikke, met stof aangekoekte fluweel om het los te schudden, maar de voetstappen waren bijna op de overloop. Rachel deinsde terug van de open spleet van de deuropening en hield haar adem in.

Met het geluid kwam ook de gewaarwording van kou dichterbij – een tot het merg doordringende kou alsof je uit een warme kamer de midwinterse wind inliep. Rachel voelde dat ze onbedwingbaar rilde. Door de spleet in de deuropening zag ze een paar in het zwart geklede figuren. Het zachte geluid van hun gesprek, dat net hoorbaar was geworden, hield ineens op. Een van hen draaide zich zo dat zijn bleke gezicht een ogenblik vanuit Rachels schuilplaats zichtbaar werd. Haar hart haperde, scheen zijn ritme te verliezen. Het was een van die heksenwezens – de Witte Vossen! Het wendde zich weer af, tot zijn metgezel sprekend met een zachte, maar vreemd muzikale stem, keek toen om naar de trappen die ze net waren afgekomen. Opnieuw kwam er gekletter van voetstappen door het trappenhuis omlaag.

Nog meer!

Ondanks een afgrijzen om te bewegen of iets anders te doen dat lawaai zou kunnen maken, begon Rachel terug te deinzen. Terwijl ze naar de gedeeltelijk open deur keek en bad dat de wezens niet zouden opmerken dat die op een kier stond, bleef Rachel achter zich naar de achterwand tasten. Ze deed enkele stappen achteruit tot de deuropening slechts een dunne verticale lijn van geelachtige fakkelgloed was, maar toch ontmoette haar hand geen weerstand. Ten slotte bleef ze staan en draaide zich om om te kijken, met schrik vervuld door de plotselinge gedachte dat ze zou kunnen struikelen over iets dat in deze ruimte was opgeslagen en op de grond zou kletteren.

Het was geen vertrek. Rachel stond in de opening van een gang die naar duisternis leidde.

Ze bleef een ogenblik staan, zich dwingend om na te denken. Het had geen zin om hier te blijven, vooral met een stel van die wezens vlak achter de deur. De sombere stenen muur had geen schuilplaatsen en ze wist dat ze nu ieder ogenblik tegen wil en dank een geluid kon maken, of erger, een flauwte krijgen en luidruchtig op de grond vallen. En wie wist hoe lang die wezens daar zouden staan, tegen zichzelf mompelend als aasvogels op een tak? Wanneer hun makkers allemaal aankwamen, zouden ze vervolgens deze gang kunnen ingaan! Als ze nu wegging, zou ze in elk geval wellicht een betere schuilplaats of een andere weg naar buiten kunnen vinden.

Rachel liep wankelend de gang door, met één hand langs de muur slepend – wat een afschuwelijke, gore dingen voelde ze onder haar vingers! – en de verduisterde lantaren voor zich houdend terwijl ze ervoor probeerde te zorgen dat hij niet tegen de steen aan botste. Het dunne schijfje licht uit de deuropening verdween achter een bocht in de gang en liet haar in volslagen duisternis achter. Rachel trok de kap van de lantaren voorzichtig iets achterover, waardoor een enkele straal naar buiten kon springen om de plavuizen voor haar te verlichten en begon toen snel de gang door te lopen.

Rachel hield de lamp omhoog, door de saaie gang loensend in de onverkende duisternis achter de poel van licht. Kwam er dan geen eind aan de doolhof van gangen in het kasteel? Ze had gedacht dat ze de Hayholt even goed kende als wie dan ook, maar toch... de afgelopen paar weken waren een openbaring geweest. Er scheen een ander compleet kasteel onder de opslagplaatsen onder het souterrain te zijn die eens de onderste grens van haar ervaring was geweest. Had Simon geweten dat die plaatsen er waren?

Het was pijnlijk om aan de jongen te denken, zoals altijd. Ze schudde haar hoofd en sjokte voorwaarts. Er was nog geen geluid van een achtervolging geweest – ze was eindelijk een beetje tot rust gekomen nadat de angst haar buiten adem had doen raken – maar het had geen zin om te blijven staan wachten.

Maar er was wel een probleem dat moest worden opgelost, natuurlijk; als ze niet terug durfde gaan, wat kon ze dan doen? Ze vertrouwde al lang niet meer op haar vermogen om in deze doolhof de weg te vinden. Wat als ze een verkeerde afslag nam en voor altijd in de duisternis ging dwalen, verdwaald en verhongerend...?

Dwaze vrouw. Sla gewoon niet af uit deze gang – of als je het wel doet markeer dan de afslag. Dan kun je de overloop en de trap altijd weer terugvinden.

Ze snoof, hetzelfde puffende geluid dat menig nieuw kamermeisje tot tranen had gebracht. Rachel wist wat discipline was, ook al was zij deze keer degene die dat nodig had.

Geen tijd voor flauwekul.

Toch was het vreemd om hier in deze eenzame, tussen-in plaatsen te dwalen. Het was een beetje als wat pater Dreosan over de Wachtplaats had gezegd – die plek tussen hel en hemel waar dode zielen op hun oordeel wachtten, waar zij een tijdloze tijd bleven als ze niet slecht genoeg waren voor de eerstgenoemde en niet klaar voor de laatstgenoemde. Rachel had dit een nogal onbehaaglijk idee gevonden: zij hield van duidelijke en onwrikbare beslissingen. Doe kwaad, wees verdoemd en brandt. Leidt een leven van reinheid en Aedonitische strengheid en je kon omhoog vliegen naar de hemel en zingen en rusten onder eeuwig blauwe luchten. Deze middenplaats waarover de priester had gesproken, scheen alleen maar onaangenaam geheimzinnig. De God die Rachel vereerde, behoorde niet op die manier te werken.

Het licht van de lamp viel op een muur voor haar; de gang was geëindigd in een verticale hal, hetgeen betekende dat zij als ze verder wilde gaan naar links of rechts moest. Rachel fronste. Hier moest ze dus al van de rechte weg afgaan. Het stond haar niet aan. De vraag was, durfde ze terug te gaan, of zelfs in de hal te blijven? Ze dacht niet dat ze erg ver gegaan was sinds ze de trap had verlaten.

De herinnering aan de fluisterende wezens met de witte gezichten die zich op de trap verzamelden, bracht haar tot een besluit.

Ze doopte een vinger in lampzwart, ging toen op haar tenen staan om de linkerwand van de gang waarin ze stond te markeren. Dat zou ze zien wanneer ze terugkwam. Toen sloeg ze met tegenzin rechtsaf de kruisende gang in.

De gang slingerde verder en verder, doorsneden door gangen, die af en toe uitkwamen op galerijen zonder vensters, elk even leeg als een geplunderde tombe. Rachel markeerde plichtsgetrouw iedere afslag. Ze begon zich zorgen te maken over de lamp – die zou zeker geen olie meer over hebben als ze nu nog veel verder ging alvorens terug te gaan – toen de gang abrupt bij een oude deur eindigde.

De deur had geen markeringen, en ook geen grendel of slot. Het hout was oud en kromgetrokken en zo verweerd dat het vlekkerig was als het schild van een schildpad. De scharnieren waren grote logge brokken ijzer, bevestigd door middel van spijkers die weinig meer schenen dan scherven van ruw metaal. Rachel loenste naar de grond om zich ervan te vergewissen dat er geen andere recente voetstappen dan de hare waren, maakte toen het teken van de Boom voor haar borst en trok aan de stompe kruk. De deur ging knarsend voor een deel open alvorens te blijven steken door wat een eeuw van stof en rommel op de vloer moest zijn geweest. Daarachter lag weer een donkere ruimte, maar die duisternis had een glans van roodachtig licht.

Het is de hel! was Rachels eerste gedachte. *Uit de Wachtplaats door de deur naar de hel!* Toen: *Elysia de Moeder! Oude vrouw, je bent nog niet eens dood! Wees verstandig!* Ze liep erdoor.

De gang aan de andere kant was anders dan die waardoor ze gekomen was. In plaats van dat deze wanden had van uitgehakte en gevoegde steen, was deze van kale rots. De schitteringen van rood licht die over de ruwe wanden kronkelden, schenen van verderop links in de gang te komen, alsof er ergens vlak om een hoek een vuur brandde.

Ondanks haar onzekerheid over deze nieuwe ontwikkeling, stond Rachel net op het punt om enkele stappen in de gang naar de bron van de rode gloed te zetten toen ze plotseling een geluid uit de andere richting hoorde. Ze stapte haastig terug in de deuropening, maar die zat nog steeds klem en wilde niet dicht. Ze drong zich terug in de schaduwen en probeerde haar adem in te houden.

Datgene dat het nieuwe geluid maakte, bewoog niet erg vlug. Rachel kromp ineen toen het flauwe schrapen luider werd, maar de angst was vermengd met een diepe woede. Te bedenken dat zij, het Hoofd van de Kamermeisjes, in haar eigen huis werd gedwongen om terug te deinzen voor… voor wezens! In een poging om haar jachtende hart te bedaren, beleefde ze weer het ogenblik toen ze naar Pryrates had uitgehaald – de helse opwinding ervan, de vreemde bevrediging om feitelijk toch iets te kunnen doen na al die sombere maanden van lijden. Maar nu? Haar sterkste klap had de priester blijkbaar niets gedaan, dus wat kon ze hopen tegen een hele troep demonen te doen?

Nee, het was maar beter om verborgen te blijven en de boosheid te bewaren voor een gelegenheid waarop die haar enig goed kon doen.

Toen de gestalte de klemmende deur voorbijkwam, was Rachel eerst enorm opgelucht te zien dat het uiteindelijk alleen maar een sterveling was, een donkerharige man wiens gestalte nauwelijks te onderscheiden was tegen de roodverlichte rotsen. Een ogenblik later kwam haar nieuwsgierigheid terugsnellen, geschraagd door dezelfde furie die zij eerder had gevoeld. Wie voelde zich zo vrij om op deze donkere plaatsen rond te lopen?

Ze stak haar hoofd door de deuropening om de verdwijnende gestalte gade te slaan. Hij liep erg langzaam, zijn hand langs de muur slepend, maar hij hield zijn hoofd achterover en bewoog van de ene kant naar de andere, alsof hij probeerde iets te lezen dat op het beschaduwde plafond van de gang was geschreven.

Genade, hij is blind! besefte ze plotseling. De aarzeling, de zoekende handen – het was duidelijk. Een ogenblik later besefte ze dat zij de man kende. Ze trok zich snel in de schaduw van de deuropening terug.

Guthwulf! Dat monster! Wat doet hij hier? Een ogenblik had ze de vreselijke zekerheid dat de beulen van Elias haar nog steeds zochten, het kasteel zaal voor zaal uitkammend in een nauwgezette zoekactie. Maar waarom een blinde sturen? En wanneer was Guthwulf blind geworden?

Een herinnering kwam terug, fragmentarisch maar toch verontrustend. Dat was Guthwulf toch geweest op het balkon met de koning en Pryrates, nietwaar? De graaf van Utanyeat had met de alchimist geworsteld terwijl hij, met Rachels dolk rechtop in zijn rug, zich op het Hoofd van de Kamermeisjes stortte, die bewusteloos op de grond lag. Maar waarom zou Guthwulf dat gedaan hebben? Iedereen wist dat Utanyeat de rechterhand van de Hoge Koning was, de hardvochtigste van al Elias' gunstelingen.

Had hij eigenlijk haar leven gered?

Rachels hoofd duizelde. Ze keek weer uit de deuropening, maar graaf Guthwulf was om een bocht in de gang verdwenen, op weg naar de rode gloed. Een kleine schaduw maakte zich los uit de grotere duisternis en snelde langs haar voeten, hem in de schaduwen volgend. Een kat? Een grijze kat?

De wereld onder het kasteel was in alle opzichten te verwarrend onwezenlijk voor Rachel geworden. Ze liet haar lantaren weer schijnen en ging terug in de richting die ze gekomen was, de deur naar de ruwe gang op een kier latend. Voor het ogenblik wilde ze niets met Guthwulf, blind of niet, te maken hebben. Ze zou haar eigen, zorgvuldige markeringen terug naar de overloop volgen en bidden dat de Witte Vossen zich verder met hun onzalige zaken bezighielden. Er was veel om over na te denken – te veel. Rachel wilde zich alleen maar veilig opsluiten in haar toevluchtsoord en gaan slapen.

Terwijl Guthwulf voortsjokte, was zijn hoofd vervuld van verleidelijke, giftige muziek – een muziek die tot hem sprak, die hem riep, maar die hem ook bang maakte als nooit iets anders eerder had gedaan.

Gedurende een lange tijd in de eindeloze duisternis van zijn dagen en nachten had hij dat lied uitsluitend in dromen gehoord, maar vandaag was de muziek eindelijk tot hem gekomen terwijl hij wakker was, hem oproepend uit de diepten, zelfs de fluisterende stemmen die zijn vaste metgezellen waren uit zijn geest verdrijvend. Het was de stem van het grijze zwaard, en het was ergens in de buurt.

Ergens wist de graaf van Utanyeat volmaakt goed dat het zwaard alleen maar een voorwerp was, een stomme steel van metaal die aan de riem van de koning hing, en dat het laatste in de wereld dat hij zou willen doen was ernaar zoeken, want daar waar het zwaard was, zou koning Elias ook zijn. Guthwulf wilde zeker niet worden gepakt – hij gaf weinig om zijn veiligheid, maar hij wilde liever alleen in de grotten onder het kasteel sterven dan gezien worden door de mensen die hem hadden gekend voordat hij zo'n meelijwekkend wrak was geworden – maar de aanwezigheid van het zwaard was enorm dwingend. Zijn leven bestond nu uit weinig meer dan echo's en schaduwen, koude steen, spookachtige stemmen en het klikken en schuren van zijn eigen voetstappen. Maar het zwaard leefde, en op de een of andere manier was dat leven machtiger dan zijn eigen leven. Hij wilde er dichtbij zijn.

Ik wil niet worden gepakt, zei Guthwulf bij zichzelf. *Ik zal slim zijn, voorzichtig.* Hij zou zich er alleen dicht genoeg bij wagen om de zingende kracht ervan te voelen...

Zijn gedachten werden verstoord door iets dat zich rond zijn enkels kronkelde – de kat, zijn schaduw-vriend. Hij boog zich voorover om het dier aan te raken, zijn vingers langs zijn bottige rug trekkend, zijn magere spieren voelend. Hij was met hem meegekomen, misschien om hem voor moeilijkheden te behoeden. Hij glimlachte bijna.

Zweet druppelde langs zijn wangen toen hij rechtop ging staan. De lucht begon warmer te worden. Hij kon half geloven dat hij na alle trappen die hij had beklommen, alle lange hellingen die hij op was gesjokt, de oppervlakte zou naderen – maar konden de dingen gedurende

zijn tijd onder de grond zoveel zijn veranderd? Kon de winter zijn gevlucht en vervangen door de hete zomer? Het leek niet dat er zoveel tijd
kon zijn verlopen, maar voortdurende duisternis was misleidend. De
blinde Guthwulf had dat al geleerd terwijl hij nog op het kasteel was.
Wat het weer betrof... welnu, in zulke onzalige en verwarrende tijden
als deze was alles mogelijk.

Nu begonnen de stenen muren warm onder zijn zoekende vingers aan te
voelen. Waar liep hij in? Hij onderdrukte de gedachte. Wat het ook
was, het zwaard was er. Het zwaard dat hem riep. Hij zou zeker nog een
eindje verder gaan...

Het ogenblik waarop Smart in hem had gezongen, hem vullend...

Op het moment waarop Elias hem had gedwongen het aan te raken, had
het geleken alsof Guthwulf deel van het zwaard was geworden. Hij was
opgenomen in een vreemde melodie. Op dat ogenblik in elk geval, waren hij en het zwaard één.

*Smart had zijn broers nodig. Samen zouden zij nog een grotere melodie veroorza-
ken.*

In de troonzaal van de koning had Guthwulf, ondanks zijn afgrijzen,
ook naar die gemeenschap verlangd. Nu, terwijl hij het zich herinnerde,
verlangde hij er weer naar. Wat de risico's ook waren, hij had de behoefte om het lied te voelen dat hem had achtervolgd. Het was een soort
krankzinnigheid, wist hij, maar hij had niet de kracht er weerstand aan
te bieden. In plaats daarvan zou het al zijn reserves aan slimheid en zelfbeheersing vereisen om er alleen maar dichterbij te komen zonder te
worden onthuld. Het was nu zo dichtbij...

De lucht in de smalle gang was verstikkend. Guthwulf bleef staan en
voelde om zich heen. De kleine kat was weg, waarschijnlijk teruggegaan naar een plaats die minder schadelijk was voor zijn poten. Toen
hij zijn hand weer op de gangwand legde, kon hij die er slechts een
klein eindje langs laten glijden voor hij hem opnieuw moest wegruk-
ken. Van ergens vóór hem kon hij nu een flauwe maar aanhoudende
stroom van geluid horen, een bijna-stil gebrul. Wat kon er voor hem
liggen?

Eens had een draak zijn leger onder het kasteel gemaakt – de rode draak
Shurakai, wiens dood Prester Johns reputatie had gevestigd en de beenderen voor de troon van de Hayholt had geleverd, een beest wiens vurige adem in een vroegere eeuw twee koningen en talloze kasteelbewoners
had gedood. Zou er misschien nog een draak zijn, een welp van Shurakai, die in duisternis volwassen was geworden? Zo ja, dan mocht hij
hem doden als hij zou willen – hij mocht hem tot as roosteren. Dergе-
lijke dingen konden Guthwulf niet veel meer schelen. Het enige wat hij
wilde, was zich eerst koesteren in het lied van het grijze zwaard.

Het pad liep onder een scherpe hoek omhoog, en hij moest zich voorover buigen om vooruit te komen. De hitte was fel; hij kon zich voorstellen dat zijn huid blakerde en verschrompelde als het gebakken vlees van een feestvarken. Terwijl hij tegen de helling op zwoegde, werd het brullende geluid sterker, een diep onstandvastig gebrul als donder, of een boze zee, of de verontruste adem van een slapende draak. Toen begon het geluid te veranderen. Na een ogenblik besefte Guthwulf dat de gang breder werd. Toen hij de hoek omsloeg, vertelden zijn zintuigen van een blinde hem dat de gang niet alleen breder was geworden, maar ook hoger. Hete winden golfden hem tegemoet. De rommelende geluiden weerkaatsten op een vreemde manier.

Nog een paar stappen en hij kende de reden. Er lag een nog veel grotere zaal achter deze, iets dat even geweldig was als de grote koepel van de Sint-Sutrin in Erchester. Een helse kuil? Guthwulf voelde zijn haren wapperen in de hete bries. Was hij op de een of andere manier bij het legendarische Meer des Oordeels aangekomen, waar zondaren voor eeuwig in de poel van vlammen werden geworpen? Wachtte God zelf daar beneden in de rotsachtige uitgestrektheden? In deze verwarde, krankzinnige tijd herinnerde Guthwulf zich niet veel van zijn leven van voor hij blind was geworden, maar wat hij zich nu herinnerde scheen vol dwaze, zinloze handelingen. Als er een dergelijk oord was, zo'n straf, verdiende hij die ongetwijfeld, maar het zou jammer zijn om de sterke magie van het grijze zwaard nooit meer te voelen.

Guthwulf begon kleinere stappen te zetten, elke voet in een voorzichtige boog van de ene naar de andere kant slepend alvorens hem neer te zetten. Zijn voortgang werd langzamer toen hij heel zijn aandacht wijdde aan het tastend vooruitgaan. Eindelijk raakte zijn voet lucht. Hij bleef staan en hurkte, met zijn vingers langs de hete vloer van de gang tikkend. Een lip van steen lag voor hem, zich aan weerskanten verder uitstrekkend dan hij kon reiken. Daarachter waren alleen maar ledigheid en verzengende winden.

Hij stond daar, van de ene voet op de andere overgaand terwijl de hitte door de zolen van zijn schoenen opsteeg, en luisterde naar het grote gebrul. Er waren ook andere geluiden. Een was een diep, onregelmatig gekletter alsof twee massieve stukken metaal tegen elkaar aan sloegen; het andere was dat van menselijke stemmen.

Het geluid van metaal op metaal klonk opnieuw, en het geluid bracht ten slotte een herinnering uit zijn vroegere leven op het kasteel naar boven. Het donderende gekletter kwam van de grote ovendeuren die open en dicht gingen. Mensen wierpen brandstof in het laaiende vuur – hij had het vele keren gezien wanneer hij de smidsen had geïnspecteerd in zijn rol als de Rechterhand van de Koning. Hij moest bij een van de ingangen van de tunnel recht boven de enorme oven staan. Geen wonder dat zijn haar op het punt stond in brand te vliegen.

Maar het grijze zwaard was hier. Hij wist dat even zeker als een fouragerende muis weet wanneer er een uil boven hem vliegt. Elias moest beneden tussen de smidsen zijn, het zwaard aan zijn zijde.

Guthwulf liep achteruit, weg van de rand, uitzinnig manieren aan het bedenken hoe hij naar de smederij kon afdalen zonder gezien te worden.

Toen hij lang genoeg op één plaats had gestaan om zijn voeten te branden, moest hij verder weg gaan. Hij vloekte terwijl hij dat deed. Er was geen manier waarop hij het ding kon naderen. Hij zou dagenlang door deze tunnels kunnen dolen zonder een andere weg omlaag te vinden en tegen die tijd zou Elias stellig weg zijn. Het zwaard riep hem, onverschillig voor hetgeen Guthwulf in de weg stond.

Guthwulf strompelde verder de gang door, weg van de hitte, hoewel het zwaard hem riep terug te komen, om omlaag te springen in de vurige vergetelheid.

'Waarom hebt U mij dit aangedaan, lieve God?!' riep hij, maar zijn stem ging snel verloren in het gebrul van de oven. 'Waarom hebt U mij met deze vloek opgezadeld?!'

De tranen verdampten even snel van zijn oogleden als ze verschenen.

Duim boog voor koning Elias. In het flikkerende licht van de smeltoven leek de enorme man op een aap uit de zuidelijke jungle – een aap gekleed in kleren, maar toch een armzalige karikatuur van een mens. De andere smeden hadden zich bij de binnenkomst van de koning op de grond gegooid; de verspreide lichamen in de grote ruimte gaven de indruk dat er louter door zijn aanwezigheid honderd man dood waren neergevallen.

'We werken, hoogheid, werken,' gromde Duim. 'Traag werk, dat is het.'

'Werken?' zei Elias streng. Hoewel het zweet van het lichaam van de baas van de smederij af gutste, was de bleke huid van de koning droog. 'Natuurlijk, werken jullie. Maar jullie zijn niet klaar met de taak die ik jullie heb opgelegd, en als ik niet gauw hoor waarom, zal je smerige huid worden gestroopt en boven je eigen oven te drogen worden gehangen.'

De grote man viel op zijn knieën. 'We werken zo snel als we kunnen.'

'Maar dat is niet snel genoeg.' De blik van de koning dwaalde over het beschaduwde dak van de grot.

'Het is moeilijk, meester, moeilijk, wij hebben slechts gedeelten van de plannen. Soms moeten we alles opnieuw maken wanneer we de volgende tekening te zien krijgen.' Duim keek op, zijn ene oog scherp in zijn saaie gezicht terwijl hij keek hoe de koning reageerde.

'Wat bedoel je, "gedeelten van de plannen"?' Er bewoog iets in een tunnelingang hoog aan de wand boven de grote oven. De koning loensde, maar de flits van een bleke kleur – een gezicht? – werd verduisterd door opstijgende rook en door van hitte wervelende lucht.

'Majesteit!' riep iemand. 'U bent dus hier?'

Elias draaide zich langzaam om naar de in het rood geklede figuur. Hij trok in lichte verbazing een wenkbrauw op, maar zei niets.

Pryrates kwam haastig naar hem toe. 'Ik was verbaasd te merken dat u weg was.' Zijn schurende stem klonk zoeter, redelijker dan gewoonlijk. 'Kan ik u helpen?'

'Ik heb je niet ieder ogenblik nodig, priester,' zei Elias kortaf. 'Er zijn dingen die ik alleen kan doen.'

'Maar u bent niet goed geweest, majesteit.' Pryrates hief zijn hand op, de rode mouw bollend. Een ogenblik leek het dat hij Elias bij de arm zou pakken en zou proberen hem mee te nemen, maar in plaats daarvan bracht hij zijn vingers naar zijn eigen hoofd, over zijn kale schedel vegend. 'Vanwege uw zwakte, majesteit, was ik alleen bang dat u op deze steile trap zou struikelen.'

Elias keek hem aan, zijn ogen dichtknijpend tot het nauwelijks meer waren dan zwarte spleten. 'Ik ben geen oude man, priester. Ik ben niet mijn vader in zijn laatste jaren.' Hij wierp snel een blik op de knielende Duim, wendde zich toen weer tot Pryrates. 'Deze pummel beweert dat de plannen voor de verdediging van het kasteel moeilijk zijn.'

De alchimist wierp snel een moordzuchtige blik op Duim. 'Hij liegt, majesteit. U hebt ze zelf goedgekeurd. U weet dat dat niet zo is.'

'U geeft ons iedere keer alleen maar een gedeelte, priester.' Duims stem was diep en traag, maar de woede die erachter gekerkerd zat, was duidelijker dan ooit.

'Maak geen ruzie ten overstaan van de koning!' snauwde Pryrates.

'Ik spreek de waarheid, priester!'

'Stil!' Elias ging rechtop staan. Zijn knokige hand viel op het gevest van het grijze zwaard. 'Ik wil stilte hebben!' riep hij uit. 'Nu, wat bedoelt hij? Waarom krijgt hij de plannen alleen maar in gedeelten?'

Pryrates haalde diep adem. 'Vanwege de geheimhouding, koning Elias. U weet dat verscheidenen van deze smeden al zijn weggelopen. We durven niemand alle plannen voor de verdediging van het kasteel te laten zien. Wat zou hen verhinderen regelrecht naar Jozua te gaan met wat ze weten?'

Er viel een lange stilte terwijl Pryrates de koning aanstaarde. De lucht in de smederij scheen enigszins te veranderen, dichter te worden, en het gebrul van de vuren werd vreemd gedempt. De flikkerende lichten wierpen lange schaduwen.

Elias scheen plotseling zijn belangstelling te verliezen. 'Dat is mogelijk.' De blik van de koning zweefde terug naar de plaats langs de wand van de grot waar hij meende een beweging te hebben gezien. 'Ik zal nog eens twaalf man naar de smidsen sturen; er zijn minstens zoveel huurlingen wier gezicht me niet aanstaat.' Hij draaide zich om naar de opzichter. 'Dan zul je geen excuus meer hebben.'

Een trilling liep door Duims brede gestalte. 'Ja, hoogheid.'

'Goed. Ik heb je gezegd wanneer ik wil dat het werk aan muren en poort klaar is. Je zùlt het af hebben.'

'Ja, hoogheid.'

De koning richtte zich tot Pryrates. 'Zo, ik zie dat de koning nodig is om ervoor te zorgen dat bepaalde dingen gaan zoals ze moeten gaan.'

De priester boog zijn glimmende hoofd. 'U bent onvervangbaar, sire.'

'Maar ik ben ook wat moe, Pryrates. Misschien is het zoals je zei – ik ben per slot van rekening niet goed geweest.'

'Ja, hoogheid. Misschien uw medicijn, dan een slaapje?' En nu stak Pyrates zijn hand onder Elias' elleboog, hem zacht naar de trap voerend die terugleidde naar het eigenlijke kasteel. De koning ging, gedwee als een kind.

'Ik ga misschien even liggen, Pryrates, ja... maar ik denk niet dat ik nu zal slapen.' Hij wierp nog een blik achterom naar de wand boven de oven, en schudde toen dromerig zijn hoofd.

'Ja, sire, een uitstekend idee. Kom we zullen de baas van de smederij niet langer ophouden.' Pryrates keek veelbetekenend naar Duim, wiens ene oog star terugkeek, toen draaide de rode priester zich om, zijn gezicht uitdrukkingsloos, en leidde de koning de grot uit.

Achter hem begonnen de uitgestrekte arbeiders langzaam overeind te krabbelen, te verslagen en uitgeput om ook maar over zo'n ongewone gebeurtenis te fluisteren. Terwijl ze naar hun werk terugsjokten, bleef Duim enige tijd knielen, zijn gezicht even stijf als dat van de priester was geweest.

Rachel liep behoedzaam terug en vond de oorspronkelijke overloop weer. Tot haar nog grotere opluchting was het trappenhuis leeg toen ze door de spleet keek. De Witte Vossen waren weg.

Ongetwijfeld weg om duivelstreken uit te halen. Ze maakte het teken van de Boom.

Rachel streek een lok grijzend haar uit haar ogen. Ze was uitgeput, niet alleen door het gesjouw door de afschuwelijke gang – ze had, leek het, urenlang gelopen – maar door de schok van bijna te zijn ontdekt. Ze was geen meisje meer, en ze vond het niet prettig haar hart te voelen kloppen zoals het vandaag had geklopt; dat was niet het snelstromende bloed van goed eerlijk werk.

Oud... je wordt oud, vrouw.

Rachel was niet zo dwaas om alle voorzichtigheid te laten varen, dus hield ze haar voetstappen licht en stil toen ze de trap afliep, behoedzaam om iedere hoek kijkend, haar afgeschermde lantaren achter zich houdend, zodat die haar niet zou verraden. Dus zag ze de hofmeester van de koning, broeder Hengfisk, op de trap beneden haar staan, een ogenblik voor ze in de schaduwen tussen de fakkels aan de muur tegen hem zou zijn aangebotst. Haar verbazing was niettemin toch zo groot dat ze een verbaasd gilletje slaakte en haar lantaren liet vallen. Hij rolde botsend omlaag naar de overloop – haar overloop, de plaats van haar toevluchtsoord! – en bleef aan de in sandalen gestoken voeten van de monnik liggen terwijl er brandende olie op de steen lekte. De bologige man keek met kalme belangstelling omlaag naar de vlammen die rond zijn voeten brandden, hief zijn blik toen opnieuw naar Rachel op, de mond gerekt in een brede grijns.

'Genadige Rhiap,' zei Rachel hijgend. 'O, Gods genade!' Ze probeerde achteruit de trap op te gaan, maar de monnik bewoog zich snel als een kat; in een oogwenk was hij haar voorbij, keerde zich toen om om haar de weg te versperren, nog altijd met die afschuwelijke grijns op zijn gezicht. Zijn ogen waren lege poelen.

Rachel deed een paar wankele stappen omlaag naar de overloop. De monnik liep met haar mee, één stap tegelijk, volkomen stil terwijl hij zijn bewegingen aan de hare aanpaste. Toen ze probeerde vlugger te lopen, liep hij langs haar heen, haar dwingend achteruit te deinzen tegen de stenen muren van het trappenhuis om een aanraking met hem te vermijden. Hij straalde een koortsige warmte uit, en er hing een vreemde, onbekende stank om hem heen, als van heet metaal en rottende planten.

Ze begon te huilen. Met bevende schouders, niet in staat een ogenblik langer rechtop te blijven, gleed Rachel de Draak in een hurkende positie langs de muur.

'Gezegende Elysia, moeder van God,' bad ze hardop, 'zuivere vaten die de Verlosser voortbrengen, heb medelijden met deze zondares.' Ze kneep haar ogen dicht en maakte het teken van de Boom. 'Elysia, verheven boven alle andere sterfelijken, Koningin van de Hemel en Zee, doe een goed woordje voor uw smekelinge, zodat genade deze zondares moge toelachen.'

Tot haar afgrijzen kon ze zich de rest van de woorden niet herinneren. Ze kroop ineen, proberend te denken – o, haar hart, haar hart, het klopte zo snel! – en wachtte tot het wezen haar zou pakken, haar zou aanraken met zijn smerige handen. Maar toen er lange ogenblikken waren verlopen en er niets was gebeurd, overwon nieuwsgierigheid zelfs haar angst. Ze opende haar ogen.

Hengfisk stond nog steeds voor haar, maar de grijns was verdwenen. De monnik leunde tegen de muur, aan zijn kleren trekkend alsof hij verbaasd was dat hij ze aanhad. Hij keek naar haar op. Er was iets veranderd. Er was een nieuw soort leven in de man – bewolkt, stokkend, maar op de een of andere manier menselijker dan toen hij ogenblikken eerder voor haar had gestaan.

Hengfisk keek neer op het plasje brandende olie, naar de blauwe vlammen die naar zijn voeten lekten, sprong toen achteruit, verbijsterd. De vlammen flikkerden. De lippen van de monnik bewogen, maar eerst kwam er niets uit.

'... *Vad es...?*' zei hij eindelijk. '... *Uf nammen Hott, vad es...?*'

Hij bleef Rachel als verbijsterd aanstaren, maar nu was er iets anders aan de gang achter zijn ogen. Zijn gezicht werd gespannen, alsof een onzichtbare hand de achterkant van zijn geschoren hoofd greep. De lippen stijf vertrokken, de ogen ledig. Rachel gaf een kreetje van angst. Er was iets gaande dat ze niet kon begrijpen, een of andere strijd in de man met de bolle ogen. Ze kon alleen maar kijken, doodsbang.

Hengfisk schudde zijn hoofd als een hond die uit het water komt, keek Rachel nog eens aan, en staarde toen het trappenhuis rond naar beide kanten. De uitdrukking op zijn gezicht was weer veranderd: hij zag eruit als iemand die onder een verpletterend gewicht gevangen is. Een ogenblik later draaide Hengfisk zich zonder waarschuwing om en strompelde de trap op. Ze hoorde hoe zijn ongelijke voetstappen in de duisternis verdwenen.

Rachel boog zich naar het wandtapijt en trok het met onhandige bevende vingers opzij. Toen ze de deur had opengepeuterd, viel ze erdoor en duwde hem achter zich dicht. Ze schoof de grendel erop alvorens zich op haar matras te gooien en haar deken helemaal over haar hoofd te trekken, en lag toen te rillen alsof ze koorts had.

Het lied dat hem uit de veiliger diepten omhoog had gelokt, begon zwakker te worden. Hij was te laat. Elias ging weg, zijn zwaard mee naar boven nemend naar zijn troonzaal, terug naar die stoffige, bloedeloze tombe van malachieten beelden en drakebeenderen. Waar de muziek van het zwaard was geweest, was nu alleen maar ledigheid, een knagende holte in zijn wezen.

Hopeloos koos hij de volgende gang die omlaag scheen te lopen, zich van de oppervlakte terugtrekkend als een worm die door een schop wordt opgegraven. Er was een gat in hem, een gat waardoor de wind zou waaien en het stof filteren. Hij was leeg.

Toen de lucht beter te ademen werd en de stenen koel werden onder zijn aanraking, vond de kleine kat hem weer. Hij kon zijn zoemende gespin voelen, toen hij zich om zijn voeten slingerde, maar hij bleef niet staan om hem te vertroosten; op dat ogenblik had hij niets in zich om te geven. Het zwaard had tot hem gezongen, was toen opnieuw weggegaan. Weldra zouden de idiote stemmen terugkomen, de geestesstemmen, zinloos, zinloos…

Terwijl hij tastend liep, langzaam als het grote Wiel van de Tijd, sjokte Guthwulf terug omlaag, de diepten in.

15

Het meer van glas

Het lawaai van hun komst was als een harde wind, een gebrul van stieren, een vuurzee die door droge landen stormde. Hoewel ze op wegen renden die in eeuwen niet gebruikt waren, aarzelden de paarden niet, maar snelden langs de geheime paden die door bos, dal en moerasland slingerden. De oude wegen, die tientallen generaties van stervelingen lang geen reizigers meer hadden gezien, waren op deze dag weer opengegaan, alsof het Wiel van de Tijd in zijn spoor was gestopt en was teruggedraaid.

De Sithi waren de zomer uitgereden, een land in dat door de winter was gekluisterd, maar toen ze door het grote woud gingen en door de gebieden van hun oude souvereiniteit – de heuvelachtige Maa'sha, de met ceders bedekte Peja'ura, Shisae'ron met haar stromen, en de zwarte aarde van Hekhasór – scheen het land rusteloos onder de tred van hun hoeven te bewegen, alsof het moeite had uit een koude droom te ontwaken. Vogels vlogen geschrokken uit hun winternesten en hingen in de lucht als hommels toen de Sithi voorbij denderden; eekhoorns klampten zich, als verlamd, aan bevroren takken vast. Diep in hun legers in de aarde, kreunden de slapende beren van hongerige verwachting. Zelfs het licht scheen te veranderen in het spoor van het kleurige gezelschap toen stralen zonlicht door de bedekte lucht omlaag priemden en op de sneeuw fonkelden.

Maar de greep van de winter was sterk; toen de Sithi voorbij waren, sloot zijn vuist zich weer om het woud, alles weer in kille stilte terugsleurend.

Het gezelschap hield niet stil om te rusten, zelfs niet toen de rode gloed van de zonsondergang aan de hemel werd onttrokken en sterren hoog tussen de takken van de bomen glinsterden. De paarden hadden ook niet meer dan sterrelicht nodig om hun weg langs de oude wegen te vinden, hoewel al die paden bedekt waren met jarenlange begroeiing. Sterfelijk en aards waren de paarden, alleen gemaakt van vlees en bloed, maar hun meesters waren van het geslacht van Venyha Do'sae, uit de Tuin meegenomen tijdens de grote vlucht. Toen de inheemse paarden van Osten Ard nog ongetemd en angstig over de graslanden renden, zonder van handen of teugels af te weten, waren de voorvaderen van deze Sithi rossen tegen de reuzen ten strijde gereden, of hadden boodschappers langs de wegen gedragen die zich van het ene eind tot het an-

dere van het mooie keizerrijk uitstrekten. Zij hadden hun berijders
even snel vervoerd als een zeewind, en zo gerieflijk dat men zei dat Benayha van Kementari nauwgezette gedichten had geschilderd terwijl
hij in het zadel zat, zonder ooit een karakter te laten uitlopen. De beheersing van deze wegen was hun aangeboren, een kennis die zij in hun
wilde bloed meedroegen – maar hun uithoudingsvermogen scheen bijna een soort magie. Op deze eindeloze dag, toen de Sithi nog een keer
uitreden, schenen hun rossen met het verstrijken van de uren sterker te
worden. Toen het gezelschap zich verder spoedde en de zon warm begon
te worden achter de oostelijke horizon, renden de onvermoeibare paarden nog steeds, als een aanstormende golf naar de rand van het woud
snellend.
Hoewel de paarden oud bloed hadden, waren hun ruiters de geschiedenis van Osten Ard in levenden lijve. Zelfs de jongsten, geboren sinds de
verbanning van Asu'a, hadden eeuwen voorbij zien gaan. De oudsten
kon zich het Tumet'ai met zijn vele torens in zijn lente herinneren, en
de open plekken in het bos met vuurrode papavers, mijlen van laaiende
kleur, die Jhiná-T'senei hadden omringd voor de zee haar verzwolg.
Lang hadden de Vreedzamen zich onttrokken aan de ogen van de wereld, hun droefheden koesterend, alleen levend in de herinneringen aan
andere tijden. Vandaag reden zij in wapenrusting even kleurrijk als de
pluimage van vogels, hun speren schitterend als bevroren bliksemschichten. Zij zongen, want de Sithi hadden altijd gezongen. Zij reden,
en de oude wegen ontvouwden zich voor hen, waarbij de open plekken
in het bos de hoefslagen van hun paarden voor de eerste keer sinds de
hoogste bomen zaailingen waren geweest weerkaatsten. Na een slaap
van eeuwen, was een reus ontwaakt.
De Sithi reden.

Hoewel hij was geslagen en gekneusd tot hij erbij neerviel tijdens de
strijd van die dag, en toen meer dan een uur na zonsondergang had
doorgebracht met Freosel en anderen om losse pijlen in de ijzige modder te zoeken – een karwei dat overdag zwaar zou zijn geweest en wreed
moeilijk was bij het licht van fakkels na middernacht – sliep Simon
toch niet goed. Hij werd na middernacht wakker met pijnlijke spieren,
zijn gedachten in kringend ronddraaiend. Het kamp was stil. De wind
had de hemel schoongeveegd en de sterren schitterden als mespunten.
Toen het duidelijk werd dat hij de slaap niet kon vatten, althans voorlopig niet, stond hij op en ging naar de wachtvuren die op de helling van
de heuvel boven de grote barricaden brandden. Het grootste laaide
naast een van de verweerde Sithi monumentstenen, en daar trof hij Binabik en een paar anderen aan – Geloë, pater Strangyeard, Sludig en

Deornoth – die rustig met de prins zaten te praten. Jozua at soep uit een dampende kom. Simon vermoedde dat het 't eerste voedsel was dat de prins die dag tot zich had genomen.

De prins keek op toen Simon de lichtkring binnen stapte. 'Welkom, jonge ridder,' zei hij. 'We zijn allemaal trots op je. Je hebt vandaag mijn vertrouwen beantwoord, zoals ik wist dat je zou doen.'

Simon boog zijn hoofd, onzeker wat hij moest zeggen. Hij was blij met de lof, maar verontrust door de dingen die hij op het ijs had gezien en gedaan. Hij voelde zich niet erg nobel. 'Dank u, prins Jozua.'

Hij zat ineengedoken in zijn mantel en luisterde terwijl de anderen de strijd van die dag bespraken. Hij voelde dat ze om het centrale punt heen praatten, maar hij vermoedde ook dat iedereen bij het vuur dat evengoed wist als hij; ze konden een slijtageslag tegen Fengbald niet winnen. Ze waren te zeer in de minderheid. Sesuad'ra was geen kasteel dat moest worden verdedigd tegen een lang beleg – er waren te veel plaatsen waar een invallend leger een steunpunt kon veroveren. Als ze de strijdkrachten van de graaf niet op het bevroren meer konden tegenhouden, dan zat er weinig anders op dan hun leven zo duur mogelijk te verkopen.

Terwijl Deornoth, zijn hoofd verbonden met een lap stof, vertelde van de gevechtsbekwaamheden die hij bij de Tritsingse huurlingen had gezien, liep Freosel naar het vuur toe. De slotvoogd droeg nog steeds zijn in de slag besmeurde uitrusting, zijn handen en hele gezicht onder het vuil; ondanks de ijzige temperaturen was zijn voorhoofd bepareld met zweetdruppels, alsof hij het heuvelpad het hele eind van Nieuw Gadrinsett af was gerend.

'Ik kom van de nederzetting, prins Jozua,' zei Freosel hijgend. 'Helfgrim, Gadrinsetts burgemeester, is verdwenen.'

Jozua keek Deornoth een ogenblik aan, toen Geloë. 'Heeft iemand hem zien gaan?'

'Hij was bij anderen terwijl hij naar de strijd keek. Niemand heeft gezien wat er met hem is gebeurd.'

De prins fronste. 'Dat zint me niet. Ik hoop dat hem niets is overkomen.' Hij zuchtte, zette zijn kom neer en stond toen langzaam op. 'Ik veronderstel dat we moeten zien wat we te weten kunnen komen. Er zal weinig kans op zijn in de ochtend.'

Sludig, die achter Freosel was verschenen, zei: 'Neem mij niet kwalijk, prins Jozua, maar u hoeft zich er niet druk om te maken. Laten anderen dat maar doen, zodat u kunt rusten.'

Jozua glimlachte flauw. 'Dank je, Sludig, maar ik heb ook andere dingen in de nederzetting te doen, dus is het geen grote moeite, Freosel. Deornoth, Geloë, misschien willen jullie met mij meegaan. Jij ook,

Freosel. Er zijn dingen die ik graag verder met jullie wil afhandelen.'
Hij gaf afwezig een van de houtblokken een schop met de punt van zijn
laars, trok toen zijn mantel om zich heen en ging naar het pad. Degenen
die hij had ontboden volgden, maar Freosel ging even terug en legde
zijn hand op Simons schouder.

'Heer Seoman, ik heb onlangs haastig gesproken, zonder na te denken.'
Simon was in de war, en nogal verlegen om zijn titel uit de mond van
deze machtige en competente jonge man te horen. 'Ik weet niet wat u
bedoelt.'

'Over het elfenvolk.' De man uit Falshire keek hem strak en ernstig aan.
'U denkt misschien dat ik een grapje maakte, of oneerbiedig was. Welnu, ik vrees de Vreedzamen als iedere Godvrezende Aedonitische man,
maar ik weet dat ze niettemin machtige vrienden kunnen zijn. Als u ze
kunt ontbieden, doe dat dan. Wij hebben alle hulp nodig die we kunnen krijgen.'

Simon schudde zijn hoofd. 'Ik heb geen macht over hen, Freosel... geen
enkele. Je weet niet hoe ze zijn.'

'Dat weet ik ook niet, dat is zo. Maar als ze uw vrienden zijn, zeg hun
dan dat wij in benarde omstandigheden verkeren. Dat is alles wat ik te
zeggen heb.' Hij draaide zich om en liep het pad op, zich haastend om
de prins en de anderen in te halen.

Sludig, die was gebleven, trok een gezicht. 'De Sithi ontbieden. Ha!
Het zou gemakkelijker zijn om de wind te ontbieden.'

Simon knikte met droeve instemming. 'Maar wij hebben hulp nodig,
Sludig.'

'Je bent te goed van vertrouwen, jongen. Wij betekenen weinig voor
het Sithi volk. Ik betwijfel of we Jiriki weer zullen zien.' De Rimmersman fronste bij Simons blik. 'Bovendien hebben wij onze zwaarden, onze hersenen en onze harten.' Hij ging op zijn hurken bij het vuur zitten
en warmde zijn handen. 'God geeft een mens wat hij verdient, niet
meer, niet minder.' Een ogenblik later ging hij staan, rusteloos. 'Als de
prins mij niet nodig heeft, zal ik een plaats gaan zoeken waar ik kan slapen. Morgen zal het er bloediger aan toegaan dan vandaag.' Hij knikte
tegen Simon, Binabik en Strangyeard, en liep toen naar de barricade; de
ketting aan zijn zwaard rinkelde flauw.

Simon zat hem na te kijken, en vroeg zich af of Sludig gelijk had wat
betreft de Sithi, in de war vanwege het gevoel van verlies dat het idee
met zich meebracht.

'De Rimmersman is boos.' De archivaris klonk verrast door zijn eigen
woorden. 'Ik bedoel, dat wil zeggen, ik ken hem nauwelijks...'

'Ik denk dat jij de waarheid spreekt, Strangyeard.' Binabik keek omlaag
naar het stuk hout dat hij had uitgesneden. 'Er zijn lieden die het niet

erg prettig vinden om onder anderen te staan, vooral wanneer het eens anders was. Sludig is weer een voetknecht geworden, na gekozen te zijn om te speuren en een grote prijs mee terug te brengen.' De woorden van de trol waren peinzend, maar zijn gezicht was ongelukkig alsof hij de pijn van de Rimmersman deelde. 'Ik ben bang dat hij in de strijd vecht met dat gevoel in zijn hart; wij hebben sinds onze reizen in het noorden een vriendschap gedeeld, maar sinds wij hier zijn gekomen, heeft hij mij somber en droefhartig toegeschenen.'

Er viel een stilte over de kleine groep, die alleen werd verbroken door het geknetter van de vlammen.

'Wat vind je van wat hij zei?' vroeg Simon ineens. 'Heeft hij gelijk?'

Binabik keek hem vragend aan. 'Wat bedoel je, Simon? Wat de Sithi betreft?'

'Nee. "God geeft een mens wat hij verdient, niet meer en niet minder", dat zei Sludig. Is dat waar?'

De archivaris, opgewonden, wendde zijn blik áf; maar na een ogenblik draaide hij zich om en keek Simon recht aan. 'Nee, Simon. Ik denk niet dat dat waar is. Maar het is onmogelijk de gedachten van God te kennen.'

'Want mijn vrienden, Morgenes en Haestan, hebben zeker niet gekregen wat ze verdienden – de een verbrand en de ander verpletterd door de knuppel van een reus.' Simon kon zijn stem niet vrijhouden van bitterheid.

Binabik opende zijn mond, alsof hij iets wilde zeggen, maar toen hij zag dat Strangyeard dat ook had gedaan, hield de trol zich stil.

'Ik geloof dat God plannen heeft, Simon.' De archivaris sprak zorgvuldig. 'En het kan zijn dat we die eenvoudig niet begrijpen... of misschien weet God Zelf niet precies wat de uitwerking van Zijn plannen zal zijn.'

'Maar jullie priesters zeggen altijd dat God alles weet.'

'Misschien heeft Hij verkozen enkele van de pijnlijkere dingen te vergeten,' zei hij vriendelijk. 'Als jij eeuwig geleefd had en iedere pijn in de wereld had ervaren alsof die jouw eigen pijn was – met iedere soldaat was gestorven, had gehuild met iedere weduwe en wees, iedere smart van een moeder bij het overlijden van een geliefd kind had gedeeld – zou jij er dan misschien ook niet naar verlangen te vergeten?'

Simon keek in de veranderende vlammen van het vuur. *Zoals de Sithi*, dacht hij, *voor altijd gevangen met hun pijn*. Verlangend naar een einde, zoals Amerasu had gezegd.

Binabik sneed nog een paar schilfers van het stuk hout. Het begon de vorm aan te nemen van iets dat de kop van een wolf kon zijn, met rechtopstaande oren en een lange snuit. 'Als het mij gepermitteerd is ernaar te vragen, vriend Simon, is er dan een reden waarom Sludigs gezegde zo sterk bij je is aangekomen?'

Simon schudde zijn hoofd. 'Ik wil alleen maar weten hoe... ik moet zijn. Deze mannen zijn gekomen om ons te doden – ik wil dat ze allen pijnlijk, afschuwelijk sterven... Maar, Binabik, dit zijn de Erkynwachten! Ik heb ze op het kasteel gekend. Sommigen van hen gaven me snoepjes, of tilden me op hun paarden en zeiden dat ik hen aan hun eigen zonen herinnerde.' Hij speelde zenuwachtig met een stokje, ermee wroetend in de modderige aarde. 'Wat is juist? Hoe konden zij ons, die hun nooit enig kwaad hebben gedaan, deze dingen aandoen? Maar de koning laat het hen doen, dus waarom zouden zij moeten worden gedood en wij niet?' Binabiks lippen krulden zich in een flauwe glimlach. 'Ik zie dat je geen zorgen hebt over de huurlingen, nee, zeg maar niets, dat hoeft niet! Het is moeilijk medelijden te voelen met degenen die de oorlog zoeken voor goud.' Hij liet het half-afgemaakte houtsnijwerk in zijn jasje glijden en begon zijn wandelstok weer in elkaar te zetten, het mes in het lange handvat stekend. 'De vragen die jij stelt, zijn belangrijk maar het zijn ook vragen zonder antwoorden. Dit is wat het betekent om een man of vrouw te zijn, denk ik, in plaats van een jongen of meisje: je moet je eigen oplossing vinden voor vragen die geen echte antwoorden hebben.' Hij wendde zich tot Strangyeard. 'Heb je Morgenes' boek ergens bij de hand, of is het nu in de nederzetting?'

De archivaris had in de vlammen zitten kijken, in gedachten verzonken. 'Wat?' zei hij, plotseling wakker wordend. 'Het boek, zeg je? O, hemelse weiden, ik neem het overal met me mee! Hoe zou ik het ergens onbewaakt durven achterlaten?' Hij draaide zich abrupt om en keek Simon verlegen aan. 'Natuurlijk is het niet van mij – denk alsjeblieft niet dat ik vergeten ben, Simon, dat je zo vriendelijk bent geweest het mij te laten lezen. Je kunt je niet voorstellen hoe geweldig het is geweest om van Morgenes' woorden te genieten!'

Simon voelde een bijna aangename steek van spijt bij de herinnering aan Morgenes. Wat miste hij die goede oude man! 'Het is ook niet van mij, pater Strangyeard. Hij heeft het mij alleen maar in bewaring gegeven zodat uiteindelijk mensen als u en Binabik het zouden kunnen lezen.' Hij glimlachte somber. 'Dat is hetgene dat ik tegenwoordig leer, denk ik, dat niets echt van mij is. Ik heb een tijdje gedacht dat Doorn voor mij bestemd was, maar nu betwijfel ik dat. Ik heb andere dingen gekregen, maar geen van ze doen helemaal wat ze verondersteld worden te doen. Ik ben blij dat iemand een nuttig gebruik van Morgenes' woorden kan maken.'

'Wij krijgen nu allemaal een dergelijk gebruik,' zei Binabik met een glimlach, maar zijn toon was ernstig. 'Morgenes heeft in deze donkere tijd voor ons allen plannen gemaakt.'

'Wacht eens even.' Strangyeard kwam overeind. Een ogenblik later kwam hij terug met zijn tas, de inhoud ervan onbedoeld eruit gooiend – een Boek van de Aedon, een sjaal, een waterzak, wat kleine geldstukken en hebbedingetjes – in zijn poging om bij het manuscript te komen dat stevig op de bodem lag. 'Hier is het,' zei hij triomfantelijk, en zweeg toen. 'Waarom zocht ik het eigenlijk?'

'Omdat ik vroeg of u het had,' legde Binabik uit. 'Er staat een passage in die, denk ik, Simon van groot belang zou vinden.'

De trol nam het manuscript dat hem werd aangeboden en bladerde het met grote zorg door, fronsend terwijl hij bij het onduidelijke licht van het kampvuur probeerde te lezen. Het zag er niet naar uit dat dit een zeer snelle procedure zou zijn, dus stond Simon op om zijn blaas te ledigen. De wind woei kil langs de helling van de heuvel en het witte meer beneden, dat door een opening tussen de bomen schemerde, zag eruit als een plaats voor spoken. Toen hij bij het vuur terugkwam, rilde hij.

'Hier, ik heb het gevonden.' Binabik zwaaide met de pagina. 'Wil je het liever zelf lezen of wil je dat ik het voorlees?'

Simon meesmuilde om de zorgzaamheid van de trol. 'Je vindt het heerlijk om mij dingen voor te lezen. Ga je gang.'

'Het is alleen in het belang van je voortgezette opvoeding,' zei Binabik met spottende strengheid. Luister: '*Feitelijk*,' schrijft Morgenes,

'*was het debat over wie de grootste ridder in het Aedondom was vele jaren lang overal een bron van ruzie, zowel in de gangen van de Sancellaanse Aedonitis in Nabban als in de herbergen van Erkynland en Hernystir. Het zou moeilijk zijn te beweren dat Camaris de mindere was van iedereen, maar hij scheen zo weinig vreugde te scheppen in het gevecht dat oorlog voor hem een vloek zou zijn geweest, met zijn eigen grote vaardigheden als een vorm van straf. Vaak, wanneer eer hem dwong in toernooien te vechten, placht hij het wapen van de ijsvogel van zijn huis te verbergen onder een vermomming, om zijn vijanden op die manier te verhinderen eenvoudig door ontzag te worden verslagen. Het was ook van hem bekend dat hij zichzelf ongelooflijke handicaps gaf, zoals alleen met zijn linkerhand vechten, niet alleen uit bravour, maar uit wat ik zelf denk een vreselijk verlangen om iemand, ergens, te hebben die hem ten slotte overwon en op die manier de last van Osten Ards allerbeste ridder te zijn van zijn schouders zou nemen – en daarmee een doel voor iedere dronken vechtersbaas alsook de inspiratie van iedere balladenschrijver. Wanneer hij in een oorlog vocht – hier waren zelfs de priesters van Moeder Kerk het over eens – schenen zijn bewonderenswaardige nederigheid en mede-*

lijden met een verslagen vijand bijna te ver te gaan, alsof hij naar een eervol-
le nederlaag, naar de dood verlangde. Zijn wapenfeiten, die een onderwerp
van gesprek waren in heel Osten Ard, waren voor Camaris bijna schandelij-
ke daden.

Eens was Tallistro van Perruin uit een hinderlaag in de eerste Tritsingsoor-
log gedood – een verraderlijke daad die beroemd werd gemaakt in bijna even-
veel liederen als waarin van Camaris' heldendaden wordt verhaald – alleen
John zelf kon ooit als een mededinger van Camaris voor de titel van Aedons
grootste krijgsman worden beschouwd. Voorwaar, niemand zou hebben geop-
perd dat zelfs Prester John, machtig als hij was, heer Camaris in een open-
lijk gevecht zou hebben kunnen verslaan; na Nearulagh, de slag waarin ze
tegenover elkaar stonden, zorgde Camaris ervoor nooit meer tegen John te
vechten, omdat hij bang was het precaire evenwicht van hun vriendschap te
verstoren. Maar waar Camaris' vaardigheden een zware last voor hem wa-
ren, en het bedrijven van oorlog – ook die oorlogen die Moeder Kerk goedkeur-
de en, zouden sommigen misschien zeggen, af en toe aanmoedigde – voor Nab-
bans grootste ridder een beproeving en een bron van verdriet vormde, was
Prester John een man die nooit gelukkiger scheen dan op het slagveld. Hij
was niet wreed – geen verslagen vijand werd door hem ooit minder dan eer-
lijk behandeld, behalve de Sithi tegen wie John enkele persoonlijke maar
sterke antipathieën koesterde, en die hij vervolgde tot ze bijna uit het gezicht
van sterfelijke mensen verdwenen. Maar omdat sommigen zouden tegenwer-
pen dat de Sithi geen mensen zijn, en derhalve geen ziel hebben – hoewel ik
dat zelf niet zou beweren – zou men kunnen zeggen dat al Johns vijanden
werden behandeld op een manier die zelfs de meest gewetensvolle gelovige
rechtvaardig en genadig zou moeten noemen. En voor zijn onderdanen, zelfs
de heidense Hernystiri, was John een grootmoedige koning. Pas in de tijd
waarin het tapijt van de oorlog voor hem werd uitgespreid, werd hij een ge-
vaarlijk wapen. Zo kwam het dat Moeder Kerk, in wier naam hij veroverde,
hem – uit dankbaarheid en misschien een beetje uit stille angst – het
Zwaard van de Heer noemde.

Zo woedde het twistgesprek, en zelfs tot op de dag van vandaag: wie was de
grootste? Camaris, de meest bedreven man die ooit sinds mensenheugenis een
zwaard ophief? Of John, slechts iets minder vaardig, maar een leider van
mensen, en zelf een man die een rechtvaardige en vrome oorlog verwelkom-
de...?'

Binabik schraapte zijn keel. 'En, aangezien hij zegt dat het debat ver-
derging, gaat Morgenes zelf dus nog enkele pagina's verder, grondiger
sprekend over deze kwestie, die in zijn tijd van groot belang was, of in
elk geval werd geacht zo belangrijk te zijn.'

'Dus Camaris doodde beter, maar vond het minder prettig dan koning

John?' vroeg Simon. 'Waarom deed hij het dan? Waarom werd hij dan geen monnik of kluizenaar?'

'Ah, dat is de kern van wat je je eerder afvroeg, Simon,' zei Binabik, zijn donkere ogen gespannen. 'Dat is de reden dat de geschriften van grote denkers zo'n grote hulp voor de rest van ons zijn bij ons eigen denken. Hier heeft Morgenes de woorden en namen op een andere manier vermeld, maar het is dezelfde vraagstelling als de jouwe: is het juist om te doden, ook al is dat wat je meester, je land of kerk wil? Is het beter om te doden maar om er geen plezier aan te beleven, of helemaal niet te doden, en dan misschien zien dat degenen van wie je houdt slechte dingen overkomen?'

'Geeft Morgenes een antwoord?'

'Nee.' Binabik schudde zijn hoofd. 'Zoals ik zei, de wijzen weten dat er op deze vragen geen echte antwoorden bestaan. Het leven bestaat uit deze vragen, en uit de antwoorden die elk van ons voor zichzelf vindt.'

'Voor een keer maar, Binabik, wil ik dat je mij zegt dat er wel een antwoord op iets is. Ik ben moe van zoveel denken.'

De trol lachte. 'De straf voor geboren te zijn... nee, misschien is het te veel om het zo te noemen. De straf voor werkelijk te leven – dat is eerlijk om te zeggen. Welkom, Simon in de wereld van hen die veroordeeld zijn om iedere dag te denken en zich te verbazen en nooit iets met zekerheid weten.'

Simon snoof... 'Dank je.'

'Ja, Simon.' Er klonk een vreemde, sombere ernst in Strangyeards stem. 'Welkom, ik hoop dat je op zekere dag blij zult zijn dat je beslissingen geen eenvoudige waren.'

'Hoezo?'

Strangyeard schudde zijn hoofd. 'Vergeef me dat ik het soort dingen zeg die oude mannen zeggen, Simon, maar... je zult het zien.'

Simon stond op. 'Goed dan. Nu je mijn hoofd aan het duizelen hebt gemaakt, zal ik doen zoals Sludig heeft gedaan: met afschuw weggaan en proberen te slapen.' Hij legde zijn hand op Binabiks schouders, wendde zich toen tot de archivaris, die Morgenes' boek eerbiedig weer in zijn tas stopte. 'Goedenacht, pater Strangyeard. Het beste. Goedenacht, Binabik.'

'Goedenacht, vriend Simon.'

Hij hoorde de trol en de priester zachtjes praten toen hij naar zijn slaapplaats liep. Om de een of andere reden zorgde de wetenschap dat dergelijke lieden wakker waren ervoor dat hij zich een beetje veiliger voelde.

Op de laatste ogenblikken voor zonsopgang, had Deornoth geen karweitjes meer te doen. Zijn zwaard was gescherpt, en nog eens gescherpt.

Hij had verschillende gespen die van zijn maliën af waren getrokken, weer aangezet, hetgeen zwaar werk met een zware naald had vereist waarvan je kramp in je vingers kreeg, en daarna had hij moeizaam de modder van zijn laarzen afgeschraapt. Nu zou hij òf blootsvoets moeten blijven, op de vodden na die om zijn voeten waren gewikkeld – een koude, koude toestand – tot het tijd was om het ijs op te gaan, òf zou hij zijn laarzen weer aan moeten trekken en blijven waar hij was. Een enkele stap over de modderige puinhoop die het kamp was, zou zeker zijn zorgvuldige werk ongedaan maken. Het was al moeilijk genoeg om je staande te houden zonder gladde modder aan de zolen van je laarzen.

Toen de hemel lichter begon te worden, luisterde Deornoth naar sommige van zijn manschappen die zacht zongen. Hij had tot voor gisteren nog nooit naast één van hen gevochten. Het was ongetwijfeld een armzalig leger; velen van hen hadden nog nooit eerder een zwaard gehanteerd, en er waren er bij die zo oud waren dat zij thuis op hun pachtgoederen al jarenlang niet naar de periodieke monstering waren gekomen. Maar als hij vocht om zijn huis en haard te verdedigen, kon zelfs de zachtmoedigste boer een vijand worden waarmee rekening moest worden gehouden, en deze kale steen betekende nu voor velen een thuis. Deornoths mannen, onder leiding van de weinigen van hen die feitelijk onder de wapenen waren geweest, hadden zich dapper gedragen… heel dapper eigenlijk. Hij wenste alleen maar dat hij hun iets beters te bieden had dan de aanstaande slachting van vandaag.

Hij hoorde het zuigende geluid van paardehoeven in de modder; het rustige gemompel van de mannen om hem heen verstierf. Hij draaide zich om en zag een kleine groep ruiters die het slingerende pad afkwam dat door het kamp liep. De voorste van hen was een lange, slanke figuur die op een vos zat, zijn mantel golvend in de sterke wind. Jozua was eindelijk klaar. Deornoth zuchtte en stond op, zwaaiend om de rest van zijn troepen terwijl hij zijn laarzen pakte. De tijd voor dagdromen was voorbij. Nog ongeschoeid, dat onvermijdelijke moment nog steeds uitstellend, ging hij zich bij zijn prins voegen.

Aanvankelijk waren er weinig verrassingen op de tweede dag van de strijd. Het was bloederig werk, zoals Sludig had voorspeld, borst aan borst, zwaard tegen zwaard; tegen het midden van de ochtend was het ijs met bloed overgoten en deden de raven zich te goed aan de grenzen van het strijdtoneel.

Degenen die deze slag overleefden, zouden hem bij vele namen noemen: voor Jozua en zijn naaste gezelschap was het 't Beleg van Sesuad'ra. Voor de aanvoerders van Fengbalds Erkynlandse troepen was het Steffloddal; voor de Tritsingse huurlingen de Slag van de Steen.

Maar voor de meesten die zich hem herinnerden, en weinigen deden dat zonder een huivering, was het Meer van Glas de naam die het meeste opriep.

De strijd golfde de hele morgen lang heen en weer over Sesuad'ra's ijzige slotgracht toen eerst de ene partij en daarna de andere een tijdelijk voordeel verwierf. Aanvankelijk viel de Erkynwacht, in verlegenheid vanwege hun prestatie van de vorige dag, zo sterk aan dat de Verdedigers van de Steen tegen hun eigen barricaden werden teruggedreven. Ze hadden toen misschien, overweldigd door een overmacht, kunnen worden neergesabeld, maar Jozua reed naar voren op de vurige Vinyafod, aan het hoofd van een kleine bereden groep van Hotvigs Tritsingers, en veroorzaakte voldoende ontsteltenis in de flanken van de soldaten van de koning dat die hun voordeel niet volledig konden uitbuiten. De pijlen die Freosel en de andere verdedigers hadden bijeengezocht, vlogen van de heuvel naar beneden en de in het groen geklede Erkynwacht werd gedwongen zich buiten het bereik ervan terug te trekken, wachtend tot de projectielen op waren. De in een rode mantel gehulde hertog Fengbald reed heen en weer in een open gedeelte van ijs midden op het meer, met zijn zwaard zwaaiend en gesticulerend.

Zijn troepen vielen opnieuw aan, maar deze keer waren de verdedigers paraat en de golf van de bereden Erkynwacht brak tegen de grote muren van houtblokken. Een uitvallende strijdmacht van de heuvel drong toen door de groene linie heen en drong diep in het midden van Fengbalds strijdkrachten door. Deze was niet sterk genoeg om het leger van de hertog in tweeën te splitsen, anders zou de strijd misschien een heel ander verloop hebben gehad, maar ook toen ze met zware verliezen werden teruggeworpen, was het duidelijk dat Deornoths boeren-soldaten een hernieuwde vastberadenheid hadden gevonden. Ze wisten dat zij op dit terrein bijna als gelijken konden vechten; het was duidelijk dat zij hun haardsteden niet aan de zwaarden van de koning zouden opgeven zonder er een bloedige prijs voor te vragen.

De zon bereikte de toppen van de boomlijn en het ochtendlicht begon zich net over de andere zijde van het dal te verspreiden. Over het ijs hing weer een dichte mist. Beneden in de duisternis begon de strijd wanhopig te worden toen de manschappen niet alleen met elkaar streden, maar ook met het verraderlijke slagveld. Beide partijen schenen vastbesloten te zijn dat de zaak voor de avond voorbij moest zijn en het geschilpunt voor altijd beslist. Te oordelen naar het aantal roerloze gestalten dat al over het bevroren meer verspreid lag, scheen het nauwelijks aan twijfel onderhevig dat er tegen de middag weinig van Sesuad'ra's verdedigers over zouden zijn om de zaak te beslechten.

Binnen het eerste uur na de dageraad dacht Simon niet meer aan Camaris, Prester John, of zelfs aan God. Hij voelde zich als een boot die ten prooi is aan een vreselijke storm maar de golven die hem dreigden te verdrinken, hadden gezichten en droegen scherpe zwaarden. Er werd vandaag niet geprobeerd de trollen in reserve te houden. Jozua was er zeker van geweest dat Fengbald zijn manschappen eenvoudig tegen Sesuad'ra's verdedigers zou inzetten tot ze verslagen waren, dus had het weinig zin om iemand te verrassen. Er was geen slagorde, slechts een kern van bevelvoering, gehavende banieren en verre horens. De strijdende legers stormden op elkaar af, vielen aan en klampten zich aan elkaar vast als drenkelingen, trokken zich toen weer terug voor de volgende golf, de lijken van de gevallenen over het mistige meer verspreid achterlatend.

Terwijl de aanval van de Erkynwacht de verdedigers terugdrong tegen de barricaden, zag Simon hoe de trollenherder Snenneq door de lans van een Erkynwachter werd doorboord, compleet uit zijn ramzadel werd getild en tegen een van de boomstammen van de barricade werd geprikt. Hoewel de trol ongetwijfeld dood of stervende was, rukte de gepantserde gardesoldaat zijn wapen los en doorboorde het kleine lichaam opnieuw terwijl het langs de muur omlaag gleed, de lans ronddraaiend alsof hij een insekt doodde. Simon, razend geworden, liet Thuisvinder door een opening in de menigte van mannen rennen en zwaaide uit alle macht met zijn zwaard, en onthoofdde bijna de gardesoldaat, die van zijn paard op het bevroren meer stortte, terwijl het bloed uit hem spoot. Simon boog zich voorover en pakte Snenneqs leren jasje, hem met één hand van de grond omhoog trekkend zonder het gewicht ook maar te voelen. Het hoofd van de trol ging op en neer; zijn bruine ogen staarden zonder te zien. Simon wiegde de kleine, gedrongen gestalte tegen zijn eigen lichaam, zonder acht te slaan op het bloed dat zijn broek en zadel doordrenkte.

Enige tijd later bevond hij zich aan de rand van de strijd. Snenneqs lichaam was weg. Simon wist niet of hij het had neergezet of had laten vallen; hij herinnerde zich alleen het verbaasde, angstige gezicht van de dode trol. Er had bloed aan de lippen van de kleine man en tussen zijn tanden gekleefd.

Het was gemakkelijk om te haten als hij niet dacht, ontdekte Simon. Als hij de gezichten van vijanden alleen als bleke vegen binnen hun helmen zag, als hij hun open monden als afschuwelijke zwarte gaten zag, was het gemakkelijk om op hen af te rijden en uit alle macht op hen in te slaan, te proberen hun knobbelige hoofden en zwaaiende ledematen van de lichamen te scheiden tot de gehate wezens dood waren. Hij merkte ook dat als hij niet bang was om dood te gaan – en op dit ogenblik was hij dat niet: hij had het gevoel dat heel zijn angst was weggeschroeid – het gemakkelijk was om te overleven. De mannen tegen wie hij vocht, ook al waren het geoefende krijgers, velen van hen veteranen uit verschillende veldslagen, schenen bang voor Simons individuele aanvallen. Hij zwaaide en zwaaide, iedere slag even hard of zelfs harder dan de vorige. Wanneer zij hun eigen wapens ophieven, sloeg hij naar hun armen en handen. Als ze achteruit gingen om hem uit zijn evenwicht te brengen, reed hij Thuisvinder met volle kracht in hun zij en sloeg erop los zoals Ruben de Beer eens in de stallen van de Hayholt op roodgloeiend metaal had gehamerd. Vroeg of laat, ontdekte Simon, kroop de blik van angst in hun ogen, het wit in de diepten van hun helmen flitsend. Vroeg of laat deinsden zij terug, maar Simon beukte verder, snijdend en hakkend, tot ze vluchtten of sneuvelden. Dan zoog hij lucht diep in zijn longen, weinig anders horend dan de onmogelijk vlugge trommelslagen van zijn eigen hart, tot woede zijn kracht nieuw leven schonk en hij verder reed op zoek naar iets anders om op in te hakken.

Bloed spoot, ogenblikken lang zwevend als een rode nevel. Paarden vielen, benen krampachtig schoppend. Het lawaai van de strijd was zo luid dat het vrijwel ondraaglijk was. Toen hij zich door de slachting drong, voelde Simon zijn armen in ijzer veranderen – stijf, hard als het zwaard dat hij in zijn hand hield; hij had geen paard, maar veeleer vier sterke benen die hem brachten waar hij wilde gaan. Hij was rood bespetterd, gedeeltelijk met zijn eigen bloed, maar hij voelde alleen maar vuur in zijn borst en een spastische behoefte om de wezens neer te slaan die gekomen waren om zijn nieuwe thuis te stelen en zijn vrienden af te slachten.

Simon wist het niet, maar onder zijn helm was zijn gezicht nat van tranen.

Een gordijn scheen eindelijk opzij te worden getrokken, licht binnenlatend in het vertrek van Simons bestiale gedachten. Hij was ergens in de buurt van het midden van het meer en iemand riep zijn naam.

'Simon!' Het was een hoge, maar vreemde stem. Een ogenblik lang wist hij niet precies waar hij was. 'Simon!' riep de stem opnieuw.

Hij keek omlaag, zoekend naar degene die had gesproken, maar de voetknecht die daar verfomfaaid lag zou nooit meer tegen iemand roepen. Simons angstaanjagende gevoelloosheid smolt iets verder. Het lijk behoorde aan een van Fengbalds soldaten toe. Simon wendde zich af, omdat hij niet naar het slappe gezicht van de man wilde kijken.

'Simon, kom!' Het was Sisqi, gevolgd door twee van haar trolle-verwanten die naar hem toe reden. Terwijl hij Thuisvinder liet omkeren om de twee pas aangekomen te zien, keek hij onwillekeurig naar de gele spleetogen van hun zadelrammen. Wat dachten zij? Wat konden dieren van zoiets als dit denken?

'Sisqi.' Hij knipperde met zijn ogen. 'Wat...'

'Kom, kom vlug!' Ze wees met haar speer naar een plaats dichter bij de barricades. De slag woedde nog steeds, en hoewel Simon goed keek, wist hij dat er iemand als de oude Jarnauga voor nodig was om uit een dergelijke chaos iets wijs te worden.

'Wat is er?'

'Help je vriend! Je *Croohok!* Kom!'

Simon schopte met zijn hielen tegen Thuisvinders ribben en volgde de trollen toen ze hun rammen keurig lieten omdraaien. Thuisvinder maakte een slingerbeweging over de gladde oppervlakte van het meer toen zij erachteraan ging. Simon wist dat het paard moe was, doodmoe. Arme Thuisvinder! Hij zou ophouden en haar drenken... haar laten slapen... slapen... Simons eigen hoofd bonsde, en zijn rechterarm voelde aan alsof er met knuppels op geslagen was.

Aedons genade, wat heb ik gedaan? Wat heb ik vandaag gedaan?

De trollen voerden hem terug naar het heetst van de strijd. De mannen die hij om zich heen zag, waren bijna zo uitgeput dat ze achteloos waren, als slaven van de zuidelijke eilanden die naar de oude Nabbaanse arena's werden gestuurd om te vechten. Vijanden schenen elkaar overeind te houden terwijl ze toesloegen, en het gekletter van wapentuig had een droevig, vals geluid als van honderd kleppende klokken.

Sludig en een kluwen verdedigers waren omringd door Tritsingse huurlingen. De Rimmersman had een bijl in elke hand. Hij was van zijn paard geworpen, maar terwijl hij zijn best deed om zich op het ijs staande te houden, hield hij twee Tritsingers met door littekens getekende gezichten van zich af. Simon en de trollen kwamen er zo snel aan als hun houvast op het ijs het hun toestond, Sludigs aanvallers van achteren overrompelend. Hoewel Simons verkrampende arm geen zuivere slag toebracht, raakte zijn zwaard de onbeschermde staart van een van de paarden van de Tritsingers, waardoor het dier plotseling steigerde. Zijn berijder stortte op het ijs, waar hij snel door Sludigs metgezellen werd aangevallen. De Rimmersman gebruikte het glijdende, ruiterloze paard als schild tegen zijn andere vijand, slaagde er toen in een voet in de stijgbeugel te krijgen en in het zadel te klauteren, een van zijn bijlen net op tijd omhoog brengend om een slag van het kromzwaard van de Tritsinger af te weren. Hun wapens kwamen nog twee keer rinkelend tegen elkaar voordat Sludig, woordloos brullend, met een bijl het zwaard van de man uit diens greep sloeg en de andere in het hoofd van de huurling joeg, door de stijve leren helm gaand alsof het een eierschaal was. Hij zette zijn laars op de borst van de man en rukte de bijl los; de huurling viel over de nek van zijn paard en gleed toen zwaar op de grond.

Simon riep tegen Sludig, en draaide zich toen vlug om terwijl een andere aanvalsgolf een ruiterloos paard zwaar tegen Thuisvinders schoft drukte, Simon daardoor bijna uit het zadel werpend. Hij hield zich aan de teugels vast, rechtte zich toen en schopte naar het in paniek geraakte dier, dat hinnikte en zijn best deed om houvast op het ijs te krijgen alvorens weg te scharrelen. De Rimmersman keek Simon een ogenblik aan alsof hij hem niet herkende. Zijn gele baard was met bloeddruppels bespat, en zijn maliën waren op verschillende plaatsen gebroken en gescheurd. 'Waar is Deornoth?'

'Ik weet het niet! Ik ben hier net aangekomen!' Simon richtte zich hoger in het zadel op om om zich heen te kijken, Thuisvinder met zijn knieën vastgrijpend.

'Hij was afgesneden.' Sludig stond in zijn eigen stijgbeugels. 'Daar, ik zie zijn mantel.' Hij wees naar een groepje Tritsingers vlakbij, in wier midden een blauwe flits te zien was. 'Kom!' Sludig liet het paard van de huurling naar voren gaan. Het dier, dat niet met speciale spijkers was uitgerust, slipte en gleed weg.

Simon riep om Sisqi en haar vrienden, die rustig gewonde Tritsingers met speren aan het doorboren waren. De dochter van de Herder en de Jageres blafte iets in het Qanucs tegen haar metgezellen en ze galoppeerden allen achter Simon en Sludig aan.

De lucht was donkerder geworden toen wolken de zon hadden bedekt. Nu begon een jacht van kleine sneeuwvlokken de lucht te vullen. De mist scheen ook dichter te worden. Simon meende een rode flits in de donkere zee van vechtende mensen niet ver achter Sludig te zien. Kon het Fengbald zijn? Hier te midden van het gewoel? Het scheen onmogelijk dat de hertog zo'n risico zou nemen terwijl de aantallen en ervaring aan zijn kant waren.

Simon had minder dan een ogenblik om over deze onwaarschijnlijke mogelijkheid na te denken voor Sludig zich in de groep Tritsingers had gestort, lukraak met zijn bijlen zwaaiend. Hoewel twee mannen gewond voor de Rimmersman vielen, de weg voor hem vrijmakend, zag Simon dat anderen de opening in gingen, verscheidenen van hen nog steeds te paard; Sludig zou worden ingesloten. Simons gevoel van onwerkelijkheid werd nog sterker. Wat deed hij hier? Hij was geen soldaat! Dit was waanzin! Maar wat kon hij anders doen? Zijn vrienden werden gewond en gedood. Hij reed naar voren, naar de baardige huurlingen slaand. Iedere slag trilde nu door zijn arm omhoog, een pijn als een tong van vuur die hij via zijn schouders tot in de onderkant van zijn schedel voelde. Hij hoorde de vreemde keffende kreten van Sisqi en haar Qanucs achter zich, toen ineens was hij erdoor.

Sludig was van zijn paard geklommen. Hij knielde naast een figuur in een mantel met de kleur van een vroege avondhemel. Het was Deornoth en zijn gezicht was heel bleek. Onder Jozua's ridder, half bedekt door zijn blauwe mantel, lag een enorm gespierde Tritsinger op zijn rug, nietsziende naar de bewolkte hemel starend, een korst bloed op zijn lippen. Met de aangescherpte helderheid van bijna-waanzin, zag Simon een sneeuwvlokje op het geopende oog van de huurling neerdwarrelen.

'Het is de leider van de huurlingen,' riep Sludig boven het lawaai uit. 'Deornoth heeft hem gedood.'

'Maar Deornoth, leeft hij nog?'

Sludig probeerde al de ridder van het ijs op te tillen. Simon keek rond om te zien of ze in onmiddellijk gevaar waren, maar de huurlingen waren naar een andere haard van de bewegende chaos gelokt. Simon steeg snel af en hielp Sludig Deornoth op het zadel te tillen. De Rimmersman steeg op en greep de ridder, die slap hing als een pop, gevuld met te weinig zaagsel.

'Slecht,' zei Sludig. 'Het gaat slecht met hem. We moeten hem naar de barricaden zien terug te krijgen.'

Hij reed op een draf weg. Sisqi en de andere twee trollen volgden hem. De Rimmersman leidde zijn paard in een wijde boog, op weg naar de buitenste rand van het gevechtsterrein en naar de betrekkelijke veiligheid.

Simon kon slechts tegen Thuisvinders flank leunen, hijgend, kijkend naar Sludigs rug en Deornoths slappe gezicht dat naast de schouder van de Rimmersman op en neer ging. De zaken stonden er zo slecht voor als je je maar kon voorstellen. Jiriki en zijn Sithi kwamen niet. God had het niet nodig gevonden de deugdzamen te redden. Kon deze hele nachtmerrie-achtige dag maar worden weggewenst. Simon rilde. Het leek bijna alsof dit alles weg zou zijn als hij zijn ogen dichtdeed, dat hij wakker zou worden in zijn bed in de bediendenverblijven van de Hayholt, terwijl het voorjaarszonlicht buiten over de plavuizen kroop...

Hij schudde zijn hoofd en klauterde met bevende benen moeizaam in het zadel. Hij liet Thuisvinder spoorslags rijden. Geen tijd om zijn gedachten te laten afdwalen. Geen tijd.

Er was weer een rode flits, vlak bij hem, ter rechterzijde. Hij draaide zich om en zag een figuur in het rood op een wit paard gezeten. Op de helm van de man zaten zilveren vleugels.

Fengbald!

Langzaam, alsof het ijs onder de hoeven van zijn paard in kleverige honing was veranderd, toomde Simon zijn paard in en draaide zich om naar de gepantserde man. Dit moest een droom zijn! De hertog bevond zich achter een kleine groep soldaten van de Erkynwacht, maar zijn aandacht scheen gericht op de strijd vlak voor hem. Simon, aan de buitenste rand van het gevecht, had een vrij pad. Hij gaf Thuisvinder de sporen.

Toen hij dichterbij kwam, snelheid vermeerderend, scheen de zilveren helm voor hem groter te worden, verblindend zelfs in het sombere licht. De scharlaken mantel en fonkelende maliën waren als een wond op de vage duisternis van de verre bomen.

Simon schreeuwde, maar de figuur draaide zich niet om. Hij schopte met zijn stijgbeugels tegen Thuisvinders flank. Ze maakte een snuivend geluid en verhoogde haar snelheid, schuim vloog van haar lippen. 'Fengbald!' schreeuwde Simon opnieuw, en deze keer scheen de hertog het te horen. De gesloten helm draaide zich naar Simon toe, de oogspleet wezenloos ondoorgrondelijk. De hertog hief zijn zwaard met één hand op en trok aan zijn teugels om het paard te wenden zodat hij tegenover zijn aanvaller kwam te staan. Fengbald leek traag, alsof hij onder water was, alsof hij ook in een vreselijke droom was.

Onder zijn eigen helm trokken Simons lippen zich van zijn tanden terug. Een nachtmerrie dan. Hij zou Fengbalds nachtmerrie zijn, deze keer. Hij zwaaide zijn eigen zwaard naar achteren en voelde de spieren in zijn schouders trillen en zich spannen. Toen Thuisvinder op de hertog afstormde, zwaaide Simon zijn zwaard met beide handen rond. Het raakte het zwaard van de hertog met een trillende klap die Simon bijna achterwaarts uit het zadel duwde, maar iets gaf mee met de slag. Toen hij er voorbij was en recht in het zadel ging zitten, liet hij Thuisvinder in een zorgvuldige halve cirkel draaien. Fengbald was van zijn paard gevallen en zijn zwaard was hem uit handen geslagen. De hertog lag op zijn rug en spartelde om op te staan.

Simon sprong uit het zadel en gleed prompt uit, voorover vallend, en kwam op ellebogen en knieën terecht. Hij kroop naar de plaats waar de hertog nog steeds probeerde zijn evenwicht te vinden, verhief zich toen op zijn knieën en sloeg zo hard hij kon met de platte kant van het zwaard tegen de fonkelende helm. De hertog viel achterover, de armen wijd uitgespreid als de vleugels van de zilveren adelaar op zijn mantel. Simon klauterde bovenop hem en ging op zijn borst zitten. Hij, Simon, had hertog Fengbald verslagen! Hadden ze dan gewonnen? Hijgend keek hij snel rond, maar niemand scheen het te hebben gezien. En ook was er geen teken dat de strijd voorbij was – groepjes figuren vochten nog steeds in de mist over het hele meer. Kon hij de slag hebben gewonnen zonder dat iemand het had gemerkt?

Simon haalde zijn Qanucse mes uit de schede, drukte het tegen Fengbalds keel en frommelde toen aan de helm van de hertog. Ten slotte kreeg hij hem open, hem met weinig consideratie voor het gerief van de eigenaar losrukkend. Hij gooide hem opzij. Hij tolde over het ijs toen Simon zich voorover boog.

Zijn gevangene was een man van middelbare leeftijd, kaal waar hij niet grijs was. Aan zijn bloederige mond ontbraken de meeste tanden. Het was Fengbald niet.

'Boomverdomme!' vloekte Simon. De wereld stortte ineen. Niets was echt. Hij keek naar de overmantel, naar de helm met de valkenvleugels die daar enkele centimeters verder weg lag. Die waren van Fengbald, dat leed geen twijfel. Maar dit was de hertog niet.

'Beetgenomen!' kreunde Simon. 'O, God, we zijn beetgenomen als kinderen. Er was een koude knoop in zijn maag. 'Moeder van Aedon... *waar is Fengbald?*'

Ver door Osten Ard naar het westen, ver van de zorgen van Sesuad'ra's verdedigers, verscheen een kleine stoet uit een gat in de helling van de Grianspog, als een troep witte muizen die uit een kooi is losgelaten. Toen ze de beschaduwde tunnels verlieten bleven ze staan, knipperend en scheelkijkend in de verblindende sneeuw.

De Hernystiri, slechts een paar honderd in getal, voornamelijk vrouwen, kinderen en oude mannen, liepen verward rond op de rotsachtige richel buiten de grot. Maegwin had het gevoel dat ze bij het minste of geringste vlug weer in de veiligheid van de grotten terug zouden snellen. Het evenwicht was zeer precair. Er was een grote inspanning van Maegwins kant voor nodig geweest, heel haar overredingskracht, om haar volk ertoe te brengen deze ogenschijnlijk gedoemde reis te aanvaarden.

Goden van onze voorvaderen, dacht ze. *Brynioch en Rhynn, waar is onze ruggegraat?* Alleen Diawen, diep de koude lucht inademend, de armen opgeheven als in een rituele feestviering, scheen de glorie van deze mars te begrijpen. De uitdrukking op het doorgroefde gezicht van de oude Craobhan liet geen twijfel bestaan aan wat hij van deze dwaasheid vond. Maar de rest van haar onderdanen scheen voornamelijk angstig, naar een voorteken zoekend, een excuus om terug te gaan.

Ze hadden aansporing nodig, dat was het enige. Het was angstaanjagend voor stervelingen om te leven zoals hun godheden dat wilden – het was een grotere verantwoordelijkheid dan de meesten wilden dragen. Maegwin haalde diep adem.

'Grote tijden wachten ons, volk van Hernystir,' riep zij uit. 'De goden willen dat wij van de berg afdalen om onze vijanden onder ogen te zien – de vijanden die onze huizen, onze boerderijen, onze koeien, varkens en schapen hebben gestolen. Herinner je wie je bent! Ga met mij mee!'

Ze schreed voorwaarts het pad op. Langzaam, met tegenzin, kwamen haar volgelingen achter haar aan, huiverend hoewel ze in de warmste kleren waren gehuld die zij hadden kunnen vinden. Veel kinderen waren aan het huilen.

'Arnoran,' riep zij. De harpspeler die een eindje achteraan had gelopen – misschien in de hoop dat hij zo ver achter zou raken dat zijn afwezigheid niet zou worden opgemerkt – kwam naar voren, tegen de kracht van de wind in leunend.

'Ja, mevrouw?'

'Kom naast mij lopen,' gebood zij. Arnoran keek omlaag naar de steile, besneeuwde wand vlak achter het smalle pad, en keek toen weer vlug de andere kant uit. 'Ik wil dat je een lied speelt,' zei Maegwin.

'Welk lied, prinses?'

'Iets waarvan iedereen de woorden kent. Iets dat het hart verheft.' Ze dacht na terwijl ze liep. Arnoran keek zenuwachtig naar zijn voeten. 'Speel "De lelie van de Cuimnhe".'

'Ja, vrouwe.' Arnoran tilde zijn harp op en begon de openingsmaten te tokkelen, die enige keren herhalend om zijn koude vingers warm te laten worden. Toen begon hij in ernst, luid spelend zodat degenen die erachter liepen het gemakkelijk konden horen.

> '*De roos van Hernysadharc roos is fraai,*'

zong hij, zijn stem verheffend boven de wind die over de bergwand sloop en de bomen deed bewegen.

> '*Als sneeuw zo wit, zo rood als bloed,*
> *Maar ongeplukt laat ik haar daar*
> *Omdat ik elders heengaan moet.*'

Anderen van Maegwins groep begonnen de verzen van het bekende lied mee te zingen, eerst één voor één, toen in groepjes.

> '*Bij Inniscrich staan violieren,*
> *Zo donker als het nachtelijk zwerk,*
> *Maar die kunnen mij niet plezieren,*
> *Want ik verkies een kleuriger perk.*
>
> *Bij Abaingeat staan madelieven,*
> *Twinkelend als sterren hemelhoog,*
> *Maar 'k zal het dal niet van z'ontrieven;*
> *'t Is tijd dat ik weer verder toog.*'

Mijn liefste bloem die ziet men staan
In weiden langs de waterbaan
En waar die bloeit, daar zal ik gaan:
De Lelie van de Cuimnhe.

Wanneer 't weer stormt in winters tij
Als bladeren dor en saploos zijn,
Herinner ik mij die liefste mijn:
De Lelie van de Cuimnhe...'

Toen ze aan het refrein toe waren, zongen tientallen mensen mee. Het tempo van de marcherende voeten scheen toe te nemen en zich aan te passen aan het ritme van het oude lied. De stemmen van Maegwins volk klonken luider tot ze boven de wind uitschreeuwden – en vreemd genoeg, de wind werd zwakker, alsof hij zijn nederlaag erkende.
De overgeblevenen van Hernysadharc marcheerden zingend omlaag van hun schuilplaats in de berg.

Ze bleven staan op een richel van door sneeuw gevlaagde rots, en aten hun middagmaal onder de zwakke en zwoegende zon. Maegwin liep te midden van haar volk, speciaal aandacht aan de kinderen bestedend. Ze voelde zich voor het eerst in lange tijd gelukkig en voldaan; Lluths dochter deed eindelijk dat wat zij bestemd was om te doen. Eindelijk tevreden, voelde zij haar liefde voor het volk van Hernystir opborrelen – en haar volk voelde het ook. Sommigen van de oudere mensen mochten dan nog wel twijfels koesteren aan deze krankzinnige onderneming, maar voor de kinderen was het een geweldige pret; ze volgden Maegwin door het kamp, lachend en schreeuwend, tot zelfs de bezorgde ouders het gevaar waarin zij zich begaven een tijdje konden vergeten en hun twijfels opzij konden zetten. Per slot van rekening, hoe kon de prinses zo van licht en waarheid zijn vervuld als de goden niet met haar waren?
Wat Maegwin betrof, vrijwel al haar twijfels waren op de Bradach Tor achtergebleven. Ze had het hele gezelschap weer op hun weg aan het zingen voor het middaguur was verstreken.
Toen ze eindelijk de voet van de berg bereikten, leek haar volk meer moed te krijgen. Op slechts enkelen na was dit de eerste keer dat zij voet hadden gezet op de weilanden van Hernystir sinds de Rimmersgaardse troepen hen een half jaar geleden naar de hoge plaatsen hadden verdreven. Ze keerden naar huis terug.
De eerste patrouilles van Skali kwamen aansnellen toen ze een klein leger van de Grianspog naar beneden zagen komen, maar toomden verbaasd in, waarbij de hoeven van hun paarden grote fonteinen van poe-

derachtige sneeuw opgroeven, toen ze zagen dat de soldaten geen wapens droegen – feitelijk niets anders in hun armen hadden dan ingebakerde zuigelingen. De Rimmersmannen, stuk voor stuk geharde krijgers, niet uit het veld te slaan door de verwarring en de afgrijselijkheid van de strijd, keken met consternatie naar Maegwin en haar troep.

'Stop!' riep de leider. Hij ging bijna schuil in zijn helm en met bont gevoerde mantel, en leek een ogenblik op een verschrikte das die in de ingang van zijn hol met zijn ogen knipperde. 'Waar jullie heen gaan?'

Maegwin trok een hooghartig gezicht bij zijn armzalige beheersing van de Westerlingse taal. 'Wij gaan naar jullie meester, Skali van Kaldskryke.'

De soldaten keken, zo mogelijk, nog meer verbijsterd. 'Zovelen om je over te geven zijn niet nodig,' zei de leider. 'Zeg de vrouwen en kinderen zij hier wachten. Mannen zullen met ons meegaan.'

Maegwin keek boos. 'Dwaas. Wij komen niet om ons over te geven. Wij komen om ons land terug te nemen.' Ze wuifde. Haar volgelingen, die waren blijven staan terwijl zij met de soldaten sprak, golfden opnieuw voorwaarts.

De Rimmersmannen kwamen naast hen lopen als honden die een kudde niet-geïmponeerde maar vijandige schapen hoeden.

Toen ze over de besneeuwde weilanden tussen de lage heuvels en Hernysadharc verder gingen, voelde Maegwin opnieuw woede in zich opkomen, woede dat ze een tijdje overweldigd was door de glorie van positief handelen. Hier waren de ene groep oude bomen, eiken, beuken en elzen na de andere, door Rimmersgaardse bijlen geveld, de schors van hun stammen afgestroopt en weggesleept over de omgewoelde grond. Skali's soldaten en hun paarden hadden de aarde rond hun kampen tot bevroren modder omgekarnd, en de as van hun talloze vuren woei over de grijze sneeuw. De oppervlakte van het land was gewond en leed – geen wonder dat de goden ongelukkig waren! Maegwin keek rond en zag haar eigen woede weerspiegeld in de gezichten van haar volgelingen, wier weinige nog overgebleven twijfels nu verdwenen als waterdruppels op een gloeiende steen. De goden zouden deze plaats weer schonen, met hun hulp. Hoe kon iemand eraan twijfelen dat het zo zou zijn?

Eindelijk, toen de middagzon gezwollen aan de grijze hemel hing, bereikten ze de grenzen van Hernysadharc zelf. Ze maakten nu deel uit van een veel grotere menigte: gedurende de langzame nadering van Maegwins volk waren velen van de Rimmersmannen aan komen zetten uit de kampementen om dit vreemde schouwspel gade te slaan, tot het leek alsof het hele bezettingsleger achter hen aan sliertte. Het gezamenlijke gezelschap, misschien bijna duizend zielen, vervolgde zijn weg door de smalle, slingerende straten van Hernysadharc naar het huis van de koning, de Taig.

Toen ze de grote open plek op de kleine heuvel bereikten, wachtte Skali van Kaldskryke hen op, staande voor de enorme eiken deur. De Rimmersman was gekleed in zijn donkere wapenrusting alsof hij wachtte op een gevecht, en hij hield zijn ravenhelm onder zijn arm. Hij werd omringd door zijn lijfwacht, een legioen grimmige mannen met baarden.

Velen van Maegwins volk voelden nu, op dit late ogenblik, hoe de moed hun ineens in de schoenen zonk. Zoals Skali's eigen Rimmersmannen op een eerbiedige afstand bleven, zo vertraagden ook velen van Maegwins gezelschap hun pas en begonnen te aarzelen. Maar Maegwin en een paar anderen – de oude Craobhan, altijd een trouwe dienaar, was een van hen – liepen naar voren. Maegwin ging zonder vrees of aarzeling naar de man die haar land had veroverd en wreed onderdrukt.

'Wie bent u, vrouw?' vroeg Skali. Zijn stem was verrassend zacht, met een zweem van gestotter. Maegwin had hem slechts één keer eerder gehoord – Skali had omhoog geroepen naar de schuilplaats van de Hernystiri op de bergwand, het geschenk van het verminkte lichaam van haar broer Gwythinn aankondigend – maar die ene afgrijselijke keer was genoeg: of hij schreeuwde of fluisterde, Maegwin kende die stem en walgde ervan. De neus waaraan Skali zijn bijnaam te danken had, stak grimmig uit een breed, door de wind verweerd gezicht. Zijn ogen waren oplettend en slim. Ze zag geen zweem van enigerlei vriendelijkheid in hun diepten, maar dat had ze ook niet verwacht.

Eindelijk van aangezicht tot aangezicht met de vernietiger van haar familie, was zij blij met haar eigen ijzige kalmte. 'Ik ben Maegwin,' zei ze. 'Dochter van Lluth-ubh-Llythinn, de koning van Hernystir.'

'Die dood is,' zei Skali kortaf.

'Die jij gedood hebt. Ik ben gekomen om je te zeggen dat jouw tijd voorbij is. Je moet dit land nu verlaten, voor de goden van de Hernystiri je straffen.'

Skali keek haar oplettend aan. De soldaten van zijn lijfwacht meesmuilden om de belachelijkheid van de situatie, maar Scherpneus niet. 'En als ik dat niet doe, koningsdochter?'

'De goden zullen over je lot beslissen.' Ondanks de haat die in haar kookte, sprak zij op serene toon. 'Het zal niet zachtaardig zijn.'

Skali keek haar nog een ogenblik langer aan, en gebaarde toen tegen enkelen van zijn soldaten. 'Zet hen gevangen. Als ze tegenstand bieden, doodt dan eerst de mannen.' De soldaten, die nu openlijk lachten, kwamen naar voren om Maegwins mensen te omsingelen. Een van de kinderen begon te huilen, toen deden er meer mee.

Toen de soldaten haar volk ruw begonnen aan te pakken, voelde Maegwin haar zelfvertrouwen versagen. Wat gebeurde er? Wanneer zouden de goden de zaken rechtzetten? Ze keek om zich heen, verwachtend dodelijke bliksems uit de hemel te zullen zien flitsen, of de grond omhoog te zien gaan om de schenners op te slokken, maar er gebeurde niets. Ze zocht uitzinnig naar Diawen. De ogen van de waarzegster waren in vervoerde concentratie gesloten, haar lippen geluidloos bewegend.

'Nee! Raak hen niet aan!' riep Maegwin uit toen de soldaten met hun speren naar enkele van de huilende kinderen porden, proberend ze weer op één lijn te brengen met de anderen. 'Je moet dit land verlaten!' riep ze uit met heel het gezag dat ze kon verzamelen. 'Het is de wil van de goden!'

Maar de Rimmersman schonk er geen aandacht aan. Maegwins hart klopte zo snel dat ze dacht dat het zou barsten. Wat gebeurde er? Waarom hadden de goden haar verraden? Kon dit alles een onbegrijpelijke list zijn geweest?

'Brynioch!' riep ze. 'Murrah Eén-arm! Waar ben je?'

De hemelen gaven geen antwoord.

Het licht van de vroege dageraad filterde door de boomtoppen, zacht glinsterend op de verbrokkelende stenen. Het gezelschap van vijftig ridders te paard en twee keer dat aantal voetknechten, kwam weer langs een ingestorte muur, een precaire stapel verweerde, met fijne sneeuw bedekte blokken, geglazuurd met stralend roze en glanzende lavendel, die levendiger schenen dan alleen maar stenen konden doen. Ze reden zwijgend langs, begonnen toen slingerend de helling af te dalen naar het bevroren meer, een witte vlakte gestreept met blauw en grijs dat achter de buitenste bomen hing als de verflap van een schilder.

Helfgrim, de burgemeester, stak zijn nek uit om achterom te kijken naar de ruïnes, hoewel dat vrij veel inspanning vereiste met zijn handen aan een zadelknop gebonden.

'Dus dat is het,' zei hij zacht. 'De elfenstad.'

'Ik heb je misschien nodig om mij naar het pad te brengen,' snauwde Fengbald, 'maar dat betekent niet dat ik je arm niet kan breken. Ik wil niets meer over "elfensteden" horen.'

Helfgrim draaide zich om, een zweem van een glimlach plooide zijn samengetrokken mond. 'Het is jammer om zo dicht langs iets heen te gaan zonder te kijken, hertog Fengbald.'

'Kijk zoveel je wilt. Hou alleen je mond.' En hij keek nijdig naar de bereden soldaten alsof hij elk van hen uitdaagde Helfgrims belangstelling te delen.

Toen ze de oever van het bevroren meer bereikten, keek Fengbald op, zijn loshangende zwarte haar uit zijn gezicht vegend. 'Ah. De wolken trekken zich samen. Goed.' Hij richtte zich tot Helfgrim. 'Het zou het beste zijn geweest om dit in het donker te doen, maar ik ben niet zo dwaas erop te vertrouwen dat een oude seniele man bij nacht zijn weg vindt. Bovendien, Lezhdraka en de rest behoren onderhand aan de andere kant van de heuvel genoeg tumult te maken om Jozua behoorlijk bezig te houden.'

'Zeker.' Helfgrim wierp de hertog een behoedzame blik toe. 'Heer, zouden we in elk geval mijn dochters naast mij kunnen laten rijden?'

Fengbald keek hem achterdochtig aan. 'Waarom?'

De oude man zweeg een ogenblik. 'Het is moeilijk voor mij om te zeggen, heer. Ik vertrouw u op uw woord, geloof alstublieft niet dat ik dat niet doe. Maar ik vrees dat uw manschappen, welnu, als ze uit uw gezicht zijn, hertog Fengbald, misschien kwaad zullen uithalen.'

De hertog lachte. 'Je vreest toch zeker niet voor de kuisheid van je dochters, oude baas? Tenzij ik het mis heb, ligt de tijd van hun maagdelijkheid al ver achter hen.'

Helfgrim kon een reactie niet verbergen. 'Maar toch, heer, zou het een vriendelijk gebaar zijn om het hart van een vader gerust te stellen.'

Fengbald dacht hier een ogenblik over na, floot toen zijn page. 'Izaak, zeg tegen de soldaten die de vrouwen meevoeren dichter bij mij te komen rijden. Niet dat iemand behoort te klagen wanneer hem gevraagd wordt naast zijn leenheer te komen rijden,' voegde hij er ten behoeve van de oude man aan toe.

De jonge Izaak, die leek te wensen dat hij zelf de keus had om op iets te rijden, boog en ploeterde terug langs het modderige pad.

Enkele ogenblikken later verscheen de gardesoldaat. Helfgrims twee dochters waren niet gebonden, maar elk van hen zat in het zadel voor een gewapende man, zodat ze min of meer leken op Hyrka bruiden die, zo beweerde men in steden, vaak werden ontvoerd bij middernachtelijke invallen en met weinig plichtplegingen werden weggevoerd, als zakken meel over de zadels van hun ontvoerders hangend.

'Maken jullie het goed, dochters?' vroeg Helfgrim. De jongste van de twee, die had gehuild, veegde haar ogen met de zoom van haar mantel af en probeerde dapper te glimlachen.

'Het gaat heel goed met ons, vader.'

'Dat is goed. Geen tranen dan, mijn konijntje. Wees als je zuster. Er valt niets te vrezen, je weet dat hertog Fengbald een man van zijn woord is.'

'Ja vader.'

De hertog glimlachte goedgunstig. Hij wist wat voor soort man hij was, maar het was goed om te zien dat gewone lieden het ook wisten.

De wind woei harder toen de eerste paarden op het ijs stapten. Fengbald vloekte toen zijn paard een misstap maakte en zijn benen wijd uiteen moest zetten om staande te blijven. 'Ook al had ik geen andere redenen,' siste hij, 'zou ik Jozua alleen al doden omdat hij mij naar dit godvergeten oord voert.'

'Mensen moeten ver rennen om aan uw lange arm te ontkomen, hertog Fengbald,' zei Helfgrim.

'Er is geen plaats die zo ver is.'

Sneeuw kwam rond de noordelijke flank van de grote heuvel warrelen, bijna horizontaal in de sterke wind bewegend. Fengbald loenste en trok zijn kap omhoog. 'Zijn we er bijna?'

Helfgrim loenste ook, knikte toen en wees op een diepere schaduwplek voor zich. 'Daar is de voet van de heuvel, heer.' Hij bleef in de stuivende sneeuw kijken.

Fengbald glimlachte. 'Je kijkt erg somber,' riep hij boven het lawaai van de wind uit. 'Kan het zijn dat je mijn zwaard nog niet vertrouwt?'

Helfgrim keek neer op zijn gebonden polsen en tuitte zijn lippen alvorens te spreken. 'Nee, hertog Fengbald, maar ik moet toch verdriet voelen omdat ik mensen verraad die aardig voor mij geweest zijn.'

De hertog wuifde met zijn hand naar de dichtstbijzijnde ruiters. 'Om je dochters te redden, een reden die nobel genoeg is. Bovendien, Jozua was in elk geval gedoemd te verliezen. Jou kan zijn val evenmin worden verweten als de worm die het lijk opvreet het oogsten van de dood verweten kan worden.' Hij grijnsde, ingenomen met deze uitdrukking. 'Evenmin schuldig als een worm, zie je?'

Helfgrim keek op. Zijn gerimpelde huid, bespikkeld met sneeuw, leek grijs. 'Misschien hebt u gelijk, hertog Fengbald.'

De heuvel doemde boven hen op als een waarschuwend opgeheven vinger. Het gezelschap bevond zich slechts enige honderden ellen van de rand van het ijs toen Helfgrim opnieuw wees.

'Daar is het pad, hertog Fengbald.'

Het was een kleine onderbreking in de plantengroei, nauwelijks zichtbaar van hun waarnemingspost vlakbij. Toch kon Fengbald genoeg zien om zeker te weten dat Helfgrim de waarheid sprak.

'Nu dan...' zei de hertog toen er plotseling een stem van de helling klonk.

'Stop, Fengbald! Je mag niet verder!'

De hertog bleef geschrokken staan. Een kleine groep schimmige figuren was aan de rand van het pad verschenen. Een van hen hief zijn handen op om aan zijn mond te zetten. *'Ga terug, Fengbald, ga weg en verlaat deze plaats. Rijd terug naar Erkynland en we zullen je in leven laten.'*

De hertog keerde zich plotseling om en gaf Helfgrim een klap op de zijkant van zijn hoofd. De oude man zwaaide en viel bijna, maar zijn gebonden polsen hielden hem in het zadel. 'Verrader! Je zei dat er alleen maar een paar schildwachten zouden zijn!'

Helfgrims gezicht was slap van angst. Het teken van Fengbalds klap stond rood op zijn bleke wang. 'Ik heb niet gelogen, heer! Kijk, het zijn er ook maar een paar.'

Fengbald gebaarde zijn troepen te blijven waar ze waren, en reed toen een eindje naar voren, kijkend. 'Ik zie dat jullie maar met een handvol zijn,' riep hij omhoog tegen de mannen op het pad. 'Hoe zullen jullie mij tegenhouden?'

De man die het dichtst bij de rand stond, kwam naar voren. 'We zullen je tegenhouden, Fengbald. Wij zullen ons leven, en meer nog, geven om je tegen te houden.'

'Goed dan.' De hertog had blijkbaar besloten dat het toch bluf was. 'Dan zal ik jullie laten voortmaken.' Hij hief zijn arm op om zijn troepen te bevelen voorwaarts te gaan.

'Stop!' riep de figuur. 'Ik zal je één laatste kans geven, verdomme. Je herkent mijn gezicht niet, dat weet ik, maar hoe zit het met mijn naam? Ik ben Freosel, de zoon van Freoborn.'

'Wat kan mij dat schelen, waanzinnige?' riep Fengbald. 'Ik heb lak aan je.'

'Dat had je ook aan mijn vrouw en kinderen, mijn vader en moeder, of een van de anderen die je hebt vermoord!' De gedrongen figuur was met de rest van zijn metgezellen op het ijs gestapt. Welgeteld waren het er nog geen twaalf. 'Je hebt half Falshire platgebrand, schofterige hoerenzoon! Nu is de tijd gekomen waarop je moet boeten!'

'Genoeg!' Fengbald draaide zich om zijn manschappen naar voren te wuiven. 'Vooruit en ruim die krankzinnigen uit de weg. Het is een rattenest.'

Freosel en zijn metgezellen bogen zich en hieven wat aanvankelijk bijlen, zwaarden of andere wapens leken om zich mee te verdedigen op. Een ogenblik later, toen zijn manschappen hun glijdende paarden langs hem begonnen te leiden, zag Fengbald tot zijn verbazing dat de verdedigers van de heuvel met zware hamers zwaaiden. Freosel bracht de zijne het eerst omlaag, hem door het ijs slaand als in een waanzinnige frustratie.

'Wat doen ze!?' brulde Fengbald. 'De verste van zijn soldaten waren nog honderd ellen van de oever verwijderd. 'Zijn al Jozua's mensen dan hartstikke gek geworden?'

'Ze zijn bezig u te doden,' zei een kalme stem naast hem.

De hertog draaide zich snel om en zag Helfgrim, die nog aan het zadel van zijn paard was gebonden. Zijn dochters en hun bewakers waren vlakbij en de soldaten zagen er opgewonden en verward uit.

'Waar wauwel je over?' snauwde Fengbald, zijn zwaard opheffend alsof hij het hoofd van de oude man wilde afhakken. Voor hij één stap dichterbij kon komen, klonk er een afschuwelijk, oorverdovend gekraak alsof de beenderen van een reus werden gekloofd. Een ogenblik later klonk het opnieuw. Ergens aan de voorste rand van Fengbalds compagnie steeg ineens een gebrul van mannenstemmen op en, nog ijzingwekkender, het bijna menselijke gegil van doodsbange paarden.

'Wat gebeurt er?' vroeg de hertog, zich inspannend om langs de drom van bereden soldaten heen te kijken.

'Ze hebben het ijs voor je klaargemaakt, Fengbald. Ik heb hen geholpen het te beramen. Zie je, wíj maken ook deel uit van Falshire.' Helfgrim sprak net luid genoeg om boven de wind uit verstaanbaar te zijn. 'Mijn broer was de burgemeester ervan, zoals je meteen zou hebben geweten als je ooit de moeite had genomen daarheen te gaan behalve om ons brood, ons goud, zelfs onze jonge vrouwen voor je bed te stelen. Je dacht toch zeker niet dat we werkeloos zouden toezien terwijl jij de weinigen van ons volk die aan jouw wreedheid waren ontkomen ook vernietigt?'

Er klonk weer een dreunend gekraak en plotseling, slechts enkele meters van de burgemeester en de hertog verwijderd, schuimde een spleet met zwart water waar een ogenblik eerder ijs was geweest. Meer ijs verbrokkelde langs de opening en schaarde los; een paar ruiters vielen erin, een ogenblik wild zwaaiend voor ze in de duisternis werden gezogen.

'Maar jij zult ook sterven, verdomme!' schreeuwde Fengbald, zijn paard aanzettend om naar de oude man toe te gaan.

'Natuurlijk zal ik sterven. Het is voldoende dat mijn dochters en ik de anderen wreken... hun zielen zullen ons verwelkomen.' En toen glimlachte Helfgrim, een koude glimlach zonder een greintje vrolijkheid.

Fengbald merkte dat hij plotseling opzij werd gegooid toen de witte oppervlakte onder hem uitbarstte, omhoog happend als drakenkaken. Een ogenblik later was het paard van de hertog verdwenen en hij klampte zich vast aan een gekartelde ijsschots, die gevaarlijk schommelde. Zijn laarzen en broek waren al in het ijskoude water verdwenen. 'Help me!' gilde hij.

Op een griezelige manier waren Helfgrim en zijn dochters nog overeind, slechts ellen verder op hun dolle paarden gezeten. Hun bewakers snelden weg over de nog overgebleven plaat ongebroken ijs, naar de beschutting van de staande steen zwoegend. De twee vrouwen keken met opengesperde ogen op de hertog neer, terwijl ze hun best deden om hun angst te beheersen. 'Te laat voor je Fengbald,' herhaalde Helfgrim. Een ogenblik later brak het hele gedeelte waarop het drietal en hun paarden stonden en stortte in het bewogen zwarte water. De burgemeester en zijn dochters verdwenen als geesten die worden verjaagd door het luiden van de ochtendklok.

'Help!' gilde Fengbald. Zijn vingers gleden weg. Terwijl hij gleed, begon het stuk ijs waaraan hij zich vastklampte te hellen, waarbij het verre eind naar de grijze hemel reikte terwijl zijn eigen einde onverbiddelijk naar beneden dook. Fengbalds ogen puilden uit. 'Nee! Ik kan niet sterven! Ik kan niet!'

Het gekartelde stuk ijs, nu bijna verticaal, kapseisde en sloeg ineens om. De gehandschoende hand van de hertog graaide heel even naar de lucht en was toen verdwenen.

De zon scheen in Maegwins ogen. Twijfel knaagde aan haar hart, en zond zwarte stralen van pijn door al haar ledematen. Rondom haar dreven Skali's Rimmersmannen haar mensen bijeen, ze met speerpunten porrend, hen hoedend alsof ze beesten waren.

'*Goden van ons volk!*' Haar stem scheurde in haar keel. 'Red ons! *U hebt het beloofd!*'

Skali Scherpneus naderde, lachend, zijn handen tussen zijn riem gestoken. 'Je goden zijn dood, meisje. Net als je vader. Net als je koninkrijk. Maar misschien kan ik je nog gebruiken.' Maegwin kon zijn stank ruiken, als de scherpe, rottende lucht van overjarig wild. 'Je bent niet mooi, *haja*, maar je benen zijn lang… en ik hou van lange benen. Beter dan een hoer voor mijn manschappen te zijn, hè?'

Maegwin ging achteruit, haar armen opheffend als om een klap te weren. Voor ze iets kon zeggen, scheurde het geluid van een verre hoorn door de lucht. Skali en sommige van zijn mannen draaiden zich verbaasd om. 'De hoorn klonk opnieuw, luider nu, duidelijk en schril, en krachtig. Hij speelde een cascade van noten die rond de Taig en over de velden van Hernysadharc weerschalde. Maegwin keek.

Het was aanvankelijk slechts een glans, een golvende schittering uit het oosten. De hoeven maakten een ruisend geluid, als een rivier na zware regens. Skali's manschappen begonnen zich naar de helmen te reppen die ze opzij hadden gegooid toen ze de aard van Maegwins gezelschap van partizanen hadden ontdekt; Skali zelf begon om zijn paard te roepen.

Het was een leger, besefte Maegwin – nee, het was een droom die werkelijkheid was geworden en op de besneeuwde velden was losgelaten. Eindelijk kwamen zij!

De hoorn schalde opnieuw. De ruiters reden denderend naar Hernysadharc, onmogelijk snel. Hun wapenrusting glansde met iedere kleur van de regenboog – hemelsblauw, robijnrood, bladgroen, het oranje en vermiljoen van een mist bij zonsondergang. Ze kon hen nu horen zingen

terwijl ze reden, een hoog, briljant geweeklaag als een zwerm onmogelijk muzikale vogels. Het konden honderd ruiters zijn geweest, of tien-
duizend: Maegwin kon niet eens proberen te raden, want in de mooie
verschrikking van hun komst was het bijna onmogelijk om te lang naar
hen te kijken. Ze stroomden met kleur en lawaai en licht, alsof de wereld was opengescheurd en het ruwe droommateriaal er door mocht uitlopen.

Opnieuw klonk de hoorn. Maegwin, plotseling helemaal alleen, strompelde naar de Taig, zich op dat ogenblik niet eens bewust dat dit de eerste keer was dat zij de houten muren ervan had aangeraakt sinds Skali
haar volk op de vlucht had gejaagd. De ontzette Rimmersmannen verzamelden zich op de helling van de heuvel onder het grote huis van haar
vader, rondlopend en schreeuwend terwijl ze moeite hadden hun paarden tegenover deze onbegrijpelijke vijand op te stellen. De hoorns van
het aanstormende leger klonken opnieuw.

De goden zijn gekomen! Maegwin draaide zich in de deuropening om en
keek. De culminatie van al haar kwellingen en hoop was eindelijk hier,
brandend over de besneeuwde velden om haar volk te redden. De goden! Ze had de goden gebracht!

Er klonk gekletter vanuit de Taig. Meer van Skali's mannen kwamen
eruit stromen, helmen opzettend, aan zwaardriemen frommelend. Een
van hen kwam tegen Maegwin aan en maakte dat ze rondtollend in de
baan van een ander kwam, die zijn gepantserde vuist ophief en die tegen
haar hoofd sloeg.

Maegwins wereld verdween plotseling.

Binabik was degene die Simon ten slotte vond, met Sisqi die hem hielp
zoeken – of liever, het was Qantaqa wier neus de juiste geur kon onderscheiden, zelfs in de waanzin die Sesuad'ra omringde. Ze vonden hem
met gekruiste benen op het ijs zittend naast een bewegingloze figuur
die Fengbalds wapenrusting droeg. Thuisvinder stond over hem heen,
rillend in de vreselijke wind, haar snuit dicht bij Simons oor. Qantaqa
krabde aan het been van de jongeman en maakte een zacht geluid terwijl zij op haar meester wachtte.

'Simon!' Binabik krabbelde over de ruwe oppervlakte van het meer naar
hem toe. Overal in het rond lagen lijken, maar de trol bleef niet naar ze
staan kijken. 'Ben je gewond?'

Simon hief langzaam zijn hoofd op. Zijn keel was zo rauw dat zijn stem
nauwelijks gefluister kon voortbrengen. 'Binabik? Wat is er gebeurd?'

'Ben je in orde, Simon?' De kleine man boog zich voorover om zijn
vriend te onderzoeken, ging toen weer rechtop staan. 'Je hebt veel wonden. We moeten je terug zien te krijgen.'

'Wat is er gebeurd?' vroeg Simon opnieuw. Binabik trok aan zijn schouders in een poging hem overeind te helpen, maar het scheen dat Simon de kracht niet kon verzamelen. Sisqi kwam eraan en bleef vlakbij staan wachten om te zien of Binabik haar hulp nodig zou hebben.

'Wij hebben gewonnen,' zei Binabik. 'De prijs die wij hebben betaald, is hoog maar Fengbald is dood.'

'Nee.' Een blik van bezorgdheid schoot over Simons afgetobde gezicht. 'Dat was hij niet. Het was iemand anders.'

Binabik wierp snel een blik op de figuur die vlakbij lag. 'Ik weet het, Simon. Het is ergens anders waar Fengbald gedood is – een afgrijselijke dood, en voor vele anderen met hem. Maar kom. Je hebt een vuur nodig, en eten, en iemand om je wonden te verzorgen.'

Simon kreunde zwaar toen hij zich door de kleine man overeind liet helpen, een hol geluid dat opnieuw een bezorgde blik op Binabiks gezicht bracht. Simon hinkte een paar stappen, bleef toen staan en pakte Thuisvinders teugels. 'Ik kan niet in het zadel komen,' mompelde hij treurig.

'Loop dan als je kunt,' zei Binabik. 'Maar langzaam. Sisqi en ik zullen met je meelopen.'

Met Qantaqa weer voorop, draaiden zij zich om en sjokten naar de Steen, waarvan de top door rozeachtig licht van de ondergaande zon werd gekleurd. Een dichter wordende mist hing over het ijzige meer, en overal in het rond hipten en stoven raven van lijk tot lijk als kleine zwarte demonen.

'O God,' zei Simon. 'Ik wil naar huis.'

Binabik schudde alleen maar zijn hoofd.

16

Fakkels in de modder

'Stop.' Cadrachs stem klonk bijna als gefluister, maar de gespannen toon was duidelijk waarneembaar.

Isgrimnur duwde de boom omlaag tot hij de modderige bodem van de waterweg raakte, hun vaart remmend. De boot dreef zachtjes weer terug in het riet. 'Wat is het, man?' zei hij geërgerd. 'We hebben alles twaalf keer bekeken. Nu is het tijd om iets te doen.'

Voor in de boot, betastte de oude Camaris een lange speer die Isgrimnur van een stijve moerasrietstengel had gemaakt. Hij was dun en licht, en de punt was tegen steen geschuurd tot hij even scherp was als de dolk van een moordenaar. De oude ridder scheen, als gewoonlijk, doof voor de conversatie van zijn reisgenoten. Hij hief de speer op en voerde een langzame schijnstoot uit, de punt in het stille water stekend.

Cadrach haalde diep, beverig adem. Miriamele dacht dat hij eruitzag alsof hij op het punt stond in tranen uit te barsten. 'Ik kan niet gaan.'

'Kan niet?' Isgrimnur schreeuwde bijna. 'Wat bedoel je, kan niet? Het was jouw idee om tot de ochtend te wachten alvorens het nest in te gaan! Waar heb je het nu over!?'

De monnik schudde zijn hoofd, niet in staat de hertog in de ogen te kijken. 'Ik heb de hele nacht geprobeerd de moed te vinden. Ik heb de hele ochtend gebeden opgezegd... ìk!' Hij richtte zich met een blik van sombere ironie tot Miriamele. 'Ik! Maar toch kan ik het niet. Ik ben een lafaard en ik kan daar niet naar binnen gaan.'

Miriamele stak een hand uit en raakte zijn schouder aan. 'Ook niet om Tiamak te redden?' Ze liet haar hand vriendelijk rusten, alsof de monnik in breekbaar glas was veranderd. 'En zoals je zei, ook om onszelf te redden? Want zonder Tiamak zullen we hier misschien nooit meer uit komen.'

Cadrach verborg zijn gezicht in zijn handen. Miriamele voelde een zweem van haar oude wantrouwen terug komen sluipen. Was het mogelijk dat de monnik acteerde? Wat kon hij anders van plan zijn?

'God vergeve mij, vrouwe,' klaagde hij, 'maar ik kan eenvoudig niet dat hol met die schepselen ingaan. *Ik kan het niet.*' Hij sidderde, een krampachtige beweging zo onbeheerst dat Miriamele betwijfelde of het aanstellerij was. 'Ik heb mijn recht om een man genoemd te worden al lang geleden opgegeven,' zei Cadrach door zijn uitgespreide vingers. 'Ik geef zelfs niet om mijn leven, geloof mij. Maar... ik... kan niet... gaan.'

Isgrimnur mopperde teleurgesteld. 'Nou, verdomme, dat is het einde.

Ik had je de hersens moeten inslaan toen we elkaar ontmoetten, zoals ik wilde doen.' De hertog wendde zich tot Miriamele. 'Ik had me nooit door je moeten laten bepraten.' Hij richtte zijn minachtende blik daarna weer op Cadrach. 'Een ontvoerder, een dronkelap en een lafaard.'

'Ja, u had mij waarschijnlijk moeten doden toen u de kans had,' stemde Cadrach toonloos in. 'Maar ik beloof u dat u nog steeds beter af zou zijn als u het nu deed dan dat u me meesleept naar dat moddernest. Ik zal daar niet binnen gaan.'

'Maar waarom, Cadrach?' vroeg Miriamele. 'Waarom wil je niet?'

Hij keek haar aan. Zijn diepliggende ogen en door de zon verbrande gezicht schenen om begrip te smeken, maar zijn grimmige glimlach wees erop dat hij dat niet verwachtte. 'Ik kan eenvoudig niet, vrouwe. Het… het herinnert me aan een plaats waar ik eerder ben geweest.' Opnieuw huiverde hij.

'Wat voor plaats?' spoorde zij hem aan, maar Cadrach wilde niet antwoorden.

'Aedon aan de Heilige Boom,' vloekte Isgrimnur. 'Dus wat doen we nu?'

Miriamele keek naar het wuivende riet, dat hen op dit ogenblik aan het gezicht van het ghantenest enkele honderden ellen verder langs de waterweg onttrok. De modderige oever in de buurt rook naar laag tij. Ze trok haar neus op en zuchtte. Inderdaad, wat konden zij doen?

Ze hadden zelfs pas laat de vorige middag een plan kunnen opstellen. Er was een grote kans dat Tiamak al dood was, wat het nog moeilijker maakte om tot een beslissing te komen. Hoewel niemand het openlijk had durven zeggen, was er ergens het gevoel dat het beste was om verder te gaan, in de hoop dat de Wrannaman die ze in Tiamaks boot drijvend hadden aangetroffen voldoende zou herstellen om hun de weg te wijzen. Als dat niet kon, zouden ze misschien een andere bewoner van het moeras tegenkomen die hen zou helpen een uitweg uit de Wran te vinden. Niemand had het een prettig idee gevonden om Tiamak in de steek te laten, hoewel het verreweg de minst riskante weg scheen, maar het was afschuwelijk om te denken wat ervoor nodig zou zijn om erachter te komen of hij nog leefde, en hem te redden als dat het geval was.

Toch, toen Isgrimnur ten slotte zei dat Tiamak in de steek laten geen Aedonitische handelwijze zou zijn, was Miriamele opgelucht geweest. Ze had niet willen weglopen zonder in elk geval te proberen de Wrannaman te redden, hoe angstaanjagend het idee om dat nest binnen te gaan ook was. En, wist ze, ze had de afgelopen maanden voor minstens even hete vuren gestaan. In elk geval, hoe kon zij vrede met zichzelf hebben als zij de veiligheid zou bereiken en zich de kleine, verlegen geleerde moest herinneren die aan die klikkende monsters was overgeleverd?

Cadrach – ook toen had hij banger geleken dan de rest van hen – had er krachtig op aangedrongen om tot de ochtend te wachten. Zijn redenen hadden goed geleken: het had weinig zin om te proberen zoiets roekeloos te doen zonder gevechtsplan, en nog minder om ermee te beginnen wanneer het gauw donker zou zijn. De zaak was, had Cadrach gezegd, dat ze niet alleen maar wapens, maar ook fakkels nodig zouden hebben, want zelfs al scheen het nest gaten te hebben waardoor het licht binnenviel, wie wist welke donkere gangen er door het hart van het geval liepen? Dus was men het erover eens geworden.

Ze vonden een ratelend bosje zware groene rietstengels langs de rand van het water en sloegen daar hun kamp op. Het terrein was modderig en nat, maar het lag ook op een behoorlijke afstand van het nest, wat een voldoende aanbeveling was. Isgrimnur pakte zijn zwaard Kvalnir en sneed een grote bos rietstengels, toen verhardden hij en Cadrach die boven de smeulende as van het kampvuur. Sommige van de stengels hadden zij afgesneden en aangescherpt om korte puntige speren van te maken, van andere splitsten ze de uiteinden en klemden stenen tussen de helften en zetten die dan met dunne ranken vast om knuppels te maken. Isgrimnur betreurde de afwezigheid van goed hout en touw, maar Miriamele bewonderde het werk. Het was veel geruststellender om met zulke primitieve wapens het nest in te gaan dan er met lege handen binnen te lopen. Ten slotte offerden ze een deel van de kleren op die Miriamele uit Dorpsbosje had meegenomen, ze stuk knippend als lappen die ze strak om de overgebleven rietstengels wikkelden. Miriamele verpulverde een van de bladeren van een boom die Tiamak tijdens zijn botanische rondgang enkele dagen geleden een oliepalm had genoemd, doopte er toen een lap in en hield de stof bij het kampvuur. Het onderhield een vlam, ontdekte ze, hoewel niet zo goed als echte lampolie; de brandlucht ervan was zuur en smerig. Toch zou het de fakkels enige tijd langer laaiende houden, en zij had een voorgevoel dat ze alle tijd nodig zouden hebben die ze konden krijgen. Ze plukte een armvol varens en wreef fijngestampte pulp op de lappen van de fakkel tot haar handen zo met sap waren bedekt dat haar vingers aan elkaar kleefden.

Toen de nachtelijke hemel ten slotte licht begon te worden, vlak voor de dageraad, had Isgrimnur het gezelschap wakker gemaakt. Ze hadden besloten de gewonde Wrannaman in het kamp te laten; het had weinig zin hem verder in gevaar te brengen, want hij leek al uitgeput en bijna verhongerd. Als ze hun poging om Tiamak te redden overleefden, zouden ze altijd terug kunnen komen om hem op te halen; als ze dat niet deden, had hij in elk geval een kleine kans om te overleven en zou hij alleen kunnen ontsnappen.

Isgrimnur haalde zijn boom op tot de oppervlakte van het water en zwiepte er de modder af die aan het uiteinde kleefde. 'Welnu? Wat doen we? De monnik is waardeloos.'
'Misschien is er toch nog een manier waarop hij kan helpen.' Miriamele keek Cadrach veelbetekenend aan. Hij hield zijn gezicht afgewend. 'In elk geval kunnen we zeker doorgaan met het eerste deel dat we hebben beraamd, of niet?'
'Ik neem aan van wel.' Isgrimnur staarde naar de Hernystirman alsof hij een van zijn rietknuppels op hem had willen beproeven. Hij duwde de boom in de handen van de monnik. 'Laten we eropaf gaan. Je kunt je verdomme wel eens nuttig maken.'
Cadrach boomde de boot uit het wuivende woud van riet op het wijde gedeelte van de waterweg. De ochtendzon was vandaag niet erg stralend, verscholen achter een vlekkerig wolkendek, maar de lucht was nog warmer dan de vorige dag. Miriamele voelde een glans van zweet op haar voorhoofd en wou dat ze de moed had de krokodillen uit te dagen door haar schoenen uit te trekken en haar voeten in het troebele water te laten bungelen.
Ze gleden langs de waterweg tot ze hun doel ten slotte recht voor zich zagen, voeren toen dichter naar de oever en langzaam en behoedzaam het kanaal in, proberend de dekking van riet en bomen te gebruiken om uit het onmiddellijke gezicht te zijn. Het nest zag er even sinister uit als de vorige dag, hoewel er minder ghanten buiten schenen te lopen. Toen ze er zo dichtbij waren gekomen als ze durfden, liet Isgrimnur de boot naar de buitenkant van de waterweg drijven tot een met bomen omzoomde bocht het nest helemaal aan hun gezicht onttrok.
'Nu maar wachten,' zei hij rustig.
Ze zaten een behoorlijke tijd zonder iets te zeggen. De insekten waren een ramp. Miriamele was, vanwege het geluid, bang om naar ze te slaan en probeerde ze met haar vingers te pakken op het moment dat ze neerstreken, maar ze waren te talrijk en te hardnekkig; ze werd herhaaldelijk gebeten. Haar huid jeukte en klopte zo erg dat ze het gevoel had dat ze gek zou worden, en het idee om in de rivier te springen en alle insekten in een keer te verdrinken sterker en sterker werd. Haar vingers klampten zich vast aan de dolboorden van de boot. Het zou koel zijn. Het zou een eind maken aan de jeuk. Laat de krokodillen maar komen, verdomme...
'Daar,' fluisterde Isgrimnur. Miriamele keek op.
Nog geen twintig ellen vanwaar zij zaten, klom een eenzame ghant

langs een lange tak van een boom die zich boven het water slingerde. Vanwege zijn gelede poten, schenen zijn bewegingen vreemd onbeholpen, maar hij kwam snel en zelfverzekerd vooruit op de dunne zwaaiende tak. Zo nu en dan hield hij plotseling op en werd dan zo volslagen bewegingloos dat hij, grijs en gestreept met kortstmos als hij was, deel van de schors leek uit te maken, net een uitzonderlijk grote galnoot.

'Duw,' zei Isgrimnur, naar Cadrach wijzend. De monnik duwde de boot van de oever af en liet hem langzaam langs de waterweg naar de tak toe drijven. Miriamele en heel het gezelschap hield zich zo stil als ze konden.

Eerst scheen de ghant hen niet op te merken. Toen ze dichterbij kwamen, ging hij verder met langs de tak te kruipen, zich geduldig naar een drietal kleine vogels toe bewegend die op het uiteinde waren neergestreken. Evenals het wezen dat jacht op hen maakte, schenen de vogels zich van geen gevaar bewust.

Isgrimnur nam de plaats van Camaris op de voorsteven van de boot in, leunde toen voorover, zo goed mogelijk steunend. Eindelijk scheen de ghant op te merken dat de boot naar hem toe dreef; zwarte ogen schitterden toen hij op de plaats bleef zwaaien en probeerde vast te stellen of het naderende voorwerp een bedreiging of een potentiële maaltijd was. Toen Isgrimnur de rieten speer ophief, leek de ghant tot een besluit te komen: hij draaide zich om en begon naar de boomstam terug te schuifelen.

'Nu, Isgrimnur!' riep Miriamele. De Rimmersman wierp de speer zo hard als hij kon; de boot schommelde verraderlijk door de kracht van zijn worp. De vogels vlogen krijsend en fladderend van de tak op. De speer suisde door de lucht met een stuk van Tiamaks kostbare touw erachter aan, en trof de ghant maar doorboorde zijn schild niet; de speer ketste af en viel in het water, maar de kracht van de klap was genoeg om het dier van de tak af te slaan. Hij viel met een plons in het groene water en kwam een ogenblik later met wild spartelende poten boven; toen richtte het zich op en begon op een vreemde, rukkerige manier naar de oever te zwemmen.

Cadrach punterde de boot snel voorwaarts tot ze naast het schepsel waren. Isgrimnur boog zich ver voorover en gaf het twee harde klappen met de platte kant van zijn zwaard. Toen het weer kwam bovendrijven, duidelijk niet meer in staat om zich in te spannen, strikte hij een stuk van Tiamaks touw om een klauw zodat ze hem naar de oever terug konden slepen.

'Heb geen zin om dat ding in de boot te leggen,' zei hij. Miriamele had het niet meer met hem eens kunnen zijn.

De ghant leek dood – het pantser van zijn knobbelige kop was gescheurd en er kwamen grijze en blauwe vloeistoffen uit – maar niemand ging te dichtbij staan toen ze de vaarboom gebruikten om hem op de zanderige oever op zijn rug te keren. Camaris bleef in de boot, hoewel hij even nieuwsgierig scheen toe te kijken als de anderen van het gezelschap.

Isgrimnur keek boos. 'God helpe ons. Het zijn lelijke schoften, nietwaar?'

'Uw speer kon hem niet doden.' Miriameles ideeën over hun kansen waren nog pessimistischer geworden.

Isgrimnur wuifde geruststellend met zijn hand. 'Hebben dikke pantsers, deze wezens. Moeten de speren een beetje zwaarder maken. Met een steen aan het uiteinde moet het lukken. Maak u niet meer zorgen dan nodig is, prinses. We zullen doen wat we moeten doen.'

Vreemd genoeg geloofde ze hem en voelde zich beter. Isgrimnur had haar altijd als een lievelingsnichtje behandeld, ook toen zijn betrekkingen met haar vader gespannen waren geworden, en zij behandelde hem op haar beurt met de liefhebbende, spottende vertrouwelijkheid die ze nooit bij Elias had kunnen gebruiken. Ze wist dat hij zijn best zou doen om hun veiligheid te behoeden – en het beste van de hertog van Elvritshalla was gewoonlijk heel erg goed. Hoewel hij zijn kameraden, en zelfs zijn lijfwachten toestond grappen te maken over zijn felle, maar kortstondige boosheid en zijn onderliggende zachtaardigheid, was de hertog een enorm capabele man. Miriamele was opnieuw dankbaar dat Isgrimnur bij haar was.

'Ik hoop dat u gelijk hebt.' Ze stak haar hand uit en drukte zijn brede poot.

Zij staarden allen naar de dode ghant. Miriamele kon nu zien dat hij, evenals een kever, zes poten had in plaats van vier, zoals ze had gedacht. De twee die ze gemist had bij haar eerste ghant waren kleine, verschrompelde dingen die vlak onder de plaats waar het nekloze hoofd bij het ronde lichaam kwam waren weggestopt. De mond van het schepsel ging half schuil onder een vreemde vederachtige rand, en zijn rugschild was dof en leerachtig als het ei van een zeeschildpad.

'Draai u om, prinses,' zei Isgrimnur toen hij Kvalnir optilde. 'U zult dit liever niet willen zien.'

Miriamele onderdrukte een glimlach. Wat dacht hij dat ze het laatste half jaar had gedaan? 'Ga uw gang, maar. Ik ben niet weekhartig.'

De hertog bracht zijn zwaard omlaag, zette het tegen de buik van het schepsel en drukte toen. De ghant gleed een eindje over de modder. Isgrimnur gromde, hield het karkas toen met zijn voet vast alvorens opnieuw te drukken. Deze keer, slaagde hij er na een korte inspanning in het zwaard door het schild te drukken, hetgeen een vreemd knappend geluid veroorzaakte. Een zilte, zure geur zweefde omhoog en Miriamele deed een stap achteruit.

'De schilden zijn taai,' zei Isgrimnur bedachtzaam, 'maar ze zijn te doorboren.' Hij probeerde te glimlachen. 'Ik was bang dat wij misschien een kasteel met gewapende soldaten moesten belegeren.'

Cadrach was heel bleek geworden, maar bleef geboeid naar de ghant kijken.

'Hij lijkt verontrustend veel op een mens, zoals Tiamak zei,' mompelde hij. 'Maar ik zal niet al te rouwig zijn om deze of andere die we doden.'

'Wíj doden?' begon Isgrimnur nijdig, maar Miriamele kneep hem nog één keer in de hand.

'Wat anders kan dit ons vertellen?' vroeg zij.

'Ik zie geen gifangels of tanden, dus veronderstel ik dat ze niet bijten zoals spinnen doen, hetgeen een opluchting is.' De hertog haalde de schouders op. 'Ze zijn te doden. Hun schilden zijn niet zo hard als die van schildpadden. Dat is genoeg, denk ik.'

'Dan neem ik aan dat het tijd is om te gaan,' zei Miriamele.

Cadrach boomde de platbodem de oever in. Ze waren nu slechts enkele honderden passen van de rand van het nest. Tot dusver leken zij niet te zijn opgemerkt.

'Maar wat doen we met de boot?' fluisterde Isgrimnur. 'Kunnen we die zo achterlaten dat we er haastig naar terug kunnen komen?' Zijn uitdrukking verzuurde. 'En wat moeten we met die verdomde monnik aan?'

'Dit is mijn idee,' fluisterde Miriamele terug. 'Cadrach, als jij de boot in het midden van de waterweg kunt houden tot we eruit komen, dan kun je vlak voor het nest aan land aanleggen en ons halen. We zullen waarschijnlijk haast hebben,' voegde ze er wrang aan toe.

'Wat!?' Isgrimnur had moeite om zacht te blijven praten, slechts met gedeeltelijk succes. 'Je wilt die lafaard in onze boot achterlaten, vrij om weg te peddelen als hij dat wil? Vrij om ons hier te laten stranden? Nee, bij de Aedon, we zullen hem met ons meenemen, zo nodig gebonden en met een prop in de mond.'

Cadrach klemde de vaarboom vast, zijn knokkels wit. 'Je zou me net zo goed eerst kunnen doden,' zei hij hees. 'Want ik zal sterven als jullie mij daar naar binnen slepen.'

'Hou op, Isgrimnur. Misschien kan hij dan niet naar dat nest gaan, maar hij zou ons daar nooit achterlaten. Niet na alles wat hij en ik hebben doorgemaakt.' Ze draaide zich om en wierp de monnik een vastberaden blik toe. 'Zou je dat doen, Cadrach?'

Hij keek haar aandachtig aan, alsof hij een list vermoedde. Het duurde een ogenblik voor hij sprak. 'Nee, vrouwe, dat zou ik niet doen... wat hertog Isgrimnur ook denkt.'

'En waarom zou ik u een dergelijk besluit laten nemen, prinses?' Isgrimnur was boos. 'Wat u ook van deze man meent te weten, u hebt ook zelf gezegd dat hij van u gestolen heeft en u aan uw vijanden heeft verkocht.'

Miriamele fronste. Het was waar, natuurlijk, en ze had Isgrimnur niet eens alles verteld. Ze had nooit gesproken over Cadrachs poging om te ontsnappen en haar op Aspitis' schip achter te laten, hetgeen hem zeker niet tot voordeel zou strekken. Ze merkte dat ze zich afvroeg waarom ze er zo zeker van was dat ze erop konden vertrouwen dat Cadrach op hen zou wachten, maar het was nutteloos: er was geen antwoord. Ze geloofde gewoon dat hij er zou zijn wanneer ze eruit kwamen... àls ze eruit kwamen.

'We hebben werkelijk heel weinig keus,' zei ze tegen de hertog. 'Tenzij we hem dwingen om mee te gaan – en het zal moeilijk genoeg zijn om onze weg te vinden en te doen wat we moeten doen zonder ook nog een gevangene met ons mee te slepen – zouden we hem ergens moeten vastbinden om hem te beletten de boot te stelen als hij dat zou willen doen. Zie je niet, Isgrimnur dat het gewoon de beste manier is! Als we de boot onbewaakt achterlaten, ook al proberen we hem voor de ghanten te verbergen... nou, wie weet wat er dan zou kunnen gebeuren.'

Isgrimnur dacht een ogenblik na, terwijl zijn baardige kaken bewogen alsof hij op de verschillende mogelijkheden kauwde. 'Zo,' zei hij ten slotte. 'Ik veronderstel dat dit waar is. Goed dan, maar als jij er niet bent wanneer we je nodig hebben,' hij draaide zich dreigend naar Cadrach om, 'zal ik je op een dag vinden en je botten verpletteren. Ik zal je opeten als een wild hoen.'

Cadrach glimlachte droevig. 'Ik ben ervan overtuigd dat u dat zou doen, hertog Isgrimnur.' De monnik richtte zich tot Miriamele. 'Dank u voor uw vertrouwen, vrouwe. Het is niet gemakkelijk om zo iemand te zijn als ik.'

'Ik zou het niet hopen,' gromde Isgrimnur. 'Anders zouden er meer zijn als jij.'

'Ik denk dat alles goed zal gaan, Cadrach,' zei Miriamele. 'Maar bid voor ons.'

'Iedere god die ik ken.'

De hertog, die nog steeds nijdig mopperde, sloeg een vonk met zijn vuursteen en stak een van de fakkels aan. De andere stopten hij en Miriamele tussen hun riemen tot ze beiden even piekerig waren als egels. Miriamele droeg een knuppel en een van de verzwaarde speren, evenals Camaris, die zijn wapens verstrooid hanteerde terwijl de andere twee zich voorbereidden. Isgrimnur had Kvalnir in de schede aan zijn riem, en een paar korte speren in zijn vrije hand geklemd.

'Ga de strijd in gewapend met stokken,' gromde hij. 'Ga tegen insekten vechten.'

'Er zal een ellendig lied van komen,' fluisterde Miriamele. 'Of een roemrucht lied, misschien. We zullen zien.' Ze wendde zich tot de oude man. 'Heer Camaris, we gaan Tiamak helpen. Uw vriend, weet u nog? Hij is daarbinnen.' Ze wees met haar speer naar het donkere gevaarte van het nest dat achter de bomen opdoemde. 'We moeten hem vinden en hem eruit halen.' Ze keek naar zijn onaangedane uitdrukking. 'Denk je dat hij het begrijpt, Isgrimnur?'

'Hij is kinds geworden... maar niet zo kinds als hij lijkt, vermoed ik.' De hertog greep zich aan een lage tak vast en sprong over de zijkant van de boot in het enkelhoge water. 'Hier, prinses, laat mij je helpen.' Hij tilde haar op en zette haar op de oever. 'Jozua zal het me nooit vergeven als er iets met je gebeurt. Ik vind het nog steeds dwaasheid om je mee te nemen, vooral nu die daar achterblijft, gezellig en veilig.'

'U hebt me nodig,' zei ze. 'Het zal moeilijk genoeg zijn met zijn drieën.'

Isgrimnur schudde zijn hoofd, niet overtuigd. 'Als je maar in mijn buurt blijft.'

'Dat zal ik doen, oom.'

Toen Camaris aan land waadde, begon Cadrach de boot naar dieper water te duwen.

'Stop,' zei Isgrimnur. 'Wacht ten minste tot we binnen zijn. We hoeven hun aandacht niet te trekken voor we klaar zijn.'

Cadrach knikte en gebruikte de vaarboom om de boot stil te leggen.

'U allen gezegend,' zei hij zacht. 'Geluk toegewenst.'

De hertog snoof en liep het struikgewas in, zijn laarzen zompend in de modder. Miriamele knikte tegen Cadrach, pakte toen de hand van Camaris en ging met hem de hertog achterna.

'Geluk,' zei Cadrach weer. Hij sprak fluisterend niemand scheen hem te horen.

'Kijk!' siste Miriamele. 'Daar is er een die groot genoeg is!'

Een zacht gegons vervulde de lucht. Ze waren heel dicht bij het nest, zo dicht dat als Miriamele haar hand had durven uitsteken vanwaar zij zich in een wirwar van bloeiend struikgewas verborgen hielden, ze het bijna had kunnen aanraken. Toen ze het enorme bouwsel van modder naderden, hadden ze vlug beseft dat vele van de deuren – in feite alleen maar gaten in de muren – zelfs voor de prinses veel te klein waren om naar binnen te gaan, laat staan voor de brede Isgrimnur.

'Goed,' zei de hertog. 'Laten we er dan op afgaan.' Hij maakte aanstalten om zijn fakkel te pakken, hield toen op en beduidde zijn metgezellen hetzelfde te doen.Een paar ellen verder kwam een stel ghanten langs de grens van het nest kruipen. Hoewel ze in ganzepas liepen, achter elkaar, klikten en sisten ze over en weer, alsof ze in gesprek waren. Miriamele vroeg zich opnieuw af hoe knap de wezens waren. De ghanten liepen op vier poten voorbij, de gelede poten tikkend onder het gaan. Het drietal sloeg hen gade tot ze om de bocht van het enorme nest waren verdwenen.

'Nu.' Isgrimnur plukte zijn fakkel uit de modder: hij had hem achter zich neergezet, zodat zijn brede gestalte het licht ervan maskeerde. Zelfs in de ochtendzon gaf de vlam Miriamele een wat veiliger gevoel.

Na voorzichtig alle kanten uit te hebben gekeken, stak de hertog de korte afstand naar het nest over en boog zich in de gekartelde opening. Hij stapte erdoor, reikte toen achteruit om Miriamele en Camaris te wenken.

Steeds schoorvoetender toen het eigenlijke moment naderde, aarzelde Miriamele alvorens de hertog naar binnen te volgen, diep ademhalend alsof ze in water ging duiken. Ze begreep Cadrachs besluit beter dan haar eigen. Het nest zou vol zijn met die kruipende, klikkende, veelpotige wezens... Haar knieën werden week. Hoe kon ze dat zwarte gat in lopen? Maar Tiamak was daar al, alleen met de ghanten. Misschien was hij beneden in de duisternis om hulp aan het roepen.

Miriamele slikte en stapte toen het nest in.

Ze bevond zich in een ronde gang even breed als haar uitgestrekte armen en slechts iets hoger dan haar eigen hoofd. Isgrimnur moest bukken, en Camaris, die Miriamele volgde, moest voorover buigen. De modderwanden waren puntig door losse stenen en stukken versplinterde stokken, alle bedekt met bleek schuim dat eruitzag als speeksel. De tunnel was donker en dampig vochtig en rook naar rottende vegetatie.

'Oe.' Miriamele trok haar neus op. Haar hart bonsde. 'Dit bevalt me helemaal niet.'

'Ik weet het,' fluisterde Isgrimnur. 'Het is smerig. Vooruit, laten we kijken wat we kunnen zien.'

Ze volgden de slingerende gang, moeizaam in de glibberige modder houvast zoekend voor hun voeten. Isgrimnur en Camaris moesten voorover leunen, hetgeen het balanceren nog moeilijker maakte. Miriamele voelde dat zij begon te versagen. Waarom was ze zo verlangend geweest om zich te bewijzen? Dit was geen plaats voor een meisje. Dit was geen plaats voor wie dan ook.

'Ik denk dat Cadrach gelijk had.' Ze probeerde haar stem niet te laten beven.

'Geen enkel verstandig mens zou hier willen komen,' zei de hertog rustig, 'maar daar gaat het niet om. Bovendien, als het niet erger wordt dan het nu is, zal ik blij zijn. Ik vrees dat we in een kleinere tunnel zullen belanden en op onze knieën moeten gaan.'

Miriamele zag zich in gedachten achtervolgd worden door de schuifelende ghanten zonder te kunnen vluchten. Ze keek naar de glad glinsterende vloer van de tunnel en huiverde.

Het licht van de ingang begon te verflauwen toen ze verscheidene bochten in de tunnel achter zich hadden gelaten. De rottende geur werd sterker, nu vergezeld van een vreemde kruidige lucht, muf en walgelijk zoet. Miriamele liet haar knuppel in haar riem glijden en ontstak een van haar fakkels aan die van Isgrimnur, en daarna nog een die ze aan Camaris gaf, die hem even onbewogen aanpakte als een klein kind dat een broodkorst toegestopt krijgt. Miriamele benijdde hem om zijn idiote kalmte. 'Waar zijn de ghanten?' fluisterde zij.

'Zoek niet naar moeilijkheden.' Isgrimnur maakte met zijn fakkel het teken van de Boom in de lucht alvorens verder te gaan.

De ongelijke gang beschreef een bocht en nog een, alsof ze door de ingewanden van een enorm dier klauterden. Na nog een paar zompende stappen, bereikten ze een punt waar een nieuwe tunnel de hunne kruiste. Isgrimnur bleef een ogenblik staan om te luisteren.

'Ik denk dat ik uit deze meer lawaai hoor komen.' De hertog wees naar een van de zijgangen. Inderdaad, het doffe gegons scheen daar sterker.

'Maar moeten we ernaartoe gaan of weg ervan?' Miriamele probeerde de verstikkende rook van de fakkel van haar gezicht weg te wuiven.

Isgrimnurs uitdrukking was fatalistisch. 'Ik denk dat Tiamak of andere gevangenen in het hart van het ding zullen zitten. Ik zeg, volg het geluid. Niet dat ik het prettig vind,' voegde hij eraan toe. Hij reikte omhoog en schraapte met een van zijn rietsperen een cirkel in het schuim, waardoor de modderige wand daaronder zichtbaar werd. 'We moeten eraan denken onze weg te markeren.'

Het schuim op de wanden was in de nieuwe gang dikker; op verschillende plaatsen hing het van het plafond van de tunnel in stroperige touwachtige strengen neer. Miriamele deed haar best om het spul niet aan te raken, maar het was onmogelijk om geen adem te halen. Ze kon voelen hoe de vochtige, onaangename lucht van de tunnels bijna in haar borst stolde. Toch, hield Miriamele zich voor, had ze geen echte reden om te klagen: ze waren al enige tijd in het nest geweest en nog steeds hadden ze geen van de bewoners ontmoet. Dat alleen al was een ongelooflijk staaltje van geluk.

'Dit oord ziet er van buiten op geen stukken na zo groot uit,' zei ze tegen Isgrimnur.

'We hebben in de eerste plaats de achterkant ervan nooit gezien.' Hij stapte voorzichtig over een klodder gele smurrie in de gang. 'En ik denk dat deze tunnels met een lus naar zichzelf teruglopen. Ik wed dat als je hierdoorheen brak...' hij porde met zijn fakkel tegen de wand; het schuim siste en bubbelde, '... dat je aan de andere kant ervan weer een tunnel zou vinden.'

'Rond en rond. Verder en verder naar binnen. Als een kamer-schelp,' fluisterde Miriamele. Het was nogal duizelingwekkend om aan zo'n eindeloze spiraal van modder en schaduwen te denken. Opnieuw vocht ze tegen een opkomende golf van paniek. 'Toch...' begon ze.

Er was een beweging van iets dat vluchtte in de tunnel voor hen.

De ghant was blijkbaar uit een andere zijtunnel gekomen; hij hurkte bewegingloos in het midden van de gang alsof hij verdoofd was. Isgrimnur verstijfde ook een ogenblik, liep toen langzaam naar voren. De ghant, ontdaan van iets dat werkelijk een gezicht kon worden genoemd, zag hen naderen, de kleine poten onder zijn kop strekten zich uit en trokken zich samen. Plotseling draaide hij zich om en vluchtte de tunnel door. Isgrimnur aarzelde een ogenblik, rende er toen log achteraan, zijn best doend om zijn evenwicht te bewaren. Hij bleef staan en wierp zijn speer, toen hield hij ineens op met een sis van pijn die Miriameles hart snel deed kloppen.

'Verdomme, ik heb mijn hoofd gestoten. Pas op, het vervloekte plafond is hier laag.' Hij wreef zijn voorhoofd.

'Heb je hem geraakt?'

'Ik denk het wel. Ik kan het nog niet goed zien.' Hij ging een eindje naar voren. 'Ja, hij is dood, in elk geval zo ziet hij eruit.'

Miriamele kwam naast hem staan, rond de brede schouders van de hertog turend naar het wezen in de poel van fakkellicht. De ghant lag in de modder van de gang en Isgrimnurs speer stak uit de bepantsering van zijn rug; uit de wond lekte een dunne vloeistof die iets lichter was dan bloed. De gelede poten schokten een paar keer, werden daarna langzaam stil toen Camaris naar voren ging en zijn lange arm uitstak om het wezen om te draaien. Het gezicht van de ghant was dood even nietszeggend als levend. De oude man schepte, met een beschouwende blik, een handvol vieze aarde van de vloer van de tunnel op en liet die op de borst van het dode schepsel vallen. Het was een vreemd gebaar, vond Miriamele.

'Kom,' mompelde Isgrimnur.

De nieuwe tunnel was niet zo bochtig als de eerste. Hij liep steil omlaag, hobbelig en doorweekt, de wanden ongelijk alsof ze door monsterlijke kaken uit de modder waren gekauwd; toen ze naar de glanzende strengen schuim keek, besloot Miriamele dat dat geen aangename gedachte was om op door te gaan.

'Vervloekt,' zei Isgrimnur plotseling. 'Ik zit vast.'

Zijn laars was diep in de zuigende modder van de tunnelvloer getrokken. Miriamele strekte haar arm naar hem uit, zodat hij zich in evenwicht kon houden terwijl hij trok. Een vreselijke stank steeg uit de omgewoelde modder op, en kleine natte wezentjes die door Isgrimnurs inspanning aan het licht waren gebracht, begroeven zichzelf weer. Ondanks al zijn moeite leek de Rimmersman alleen maar verder weg te zinken. Er klonk een zweem van paniek in Isgrimnurs stem.

'Het is alleen maar modder.' Miriamele probeerde kalm te klinken, maar onwillekeurig vroeg ze zich af wat er zou gebeuren als de ghanten hen plotseling zouden overvallen. 'Laat de laarzen achter als u niet anders kunt.'

'Het is mijn hele been, niet alleen de laars.' Inderdaad, één been was nu tot aan de knie verdwenen, en de voet van de andere laars zat nu ook vast in het slijm. De lijkengeur werd erger.

Camaris ging naar voren, zette toen zijn eigen benen aan weerskanten van Isgrimnur schrap alvorens de benen van de Rimmersman in zijn handen te nemen; Miriamele bad dat er maar één stuk verraderlijke modder was. Zo niet, dan zouden ze beiden gevangen kunnen raken. Wat moest ze dan doen?

De oude ridder trok. Isgrimnur kreunde van pijn, maar zijn voet kwam niet los. Camaris trok nogmaals, zo hard dat de spieren in zijn nek strak stonden als touwen. Met een zuigend geluid kwam Isgrimnurs been los. Camaris trok hem naar een steviger stuk grond.

De hertog stond een ogenblik voorovergebogen, de klont modder onder zijn knie bekijkend. 'Zomaar blijven steken,' zei hij. Hij ademde zwaar. 'Zomaar blijven steken. Laten we in beweging blijven.' De angst was nog niet helemaal uit zijn stem verdwenen.

Ze ploeterden verder, proberend de droogste plaatsen te vinden om te lopen. De rook van de fakkels en de stank van de modder maakten dat Miriamele zich misselijk voelde, dus vatte zij bijna moed toen de smalle gang eindelijk uitkwam op een breder vertrek, een soort grot waarin het witte schuim hing als stalactieten. Ze gingen die voorzichtig in, maar hij scheen even verlaten als de tunnel was geweest. Toen ze door de kamer liepen, om de grotere plassen heen stappend, keek Miriamele omhoog.

'Wat zijn dat?' vroeg ze, fronsend. Grote lichtgevende zakken hingen slap aan het plafond, onaangenaam dicht boven hun hoofden. Elk was zo lang als de hangmat van een keuterboer met dunne, spinnewebachtige witte ranken uit het midden ervan hangend, een sliertende rand die lui zweefde in de warme lucht die van de fakkels opsteeg.

'Ik weet het niet, maar ze bevallen me niets,' zei Isgrimnur met een van walging vertrokken gezicht.

'Ik denk dat het eierzakken zijn. Weet je, net zoals de spinne-eieren die je aan de onderkant van bladeren ziet.'

'Heb niet veel naar de onderkant van bladeren gekeken,' mompelde de hertog. 'En ik wil niet langer naar deze kijken dan nodig is.'

'Moeten we niet iets doen? Ze doodmaken of iets dergelijks? Ze verbranden bij voorbeeld?'

'Wij zijn niet hier om al die insekten te doden,' zei Isgrimnur. 'We zijn hier om naar binnen te gaan en die arme kleine moeraskerel te vinden, en dan te zorgen dat we verdwijnen. God weet wat er zou gebeuren als we met deze dingen gingen knoeien.'

Met aan hun laarzen zuigende modder, liepen ze vlug naar de andere kant van het vertrek, waar de tunnel zijn vroegere grootte weer aannam. Miriamele, aangetrokken door een afgrijselijk soort belangstelling, draaide zich om voor een laatste blik. In het vervagende licht van de fakkel meende ze een schimmige beweging in een van de zakken te zien, alsof iets aan het madewitte vlies krabde, een uitweg zoekend. Ze wilde dat ze niet gekeken had.

Binnen enkele stappen beschreef de gang een bocht en stonden ze tegenover een half dozijn ghanten. Verscheidene waren tegen de wand van de tunnel opgeklommen en hingen nu op hun plaats, van kennelijke verbazing klikkend. De andere hurkten op de grond, met modder besmeurde schilden die dof in de gloed van de fakkels glinsterden. Miriamele voelde dat haar hart haperde. Isgrimnur stapte naar voren en zwaaide Kvalnir van links naar rechts. Hard slikkend ging Miriamele achter hem lopen en hief haar fakkel op. Na nog een paar seconden van kwetterende besluiteloosheid draaiden de ghanten zich om en liepen vlug door de tunnel weg.

'Ze zijn bang van ons!' Miriamele was opgetogen.

'Misschien,' zei Isgrimnur. 'Of misschien gaan ze hun vrienden halen. Laten we doorgaan.' Hij begon vlug te lopen, het hoofd gebogen onder het lage plafond.

'Maar dat is de kant die zij uitgingen,' zei Miriamele.

'Ik zei dat we het hart van dit ellendige oord moeten hebben.'

Ze kwamen langs talloze zijtunnels toen ze omlaag gingen, maar Isgrimnur scheen er zeker van te zijn waar hij heen ging. Het gegons bleef luider worden, de stank van verrotting werd ook sterker, tot Miriameles hoofd pijn deed. Ze gingen nog twee eierkamers – als het eierkamers waren – door, zich door beide haastend. Miriamele voelde geen enkele behoefte meer om te blijven staan kijken.

Ze bereikten de centrale kamer zo plotseling dat ze bijna door de opening van de tunnel vielen en langs de hellende modder in de enorme zwerm ghanten tuimelden.

Het vertrek was heel groot en donker; de fakkels van Miriamele en haar metgezellen wierpen het enige licht, maar het was genoeg om de grote kruipende horde te onthullen, het flauwe geknipper van hun schilden terwijl ze over elkaar klauterden in de duisternis aan het einde van de kamer, het gedempte geschitter van hun talloze ogen. Het vertrek was een lange steenworp breed, met muren van opgehoopte en gladgemaakte modder. De hele vloer was bedekt met veelpotige wezens, honderden en honderden ghanten.

Het gonzende geluid dat uit de wriemelende massa opsteeg, was hier sterker, een pulserend bonzend geluid zo krachtig dat Miriamele het in haar tanden en de botten van haar hoofd kon voelen.

'Moeder van Usires,' vloekte Isgrimnur gebroken.

Miriamele voelde zich kil en licht worden in haar hoofd. 'W-wat...' Ze slikte gal weg en probeerde het opnieuw. 'Wat... moeten we doen?'

Isgrimnur leunde voorover, loensend. De zwerm ghanten scheen hen niet te hebben opgemerkt, hoewel de dichtstbijzijnde slechts een twaalftal ellen van hen vandaan was; ze schenen verstrikt in een afgrijselijke en alles verterende activiteit. Miriamele hield haar adem met de grootste moeite in. Misschien legden zij hun eieren hier en zouden ze, gevangen in de greep van de Natuur, de indringers niet opmerken.

'Wat is dat daar in het midden?' fluisterde Isgrimnur. De hertog had moeite om zijn stem niet te laten breken. 'Dat ding waar ze allemaal omheen zitten?'

Miriamele spande zich in om het te zien, hoewel er op dat ogenblik niets was waar ze met minder graagte naar wilde kijken. Het was als het ergste visioen van de hel, een wriemelende hoop modderige wezens zonder hoop of vreugde, poten die zinloos schopten, schilden die schuurden toen ze tegen elkaar wreven – en altijd dat vreselijke gegons, het onophoudelijk knarsende geluid van de verzamelde ghanten. Miriamele knipperde met haar ogen en dwong zich om zich te concentreren. In het midden, waar de activiteit het hevigst scheen, stond een rij bleke, glanzende klonten. De dichtstbijzijnde had bovenop een donkere plek, die scheen te bewegen. Het duurde een ogenblik voor ze besefte dat de plek bovenop de glimmende massa een hoofd was... een mensenhoofd.

'Het is Tiamak!' zei ze hijgend, met afschuw vervuld. Haar maag kwam in opstand. 'Hij zit in iets vreselijks vast, het lijkt wel een pudding. O, Elysia, moeder van God, we moeten hem helpen!'

'Sssst.' Isgrimnur, die er even misselijk uitzag als Miriamele zich voelde, beduidde haar stil te zijn. 'Denken,' mompelde hij. 'Moet nadenken.'

De kleine bal die Tiamaks hoofd was, begon heen en weer te wiegelen op de geleiachtige berg. Terwijl Miriamele en Isgrimnur verbaasd toekeken, ging de mond open en Tiamak begon luidkeels te schreeuwen. Maar in plaats van woorden was wat er brullend uitkwam het gekwelde geluid van gonzende, klikkende ghant-spraak – iets dat zo wreed verkeerd klonk uit de mond van de kleine Wrannaman dat Miriamele in tranen uitbarstte.

'Wat hebben ze met hem gedaan!?' riep zij uit. Plotseling was er beweging naast haar, een stroom hete lucht als van een fakkel suisde voorbij en toen danste de vlam langs de helling naar de grond en de zwermende ghantenverzameling.

'Camaris!' riep Isgrimnur, maar de oude man baande zich al een weg door de buitenste ghanten, met zijn toorts zwaaiend als een zeis. Het grote gonzende geluid aarzelde, echo's in Miriameles oren achterlatend. De ghanten rond Camaris begonnen schril te zoemen en anderen in de enorme vergadering namen de alarmkreten over. De lange oude man waadde door hen heen als een jagermeester die gekomen is om de vos weg te halen. Opgewonden schepselen slingerden zich rond zijn benen, sommige zich aan zijn mantel en broek vastklampend terwijl hij andere met zijn knuppel wegsloeg.

'O, God, help mij, hij kan het niet zelf doen,' kreunde Isgrimnur. Hij begon langs de glibberige modder omlaag te gaan, zijn armen uitspreidend om zijn evenwicht te bewaren. 'Blijf daar,' riep hij tegen Miriamele.

'Ik ga met je mee,' riep ze terug.

'Nee, verdomme,' riep de hertog. 'Blijf daar met de fakkel zodat we de terugweg in deze tunnel kunnen vinden! Als we het licht verliezen, zijn we verloren.'

Hij draaide zich om, Kvalnir boven zijn hoofd tillend en zwaaide ermee naar de dichtstbijzijnde ghanten. Er klonk een vreselijke holle klap toen hij de eerste sloeg. Hij deed een paar stappen vooruit in de zwerm en het lawaai van zijn strijd ging verloren in de grotere herrie.

Het gegons was helemaal verstorven. De grote kamer was nu in plaats daarvan vervuld met de staccato kreten van nijdige ghanten, een afschuwelijk koor van nat geklik. Miriamele probeerde te zien wat er gebeurde, maar Isgrimnur was zijn fakkel al kwijt en was nu weinig meer dan een donkere gedaante te midden van een ziedende massa schilden en krampachtig bewegende poten. Ergens dichter bij het midden, sneed Camaris' fakkel nog steeds als een banier door de lucht, heen en weer zwaaiend, heen en weer, terwijl hij naar de plek waadde waar Tiamak gevangen was.

Miriamele was doodsbang, maar woedend. Waarom zou zij wachten terwijl Isgrimnur en Camaris hun leven op het spel zetten? Zij waren haar vrienden! En wat als zij stierven of gevangen werden genomen?

Dan zou ze alleen zijn, gedwongen te proberen een weg naar buiten te vinden, achtervolgd door die afgrijselijke wezens. Het was stom. Ze wilde het niet doen. Maar wat kon ze anders doen?

Denk, meisje, denk, zei ze tegen zichzelf, terwijl ze angstig op en neer sprong, proberend te zien of Isgrimnur nog op de been was. *Wat doen? Wat?*

Ze kon het niet uitstaan om te moeten wachten. Het was te afschuwelijk. Ze haalde de twee resterende fakkels uit haar riem en stak ze aan. Toen ze brandden, gooide zij ze in de modder aan beide kanten van de opening van de tunnel, haalde toen diep adem en volgde Isgrimnurs spoor de helling af, haar benen zo slap dat ze vreesde te zullen vallen. Onwezenlijkheid greep haar aan: ze kon dit niet doen. Haar huid prikte van de kou. Niemand die nog verstand had, zou die kuil in gaan. Maar op de een of andere manier bleven haar gelaarsde voeten bewegen.

'Isgrimnur!' gilde ze. 'Waar ben je?'

Koude modderige poten grepen haar vast, schelpachtige wezens als levende boomtakken. De sissende schepselen waren overal om haar heen; knobbelige koppen stootten tegen haar benen en ze voelde hoe haar maag zich weer omdraaide. Ze schopte als een paard, proberend ze achteruit te drijven. Een klauw greep naar haar been en haakte zich in de bovenkant van haar laars; de fakkel verlichtte heel even haar doelwit, dat glansde als een natte steen. Ze hief haar korte speer op, liet bijna de fakkel vallen, die stuntelig in dezelfde hand werd gehouden, en stak omlaag zo hard ze kon. De speer bonsde in iets dat bevredigend meegaf. Toen ze terugtrok, liet de klauw los.

Het was gemakkelijker om met de knuppel te zwaaien, maar die scheen de wezens niet te doden. Bij ieder klap vielen en tuimelden zij, maar een ogenblik later waren ze weer terug, krassend, grijpend, erger dan welke nachtmerrie ook. Na enkele ogenblikken stak ze de knuppel onder haar riem en pakte de fakkel in haar vrije hand, wat hen ten minste op een afstand scheen te houden. Ze raakte een van de ghanten midden in zijn ledige gezicht, en iets van de brandende palmolie spetterde en bleef kleven. Het wezen gilde als de fluit van een krankzinnige en dook naar voren, zich in de modder begravend, maar een andere klauterde over zijn trillende schild om zijn plaats in te nemen. Ze schreeuwde van angst en walging terwijl ze hem opzij schopte. Er kwam geen einde aan het leger van ghanten.

'Miriamele!' Het was Isgrimnur, ergens voor haar uit. 'Ben jij dat?'

'Hier!' riep ze, haar stem langs de rand snellend, dreigend een nooit eindigende gil te worden. 'O, haast je, haast je, haast je.'

'Ik heb je gezegd daar te blijven!' schreeuwde hij. 'Camaris komt terug! Kijk naar de fakkel!'

Ze stak naar een van de wezens voor haar, maar haar speer kraste alleen maar langs het schild. Uit de karnende massa kwam plotseling het schijnsel van een vlam. 'Ik zie het!'

'We komen!' De hertog was nauwelijks hoorbaar boven de ratelende stemmen van de ghanten. 'Blijf waar je bent, en zwaai met je fakkel!'

'Ik ben hier,' schreeuwde zij. 'Ik ben hier!'

De zee van kronkelende schepselen scheen te pulseren alsof er een golf door rolde. Het licht van de fakkel wiegde er boven, dichterbij komend. Miriamele vocht wanhopig – er was nog steeds een kans! Ze zwaaide haar fakkel in een zo wijd mogelijke boog, proberend haar aanvallers op een afstand te houden. Een klauwende poot kreeg de fakkel beet en plotseling was hij weg, in de modder sissend en haar in duisternis achterlatend. Ze priemde wild met haar speer.

'Hier!' gilde ze. 'Mijn fakkel is weg!'

Er kwam geen antwoord van Isgrimnur. Alles was verloren. Miriamele vroeg zich even af of ze in staat zou zijn de speer op zichzelf te gebruiken – ze kon stellig niet toestaan dat ze haar levend te pakken zouden krijgen...

Iets greep haar bij de arm. Gillend verzette ze zich, maar ze kon zich niet losrukken.

'Ik ben het!' riep Isgrimnur. 'Steek me niet!' Hij trok haar tegen zijn brede zijde en riep naar Camaris, die nog een eindje verderop stond. De fakkel kwam dichterbij, de ghanten eromheen dansend als waterdruppels op een hete steen. 'Hoe zullen we de weg naar buiten vinden?' brulde Isgrimnur.

'Ik heb fakkels bij de deur gelaten.' Miriamele draaide zich rond om te kijken op hetzelfde ogenblik dat er iets aan haar mantel snaaide. 'Daar!' Ze besefte dat Isgrimnur haar niet kon zien wijzen. Ze schopte en de snaaiende klauw viel weg. 'Achter je.'

Isgrimnur tilde haar op en droeg haar een paar stappen, de weg met Kvalnir vrijmakend tot ze zich door een kluwen van gonzende schepselen heen hadden gedrukt en met hun voeten op de helling stonden.

'We moeten op Camaris wachten.'

'Hij komt,' brulde Isgrimnur. 'Vooruit.'

'Heeft hij Tiamak gekregen?'

'Vooruit!'

Half zover terugglijdend als iedere stap haar vooruitbracht, zwoegde Miriamele tegen de modderige helling op naar het licht van de twee fakkels. Ze kon Isgrimnurs grommende adem achter zich horen, en af en toe de gedempte klap van Kvalnirs staal tegen de schilden van hun achtervolgers. Toen ze de top bereikte, greep ze de twee fakkels en trok ze uit de modder, draaide zich toen om, klaar om weer te vechten. Isgrimnur was vlak achter haar, en de flakkerende toorts waarvan ze wist dat hij van Camaris moest zijn, lag onderaan de helling.

'Haast je!' riep ze naar omlaag. De toorts stond stil, zwaaide toen van de ene kant naar de andere, alsof Camaris hem gebruikte om de zwerm weg te houden terwijl hij klom. Nu kon ze zijn haar zilvergeel in het licht van de toorts zien glinsteren. 'Help hem,' smeekte zij Isgrimnur. De hertog deed enkele stappen omlaag, Kvalnir in een onduidelijke boog bewegend, en in een ogenblik was Camaris losgebroken en ging het tweetal struikelend en glijdend de helling op naar de ingang van de tunnel. Camaris had zijn knuppel verloren. Tiamak, bedekt met witte gelei en blijkbaar bewusteloos, hing over zijn schouder. Miriamele staarde met ontsteltenis naar het slappe gezicht van de Wranna- man.

'Ga, verdomme!' Isgrimnur duwde Miriamele naar de tunnel. Ze scheurde haar ogen los van Tiamaks kleverige gestalte en begon te ren- nen, haar brandende fakkel onderwijl zwaaiend, waanzinnig springende en flitsende schaduwen op de vale wanden voortbrengend.

De vloer van de kamer achter hen scheen te barsten toen de ghanten haastig de achtervolging inzetten. Isgrimnur ging de tunnel in; een massa nijdig klikkende gedaanten volgde hem, een golf van gepantserd vlees. De achtervolgende ghanten hadden de hertog en zijn metgezellen misschien in enkele ogenblikken kunnen pakken, maar hun aantallen waren zo groot dat ze de gang bijna geheel vulden, zichzelf verwarrend. Degene die volgden, probeerden erlangs te dringen en binnen enkele ogenblikken was de ingang van de tunnel verstopt door wriemelende, met poten zwaaiende lijven.

'Ga voor!' riep de hertog.

Het was moeilijk om vlug vooruit te komen met haar hoofd gebukt en haar rug gebogen, en de modderige vloer was al moeilijk begaanbaar geweest wanneer je gewoon liep. Miriamele viel een paar keer, en een keer verstuikte zij haar enkel. Ze voelde de pijn nauwelijks, maar ergens in haar achterhoofd wist ze dat ze het later, als ze het overleefde, zeker zou voelen. Ze deed haar best om uit te kijken naar de merktekens die Isgrimnur zo gewetensvol in de schuimachtige wanden had aange- bracht, maar tegen de tijd dat ze een paar honderd passen van de grote kamer vandaan waren, besefte Miriamele tot haar afgrijzen dat ze een af- slag had gemist. Ze wist dat ze onderhand door minstens één van de eierkamers hadden moeten gaan, maar in plaats daarvan waren ze nog steeds in een van de onkarakteristieke tunnels – en deze liep omlaag, terwijl de terugweg omhoog had moeten leiden.

'Isgrimnur, ik denk dat we verdwaald zijn!' Ze vertraagde haar snelheid tot een draf, haar fakkels dicht bij de druipende wanden houdend terwijl ze wanhopig zocht naar iets dat ze herkende. Ze kon Camaris' zware stap vlak achter zich horen.

De Rimmersman vloekte bloemrijk. 'Blijf dan gewoon rennen – niets aan te doen!'

Miriamele versnelde haar pas weer. Haar benen deden pijn en iedere ademtocht prikte haar longen met scherpe naalden. Nu het duidelijk was dat ze verdwaald waren, koos ze de volgende van de kruisende tunnels die omhoog scheen te voeren. De helling was niet steil, maar de glibberige modder maakte het klimmen moeilijk. Boven het geluid van haar eigen onregelmatige ademhaling kon ze het gekletter van de ghanten achter hen weer horen toenemen.

De top van de helling kwam in zicht, een andere tunnel die loodrecht op de hunne stond, ongeveer honderd ellen omhoog; maar terwijl Miriameles hart iets lichter werd, kwam een zwerm ghanten de tunnel onder hen in snellen. Zich laag over de grond bewegend, en op vier poten in plaats van twee benen, kwamen de schepselen veel vlugger vooruit op het hellende pad. Miriamele zwoegde harder, zich de laatste helling op dwingend. Ze aarzelde slechts een ogenblik voor ze de rechterkant van de zijtunnel koos. Zelfs de ademhaling van Camaris was nu luid en rauw. Enkele van de snelste ghanten bereikten de top van de helling achter hen en verspreidden zich in de tunnel. Op vlak terrein kwamen ze nog vlugger vooruit, met een angstaanjagende snelheid naar voren springend. Enkele renden rechtstreeks tegen de wanden op alvorens rond te draaien om het vluchtende gezelschap te achtervolgen.

'We moeten omkeren en vechten,' zei Isgrimnur hijgend. 'Camaris! Zet de moerasman neer!'

'O, in godsnaam, nee!' riep Miriamele. 'Ik hoor meer van hen voor me uit!' Het was een nachtmerrie, een afschuwelijke, eindeloze nachtmerrie. 'Isgrimnur, we zitten in de val!'

'Stop, verdomme, stop. We zullen hier vechten!'

'Nee!' Miriamele was met afschuw vervuld. 'Als we hier blijven stilstaan, zullen we tegen beide zwermen moeten vechten, voor en achter. Blijf rennen!'

Ze deed een paar stappen verder naar beneden, maar ze wist dat niemand haar volgde. Ze draaide zich om en zag Isgrimnur grimmig kijken naar de ghanten achter hen, die langzamer waren gaan lopen toen hun prooi dat deed, en nu met weloverwogen behoedzaamheid naar voren kwamen, terwijl hun aantallen toenamen omdat tientallen uit de tunnel beneden hen omhoog klauterden. Miriamele draaide zich om en zag wriemelende plekken in de gang voor zich toen de glanzende, dode ogen van de ghanten daar het licht van de fakkel opvingen.

'O, genadige Elysia,' fluisterde Miriamele, volkomen verslagen. Camaris, die naast haar stond, keek naar de grond alsof hij over een vreemde maar niet erg belangrijke gedachte stond na te denken. Tiamak lag tegen zijn schouder, de ogen gesloten en met open mond als een slapend kind. Miriamele voelde zich een ogenblik droef. Ze had de moerasman willen redden... het zou zo heerlijk zijn geweest hem te redden...

Brullend draaide Isgrimnur zich ineens om. Tot Miriameles volslagen verbazing schopte hij zo hard mogelijk tegen de muur achter zich. Geheel in beslag genomen door wat een aanval van krankzinnige frustratie leek, schopte hij er telkens en telkens weer hard met de zool van zijn laars tegen.

'Isgrimnur...!' begon Miriamele, maar op dat ogenblik schoot de laars van de hertog door de muur, een gat ter grootte van een hoofd in de verbrokkelende modder makend. Hij haalde nog een keer uit en een ander gedeelte stortte in.

'Help me!' gromde hij. Miriamele ging naar voren maar voor ze hulp kon geven, werd door Isgrimnurs volgende klap een groot stuk weggeslagen. Er was nu een twee ellen hoog gat in de muur, met daarachter niets dan zwartheid.

'Ga door,' spoorde de hertog haar aan. Een twaalftal passen verder waren de ghanten als gekken aan het klikken. Miriamele stak haar fakkel door de opening, en dwong toen haar hoofd en schouders erachter aan, half zeker dat ze gelede klauwen omlaag zou voelen reiken om haar te grijpen. Glijdend en zwoegend kroop ze erdoor, biddend dat hier wat stevige grond zou zijn, dat ze niet in een afgrond zou vallen. Haar handen raakten de smurrie van een andere tunnelvloer; heel even ving ze een glimp op van de lege gang die haar omgaf voor ze omkeerde om de anderen te helpen. Camaris gaf de slappe gestalte van Tiamak aan haar door. Ze liet hem bijna vallen; de slanke Wrannaman woog niet veel, maar hij was een zwaar dood gewicht bedekt met glibberig slijm. De oude ridder volgde, toen perste Isgrimnur zijn eigen brede lichaam een ogenblik later door het gat. Onmiddellijk daarna vulde het gat zich met de reikende armen van ghanten, hard en glimmend als gepolijst hout.

Kvalnir houwde in het rond en veroorzaakte sissende gillen van pijn aan de andere kant van het gat. De armen werden vlug teruggetrokken, maar het gekwetter van de ghanten bleef aangroeien.

'Over een ogenblik zullen ze besluiten erdoorheen te gaan, zwaard of geen zwaard,' zei de hertog hijgend.

Miriamele keek een ogenblik naar het gat. De stank van de ghanten was sterk, evenals het rauwe geluid dat ze maakten toen ze zich tegen elkaar wreven. Ze verzamelden zich voor een nieuwe aanval, en ze waren nauwelijks een decimeter ver weg.

'Geef me je hemd,' zei ze plotseling tegen Isgrimnur. 'En ook dat van hem.' Ze wees op Camaris.

De hertog keek haar een ogenblik ongerust aan alsof ze plotseling haar verstand verloren had, trok toen vlug zijn gehavende hemd uit en gaf het haar. Miriamele hield het bij de vlam van haar toorts tot het in brand vloog – het was een ergerlijk traag proces, omdat dat hemd vochtig was en met modder besmeurd – en gebruikte toen haar speerpunt om de brandende stof in het gat in de muur te stoppen. Verbaasd gesis en kalme klikkende geluiden kwamen van de ghanten aan de andere kant. Miriamele duwde Camaris' hemd ernaast; toen het vlam had gevat en beide kledingstukken gelijkmatig brandden, nam ze ook Isgrimnurs zware mantel en propte die in de resterende ruimte.

'Nu weer rennen,' zei ze. 'Ik denk niet dat ze van vuur houden.' Het verbaasde haar hoe kalm ze zich plotseling voelde, ondanks een zekere lichtheid in haar hoofd. 'Maar het zal hen niet lang tegenhouden.'

Camaris pakte Tiamak op en ze spoedden zich allen verder. Bij iedere afslag kozen ze de tunnel die omhoog scheen te leiden. Nog twee keer braken ze stukken van de wanden van de gangen door en snoven aan de gaten als honden, op jacht naar buitenlucht. Eindelijk vonden ze een tunnel die, hoewel lager en smaller dan vele waar ze door waren gegaan, op de een of andere manier frisser scheen.

Het lawaai van achtervolging was weer begonnen, hoewel tot dusver geen van de wezens in het zicht was gekomen. Miriamele negeerde het geleiachtige schuim onder haar handen terwijl ze half lopend, half kruipend door de lage tunnel ging. Strengen bleek schuim vielen nat over haar gezicht en besmeurden haar haren. Een krul ervan raakte haar geopende lippen en voor ze hem kon uitspugen, proefde ze bittere muskus. Bij de volgende bocht in de gang werd de tunnel plotseling breder. Na nog een paar strompelende stappen sloegen ze weer een hoek om en zagen lichtplekken op de modder.

'Daglicht!' riep Miriamele. Ze was nog nooit zo blij geweest om het te zien.

Ze strompelden verder tot de tunnel opnieuw een bocht beschreef, en stonden toen tegenover een rond maar oneffen gat in de wand van de tunnel, waarachter de lucht hing – grijs en vaag, maar niettemin de hemel, de glorieuze hemel. Ze wierp zichzelf naar voren, door het gat naar buiten op een ronde vloer van klonterige modder klauterend.

Boomtoppen wuifden onder hen, zo groen en ingewikkeld dat Miriameles door modder verdoofde geest het bijna niet kon bevatten. Ze stonden boven op een van de hoge gedeelten van het nest; nauwelijks tweehonderd ellen ver weg lag de waterweg, rustig als een grote slang. Er wachtte geen platbodem.

Camaris en Isgrimnur volgden haar naar buiten, het dak van het nest op.

'Waar is de monnik?' schreeuwde Isgrimnur. 'Verdomme! Verdomme! Ik wist wel dat hij niet te vertrouwen was!'

'Laat dat nu maar,' zei Miriamele. 'We moeten hier af zien te komen.'

Na enig snel gezoek vonden ze een weg omlaag naar een lager dak. Ze liepen wankelend enkele tientallen stappen over een smalle richel van modder voordat ze de veiligheid van het volgende niveau bereikten, en gingen toen verder van de ene vlakke plek naar de andere, steeds naar de voorkant van het nest en de wachtende waterweg gaand. Toen ze het buitenste punt bereikten, vanwaar het slechts een sprong van drie of vier ellen omlaag naar de grond was, stroomde er een troep ghanten uit het gat bij de bovenkant van het nest.

'Daar komen ze,' zei Isgrimnur hijgend. 'Spring!'

Voor Miriamele dat kon doen, kwam een tweede, nog grotere zwerm van de wezens uit een van de grote ingangen aan de voorkant van het nest stromen, zich snel verzamelend tot een opgewonden massa vlak onder hen. Miriamele voelde een dodelijke, vreselijke vermoeidheid over zich komen. Om er zo dichtbij te zijn... het was niet eerlijk!'

'Heilige Aedon, red ons nu.' Er was weinig kracht over in de stem van de hertog. 'Ga terug, Miriamele. Ik zal eerst springen.'

'Dat kunt u niet doen!' riep ze. 'Er zijn er te veel.'

'We kunnen hier niet blijven.' Inderdaad, de andere ghanten kwamen snel omlaag over de ongelijke bovenste niveaus van het nest, hoogpotig als spinnen, behendig als apen. Ze waren vol verwachting aan het klikken en hun zwarte ogen schitterden.

Een heldere streep flitste ineens over de oever. Geschrokken keek Miriamele omlaag naar de ghanten beneden haar die wild aan het rondlopen waren. Hun schokkende kreten waren nog wilder en schriller dan eerst, en een aantal van hen scheen in brand te staan. Miriamele keek uit naar de waterweg, proberend te begrijpen wat er gebeurde. De platbodem was in het zicht komen drijven. Cadrach die met gespreide benen op de vierkante boeg stond, hield iets in zijn hand dat op een grote toorts leek, waarvan het boveneinde fel brandde.

Terwijl Miriamele met stomme verbazing toekeek, zwaaide de monnik het ding naar voren en een bal van vuur scheen van het uiteinde af te vliegen, een boog over het water beschrijvend en landde te midden van de ghanten die op het zand beneden haar waren gegroepeerd. De vuurbol barstte, grote vlammenspetters verspreidend die als brandende lijm aan de wezens kleefden. Sommige van degene die getroffen waren vielen op de grond terwijl hun schilden opbolden van de hitte en begonnen te fluiten als kokende kreeften, terwijl andere heen en weer renden, nutteloos aan hun eigen pantsering rukkend, klakkend en kletterend als gebroken wagenwielen. Op de platbodem boog Cadrach zich; toen hij zich rechtte, was er een nieuwe vlam aan het eind van zijn vreemde stok ontsproten. Hij wierp opnieuw, en een nieuwe straal vloeibaar vuur spetterde over de gillende ghanten. De monnik bracht zijn handen omhoog aan zijn mond.

'Spring nu!' riep hij, zijn stem flauw weerkaatsend. 'Haast je!'

Miriamele draaide zich om en keek heel even naar Isgrimnur. Het gezicht van de hertog was slap van verbazing, maar hij vermande zich lang genoeg om Miriamele een zacht, maar doelbewust duwtje te geven.

'Je hebt hem gehoord,' gromde hij. 'Spring!'

Dat deed ze, en kwam hard in het zand terecht en rolde omver. Een vurig stukje van iets bleef in haar mantel haken, maar ze sloeg het uit met haar handen. Een ogenblik later smakte Isgrimnur, met een *woef* van naar buiten snellende adem, naast haar neer. De ghanten, die piepten en als waanzinnigen heen en weer over de met gras bestrooide oever snelden, schonken weinig aandacht aan hun vroegere prooi. De hertog draaide zich om, klauterde overeind en stak toen zijn handen omhoog. Camaris, die ver over de ongelijke rand van het nest leunde, liet Tiamak op hem neervallen. De hertog werd weer tegen het zand aan geslagen, maar nam de beweginglozze Wrannaman in zijn armen; een ogenblik later was ook Camaris omlaag gesprongen. Het gezelschap snelde over het strand. Een paar ghanten, die niet getroffen waren door Cadrachs felle aanval, snelden naar hen toe, maar Miriamele en Camaris schopten hen weg. Het vluchtende gezelschap strompelde over de oever en waadde het trage groene water in.

Miriamele lag languit op de bodem van de boot naar lucht te snakken. Met enkele duwen van de vaarboom stuurde de monnik de boot naar het midden van de waterweg, ruim buiten het bereik van de springende ghanten.

'Bent u gewond?' Cadrachs gezicht was bleek, zijn ogen bijna koortsachtig helder.

'Wat... wat heb je...?' Ze kon de adem niet vinden om haar zin af te maken.

Cadrach boog zijn hoofd en haalde zijn schouders op. 'De oliepalmbladeren. Ik kreeg een idee nadat u... dat oord binnen was gegaan. Ik heb ze gekookt. Er zijn bepaalde dingen waarvan ik weet hoe ik ze moet doen.' Hij hield de buis omhoog die hij van een grote rietstengel had gemaakt. 'Ik heb dit gebruikt om het vuur te werpen.' De hand die de buis vasthield, was overdekt met venijnige blaren.

'O, Cadrach, kijk eens wat je gedaan hebt.'

Cadrach draaide zich om en keek naar Camaris en Isgrimnur, die over Tiamak stonden gebogen. Achter hen op de oever sprongen en sisten de ghanten als verdoemde zielen die gedwongen worden om te dansen. Vegen van vuur brandden nog steeds langs de voorste muren van het nest, wolkjes inktachtige rook de late middaghemel in sturend.

'Nee, kijk, wat jullie gedaan hebben,' zei de monnik en glimlachte een grimmige, maar niet helemaal ongelukkige glimlach.

DEEL TWEE

De slingerende weg

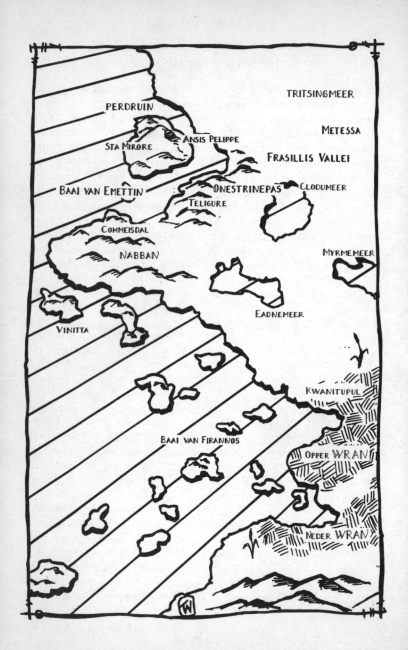

17

De nacht van het vreugdevuur

'Ik denk niet dat ik wil gaan, Simon.' Jeremias deed zijn best om Simons zwaard met een lap en een slijpsteen schoon te maken.

'Je hoeft niet.' Simon gromde van pijn toen hij zijn laars aantrok. Er waren drie dagen voorbijgegaan sinds de slag op het bevroren meer, maar iedere spier voelde nog steeds aan alsof erop was gehamerd als op het aambeeld van een smid. 'Dit is gewoon iets dat hij wil dat ik doe.'

Jeremias scheen opgelucht, maar was niet bereid zijn vrijheid zo gemakkelijk te aanvaarden. 'Maar behoort je schildknaap niet mee te gaan wanneer de prins je roept? Wat als je iets nodig hebt dat je vergeten bent; wie moet dan teruggaan om het te halen?'

Simon lachte, maar hield op toen hij een band van pijn om zijn ribben voelde spannen. De dag na de slag had hij nauwelijks kunnen staan. Zijn lichaam had aangevoeld als een zak met gebroken aardewerk. Ook nu nog bewoog hij zich als een stokoude man. 'Ik zal het gewoon zelf moeten halen of ik zal je laten komen. Maak je geen zorgen. Zo gaat dat hier niet, wat jij even goed behoort te weten als wie dan ook. Het is geen koninklijk hof, zoals op de Hayholt.'

Jeremias keek aandachtig naar de scherpe kant van het zwaard en schudde toen zijn hoofd. 'Dat zeg je nu wel, Simon, maar je weet nooit wanneer prinsen scheel naar je kijken. Je weet nooit wanneer ze misschien ineens hun bloed voelen en helemaal vorstelijk worden.'

'Dat is een risico dat ik zal moet nemen. Geef me nu dat verdomde zwaard voor je er zo lang op poetst tot het een flinter is geworden.'

Jeremias keek verlangend naar hem op. Hij was weer wat zwaarder geworden sinds hij in Nieuw Gadrinsett was aangekomen, maar er was weinig te eten en hij was nog altijd op geen stukken na de mollige knaap met wie Simon was opgegroeid; hij had een afgetobd gezicht en Simon betwijfelde of dat ooit helemaal weg zou gaan. 'Ik zou je zwaard nooit kwaad doen,' zei hij ernstig.

'O, Tanden van God,' gromde Simon, vloekend met de beproefde onverschilligheid van een volbloed soldaat. 'Ik maakte maar een grapje. Geef het nu maar hier, ik moet gaan.'

Jeremias wierp hem een hooghartige blik toe. 'Wat grapjes betreft, Simon die worden wel verondersteld grappig te zijn.' Ondanks de grijns die om zijn lippen begon te spelen, gaf hij hem het zwaard voorzichtig aan. 'En ik zal het je laten weten als je ooit echt grappig bent, dat beloof ik je.'

Simons geestige antwoord dat hij in werkelijkheid nog niet onder woorden had gebracht, werd in de kiem gesmoord door het opengaan van de tentflap. Een kleine gestalte verscheen in de deuropening, zwijgend en ernstig.

'Leleth!' zei Jeremias. 'Kom binnen. Wil je misschien een eindje met me gaan wandelen? Of kan ik je het slot vertellen van dat verhaal over Jack Mundwode en de beer?'

Het kleine meisje liep enkele stappen de tent in, hetgeen haar manier was om te laten zien dat ze toestemde. Haar ogen waren, toen ze even op die van Simon waren gericht, verontrustend volwassen. Hij herinnerde zich hoe ze er op de Droomweg had uitgezien – een vrij schepsel in zijn element, vliegend en blij – en hij voelde een duister gevoel van schaamte, alsof hij op de een of andere manier hielp iets moois gevangen te houden.

'Ik ga maar,' zei hij. 'Pas goed op Jeremias, Leleth. Laat hem niet aan iets scherps komen.'

Jeremias gooide hem de poetsdoek naar zijn hoofd toen hij door de tentflap ging.

Buiten haalde Simon diep adem. De lucht was kil, maar hij dacht dat hij iets warmer was dan enkele dagen geleden, alsof ergens de nabije lente een weg naar binnen zocht.

We hebben alleen Fengbald maar verslagen, waarschuwde hij zichzelf. *Wij hebben de Stormkoning helemaal geen kwaad berokkend. Dus is er weinig kans op dat we de winter hebben verdreven.*

Maar die gedachte wierp een andere vraag op. Waarom had de Stormkoning Fengbald geen hulp gestuurd terwijl hij Elias wèl had geholpen bij het beleg van Naglimund? Strangyeards verhalen over de gruwel van de aanval van de Nornen waren bijna even levendig in Simons geest als de herinneringen aan zijn eigen vreemde avonturen. Als de zwaarden zo belangrijk waren, en als de Hikeday'a wisten dat Jozua er een van had hetgeen, volgens de prins en Deornoth, vrijwel zeker het geval was – waarom hadden de verdedigers van Sesuad'ra dan niet gemerkt dat ze neerkeken op een leger van ijsreuzen en gepantserde Nornen? Had het iets met de Steen zelf te maken?

Misschien omdat het een Sithi plaats is. Maar ze waren niet bang om ten slotte Jaoé-Tinukai'i aan te vallen.

Hij schudde zijn hoofd. Het was iets om Binabik en Geloë deelgenoot van te maken, hoewel hij er zeker van was dat het al bij hen was opgekomen. Of misschien niet? Het zou bijna te overweldigend zijn om nòg een onoplosbaar raadsel toe te voegen aan de stapel waartegenover ze zich al gesteld zagen. Simon was zo moe van vragen zonder antwoorden. Zijn laarzen knarsten in de dunne sneeuw toen hij door de Vuurtuin

naar het Afscheidshuis liep. Hij had het leuk gevonden om met Jeremias te dollen, want het scheen zijn vriend diens zorgen en slechte herinneringen te doen vergeten, maar Simon was niet in een bijzonder opgewekte stemming. De afgelopen nachten had hij al maar gedroomd van
de slachting van de strijd, van waanzin, bloed en gillende paarden. Nu
ging hij naar Jozua toe en de prins was in een nog somberder stemming
dan hij. Simon verheugde zich niet bepaald op dit alles.

Hij bleef staan, terwijl zijn koude adem rond zijn hoofd opsteeg als een
wolk, en keek naar de gebroken koepel van het Observatorium. Durfde
hij de spiegel maar te nemen en te proberen opnieuw met Jiriki te spreken! Maar het feit dat de Sithi, ondanks de grote nood van de verdedigers, niet waren gekomen maakte het duidelijk dat Jiriki belangrijker
dingen aan zijn hoofd had dan het gedoe van stervelingen. Ook had de
Sitha Simon uitdrukkelijk gewaarschuwd dat dit een gevaarlijke tijd
was om de Weg van Dromen te bewandelen. Misschien zou hij, als hij
het probeerde, op de een of andere manier de aandacht van de Stormkoning op Sesuad'ra richten. Simon zou de onverschilligheid die de ene
voornaamste reden voor hun ongelooflijke overwinning was geweest
misschien vergruizelen.

Hij was nu een man, of hoorde dat te zijn. Er mochten geen uilskuikenachtige smoesjes meer zijn, besloot hij. Er stond veel te veel op het spel
voor dat soort dingen.

Het Afscheidshuis was slecht verlicht: slechts een paar fakkels brandden
in de houders, zodat de grote ruimte half in schaduw scheen opgelost.
Jozua stond bij de draagbaar.

'Dank je voor je komst, Simon.' De prins sloeg zijn ogen nauwelijks op
alvorens zijn blik weer op Deornoths lichaam te richten dat op een stenen plaat was gelegd met de banier met de Boom en Draak eroverheen
gedrapeerd, alsof de ridder alleen maar onder een dunne deken lag te
slapen. 'Binabik en Geloë zijn daar,' zei de prins, naar een paar figuren
wijzend die naast de vuurkuil bij de muur aan het andere eind zaten. 'Ik
kom zo bij jullie.'

Simon liep met voorzichtige tred naar het vuur, proberend oneerbiedig
lawaai te vermijden. De trol en de tovenares zaten rustig te praten.

'Gegroet, vriend Simon,' zei Binabik. 'Kom zitten en warm je.'

Simon ging met gekruiste benen op de grond zitten en bewoog zich
toen naar voren naar een warmere plek. 'Hij schijnt zelfs nog verdrieti-
ger dan gisteren,' fluisterde hij.

De trol keek naar Jozua. 'Het heeft hem met grote zwaarte getroffen.
Het is alsof alle mensen van wie hij hield, en voor wier veiligheid hij
vreesde, allen met Deornoth zijn gedood.'

Geloë maakte een geluid van gematigde ergernis. 'Je kunt geen slagen leveren zonder verliezen te lijden. Deornoth was een goed mens, maar er zijn ook anderen gestorven.'

'Jozua rouwt nu om hen allemaal, denk ik op zijn manier.' De trol haalde de schouders op. 'Maar ik ben er zeker van dat hij zal herstellen.'

De tovenares knikte. 'Ja, maar we hebben weinig tijd. We moeten het ijzer smeden terwijl het heet is.'

Simon keek haar nieuwgierig aan. Geloë scheen even tijdloos als altijd, maar ze leek iets van haar enorme zelfverzekerdheid te hebben verloren. Niet dat dat verbazingwekkend zou zijn; het afgelopen jaar was vreselijk geweest. 'Ik wilde je alleen maar iets vragen, Geloë,' zei hij. 'Wist jij dat van Fengbald?'

Ze richtte haar gele ogen op hem. 'Wist ik dat hij iemand het veld in zou sturen met zijn wapenrusting aan, om ons te misleiden? Nee. Maar ik wist wel dat Jozua had samengespannen met Helfgrim, de burgemeester. Ik wist niet of Fengbald in het aas zou happen.'

'Ik vrees dat ik het ook wist, Simon,' zei Binabik. 'Mijn hulp was nodig om te beramen hoe het ijs moest worden gespleten. Het werd gedaan met behulp van enkelen van mijn Qanucse kameraden.'

Simon voelde enige warmte naar zijn wangen stijgen. 'Dus iedereen wist het, behalve ik?'

Geloë schudde haar hoofd. 'Nee, Simon. Behalve Helfgrim, Jozua en ikzelf, waren er alleen maar Binabik, Deornoth, Freosel en de trollen die hebben geholpen de valstrik voor te bereiden – dat waren de enigen die ervan wisten. Het was onze laatste hoop, en we durfden het risico niet te nemen dat Fengbald er iets over te horen zou krijgen.'

'Vertrouwden jullie me niet?'

Binabik legde een kalmerende hand op zijn schouder. 'Vertrouwen was niet hetgene waar het om draaide, Simon. Jij en alle anderen die op het ijs vochten, hadden gevangen kunnen worden genomen. Zelfs de dappersten vertellen meestal alles wat zij weten als ze worden gemarteld en Fengbald was niet iemand die scrupules had in dergelijke zaken. Hoe minder het wisten, des te beter de kansen dat het geheim bewaard zou blijven. Als het nodig was geweest om het je te vertellen, zoals bij die andere, zouden we het je zonder aarzelen verteld hebben.'

'Binabik heeft gelijk, Simon.' Jozua was stil naar hen toe gekomen terwijl ze aan het praten waren en stond nu over hen heen gebogen. Het licht van het vuur wierp zijn schaduw op het plafond, een lange lege streep van duisternis. 'Ik vertrouw jou evenzeer als ik iedereen vertrouw, dat wil zeggen, iedereen die leeft.' Een zweem van iets flitste over zijn gezicht. 'Ik heb bevolen dat alleen degenen die nodig waren voor het plan ervan af moesten weten. Ik weet zeker dat je dat kunt begrijpen.'

Simon slikte. 'Natuurlijk, prins Jozua.'

Jozua liet zich op een steen zakken en keek afwezig naar de flakkerende vlammen. 'Wij hebben een grote overwinning behaald – het is een wonder, werkelijk. Maar de prijs was zo erg hoog…'

'Geen prijs die onschuldige mensen in leven heeft gehouden, zou te hoog kunnen zijn,' antwoordde Geloë.

'Misschien. Maar er is een mogelijkheid dat Fengbald de vrouwen en kinderen zou hebben laten gaan…'

'Maar nu zijn ze in leven en vrij,' zei Geloë kortaf. 'En ook een behoorlijk aantal van de mannen. En wij hebben een onverwachte zege behaald.'

Een zweem van een glimlach flikkerde op Jozua's lippen. 'Moet jij dan Deornoths plaats innemen, Valada Geloë? Want dat heeft hij altijd voor mij gedaan, herinnerde me eraan wanneer ik begon te tobben.'

'Ik kan die plaats niet innemen, Jozua, maar ik denk dat we ons niet hoeven te verontschuldigen voor het feit dat we gewonnen hebben. Rouwen is eervol, natuurlijk. Ik wil dat niet van je afnemen.'

'Nee, natuurlijk niet.' De prins keek haar een ogenblik aan, draaide zich toen langzaam om en keek de lange zaal door. 'Wij moeten de doden eren.'

Er klonk gekraak van leer in de deuropening. Sludig stond daar, met een paar zadeltassen over zijn verweerde arm. Toen hij de inspanning op het gezicht van de Rimmersman zag, vroeg Simon zich af of ze vol met stenen zaten. 'Prins Jozua?'

De prins draaide zich om. 'Ja, Sludig?'

'Dit is alles wat we gevonden hebben. Fengbalds wapen staat erop. Maar ze zijn drijfnat. Ik heb ze niet opengemaakt.'

'Leg ze hier maar bij het vuur neer. Kom dan bij ons zitten praten. Je bent een grote hulp geweest, Sludig.'

De Rimmersman knikte. 'Dank u, prins Jozua. Maar ik heb ook nog een andere boodschap voor u. De gevangenen zijn nu bereid te praten, dat zegt Freosel althans.'

'Ah.' Jozua knikte. 'En Freosel heeft ongetwijfeld gelijk. Hij is ruw, maar heel slim. Min of meer als je oude vriend Einskaldir, hè Sludig?'

'Zoals u zegt, hoogheid.' Sludig scheen niet op zijn gemak toen hij met de prins sprak. Hij kreeg eindelijk de aandacht en de erkenning die hij gewild scheen te hebben, merkte Simon op, maar leek er toch niet helemaal gelukkig mee.

Jozua legde zijn hand op Simons schouder. 'Ik veronderstel dat ik dan moet gaan en mijn plicht doen,' zei hij. 'Zou je met me mee willen gaan, Simon?'

'Natuurlijk, prins Jozua.'

'Goed.' Jozua maakte een gebaar tegen de anderen. 'Als jullie zo goed zouden willen zijn om na het avondmaal bij mij te komen. Er is veel te bespreken.'

Toen ze de deur naderden, legde Jozua de stomp van zijn rechterpols onder Simons elleboog en leidde hem naar de baar waar Deornoth lag. Simon merkte onwillekeurig op dat hij iets langer was dan de prins. Het was lang geleden sinds hij zo dicht bij Jozua had gestaan, maar het verbaasde hem toch. Hij, Simon, was lang en niet alleen maar voor een jongeling, maar voor een man. Het was een vreemde gedachte.

Voor de baar bleven ze staan. Simon stond op de ballen van zijn voeten, eerbiedig stil maar verlangend om verder te gaan. Hij vond het onbehaaglijk om zo dicht bij het lijk van de ridder te zijn. Het bleke, hoekige gezicht dat op de stenen plaat lag, leek meer op iets dat in zeep was gesneden dan op de Deornoth die hij zich herinnerde. De huid op zijn gezicht, vooral op de oogleden en neusvleugels, was bloedeloos doorschijnend.

'Je hebt hem niet goed gekend, Simon. Hij was de beste man die je je kunt indenken.'

Simon slikte. Zijn mond voelde droog aan. De doden waren... zo dood. En eens zou Jozua, Binabik, Sludig, iedereen in Nieuw Gadrinsett zo zijn. Zelfs hij zou zo zijn, besefte Simon met een gevoel van afkeer. Hoe was dat? 'Hij was altijd erg aardig tegen mij, hoogheid.'

'Hij kon niet anders. Hij was de waarachtigste ridder die ik ooit heb gekend.'

Hoe meer Jozua de afgelopen paar dagen over Deornoth had gesproken, des te meer Simon was gaan beseffen dat hij de man blijkbaar helemaal niet had gekend. Hij had een eenvoudige man geleken, vriendelijk en rustig, maar nauwelijks een toonbeeld van ridderlijkheid als Jozua scheen te denken dat hij was, een moderne Camaris.

'Hij is dapper gestorven.' Het scheen een slap soort deelneming om te betuigen, maar Jozua glimlachte.

'Inderdaad. Ik wou dat jij en Sludig zijn kant eerder hadden kunnen bereiken, maar jullie hebben je best gedaan.' Jozua's gezicht veranderde ineens, als wolken die over een lentehemel waaien. 'Ik bedoel daarmee niet te suggereren dat jullie tweeën op enigerlei wijze hebben gefaald, Simon. Vergeef me alsjeblieft, ik ben ondoordacht geworden door mijn verdriet. Deornoth kon mijn zelfzuchtigheid altijd wegsarren. Ach, God, ik zal hem missen. Ik denk dat hij mijn beste vriend was, hoewel ik dat pas wist toen hij dood was.'

Simon werd nog meer in verlegenheid gebracht toen hij tranen in Jozua's ogen zag opwellen. Hij wilde de andere kant uitkijken, maar werd plotseling herinnerd aan de Sithi en aan wat Strangyeard had gezegd.

Misschien waren het de hoogsten en de grootsten die altijd het grootste verdriet droegen. Hoe kon er schande zijn in zulke droefheid?

Simon reikte omhoog en nam de prins bij de elleboog. 'Kom, Jozua, laten we gaan lopen. Vertel mij meer over Deornoth, want ik heb nooit de kans gehad hem behoorlijk te leren kennen.'

De prins scheurde zijn blik los van Deornoths albasten gezicht. 'Ja, natuurlijk. We zullen wandelen.'

Hij liet zich door Simon door de deur leiden, de wind op de heuveltop in.

'... En hij kwam feitelijk naar me toe en verontschuldigde zich!' Jozua lachte nu, hoewel er weinig vreugde in scheen. 'Alsof hij zelf een overtreding had begaan. Die arme, trouwe Deornoth.' Hij schudde zijn hoofd en wreef in zijn oog. 'Aedon! Hoe komt het dat die wolk van spijt mij schijnt te omringen, Simon? Of ik vraag om vergeving, òf degenen om mij heen. Het is geen wonder dat Elias dacht dat ik halfzacht was. Soms denk ik dat hij gelijk had.'

Simon onderdrukte een grijns. 'Misschien is het probleem alleen dat u te vlug bent met mensen die u niet goed kent, zoals ontsnapte koksjongens, deelgenoot te maken van uw gedachten.'

Jozua keek hem een ogenblik met toegeknepen ogen aan, lachte toen, maar deze keer scheen zijn vrolijkheid minder verkrampt. 'Misschien heb je gelijk, Simon. Mensen houden ervan als hun prinsen sterk en onbuigzaam zijn, nietwaar?' Hij giechelde. 'Ah, Usires de Genadige, zouden ze ooit een prins kunnen hebben die daar minder op lijkt dan ik?' Hij keek op, loensend over het veld van tenten. 'God helpe mij, ik ben afgedwaald. Waar is de grot waar de gevangenen zijn opgesloten?'

'Daar.' Simon wees naar een rotsachtig uitsteeksel vlak binnen Sesuad'ra's buitenste barrière. Nauwelijks zichtbaar achter de door de wind bewogen muren van de tentenstad. Jozua veranderde zijn koers en Simon volgde, langzaam lopend om de pijn van zijn verschillende wonden te verzachten.

'Ik ben ver afgedwaald,' zei Jozua, 'en niet alleen bij het zoeken naar de gevangenen. Ik heb je gevraagd met me mee te gaan zodat ik je iets kon vragen.'

'Ja.' Simon was onwillekeurig geïnteresseerd. Wat kon de prins mogelijk van hem willen?

'Ik wil onze doden op deze heuvel begraven.' Jozua wuifde met zijn arm, de hele breedte van Sesuad'ra's grazige top omspannend. 'Jij kent van alle mensen hier de Sithi het beste, denk ik, of in elk geval het intiemst, want Binabik en Geloë hebben hen ongetwijfeld bestudeerd.

Denk je dat dat zou zijn toegestaan? Dit is per slot van rekening hun plaats.'
Simon dacht hier een ogenblik over na. 'Toegestaan? Ik kan me niet voorstellen dat de Sithi het zullen verhinderen, als u dat bedoelt.' Hij glimlachte wrang. 'Ze zijn niet eens gekomen om de plek te verdedigen, dus denk ik niet dat ze ineens met een leger zouden komen opdagen om ons te verhinderen onze doden te begraven.'
Ze liepen zwijgend een eindje verder. Simon dacht na alvorens weer te spreken. 'Nee, ik denk niet dat ze bezwaar zouden maken, niet dat ik me er overigens ooit op zou kunnen beroepen dat ik namens hen spreek,' voegde hij er haastig aan toe. 'Per slot van rekening heeft Jiriki zijn verwant An'nai met Grimmric op de Urmsheim begraven.' De tijd op de drakenberg scheen nu zo ver weg alsof hij daar door een andere Simon was doorgebracht, een verre verwant. Hij kneedde de spieren van zijn pijnlijk stijve arm en zuchtte. 'Maar, zoals ik zei, ik kan niet voor de Sithi spreken. Ik was daar, maanden geleden? En er is nog steeds geen hoop op dat ik hen ooit zal begrijpen.'
Jozua keek hem doordringend aan. 'Hoe is het om bij hen te wonen, Simon? En hoe was hun stad Jao... Jao...?'
'*Jaoé-Tinukai'i*.' Simon was trots op het gemak waarmee de moeilijke lettergrepen over zijn lippen kwamen. 'Ik wou dat ik het kon uitleggen, Jozua. Het is min of meer alsof je een droom probeert te beschrijven; je kunt vertellen wat erin gebeurde, maar je kunt het iemand nooit helemaal duidelijk maken wat je voelde. Ze zijn oud, hoogheid, heel, heel oud. Maar om te zien, zijn ze jong en gezond en... en mooi.' Hij herinnerde zich Jiriki's zuster Aditu, haar prachtige, heldere, roofdierachtige ogen, haar glimlach vol geheimzinnige geamuseerdheid. 'Ze hebben het volste recht om ons te haten Jozua, ik denk tenminste dat zij dat doen maar in plaats daarvan schijnen wij hen te verbijsteren. Zoals wij ons zouden voelen als schapen machtig werden en ons uit onze steden verdreven.'
Jozua lachte. 'Schapen, Simon? Zeg jij dat de Imperators van Nabban en koning Fingil van Rimmersgaarde... en mijn vader, wat dat betreft... halfzachte, ongevaarlijke schepselen waren?'
Simon schudde zijn hoofd. 'Nee, ik bedoel alleen maar dat wij anders zijn dan de Sithi. Zij begrijpen ons evenmin als wij hen. Jiriki en zijn grootmoeder Amerasu zijn dan misschien niet zo anders als sommigen; ze hebben mij zeker met vriendelijkheid en begrip behandeld maar de andere Sithi...' Hij hield op, niet wetend wat hij moest zeggen. 'Ik weet niet hoe ik het moet uitleggen.'
Jozua keek hem vriendelijk aan. 'Hoe zag de stad eruit?'
'Ik heb eerder geprobeerd haar te beschrijven, toen ik hier kwam. Ik zei

dat ze net op een enorme boot leek, maar dat zij ook was als een regenboog voor een waterval. Dat is vreselijk, maar ik kan haar nog steeds niet beter beschrijven. Zij is helemaal gemaakt van stof dat tussen de bomen is opgehangen, maar zij schijnt even solide als iedere stad die ik ooit heb gezien. Maar zij ziet eruit alsof ze haar ieder ogenblik zouden kunnen oppakken om haar ergens anders naartoe te brengen.' Hij lachte wanhopig. 'U ziet, ik heb al maar geen woorden.'

'Ik denk dat je het heel goed uitlegt, Simon.' Het gezicht van de prins stond peinzend. 'Ah, ik zou de Sithi eens heel goed willen leren kennen. Ik kan niet begrijpen waarom mijn vader zo bang voor hen was en zo'n hekel aan hen had. Wat een bron van geschiedenis en kennis moeten zij bezitten!'

Ze hadden de ingang van de grot bereikt, die was versperd door geïmproviseerde valhekken van zware, grof uitgehakte planken. Een schildwacht die daar was geposteerd, een van Hotvigs Tritsingers, verliet de bak met kolen waarboven hij zijn handen had gewarmd om het hek op te halen en hen binnen te laten.

Verscheidene andere wachten, een gelijke mengeling van Tritsingers en Freosels Erkynlanders, stonden in het zijvertrek. Ze begroetten zowel de prins als Simon eerbiedig, zeer tot de verbijsterde ergernis van de laatstgenoemde. Freosel, die zich in zijn handen wreef, verscheen uit de diepten van de grot.

'Hoogheid… en heer Seoman,' zei hij, zijn hoofd buigend. 'Ik denk dat de tijd gekomen is. Ze beginnen wat dartel te worden. Als we langer wachten, krijgen we misschien moeilijkheden als u mij vergeeft dat ik het zeg.'

'Ik vertrouw op jouw oordeel, Freosel,' zei Jozua. 'Breng me bij hen.'

Het binnenste gedeelte van de brede grot, die door een bocht in de stenen wanden van de voorkant was gescheiden en op die manier schuilging voor de zon, was door het gebruik van nog meer dikke houten planken verdeeld in twee palissades met een behoorlijke open ruimte ertussen.

'Ze schreeuwen tegen elkaar "ga de grot door".' Freosels grijns onthulde de opening tussen zijn tanden. 'Elkaar de schuld gevend, min of meer. Houden elkaar 's nachts om beurten wakker. Doen ons werk voor ons, eigenlijk.'

Jozua knikte toen hij de linkerpalissade bereikte, wendde zich toen tot Simon. 'Zeg niets,' zei hij beslist. 'Luister alleen maar.'

In de donkere, door fakkels verlichte grot, had Simon eerst moeite de bewoners te onderscheiden. De geur van urine en ongewassen lichamen, iets waarvan Simon had gedacht dat hij het niet langer kon opmerken, was sterk.

'Ik wil met uw aanvoerder spreken,' riep Jozua. Er was een trage beweging in de schaduwen, toen kwam een figuur in de gehavende overjas van een Erkynwachtsoldaat naar de ruwe tralies.

'Dat ben ik, hoogheid,' zei de soldaat.

Jozua bekeek hem van top tot teen. 'Sceldwine? Ben jij dat?'

De verlegenheid van de man was duidelijk in zijn stem te horen. 'Inderdaad, prins Jozua.'

'Wel.' Jozua scheen verbijsterd. 'Ik had nooit kunnen denken jou eens op een plaats als deze te zullen zien.'

'Ik ook niet, hoogheid. En verwachtte ook niet dat ik erop zou worden uitgestuurd om tegen u te vechten. Het is een schande...'

Freosel trad ineens naar voren. 'Luister niet naar hem, Jozua,' snierde hij. 'Hij en zijn moordzuchtige makkers zeggen alles om hun leven te redden.' Hij sloeg met zijn machtige hand tegen de palissade, hard genoeg om het hout te doen trillen. 'De rest van ons heeft niet vergeten wat jullie soort met Falshire heeft gedaan.'

Na ongerust te zijn teruggedeinsd, leunde Sceldwine naar voren om beter te kunnen zien. Zijn bleke gezicht, dat nu door het licht van de fakkel werd onthuld, was afgetobd en verontrust. 'Geen van ons was daar gelukkig mee.' Hij richtte zich tot de prins. 'En wij wilden niet tegen u vechten, prins Jozua. U moet ons geloven.'

Jozua wilde iets zeggen, maar Freosel viel hem, vreemd genoeg, in de rede. 'Uw mensen zullen het niet slikken, Jozua. Dit is de Hayholt of Naglimund niet. We vertrouwen deze gewapende kinkels niet. Als u ze in leven laat, komen er moeilijkheden.'

Een mompelend gegrom steeg op onder de gevangenen, maar er school behoorlijk veel angst in.

'Ik wil hen niet terechtstellen, Freosel,' zei Jozua ongelukkig. 'Ze hadden een eed van trouw aan mijn broer gezworen. Wat voor keus hadden zij?'

'Wat voor keus heeft een van ons?' riposteerde de man uit Falshire. 'Zij hebben de verkeerde gemaakt. Ons bloed zal aan hun handen kleven. Doodt hen en daarmee uit. Laat God zich zorgen maken over keuzen.'

Jozua zuchtte. 'Wat zeg jij daarop, Sceldwine? Waarom zou ik je in leven laten?'

De soldaat van de Erkynwacht scheen even van zijn stuk gebracht. 'Omdat wij alleen maar soldaten zijn die onze koning dienen, hoogheid. Een andere reden is er niet.' Hij staarde tussen de tralies door naar buiten.

Jozua wenkte Freosel en Simon en liep weg van de palissade naar het midden van de grot, buiten gehoorafstand.

'En?' zei hij.

Simon schudde zijn hoofd. 'Hen doden, prins Jozua? Ik zou...'

Jozua hief zijn hand op. 'Nee, nee. Natuurlijk zal ik ze niet doden.' Hij wendde zich tot de man uit Falshire, die stond te grijnzen. 'Freosel heeft ze twee dagen onder handen gehad. Ze zijn ervan overtuigd dat hij het op hun leven voorzien heeft, en dat de burgers van Nieuw Gadrinsett eisen dat ze voor het Afscheidshuis worden opgehangen. We willen ze alleen maar in de juiste stemming hebben.'

Simon was opnieuw in verlegenheid; hij had de situatie verkeerd beoordeeld. 'Wat gaat u dan doen?'

'Kijk maar.' Na nog enkele ogenblikken langer te hebben getalmd, nam Jozua een ernstige houding aan en liep langzaam terug naar de palissade en de zenuwachtige gevangenen. 'Sceldwine,' zei hij, 'misschien krijg ik hier spijt van, maar ik zal jou en je mannen in leven laten.'

Freosel, die nors keek, snoof luidruchtig en liep boos weg. Een hoorbare zucht van opluchting steeg van de gevangenen op.

'Maar,' Jozua hief zijn vinger op, 'we zullen jullie niet onderhouden en te eten geven. Jullie zullen werken voor je kost. Mijn mensen zouden mij ophangen als ik iets minder deed; ze zullen al heel misnoegd zijn dat jullie terechtstelling hun door de neus is geboord. Als jullie bewijzen dat je te vertrouwen bent, zullen wij je misschien aan onze zijde laten meevechten wanneer we mijn waanzinnige broer van de Drakentroon stoten.'

Sceldwine greep de houten tralies met beide handen vast. 'We zullen voor u vechten, Jozua. Niemand anders zou ons zoveel genade betonen in deze krankzinnige tijd.' Zijn kameraden hieven schorre kreten van instemming aan.

'Goed dan. Ik zal mij verder beraden over hoe dit moet gebeuren.' Jozua knikte stijfjes, keerde toen de gevangenen zijn rug toe. Simon volgde hem opnieuw naar het midden van de ruimte.

'Bij de Verlosser,' zei Jozua, 'als ze voor ons willen vechten, wat een zegen! Honderd gedisciplineerde soldaten erbij. Dit zijn misschien de eersten van nog veel meer overlopers, wanneer het nieuws zich verspreidt.'

Simon glimlachte. 'U was heel overtuigend. Freosel ook.'

Jozua keek blij. 'Ik denk dat er misschien een paar rondtrekkende toneelspelers in de familiegeschiedenis van de slotvoogd voorkomen. Wat mij betreft welnu, alle prinsen zijn geboren leugenaars, weet je.' Zijn uitdrukking werd ernstig. 'En nu moet ik de huurlingen onderhanden nemen.'

'U zult hun toch niet hetzelfde aanbod doen, of wel?' vroeg Simon, plotseling bezorgd.

'Waarom niet?'

'Omdat… omdat iemand die voor goud vecht anders is.'

'Alle soldaten vechten voor goud,' zei Jozua rustig.

'Dat bedoel ik niet. U hebt gehoord wat Sceldwine zei. 'Ze vochten omdat ze dachten dat het moest; dat is in elk geval ten dele waar. Die Tritsingers vochten omdat Fengbald hun betaalde. U kunt hun alleen maar met hun leven betalen.'

'Dat is geen onaanzienlijke som,' hield Jozua hem voor.

'Maar nadat ze weer bewapend zijn, hoeveel gewicht zal dat hebben? Ze zijn anders dan de Erkynwacht, Jozua, en als u een koninkrijk wilt hebben dat verschilt van dat van uw broer, kunt u het niet grondvesten op mensen als huurlingen.' Hij hield ineens op, ontzet toen hij merkte dat hij de prins de les las. 'Het spijt me,' flapte hij eruit, 'ik heb niet het recht om op die manier te spreken.'

Jozua sloeg hem gade, met opgetrokken wenkbrauw. 'Ze hebben gelijk wat jou betreft, jonge Simon,' zei hij langzaam. 'Er zit een goed stel hersenen onder dat rode haar van je.' Hij legde zijn hand op Simons schouder. 'Ik was in elk geval niet van plan geweest met hen te praten voordat Hotvig erbij kon zijn. Ik zal in ieder geval goed nadenken over wat je hebt gezegd.'

'Ik hoop dat u mij mijn brutaliteit kunt vergeven,' zei Simon, uit het veld geslagen. 'U bent erg aardig voor me geweest.'

'Ik vertrouw je gedachten, Simon, evenals die van Freosel. Iemand die niet zorgvuldig luistert naar oprecht gegeven raad is een dwaas. Natuurlijk is iemand die blindelings de raad die hem wordt gegeven opvolgt een nog grotere dwaas.' Hij kneep Simon in de schouder. 'Kom, laten we teruggaan. Ik wil graag meer over de Sithi horen.'

Het was vreemd om Jiriki's spiegel voor een zo alledaags doel als het bijknippen van zijn baard te gebruiken, maar Sludig had Simon niet al te fijntjes verteld dat hij er nogal verwilderd uitzag. Op een rots neergezet schitterde de Sithi spiegel in het afnemende licht van de namiddag. Er hing een vage mist in de lucht die Simon voortdurend dwong de spiegel met zijn mouw schoon te vegen. Omdat hij niet bekend was met de kunst om met een benen mes te trimmen had hij een scherper stalen mes van Sludig kunnen lenen, maar dan zou de Rimmersman waarschijnlijk zijn blijven kijken en opmerkingen hebben gemaakt. Simon zou dan weinig meer bereikt hebben dan zichzelf een paar steken van pijn te hebben toegediend voordat de drie jonge vrouwen op het toneel verschenen.

Simon had hen alle drie in Nieuw Gadrinsett gezien; hij had zelfs die avond waarop hij was geridderd met twee van hen gedanst, en de magerste had een hemd voor hem gemaakt. Ze schenen vreselijk jong, ook al was hij waarschijnlijk hoogstens een jaar ouder dan een van hen. Maar een ervan, een meisje met donkere ogen wier ronde figuur en krullende bruine haar sterk aan het kamermeisje Hepzibah deed denken, vond hij nogal aantrekkelijk.

'Wat bent u aan het doen, heer Seoman?' vroeg de slanke. Ze had grote, ernstige ogen die ze met haar wimpers beschaduwde telkens wanneer Simon haar te lang aankeek.

'Mijn baard aan het knippen,' zei hij nors. Heer Seoman, nee maar! Hielden ze hem soms voor de gek?

'O, knip hem niet af,' zei het meisje met het krullende haar. 'Hij geeft u zo'n voornaam aanzien!'

'Nee, niet doen,' herhaalde haar slanke vriendin.

De derde, een klein meisje met blond haar en een paar sproeten op haar gezicht, schudde haar hoofd. 'Niet doen.'

'Ik fatsoeneer hem alleen maar.' Hij verwonderde zich om de dwaasheid van vrouwen. Nog maar een paar dagen geleden waren er mensen gestorven terwijl ze deze plaats verdedigden! Mensen die deze meisjes hadden gekend, hoogstwaarschijnlijk. En toch waren ze hier, hem lastig vallend over zijn baard. Hoe konden ze zo oppervlakkig zijn? 'Vind je werkelijk dat hij er zo... voornaam uitziet?' vroeg hij.

'O ja,' flapte Krulhaar eruit, toen blozend. 'Dat wil zeggen, het maakt u... het maakt dat een man er ouder uitziet.'

'Dus je vindt dat ik er ouder uit moet zien,' vroeg hij met zijn ernstigste stem.

'Nee!' zei ze haastig. 'Maar hij ziet er leuk uit.'

'Ze zeggen dat u heel dapper bent geweest in de strijd, heer Seoman,' zei het magere meisje.

Hij haalde zijn schouders op. 'We vochten voor ons thuis... voor onze levens. Ik probeerde alleen maar niet gedood te worden.'

'Net wat Camaris gezegd zou hebben,' zei het magere meisje.

Simon lachte luid. 'Helemaal niet als Camaris. Allerminst.'

Het kleine meisje was schuchter naar hem toe gelopen en keek nu gespannen naar Simons spiegel. 'Is dat de Elfenspiegel?' vroeg ze.

'Elfenspiegel?'

'De mensen zeggen...' Ze aarzelde en keek naar haar vriendinnen om hulp.

De dunne kwam tussenbeide. 'De mensen zeggen dat u een Elfenvriend bent. Dat de elfen komen wanneer u ze roept met uw magische spiegel.'

Simon glimlachte weer, maar aarzelend. Brokjes waarheid vermengd met dwaasheid. Hoe gebeurde dat? En wie praatte er over hem? Het was vreemd als je erover nadacht. 'Nee, dat is niet helemaal juist. Deze heb ik van een van de Sithi gekregen, ja, maar ze komen niet zomaar wanneer ik roep. Anders zouden we toch niet alleen tegen hertog Feng-bald hebben gevochten, nietwaar?'

'Kan uw spiegel wensen vervullen?' vroeg Krulhaar.

'Nee,' zei Simon ferm. 'Hij heeft geen van de mijne ooit in vervulling doen gaan.' Hij zweeg, zich zijn redding door Aditu in de winterse diepten van het Aldheorte herinnerend. 'Ik bedoel, dat is niet echt wat hij doet,' besloot hij. Dus ook hij vermengde waarheid met leugens. Hoe kon hij mogelijkerwijs de kranzinnigheid van dit afgelopen jaar zo uitleggen dat ze die begrepen?

'Wij hebben gebeden dat u ons bondgenoten zou brengen, heer Seo-man,' zei het magere meisje ernstig. 'We waren zo bang.'

Toen hij naar haar bleke gezicht keek, zag hij dat ze de waarheid sprak. Natuurlijk waren ze in de war geweest; betekende dat dat ze niet blij konden zijn dat ze in leven waren? Dat was echt niet hetzelfde als op-pervlakkig zijn. Moesten ze piekeren en rouwen als Jozua?

'Ik was ook bang,' zei hij. 'We hebben erg veel geluk gehad.'

Er viel een stilte. Het meisje met het krullende haar schikte haar man-tel, die was opengevallen en de zachte huid van haar keel te zien gaf. Het weer begon inderdaad warmer te worden, besefte Simon. Hij had hier enige tijd bewegingloos gestaan, maar had niet één keer gerild. Hij keek omhoog naar de hemel, alsof hij hoopte een bevestiging van het af-nemen van de winter te zien.

'Hebt u een dame?' vroeg het meisje met het krullende haar plotseling aan hem.

'Heb ik een wat?' vroeg hij, hoewel hij haar volmaakt goed gehoord had.

'Een dame,' zei ze. 'Een lief?'

Simon wachtte een ogenblik alvorens te antwoorden. 'Niet echt.' De drie meisjes keken hem verrukt aan, vol verwachting als jonge hondjes, en hij voelde zijn eigen wangen warm worden. 'Nee, niet echt.' Hij had het Qanucse mes zo lang vastgehouden dat zijn vingers pijn begonnen te doen.

'Ah,' zei Krulhaar. 'Nou, we moeten u aan uw werk laten, heer Seoman.' Haar slanke vriendin trok aan haar elleboog, maar zij negeerde haar. 'Komt u ook naar het vreugdevuur?'

'Vreugdevuur?' Simon fronste het voorhoofd.

'De feestviering. Nou ja, en ook de herdenking. In het midden van de nederzetting.' Ze wees naar de verzamelde tenten van Nieuw Gadrin-sett. 'Morgenavond.'

'Dat wist ik niet. Ja, ik denk van wel.' Hij glimlachte weer. Dit waren werkelijk heel verstandige jonge vrouwen wanneer je een tijdje met ze praatte. 'En nogmaals bedankt voor het hemd,' zei hij tegen de dunne.

Ze knipperde snel met haar ogen. 'Misschien draagt u het morgenavond wel.'

Na afscheid te hebben genomen, draaiden de drie meisjes zich om en liepen weg over de heuvel, hun hoofden heel dicht naar elkaar toe gebogen, wriggelend en lachend. Simon voelde zich een ogenblik verontwaardigd bij de gedachte dat ze hem misschien uitlachten, maar toen liet hij het op zijn beloop. Ze schenen hem aardig te vinden, nietwaar? Zo waren meisjes nu eenmaal, voor zover hij wist.

Hij draaide zich nog een keer naar zijn spiegel, vastbesloten zijn baard klaar te hebben voor de zon onderging. Een vreugdevuur, dus...? Hij vroeg zich af of hij zijn zwaard zou dragen.

Simon dacht over zijn eigen woorden na. Het was waar, natuurlijk, dat hij geen liefje had, zoals ridders, veronderstelde hij, behoorden te hebben, zelfs het soort gewone ridder dat hij geworden was. Toch was het moeilijk om niet aan Miriamele te denken. Hoe lang geleden was het sinds hij haar had gezien? Hij telde de maanden op zijn hand: Yuven, Anitul, Tiyagaris, Septander, Octander... bijna zes maanden! Het was gemakkelijk te geloven dat ze hem onderhand helemaal was vergeten.

Maar hij was haar niet vergeten. Er waren ogenblikken geweest, vreemde en bijna angstwekkende ogenblikken, waarop hij er zeker van was geweest dat zij zich net zo tot hem aangetrokken voelde als hij tot haar. Haar ogen hadden zo groot geschenen wanneer ze naar hem keek, hem zo nauwkeurig opnemend, alsof ze zich iedere contour van hem inprentte. Was het alleen maar zijn verbeelding? Ze hadden toch zeker een wild en bijna ongelooflijk avontuur meegemaakt, en bijna even zeker beschouwde ze hem als een vriend... maar zag ze iets meer in hem dan dat? De herinnering aan hoe ze er in Naglimund uit had gezien overweldigde hem. Ze was gekleed geweest in haar hemelsblauwe japon en was plotseling in haar hele voorkomen bijna ontzagwekkend geweest, zo anders dan het haveloze dienstmeisje dat op zijn schouder had geslapen. En toch, datzelfde meisje had in die blauwe japon gezeten. Ze was bijna schroomvallig geweest toen ze elkaar op de binnenplaats van het kasteel hadden ontmoet maar was het uit schaamte geweest om de poets die zij hem had gebakken, of bezorgdheid dat ze misschien gescheiden zouden worden omdat ze haar status had hernomen.

Hij had haar op de top van een toren van de Hayholt gezien: haar haren waren als goudkleurige zijde geweest. Simon, een arme koksjongen, had staan kijken en zich als een mestkever gevoeld die een glimp van de zon opving. En haar gezicht, zo levendig, zo snel veranderend, vol boosheid en vrolijkheid, levendiger en onvoorspelbaarder dan dat van welke vrouw ook die hij ooit had ontmoet...

Maar het was vruchteloos om op deze manier verder te dromen, zei hij bij zichzelf. Het was uiterst onwaarschijnlijk dat ze hem ook maar als iets meer dan een vriendelijke koksjongen beschouwde, als de kinderen van de bedienden met wie de adel werd grootgebracht, maar die ze vlug vergaten wanneer ze de meerderjarigheid bereikten. En natuurlijk, ook al gaf ze om hem, er was geen kans op dat daar ooit iets van kon komen. Zo was het nu eenmaal, of dat had hij althans geleerd.

Toch was hij nu lang genoeg in de wereld geweest en had genoeg vreemde dingen gezien waardoor de onveranderlijke feiten van het leven die Rachel hem had geleerd veel minder geloofwaardig schenen. In welk opzicht verschillen gewone mensen eigenlijk van die van koninklijken bloede? Jozua was een vriendelijke man, een knappe en oprechte man. Simon twijfelde er niet aan dat hij een voortreffelijke koning zou worden maar zijn broer Elias was een monster gebleken. Kon een boer die uit de roggevelden werd gehaald het erger doen? Wat was er zo heilig aan koninklijk bloed? En nu hij erover nadacht, was koning John zelf niet afkomstig geweest uit een familie van boeren of zo goed als boeren?

Een krankzinnige gedachte kwam plotseling bij hem op: wat als Elias zou worden verslagen, maar Jozua stierf? Wat als Miriamele nooit terug zou komen? Dan moest iemand anders koning of koningin worden. Simon wist weinig van de zaken van de wereld af, tenminste die welke buiten zijn eigen verwarde reis van het afgelopen halve jaar lagen. Waren er anderen van koninklijken bloede die naar voren zouden komen en de Drakentroon zouden opeisen? Die man in Nabban, Bigaris of hoe hij ook mocht heten? Wie was de erfgenaam van koning Lluth, de dode koning van Hernystir? De oude Isgrimnur misschien, als hij ooit zou terugkomen. Hem kon Simon in elk geval respecteren.

Maar nu gloeide de vluchtige gedachte als een hete kool. Waarom zou hij, Simon, niet even waarschijnlijk zijn als wie dan ook? Als de wereld op zijn kop zou worden gezet en als allen met aanspraken weg waren wanneer het stof was opgetrokken, waarom dan geen ridder van Erkynland – iemand die tegen een draak had gevochten, net als John had gedaan, en die getekend was door het bloed van de draak? Iemand die naar de verboden wereld van de Sithi was geweest en die een vriend was van de trollen van Yiqanuc? Dan zou hij geschikt zijn voor een prinses of ieder ander!

Simon keek naar zijn spiegelbeeld, naar de witte haarlok als een verfvlek, naar zijn lange litteken en zijn verontrustend donzige baard.

Kijk mij eens, dacht hij, en moest plotseling hardop lachen. *Koning Simon de Grote. Zou Rachel de Draak evengoed hertogin van Nabban kunnen maken, of die monnik Cadrach lector van Moeder Kerk. Zou evengoed kunnen wachten tot de sterren midden op de dag schijnen!*

En wie zou eigenlijk de koning willen zijn?

Want dat was het, ten slotte. Simon zag weinig anders dan pijn in petto voor degene die Elias' plaats op de troon van beenderen in zou nemen. Zelfs als de Stormkoning kon worden verslagen, hetgeen een zo kleine mogelijkheid scheen dat het bijna onzin was, zou het hele land verwoest zijn, het volk uitgehongerd en bevroren. Er zouden geen toernooien zijn, geen zonlicht glinsterend op wapenrusting, vele jaren lang niet.

Nee, dacht hij bitter, *de volgende koning moest iemand zijn als Barnabas, de doodgraver van de kapel van de Hayholt, iemand die goed is in het begraven van de doden.*

Hij stopte de spiegel weer in de zak van zijn mantel en ging op een steen zitten kijken hoe de zon achter de bomen gleed.

Vorzheva vond haar echtgenoot in het Afscheidshuis. De lange zaal was leeg op Jozua en de bleke gestalte van Deornoth na. De prins zelf scheen nauwelijks op een van de levenden te lijken zoals hij bewegingloos als een standbeeld naast het altaar stond waarop het lichaam van zijn vriend lag.

'Jozua?'

De prins keerde zich langzaam om, alsof hij uit een droom ontwaakte. 'Ja, vrouwe?'

'Je bent hier al te lang. De dag loopt ten einde.'

Hij glimlachte. 'Ik ben pas teruggekomen. Ik heb met Simon gewandeld, en ik had enkele andere plichten te vervullen.'

Vorzheva schudde haar hoofd. 'Je bent lang geleden teruggekomen, ook al herinner je het je niet. Je bent het grootste deel van de middag hier geweest.'

Jozua's glimlach verflauwde. 'Werkelijk?' Hij keerde zich om en keek naar Deornoth. 'Ik heb het gevoel, ik weet het niet, dat het verkeerd is hem alleen te laten. Hij paste altijd op mij.'

Ze kwam naar voren en nam hem bij de arm. 'Ik weet het. Kom, wandel met mij.'

'Goed dan.' Jozua stak zijn arm uit en raakte de wade aan die over Deornoths borst was gedrapeerd.

Het Afscheidshuis was weinig meer dan een geraamte geweest toen Jozua en zijn metgezellen pas in Sesuad'ra waren aangekomen. De kolonisten hadden luiken voor de gapende ramen gebouwd en dikke houten deuren om er een plaats van te maken waar de zaken van Nieuw Gadrinsett in warmte en afzondering konden worden behandeld. Het had nog steeds iets geïmproviseerds, hoewel de grove vernuftigheden van de laatste bewoners een vreemd contrast vormden vergeleken bij het bevallige handwerk van de Sithi. Jozua liet zijn vingers over een weelde van houtsnijwerk dwalen terwijl Vorzheva hem naar een van de deuren in de achterwand leidde, naar het stervende zonlicht.

De tuinmuren waren verbrokkeld, de stenen paden gebroken en omvergehaald. Een paar geharde oude rozestruiken hadden de aanval van de winter overleefd, en hoewel het maanden of jaren kon duren voor ze weer zouden bloeien, zagen hun donkere bladeren en grijze doornachtige takken er sterk en krachtig uit. Het was moeilijk je niet af te vragen hoe lang ze daar hadden gestaan en wie ze hadden geplant.

Vorzheva en Jozua liepen langs de knoestige stam van een enorme denneboom die in de bres in een van de muren groeide. De ondergaande zon, een rode brandende vlek, scheen in zijn takken te hangen.

'Denk je nog steeds aan haar?' vroeg Vorzheva plotseling.

'Wat?' Jozua's gedachten schenen te zijn afgedwaald. 'Wie?'

'Die andere. Degene van wie je hebt gehouden, de vrouw van je broer.'

De prins boog zijn hoofd. 'Hylissa. Nee, niet vaak. Er zijn tegenwoordig veel belangrijkere dingen om aan te denken.' Hij sloeg zijn armen om de schouders van zijn vrouw. 'Ik heb nu een gezin dat mijn zorg nodig heeft.'

Vorzheva keek hem een ogenblik achterdochtig aan, knikte toen met stille tevredenheid. 'Ja,' zei ze. 'Inderdaad.'

'En niet alleen maar een gezin, maar een heel volk, schijnt het.'

Ze maakte een stil geluid van wanhoop. 'Je kunt niet ieders echtgenoot, niet ieders vader zijn.'

'Natuurlijk niet. Maar ik moet de prins zijn, of ik wil of niet.'

Ze liepen een tijdje verder zonder te spreken, luisterend naar de onregelmatige muziek van een eenzame vogel hoog in de zwaaiende takken. De wind was kil, maar scheen toch iets minder scherp dan hij de afgelopen dagen was geweest, hetgeen de reden kon zijn waarom de vogel zong.

Vorzheva drukte haar hoofd tegen Jozua's schouder, zodat haar zwarte haren rond zijn kin wapperden. 'Wat zullen we nu doen?' vroeg ze. 'Nu de strijd is afgelopen.'

Jozua leidde haar naar een stenen bank, die aan de ene kant in stukken was gevallen, maar toch met een groot deel van de oppervlakte ongebroken. Ze veegden een paar smeltende sneeuwspetters weg en gingen zitten. 'Ik weet het niet,' zei hij. 'Ik denk dat het tijd is om weer een Raed te houden... een raadsvergadering. We hebben veel beslissingen te nemen. Ik heb veel twijfels aan wat de wijste handelwijze is. We moeten niet te lang wachten na... nadat we onze gevallenen hebben begraven.'

Vorzheva keek hem verbaasd aan. 'Wat bedoel je, Jozua? Waarom zo'n haast om die bijeen te roepen?'

De prins hief zijn hand op en bekeek de lijnen in zijn palm. 'Omdat er een mogelijkheid is dat een belangrijke kans verloren zal gaan als we niet nu toeslaan.'

'Toeslaan?' Ze scheen verbluft. 'Wat toeslaan? Wat is dat voor waanzin? We hebben een op iedere drie man verloren. Jij zou deze paar honderd tegen je broer inzetten?'

'Maar we hebben een belangrijke overwinning behaald. De eerste die iemand ooit op hem behaald heeft sinds hij deze krankzinnige campagne is begonnen. Als we nu aanvallen, terwijl het geheugen nog fris is en Elias zich niet bewust is van wat er is gebeurd, zal ons volk hier moed scheppen; wanneer anderen zien dat wij in actie komen, zullen zij zich ook bij ons aansluiten.'

Vorzheva stond op, haar ogen wijdopen. Ze hield een arm rond haar middel alsof ze haar ongeboren kind beschermde. 'Nee! O, Jozua, dat is te dom! Ik dacht dat je minstens zou wachten tot de winter voorbij zou zijn! Hoe kun je nu ten strijde trekken?'

'Ik heb nooit gezegd dat ik iets ging doen,' zei hij. 'Ik heb nog geen besluit genomen, en zal dat ook niet doen voor ik een Raed bijeen heb geroepen.'

'Ja, jullie mannen zullen rond de tafel gaan zitten en praten over de grote slag die jullie hebben geleverd. Zullen de vrouwen er ook bij zijn?'

'Vrouwen?' Hij keek haar vragend aan. 'Geloë zal er deel van uitmaken.'

'O, ja, Geloë,' zei ze minachtend. 'Omdat zij een "wijze vrouw" wordt genoemd. Dat is het enige soort vrouw waar jullie naar willen luisteren, een die er een naam voor heeft, zoals een snel paard of een sterke os.'

'Wat wou je dat we deden... iedereen uit heel Nieuw Gadrinsett uitnodigen?' Hij begon zich te ergeren. 'Dat zou dwaas zijn.'

'Niet dwazer dan alleen maar naar mannen te luisteren.' Ze keek hem een ogenblik aan, en dwong zich zichtbaar kalm te worden. Ze haalde een paar keer adem alvorens weer te spreken. 'Er is een verhaal dat de vrouwen van de Hengstenclan vertellen. Het gaat over een stier die niet naar zijn koeien wilde luisteren.'

Jozua wachtte. 'En,' vroeg hij ten slotte. 'Wat is er met hem gebeurd?'

Vorzheva keek boos en liep weg, het opgebroken pad af. 'Ga maar door zoals je nu doet. Dan kom je erachter.'

Jozua's uitdrukking scheen half-geamuseerd, half-misnoegd. 'Wacht, Vorzheva.' Hij stond op en volgde haar. 'Je hebt gelijk dat je me berispt. Ik hoor te luisteren naar wat je te zeggen hebt. Wat is er met de stier gebeurd?'

Ze bekeek hem aandachtig. 'Ik zal het je een andere keer wel eens vertellen. Ik ben nu te boos.'

Jozua nam haar hand en kwam naast haar lopen. Het pad slingerde door de omvergehaalde stenen en bracht hen dicht bij de neergestorte blokken van de buitenmuur van de tuin. Er klonk een geluid van stemmen daarachter.

'Nou, goed dan,' zei ze ineens. 'De stier was te trots om naar zijn koeien te luisteren. Toen ze hem vertelden dat een wolf de kalveren aan het stelen was, geloofde hij dat niet omdat hij het niet zelf zag. Toen alle kalveren gestolen waren, joegen de koeien de stier weg en vonden een nieuwe stier.' Haar blik was uitdagend. 'Toen aten de wolven de oude stier op, omdat hij niemand had om hem te beschermen terwijl hij sliep.'

Jozua's lach klonk hard. 'En is dat soms een waarschuwing?'

Ze kneep in zijn arm. 'Alsjeblieft, Jozua. De mensen hebben genoeg van vechten. Wij maken hier een thuis.' Ze trok hem dichter naar de bres in de steen. Van de andere kant steeg het geluid op van de volksmarkt die in de schaduw van de buitenmuren van het Afscheidshuis was ontstaan. Enkele tientallen mannen, vrouwen en kinderen waren aan het sjacheren met oude bezittingen die zij uit hun vroegere huizen hadden meegenomen en nieuwe dingen die zij om en op de Sesuad'ra hadden verzameld. 'Kijk,' zei Vorzheva, 'ze bouwen een nieuw bestaan op. Jij hebt hun gezegd dat ze voor hun thuis vochten. Hoe kun je ze opnieuw laten verhuizen?'

Jozua keek naar een kluitje kinderen dat aan het touwtrekken was met een kleurige lap. Ze gilden van het lachen en schopten wolkjes sneeuw op; vlakbij riep iemands moeder boos dat haar kind uit de wind binnen moest komen. 'Maar dit is niet hun echte thuis,' zei hij rustig. 'We kunnen hier niet eeuwig blijven.'

'Wie blijft eeuwig?' vroeg Vorzheva. 'Tot het voorjaar. Tot ons kind is geboren.'

Jozua schudde zijn hoofd. 'Maar misschien krijgen we nooit meer zo'n kans.' Hij draaide zich van de muur om, zijn gezicht stond ernstig. 'Bovendien ben ik het aan Deornoth verschuldigd. Hij gaf zijn leven, niet opdat wij rustig zouden verdwijnen, maar opdat wij het onrecht dat mijn broer heeft gedaan konden goedmaken.'

'Aan Deornoth verschuldigd!' Vorzheva klonk boos, maar haar ogen waren droevig. 'Hoe kun je zoiets zeggen! Alleen een man zou zoiets zeggen.'

Jozua draaide zich om en pakte haar beet, haar naar zich toe trekkend. 'Ik hou van je, vrouwe. Ik probeer alleen te doen wat juist is.'

Ze wendde haar ogen af. 'Ik weet het. Maar...'

'Maar jij vindt niet dat ik de beste beslissing neem.' Hij knikte, haar haren strelend. 'Ik luister naar iedereen Vorzheva, maar het laatste woord moet ik hebben.' Hij zuchtte en hield haar een tijdje vast zonder iets te zeggen. 'Genadige Aedon. Ik zou dit niemand toewensen,' zei hij ten slotte. 'Vorzheva, je moet me iets beloven.'

'Wat?' Haar stem klonk gedempt in zijn mantel.

'Ik ben van gedachten veranderd. Als er iets met mij gebeurt...' Hij dacht na. 'Als er iets met mij gebeurt, neem ons kind dan hiervandaan. Laat niemand hem op een troon zetten, of hem gebruiken als het verenigende symbool van een of ander leger.'

'Hem?'

'Of haar. Laat ons kind niet tot dit spel worden gedwongen zoals ik.'

Vorzheva schudde fel haar hoofd. 'Niemand zal mij mijn kind afnemen, zelfs jouw vrienden niet.'

'Goed.' Hij keek naar buiten door de wapperende ranken van haar haren. De zon was achter het Afscheidshuis ondergegaan, de hele westelijke hemel rood kleurend. 'Dat maakt wat er ook komen gaat gemakkelijker te dragen.'

Vijf dagen na de slag, waren de laatsten van Sesuad'ra's doden begraven – mannen en vrouwen uit Erkynland, Rimmersgaarde, Hernystir en de Tritsingen, uit Yiqanuc en Nabban, vluchtelingen uit een vijftigtal plaatsen – allen te ruste gelegd in de ondiepe aarde op de top van de Steen des Afscheids. Prins Jozua sprak zorgzaam en ernstig over hun lijden en opoffering terwijl zijn mantel opbolde in de winden die rond de top van de heuvel wervelden. Pater Strangyeard, Freosel en Binabik stonden allen om beurten op om een paar woorden te zeggen. De burgers van Nieuw Gadrinsett stonden, met harde gezichten, en luisterden.

Sommige van de graven hadden geen aanduiding, maar de meeste hadden een of ander klein gedenkteken, een bewerkt stuk hout of ruw gebeiteld stuk steen dat de naam van de gevallene droeg. Na zware inspanningen om in de bevroren grond te hakken, had de Erkynwacht zijn eigen doden in een massagraf naast het meer ter aarde besteld en bekroond met een enkele rotsplaat waarop stond: 'Soldaten van Erkynland, gedood in de Slag van het Steffloddal. *Em Wulstes Duos.*' Door Gods wil.

Alleen om de gesneuvelde Tritsingse huursoldaten werd niet gerouwd en hun graven werden niet gemarkeerd. Hun levende kameraden hadden een enorme grafheuvel voor hen opgeworpen op een van de graslanden onder Sesuad'ra, half gelovend dat het hun eigen graf zou zijn, dat Jozua van plan was hen terecht te stellen. Maar in plaats daarvan bemerkten zij toen het werk geklaard was dat zij door gewapende mannen werden geëscorteerd en ver weg op de open landen in vrijheid gesteld. Het was een vreselijk iets voor een Tritsinger om zijn paard te verliezen, maar de overlevende huurlingen besloten snel dat lopen veel beter was dan sterven.

Dus waren ten slotte alle doden begraven en de raven zagen hun feestmaal aan hun snavels voorbijgaan.

Terwijl plechtige muziek speelde, met de rauwe wind wedijverend om gehoord te worden, kwam de gedachte op bij velen die toekeken dat, hoewel de verdedigers van Sesuad'ra een onwaarschijnlijke en heldhaftige overwinning hadden behaald, zij er een hoge prijs voor hadden betaald. Het feit dat zij slechts een heel klein deel van de tegen hen verzamelde strijdkrachten hadden verslagen en daarbij bijna de helft van hun eigen mensen hadden verloren, maakte de in winter gehulde top van de heuvel een nog koudere en eenzamere plaats.

Iemand pakte Simons arm van achteren beet. Hij draaide zich vlug om, zijn arm lostrekkend en hief die op om te slaan.

'Kom, knaap, kom, wees niet zo overhaast!' De oude nar dook ineen, met de handen boven zijn hoofd.

'Het spijt me, Towser.' Simon schikte zijn mantel recht. Het vreugdevuur gloeide in de nabije verte en hij was ongeduldig om erheen te gaan. 'Ik wist niet wie het was.'

'Je hoeft je niet te verontschuldigen, jochie.' Towser zwaaide lichtelijk. 'De kwestie is… welnu, ik vroeg me net af of ik een eindje met je kan meelopen. Naar het feest ginds. Ik sta niet zo vast op mijn voeten als vroeger.'

Geen wonder, dacht Simon; Towsers adem rook sterk naar wijn. Toen herinnerde hij zich wat Sangfugol had gezegd en onderdrukte zijn aandrang om zich verder te haasten. 'Natuurlijk.' Hij stak onopvallend een arm uit waar de oude man op kon leunen.

'Aardig jongen, heel aardig. Simon is het, nietwaar?' De oude man keek naar hem op, zijn beschaduwde gezicht een legpuzzel van rimpels.

'Dat klopt.' Simon glimlachte in de duisternis. Hij had Towser al tientallen keren aan zijn naam herinnerd.

'Het zal je goed gaan, wat ik je brom,' zei de oude man. Ze gingen naar het flikkerende licht, langzaam lopend. 'En ik heb ze allemaal ontmoet.'

Towser bleef niet lang bij hem toen ze de feestelijkheden eenmaal hadden bereikt. De oude nar vond al gauw een groep dronken trollen en ging weg om hen opnieuw te laten kennismaken met de heerlijkheden van Stierenhoorn en zichzelf met de heerlijkheid van *kangkang*, vermoedde Simon. Simon liep een eindje langs de rand van de bijeen-komst.

Het was een ware feestavond, misschien de eerste die Sesuad'ra had ge-zien. Fengbalds kamp was tot barstens toe vol gebleken met voorraden en opslagplaatsen, alsof wijlen de hertog heel Erkynland had geplun-derd om zich ervan te verzekeren dat hij in de Tritsingen even comfor-tabel zou zijn alsof hij op de Hayholt was gebleven. Jozua had zich er wijselijk van vergewist dat het meeste van de levensmiddelen en andere nuttige dingen werden weggeborgen voor later – ook al zou het gezel-schap de Steen verlaten, het zou niet morgen zijn – maar een overvloe-dig deel ervan was ter beschikking gesteld voor de viering, zodat de heuveltop vanavond een werkelijk feestelijke sfeer had. Vooral Freosel had met groot genoegen Fengbalds vaten aangeslagen, zelf de eerste kroes Stanshire Donker met evenveel plezier tappend alsof het het bloed van de hertog was geweest in plaats van alleen maar zijn bier.

Hout, een van de andere dingen die niet schaars waren, was hoog opge-tast in het midden van de grote platte oppervlakte van de Vuurtuin. Het vreugdevuur brandde helder en de meeste mensen waren op het brede veld van tegels verzameld. Sangfugol en enkele andere muzikale inwoners van Nieuw Gadrinsett wandelden hier en daar, voor groepjes waarderende toehoorders spelend. Sommige van de luisteraars waren enthousiaster dan andere. Simon moest lachen toen een bijzonder dron-ken trio van feestvierenden met alle geweld met de harpspeler wilden meezingen in zijn uitvoering van 'Bij de oever van de Groenwade'. Sangfugol huiverde maar speelde sportief verder; Simon feliciteerde de harpspeler stilzwijgend met zijn zelfbeheersing alvorens weg te lopen.

De nacht was kil maar helder, en de wind die de heuveltop gedurende de begrafenisriten had gegeseld, was bijna weg. Na een ogenblik te hebben nagedacht, besloot Simon dat het weer, gezien de tijd van het jaar, eigenlijk aangenaam was. Opnieuw vroeg hij zich af of de macht van de Stormkoning op de een of andere manier aan het vervallen was, maar deze keer werd die gedachte gevolgd door een nog veront-rustender vraag.

Wat als hij alleen maar zijn kracht aan het verzamelen is? Wat als hij zich nu inspant en gaat doen wat Fengbald niet kon doen?

Dat was geen gedachte waar Simon op in wilde gaan. Hij haalde zijn schouders op en trok zijn zwaardriem recht.

De eerste beker wijn die hem werd aangeboden, ging er goed in, zijn maag verwarmend en zijn spieren ontspannend. Hij had deel uitge-maakt van het kleine leger dat aan het werk was gezet om de doden te begraven, een afgrijselijke taak die werd verergerd door af en toe onder een masker van rijp een bekend gezicht te zien. Simon en de anderen hadden als duivels gewerkt om de rotsachtige grond open te breken, gravend met alles wat ze maar konden vinden zwaarden, bijlen, takken van omgevallen bomen, maar moeilijk als het was geweest om in de bevroren aarde te schrapen, de kou had de ontbinding vertraagd, waardoor een afschuwelijk karwei een beetje draaglijker was geworden. Toch was Simons slaap de afgelopen twee nachten door nachtmerries verstoord: eindeloze visioenen van verstijfde lichamen die in greppels vielen, lichamen stijf als standbeelden, verwrongen figuren die gebeeldhouwd hadden kunnen zijn door een krankzinnige beeldhouwer geobsedeerd door pijn en lijden.

Beloningen van de oorlog, dacht Simon toen hij door de lawaaiige menigte liep. En als Jozua succes wilde hebben, zouden de nog komende veldslagen deze eruit laten zien als een Yrmansol dans. De stapel lijken zou hoger zijn dan de Groene Engeltoren.

Die gedachte maakte dat hij zich koud en misselijk voelde. Hij ging op zoek naar meer wijn.

Het feest had een sfeer van onachtzaamheid, merkte Simon op. Stemmen waren te hard, gelach te vlug, alsof degenen die spraken en plezier maakten dat meer voor anderen deden dan voor zichzelf. Met de wijn kwam ook het vechten, wat Simon toescheen als het laatste dat iemand zou willen. Toch kwam hij langs verscheidene groepjes mensen die om een paar, of meer nog, vloekende, schreeuwende lieden stonden, kreten van bemoediging of spot roepend terwijl de vechtenden in de modder lagen te rollen. Degenen in de menigte die niet lachten, zagen er verontrust of ongelukkig uit.

Zij weten dat we niet gered zijn, dacht Simon, zijn eigen stemming op wat een prachtige avond behoorde te zijn betreurend. *Zij zijn blij om te leven, maar ze weten dat de toekomst misschien erger zal zijn.*

Hij liep verder, een dronk aannemend wanneer die hem werd aangeboden. Hij bleef een tijdje bij het Afscheidshuis staan om Sludig en Hotvig te zien worstelen, een vriendelijker soort strijd dan hij elders had gezien. De noorderling en de Tritsinger waren tot het middel ontbloot en fel aan het worstelen, elk trachtend de ander uit een ring van touw te werpen, maar beide mannen waren aan het lachen; toen ze ophielden om te rusten, deelden ze een wijnzak. Simon riep hun een groet toe.

Zich voelend als een eenzame zeemeeuw die om de mast van een pleziervaartuig cirkelt, liep hij verder.

Simon wist niet zeker hoe laat het was, of het alleen maar een uur of zo na het invallen van de duisternis was of dat het al tegen middernacht liep. De dingen waren al wat vaag geworden na zijn zesde dronk wijn. Maar op dit tijdstip scheen de tijd niet erg belangrijk. Wat dat wèl scheen te zijn, was het meisje dat naast hem liep met het vervagende licht van het vreugdevuur glinsterend op haar donkere, golvende haar. Ze heette niet Krulhaar, maar Ulca, naar hij zojuist had vernomen. Ze struikelde en hij legde zijn arm om haar heen, verbaasd hoe warm een lichaam kon aanvoelen, zelfs door dikke kleding heen.

'Waar gaan we naartoe?' vroeg zij, en lachte toen. Ze scheen niet erg ongerust over mogelijke bestemmingen.

'Lopen,' antwoordde Simon. Na een ogenblik van nadenken besloot hij dat hij zijn plan duidelijker behoorde te maken. 'Rondlopen.'

Het lawaai van het feest was een dof gebrul achter hen, en een ogenblik kon Simon zich bijna voorstellen dat hij opnieuw in het heetst van de strijd was, op het bevroren meer, glad van het bloed…

Zijn nekharen gingen overeind staan. Waarom wilde hij aan zoiets denken? Hij maakte een geluid van walging.

'Wat?' Ulca zwalkte, maar haar ogen waren helder. Ze had uit de wijnzak gedronken die Sangfugol hem gegeven had. Ze scheen van nature goed tegen wijn te kunnen.

'Niets,' antwoordde hij kortaf. 'Alleen maar aan het denken. Over het gevecht. De slag. Vechten.'

'Het moet… afschuwelijk zijn geweest!' Haar stem was vol verbazing. 'Wij hebben gekeken, Welma 'n ik. We waren aan het huilen.'

'*Welmenik?*' Simon keek haar dreigend aan. 'Probeerde ze hem in de war te maken? Wat betekent dat?'

'Welma,' zei ik. 'Welma en ik. Mijn vriendin, de magere. Je hebt haar ontmoet!' Ulca kneep in zijn arm.

'O.' Hij dacht na over het recente gesprek. Waar hadden ze over gepraat? Ah. De slag. 'Het was afgrijselijk. Bloed. Mensen gedood.' Hij probeerde een manier te vinden om de totaliteit van de ervaring samen te vatten, deze jonge vrouw te laten weten wat hij, Simon, had doorgemaakt. 'Erger dan wat ook,' zei hij zwaar.

'O, heer Seoman,' riep ze uit en hield stil, waardoor ze een ogenblik haar evenwicht op de glibberige grond verloor. 'U moet wel bang zijn geweest!'

'Simon. Niet Seoman… Simon.' Hij dacht na over wat ze had gezegd. 'Een beetje. Een beetje.' Het was moeilijk haar nabijheid niet op te merken. Ze had eigenlijk een heel aardig gezicht, met volle wangen en lange wimpers. En haar mond. Maar waarom was die zo dichtbij?

Hij stelde zijn blik opnieuw in en ontdekte dat hij voorover leunde, naar Ulca toe vallend als een gevelde boom. Hij legde zijn handen op haar schouders om zich in evenwicht te houden en merkte met belangstelling op hoe klein ze onder zijn aanraking aanvoelde. 'Ik ga je kussen,' zei hij plotseling.

'Dat mag eigenlijk niet,' zei Ulca, maar sloot haar ogen en trok zich niet terug.

Hij hield zijn eigen ogen open omdat hij bang was het doel te zullen missen en op de besneeuwde grond te vallen. Haar mond was vreemd stevig onder de zijne, maar warm en zacht als een toegedekt bed op een winteravond. Hij liet zijn lippen daar een ogenblik dralen terwijl hij zich probeerde te herinneren of hij dat ooit eerder had gedaan en, zo ja, wat hij dan vervolgens moest doen. Ulca verroerde zich niet, en zij stonden stil, lucht die lichtelijk geparfumeerd was met wijn in elkaars mond ademend.

Simon kwam er gauw genoeg achter dat kussen meer was dan alleen maar lip aan lip staan, en na een korte poos waren de koude lucht, de verschrikkingen van de strijd, zelfs de herrie van het vreugdevuur een eindje verder uit zijn gedachten verdwenen. Hij vouwde zijn armen om dit verrukkelijke wezen en trok haar dicht naar zich toe, genietend van het gevoel dat dit heerlijke gewillige meisje tegen hem aan stond gedrukt, en wilde nooit meer iets anders in zijn hele leven doen, hoe lang dat ook zou zijn.

'O, Seoman,' zei Ulca ten slotte, zich terugtrekkend om op adem te komen, 'je zou een meisje kunnen laten flauwvallen.'

'Mmmm.' Simon trok haar weer terug, zijn nek buigend zodat hij aan haar oor kon knabbelen. Was ze alleen maar wat langer! 'Ga zitten,' zei hij. 'Ik wil gaan zitten!'

Ze strompelden samen een paar stappen verder, onhandig als een kreeft, tot Simon een brok gevallen metselwerk van geschikte hoogte vond. Hij wikkelde zijn mantel rond hen beiden toen ze gingen zitten, trok Ulca toen weer dicht naar zich toe, knijpend en knedend terwijl hij haar bleef kussen. Haar adem was warm tegen zijn gezicht. Op sommige plaatsen was zij zacht, op andere stevig. Wat een verrukkelijke wereld was dit toch!

'O, Seoman.' Haar stem was gedempt toen ze tegen zijn wang sprak. 'Je baard krast zo!'

'Ja, dat kun je wel zeggen, nietwaar?'

Simon had er een ogenblik voor nodig om te beseffen dat iemand anders dan hijzelf Ulca antwoord had gegeven. Hij keek op.

De figuur die voor hem stond was helemaal in het wit gekleed – jasje, laarzen en broek. Zij had lang haar dat in de lichte bries golfde, een spottende glimlach en opgeslagen ogen die evenmin menselijk waren als die van een kat of een vos.

Ulca stond een ogenblik met open mond te staren. Ze slaakte een gilletje van verbazing en angst.

'Wie…?' Ze stond wankelend van haar zitplaats op. 'Seoman, wie…?'

'Ik ben een elfenvrouw,' zei Jiriki's zuster, haar stem plotseling hard. 'En jij bent een klein sterfelijk meisje... dat *mijn toekomstige echtgenoot kust!* Ik denk dat ik je iets vreselijks zal moeten aandoen.'

Ulca snakte naar adem en gilde deze keer in ernst, zich zo krachtig van Simon afduwend dat hij bijna van de rots af werd gegooid. Met haar krullende haar los en achter haar aan wapperend, rende ze terug naar het vreugdevuur.

Simon keek haar een ogenblik dommig na, draaide zich toen weer naar de Sitha vrouw om. 'Aditu?'

Ze sloeg de verdwijnende gestalte van Ulca gade. 'Gegroet, Seoman.' Ze sprak rustig, maar met een zweem van geamuseerdheid. 'Mijn broer stuurt je zijn groeten.'

'Wat doe jij hier?' Simon kon niet begrijpen wat er net was gebeurd. Hij voelde zich alsof hij tijdens een heerlijke droom uit bed was gevallen en met zijn hoofd in een berekuil terecht was gekomen. 'Genadige Aedon! En wat bedoel je "toekomstige echtgenoot"?!'

Aditu lachte, met flitsende tanden. 'Ik dacht dat het een goed verhaal zou zijn om aan de andere Verhalen van Seoman de Stoutmoedige toe te voegen. Ik heb de hele avond in de schaduwen rondgelopen en heb vele mensen jouw naam horen noemen. Jij doodt draken en hanteert elfenwapenen, dus waarom geen elfenvrouw hebben?' Ze stak een hand uit, zijn pols met koele, soepele vingers omsluitend. 'Kom nu, wij hebben veel om over te praten. Je kunt een andere keer je gezicht tegen dat van dat kleine sterfelijke meisje wrijven.'

Simon volgde haar, verbluft, toen Aditu hem naar het licht van het vreugdevuur terugleidde. 'Nee, na dit kan ik dat niet meer,' mompelde hij.

18

De afspraak van de vos

Eolairs slaap was oppervlakkig en onrustig geweest, dus werd hij meteen wakker toen Isorn zijn schouder aanraakte.

'Wat is er?' Hij zocht naar zijn zwaard, waarbij zijn vingers door de vochtige bladeren graaiden.

'Er komt iemand aan.' De Rimmersman was gespannen, maar er stond een vreemde blik op zijn gezicht.

Eolair rolde zich om en klauterde overeind, hield toen op om zijn zwaardriem om te gorden. De maan hing plechtig boven het Zwijnewoud; naar haar stand te oordelen kon de dageraad niet veraf zijn. Er hing inderdaad iets vreemds in de lucht: de graaf kon het al voelen. Dit woud dat de Hernystiri *Fiathcoille* noemden, en dat zich in een tevreden bomengroep enkele mijlen ten zuidoosten van Nad Mullach naast de rivier de Baraillean uitstrekte, was een oord waar hij als jongeman elk voor- en najaar had gejaagd, een plaats die hij kende als zijn eigen burcht. Wanneer hij zich in zijn mantel en deken had gerold om te slapen, was het even vertrouwd geweest als een oude vriend. Nu scheen het ineens anders op een manier die hij niet kon begrijpen.

Het kamp begon te ontwaken en zich te roeren. Vrijwel de meesten van Ules manschappen waren hun laarzen aan het aantrekken. Hun aantal was bijna verdrievoudigd sinds hij en Isorn hen hadden gevonden – er zwierven heel wat meesterloze mannen langs de randen van de Vorstmark die blij waren om zich bij een georganiseerde troep aan te sluiten, ongeacht zijn doel – en Eolair betwijfelde of iets anders dan een aanzienlijke strijdmacht een bedreiging voor hen kon vormen.

Maar wat als Skali lucht van hun aanwezigheid had gekregen? Zij waren wel een flinke troep, maar tegen een leger als dat van Kaldskryke konden zij niet hopen meer dan een kortstondige ergernis te zijn.

Isorn stond voor hem bij de rand van het woud, wenkend. Eolair ging naar hem toe, proberend zo stil mogelijk te lopen, maar terwijl hij naar het zachte knarsen van zijn eigen voetstappen luisterde, werd hij zich bewust van… iets anders.

Aanvankelijk dacht hij dat het de wind was, klagend als een koor van geesten, maar de bomen rondom hem waren stil, klompjes sneeuw nog altijd in precair evenwicht aan de uiteinden van de takken. Nee, het was niet de wind. Het geluid had iets regelmatigs, ritmisch, zelfs muzikaals. Het klonk, meende Eolair als… gezang.

'Brynioch!' vloekte hij toen hij naast Isorn kwam staan. 'Wat is er?'

'De schildwachten hoorden dat een uur geleden,' mompelde de zoon van de hertog. 'Hoe luid moet het wel niet zijn, dat wij hen nog niet hebben gezien?'

Eolair schudde zijn hoofd. De met sneeuw bespikkelde vlakte van de Neder-Inniscrich lag voor hen, bleek en oneffen als verkreukelde zijde. Mensen naderden aan beide kanten, naar de rand van de bomen kruipend om naar buiten te kijken, tot Eolair het gevoel had dat hij omringd was door een menigte die op een koninklijke stoet wachtte. Maar de verwachtingsvolle blikken van de mannen met de harde gezichten om hem heen waren nogal vreesachtig. Menig gevest van een zwaard was al in vochtige handpalmen geklemd.

De toonhoogte van het gezang steeg, en hield toen ineens op. Erachter aan weerkaatste het geluid van vele hoefslagen langs de rand van het Zwijnewoud. Eolair, die nog steeds de slaap uit zijn ogen wreef, haalde adem om iets tegen tegen Isorn te zeggen. Naar bleek, hield hij die adem lange tijd in en toen hij hem uitblies, was het alleen om weer in te ademen.

Ze verschenen uit het oosten, alsof ze uit noordelijk Erkynland waren gekomen – of, dacht Eolair verstrooid, uit de diepten van het woud Aldheorte. Zij waren eerst weinig meer dan een glinstering van maanlicht op metaal, een verre wolk van zilverglans in de duisternis. Hoefslagen roffelden als zware regen op een houten dak, toen schalde een hoorn, een vreemde spookachtige noot die door de nacht sneed, en plotseling schenen ze bijna als een uitbarsting in het volle gezicht te komen. Een van Ules manschappen werd gek toen hij ze zag. Hij rende schreeuwend het woud in, tegen zijn hoofd slaand alsof het brandde, en werd nooit meer door een van zijn kameraden gezien.

Hoewel geen van de anderen zo zwaar werd getroffen, was niemand die die nacht het Zwijnewoud door trok daarna ooit dezelfde, en ook kon geen van hen helemaal zeggen waarom. Zelfs Eolair was verbijsterd, Eolair die Osten Ard bijna over de volle lengte en breedte had bereisd, die dingen had gezien die de meeste mensen sprakeloos maakte van ontzag. Maar zelfs de wereldse graaf zou nooit kunnen uitleggen wat voor gevoel het was geweest om de Sithi te zien rijden.

Toen het wilde gezelschap voorbij denderde, scheen de hoedanigheid van het maanlicht zelf te veranderen. De lucht werd bleek en kristalachtig; voorwerpen schenen aan de randen te glinsteren, alsof iedere boom, mens en grasspriet in diamant was geschilderd. De Sithi rolden voorbij als een grote golf van de oceaan bekroond met glimmende speerpunten. Hun gezichten waren hard, fel en mooi als de koppen van jachthaviken, en hun haren stroomden in de wind van hun voorbijgang. De rossen van de onsterfelijken schenen sneller te rennen dan welke paarden ook, maar ze bewogen zich op een manier die alleen passend scheen voor dromen, gang glad als smeltende honing, hoeven de duisternis in lichte vuurstrepen snijdend.

Binnen enkele ogenblikken was het lichtende gezelschap afgenomen tot een donkere massa die in het westen verdween, hun hoefslagen een verflauwend gemompel. Ze lieten stilte achter en, bij sommige van de toeschouwers, tranen.

'De Elfen...' zei Eolair ten slotte. Zijn eigen stem was even dik en schor als het kwaken van een kikvors.

'De... Sithi?' Isorn schudde zijn hoofd alsof hij een klap had gekregen. 'Maar... maar waarom? Waar gaan ze heen?'

En plotseling wist Eolair het. 'De Afspraak van de Vos,' zei hij, en lachte. Zijn hart voelde zich vrolijk in zijn borst.

'Wat bedoel je?' Isorn keek verbijsterd toen de graaf van Nad Mullach zich omdraaide en weer terugging naar het bos.

'Een oud lied,' riep hij achterom. '"De Afspraak van de Vos"!' Hij lachte opnieuw en zong, want hij voelde de woorden eruit springen alsof ze uit zichzelf de nachtelijke lucht opzochten.

> *'"Wij vergeten nooit," zeiden de Elfen,*
> *"hoewel de Tijd heel oud zal zijn.*
> *Je zult onze hoorns onder de maan horen*
> *je zult onze speren in de zon zien glanzen..."'*

'Ik begrijp het niet!' riep Isorn.

'Hindert niet!' Eolair was bijna uit het gezicht verdwenen, vlug naar het kamp gaand. 'Haal de manschappen. We moeten naar Hernysadharc rijden!'

Als om het hem na te zeggen, klonk een zilverachtige hoorn in de verte.

'Het is een oud lied van ons volk,' riep Eolair naar Isorn. Hoewel ze sinds vóór zonsopgang snel hadden gereden, was er geen spoor van de Sithi behalve een wirwar van hoefafdrukken op het besneeuwde gras, afdrukken van hoeven die al aan het vervagen waren toen het gras terugveerde en de sneeuw in de ochtendwarmte smolt. 'Het verhaalt van de belofte die de Elfen de Rode Vos deden – prins Sinnach – voor de slag van Ach Samarath: ze zwoeren dat ze de trouw van Hernystir nooit zouden vergeten.'

'Dus je denkt dat ze op weg zijn om tegen Skali te vechten?'

'Wie zal het zeggen? Maar kijk waar ze heen gaan!' De graaf stond in het zadel en wees over de brede graslanden naar de sporen die in het westen verdwenen. 'Waar als de vlucht van een pijl naar de Taig!'

'Ook als ze daar werkelijk heen gaan, kunnen wij niet de hele weg daarheen in dit tempo rijden,' zei Isorn. 'De paarden beginnen al vermoeid te raken, en we hebben slechts enkele mijlen gereden.'

Eolair keek rond. De compagnie begon uiteen te vallen; enkele ruiters raakten behoorlijk achter. 'Misschien. Maar, Bagba moge me bijten, als ze naar Hernysadharc gaan, wil ik daar zijn!'

Isorn grinnikte, zijn brede gezicht rimpelend. 'Alleen als jouw elfenvolk een paar van hun elfenpaarden voor ons heeft achtergelaten, met vleugels aan hun voeten. Maar we zullen er uiteindelijk komen.'

De graaf schudde zijn hoofd, maar trok zachtjes aan de teugels, zijn paard tot een draf vertragend. 'Waar. We zullen niemand enig goed doen als we onze paarden ombrengen.'

'Of onszelf.' Isorn wuifde met zijn hand om de rest van de compagnie vaart te laten minderen.

Ze hielden stil voor het middagmaal. Eolair bedwong zijn ongeduld omdat hij wist dat het verstandig was om zijn troep in elk geval enigszins uitgerust te hebben; als er gevochten werd, zouden manschappen die op het punt stonden om neer te vallen en paarden die geen stap meer konden doen een uiterst povere bijdrage leveren.

Na een uur te hebben gerust zaten ze weer in het zadel, maar Eolair hield nu een redelijker tempo aan. Tegen de tijd dat het donker inviel, waren ze de Inniscrich overgestoken naar de grenzen van het gebied van Hernysadharc, hoewel ze nog enkele uren rijden van de Taig verwijderd waren. Ze waren langs een paar legerplaatsen gekomen die, naar Eolair vermoedde, aan Skali's mensen toebehoorden. Alle waren verlaten, maar de tekenen wezen erop dat ze recentelijk bewoond waren; in een ervan smeulden de kookvuren nog. De graaf vroeg zich af of de Rimmersmannen voor de aanstormende Sithi waren gevlucht, of een ander, vreemder lot hadden ondergaan.

Op Isorns aandringen liet Eolair de compagnie ten slotte halt houden bij Ballacym, een ommuurde stad op de lage helling van een heuvel die uitkeek over de westelijke rand van de Inniscrich. Een groot gedeelte van de stad was verwoest tijdens Lluths lange strijd met Skali bijna een jaar geleden, maar er was genoeg van de muren overgebleven om enige beschutting te bieden.

'Wij willen niet 's nachts midden in een gevecht aankomen,' zei Isorn toen ze door de vernielde poorten reden. Zelfs als je het bij het rechte eind hebt en je elfenvolk is gekomen om voor Hernystir te vechten, hoe zullen zij dan in het donker het verschil tussen de goede en verkeerde soort sterveling kunnen uitmaken?'

Eolair vond het niet prettig, maar hij kon de wijsheid van Isorns woorden niet betwisten. Zoals hij al had geweten, kon een kleine troep tegen een groot leger als dat van Skali weinig uitrichten, maar het idee om te moeten wachten was nog steeds om razend van te worden. Zijn hart had gezongen om de Sithi zelf te evenaren toen hij hen had zien rijden. Om iets te doen – om eindelijk een klap uit te delen aan degenen die zijn land hadden verwoest! Het idee had hem voortgestuwd als een sterke wind. Maar nu moest hij wachten tot de ochtend.

Eolair dronk meer dan zijn gebruikelijke bescheiden portie wijn die avond, hoewel die schaars was, en ging toen vroeg liggen, niet bereid om te praten over wat ze allemaal hadden gezien en waar ze wellicht naartoe zouden rijden. Hij wist dat het, zelfs met de wijndampen in zijn hoofd, lang zou duren voor hij in slaap zou vallen. En dat was ook zo.

'Dit bevalt mij niets,' gromde Ule Frekkeson, zijn paard intomend. 'Waar zijn ze naartoe gegaan? En, bij de heilige Aedon, wat is hier gebeurd?'

De straten van Hernysadharc waren vreemd verlaten. Eolair wist dat weinigen van zijn volk na Skali's verovering waren gebleven, maar zelfs als alle Rimmersmannen door de Sithi waren verdreven – wat onmogelijk scheen, gezien het feit dat er nauwelijks een dag was verlopen sinds de Elfen langs waren gereden, vijftig mijl naar het westen – zouden er toch minstens een paar Hernystiris moeten zijn.

'Het bevalt mij evenmin als jou,' antwoordde de graaf, 'maar ik kan me niet voorstellen dat Skali's hele leger in een hinderlaag ligt voor onze honderdveertig of honderdzestig man.'

'Eolair heeft gelijk.' Isorn beschaduwde zijn ogen. Het weer was koud, maar de zon was verrassend fel. 'Laten we de stad in rijden en het erop wagen.'

Ule slikte een antwoord in, haalde toen de schouders op. Het drietal reed door de primitieve poort die de Rimmersmannen hadden gebouwd; de manschappen volgden, onder elkaar pratend.

Het was verontrustend genoeg een muur rond Hernysadharc te zien. In Eolairs herinnering was er nooit een geweest, en zelfs de oude muur rond de Taig bleef alleen staan vanwege Hernystiri eerbied voor het verleden. De meeste van de oudere muren waren lang geleden ingestort, zodat de overgebleven gedeelten met grote tussenruimten waren blijven staan, als de paar resterende tanden in de kaak van een oude man. Maar deze ruwe, maar toch stevige barrière rond het binnenste gedeelte van de stad was pas onlangs gebouwd.

Waar was Skali bang voor? vroeg Eolair zich af. *De overgebleven Hernystiri, een verslagen volk? Of vertrouwde hij zijn eigen bondgenoot, de Hoge Koning Elias, misschien niet.*

Verontrustend als het was om de nieuwe muur te zien, het was nog verontrustender om te zien wat ermee gebeurd was. Het hout was geschroeid en geblakerd alsof het door de bliksem was getroffen, en een gedeelte breed genoeg om een twintigtal ruiters naast elkaar door te laten, was helemaal weggevaagd. Een paar sliertjes rook kringelden nog boven de puinhoop.

Het mysterie van wat er met Hernysadharcs bewoners was gebeurd, werd gedeeltelijk opgelost toen Eolairs compagnie de brede weg op was gereden die eens Tethtainsweg was genoemd. Die naam was niet lang na de grote Hernystiri koning verdwenen, en de mensen noemden hem gewoonlijk de Taigweg, want hij voerde regelrecht heuvelopwaarts naar de grote burcht. Nu, terwijl de compagnie de modderige weg op kwam, zagen ze een grote mensenmenigte op de top van de heuvel staan, gegroepeerd rond de Taig als schapen bij een zoute liksteen. Nieuwsgierig, maar toch voorzichtig, reden Eolair en de anderen voorwaarts.

Toen Eolair zag dat het grootste deel van de menigte die op de lagere hellingen van de Hernsheuvel zwermde Hernystiri schenen te zijn, vatte hij moed. Toen een aantal van de buitenste mensen zich omdraaide, verontrust bij het zien van een troep bereden en gewapende mannen, haastte hij zich hen gerust te stellen.

'Volk van Hernysadharc!' riep hij, in de stijgbeugels staande. Nog verscheidene anderen uit de menigte draaiden zich om bij het geluid van zijn stem. 'Ik ben Eolair, graaf van Nad Mullach. Deze mensen zijn mijn vrienden en zullen u geen kwaad doen.'

De reactie was verrassend. Terwijl sommigen van de dichtstbijzijnden juichten en hem toezwaaiden, schenen ze weinig ontroerd. Na een ogenblik te hebben gekeken, richtten zij hun aandacht weer op de top van de heuvel, ondanks het feit dat geen van hen een betere positie had dan Eolair op zijn paard, en hijzelf kon niets anders voor zich zien dan de uitgestrekte menigte.

Isorn was ook verbaasd. 'Wat doen jullie hier?' riep hij tegen de mensen die in zijn buurt stonden. 'Waar is Skali?'

Verscheidenen schudden hun hoofd alsof ze het niet begrepen, en verschillende anderen maakten grappige opmerkingen over Skali die op de terugweg was naar Rimmersgaarde, maar niemand scheen geneigd om te veel tijd of energie te verspillen aan de zoon van de hertog en zijn gezelschap in te lichten.

Eolair vloekte stil en reed met zijn paard naar voren, en liet het dier zodoende ruimte voor hem maken. Hoewel niemand zich actief tegen zijn voortgang verzette, kwam hij langzaam vooruit door de dichte menigte, en duurde het enige tijd voor ze langs de twee nog rechtopstaande overblijfselen van de verwoeste muur van het fort gingen en op het oude terrein van de Taig kwamen. Eolair loenste, en floot toen verbaasd. 'Bagba bijt me,' zei hij en lachte, hoewel hij niet zou hebben kunnen zeggen waarom.

De Taig en zijn bijgebouwen stonden nog steeds op de top van de heuvel, solide en indrukwekkend, maar nu waren alle velden op de top van Hernsheuvel met kleurige tenten bedekt. Ze hadden iedere voorstelbare kleur en honderden verschillende afmetingen en vormen; iemand zou een reusachtige mand met vierkantjes van een lappendeken op het besneeuwde gras kunnen hebben uitgestort. Wat de hoofdstad van het volk van Hernystir, de koninklijke residentie, was geweest, was plotseling een dorp geworden gebouwd door wilde, magische kinderen.

Eolair kon beweging tussen de tenten zien – slanke gedaanten in kleding bijna even kleurrijk als de pas opgezette behuizing. Hij reed naar voren, de laatste van de Hernystiri toeschouwers passerend toen hij de heuvel besteeg. Die keken hongerig naar de kleurige stof en de vreemde bezoekers, maar schenen te aarzelen om de laatste open ruimte over te steken en te dichtbij te komen. Velen sloegen de graaf en zijn gezelschap met iets als jaloezie gade.

Toen ze de door de wind bollende stad van tenten binnenreden, kwam er een eenzame figuur naar hen toe. Eolair hield zijn paard in, op alles voorbereid, maar zag tot zijn verbazing dat degene die naar voren kwam om hen te begroeten Craobhan, de oudste, maar ook trouwste raadgever van de koninklijke familie was. De oude man scheen als door de bliksem getroffen toen hij hen zag; hij staarde Eolair lange tijd zonder te spreken aan, maar ten slotte verschenen er tranen in zijn ogen en hij opende zijn armen wijd.

'Graaf Eolair! Mircha's natte zegen op ons, het is goed u te zien!'

De graaf steeg van zijn paard af en omhelsde de raadsman. 'En jou Craobhan, en jou. Wat is hier gebeurd?'

'Ha! Meer dan ik u kan vertellen staande in de wind.' De oude man gniffelde vreemd. Hij scheen werkelijk in de war, een toestand waarin Eolair nooit had gedacht hem te zullen aantreffen. 'Bij alle goden, meer dan ik u kan vertellen. Kom mee naar de Taig. Kom binnen en nuttig iets – eten, drinken.'

'Waar is Maegwin? Maakt zij het goed?'

Craobhan keek op, zijn waterige blik plotseling gespannen. 'Zij leeft en is gelukkig,' zei hij. 'Maar kom. Kom kijken… welnu, meer dan ik u nu kan vertellen.' De oude man nam hem bij de elleboog en trok.

Eolair draaide zich om en wuifde naar de anderen. 'Isorn, Ule, kom!' Hij klopte Craobhan op de schouder. 'Kunnen onze mensen iets te eten krijgen?'

Omdat hij zich al lang geen zorgen meer maakte, wuifde Craobhan met zijn bottige hand. 'Ergens. Sommige mensen uit de stad hebben waarschijnlijk een paar dingen gehamsterd. Er is echter veel te doen, Eolair, veel te doen. Weet nauwelijks waar ik moet beginnen.'

'Maar wat is er gebeurd? Hebben de Sithi Skali verdreven?'

Craobhan trok aan zijn arm, hem naar de grote burcht leidend.

De graaf van Nad Mullach ving nauwelijks meer dan een blik op van de stuk of twintig Sithi die op de top van de heuvel waren. Degenen die hij zag, schenen helemaal op te gaan in de taak om hun kamp te bouwen, en keken niet eens op toen Eolair en de anderen voorbijkwamen, maar zelfs van een afstand kon hij zien hoe vreemd ze waren, hun vreemde, maar bevallige bewegingen, hun rustige sereniteit. Hoewel op sommige plaatsen vrij veel Sithi samenwerkten, zowel mannen als vrouwen, spraken ze niet voor zover hij kon horen, maar voerden hun taak uit met een gladde monotone doelbewustheid die op de een of andere manier even verontrustend was als hun vreemde gezichten en bewegingen. Toen ze dichter bij de Taig kwamen, was het gemakkelijk om de tekenen van Skali's bezetting te zien. De zorgvuldig gecultiveerde tuinen waren omgespit, de stenen paden opgebroken. Eolair vervloekte Scherpneus en zijn barbaren, vroeg zich toen opnieuw af wat er met de bezetters was gebeurd.

Binnen de grote deuren van de Taig was de toestand weinig anders. Wandkleden waren van de muren gehaald, relikwieën waren uit hun nissen gestolen, en de vloeren waren getekend door de groeven van talloze gelaarsde voeten. De Beeldenzaal, waar koning Lluth hof had gehouden, verkeerde in een betere toestand – Eolair vermoedde dat vrijheer Skali er zijn zetel had gehad – maar toch waren er tekenen dat de noordelijke schenners niet al te eerbiedig waren geweest. Vele tientallen pijlen staken in de hoge gewelfde plafonds, waar de hangende houten beelden verleidelijke doelen waren geweest voor Kaldskrykes door de winter gekortwiekte soldaten.

Craobhan, die een gesprek scheen te willen vermijden, liet hen plaats nemen in de zaal en ging iets te drinken halen.

'Wat denk je dat er gebeurd is, Eolair?' Isorn schudde zijn hoofd. 'Het maakt dat ik me ervoor schaam dat ik een Rimmersman ben wanneer ik zie wat Skali en zijn moordenaars de Taig hebben aangedaan.' Naast hem zat Ule achterdochtig naar de hoeken van de zaal te kijken, alsof zich daar misschien Kaldskrykemannen verscholen hielden.

'Je hoeft je nergens voor te schamen,' zei Eolair. 'Ze hebben dit niet gedaan omdat ze Rimmersmannen waren, maar omdat ze in andermans land waren, in een slechte tijd. Hernystiri, Nabbanai of Erkynlanders zouden misschien hetzelfde doen.'

Isorn was niet vermurwd. 'Het is verkeerd. Wanneer mijn vader zijn hertogdom terug heeft, zullen we ervoor zorgen dat de schade wordt hersteld.'

De graaf glimlachte. 'Als wij allen overleven en dit het ergste is dat wij moeten aanpakken, dan zal ik met genoegen mijn eigen huis in Nad Mullach steen voor steen verkopen om het weer goed te maken. Nee, dit zal niet het ergste zijn, vrees ik.

'Ik vrees dat je gelijk hebt, Eolair.' Isorn fronste. 'God weet wat er in Elvritshalla is gebeurd sinds wij eruit zijn verdreven. En ook na die vreselijke winter.'

Ze werden onderbroken door Craobhan, die weer binnen kwam strompelen met een jonge Hernystiri vrouw die vier grote gedreven zilveren drinkkannen droeg, versierd met het springende zwijn van het koninklijke huis.

'Kunnen evengoed het beste gebruiken,' zei Craobhan met een scheve glimlach. 'Wie zal zeggen dat het niet mag in deze vreemde tijd?'

'Waar is Maegwin?' Eolairs ongerustheid was groter geworden toen ze niet was verschenen om hen te begroeten.

'Slaapt.' Opnieuw maakte Craobhan een afwijzend gebaar. 'Ik zal u meenemen wanneer u klaar bent. Drink op.'

Eolair stond op. 'Vergeef me, oude vriend, maar ik wil haar nu graag zien. Ik zal dan meer van mijn bier kunnen genieten.'

De oude man haalde zijn schouders op. 'In haar oude kamer. Ze heeft een vrouw bij zich.' Hij scheen meer belangstelling te hebben voor zijn drinkkan dan voor het lot van het enige in leven zijnde kind van de koning.

De graaf keek hem een ogenblik aan. Wat was er met Craobhan die hij kende gebeurd? De oude man scheen verward, alsof hij een klap met een knuppel had gehad.

Er waren veel te veel andere dingen waar ze zich zorgen over moesten maken. Eolair liep de zaal uit, de anderen achterlatend om te drinken en omhoog te kijken naar de gehavende beelden.

Maegwin sliep inderdaad. De vrouw met wilde haren die naast het bed zat, zag er enigszins bekend uit, maar Eolair keurde haar nauwelijks een blik waardig toen hij neerknielde en Maegwins hand pakte. Een natte doek lag op haar voorhoofd.

'Is ze gewond?' Er scheen iets te zijn dat Craobhan voor hem verborgen wilde houden, misschien was ze ernstig gewond.

'Ja,' zei de vrouw. 'Maar het was slechts een afschampende slag, en ze is al hersteld.' De vrouw lichtte de doek op om Eolair de kneuzing op Maegwins bleke voorhoofd te laten zien. 'Ze rust nu alleen maar. Het is een geweldige dag geweest.'

Eolair draaide zich snel om bij het geluid van haar stem. Ze keek even verstrooid als Craobhan, haar ogen wijdopen en vaag, haar mond zenuwachtig bewegend.

Is iedereen hier gek geworden? vroeg hij zich af.

Maegwin bewoog zich bij het geluid van zijn stem. Toen hij zich weer omdraaide, gingen haar ogen knipperend open, sloten zich weer, openden zich toen opnieuw en bleven open.

'Eolair...' Haar stem was slaapdronken. Ze glimlachte als een jong meisje, zonder een spoor van de gemelijkheid die hij de laatste keer dat ze met elkaar hadden gesproken had gezien. 'Ben jij het, echt waar? Of droom ik weer...'

'Ik ben het vrouwe.' Hij drukte haar hand opnieuw. Ze zag er op dat ogenblik weinig anders uit dan toen ze een meisje was geweest en hij voor het eerst belangstelling in zijn hart had gevoeld. Hoe had hij ooit boos op haar kunnen zijn, ongeacht wat ze had gezegd of gedaan?

Maegwin probeerde rechtop te gaan zitten. Haar roodbruine haar was in de war, haar oogleden waren nog heel zwaar. Ze scheen geheel gekleed in bed te zijn gelegd; alleen haar voeten die onder de deken uitstaken, waren bloot. 'Heb... heb je hen gezien?'

'Heb ik wie gezien...?' vroeg hij vriendelijk, hoewel hij zich er zeker van voelde dat hij het wist. Haar antwoord verbaasde hem echter.

'De goden, dwaze man. Heb je de goden gezien? Ze waren zo mooi...'

'De... goden?'

'Ik heb ze laten komen,' zei ze, en glimlachte slaperig. 'Ze zijn voor mij gekomen...' Ze liet haar hoofd op het kussen terugvallen en sloot haar ogen. 'Voor mij,' mompelde zij.

'Ze heeft slaap nodig, graaf Eolair,' zei de vrouw achter hem. Haar stem had iets gebiedends dat Eolairs nekharen overeind deed staan.

'Waar heeft ze het over, de goden?' vroeg hij. 'Bedoelt ze de Sithi?'

De vrouw glimlachte, een zelfingenomen, wetende glimlach. 'Ze bedoelt wat ze zegt.'

Eolair stond op, zijn woede bedwingend. Er was hier veel te ontdekken. Hij zou zijn tijd afwachten. 'Zorg goed voor prinses Maegwin,' zei hij, toen hij naar de deur liep. Het was meer een bevel dan een verzoek. De vrouw knikte.

Peinzend was Eolair net in de Beeldenzaal teruggekeerd toen er bij de voordeuren achter hem een gekletter van laarzen te horen was. Hij bleef staan en draaide zich om, terwijl zijn hand in een reflexbeweging naar het gevest van zijn zwaard ging. Enkele passen verder stonden Isorn en de potige Ule ook op, hun gezichten duidelijk ontsteld.

De figuur die in de deuropening van de zaal verscheen was lang, maar niet te lang, gekleed in blauwe wapenrusting die er, merkwaardigerwijs, uitzag als beschilderd hout – maar de pantsering, een ingewikkelde verzameling platen die door glanzende rode koorden bijeen werd gehouden, was niet het vreemdste aan hem. Zijn haar was wit als een sneeuwjacht; bijeengehouden door een blauwe sjaal, viel het over zijn schouders. Hij was slank als een jonge berk, en ondanks de kleur van zijn haar, leek hij nauwelijks volwassen, voor zover Eolair een zo hoekig gezicht, zo verschillend van een menselijk gezicht, kon lezen. De opgeslagen ogen van de vreemdeling waren goudkleurig, licht als middagzon weerspiegeld in een bosvijver.

Eolair staarde, stokstijf van verbazing. Het was alsof een of ander wezen uit de oudheid voor hem stond, een van de verhalen van zijn grootmoeder die in levenden lijve aan hem verscheen. Hij had verwacht de Sithi te ontmoeten, maar hij was evenmin voorbereid als iemand die over een diep ravijn werd verteld kon zijn wanneer hij plotseling tot de ontdekking kwam dat hij op de rand ervan stond.

Toen de graaf enkele seconden onbeweeglijk had gestaan, deed de pas aangekomene een stap achteruit. 'Vergeef me.' De vreemdeling maakte een vreemd gelede buiging, zijn langvingerige hand langs zijn knie zwaaiend, maar hoewel zijn bewegingen iets lichts hadden, was er geen spot. 'Ik vergeet mijn manieren in de hitte van deze gedenkwaardige dag. Mag ik binnenkomen?'

'Wie... wie bent u?' vroeg Eolair, die zo verbijsterd was dat hij zijn normale hoffelijkheid vergat. 'Ja, kom binnen.'

De vreemdeling scheen niet beledigd. 'Ik ben Jiriki i-Sa'onserei. Op dit ogenblik spreek ik namens de Zida'ya. Wij zijn gekomen om onze schuld aan prins Sinnach van Hernystir in te lossen.' Na deze vormelijke woorden, verscheen er als een flits een opgewekte dierlijke grijns op zijn gezicht. 'En wie bent u?'

Eolair haastte zich om zichzelf en zijn metgezellen voor te stellen. Isorn staarde geboeid, en Ule was bleek en onrustig. De oude Craobhan vertoonde een vreemde, spottende glimlach.

'Goed,' zei Jiriki toen hij klaar was. 'Dit is heel goed. Ik heb vandaag uw naam horen noemen, graaf Eolair. Wij hebben veel te bespreken. Maar eerst, wie is de meester hier? Ik heb begrepen dat de koning dood is.'

Eolair keek Craobhan verdwaasd aan. 'Inahwen?'

'De vrouw van de koning is nog in de grotten in de Grianspog.' Craobhan maakte een soort piepend geluid dat gelach had kunnen zijn. 'Wilde niet met de rest van ons omlaag komen. Ik dacht toentertijd dat ze er verstandig aan deed. En misschien was dat ook wel zo.'

'En Maegwin, de dochter van de koning slaapt.' Eolair haalde zijn schouders op. 'Ik veronderstel dat ik dan degene ben met wie u moet spreken, in elk geval voor het ogenblik.'

'Wilt u zo vriendelijk zijn met me mee te gaan naar ons kamp? Of wilt u liever dat we hier komen om te praten?'

Eolair was er niet zeker van wie die 'wij' precies waren, maar hij wist dat hij het zichzelf nooit zou vergeven als hij dit ogenblik niet ten volle beleefde. Maegwin had haar rust in elk geval duidelijk nodig, hetgeen niet optimaal zou worden bereikt als de Taig vol mensen en Sithi was.

'We zullen u met genoegen vergezellen, Jiriki i-Sa'onserei,' zei de graaf.

'Jiriki, als dat aanvaardbaar is.' De Sithi stond te wachten.

Eolair en zijn metgezellen liepen met hem de voordeur van de Taig uit. De tenten bolden voor hen als een veld met overgrote wilde bloemen.

'Mag ik u misschien wat vragen,' probeerde Eolair, 'wat is er gebeurd met de muur die Skali rond de stad heeft gebouwd?'

Jiriki scheen een ogenblik na te denken. 'Ah. Die,' zei hij ten slotte en glimlachte. 'Ik denk dat u het waarschijnlijk hebt over het handwerk van mijn moeder, Likimeya. Wij hadden haast. De muur stond ons in de weg.'

'Dan hoop ik dat ik haar nooit in de weg zal staan,' zei Isorn ernstig.

'Zolang u niet tussen mijn moeder en de eer van het Jaardansende Huis komt,' zei Jiriki, 'hoeft u zich geen zorgen te maken.'

Ze gingen verder over het natte gras. 'U sprak over de afspraak met Sinnach,' zei de graaf. 'Als je Skali in één dag kunt verslaan... welnu, vergeef me, Jiriki, maar hoe werd de slag bij Ach Samrath dan ooit verloren?'

'In de eerste plaats hebben we deze Skali nooit helemaal verslagen. Hij en velen van zijn mannen zijn de heuvels in gevlucht en vandaar naar de Vorstmark, dus er is nog steeds werk te doen. Maar je vraag is een goede.' De ogen van de Sitha vernauwden zich toen hij nadacht. 'Ik denk dat wij, in sommige opzichten, een ander volk zijn dan we vijf eeuwen geleden waren. Velen van ons waren toen nog niet geboren, en wij kinderen van de Ballingschap zijn niet zo voorzichtig als onze ouderen. Ook waren we bang van ijzer in die tijd, vóór we leerden hoe we ons ervoor moesten beschermen.' Hij glimlachte, dezelfde felle kattegrijns, maar toen werd zijn gezicht somber. Hij veegde een lok van zijn lichte haar uit zijn ogen. 'En deze mannen, graaf Eolair, deze Rimmersmannen hier, zij waren niet op ons voorbereid. Verrassing was aan onze zijde. Maar in de komende gevechten – en dat zullen er vele zijn, denk ik – zal niemand zó onvoorbereid zijn. Dan zal het weer net zijn als Ereb Irigú, wat jullie mensen "de Knook" noemen. Er zullen heel veel doden vallen, vrees ik... en mijn volk zal zich dat nog minder kunnen veroorloven dan het uwe.'

Terwijl hij sprak veranderde de wind die de tenten rimpelde van richting, draaiend tot hij uit het noorden woei. Het was ineens veel kouder op Hernsheuvel.

Elias, Hoge Koning van heel Osten Ard, wankelde als een dronkaard. Toen hij de binnenplaats van het Binnenhof overstak, zwaaide hij van de ene beschaduwde plek naar de andere, alsof het directe licht van de zon hem ziek maakte, ook al was het een grijze, koude dag en was de zon zelf, ook op het middaguur, onzichtbaar achter een wolkenbank. De kapel van de Hayholt rees achter hem op, vreemd asymmetrisch; een vuile sneeuwmassa, die in lange tijd niet was opgeruimd, had verschillende van de glas-in-loodramen licht ingedeukt zodat de grote koepel eruitzag als een verfomfaaide vilthoed.

De paar huiverende boeren die gedwongen waren binnen de muren van de Hayholt te wonen en de bouwvallige voorzieningen van het kasteel te onderhouden, verlieten zelden hun kwartieren, tenzij door plicht gedwongen, die gewoonlijk verscheen in de vorm van een Tritsingse opzichter, wiens bevelen werden geschraagd door de mogelijkheid van plotselinge en gewelddadige vergelding. Zelfs de rest van het leger van de koning was nu gelegerd in de velden buiten Erchester. Het verhaal dat de ronde deed was dat de koning niet goed was en rust wilde, maar er werd algemeen gefluisterd dat de koning gek was, dat het op zijn kasteel spookte. Dientengevolge liep er op deze grijze, sombere middag slechts een handjevol mensen op het Binnenhof, en van die weinigen – een soldaat die een boodschap van de Slotvoogd bracht, een paar angstige boeren die een wagen vol met vaten uit Pryrates' vertrekken wegsleepten – keek er niet één langer dan een ogenblik toen Elias' wankelend voorbijkwam alvorens de andere kant uit te kijken. Niet alleen zou het gevaarlijk, mogelijk zelfs fataal, zijn om naar de koning in zijn ziekelijkheid te staren, maar zijn stijfbenige gang had iets zo vreselijk onnatuurlijks, dat degenen die hem zagen zich gedwongen voelden zich af te wenden en heimelijk het teken van de Boom voor hun borst te maken.

Hjeldins Toren was grijs en plomp. Met de rode ramen die dof op de bovenste verdiepingen glansden, had hij een of andere heidense god met robijnen ogen van de woestenijen van Nascadu kunnen zijn. Elias bleef staan voor de zware eiken deuren, die drie ellen hoog en dofzwart geschilderd waren, beslagen met bronzen scharnieren die vlekkerig groen waren uitgeslagen. Aan weerszijden van de ingang stond een figuur met een capuchon, gekleed in een nog donkerder en saaier zwart dan de deur. Elk had een lans van vreemd ontwerp met filigreinwerk, een fantastisch weefsel van sierkrullen en kronkels, scherp als het scheermes van een barbier.

De koning stond te zwaaien, naar de tweeling verschijningen starend. Het was duidelijk dat de Nornen hem ongerust maakten. Hij ging nog een stap dichter naar de deur toe. Hoewel geen van de schildwachten zich verroerde, en hun gezichten onzichtbaar waren in de diepten van hun kappen, schenen ze plotseling waakzamer te worden, als spinnen die de eerste bevende stappen van een vlieg aan de rand van een web voelden.

'Wel?' zei Elias eindelijk, zijn stem verrassend luid. 'Gaan jullie die verdomde deur voor me opendoen?'

De Nornen gaven geen antwoord. Ze bewogen zich niet.

'Loop naar de hel, wat scheelt jullie?!' gromde hij. 'Kennen jullie me niet, ellendige creaturen. Ik ben de koning. Doe nu open die deur!' Hij deed plotseling een stap naar voren. Een van de Nornen liet zijn lans een handbreedte in de deuropening zakken. Elias bleef staan en leunde achterover alsof er met de punt van de lans voor zijn gezicht was gezwaaid.

'Dus dit is het spel, zeker?' Zijn bleke gezicht begon nu een glans van waanzin te vertonen. 'Dit is het spel? In mijn eigen huis, hè?' Hij begon op zijn hielen heen en weer te wiegen alsof hij aanstalten maakte om zich tegen de deur aan te gooien. Een van zijn handen gleed omlaag en greep het zwaard met het dubbele gevest dat aan zijn riem hing.

De schildwacht draaide zich langzaam om en bonsde twee keer met het uiteinde van zijn lans op de zware deuren. Na een ogenblik te hebben gepauzeerd gaf hij nog eens drie bonzen alvorens zijn vaste houding in te nemen.

Terwijl Elias stond te kijken, kraste een raaf op een van de borstweringen van de toren. Na wat slechts enkele hartslagen schenen, ging de deur knarsend open en Pryrates stond in de opening, met de ogen knipperend.

'Elias!' zei hij. 'Majesteit! Wat een eer voor mij!'

De lip van de koning krulde. Zijn greep om Smarts gevest verstevigde en verslapte zich nog steeds. 'Ik eer je helemaal niet, priester. Ik kwam om met je te praten – en ik ben onteerd!'

'Onteerd? Hoe?' Pryrates' gezicht was één en al geschokte ongerustheid, maar er was ook een onmiskenbaar spoor van vrolijkheid, alsof hij schijnspelletjes met een kind speelde. 'Vertel me wat er is gebeurd en wat ik kan doen om het goed te maken, mijn koning.'

'Deze... wezens wilden de deur niet openen.' Elias maakte een rukkend handgebaar naar de zwijgende bewakers. 'Toen ik probeerde het zelf te doen, blokkeerde een van hen mijn pad.'

Pryrates schudde zijn hoofd, draaide zich toen om en sprak met de Nornen in hun eigen muzikale taal, die hij goed, hoewel ietwat horterig, scheen te spreken. Hij keek de koning weer aan. 'Neem het hun niet kwalijk, hoogheid, of zelfs mij. Ziet u, sommige van de dingen die ik hier doe bij het vergaren van kennis zijn gevaarlijk. Zoals ik u eerder heb gezegd, ik vrees dat iemand die plotseling binnenkomt zich wel eens in gevaar zou kunnen bevinden. Daarom heb ik gevraagd niemand binnen te laten, tenzij ik hier ben om hen te begeleiden.' Pryrates glimlachte, een onveranderlijk ontbloten van tanden dat het gezicht van een paling niet zou hebben misstaan. 'Begrijp alstublieft dat het voor uw veiligheid was, koning Elias.'

De koning keek hem een ogenblik aan, keek toen naar de twee schildwachten; zij waren naar hun standplaatsen teruggekeerd en stonden opnieuw stijf als standbeelden. 'Ik dacht dat je huurlingen gebruikte om de wacht te houden. Ik dacht dat deze wezens niet van het daglicht hielden.'

'Het doet hen geen kwaad,' zei Pryrates. 'De kwestie is alleen dat ze na enkele eeuwen in de grote berg Stormpiek te hebben gewoond, meer van schaduw dan van zon houden.' Hij knipoogde, als om de eigenaardigheden van een excentriek familielid te vergoelijken. 'Maar ik ben nu bij een belangrijk punt van mijn studies aangeland – onze studies, majesteit – en dacht dat zij betere bewakers zouden zijn.'

'Zo is het wel genoeg,' zei Elias ongeduldig. 'Laat je me nu binnen? Ik ben hier gekomen om met je te praten. Het kan niet wachten.'

'Natuurlijk, natuurlijk,' verzekerde Pryrates hem, maar de priester scheen plotseling afgeleid. 'Ik verheug me er altijd op om met u te praten, mijn koning. Misschien zou u er de voorkeur aan geven als ik naar uw vertrekken kwam…?'

'Verdomme, priester, laat me binnen. Je laat een koning niet op de drempel staan, vervloekt!'

Pryrates haalde de schouders op en boog. 'Kom alstublieft mee naar mijn kamers.'

Binnen de grote deuren, in de zijkamer met het hoge plafond, brandde aarzelend één enkele fakkel. De hoeken waren vol schaduwen die schuin vielen en zich uitstrekten alsof ze zich inspanden om zich te bevrijden. Pryrates bleef niet staan, maar ging meteen de smalle trap op. 'Laat mij voorgaan en mij ervan vergewissen dat de dingen klaar zijn voor u, majesteit,' riep hij achterom, zijn stem in het trappenhuis weerkaatsend.

Elias bleef op de tweede overloop staan om op adem te komen. 'Trappen,' zei hij triest. 'Te veel trappen.'

De deur naar de kamer stond open en het licht van een paar toortsen verspreidde zich in de gang. Toen hij binnenkwam, keek de koning even op naar de ramen die waren gemaskeerd door lange draperieën. De priester, die het deksel van een grote kist dichtdeed waarin naar het scheen een stapel boeken zat, draaide zich om en glimlachte. 'Welkom, mijn koning. U hebt mij al enige tijd niet met een bezoek vereerd.'

'Je hebt mij niet uitgenodigd. Waar kan ik gaan zitten... ik ben stervende.'

'Nee, mijn heer, niet stervende,' zei Pryrates opgewekt. 'Integendeel eerder – u wordt herboren. Maar u bent de afgelopen tijd erg ziek geweest, dat is zo. Vergeef mij. Hier, neem mijn stoel.' Hij loodste Elias naar de stoel met de hoge rug; die bevatte generlei versieringen of houtsnijwerk, maar zag er op de een of andere manier uit alsof hij heel oud was. 'Zoudt u iets van uw kalmerende drank willen hebben? Ik zie dat Hengfisk u niet heeft vergezeld, maar ik zou die voor u kunnen laten maken.' Hij draaide zich om en klapte in zijn handen. '*Munshazou!*' riep hij.

'De monnik is er niet omdat ik hem de hersens heb ingeslagen, of bijna,' gromde Elias, onbehaaglijk op de harde zetel heen en weer schuivend. 'Als ik zijn bologige gezicht nooit meer zie, zal ik een gelukkig mens zijn.' Hij hoestte, zijn koortsig-heldere knipperende ogen sloten zich. Op dat ogenblik zag hij er allerminst uit als een gelukkig mens.

'Hij heeft enige moeilijkheden veroorzaakt? Het doet mij leed dat te horen, mijn koning. Misschien zou u mij moeten vertellen wat er is gebeurd, en ik zal zorgen dat hij... wordt aangepakt. Per slot van rekening ben ik uw dienaar.'

'Ja,' zei Elias droog. 'Dat ben je.' Hij maakte een geluid in zijn keel en verschoof opnieuw, proberend een betere positie te vinden.

Er klonk een discreet kuchje uit de deuropening. Een kleine donkerharige vrouw stond daar. Ze zag er niet bijzonder oud uit, maar haar magere gezicht was gegroefd met vele rimpels. Een of ander teken – het had een letter uit een vreemd schrift kunnen zijn – stond op haar voorhoofd boven haar neus geschreven. Ze bewoog een heel klein beetje terwijl ze daar stond, in een langzame ronde beweging zwaaiend zodat de zoom van haar vormloze jurk over de vloer veegde en de kleine beenkleurige talismannen die ze om haar middel en nek droeg zachtjes tinkelden.

'Munshazou,' zei Pryrates tegen Elias, 'mijn dienares uit Naraxi, van mijn huis daar.' Hij zei tegen de donkere vrouw: 'Breng de koning iets te drinken. En voor mij... nee, ik heb niets nodig. Ga nu.'

Ze draaide zich om met geratel van ivoor en was weg. 'Ik verontschuldig mij voor de onderbreking,' zei de alchimist. 'U vertelde mij van uw problemen met Hengfisk.'

'Maak je geen zorgen over de monnik. Hij is niets. Ik werd alleen ineens wakker en zag hem over mij heen gebogen staan staren. Boven mijn bed staan!' Toen hij het zich herinnerde, schudde de koning zich als een natte hond. 'God, maar hij heeft een gezicht waar alleen een moeder tegen kan. En altijd die vervloekte glimlach…' Elias schudde zijn hoofd. 'Ik heb hem een klap gegeven… een vuistslag. Sloeg hem dwars door de slaapkamer heen.' Hij lachte en hoestte toen. 'Dat zal hem leren mij in mijn slaap te bespioneren. Ik heb mijn slaap nodig. Ik heb heel weinig…'

'Bent u daarom naar mij toe gekomen, heer?' vroeg Pryrates. 'Vanwege uw slaap? Ik zou misschien iets voor u kunnen maken – ik heb een soort was die u op een schoteltje bij uw bed zou kunnen branden…'

'Nee!' zei Elias nijdig. 'En het is ook niet de monnik. Ik ben bij je gekomen omdat ik een droom heb gehad!'

Pryrates keek hem aandachtig aan. De huidplek boven zijn oog – een plek waar anderen wenkbrauwen hadden – ging in een vragende uitdrukking omhoog. 'Een droom, heer? Natuurlijk, als u daarover met mij wilt spreken…'

'Niet dat soort droom, verdomme. Je weet welke soort ik bedoel. Ik heb een dróóm gehad!'

'Ah!' De priester knikte. 'En die heeft u verontrust.'

'Ja, verdomme nog aan toe, bij de Heilige Boom!' De koning huiverde en legde zijn hand op zijn borst, en kreeg toen weer een hartverscheurende hoestbui. 'Ik heb de Sithi zien uitrijden! De Dageraadskinderen! Ze reden naar Hernystir!'

Er kwam weer een zacht klikkend geluid van de deur. Munshazou was weer verschenen met een blad waarop een hoge drinkbeker stond, met een diep roestrood geglazuurd. Hij dampte.

'Heel goed.' Pryrates liep naar voren om hem van de vrouw aan te nemen. Haar kleine, lichte ogen sloegen hem gade, maar haar gezicht bleef zonder uitdrukking. 'Je kunt nu gaan,' zei hij tegen haar. 'Hier, majesteit, drink dit. Het zal uw verstopte borst helpen.'

Elias nam de drinkbeker achterdochtig aan, en nam een teugje. 'Het smaakt net zoals de varkensdraf die je mij altijd geeft.'

'Er zijn… overeenkomsten.' Pryrates ging terug naar zijn plaats bij de kist vol boeken. 'Vergeet niet, mijn koning, u hebt speciale behoeften.'

Elias nam nog een slok. 'Ik heb de onsterfelijken gezien – de Sithi. Ze trokken ten strijde tegen Skali.' Hij keek op van zijn beker en richtte zijn groene blik op Pryrates. 'Is het waar?'

'Dingen in dromen gezien zijn niet altijd helemaal waar of helemaal vals…' begon Pryrates.

'God verdoeme je tot de zwartste kringen van de hel!' riep Elias uit, half uit zijn stoel opstaand. 'Is het waar?'

Pryrates boog zijn kale hoofd. 'De Sithi hebben hun woonplaats in de uitgestrektheid van het woud verlaten.'

Elias' groene ogen schitterden gevaarlijk. 'En Skali?'

Pryrates ging langzaam naar de deur, alsof hij zich erop voorbereidde te vluchten. 'De leenheer van Kaldskryde en zijn Raven zijn gedecampeerd.'

De koning blies sissend een lange ademtocht uit en zijn hand trok aan het gevest van Smart, met zenuwtrekken in zijn bleke arm. Een stuk van het grijze zwaard verscheen, gemarmerd en glanzend als de rug van een snoekbaars. De toortsen in het vertrek schenen zich binnenwaarts te buigen alsof ze ernaartoe werden getrokken. 'Priester,' gromde Elias, 'je luistert naar je laatste paar hartslagen als je nu niet snel en duidelijk spreekt.'

In plaats van ineen te krimpen, ging Pryrates rechtop staan. De toortsen flakkerden opnieuw en de zwarte ogen van de alchimist verloren hun glans; een ogenblik scheen het oogwit te verdwijnen, bijna alsof het zich in zijn hoofd had teruggetrokken, slechts gaten in een verduisterde schedel achterlatend. Een drukkende spanning vervulde de torenkamer. Pryrates hief zijn hand op en de knokkels van de koning spanden zich op het lange gevest van het zwaard. Na een ogenblik van stilte, bracht de priester zijn vingers omhoog naar zijn nek, streek de kraag van zijn rode gewaad zorgvuldig glad alsof hij zo beter paste, en liet toen zijn hand weer zakken.

'Het spijt mij, hoogheid,' zei hij, en veroorloofde zich een kleine glimlach vol zelfspot. 'Het is vaak de wens van een raadsman om zijn heer tegen verontrustend nieuws te beschermen. U hebt het juist gezien. De Sithi zijn naar Hernystir gegaan en Skali is verdreven.'

Elias keek hem lang aan. 'Wat betekent dit voor al onze plannen, priester? Je hebt niets over de Dageraadskinderen gezegd.'

Pryrates haalde de schouders op. 'Omdat het niets betekent. Het was onvermijdelijk toen de dingen eenmaal een zeker punt bereikten. De toenemende activiteit van... van onze weldoener kon niets anders dan hen aantrekken. Onze plannen zouden daardoor niet in de war behoren te worden gestuurd.'

'Behoren? Zeg je dat hetgeen de Sithi doen voor de Stormkoning van geen belang is?'

'Die heeft zijn plannen al lang gemaakt. In dit alles schuilt niets dat hem zal verrassen. In feite heeft de Nornkoningin mij gezegd het te verwachten.'

'Zo, heeft ze dat gezegd. Je schijnt zeer goed te zijn geïnformeerd, Pryrates.' Elias' stem had zijn zweem van woede niet verloren. 'Zeg mij dan eens: als je dit wist, waarom kun je mij dan niet vertellen wat er met

Fengbald aan de hand is? Waarom weten wij niet of hij mijn broer van zijn legerstede heeft verdreven?'

'Omdat onze bondgenoten het van weinig belang achten.' Pryrates hief zijn hand weer op, deze keer om het boze antwoord van de koning af te weren. 'Alstublieft, majesteit, u hebt om openhartigheid gevraagd, dus geef ik u die. Ze vinden dat Jozua is verslagen en dat u uw tijd aan hem verspilt. De Sithi, anderzijds, zijn sinds onheuglijke tijden de vijanden van de Nornen geweest.'

'Maar toch van geen belang, blijkbaar, als wat u daarnet zei juist is.' De koning was woedend. 'Ik begrijp niet hoe ze belangrijker kunnen zijn dan mijn verraderlijke broeder, maar toch niet belangrijk genoeg voor ons om ons zorgen over te maken, ook al hebben ze een van mijn voornaamste bondgenoten vernietigd. Ik denk dat je dubbel spel speelt, Pryrates. God helpe je als ik merk dat dat zo is.'

'Ik dien slechts één meester, hoogheid, niet de Stormkoning, en ook niet de Nornkoningin. Het is allemaal een kwestie van de keuze van het juiste tijdstip. Jozua was eens een dreiging voor u, maar u hebt hem verslagen. Skali was nodig om uw flank te beschermen, maar hij is niet langer nodig. Zelfs de Sithi vormen geen bedreiging, want zij zullen ons niet aanvallen zolang ze Hernystir niet hebben gered. Ze zijn vervloekt door oude loyaliteiten, ziet u. Dat zal veel te laat zijn voor hen om enige belemmering te vormen voor uw uiteindelijke overwinning.'

Elias staarde in zijn dampende beker. 'Waarom zie ik hen dan in mijn dromen uitrijden?'

'U bent intiem geworden met de Stormkoning, sire, nadat u zijn geschenk hebt aanvaard.' Pryrates wees op het grijze zwaard, dat nu weer in zijn schede stak. 'Hij is verwant aan de Sithi, of was dat althans toen hij nog leefde, om het juist te zeggen. Het is alleen maar natuurlijk dat de monstering van de Zida'ya zijn aandacht trok en op die manier tot u komt.' Hij kwam een paar passen dichter naar de koning toe. 'U hebt... hiervoor... andere dromen gehad, nietwaar?'

'Je weet dat ik die heb gehad, alchimist.' Elias dronk de beker leeg, en trok toen een gezicht terwijl hij slikte. 'Mijn nachten, de paar wanneer de slaap werkelijk komt, zijn vol van hem. Vol van hem! Van dat starre wezen met het brandende hart.' Zijn ogen dwaalden over de beschaduwde muren, plotseling vol angst. 'Van de donkere ruimten tussen...'

'Stil, majesteit,' zei Pryrates. 'U hebt veel geleden, maar de beloning zal schitterend zijn. Dat weet u.'

Elias schudde zwaar met zijn hoofd. Zijn stem, toen hij sprak, was een gespannen schor geluid. 'Ik wou dat ik had geweten hoe dit zou aanvoelen, de dingen... de dingen die het mij zou doen. Ik wou dat ik het had geweten voordat ik dat duivelsverbond sloot. God helpe mij, ik wou dat ik het had geweten.'

'Laat mij mijn slaapwas voor u halen, hoogheid. U hebt rust nodig.'

'Nee.' De koning hees zich moeizaam uit zijn zetel. 'Ik wil geen dromen meer. Het zou beter zijn nooit meer te slapen.'

Elias ging langzaam naar de deur, Pryrates' aanbod van hulp wegwuivend. Hij had er lang voor nodig om de trap af te gaan.

De in het rood geklede priester stond naar zijn hele afdaling te luisteren. Toen de grote buitendeuren knarsend opengingen en daarna met een klap dichtsloegen, schudde Pryrates één keer met zijn hoofd, alsof hij een ergerlijke gedachte afschudde, en haalde toen de boeken te voorschijn die hij verborgen had.

Jiriki was vooruit gegaan; zijn gelijkmatige passen gaven hem een misleidende snelheid. Eolair, Isorn en Ule volgden in een langzamer tempo, terwijl ze de vreemde schouwspelen in zich probeerden op te nemen.

Het was vooral verwarrend voor Eolair voor wie Hernysadharc en de Taig een tweede woonplaats waren geweest. Nu, terwijl hij de Sitha over de Hernsheuvel volgde, voelde hij zich als een vader die thuis was gekomen en had gezien dat al zijn kinderen ondergeschoven kinderen waren.

De Sithi hadden hun tentenstad zo snel gebouwd, de bollende doeken strekten zich kunstig tussen de bomen die de Taig omringen uit, dat het bijna leek alsof die er altijd was geweest – dat die daar thuishoorde. Zelfs de kleuren, die van een afstand gezien zo vloekend fel waren geweest, kwamen hem nu gedempter voor – tonen van zomerse zonsondergang en dageraad die meer met het huis en de tuinen van een koning in overeenstemming waren.

Zo hun verblijven al een natuurlijk deel van de heuveltop leken, de Zida'ya zelf schenen er nauwelijks minder thuis. Eolair zag geen teken van schroom of gedweeheid in de Sithi die hem omringden; zij schonken nauwelijks aandacht aan de graaf en zijn metgezellen. De onsterfelijken liepen trots rond, en onder het werk zongen zij welluidende liederen in een taal die, hoewel die hem vreemd was, merkwaardig vertrouwd scheen wat zijn glijdende klinkers en vogelachtige trillers betrof. Hoewel ze nauwelijks één dag op die plek waren geweest, schenen ze zich op het besneeuwde gras en onder de bomen even behaaglijk te voelen als zwanen die over een spiegelgladde vijver dreven. Alles wat zij deden, scheen te getuigen van mateloze kalmte en zelfkennis; zelfs het leggen van lussen en knopen in de vele touwen die hun tentenstad haar vorm gaven, werd een soort goochelaarstruc. Terwijl hij ze gadesloeg voelde

Eolair – die altijd als een behendige, bevallige man was beschouwd – zich dierlijk en onhandig.

Het pas gemaakte huis waarin Jiriki was verdwenen, was weinig meer dan een ring van blauw en lavendelkleurig doek dat een van de magistrale eiken op de heuvel omsloot als een omheining rond een bekroonde stier. Terwijl Eolair en de anderen daar stonden, onzeker, verscheen Jiriki weer en wenkte hen naar voren te gaan.

'Begrijp alsjeblieft dat mijn moeder zich misschien een weinig buiten de grenzen van de hoffelijkheid kan begeven,' mompelde Jiriki terwijl ze bij de opening stonden. 'Wij rouwen om mijn vader en Eerste Grootmoeder.' Hij leidde hen voorwaarts in de omsloten ruimte. Het gras was droog, de sneeuw was weggeveegd. 'Ik breng graaf Eolair van Nad Mullach,' zei hij, 'Isorn Isgrimnurson van Elvritshalla en Ule Frekkeson van Skoggey.'

De Sitha vrouw keek op. Ze zat op een doek van licht, glanzend blauw, omringd door de vogels die zij had gevoerd. Ondanks de zachte gevederde lijven die op haar knieën en armen zaten, had Eolair onmiddellijk de indruk dat zij hard was als het staal van een zwaard. Haar haar was vlammend rood, bijeengehouden door een grijze sjaal over haar voorhoofd; verscheidene lange, roetkleurige veren hingen in haar armbanden. Evenals Jiriki was zij gepantserd in wat eruitzag als hout, maar die van haar was glanzend en zwart als het schild van een kever. Onder de pantsering droeg ze een lange duifgrijze jurk. Zachte laarzen van dezelfde kleur kwamen boven haar knieën uit. Haar ogen waren, als die van haar zoon, van een tint die aan gesmolten goud deed denken.

'Likimeya y'Briseyu no'e-Sa'onserei,' sprak Jiriki. 'Koningin van de Dageraadskinderen en Vrouwe van het Huis van Jaardansen.'

Eolair en de anderen lieten zich op een knie vallen.

'Sta op, alstublieft.' Ze sprak met een keelachtig gemompel en scheen minder op haar gemak met de taal van de stervelingen dan Jiriki. 'Dit is uw land, graaf Eolair, en het zijn de Zida'ya die hier gasten zijn. Wij zijn gekomen om onze schuld aan uw Sinnach te voldoen.'

'Wij zijn vereerd, koningin Likimeya.'

Ze wuifde met een hand met lange nagels. 'Zeg niet "koningin". Het is slechts een titel – het is het meest sterfelijke woord. Maar wij noemen onszelf dat soort dingen niet, behalve op bepaalde tijden.' Ze trok een wenkbrauw op tegen Eolair toen hij en zijn metgezellen opstonden. 'Weet u, graaf Eolair, er is een oud verhaal dat zegt dat het Huis van Nad Mullach Zida'ya bloed in zich heeft.'

Een ogenblik was de graaf in de war, denkende dat zij een of andere onrechtvaardige daad bedoelde die in zijn ouderlijk huis tegenover de Sithi was bedreven. Toen hij besefte wat zij werkelijk had gezegd, voelde hij dat zijn eigen bloed koud werd en de haren op de achterkant van zijn armen overeind gingen staan. 'Een oud verhaal?' Eolair had het gevoel dat zijn hoofd op het punt stond weg te zweven. 'Het spijt mij, vrouwe, ik ben er niet zeker van dat ik het begrijp. Bedoelt u dat mijn voorouders Sithi bloed hadden?'

Likimeya glimlachte, een plotseling felle glans van tanden tonend. 'Het is een oud verhaal, zoals ik zei.'

'En weten de Sithi of het waar is?' Speelde zij een of ander spelletje met hem?

Ze fladderde met haar vingers. Een wolk van vogels sprong op naar de takken van de boom, haar heel even met het effect van hun vleugels aan het gezicht onttrekkend. 'Lang geleden toen stervelingen en Zida'ya dichter bij elkaar stonden...' Ze maakte een vreemd gebaar. 'Het zou kunnen. We weten dat het kan gebeuren.'

Eolair voelde zich werkelijk op onveilig terrein, en was verbaasd hoe snel zijn opleiding in diplomatie en politiek hem in de steek had gelaten. 'Dat is dus gebeurd? De Elfen hebben zich... vermengd met stervelingen?'

Likimeya scheen haar belangstelling voor het onderwerp te verliezen. 'Ja. Lang geleden, grotendeels.' Ze gebaarde naar Jiriki die naar voren kwam met nog meer van de glinsterende zijden doeken, die zij voor de graaf en zijn metgezellen neerspreidde alvorens hen te beduiden erop te gaan zitten. 'Het is goed om weer op *M'yin Azoshai* te zijn.'

'Zo noemen wij deze heuvel,' legde Jiriki uit. 'Shi'iki en Senditu hebben hem aan Hern gegeven. Hij was, neem ik aan dat jullie zouden zeggen, een heilige plaats voor ons volk. Dat hij aan een sterveling werd gegeven om zich te vestigen, is een teken van de vriendschap tussen Herns volk en de Dageraadskinderen.'

'Wij hebben een legende die min of meer hetzelfde vertelt,' zei Eolair langzaam. 'Ik heb me afgevraagd of er waarheid in school.'

'De meeste legenden bevatten een kern van waarheid,' zei Jiriki glimlachend.

Likimeya had haar katachtig felle ogen van Eolair afgenomen en op zijn twee vrienden gericht die bijna schenen terug te deinzen onder de zwaarte van haar blik. 'En u bent Rimmersmannen,' zei ze, hen gespannen aankijkend. 'Wij hebben weinig reden om van uw volk te houden.'

Isorn liet zijn hoofd hangen. 'Ja, vrouwe, dat is waar.' Hij haalde diep adem, om zijn stem weer vast te doen klinken. 'Maar vergeet alstublieft niet dat ons leven maar kort is. Dat was vele jaren geleden... een twintigtal generaties. Wij lijken niet erg op Fingil.'

Likimeya glimlachte heel even. 'Misschien is dat wel zo, maar hoe zit het dan met die verwant van u die wij op de vlucht hebben gejaagd? Ik heb gezien wat hij hier op M'yin Azoshai heeft uitgericht, en het ziet er niet veel anders uit dan wat uw Fingil Bloedvuist vijf eeuwen geleden met de Zida'ya landen heeft gedaan.'

Isorn schudde langzaam zijn hoofd, maar gaf geen antwoord. Ule, naast hem, was heel bleek geworden en zag eruit alsof hij er elk ogenblik vandoor kon gaan.

'Isorn en Ule hebben *tegen* Skali gevochten,' zei Eolair haastig, 'en wij waren bezig meer mensen hier naartoe te brengen om de strijd op te nemen toen u en uw volk voorbij kwamen. U hebt deze twee een even grote dienst bewezen door de moordenaar op de vlucht te jagen als u voor mijn eigen volk hebt gedaan. Nu is er hoop dat Isorns vader op een dag zijn rechtmatige hertogdom kan behouden.'

'Ah.' Likimeya knikte. 'Nu komen we er. Jiriki, hebben deze mensen gegeten?'

Haar zoon keek de graaf vragend aan. 'Nee, vrouwe,' antwoordde Eolair.

'Dan zult u met ons eten, en wij zullen praten.'

Jiriki stond op en verdween door een opening in de golvende wanden. Er volgde een lange en, voor Eolair, onbehaaglijke stilte die Likimeya niet geneigd scheen te verbreken. Ze zaten naar de wind in de bovenste takken van de eik te luisteren tot Jiriki terugkeerde met een houten dienblad dat was opgetast met vruchten, brood en kaas.

De graaf was verbaasd. Hadden deze schepselen geen bedienden om dergelijke nederige taken te vervullen? Hij keek toe terwijl Jiriki, een van de meest indrukwekkende persoonlijkheden die hij ooit had ontmoet, iets uit een blauwe kristallen karaf in de drinkbekers schonk die uit hetzelfde hout waren gesneden als het dienblad, en de bekers daarna met een eenvoudige, maar elegante buiging aan Eolair en zijn metgezellen overhandigde. De koningin en prins van het oudste volk, en toch bedienden zij zichzelf? De kloof tussen Eolair en deze onsterfelijken scheen breder dan ooit.

Datgene wat in de kristallen karaf zat, brandde als vuur maar smaakte als klaverhoning en geurde als viooltjes. Ule nipte er voorzichtig aan, dronk hem toen in één teug leeg en liet Jiriki met graagte zijn beker opnieuw vullen. Toen hij zijn eigen beker ledigde, voelde Eolair de pijn van twee dagen hard rijden in de warme gloed oplossen. Het eten was eveneens voortreffelijk, elke vrucht op de top van rijpheid. De graaf vroeg zich even af waar de Sithi zulke heerlijkheden midden in een jaarlange winter hadden kunnen vinden, maar beschouwde het toen maar als nog een klein wonder dat toegevoegd kon worden aan wat snel een grote lijst van wonderen werd.

'Wij zijn gekomen om oorlog te voeren,' zei Likimeya plotseling. Van allen was zij de enige die niet gegeten had en ze had slechts een klein slokje van de honingdrank genomen. 'Skali ontsnapt ons een ogenblik, maar het hart van uw koninkrijk is vrij. Wij hebben een begin gemaakt. Met uw hulp, Eolair, en die van uw volk wiens wil nog steeds sterk is, zullen wij het juk weldra van de nek van onze oude bondgenoten afnemen.'

'Er zijn geen woorden voor onze dankbaarheid, vrouwe,' antwoordde Eolair. 'De Zida'ya hebben ons vandaag laten zien dat zij hun beloften houden. Weinig sterfelijke stammen kunnen hetzelfde zeggen.'

'En wat dan, koningin Likimeya?' vroeg Isorn. Hij had drie glazen van de lichte elixer gedronken, en zijn gezicht was enigszins rood aangelopen. 'Wilt u met Jozua rijden? Wilt u hem helpen de Hayholt in te nemen?'

De blik die ze op hem richtte, was koel en streng. 'Wij vechten niet voor sterfelijke principes, Isorn Isgrimnurson. Wij vechten om onze schulden in te lossen, en onszelf te beschermen.'

Eolair voelde de moed in zijn schoenen zinken. 'Dus u zult hier ophouden?'

Likimeya schudde haar hoofd, hief toen haar handen op en vouwde haar vingers samen. 'Zo eenvoudig is het niet. Ik heb te vlug gesproken. Nee, er zijn dingen die zowel uw Jozua Eénhand als de Dageraadskinderen bedreigen. Eénhands vijand heeft een overeenkomst gesloten met onze vijand, schijnt het. Toch zullen wij doen waar wij alleen geschikt voor zijn: wanneer Hernystir eenmaal vrij is, zullen wij de oorlogen van de stervelingen aan de stervelingen overlaten – tenminste voor het ogenblik. Nee, graaf Eolair, wij hebben andere schulden, maar dit zijn vreemde tijden.' Ze glimlachte, maar deze keer was de glimlach wat minder roofdierachtig, meer als iets dat zich op een sterfelijk gezicht zou kunnen vertonen. Eolair werd getroffen door haar hoekige schoonheid. Tegelijkertijd, in een flitsende nevenschikking, besefte hij dat hij voor een wezen zat dat de val van Asu'a had meegemaakt. Zij was even oud als de grootste steden van mensen, ouder misschien. Hij huiverde.

'Toch,' vervolgde Likimeya, 'hoewel wij uw belaagde prins niet te hulp zullen rijden, zullen wij wel uitrijden om zijn fort te helpen.'

Er heerste een ogenblik van verwarde stilte voordat Isorn sprak. 'Neemt u mij niet kwalijk, vrouwe. Wij begrijpen niet wat u bedoelt.'

Jiriki was degene die antwoordde. 'Wanneer Hernystir bevrijd is, zullen wij naar Naglimund rijden. Dat is nu van de Stormkoning, en het staat te dicht bij het huis van onze ballingschap. Wij zullen die plaats van hem terugnemen.' Het gezicht van de Sitha stond grimmig. 'Ook, wanneer de laatste slag komt – en die komt, sterfelijke mannen, twijfel daar niet aan – willen wij er zeker van zijn dat de Nornen nog geen sleutelgat over hebben om zich in te verstoppen.'

Eolair keek naar Jiriki's ogen toen de Sitha sprak, en verbeeldde zich dat hij een haat zag die eeuwenlang had gesmeuld.

'Een oorlog zoals de wereld nog nooit heeft gezien,' zei Likimeya. 'Een oorlog waarin vele zaken voor eens en altijd zullen worden geregeld.' Jiriki's ogen gloeiden, terwijl de hare vuur schoten.

19

Een gebroken glimlach

'Ik heb voor hen beiden gedaan wat ik kon, tenzij…' Cadrach wreef geïrriteerd over zijn vochtige voorhoofd, alsof hij probeerde een of ander idee dat zich daar schuilhield naar buiten te brengen. Het was duidelijk dat hij uitgeput was, maar het was even duidelijk – met de verdachtmakingen van de hertog nog vers in het geheugen – dat hij zich daardoor niet zou laten weerhouden.

'Er is verder niets te doen,' zei Miriamele beslist. 'Ga liggen. Je hebt slaap nodig.'

Cadrach keek op naar Isgrimnur die op de boeg van de platbodem stond, de vaarboom stevig in zijn brede handen geklemd. De hertog kneep alleen zijn lippen dichter op elkaar en ging verder met het onderzoeken van de waterweg. 'Ja, dan denk ik dat ik dat maar moest doen.' De monnik rolde zich op naast de stille gedaanten van Tiamak en de andere Wrannaman.

Miriamele die pas ontwaakt was uit haar eigen avondlange dutje, leunde voorover en drapeerde haar mantel over het drietal heen. Ze kon toch verder niet veel met het kledingstuk doen, behalve de insekten weghouden. Zelfs tegen middernacht was het moeras warm als een midzomerdag.

'Als we de lamp doven,' bromde Isgrimnur, 'zullen deze kruiperige slimmerikken voor de verandering zich ergens anders te goed gaan doen.' Hij gaf een klap op zijn bovenarm en hield de kleverige substantie die er het gevolg van was omhoog om te bekijken. 'Het verdomde licht trekt ze aan. Je zou denken dat een lamp die afkomstig is uit de stad van die moerasbewoner ze weg zou houden.' Hij snoof. 'Hoe mensen hier het hele jaar kunnen wonen is mij een raadsel.'

'Als we dat gaan doen, moeten we het anker laten vallen.' Miriamele vond het geen prettig idee om in het donker verder te drijven. Tot dusverre schenen ze de ghanten achter zich te hebben gelaten, maar ze keek nog zorgvuldig naar iedere laaghangende tak of bungelende rank. Maar Isgrimnur had in lange tijd niet geslapen; het scheen alleen maar eerlijk om hem enig respijt van de vliegende insekten te gunnen.

'Dat is goed. Ik denk dat dit stuk breed genoeg is om ons even veilig te doen zijn als waar ook,' zei Isgrimmur. 'Zie helemaal geen takken. Die kleine insekten zijn erg genoeg, maar als ik nooit meer een van die Aedon vervloekte grote zie…' Hij hoefde zijn zin niet af te maken. Miriameles oppervlakkige slaap was vol dromen geweest over klakkende, voortsnellende ghanten en kleverige sprieten die haar vasthielden terwijl ze alleen maar wilde wegrennen.

'Help me met het anker.' Samen tilden ze de steen op en gooiden hem overboord. Toen hij op de bodem was neergekomen, stelde Miriamele het touw op de proef om zich ervan te vergewissen dat er niet te veel speling in zat. 'Waarom slaap jij niet eerst,' zei ze tegen de hertog. 'Ik zal een tijdje de wacht houden.'

'Uitstekend.'

Ze keek vlug naar Camaris, die geluidloos achterin lag te slapen met zijn witte hoofd op zijn mantel; toen stak ze haar handen uit en schermde de lampen af.

Aanvankelijk was de zware duisternis angstwekkend. Miriamele kon bijna gelede poten stilletjes naar zich toe voelen komen, en verzette zich tegen de aandrang om zich om te draaien en met haar handen in de zwartheid te wuiven om de fantomen op een afstand te houden.

'Isgrimnur?'

'Wat?'

'Niets. Ik wilde alleen maar je stem horen.'

Haar gezichtsvermogen begon terug te komen. Er was maar heel weinig licht – de maan was verdwenen, hetzij geblokkeerd door wolken of door de sterk verstrengelde bomen die een dak boven de waterweg vormden, en de sterren waren slechts flauwe stippen – maar ze kon rondom zich vormen onderscheiden, de donkere massa van de hertog, de fragmentarische schaduwen van de rivieroever aan weerskanten.

Ze hoorde Isgrimnur met de vaarboom rommelen tot hij hem in een goede positie had, toen zonk zijn schimmige gedaante neer. 'Weet je zeker dat je zelf niet harder slaap nodig hebt?' vroeg hij. Vermoeidheid maakte zijn stem troebel.

'Ik ben goed uitgerust. Ik zal straks wel gaan slapen. Vooruit, ga nu maar liggen.'

Isgrimnur protesteerde verder niet – een zeker teken van zijn uitputting. Binnen enkele ogenblikken was hij luidruchtig aan het snurken. Miriamele glimlachte.

De boot bewoog zo rustig dat het niet moeilijk was je voor te stellen dat ze als een wolk door de nachtelijke hemel dreven. Er was geen getij, en geen waarneembare stroom, alleen de kleine stuwing van de moeraswinden die hen langzaam om hun anker deed draaien, vloeiend bewegend als kwikzilver op een schuingehouden glasruit. Miriamele leunde achterover en keek omhoog naar de sombere hemel, proberend of ze een vertrouwde ster kon onderscheiden. Voor het eerst in de afgelopen dagen kon ze zich de weelde van heimwee veroorloven.

Ik vraag me af wat mijn vader nu aan het doen is? Denkt hij aan me? Haat hij me?

Gedachten aan Elias wekten andere dingen in haar hoofd. Iets dat Cadrach had gezegd die eerste avond nadat ze van de *Wolk Eadne* waren ontsnapt, had haar niet losgelaten. Tijdens zijn lange en moeizame biecht had de monnik gezegd dat Pryrates vooral geïnteresseerd was in het contact met de doden – "spreken door de sluier" had Cadrach gezegd dat het werd genoemd – en dat dat de gedeelten uit Nisses' boek waren waarop zijn aandacht het meest was geconcentreerd. Om de een of andere reden had die zin haar aan haar vader doen denken. Maar waarom? Was het iets dat Elias gezegd had?

Hoe hard ze ook probeerde het idee op te roepen dat in haar achterhoofd had rondgespookt, het bleef ongrijpbaar. De boot draaide langzaam rond, stil onder de vage sterren.

Ze had een beetje gesoezeld. Het eerste licht van de ochtend kroop de hemel in boven het moeras, en kleurde die parelgrijs. Miriamele ging rechtop zitten, zacht kreunend. Haar blauwe plekken van het ghantennest waren stijf aan het worden: ze voelde zich alsof ze in een zak met stenen een heuvel af was gerold.

'V-V-Vrouwe?' Het was een amechtig geluid, weinig meer dan een zucht.

'Tiamak?!' Ze draaide zich ineens om, waardoor de boot begon te hellen. De ogen van de Wrannaman waren open. Hoewel zijn gezicht bleek en slap was, bevatte het weer de vonk van intelligentie.

'J-ja. Ja, vrouwe.' Hij haalde diep adem, alsof zelfs die paar woorden hem hadden uitgeput. 'Waar… zijn we?'

'We zijn op de waterweg, maar ik heb geen idee waar. We hebben het grootste deel van de dag geboomd nadat we het ghantennest hadden verlaten.' Ze keek hem aandachtig aan. 'Heb je pijn?'

Hij probeerde zijn hoofd te schudden, maar kon het slechts een beetje bewegen. 'Nee. Maar water. Zou vriendelijk zijn.'

Ze leunde over de boot heen om de waterzak te pakken die bij Isgrimnurs been lag. Ze haalde de stop eruit en liet de Wrannaman voorzichtig een paar slokken drinken.

Tiamak draaide zich een eindje om en keek naar de roerloze gestalte naast hem. 'Mogahib de Jongere,' fluisterde hij. 'Leeft hij?'

'Nauwelijks. In ieder geval lijkt hij heel dicht bij… hij lijkt heel ziek, hoewel Cadrach en ik geen wonden bij hem hebben kunnen vinden.'

'Nee. Die zou u ook niet vinden. Ook niet op mij.' Tiamak liet zijn hoofd terugvallen en sloot zijn ogen. 'En de anderen?'

'Welke anderen?' vroeg ze behoedzaam. 'Cadrach, Isgrimnur, Camaris en ik zijn hier allemaal, en allen min of meer in orde.'

'Ah. Goed.' Tiamaks ogen bleven dicht.

In de boeg kwam Isgrimnur slaapdronken overeind. 'Wat is dit nu?' mompelde hij. 'Miriamele... wat?'

'Niets, Isgrimnur. Tiamak is wakker geworden.'

'O, werkelijk?' De hertog ging weer achterover liggen, weer in de slaap verzinkend. 'Hersens niet in de war? Praat alsof hij zichzelf is? Het verduiveldste dat ik ooit zag...'

'Je sprak een andere taal in het nest,' zei Miriamele tegen Tiamak. 'Het was erg angstaanjagend.'

'Dat weet ik.' Zijn gezicht rimpelde alsof hij tegen walging vocht. 'Ik zal er later over praten. Niet nu.' Zijn ogen gingen gedeeltelijk open. 'Heb je behalve mij iets mee naar buiten genomen?'

Miriamele schudde haar hoofd, denkend. 'Alleen jou maar. En de rommel waarmee je bedekt was.'

'Ah.' Tiamak keek een ogenblik teleurgesteld, maar ontspande zich toen. 'Maar goed ook.' Een ogenblik later gingen zijn ogen wijdopen. 'En mijn bezittingen?' vroeg hij.

'Alles wat je in de boot had is er nog.' Ze klopte op het bundeltje.

'Goed... goed.' Hij zuchtte van opluchting en gleed neer in de mantel.

De lucht begon bleker te worden, en het gebladerte aan weerskanten van de rivier begon uit de schaduw tot kleur en leven te komen.

'Vrouwe?'

'Wat?'

'Dank u. Dank u dat u mij bent gaan zoeken.'

Miriamele luisterde toen zijn ademhaling langzamer werd. Weldra sliep de kleine man weer.

'Zoals ik Miriamele gisteravond heb verteld,' zei Tiamak. 'wil ik u allen bedanken. U bent betere vrienden voor mij geweest dan ik had kunnen hopen... zeker beter dan ik heb verdiend.'

Isgrimnur kuchte. 'Onzin. Hadden niet anders kunnen doen.' Miriamele vond dat de hertog er enigszins beschaamd uitzag. Misschien herinnerde hij zich de discussie over of ze moesten proberen de Wrannaman te redden of dat hij moest worden achtergelaten.

Het gezelschap had een geïmproviseerd kamp bij de rivier opgeslagen. Het kleine vuur, waarvan de vlammen vrijwel onzichtbaar waren in het heldere late ochtendlicht, brandde vrolijk, water voor soep en geelwortelthee verwarmend.

'Nee, je begrijpt het niet. Je hebt niet alleen mijn leven gered. Als ik een *ka* heb – een ziel, zouden jullie zeggen – zou die het geen dag langer in dat oord hebben overleefd. Misschien niet eens een uur langer.'

'Maar wat deden ze met je?' vroeg Miriamele. 'Je was al maar aan het brabbelen, je klonk bijna zelf als een ghant.'

Tiamak huiverde. Hij zat rechtop, in haar mantel gewikkeld, maar hij had zich tot dusver heel weinig bewogen. 'Ik zal het jullie zo goed mogelijk vertellen, hoewel ik er zelf niet veel van begrijp. Maar jullie zijn er zeker van dat jullie behalve mij niets anders uit die plaats hebben meegenomen?'

De rest van het gezelschap schudde zijn hoofd.

'Er was…' begon hij, hield toen op, denkend. 'Het was een stuk van wat een spiegel leek – een kijkglas. Het was gebroken, maar een stuk van de lijst zat nog op zijn plaats, heel kunstig bewerkt. Zij… de ghanten… ze legden die in mijn handen.' Hij hief zijn handpalmen op om hen de genezende sneden te laten zien. 'Zodra ik hem vasthield, voelde ik kou door mij heen gaan, van mijn vingers tot helemaal in mijn hoofd. Toen spuugden sommige van die wezens die kleverige stof uit, mij ermee bedekkend.' Hij haalde diep adem maar kon niet meteen verdergaan. Een ogenblik zat hij alleen maar, tranen glanzend in zijn ogen.

'Je hoeft er niet over te praten, Tiamak,' zei Miriamele. 'Niet nu.'

'Of vertel ons in elk geval hoe ze je te pakken hebben gekregen,' zei Isgrimnur. 'Als dat minder erg is, bedoel ik.'

De Wrannaman keek naar de grond. 'Ze hebben me even gemakkelijk gevangen alsof ik een pas uit het ei gekomen krabje was. Drie van hen stortten zich uit de bomen op mij neer,' hij keek snel op, alsof het opnieuw kon gebeuren, 'en terwijl ik met hen worstelde, kwam er nog een dozijn ghanten naar beneden en overweldigde mij. O, ze zijn slim! Ze wikkelden mij in ranken, net zoals jullie of ik een gevangene zouden vastbinden, hoewel ze geen knopen schenen te kunnen leggen. Toch hielden ze de ranken zo strak dat ik niet kon ontsnappen. Toen probeerden ze me in de bomen te hijsen, maar ik veronderstel dat ik te zwaar was. In plaats daarvan waren ze gedwongen ranken en gezonken takken te pakken en de platbodem tegen de zandbank te trekken. Toen brachten ze me naar het nest. Ik kan jullie niet zeggen hoe vaak ik gewenst heb dat ze me zouden doden, of in elk geval bewusteloos slaan. Om levend en wakker door die kwetterende *wezens* door dat afgrijselijke pikzwarte oord te worden gedragen…!' Hij moest een ogenblik ophouden om zijn zelfbeheersing terug te krijgen.

'Wat ze met mij deden, hadden ze al met Mogahib de Jongere gedaan.' Hij knikte naar de andere Wrannaman die dicht bij hem op de grond lag, nog steeds in een koortsachtige slaap opgesloten. 'Ik denk dat hij nog in leven is omdat hij daar niet lang was geweest; misschien was hij een minder nuttig werktuig gebleken dan ze hadden gedacht. In elk geval, hebben ze hem vrij moeten laten om het stuk spiegel voor mij te halen. Toen ze hem langs mij heen sleepten, herkende ik hem, en riep dat mijn boot nog op de oever buiten was, dat hij moest ontsnappen als hij kon en hem nemen.'

'Heb je hem gezegd dat hij ons moest zoeken?' vroeg Cadrach. 'Het was een ongelooflijk gelukkig toeval als hij dat probeerde.'

'Nee, nee,' zei Tiamak. 'Er waren slechts momenten. Maar later hoopte ik dat, als hij vrijkwam en erin slaagde naar Dorpsbosje terug te gaan, hij jullie daar zou aantreffen. Maar ook toen al hoopte ik dat jullie zouden ontdekken dat ik jullie niet uit eigen beweging had verlaten.' Hij fronste. 'Het was te veel om te hopen dat iemand mij op die plaats zou komen zoeken...'

'Genoeg daarover, man,' zei Isgrimnur vlug. 'Wat waren ze met je aan het uitspoken?'

Miriamele was er nu zeker van dat de hertog het onderwerp van hun beslissing wilde vermijden. Ze glimlachte bijna. Alsof iemand aan zijn goede wil of dapperheid zou twijfelen! Toch, na wat hij over Cadrach had gezegd, was Isgrimnur misschien een beetje gevoelig.

'Ik ben er nog steeds niet zeker van.' Tiamak loenste, alsof hij nog probeerde een beeld voor zijn geest te roepen. 'Zoals ik zei, zij... gaven mij de spiegel in mijn hand en bedekten mij met dat slijm. Het gevoel van kou werd sterker en sterker. Ik dacht dat ik stierf, tegelijkertijd stikkend en bevriezend! Toen, op hetzelfde moment dat ik er zeker van was dat ik mijn laatste adem had uitgeblazen, gebeurde er nog iets vreemders.' Hij keek op naar Miriameles ogen alsof hij zich ervan wilde vergewissen dat ze hem zou geloven. 'Er begonnen woorden in mijn hoofd te komen, nee, geen woorden. Er waren helemaal geen woorden bij, alleen maar visioenen.' Hij zweeg. 'Het was alsof er een deur open was gegaan – alsof iemand een ingang door mijn hoofd had gemaakt en andere gedachten kwamen binnenstromen. Maar het ergste van alles, het... het waren geen menselijke gedachten.'

'Niet menselijk? Maar hoe kon je zoiets weten?' Cadrach was nu geïnteresseerd, voorover leunend, zijn grijze ogen gespannen op de Wrannaman gericht.

'Ik kan het niet uitleggen, maar net zoals je een rode messnavel in de bomen zou kunnen horen krassen en weten dat het geen menselijke stem was, zo wist ik dat dit gedachten waren die een menselijke geest nooit hadden gehad. Het waren... koude gedachten. Langzaam en geduldig en zo verfoeilijk voor mij dat ik mijn hoofd van mijn schouders zou hebben getrokken als ik niet in die rommel gevangen was geweest. Als ik daarvoor niet helemaal in Hen die Duisternis Ademen geloofde, doe ik dat nu wel. Het was verschrikkelijk om ze binnen in mijn schschedel te hebben.'

Tiamak schokte. Miriamele stak haar handen uit om de mantel om zijn schouders omhoog te trekken. Isgrimnur, zenuwachtig en met de kriebels, gooide meer stokken op de vlammen. 'Misschien heb je genoeg verteld,' zei hij.

'Ik ben bijna k-k-klaar. V-v-vergeef mij, mijn t-t-anden klapperen.'

'Hier,' zei Isgrimnur, opgelucht dat hij iets te doen had. 'We zullen je dichter naar het vuur toe brengen.'

'Ik wist half dat ik als een ghant sprak, hoewel ik me niet zo voelde. Ik voelde mij alsof ik de vreselijke, verpletterende gedachten in mijn hoofd nam en ze hardop uitsprak, maar op de een of andere manier kwam het eruit als geklik en gezoem en al die geluiden die die wezens maken. Toch was het op de een of andere manier logisch – het was wat ik wilde doen, praten, en nog eens praten – alle gedachten van dat koude wezen in mij te laten uitbloeden zodat de ghanten het konden begrijpen.'

'Waar gingen die gedachten over?' vroeg Cadrach. 'Herinner je je dat nog?'

Tiamak fronste het voorhoofd. 'Sommige. Maar, zoals ik zei, het waren geen woorden, en ze waren zo heel anders dan de dingen die ik denk, of die jij denkt, dat ik het zelfs moeilijk vind uit te leggen wat ik mij wel herinner.' Hij liet een hand uit de vouwen van de mantel glijden om een kom geelwortelthee te pakken. 'Het waren visioenen, eigenlijk, gewoon beelden zoals ik je zei. Ik zag ghanten uit de moerassen de steden in zwermen – duizenden en duizenden, als vliegen op een suikerbolboom. Ze... ze zwermden alleen maar. En ze zongen allemaal met hun zoemende stemmen, zongen alle hetzelfde lied van macht en eten en nooit doodgaan.'

'En dit was hetgene dat het... het koude wezen hun vertelde?' vroeg Miriamele.

'Ik veronderstel dat ik sprak als een ghant. Ik zag dingen zoals zij, en dat was ook vreselijk. Hij Die Altijd op Zand Loopt, bewaar me dat ik ooit nog eens zoiets zie! De wereld door hun ogen is gebarsten en scheef, de enige kleuren zijn bloedrood en pikzwart. En ook glimmend, alsof alles met vet was bedekt, of alsof je ogen vol water stonden. En – dit is het moeilijkste om uit te leggen – niets had een gezicht, de andere ghanten niet, en ook de mensen niet die schreeuwend de binnengevallen steden uitrenden. Iedere levend d-ding was alleen maar een m-m-modderige brok met b-benen.'

Tiamak zweeg, van zijn thee drinkend, terwijl de kom in zijn handen trilde.

'Dat is alles.' Hij haalde diep, beverig adem. 'Het scheen alsof het jaren duurde, maar het kan hoogstens een paar dagen zijn geweest.'

'Arme Tiamak!' zei Miriamele vol medeleven. 'Hoe heb je je hersens bij elkaar kunnen houden?'

'Dat zou niet gebeurd zijn als jullie komst langer op zich had laten wachten,' zei hij beslist. 'Daar ben ik zeker van. Ik kon voelen hoe mijn eigen geest zich inspande en wegglipte, alsof ik aan mijn vingertoppen boven een diepe afgrond hing. Een val in de duisternis zonder einde.' Hij keek omlaag in zijn theekom. 'Ik vraag me af hoeveel van mijn me-de-dorpelingen behalve Mogahib de Jongere hen dienden zoals ik, maar niet gered werden.'

'Er waren brokken.' Isgrimnur sprak langzaam. 'Andere brokken in een rij naast jou – maar groter, waar geen hoofden uitstaken. Ik ben er vlak bij geweest.' Hij aarzelde. 'Er zaten... er zaten gedaanten onder dat wit-te spul.'

'Anderen van mijn stam, zeker,' mompelde Tiamak. 'Ach, het is afgrij-selijk. Ze moeten zijn opgebruikt als kaarsen, één voor één.' Zijn ge-zicht verslapte. 'Afschuwelijk.'

Niemand zei enige tijd iets.

'Nee. Hoewel ik er nu zeker van ben dat ze gevaarlijk genoeg werden nadat ik was vertrokken, dat de dorpelingen het nest hebben overvallen. Daarom waren de wapens weg in het huis van Mogahib de Oudere, bij-na zeker. En de dingen die Isgrimnur zag maken het duidelijk wat er met de overvallers is gebeurd.' Hij keek naar de andere Wrannaman. 'Dit was waarschijnlijk de laatste van de gevangenen.'

'Maar ik begrijp hetgeen je vertelde over een spiegel nog steeds niet,' zei de hertog. 'Ghanten gebruiken toch geen spiegels, wel?'

'Nee. En ze maken ook niet zoiets moois.' Tiamak wierp de hertog een flauwe glimlach toe. 'Ik vraag het me ook af, Isgrimnur.'

Cadrach, die een kom thee voor de zwijgende Camaris had ingeschon-ken, draaide zich om en keek over zijn schouder. 'Ik heb een paar ideeën, maar ik moet erover nadenken. Een ding is echter zeker. Als die wezens door een soort intelligentie worden geleid, of als die hen soms kan leiden, kunnen we het ons niet veroorloven te dralen. Wij moeten zo snel mogelijk uit de Wran vluchten.' Zijn toon was koel, alsof hij over gebeurtenissen sprak die hem nauwelijks aangingen. De afstande-lijke blik in zijn ogen beviel Miriamele helemaal niet.

Isgrimnur knikte. 'De monnik heeft voor één keer gelijk. Ik zie niet dat we enige tijd te verspillen hebben.'

'Maar Tiamak is ziek!' zei Miriamele.

'Daar is niets aan te doen, vrouwe. Ze hebben gelijk. Als ik rechtop kan worden gezet met iets waartegen ik kan leunen, kan ik aanwijzingen geven. Ik kan er in elk geval voor zorgen dat we tegen de avond ver ge-noeg van het nest zijn om op het land te kunnen slapen.'

'Laten we dat dan doen.' Isgrimnur stond op. 'De tijd dringt.'
'Inderdaad,' zei Cadrach. 'En met de dag meer.'

Zijn toon was zo vlak en somber dat de anderen zich omdraaiden en naar hem keken, maar de monnik waadde naar de rand van het water en begon hun bezittingen weer in de platbodem te laden.

Tegen de volgende dag was Tiamak een stuk beter, maar Mogahib de Jongere niet. De Wrannaman had aanvallen van koorts die hem waanzinnig maakten. Hij sloeg met armen en benen, dingen schreeuwend die, wanneer Tiamak ze vertaalde, erg leken op de nachtmerrie-achtige visioenen die hijzelf had gehad; wanneer hij rustig was, lag Mogahib de Jongere als iemand die dood is. Tiamak diende hem brouwsels toe bereid van geneeskrachtige kruiden die hij verzameld had langs de oevers van de waterbaan, maar ze schenen weinig te helpen.

'Zijn lichaam is sterk. Maar ik denk dat zijn gedachten gekwetst zijn.' Tiamak schudde droevig zijn hoofd. 'Misschien hebben ze hem langer gehad dan ik vermoedde.'

Ze voeren verder door de Wran, voornamelijk naar het noorden gaand, maar via een omweg die alleen Tiamak kon volgen. Het was duidelijk dat zij zonder hem inderdaad gedoemd geweest zouden zijn lange tijd over de binnenwateren van het moeras te dolen. Miriamele dacht niet graag aan wat hun einde had kunnen zijn.

Ze begon genoeg te krijgen van het moeras. De afdaling in het nest hadden haar vervuld van een weerzin tegen modder en stank en vreemde wezens die zich nu uitbreidde tot de hele wilde Wran. Die was verbijsterend levendig, maar dat was een tobbe vol wormen ook. Ze wilde geen ogenblik langer dan nodig was in een van beide doorbrengen.

Op de derde nacht na hun ontsnapping uit het nest, stierf Mogahib de Jongere. Hij was aan het schreeuwen geweest, volgens Tiamak, dat 'de zon achteruit snelde' en over bloed dat als regenwater door de drooglandse steden stroomde, toen zijn gezicht plotseling donker werd en zijn ogen uitpuilden. Tiamak probeerde hem water te laten drinken, maar zijn kaken waren vast op elkaar geklemd en konden niet worden geopend. Een ogenblik later werd het hele lichaam van de Wrannaman stijf. Lang nadat de glans van leven uit zijn wijdopen ogen was gedoofd, bleef hij stijf als een houten paal.

Tiamak was in de war, hoewel hij probeerde zijn kalmte te bewaren. 'Mogahib de Jongere was geen vriend,' zei hij toen ze een mantel over het starende gezicht legden, 'maar hij was de laatste schakel met mijn dorp. Nu zal ik niet weten of ze allen gevangen zijn genomen – naar het nest zijn gebracht,' zijn lip trilde, '... of naar een ander, veiliger dorp zijn gevlucht toen de overval mislukte.'

'Als er veiliger dorpen zijn,' zei Cadrach. 'Je zegt dat er vele ghantennesten in de Wran zijn. Zou dit het enige kunnen zijn dat zo gevaarlijk is geworden?'

'Ik weet het niet.' De kleine man zuchtte. 'Ik zal terug moeten komen en naar het antwoord moeten zoeken.'

'Niet op je eentje,' zei Miriamele ferm. 'Blijf bij ons. Wanneer we Jozua vinden, zal hij je helpen je volk te vinden.'

'Nu, prinses,' waarschuwde Isgrimnur, 'dat kun je niet zeker weten.'

'Waarom niet? Ben ik ook niet van koninklijken bloede? Betekent dat niets? Bovendien, Jozua zal alle bondgenoten nodig hebben die hij maar kan vinden, en de Wrannamannen zijn niet te versmaden, zoals Tiamak herhaaldelijk heeft bewezen.'

De moerasman voelde zich vreselijk verlegen. 'U bent vriendelijk, vrouwe, maar ik zou u niet aan een dergelijke belofte kunnen houden. Nu, als u mij wilt vergeven, moet ik een tijdje gaan lopen.' Hij hinkte langzaam van het kampterrein af.

Isgrimnur keek onbehaaglijk naar het lijk. 'Ik wou dat hij ons niet hiermee had achtergelaten.'

'Bent u bang voor spoken, Rimmersman?' vroeg Cadrach met een onaangename glimlach.

Miriamele fronste. Ze had gehoopt dat, toen de met olie aangedreven projectielen van de monnik hen hadden helpen ontkomen, de vijandigheid tussen Cadrach en Isgrimnur zou verminderen. Weliswaar scheen de hertog bereid een wapenstilstand te sluiten, maar Cadrachs boosheid was verhard tot iets kouds en nogal onaangenaams.

'Het kan geen kwaad om voorzichtig te zijn...' begon Isgrimnur.

'O, hou op, jullie allebei,' zei Miriamele geërgerd. 'Tiamak heeft net zijn vriend verloren.'

'Geen vriend,' merkte Cadrach op.

'Zijn stamverwant dan. Je hebt gehoord wat hij zei. Deze man was de enige uit zijn dorp die hij sinds zijn terugkeer heeft gevonden. Dit is de enige andere Wrannaman die hij gezien heeft! En nu is hij dood. Jij zou ook een tijdje alleen willen zijn.' Ze draaide zich op haar hiel om en ging naast Camaris zitten, die grasstengels vlocht om een soort halsketting te maken.

'Welnu,' zei Isgrimnur en zweeg toen, op zijn baard kauwend. Cadrach zei ook niets meer.

Toen Miriamele de volgende ochtend wakker werd, was Tiamak weg. Haar angst werd korte tijd later weggenomen toen hij met een enorme bos oliepalmbladeren naar het kamp terugkwam. Terwijl zij en de anderen toekeken, wikkelde hij Mogahib de Jongere erin, laag na laag, als in navolging van de priester van Erchesters Huis van Voorbereiding; weldra was er niets anders te zien dan een ovale bundel van vocht afscheidende groene bladeren.

'Ik zal hem nu meenemen,' zei Tiamak rustig. 'Jullie hoeven niet met mij mee te gaan als je dat niet wilt.'

'Zou je graag willen dat we meegingen?' vroeg Miriamele.

Tiamak keek haar een ogenblik aan, knikte toen. 'Ik zou dat prettig vinden, ja.'

Miriamele vergewiste zich ervan dat de anderen meegingen – zelfs Camaris die veel meer geïnteresseerd was in de vogels met franjestaarten in de takken dan in lijken en begrafenissen.

Met behulp van Isgrimnur legde Tiamak het lichaam van Mogahib de Jongere voorzichtig in de platbodem. Een eindje verder op de rivier, boomde hij tegen een zandbank en bracht hen aan land. Hij had een soort raamwerk van dunne takken op een vlakke open plek gebouwd. Onder het frame waren hout en nog meer palmoliebladeren opgestapeld. Opnieuw met behulp van Isgrimnur tilde Tiamak de bundel op het dunne raamwerk dat zacht heen en weer zwaaide onder het gewicht van het lijk.

Toen alles tot tevredenheid was geregeld, ging Tiamak achteruit en stond naast zijn metgezellen, tegenover het raamwerk en de onaangestoken brandstapel.

'Zij Die Wacht Om Alles Terug Te Nemen,' incanteerde hij, 'die naast de laatste rivier staat, Mogahib de Jongere verlaat ons nu. Wanneer hij voorbij zweeft, gedenk dan dat hij dapper is; hij ging het ghantennest binnen om zijn familie, zijn mannelijke en vrouwelijke stamverwanten te redden. Gedenk ook dat hij goed was.'

Hier moest Tiamak ophouden en een ogenblik nadenken. Miriamele herinnerde zich dat hij gezegd had dat hij en de andere Wrannaman geen vrienden waren geweest. 'Hij eerbiedigde altijd zijn vader en de andere oudsten,' sprak Tiamak ten slotte. 'Hij gaf zijn feesten wanneer ze werden toegewezen, en hij was niet zuinig.' Hij haalde diep adem. 'Herinner u uw overeenkomst met Zij Die de Mensheid Baarde. Mogahib de Jongere heeft zijn leven gehad en het geleefd; daarna, toen Zij die Kijken en Vormen zijn schouder aanraakten, gaf hij het op. Zij Die Wacht Om Alles Terug te Nemen, laat hem niet langs zweven!' Tiamak wendde zich tot zijn metgezellen. 'Zeg het samen met mij, alsjeblieft.'

'Laat hem niet langs drijven!' riepen ze allen te zamen. In de boom boven hun hoofd maakte een vogel een geluid als een piepende deur.

Tiamak knielde naast de brandstapel neer. Met enkele slagen van vuursteen en staal, maakte hij een vonk tussen de palmbladeren. Binnen enkele ogenblikken brandde het vuur fel, en weldra begonnen de bladeren waarin het lijk van Mogahib de Jongere was gewikkeld zwart te worden en om te krullen.

'Jullie hoeven niet te kijken,' zei Tiamak. 'Als jullie een eindje stroomafwaarts wachten, kom ik spoedig bij jullie.'

Deze keer, voelde Miriamele, had de Wrannaman geen behoefte aan gezelschap. Zij en de anderen gingen aan boord en boomden een eindje langs de waterweg tot een bocht in de stroom alles behalve de aangroeiende pluim van donkergrijze rook aan het zicht onttrok.

Later, toen Tiamak door het water kwam waden, hielp Isgrimnur hem aan boord. Ze boomden de korte afstand terug naar het kamp. Tiamak sprak weinig die avond, maar zat lang nadat de anderen waren gaan slapen naar het kampvuur te staren.

'Ik denk dat ik nu iets van Tiamaks verhaal begrijp,' zei Cadrach.

Het was laat in de ochtend, zes dagen nadat zij het ghantennest achter zich hadden gelaten. Het was warm weer, maar een briesje maakte de waterweg aangenamer dan hij in dagen was geweest. Miriamele begon te geloven dat ze die eigenlijk spoedig voor het laatst zouden zien.

'Wat bedoel je... begrijpen?' Isgrimnur probeerde zijn stem niet gemelijk te laten klinken, maar dat lukte niet helemaal. De verhouding tussen de Rimmersman en de monnik was verder verslechterd.

Cadrach begunstigde hem met een magistrale starende blik, maar richtte zijn antwoord tot Miriamele en Tiamak, die in het midden van de boot zaten. Camaris, die gespannen naar de oevers keek, was op de voorplecht aan het bomen. 'De scherf van de spiegel. De ghantentaal. Ik denk dat ik misschien weet wat ze betekenen.'

'Vertel het ons, Cadrach,' drong Miriamele aan.

'Zoals u weet, vrouwe, heb ik vele oude zaken bestudeerd.' De monnik schraapte zijn keel, niet helemaal afkerig van het feit dat hij een gehoor had. 'Ik heb gelezen over dingen die Getuigen worden genoemd...'

'Stond dat in Nisses' boek?' vroeg Miriamele en schrok toen ze Tiamak naast zich ineen voelde krimpen alsof hij een klap ontweek. Ze draaide zich om en wilde naar hem kijken, maar de slanke man keek naar Cadrach met wat op achterdocht leek – een felle, intense achterdocht, alsof net was onthuld dat de Hernystirman half ghant was.

Bevreemd keek ze naar de monnik en zag dat hij haar woedend aankeek. *Ik veronderstel dat hij daar niet veel aan wil denken*, besefte Miriamele, en voelde zich schuldig dat ze zich niet stil had gehouden. Toch was Tiamaks reactie hetgene dat haar werkelijk verbijsterde. Wat had ze gezegd? Of wat had Cadrach gezegd?

'In elk geval,' zei Cadrach zwaar, alsof hij tegen zijn wil werd gedwon-

gen verder te gaan, 'er waren eens voorwerpen die Getuigen werden genoemd, die in de afgrond van de tijd door de Sithi waren gemaakt. Deze
voorwerpen stelden hen in staat over grote afstanden met elkaar te spreken en misschien elkaar dromen en visioenen te laten zien. Ze kwamen
in vele vormen – "Stenen en Schilfers, Poelen en Brandstapels", zoals de
oude boeken zeggen. "Schilfers" zijn wat de Sithi spiegels noemen. Ik
weet niet waarom.'
'Zeg je dat Tiamaks spiegel… een van die dingen was?' vroeg Miriamele.
'Dat vermoed ik.'
'Maar wat zouden de Sithi met de ghanten te maken hebben? Ook al haten zij mensen, naar ik heb gehoord, toch kan ik niet geloven dat ze die
afschuwelijke insekten aardiger zouden vinden.'
Cadrach knikte. 'Ah, maar als deze Getuigen nog steeds bestaan, is het
mogelijk dat anderen behalve de Sithi ze kunnen gebruiken. Herinner
u, prinses, alle dingen die u in Naglimund hebt gehoord. Herinner u
wie in het ijskoude noorden plannen beraamt en wacht.'
Miriamele, die aan Jarnauga's vreemde toespraak dacht, voelde plotseling een kilte die niets te maken had met de milde bries.
Isgrimnur leunde voorover op zijn zitplaats voor Camaris' knieën.
'Wacht even, man. Zeg je dat deze Stormkoning magie met de ghanten
bedrijft? Waar hadden ze Tiamak dan voor nodig? Dat klopt niet.'
Cadrach slikte een scherp antwoord in. 'Ik beroep me er niet op iets met
zekerheid te weten, Rimmersman. Maar het zou kunnen dat de ghanten
te anders zijn… te eenvoudig, misschien… voor degenen die nu deze
Getuigen gebruiken om rechtstreeks met ze te kunnen spreken.' Hij
haalde de schouders op. 'Ik vermoed dat ze een mens nodig hadden als
een soort intermediair. Een boodschapper.'
'Maar wat zou de Stor…' Miriamele hield zich in. Ook al had Isgrimnur
de naam uitgesproken, zij had geen verlangen om hetzelfde te doen.
'Wat kon zo iemand met de ghanten daar in de Wran willen?'
Cadrach schudde zijn hoofd. 'Dat gaat mijn begrip ver te boven, vrouwe. Wie zou kunnen hopen de plannen van… zo iemand te weten?'
Miriamele wendde zich tot Tiamak. 'Herinner je je nog iets anders van
wat men je dwong te zeggen? Zou Cadrach gelijk kunnen hebben?'
Tiamak bleek niet veel zin te hebben om erover te praten. Hij keek behoedzaam naar de monnik. 'Ik weet het niet. Ik weet weinig af van…
magie of oude boeken. Heel weinig.' De Wrannaman verviel in stilzwijgen.
'Ik dacht dat ik al eerder een afkeer van ghanten had,' zei Miriamele ten
slotte. 'Maar als dat waar is, als ze op de een of andere manier deel uitmaken van… van datgene waar Jozua en de anderen tegen vechten…'

Ze sloeg de armen om zich heen. 'Hoe vlugger we hiervandaan gaan, des te beter.'

'Dat is iets waar we het allemaal over eens zijn,' bromde Isgrimnur.

In Miriameles dromen die nacht, terwijl de boot zachtjes op de traag bewegende wateren deinde, spraken stemmen tegen haar van achter een sluier van schaduwen – ijle, dringende stemmen die fluisterden over verval en verlies alsof dat begeerlijke dingen waren.

Ze ontwaakte onder de zacht flonkerende sterren en besefte dat ze vreselijk eenzaam was, zelfs al was ze door vrienden omringd.

Tiamaks herstel bleek onvolledig. Binnen een dag na de ceremoniële verbranding van Mogahib de Jongere, was hij teruggevallen in een soort koorts die hem zwak en lusteloos maakte. Bij het vallen van de duisternis kreeg de Wrannaman vreselijke dromen, visioenen die hij zich in de ochtend niet kon herinneren maar die hem in zijn slaap deden kronkelen en roepen. Doordat Tiamak zijn nachtelijke kwellingen had, was de rest van het gezelschap bijna even slecht uitgerust als hij.

Meer dagen gingen voorbij, maar de Wran draalde als een gast die niet langer welkom was: voor iedere mijl van moerasachtige wirwar die ze overstaken – drijvend onder de dampige lucht of door kleverige, smerig ruikende modder wadend terwijl ze met de zware platbodem worstelden – verscheen weer een mijl moeras voor hen. Miriamele begon het gevoel te krijgen dat de een of andere tovenaar een wrede truc met hen uithaalde, hen iedere nacht terwijl ze in een oppervlakkige slaap lagen naar hun beginpunt terug toverend.

De zwevende insekten die er genoegen in schepten om de teerste plek van elke persoon te vinden, de verhulde maar krachtige zon, de lucht even heet en vochtig als de damp boven een kom soep, dit alles droeg ertoe bij de humeuren van de reizigers tot het breekpunt te brengen – en hen er vele keren zelfs voorbij te voeren. Zelfs de komst van de regen, die aanvankelijk zo'n zegen scheen, bleek een vloek te meer. De eentonige bloedwarme regen hield drie hele dagen aan, tot Miriamele en haar metgezellen het gevoel begonnen te krijgen dat demonen met kleine hamers op hun hoofd beukten. De onaangename omstandigheden begonnen zelfs de oude Camaris aan te tasten, die daarvoor onbewogen was geweest en onberoerd door bijna alles, zo kalm dat hij de insekten over zijn huid liet kruipen zonder er iets aan te doen – iets dat Miriamele onbeheerst deed jeuken als ze er alleen al naar keek. Maar de drie dagen en nachten van onafgebroken regen bereikten de oude ridder eindelijk. Toen ze door de storm van de derde dag verder punterden, trok hij een hoed die hij van varens had gemaakt dieper over zijn witte voorhoofd en keek ongelukkig naar de door de regen pokdalige waterweg, zijn lange gezicht zo verdrietig dat Miriamele ten slotte naar hem toe ging en haar arm om hem heen sloeg. Hij liet het niet blijken, maar iets in zijn houding duidde erop dat hij dankbaar was voor het contact; of dat zo was of niet, hij bleef enige tijd op zijn plaats, schijnbaar wat tevredener. Miriamele verwonderde zich over zijn brede rug en schouders, die bijna onbehoorlijk stevig schenen voor een zo oude man.

Tiamak vond het zwaar werk om alleen maar op de achtersteven rechtop te zitten, gehuld in een deken, en door zijn klapperende tanden aanwijzingen te roepen. Hij vertelde hun dat zij de noordelijke rand van de Wran bijna hadden bereikt, maar hij had hun dat al vele dagen eerder verteld, en de ogen van de Wrannaman hadden nu een vreemde, glazige blik. Miriamele en Isgrimnur zorgden ervoor elkaar niet te laten zien dat zij zich zorgen maakten. Cadrach, die meer dan eens op het punt scheen te staan slaags te raken met de hertog, liet zich openlijk geringschattend uit over hun kansen om de weg naar buiten te vinden. Isgrimnur zei ten slotte tegen hem dat hij, als hij nog meer pessimistische voorspellingen deed, overboord zou worden gegooid, zodat hij als hij de rest van de reis wilde meemaken, dat zwemmende zou moeten doen. De monnik hield op met zijn gekijf, maar de blikken die hij de hertog toewierp wanneer Isgrimnurs rug naar hem was toegekeerd maakten Miriamele ongerust.

Het was haar duidelijk dat de Wran hen allen begon uit te putten. Uiteindelijk was het geen plaats voor mensen – vooral drooglanders.

'Hier zou heel goed zijn,' zei ze. Ze deed nog een paar onhandige stappen, zich met moeite staande houdend terwijl de modder onder de zolen van haar laarzen zompte.

'Als u dat zegt, vrouwe,' mompelde Cadrach.

Ze waren een eindje van hun kamp weggegaan om de resten van hun maaltijd te begraven, voornamelijk visgraten en schubbige vellen en vruchtepitten. Gedurende dit deel van hun reis waren de nieuwsgierige Wranapen al te zeer bereid gebleken het kamp binnen te dringen op zoek naar restjes, ook als er iemand van het menselijke gezelschap opbleef en de wacht hield. De laatste keer dat het afval niet minstens een meter of veertig van het kampterrein was weggebracht, hadden de reizigers de hele nacht doorgebracht te midden van een feest van bakkeleiende, gillende apen, die alle probeerden de lekkerste hapjes te bemachtigen.

'Ga je gang, Cadrach,' zei ze boos. 'Graaf het gat.'

Hij wierp haar vlug een zijdelingse blik toe, boog zich toen voorover en begon in de vochtige grond te schrapen. Met iedere schep van de hol gemaakte rieten spade, kwamen bleke wriemelende wezens omhoog, glanzend in het licht van de fakkel. Toen hij klaar was, liet Miriamele het in bladeren gevouwen bundeltje erin vallen en Cadrach schoof de modder eroverheen, draaide zich toen om en begon naar de gloed van het kampvuur terug te lopen.

'Cadrach.'

Hij draaide zich langzaam om. 'Ja, prinses?'

Ze deed een paar stappen naar hem toe. 'Ik... het spijt mij dat Isgrimnur op die manier tegen je heeft gesproken. Bij het nest.' Ze hief haar handen hulpeloos op. 'Hij maakte zich zorgen, en hij spreekt soms zonder na te denken. Maar hij is een goede man.'

Cadrachs gezicht was uitdrukkingsloos. Het was alsof hij een gordijn voor zijn gedachten had geschoven, waardoor zijn ogen er in het licht van de toorts merkwaardig dof uitzagen. 'Ah, ja. Een goede man. Daar zijn er te weinig van.'

Miriamele schudde haar hoofd. 'Dat is geen excuus, dat weet ik. Maar alsjeblieft, Cadrach, je begrijpt toch zeker wel waarom hij in de war was!'

'Natuurlijk. Ik begrijp het heel goed. Ik heb vele jaren met mezelf geleefd, vrouwe, hoe kan ik het een ander kwalijk nemen als hij zich net eender voelt, iemand die niet eens alles weet wat ik weet?'

'Verdomme,' snauwde Miriamele. 'Waarom moet je zo doen? Ik heb geen hekel aan je, Cadrach! Ik verafschuw je niet, ook al hebben we moeilijkheden met elkaar gehad!'

Hij keek haar een ogenblik aan terwijl hij met tegenstrijdige gevoelens scheen te worstelen. 'Nee, vrouwe. U hebt me beter behandeld dan ik verdien.'

Ze wist beter dan te redetwisten. 'En ik neem het je helemaal niet kwalijk dat je dat nest niet binnen wilde gaan.'

Hij schudde langzaam zijn hoofd. 'Nee, vrouwe. En geen enkel mens, zelfs uw hertog, zou dat willen als ze wisten...'

'Wat wisten?' zei ze scherp. 'Wat is er met je gebeurd, Cadrach? Iets meer dan wat je me over Pryrates... en over het boek hebt verteld?'

De mond van de monnik werd harder. 'Ik wil er niet over praten.'

'O, bij Elysia's genade,' zei ze gefrustreerd. Ze deed een paar stappen naar voren, stak haar hand uit en greep de zijne. Cadrach deinsde terug en probeerde zich los te trekken, maar ze hield hem stevig vast. 'Luister naar me. Als je jezelf haat, zullen anderen je haten. Dat weet zelfs een kind, en jij bent een geleerde man.'

'En als een kind gehaat wordt,' snauwde hij, 'zal dat kind zichzelf gaan haten.'

Ze begreep niet wat hij bedoelde. 'Maar alsjeblieft, Cadrach. Je moet vergeven, te beginnen bij jezelf. Ik kan het niet verdragen een vriend zo mishandeld te zien, zelfs door zichzelf.'

De gestage druk waarmee de monnik had geprobeerd zich los te trekken, verslapte plotseling. 'Een vriend?' zei hij ruw.

'Een vriend.' Miriamele kneep in zijn hand en liet die toen los. Cadrach ging een stap achteruit, maar ging niet verder. 'Nu, alsjeblieft, we moeten proberen aardig voor elkaar te zijn tot we Jozua bereiken, anders zullen we allemaal gek worden.'

'Jozua bereiken…' De monnik herhaalde haar woorden zonder stembuiging. Hij was plotseling heel ver weg.

'Natuurlijk.' Miriamele begon naar het kamp te lopen, bleef toen weer staan. 'Cadrach?'

Hij wachtte even met antwoorden. 'Wat?'

'Jij kent toverkunst, nietwaar?' Toen hij bleef zwijgen, ging ze verder. 'Ik bedoel, je weet er een heleboel van, tenminste… dat heb je duidelijk gemaakt. Maar ik denk dat je feitelijk weet hoe het moet.'

'Waar hebt u het over?' Hij klonk geïrriteerd, maar er was een spoor van angst in zijn woorden. 'Als u het over de vuurprojectielen hebt, dat was helemaal geen toverkunst. De Perdruinezen hebben dat lang geleden uitgevonden, hoewel ze het met een ander soort olie deden. Ze gebruikten het voor zeeslagen…'

'Ja, het was een knappe prestatie. Maar je kunt veel meer, en dat weet je. Waarom zou je anders dingen bestuderen als… als dat boek. En ik weet alles over doctor Morgenes, dus als je deel uitmaakte van zijn… hoe noemde je het? Het Verbond van het Geschrift…'

Cadrach maakte een gebaar van ergernis. 'De Kunst, mevrouw, is niet een zak met goochelaarstrucs. Het is een manier om dingen te begrijpen, of te zien hoe de wereld werkt, even zeker als een bouwer een hefboom of een helling begrijpt.'

'Zie je wel. Je kent het inderdaad.'

'Ik bedrijf geen "toverkunst",' zei hij beslist. 'Ik heb een of twee keer de kennis gebruikt die ik bij mijn studie heb opgedaan.' Ondanks zijn eerlijke toon kon hij haar niet in de ogen kijken. 'Maar het is niet wat u als toverkunst beschouwt.'

'Maar toch,' zei Miriamele, nog steeds enthousiast, 'denk aan de hulp die je voor Jozua zou kunnen zijn. Denk aan de hulp die we hem zouden kunnen geven. Morgenes is dood. Wie anders kan de prins over Pryrates raad geven?'

Nu keek Cadrach op. Hij zag er opgejaagd uit, als een straathond die in het nauw is gedreven. 'Pryrates?' Hij lachte hol. 'Denkt u dat ik van enig nut tegen Pryrates kan zijn? En hij is het kleinste deel van wat er tegen u in stelling is gebracht.'

'Des te meer reden!' Miriamele reikte weer naar zijn hand, maar de monnik trok die weg. 'Jozua heeft hulp nodig, Cadrach. Als je Pryrates vreest, hoeveel meer vrees je dan het soort wereld dat hij zal maken als hij en zijn Stormkoning niet worden verslagen?'

Bij het horen van die vreselijke naam, klonk er een gedempt gerommel van donder in de verte. Opgeschrikt, keek Miriamele rond alsof een enorm schimmig wezen hen misschien gadesloeg. Toen ze zich om-draaide, was Cadrach door de modder aan het strompelen, op weg naar het kamp.

'Cadrach!'

'Niet meer!' riep hij. Hij hield zijn hoofd omlaag toen hij in het bescha-duwde struikgewas verdween. Ze kon hem horen vloeken toen hij te-rugging door de verraderlijke modder.

Miriamele volgde hem naar het kamp, maar Cadrach wees al haar po-gingen om een gesprek aan te knopen af. Ze berispte zichzelf omdat ze iets verkeerds had gezegd net toen ze had gedacht dat ze hem bereikte. Wat een gekke, droevige man was hij toch! En, wat haar even razend maakte, in de verwarring van hun gesprek was ze vergeten hem te vra-gen over haar Pryrates-gedachte, die welke onlangs 's nachts al maar door haar hoofd had gespeeld – iets over haar vader, over de dood, over Pryrates en het boek van Nisses. Het scheen nog steeds belangrijk, maar het zou misschien lang duren voor ze het onderwerp weer bij Cadrach ter sprake kon brengen.

Ondanks de warme nacht rolde Miriamele zich stevig in haar mantel toen ze ging liggen, maar de slaap wilde niet komen. Ze lag de halve nacht te luisteren naar de vreemde, onophoudelijke muziek van het moeras. Ze moest ook de voortdurende ellende van kruipende en fladde-rende dingen verduren, maar hoe irriterend die ook waren, de insekten waren niets vergeleken bij de ergernis van haar rusteloze gedachten.

Tot Miriameles verbazing en genoegen, bracht de volgende dag een zeer duidelijke verandering van omgeving. De bomen waren minder dicht verstrengeld en op sommige plaatsen gleed de platbodem uit de vochti-ge wirwar over brede, ondiepe lagunes, spiegels die alleen werden ge-compromitteerd door het flauwe golven van de wind en de bossen wui-vend gras die uit het water omhoog groeiden.

Tiamak scheen blij met hun voortgang, en kondigde aan dat ze heel dicht bij de buitenste rand van de Wran waren. Maar hun naderende ontsnapping genas zijn zwakte en koorts niet, en de magere bruine man bracht een groot deel van de ochtend onrustig slapend door, af en toe wakker wordend met een verschrikte beweging en een mondvol wild gebrabbel alvorens langzaam tot zijn gewone zelf terug te keren.

Laat in de middag verergerde Tiamaks koorts en zijn ongemak nam zodanig toe dat hij zweette en voortdurend ijlde, slechts korte perioden van helderheid doormakend. Tijdens een ervan kwam de Wrannaman voldoende bij zijn positieven om apotheker voor zichzelf te spelen. Hij vroeg Miriamele een brouwsel van kruiden voor hem te bereiden; van sommige gaf hij aanwijzingen waar ze langs de waterloop groeiden, een bloeiend gras dat vlugkruid heette en een over de grond groeiende ovaalvormige klimplant waarvan hij de naam, in zijn verzwakte toestand, niet kon noemen.

'En ook geelwortel,' zei Tiamak, oppervlakkig hijgend. Hij zag er verschrikkelijk uit, zijn ogen rood, zijn huid glanzend van transpiratie. Miriamele probeerde met vaste hand de ingrediënten fijn te wrijven die al op een platte steen die ze in haar schoot hield verzameld waren. 'Geelwortel, om het vlugger te binden,' mompelde hij.

'Welke is dat?' vroeg ze. 'Groeit het hier?'

'Nee, maar dat hindert niet.' Tiamak probeerde te glimlachen, maar de inspanning was te veel voor hem en in plaats daarvan knarste hij met zijn tanden en kreunde zacht. 'Een paar in mijn tas.' Hij rolde zijn hoofd een heel klein eindje in de richting van de tas die hij zich in Dorpsbosje had toegeëigend, en waar nu alle bezittingen in zaten die hij zo ijverig had verzameld.

'Cadrach, zou jij het willen zoeken?' riep Miriamele. 'Ik ben bang dat ik wat ik hier heb zal verliezen.'

De monnik, die aan de voeten van Camaris had gezeten terwijl de oude man punterde, stapte kwiek over de schommelende platbodem, Isgrimnur vermijdend zonder hem een blik te gunnen. Hij knielde en begon de inhoud van de tas eruit te halen en te bekijken.

'Geelwortel,' zei Miriamele.

'Ja, ik heb het gehoord, vrouwe.' Cadrach antwoordde met iets van zijn oude spottende toon. 'Een wortel. En ik weet ook dat hij geel is... dankzij mijn vele jaren van studie.' Iets dat hij onder zijn vingers voelde, maakte dat hij even ophield. Zijn ogen werden smaller en hij haalde een pakje gewikkeld in bladeren en vastgebonden met dunne ranken uit Tiamaks tas. Een deel van de verpakking was opgedroogd en weggebladderd. Miriamele kon een flits van iets geels zien. 'Wat is dit?' Cadrach schoof de verpakking iets verder opzij. 'Een heel oud perkament...' begon hij.

'Nee, jij duivel! Jij heks!'

De luide stem maakte Miriamele zo aan het schrikken dat ze de stompe steen die ze als stamper had gebruikt liet vallen; hij stuitte pijnlijk van haar schoen af en viel met een bons op de bodem van de boot. Tiamak, wiens ogen uitpuilden, spande zich in om zich op te richten.

'Je zult het niet krijgen!' riep hij. Vlekjes speeksel verzamelden zich in zijn mondhoeken. 'Ik wist dat je het zou proberen te krijgen!'

'De koorts heeft hem gek gemaakt!' Isgrimnur was erg verontrust. 'Zorg dat hij de boot niet doet omslaan.'

'Het is Cadrach maar, Tiamak,' zei Miriamele geruststellend, maar zij schrok ook van de haatvolle blik op het gezicht van de Wrannaman. 'Hij probeert alleen maar de geelwortel te vinden.'

'Ik weet wie het is,' snauwde Tiamak. 'En ik weet ook precies wat hij is, en wat hij wil. Vervloekt, jij duivelsmonnik. Je wacht tot ik ziek ben om mijn perkament te stelen! Welnu, je krijgt het niet! Het is van mij! Ik heb het met mijn eigen geldstuk gekocht!'

'Stop het er weer in, Cadrach,' drong Miriamele aan. 'Het zal maken dat hij ophoudt met raaskallen.'

De monnik wiens aanvankelijke blik van verbijstering in iets nog verwarrenders was veranderd – en, voor Miriamele ook verwarrend – liet het in bladeren gewikkelde pakje langzaam in de tas terugzakken en overhandigde de hele zaak toen aan Miriamele.

'Hier.' Zijn stem was opnieuw vreemd mat. 'Haalt u er maar uit wat hij hebben wil. Ik ben niet te vertrouwen.'

'O, Cadrach,' zei ze, 'doe niet zo dwaas. Tiamak is ziek. Hij weet niet wat hij zegt.'

'Dat weet ik.' De wijdopen ogen van de Wrannaman waren nog steeds op de monnik gericht. 'Hij heeft zichzelf verraden. Ik wist dat hij erop loerde.'

'Voor de liefde van Aedon,' gromde Isgrimnur, van afschuw vervuld. 'Geef hem alsjeblieft iets om de slaap te vatten. Zelfs ik weet dat de monnik niet probeerde iets te stelen.'

'Zelfs jij, Rimmersman?' mompelde Cadrach, maar met niets van zijn gebruikelijke scherpte. Er was eerder een echo van grote hopeloosheid in de stem van de monnik, en ook iets anders… iets dat Miriamele niet kon thuisbrengen.

Bezorgd en verward richtte ze haar concentratie op het zoeken naar Tiamaks geelwortel. De Wrannaman, wiens haar vochtig en in de war was van het zweet, bleef Cadrach aanstaren als een nijdige Vlaamse gaai die een eekhoorn snuffelend bij zijn nest had aangetroffen.

Miriamele had gedacht dat het hele incident het voortbrengsel van Tiamaks ziekte was, maar die nacht werd ze plotseling wakker in het kamp dat ze op een zeldzame droge zandbank hadden opgeslagen en zag Cadrach – die de eerste wacht had gekregen – Tiamaks tas doorzoeken.

'Wat doe je?!' Ze liep met enkele vlugge stappen het kamp door. Ondanks haar boosheid, sprak ze zacht om haar andere metgezellen niet uit hun slaap te wekken. Ze kon niet ontkomen aan het gevoel dat Cadrach uitsluitend haar verantwoordelijkheid was, en dat de anderen er niet bij behoorden te worden betrokken als ze het kon vermijden.

'Niets,' bromde de monnik, maar zijn schuldige gezicht sprak hem tegen. Miriamele reikte naar voren en stak haar hand in de tas, zijn vingers en het in bladeren gewikkelde perkament met de hare omsluitend.

'Ik had beter moeten weten,' zei ze woedend. 'Is er waarheid in wat Tiamak zei? Heb je geprobeerd zijn eigendommen te stelen nu hij te ziek is om ze te beschermen?'

Cadrach snauwde terug als een gewond dier: 'U bent geen haar beter dan de anderen, met uw gepraat over vriendschap! Bij de eerste de beste gelegenheid keert u zich tegen mij, net als Isgrimnur.'

Zijn woorden deden pijn, maar Miriamele was nog boos dat ze hem op zoiets gemeens had betrapt nadat ze hem haar vertrouwen had geschonken.

'U bent een dwaas,' snauwde hij. 'Als ik iets van hem wilde stelen, waarom zou ik dan wachten tot hij uit het nest van de ghanten was gered?' Hij trok zijn hand uit de tas, de hare meenemend, pakte toen het pakje en stopte het in haar handen. 'Hier, ik stelde alleen maar belang in wat het kon zijn, en waarom hij *goirach* werd... waarom hij zo boos werd. Ik had het nooit eerder gezien, wist niet eens dat het er was! Houdt u het dan maar, prinses. Veilig voor smerige kruimeldieven als ik!'

'Maar je had het hem kunnen vragen,' zei ze, nogal beschaamd nu de opwinding voorbij was, en boos dat ze zich zo voelde. 'Niet ernaartoe komen sluipen terwijl iedereen sliep.'

'O ja, heb het hem gevraagd! U zag hoe vriendelijk hij me aankeek toen ik het alleen maar aanraakte! Hebt u er enig idee van wat het is, mijn koppige vrouwe? Zeg eens.'

'Nee. En ik zal het niet weten voordat Tiamak het mij vertelt.' Aarzelend keek ze naar het cilindrische voorwerp. Onder andere omstandigheden, wist ze, zou ze de eerste zijn geweest om te proberen erachter te komen wat de Wrannaman beschermde. Nu werd ze alleen klem gezet door haar eigen aanmatigende houding, en bovendien had ze de monnik beledigd. 'Ik zal het veilig bewaren, en ik zal er niet naar kijken,' zei ze langzaam. 'Wanneer Tiamak beter is, zal ik hem vragen het ons te laten zien.'

Cadrach staarde haar een tijd lang aan. Zijn door de maan verlichte gezicht, rood gekleurd door de laatste smeulende as van het vuur, was bijna angstaanjagend. 'Goed dan, vrouwe,' fluisterde hij. Ze dacht dat ze kon horen dat zijn stem hard werd als ijs. 'Uitstekend. Houdt het in ieder geval uit handen van dieven.' Hij draaide zich om en liep naar zijn mantel, sleepte die toen naar de rand van het zand, ver van de anderen. 'Houdt de wacht dan, prinses Miriamele. Pas op dat er geen boze mensen in de buurt komen. Ik ga slapen.' Hij ging liggen en werd alleen maar een schaduwplek te meer.

Miriamele zat te luisteren naar de nachtelijke geluiden van het moeras. Hoewel de monnik niets meer zei, kon ze zijn niet slapende tegenwoordigheid in de duisternis op enkele stappen afstand voelen. Iets rauws en pijnlijks in hem was weer blootgelegd, iets dat in de afgelopen paar weken bijna helemaal verborgen was geweest. Wat het ook was, ze had gedacht dat het misschien was uitgedreven na Cadrachs lange onthullende nacht in de Baai van Firannos. Nu merkte Miriamele dat ze wanhopig wenste dat ze vannacht had doorgeslapen en pas in de ochtend zou zijn ontwaakt waarop het licht van de dag alles veilig en gewoon zou hebben doen lijken.

De Wran viel eindelijk weg, niet met een enkele klap, maar door de geleidelijke verdwijning van bomen en versmalling van waterwegen, tot Miriamele en haar metgezellen eindelijk zagen dat ze over een open land met struikgewas dreven, doorkruist door kleine kanalen. De wereld was weer wijd, iets dat zich van horizon tot horizon uitstrekte. Ze was er zo gewend aan geraakt dat haar gezichtsveld werd ingesloten dat ze het bijna onbehaaglijk vond om zich tegenover zoveel ruimte gesteld te zien.

In sommige opzichten was het laatste stadium van de Wran het gevaarlijkste, omdat ze de boot vaker over land moesten dragen dan eerst. Een keer bleef Isgrimnur tot aan zijn middel in een gat in het zand steken, en werd alleen door de gezamenlijke inspanningen van Miriamele en Camaris gered.

Het Tritsingmeer lag voor hen, een enorme uitgestrektheid van lage heuvels en, met uitzondering van het altijd aanwezige gras, spaarzame plantengroei. Bomen klitten bij de hellingen van de heuvels; maar met uitzondering van een paar bosjes hoge pijnbomen, waren ze klein, nauwelijks van struiken te onderscheiden. In het late middaglicht leek het een eenzaam winderig land, een plaats waar weinig dieren en geen mensen uit eigen beweging zouden willen leven.

Tiamak had hen eindelijk buiten de grenzen van zijn territoriale kennis gebracht, en ze vonden het steeds moeilijker om stromen te kiezen die breed genoeg waren om de boot te dragen. Toen het laatste kanaal zo smal werd dat het niet meer te bevaren was, klauterden ze de boot uit en bleven enige tijd zwijgend staan, de kragen opgeslagen tegen de koude bries.

'Het ziet ernaar uit dat het tijd is om te lopen.' Isgrimnur keek over de wildernis naar het noorden. 'Dit is eindelijk het Tritsingmeer, dus zal er in elk geval drinkwater zijn, vooral na het weer van dit jaar.'

'Maar wat doen we met Tiamak?' vroeg Miriamele. De drank die ze voor de Wrannaman had gebrouwen, had stellig geholpen, maar had geen wonderbaarlijke genezing bewerkstelligd: hoewel hij kon staan, was hij zwak en zijn kleur was niet goed.

Isgrimnur haalde de schouders op. 'Weet het niet. Ik neem aan dat we een paar dagen zouden kunnen wachten tot hij beter wordt, maar ik breng hier graag niet meer tijd door dan nodig is. Misschien zouden we een soort draagriem kunnen maken.'

Camaris bleef ineens staan en legde zijn lange handen onder Tiamaks oksels, waardoor de Wrannaman een kreet van verbazing slaakte. Met verbazend gemak tilde de oude man Tiamak hoog op en liet hem op zijn schouders zakken; de Wrannaman, die het halverwege in de lucht begon te begrijpen, spreidde zijn benen aan beide kanten van Camaris' nek, en ging zitten als een kind dat paardje mag rijden.

De hertog grijnsde. 'Daar heb je het antwoord, lijkt het. Ik weet niet hoe lang hij het volhoudt, maar misschien tot we een betere beschutting vinden. Dat zou meer dan mooi zijn.'

Ze haalden hun bezittingen uit de boot, ze in de paar zakken pakkend die ze uit Dorpsbosje hadden meegenomen. Tiamak nam zijn eigen tas en klemde die in de arm die hij niet hoefde te gebruiken om zich aan Camaris vast te houden. Hij had sinds het incident in de boot niet meer over de tas en zijn inhoud gesproken, en ook Miriamele had nog geen neiging gevoeld hem ertoe aan te zetten om te onthullen wat hij bij zich had.

Met meer spijt dan ze had verwacht, namen Miriamele en de anderen afscheid van de platbodem en liepen weg, de randen van het Tritsingmeer op.

Camaris bleek meer dan opgewassen tegen de taak om Tiamak te dragen. Hoewel hij ophield om te rusten wanneer de anderen dat deden, en heel langzaam vooruitkwam door de paar stukken moerasachtig terrein die er nog waren, hield hij hetzelfde tempo aan als de minder zwaar belaste leden van het gezelschap en scheen niet buitensporig moe. Miriamele keek onwillekeurig van tijd tot tijd naar hem, vol ontzag. Als hij zo was op deze leeftijd, welke buitengewone prestaties moest hij dan wel hebben geleverd toen hij in de kracht van zijn jeugd was? Het was genoeg om iemand te doen geloven dat alle oude legenden, zelfs de wildste, tenslotte toch waar waren.

Ondanks de gelaten kracht van de oude man, wilde Isgrimnur de

Wrannaman gedurende het laatste uur voor zonsondergang met alle geweld op zijn eigen schouders nemen. Toen ze eindelijk stilhielden om hun kamp op te slaan, was de hertog aan het puffen en blazen, en zag eruit alsof hij zijn besluit betreurde.

Ze sloegen hun kamp op terwijl de hemel nog licht was, een plaats vindend in een bosje met lage bomen en een vuur makend van dood hout. De sneeuw die een groot deel van het noorden had bedekt, was blijkbaar niet op het Tritsingmeer blijven liggen maar toen de zon ten slotte onder de horizon verdween, werd de avond koud genoeg om hen allen dicht bij elkaar bij het vuur te houden. Miriamele was plotseling dankbaar dat ze haar gerafelde, en door de reis vuil geworden acolietenhabijt niet had afgedankt.

Kille wind zaagde in de takken vlak boven hun hoofd. Het omhullende gevoel van de Wran was vervangen door een gevoel aan gevaar blootgesteld te zijn, maar in elk geval was de grond onder hen droog; dat, besloot Miriamele, was in ieder geval iets om dankbaar voor te zijn.

Tiamak was de volgende dag iets beter en was in staat het grootste deel van de ochtend te lopen alvorens weer op Camaris' brede schouders te moeten worden gehesen. Buiten de beperkende en verwarrende moerassen was Isgrimnur bijna weer de oude, vol liederen van twijfelachtige smaak – Miriamele genoot ervan om te tellen hoeveel verzen hij van elk zong voor hij zenuwachtig ophield om haar om verontschuldiging te vragen – en verhalen over veldslagen en wonderen die hij had gezien. Cadrach daarentegen, was net zo stil als hij was geweest sinds hij van de *Wolk Eadne* was ontsnapt. Wanneer hij werd aangesproken, gaf hij antwoord, en was vreemd hoffelijk tegen Isgrimnur, waarbij hij deed alsof ze nooit harde woorden hadden gewisseld, maar de rest van de dagtocht had hij, gezien zijn bijdrage, even stom kunnen zijn als Camaris. Zijn holle blik stond Miriamele niet aan, maar niets wat ze zei of deed veranderde zijn kalme, teruggetrokken manier, en ten slotte gaf ze het op.

De laagliggende wirwar van de Wran was al lang achter hen verdwenen: zelfs van de hoogste heuvel was er weinig anders dan een donkere veeg aan de zuidelijke horizon te zien. Toen ze een kamp opsloegen in een ander groepje bomen, vroeg Miriamele hoe ver ze waren gekomen en, belangrijker, hoe lang de reis was die hen nog wachtte.

'Hoe ver moeten we nog lopen?' vroeg ze aan Isgrimnur toen ze een kom hutspot gemaakt met gedroogde vis afkomstig uit Dorpsbosje deelden. 'Weet jij het?'

Hij schudde zijn hoofd. 'Ik weet het niet zeker, vrouwe. Meer dan vijftig mijlen, misschien zestig of zeventig. Een lange, lange voettocht, vrees ik.'

Ze keek bezorgd. 'Die zou weken kunnen duren.'

'Wat kunnen we anders doen?' zei hij en glimlachte toen. 'In ieder geval, prinses, we zijn veel beter af dan we waren... en dichter bij Jozua.'

Miriamele voelde heel even een pijnlijke steek. 'Als hij daar werkelijk is.'

'Hij is daar, meisje, hij is daar.' Isgrimnur kneep haar hand in zijn brede knuist. 'We hebben het ergste gehad.'

Iets maakte Miriamele ineens wakker in het gekneusde licht vlak voor zonsopgang. Ze had nauwelijks een ogenblik om haar gedachten te verzamelen voor ze bij de arm werd gepakt en overeind getrokken. Een triomfantelijke stem sprak tegen haar in snel Nabbanai.

'Hier is ze. Gekleed als een monnik, heer, zoals u zei.'

Een twaalftal mannen te paard, van wie er enkele fakkels droegen, had hen omsingeld. Isgrimnur, die met een van de lansen van de ruiters op zijn keel op de grond zat, kreunde.

'Het was mijn wacht,' zei de hertog bitter. 'Mijn wacht...'

De man die Miriameles arm vasthield, trok haar een paar stappen door het bosje naar een van de ruiters, een lange figuur met een ruime capuchon wiens gezicht onzichtbaar was in het grijs van het einde van de nacht. Ze voelde dat ze door een klauw van ijs werd vastgegrepen.

'Zo,' zei de ruiter in het Westerlings met een accent. 'Zo.' Ondanks de vreemde halfzachtheid van zijn spraak, klonk zijn stem onmiskenbaar zelfvoldaan.

Miriameles afgrijzen werd een beetje verwarmd door woede. 'Zet uw capuchon af, heer. U hoeft zo'n spelletje niet met mij te spelen.'

'Werkelijk?' De hand van de ruiter ging omhoog. 'Wilt u dan zien wat u hebt gedaan?' Hij duwde de capuchon met een wijds gebaar als dat van een rondreizende toneelspeler achterover. 'Ben ik net zo mooi als u zich mij herinnert?' vroeg Aspitis.

Ondanks de hand van de soldaat die haar tegenhield, deinsde Miriamele achteruit. Het was moeilijk dat niet te doen. Het gezicht van de graaf, eens zo knap dat hij, na hun eerste ontmoeting, haar dromen dagenlang had bezocht, was nu een verwrongen puinhoop. Zijn mooie neus was een klont vlees die naar één kant schuin stond als een brok slecht gehanteerde klei. Zijn linkerkaakbeen was gebarsten als een ei en naar binnen gedrukt, zodat het licht van de fakkel een schaduw in de diepe holte maakte. Overal rond zijn ogen had zich onder de huid en de littekens bloed verzameld, alsof hij een masker droeg. Zijn haar was nog altijd mooi en goudkleurig.

Miriamele slikte. 'Ik heb wel erger gezien,' zei ze rustig.

De helft van de mond van Aspitis Preves krulde zich in een nare grijns, en gaf de stompjes van tanden te zien. 'Ik ben blij het te horen, mijn lieve vrouwe Miriamele, aangezien u er de rest van uw leven mee wakker zult worden. Bind haar vast.'

'Nee!' Het was Cadrach die dat uitriep, omhoog komend vanwaar hij in de duisternis lag. Een ogenblik later trilde een pijl in de knoestige stam van een boom, een handbreedte van zijn gezicht.

'Dood hem als hij nog een vin verroert,' zei Aspitis kalm. 'Misschien zou ik je hem in elk geval moeten laten doden; hij was even verantwoordelijk als zij voor wat er met mij gebeurd is, met mijn schip.' Hij schudde langzaam zijn hoofd, het ogenblik savourerend. 'Ach, jullie zijn zulke dwazen, prinses, jij en je monnik. Toen jullie eenmaal waren weggeglipt naar de Wran, wat dachten jullie toen? Dat ik jullie zou laten gaan? Dat ik zou vergeten wat jullie met mij hadden gedaan?' Hij leunde voorover, haar met bloeddoorlopen ogen fixerend. 'Waar zou je anders heen gaan dan naar het noorden, terug naar de rest van je vrienden? Maar u vergeet, vrouwe, dat dit mín leen is.' Hij gniffelde. 'Mijn kasteel aan het Eadnemeer is slechts een paar mijlen hiervandaan. Ik heb deze heuvels uitgekamd, u dagenlang achterna gezeten. Ik wist dat u zou komen.'

Ze voelde zich ellendig verlamd. 'Hoe zijn jullie van het schip af gekomen?'

Aspitis' scheve glimlach was afschuwelijk. 'Ik besefte weliswaar pas langzaam wat er gebeurd was, maar nadat u weg was en mijn manschappen mij vonden, liet ik ze de verraderlijke Niskie doden – Aedon verbrandde haar! Zij had haar duivelinnewerk voltooid! Ze probeerde niet eens te ontsnappen. Daarna ging de rest van de kilpa weer overboord – ik denk niet dat ze zonder de toverkunst van de zeeheks de moed zouden hebben gehad om aan te vallen. We hadden genoeg mannen om mijn arme beschadigde *Wolk Eadne* naar Spenit te roeien.' Hij sloeg met zijn handen op zijn dijen. 'Genoeg. Je bent weer van mij. Spaar je wauwelende vragen tot ik ernaar vraag.'

Vol woede en verdriet om Gan Itai's lot, worstelde Miriamele zich naar hem toe, de soldaat die haar arm vasthield een volle pas naar voren slepend. 'God vervloeke je! Wat voor soort man ben je? Wat voor soort ridder? Jij, met al je gepraat over de vijftig nobele families van Nabban?'

'En jij, een koningsdochter die zich gewillig aan mij gaf, wie heeft mij naar haar bed gebracht? Ben jij zo hoog en zuiver?'

Ze schaamde zich dat Isgrimnur en de anderen het moesten horen, maar een soort hoge, duidelijke woede volgde, haar gedachtend scherpend.

Ze spoog op de grond. 'Wil je voor me vechten?' vroeg ze. 'Hier, ten overstaan van jouw mensen en de mijne? Of zul je mij nemen als een insluiper, zoals je eerder heb geprobeerd mij te nemen – met leugens en met geweld, gebruikt tegen degenen die je gasten waren?'

De ogen van de graaf vernauwden zich tot spleten. 'Voor jou vechten? Wat voor onzin is dit? Waarom zou ik? Je bent van mij, door gevangenneming en maagdenvlies.'

'Ik zal nooit de jouwe zijn,' zei ze op haar hooghartigste toon. 'Je bent lager dan de Tritsingsmensen die ten minste vechten om hun bruiden op te eisen.'

'Vechten, vechten, wat voor list is dit?' Aspitis was woedend. 'Wie zou voor jou vechten? Een van deze oude mannen? De monnik? De kleine moerasjongen?'

Miriamele liet haar ogen een ogenblik dichtvallen, zich inspannend om haar woede te beheersen. Hij was veil, maar dit was niet het ogenblik om zich door haar emoties te laten regeren. 'Iedereen in dit kamp kan je verslaan, Aspitis. Je bent helemaal geen man.' Ze keek rond, om zich ervan te verzekeren dat ze de aandacht van de soldaten van de graaf had. 'Je bent een dief van vrouwen, maar je bent geen man.'

Apitis' zwaard met het gevest met de reiger gleed met een metaalachtig gesis uit de schede. Hij zweeg. 'Nee, ik doorzie je spel, prinses. Je bent een slimmerik. Je denkt dat je me zo razend kunt maken dat ik je hier dood.' Hij lachte. 'Ah, te bedenken dat er een vrouw bestaat die liever zou sterven dan met de graaf van Eadne trouwen.' Hij hief zijn hand op en raakte zijn gehavende gezicht aan. 'Of liever, te bedenken dat je al die mening was toegedaan vóór je mij dit aandeed.' Hij hield zijn zwaard naar voren; de punt trilde in de lucht, nog geen el van haar hals. 'Nee, ik weet welke straf je het beste terug zal betalen, en dat is het huwelijk. Mijn kasteel heeft een toren die je goed zal bewaren. Binnen het eerste uur zul je iedere steen ervan kennen. Denk je eens in hoe het zal voelen wanneer er jaren zijn verlopen.'

Miriamele hief haar kin op. 'Dus je zult niet voor mij vechten?'

Aspitis sloeg met zijn vuist op zijn dij. 'Nu is het genoeg! Ik begin genoeg te krijgen van de grap.'

'Hoor je dat?' Miriamele richtte zich tot de anderen van Aspitis' gezelschap die zaten te wachten. 'Jullie meester is een lafaard.'

'Stilte!' riep Aspitis. 'Ik zal je zelf een pak ransel geven.'

'Die oude man kan jou aframmelen,' zei ze, naar Camaris wijzend. De oude ridder zat in zijn deken gewikkeld en keek met wijdopen ogen toe. Hij had zich niet verroerd sinds Aspitis en zijn soldaten waren aangekomen. 'Isgrimnur,' riep ze, 'geef de oude man je zwaard.'

'Prinses…' Isgrimnurs stem was schor van bezorgdheid. 'Laat mij…'

'Doe het! Laat de mannen van de graaf zien hoe hij door een oude, oude man in stukken wordt gehakt. Dan weten ze waarom hun meester vrouwen moet stelen.'

Isgrimnur, die de toekijkende soldaten zorgvuldig in de gaten hield, haalde Kvalnir onder zijn tas met bezittingen vandaan. De gespen van het zwaard rinkelden toen hij het over de grond naar Camaris liet glijden. Een ogenblik was dat het enige geluid.

'Heer?' zei de soldaat die Miriamele vasthield aarzelend. 'Wat…?'

'Hou je mond,' snauwde Aspitis terwijl hij afsteeg. Hij liep naar Miriamele toe en greep haar gezicht met zijn hand, haar een ogenblik intens aankijkend. Toen, voor ze een kans had om te reageren, boog hij zich plotseling naar voren en kuste haar met zijn gehavende mond. 'Wij zullen vele interessante nachten hebben.' Toen wendde de graaf zich tot Camaris. 'Vooruit, gord het om, zodat ik u kan doden. Dan zal ik de rest van jullie ook afmaken. Maar ik zal jullie toestaan je te verdedigen of weg te lopen, naar je wilt.' Hij draaide zich om en keek naar Miriamele. 'Per slot van rekening ben ik een heer.'

Camaris keek naar het zwaard aan zijn voeten alsof het een slang was.

'Gord het om,' drong Miriamele aan.

Elysia's genade, dacht ze razend, *wat als hij het niet wil doen! Wat als hij het, na dit alles, niet wil doen?*

'In godsnaam, man, gord het om,' riep Isgrimnur. De oude man keek hem aan, boog zich toen voorover en pakte de zwaardriem op. Hij haalde Kvalnir eruit en liet de riem en de schede op de grond terugglijden. Hij hield het losjes, onwillig vast.

'*Matra sá Duos*,' zei Aspitis walgend, 'hij weet niet eens hoe hij een zwaard moet hanteren.' Hij gordde zijn mantel los en liet die vallen, een geelgrijze met zwart afgezette overjas onthullend, en deed toen enkele stappen naar Camaris toe, die verdwaasd opkeek. 'Ik zal hem snel doden, Miriamele,' verklaarde de graaf. 'Jij bent het wreedst, om een oude man te laten vechten.' Hij hief zijn wapen op en richtte toen een houw op Camaris' onbeschermde nek.

Kvalnir ging onhandig omhoog en Aspitis' zwaard ketste af. Met een geluid van ergernis zwaaide de graaf opnieuw. Opnieuw rinkelde zijn staal tegen het zwaard van de hertog en vloog achteruit.

'Zie je,' zei ze, en dwong zich om te lachen, hoewel er geen vrolijkheid in haar was. 'De lafaard kan niet eens tegen een grijsaard op.'

Aspitis viel sterker aan. Camaris, die zich bijna als een slaapwandelaar bewoog, liet Kvalnir met misleidend trage bogen voor zich zwaaien. Verschillende andere gevaarlijke slagen schampten af.

'Ik zie dat je oude man wel een zwaard heeft gehanteerd!' De graaf begon wat zwaarder te ademen. 'Dat is goed. Ik zal niet het gevoel hebben dat ik gedwongen ben iemand te doden die zich niet kan verdedigen.'

'Vecht terug!' riep Miriamele, maar Camaris weigerde. In plaats daarvan, terwijl zijn bewegingen vloeiender werden doordat oude reflexen geleidelijk uit een lange slaap ontwaakten, verdedigde hij zich alleen behendiger, iedere stoot blokkerend, iedere slag werend, een web van staal wevend waar Aspitis niet doorheen kon komen.

Het gevecht was nu dodelijke ernst. Het was duidelijk dat de graaf van Eadne een goed zwaardvechter was, en hij op zijn beurt had het feit begrepen dat zijn tegenstander iets heel bijzonders was. Aspitis viel minder fel aan, een behoedzamere, meer aftastende strategie volgend, maar hij onttrok zich niet aan de uitdaging. Camaris, ondertussen, scheen uitsluitend te vechten omdat hij ertoe gedwongen werd. Miriamele meende dat ze een paar keer gezien had dat hij zijn eigen aanval had kunnen doorzetten, maar dat niet verkoos te doen, wachtend tot zijn vijand hem weer aanviel.

Aspitis maakte een schijnbeweging en kwam toen met een glijdende beweging onder Camaris' dekking door, maar op de een of andere manier was Kvalnir daar om het zwaard van de graaf te weren. Aspitis deed een houw naar de voeten van de oude man, maar Camaris schuifelde zonder zichtbare haast achteruit, zijn evenwicht stevig bewarend en zijn schouders gelijk houdend toen hij de slag van de graaf ontweek. Hij was als water, altijd wegvloeiend waar een opening was, meegevend maar nooit brekend, iedere klap van Aspitis opvangend en de kracht ervan omhoog of omlaag leidend, naar de ene kant of naar de andere. Een dun laagje zweet verscheen op het voorhoofd van de oude man, maar zijn gezicht bleef kalm spijtig alsof hij gedwongen was twee van zijn vrienden onaangename woorden te zien uitwisselen.

Het duel ging verder gedurende wat Miriamele een vreselijk lange tijd toescheen. Hoewel ze wist dat haar hart snel klopte, leek iedere hartslag met lange tussenpozen te komen. De twee mannen, de graaf met het kapotte gezicht en de lange, hoog op zijn benen staande Camaris, kwamen al vechtende uit het bosje pijnbomen, gingen omlaag naar de heuvel, om de met onkruid begroeide helling cirkelend als twee motten die om een kaars heen draaiden, hun zwaarden draaiend en flikkerend onder de grijze hemel. Toen de graaf weer naar voren ging, stapte Camaris in een gat en verloor zijn evenwicht. Aspitis nam de gelegenheid te baat en raakte met een zwaai de arm van de oude man, waardoor er een streep bloed uit kwam. Achter zich hoorde Miriamele Isgrimnur in hartverscheurende onmacht vloeken.

De snee scheen iets in Camaris wakker te roepen. Hoewel hij nog niet agressief wilde aanvallen, begon hij de aanvallen van de graaf met grotere kracht af te slaan, hard genoeg slaand om het gerinkel van staal over de vlakten van het Tritsingmeer te doen schallen. Miriamele was bezorgd dat het niet genoeg zou zijn, want ondanks zijn bijna ongelooflijke vastberadenheid, scheen hij eindelijk vermoeid te raken. Hij struikelde opnieuw, deze keer zonder dat er een gat was om daar de schuld van te krijgen, en Aspitis plaatste een houw die van Kvalnir afgleed en Camaris' schouder trof, waardoor meer bloed vloeide. Maar de graaf begon ook te verslappen; na een snelle slagwisseling waarin verscheidene van zijn slagen werden geblokkeerd, deed hij hijgend een paar stappen achteruit, en boog zich laag naar de grond alsof hij in elkaar ging zakken. Miriamele zag hem iets uit de grond halen.

'*Camaris! Pas op!*' riep ze.

Aspitis gooide de oude man een handvol vuil in het gezicht en liet hierop een snelle en agressieve aanval volgen, proberend het gevecht met één enkele slag te beëindigen. Camaris wankelde achteruit, naar zijn ogen klauwend terwijl Aspitis op hem af ging. Een ogenblik later viel de graaf op de knieën, jammerend.

Camaris, wiens grotere reikwijdte hem in staat stelde om voorbij het uitgestrekte zwaard van de graaf te komen, had zijn tegenstander een vlakke klap op de bovenarm gegeven, maar het zwaard was geketst en verder omhoog gegaan, diagonaalsgewijs over het voorhoofd van de graaf snijdend. Aspitis, wiens gezicht snel achter een laag bloed verdween, krabbelde over de grond naar Camaris, nog steeds met zijn zwaard voor zich zwaaiend. De oude man, die het vuil uit zijn tranende ogen veegde, deed een pas opzij en bracht het gevest van zijn zwaard omlaag bovenop het hoofd van de graaf. Aspitis viel neer als een os die met een moker is afgemaakt.

Miriamele trok zich los uit de greep van de bewaker die als door de bliksem was getroffen en stoof de heuvel af. Camaris zeeg op de grond neer, naar adem snakkend. Hij zag er moe en vaag ongelukkig uit, als een kind waarvan te veel gevergd is. Miriamele wierp snel een blik op hem om zich ervan te overtuigen dat zijn wonden niet gevaarlijk waren, pakte Kvalnir toen uit zijn passieve greep en knielde naast Aspitis neer. De graaf ademde, hoewel oppervlakkig. Ze draaide hem om, een ogenblik naar zijn bloedige, verbrijzelde poppengezicht kijkend... en er veranderde iets in haar. Een bel van haat en angst die zij in zich had gehad sinds de *Wolk Eadne*, een bel die verstikkend groot was geworden toen ze merkte dat Aspitis haar nog steeds achtervolgde, barstte ineens. Plotseling scheen hij zo klein. Hij was iets volkomen onbelangrijks, alleen maar een haveloos, beschadigd ding – niet anders dan de mantel gedrapeerd over de rug van een stoel die haar als klein kind 's nachts had doen gillen van angst. Het ochtendlicht was gekomen en de duivel was opnieuw een verkreukelde jas geworden.

Een soort glimlach verscheen even op Miriameles gezicht. Ze drukte het zwaard tegen de keel van de graaf.

'Jullie mannen!' schreeuwde ze tegen Aspitis' soldaten. 'Willen jullie Benigaris uitleggen hoe zijn beste vriend werd gedood?'

Isgrimnur stond op, de punt van de lans van de soldaat die hem had vastgehouden opzij duwend.

'En?' vroeg Miriamele.

Geen van de mannen van de graaf sprak.

'Geef ons dan jullie bogen... allemaal. En vier paarden.'

'Je krijgt nog niet één paard van ons, heks!' riep een van de soldaten boos.

'Het zij zo. Dan kunnen jullie Aspitis met een doorgesneden strot mee terugnemen en hertog Benigaris vertellen dat dat het werk was van een oude man en een jong meisje, terwijl jullie stonden toe te kijken – dat wil zeggen, als jullie zonder kleerscheuren wegkomen, en daarvoor zullen jullie ons allen moeten doden.'

'Onderhandel niet met hen,' riep Cadrach plotseling uit. Er klonk wanhoop in zijn stem. 'Dood het monster. Dood hem!'

'Wees stil.' Miriamele vroeg zich af of de monnik de soldaten ervan probeerde te overtuigen dat het gevaar voor hun meester echt was. Zo ja, dan was hij een uitstekend acteur; hij klonk opmerkelijk oprecht.

De soldaten keken elkaar bezorgd aan. Isgrimnur nam het ogenblik van verwarring te baat om hen hun pijlen en bogen af te nemen. Nadat de Rimmersman tegen hem had gegromd, krabbelde Cadrach naar voren om te helpen. Verscheidene van de mannen vervloekten hen en zagen eruit alsof ze verzet wilden bieden, maar niemand deed de zet die tot een openlijk conflict zou hebben geleid. Toen Isgrimnur en de monnik elk een pijl op een boog hadden gezet, begonnen de soldaten boos onder elkaar te praten, maar Miriamele kon zien dat ze niet langer wilden vechten.

'Vier paarden,' zei ze kalm. 'Ik zal jullie een gunst bewijzen en met de man rijden die dit tuig,' ze porde naar Aspitis' roerloze gestalte, 'een "moerasjongen" heeft genoemd. Anders zouden jullie er vijf voor ons achterlaten.'

Na nog meer gekibbel droeg Aspitis' troep vier paarden over, na eerst de zadeltassen te hebben weggenomen. Toen ruiters en bagage waren herverdeeld over de resterende paarden, kwamen twee mannen van de lijfwacht van de graaf naar voren, tilden hun leenheer van de grond op en legden hem toen zonder plichtplegingen over het zadel van een van de overgebleven paarden. Zijn soldaten moesten met hun tweeën op een paard rijden en zagen er werkelijk verlegen uit toen de kleine karavaan wegreed.

'En als hij leeft,' riep Miriamele hen na, 'herinner hem dan aan wat er gebeurd is.'

Het bereden gezelschap verdween snel, oostwaarts de heuvels in rijdend.

Wonden werden verzorgd, de pas verworven paarden werden geladen met de weinige bagage van de reizigers, en tegen het midden van de dag waren ze weer op weg. Miriamele voelde zich vreemd licht in haar hoofd, alsof ze net uit een vreselijke droom was ontwaakt en een zonnige voorjaarsmorgen buiten haar raam zag. Camaris was in zijn normale onbewogenheid teruggevallen; de oude man scheen nauwelijks te hebben geleden onder hetgeen hij had doorgemaakt. Cadrach zei niet veel, maar was niet anders dan de afgelopen paar dagen.

Aspitis was sinds de nacht van de storm en haar ontsnapping van het schip van de graaf een schaduw in Miriameles gedachten geweest. Nu was die schaduw weg. Toen ze over het heuvelachtige Trisingenland reed met Tiamak vóór zich in het zadel knikkebollend, kreeg ze bijna lust om te zingen.

Ze legden die middag verscheidene mijlen af. Toen ze stilhielden voor de nacht was ook Isgrimnur in een uitstekende stemming.

'We zullen nu een veel betere tijd maken, prinses.' Hij grijnsde in zijn baard. Zo ze al in zijn aanzien was gedaald nu Aspitis haar schande had onthuld, was hij te veel heer om het te laten blijken. 'Bij Drors Hamer, zag je Camaris? Heb je hem gezien? Als een man half zo oud.'

'Ja.' Ze glimlachte. De hertog was een goed mens. 'Ik heb hem gezien, Isgrimnur. Het was als een oud lied. Nee, het was beter nog.'

Hij maakte haar in de morgen wakker. Ze kon aan zijn gezicht zien dat er iets mis was.

'Is het Tiamak?' Ze had een misselijk gevoel. Ze hadden zoveel doorgemaakt. De kleine man was toch aan de beterende hand geweest?

De hertog schudde zijn hoofd.

'Het is de monnik. Hij is weg.'

'Cadrach?' Miriamele was daarop niet voorbereid. Ze wreef haar hoofd, haar best doend om wakker te worden. 'Wat bedoel je, weg?'

'Weggegaan. Heeft een van de paarden meegenomen. Hij heeft een briefje achtergelaten.' Isgrimnur wees naar een stuk van de doek uit het Dorpsbosje dat op de grond lag bij de plaats waar hij had geslapen; de rol stof was door middel van een steen verankerd tegen de stijve bries op de helling van de heuvel.

Waar Miriameles gevoelens over Cadrachs vlucht hadden behoren te zijn, was niets. Ze pakte de steen op en spreidde het stuk lichte stof uit.

Ja, hij had dit geschreven; ze had Cadrachs handschrift eerder gezien. Het zag ernaar uit dat hij dit met de verbrande punt van een twijgje had geschreven.

Wat kon zo belangrijk zijn geweest om mee te delen, vroeg ze zich af, *dat hij zoveel tijd had doorgebracht met het schrijven van een briefje voor hij wegging?*

Prinses,

stond er,

> Ik kan niet met u meegaan naar Jozua. Ik hoor niet bij die mensen. Verwijt het uzelf niet. Niemand is vriendelijker voor mij geweest dan u, ook nadat u wist hoe ik werkelijk ben.
> Ik vrees dat de dingen erger zijn dan u weet, veel erger. Ik wou dat ik nog iets meer kon doen, maar ik kan niemand helpen.

Hij had het niet ondertekend.

'Wat voor "dingen"?' vroeg Isgrimnur, geërgerd. Hij las over haar schouder. 'Wat bedoelt hij "dingen zijn erger dan u weet"?'

Miriamele haalde hulpeloos haar schouders op. 'Wie kan het zeggen?' *Opnieuw gedeserteerd*, was alles wat ze kon denken.

'Misschien ben ik te streng voor hem geweest,' zei de hertog brommerig. 'Maar dat is geen reden om een paard te stelen en weg te rijden.'

'Hij was altijd bang. Vanaf het ogenblik dat ik hem heb gekend. Het is moeilijk om voortdurend met angst te moeten leven.'

'Welnu, we kunnen geen tranen aan hem verspillen,' bromde Isgrimnur. 'Wij hebben onze eigen moeilijkheden.'

'Nee,' zei Miriamele, terwijl ze het briefje opvouwde, 'wij behoren geen tranen te verspillen.'

20

Reizigers en boodschappers

'Ik ben hier vele seizoenen niet geweest,' zei Aditu. 'Vele, vele seizoenen.'

Zij bleef staan en hief haar handen op, de vingers in een ingewikkeld gebaar rondcirkelend; haar slanke lichaam zwaaide als een wichelroede. Simon keek verbaasd en met nogal angstige voorgevoelens toe. Hij begon snel nuchter te worden. 'Zou je niet naar beneden komen?' vroeg hij.

Aditu keek alleen maar op hem neer, met een door de maan verlichte glimlach die om haar mondhoeken speelde en sloeg toen opnieuw haar ogen ten hemel. Ze liep een paar stappen langs de smalle, verbrokkelende borstwering van het Observatorium. 'Schande voor het Huis van Jaardansen,' zei ze. 'Wij hadden meer moeten doen om dit huis in stand te houden. Het bedroeft me te zien dat het vervallen is.'

Simon vond niet dat ze erg verdrietig klonk. 'Geloë noemt dit gebouw het Observatorium,' zei Simon. 'Waarom is dat?'

'Ik weet het niet. Wat is "observatorium"? Het is geen woord in jouw taal dat ik ken.'

'Pater Strangyeard zei dat het een gebouw is zoals ze in Nabban in de tijd van de Imperators hadden – een hoog gebouw waar ze naar de sterren kijken en proberen erachter te komen wat er gaat gebeuren.'

Aditu lachte en tilde een voet in de lucht om haar schoen uit te trekken, liet die toen zakken en deed hetzelfde met de andere, even kalm alsof ze op de grond naast Simon stond in plaats van twintig ellen in de lucht op een dunne deklijst van steen. Ze gooide de schoenen naar beneden. Ze kwamen met een zachte bons op het vochtige gras neer. 'Dan steekt ze de draak met je, denk ik, hoewel er een betekenis achter haar grap schuilt. Niemand keek hier naar de sterren, behalve zoals je er overal naar kijkt. Dit was de plaats van de *Rhao iye-Sama'an* – de Meester Getuige.'

'Meester Getuige?' Simon zou willen dat ze zich niet zo vlug langs de gladde borstwering bewoog. In de eerste plaats dwong het hem snel te lopen om binnen gehoorsafstand te blijven. En ten tweede... welnu, het was gevaarlijk, ook al vond zij dat niet. 'Wat is dat?'

'Je weet wat een Getuige is, Simon. Jiriki heeft je zijn spiegel gegeven. Dat is een kleine Getuige, en daarvan bestaan er nog altijd veel. Er waren slechts een paar Meester Getuigen, elk min of meer aan een plaats gebonden – de Poel van Drie Diepten in Asu'a, het Spreekvuur in Hikehikayo, de Groene Zuil in Jhiná-T'seneí – en de meeste daarvan zijn gebroken, verwoest of verloren. Hier in Sesuad'ra was het een grote steen onder de grond, een steen die het Oog van de Aard-Draak werd genoemd.

Aard-Draak is een andere naam – het is moeilijk om het verschil tussen de twee in jouw taal uit te leggen – voor de Grote Draak die in zijn eigen staart bijt,' legde ze uit. 'Wij hebben dit hele gebouw boven op die steen gebouwd. Het was eigenlijk niet helemaal een Meester Getuige – eigenlijk was het op zichzelf niet eens een Getuige, maar de kracht ervan was zodanig dat een kleine Getuige zoals de spiegel van mijn broer een Meester Getuige zou zijn als hij hier werd gebruikt.'

Simons hoofd duizelde van namen en ideeën. 'Wat betekent dat, Aditu?' vroeg hij, proberend niet boos te klinken. Hij had zijn best gedaan om kalm en welbespraakt te blijven toen de invloed van de wijn eenmaal minder begon te worden. Het scheen belangrijk dat ze zou zien hoeveel hij was gegroeid sinds de maanden dat ze elkaar voor het laatst hadden ontmoet.

'Een kleine Getuige zal je naar de Weg van Dromen brengen, maar je gewoonlijk alleen degenen laten zien die je kent, of die jou zoeken.' Ze tilde haar linkerbeen op en leunde achterover, haar rug gebogen als een gespannen handboog terwijl ze bevallig haar evenwicht herwon, er voor de hele wereld uitziend als een klein meisje dat op een tot aan het middel reikende omheining speelde. 'Indien een Meester Getuige werd gebruikt door iemand die wist hoe hij werkte, kon hij iedereen of alles zien, en soms andere tijden en... andere plaatsen.'

Simon herinnerde zich onwillekeurig de nachtelijke visioenen van zijn wake, en ook wat hij had gezien toen hij later op een avond Jiriki's spiegel naar deze plaats had meegenomen. Hij peinsde hierover terwijl hij keek hoe Aditu zich achterover boog tot haar handpalmen de verbrokkelende steen aanraakten. Een ogenblik later waren haar beide voeten in de lucht toen ze ondersteboven zwaaide, op haar handen staand.

'Aditu!' zei Simon scherp, en probeerde toen zijn stem rustig te doen klinken. 'Zouden we nu niet naar Jozua gaan?'

Ze lachte opnieuw, een vlug geluid van zuiver dierlijk genot. 'Mijn bange Seoman. Nee, het is niet nodig ons naar Jozua te haasten, zoals ik je onderweg hiernaartoe heb gezegd. De berichten van mijn volk kunnen tot morgenochtend wachten. Geef je prins een nacht vrij van zorgen. Naar wat ik van hem heb gezien, heeft hij enige verlichting van verdriet en zorg nodig.' Ze ging met een slakkegang op haar handen vooruit. Haar losse haren hingen in een witte wolk over haar gezicht.

Simon wist zeker dat ze niet langer kon zien wat ze deed. Het frustreerde hem en maakte hem behoorlijk boos. 'Waarom ben je dan helemaal van Jaoé-Tinukai'i gekomen als het niet belangrijk was?' Hij hield op met haar te volgen. 'Aditu! Waarvoor doe je dit? Als je gekomen bent om met Jozua te praten, laten we dan met Jozua gaan praten!'

'Ik zei niet dat het niet belangrijk was, Seoman,' antwoordde ze. Er klonk iets van haar oude spottende toon, maar er was een zweem van iets scherpers, bijna boos. 'Ik zei alleen maar dat het beter tot morgen kan wachten, en dat zal dan ook gebeuren.' Ze bracht haar knieën omlaag tussen haar ellebogen en zette haar voeten voorzichtig tussen haar handen. Toen hief zij haar armen op en stond met één beweging op, alsof ze zich erop voorbereidde in de lege ruimte te duiken. 'Dus tot dan zal ik mijn tijd doorbrengen zoals ik dat wil, wat een jonge sterveling er ook van vindt.'

Simon was gepikeerd. 'Je bent gestuurd om de prins nieuws te brengen, maar je haalt liever acrobatische toeren uit.'

Aditu was winters koel. 'Eigenlijk, als ik de keus had gehad, zou ik hier helemaal niet zijn. Ik zou met mijn broer naar Hernystir zijn gereden.'

'Nou, en waarom heb je dat dan niet gedaan?'

'Likimeya wilde het niet.'

Zo vlug dat Simon nauwelijks tijd had om verbaasd adem te halen, boog ze zich, de borstwering met één langvingerige hand beetpakkend, en viel toen over de rand. Ze vond met haar vrije hand houvast aan de lichte stenen muur en zette de teen van een blote voet neer terwijl ze met de andere tastte. Ze daalde de rest van de weg even snel en moeiteloos af als een eekhoorn die langs een boomstam naar beneden snelt.

'Laten we naar binnen gaan,' zei ze.

Simon lachte en voelde zijn woede bedaren.

Naast de Sitha te staan, maakte dat het Observatorium nog griezeliger leek. De beschaduwde trappen die langs de wanden van de cilindrische kamer omhoog wentelden, deden hem aan de ingewanden van een of ander enorm dier denken. De tegels glinsterden zelfs flauw in het bijna donker en schenen te zijn samengevoegd in patronen die niet helemaal stil wilden liggen.

Het was vreemd te beseffen dat Aditu bijna even jong was als hij, want de Sithi hadden dit huis lang voor haar geboorte gebouwd. Jiriki had eens gezegd dat hij en zijn zuster 'kinderen van de Ballingschap' waren, waaruit Simon afleidde dat ze na de val van Asu'a, vijf eeuwen geleden, waren geboren – inderdaad een korte tijdspanne voor de Sithi. Maar Simon had ook Amerasu ontmoet, en zij was naar Osten Ard gekomen voor er ergens in het land ook maar één steen op een andere was gezet. En als zijn eigen droom tijdens de nachtwake juist was geweest, had Amerasu's oudste Utuk'ku in ditzelfde gebouw gestaan toen de twee stammen uiteen waren gegaan. Het was verontrustend te denken aan iets dat zo lang leefde als Eerste Grootmoeder of de Nornkoningin.

Maar het meest verontrustende van alles was dat de Nornkoningin, in tegenstelling tot Amerasu, nog leefde, nog machtig was... maar zij scheen alleen maar haat te koesteren jegens Simon en zijn sterfelijke soortgenoten.

Hij vond het niet prettig daaraan te denken; hij dacht eigenlijk helemaal niet graag aan de Nornkoningin. Het was bijna gemakkelijker om de krankzinnige Ineluki en zijn gewelddadige woede te begrijpen dan het spinachtige geduld van Utuk'ku, iemand die duizend jaar of meer nog zou wachten, vol piekerende boosaardigheid, voor een of andere duistere wraakoefening...

'En wat vond je van oorlog, Seoman Sneeuwlok?' vroeg Aditu plotseling. Hij had de hoofdlijnen van de recente strijd voor haar geschetst toen ze nieuws uitwisselden tijdens hun wandeling naar het Observatorium.

Hij dacht na. 'Wij hebben hard gevochten. Het was een schitterende overwinning. We verwachtten die niet.'

'Nee, wat vond jij ervan?'

Simon had er een ogenblik voor nodig om te antwoorden. 'Het was afschuwelijk.'

'Ja, dat is het ook.' Aditu liep een paar passen van hem weg, een plek in glijdend onder de muur waar het maanlicht niet doordrong, in schaduw verdwijnend. 'Het is afschuwelijk.'

'Maar jij zei net dat je met Jiriki naar de oorlog in Hernystir wilde gaan.'

'Nee, ik zei dat ik bij hem wilde zijn. Dat is niet helemaal hetzelfde, Seoman. Ik had een ruiter, een boog, een paar ogen méér kunnen zijn. Wij zijn heel weinig in getal, wij Zida'ya, zelfs verzameld uit Jaoé-Tinukai'i, met de Huizen van Ballingschap herenigd. Heel weinig. En geen van ons wilde zich in de strijd begeven.'

'Maar jullie Sithi hebben in oorlogen gevochten,' wierp Simon tegen. 'Ik weet dat dat waar is.'

'Alleen om onszelf te beschermen. En een of twee keer in onze geschiedenis hebben wij gevochten om hen die ons in onze eigen nood hebben bijgestaan te beschermen, zoals mijn moeder en broer nu in het westen doen.' Ze klonk nu heel ernstig. 'Maar ook nu, Seoman, hebben wij de wapenen alleen opgenomen omdat de Hikeda'ya ons de oorlog hebben opgedrongen. Ze zijn ons huis binnengegaan en hebben mijn vader en Eerste Grootmoeder gedood en ook nog vele anderen van ons volk. Denk niet dat wij ons bij het zwaaien van een zwaard haasten om voor stervelingen te vechten. Dit zijn vreemde tijden, Seoman... en jij weet dat evengoed als ik.'

Simon deed een paar stappen naar voren en struikelde over een brok steen. Hij boog zich om zijn teen te wrijven die pijnlijk klopte. 'Boomverdomme!' vloekte hij binnensmonds.

'Het is moeilijk voor jou om hier bij nacht te zien, Seoman,' zei ze. 'Het spijt mij. We zullen nu gaan.'

Simon wilde niet als een klein kind behandeld worden. 'Over een ogenblik ben ik in orde.' Hij kneep nog een laatste keer in de teen. 'Waarom helpt Utuk'ku Ineluki?'

Aditu verscheen uit de maanschaduw en nam zijn hand in haar koele vingers. Ze scheen verontrust. 'Laten we buiten praten.' Ze leidde hem de deur uit. Haar lange haar werd opgetild en wapperde in de wind, zijn gezicht strelend terwijl hij naast haar liep. Het had een sterke, maar aangename geur, pikant-zoet als denneschors.

Toen ze weer op open terrein waren, nam ze zijn andere hand in de hare en keek hem aan met haar heldere ogen die in het maanlicht amberkleurig glansden. 'Dat is zeer zeker niet de plaats om hun namen te noemen, en ook niet om te veel aan hen te denken,' zei ze beslist, en wierp hem toen een boosaardige glimlach toe. 'Bovendien denk ik niet dat ik zo'n gevaarlijke sterfelijke jongen als jij alleen met mij op een donkere plaats moet laten vertoeven. O, de verhalen die ze over jou vertellen rond je kamp, Seoman Sneeuwlok.'

Hij was geërgerd, maar niet helemaal misnoegd. 'Wie "zij" ook zijn, ze weten niet waar ze over praten.'

'Ah, maar je bent een vreemd dier, Seoman.' Zonder verder een woord te zeggen, leunde ze naar voren en kuste hem – geen korte, kuise aanraking zoals bij hun afscheid vele weken geleden, maar de warme kus van een geliefde die een huivering van verbazing langs zijn rug omhoog deed lopen. Haar lippen waren koel en zoet als rozeblaadjes in de morgen.

Lang voor hij zou hebben willen ophouden, trok Aditu zich zachtjes terug. 'Dat kleine sterfelijke meisje vond het prettig om je te kussen, Seoman.' Haar glimlach keerde terug, spottend, brutaal. 'Het is iets vreemds om te doen, vind je niet?'

Simon schudde zijn hoofd, met de mond vol tanden.

Aditu nam zijn arm en trok hem in beweging, naast hem in de pas lopend. Ze boog zich om de schoenen op te pakken die ze had uitgetrokken, toen liepen ze een eindje verder langs de muur van het Observatorium. Ze neuriede een kort fragment van een melodie alvorens te spreken. 'Wat wil Utuk'ku, vroeg je.'

Simon, verward door wat er was gebeurd, reageerde niet.

'Dat zou ik je niet kunnen vertellen, niet met zekerheid althans. Zij is het oudste denkende wezen in heel Osten Ard, Seoman, en ze is veel meer dan twee keer zo oud als de volgende oudste. Wees ervan verzekerd, haar manieren zijn vreemd en te subtiel om door iemand behalve misschien Eerste Grootmoeder te kunnen worden begrepen. Maar als ik moest raden, zou ik dit zeggen: ze verlangt naar het niet-zijn.'

'Wat betekent dat?' Simon begon zich af te vragen of hij uiteindelijk werkelijk nuchter was, want de wereld draaide langzaam en hij wilde gaan liggen om te slapen.

'Als ze de dood wilde,' zei Aditu, 'dan zou dat alleen maar vergetelheid voor haarzelf zijn. Ze is het leven moe, Seoman, maar zij is de oudste. Vergeet dat nooit. Zolang er liederen gezongen zijn in Osten Ard, en langer nog, heeft Utuk'ku geleefd. Zij is de enige van alle levende wezens die het verloren thuis zag waar ons geslacht geboren werd. Ik denk niet dat ze de gedachte kan verdragen dat anderen leven terwijl zij heen is. Ze kan niet alles vernietigen, hoezeer ze dat ook verlangt, maar misschien hoopte zij mee te helpen de grootst mogelijke catastrofe te veroorzaken – dat wil zeggen, zich ervan te verzekeren dat zoveel mogelijk levende lieden haar in de vergetelheid vergezellen als ze met zich mee kan sleuren.'

Simon bleef staan, vol afgrijzen. 'Dat is verschrikkelijk!' zei hij met gevoel.

Aditu haalde de schouders op, een soepel gebaar. Ze had een prachtige hals. 'Utuk'ku ìs verschrikkelijk. Zij is gek, Seoman, hoewel het een kranzinnigheid is die even dicht geweven en ingewikkeld is als de mooiste *juya'ha* die ooit is gesponnen. Zij was misschien wel de knapste van alle Tuingeborenen.'

De maan had zich uit een wolkenbank losgemaakt; zij hing in de lucht als de zeis van een maaier. Simon wilde gaan slapen – zijn hoofd voelde heel zwaar aan – maar tegelijkertijd wilde hij zijn kans niet opgeven. Het was zo zeldzaam een van de Sithi in een stemming aan te treffen om vragen te beantwoorden, en nog beter, om ze rechtstreeks, zonder de gebruikelijke vaagheid van de Sithi te beantwoorden.

'Waarom gingen de Nornen naar het noorden?'

Aditu boog zich en pakte een takje van een krullende rank op, met witte bloemen en donkere bladeren. Ze knoopte het in haar haar, zodat het tegen haar wang hing. 'De twee families, Zida'ya en Hikeda'ya, hadden onenigheid. Die betrof stervelingen. Utuk'ku's volk vond dat jouw soort dieren waren, erger dan dieren feitelijk, omdat wij van de Tuin geen enkel schepsel doden als we dat kunnen vermijden. De Dageraadskinderen waren het niet eens met de Wolkkinderen. Er waren ook andere dingen.' Ze hief haar hoofd op naar de maan. 'Toen stierven Nenais'u en Drukhi. Dat was de dag waarop de schaduw viel, en die is nooit meer opgetrokken.'

Hij had zichzelf nog niet gelukgewenst met het feit dat hij Aditu in een openhartige stemming had aangetroffen, of ze begon onduidelijk te worden... Toch kon Simon niet bij haar onbevredigende verklaring blijven stilstaan. Hij wilde eigenlijk niet nòg meer namen leren – hij was al overweldigd door alle dingen die ze hem vanavond had verteld; in elk geval had hij een andere bedoeling met zijn vragen. 'En toen de twee families scheidden,' zei hij verlangend, 'was het hier, nietwaar? Alle Sithi kwamen naar de Vuurtuin met fakkels. En toen stonden ze in het Afscheidshuis rond een of ander ding, gebouwd van gloeiend vuur en sloten hun overeenkomst.'

Aditu maakte haar ogen los van het schijfje maan, hem met haar kathedere blik aankijkend. 'Wie heeft je dat verhaal verteld?'

'Ik heb het gezien!' Aan de blik op haar gezicht te zien, wist hij bijna zeker dat hij het bij het rechte eind had. 'Ik zag het toen ik mijn nachtwake hield. Die avond waarop ik geridderd werd.' Hij lachte om zijn eigen woorden. Vermoeidheid maakte dat hij zich dwaas voelde. 'Mijn riddernacht.'

'Je zag het?' Aditu vouwde haar hand om zijn pols. 'Vertel mij, Seoman. We zullen nog wat langer lopen.'

Hij beschreef zijn droomvisioen voor haar, daarna, om haar de volle maat te geven, vertelde hij haar wat er later was gebeurd toen hij Jiriki's spiegel gebruikte.

'Wat er gebeurde toen jij de Scherf hier bracht, toont aan dat er nog kracht in *Rhao iye-Sama'an* schuilt,' zei ze langzaam. 'Maar mijn broer deed er goed aan je te waarschuwen om van de Droomweg af te gaan. Die is nu heel gevaarlijk, anders zou ik de spiegel nemen en zelf proberen Jiriki te vinden, en hem te vertellen wat jij me verteld hebt.'

'Waarom?'

Ze schudde haar hoofd. Haar haren zweefden als rook. 'Vanwege het ding dat je tijdens je nachtwake zag. Dat is angstwekkend. Dat jij iets uit de Oudste Tijden ziet zonder Getuige...' Ze maakte weer een van haar vreemde vingergebaren, deze verward en ingewikkeld als een mand met kronkelende vissen. 'Of je hebt dingen in je die Amerasú niet gezien heeft – maar ik kan niet geloven dat Eerste Grootmoeder, zelfs in haar vooringenomenheid, zo jammerlijk zou falen – of er gebeurt iets dat onze stoutste vermoedens te boven gaat. Dat baart mij grote zorg. Dat het Oog van de Aard-Draak op die manier een visioen uit het verleden toont, ongevraagd...' Ze zuchtte. Simon staarde. Zij zag er bezorgd uit, iets dat hij niet voor mogelijk had gehouden.

'Misschien was het 't bloed van de draak,' opperde Simon. Hij hief zijn hand op om op zijn litteken en zijn witte haarlok te wijzen. 'Jiriki zei dat ik op de een of andere manier getekend was.'

'Misschien.' Aditu leek niet overtuigd. Simon voelde zich enigszins beledigd. Dus zij vond dat hij niet bijzonder genoeg was?

Ze liepen verder tot ze weer bij de gebarsten tegels van de Vuurtuin terug waren en de tentenstad naderden. De meeste feestvierders waren naar bed; er brandden nog maar een paar vuren. Ernaast waren nog een paar schimmige gedaanten aan het praten, lachen en zingen.

'Ga rusten, Seoman,' zei Aditu. 'Je wankelt.'

Hij wilde haar tegenspreken, maar wist dat het waar was wat ze zei. 'Waar ga jij slapen?'

Haar ernstige uitdrukking veranderde in een van oprechte geamuseerdheid. 'Slapen? Nee, Sneeuwlok, ik zal vannacht lopen. Ik heb veel om over na te denken. In elk geval heb ik de maan op Sesuad'ra's gebroken stenen in bijna één eeuw niet gezien.' Zij strekte zich naar hem uit en drukte zijn hand. 'Welterusten. Morgenochtend zullen we Jozua gaan opzoeken.' Ze draaide zich om en liep weg, stil als dauw. Binnen enkele ogenblikken was ze nog maar een slanke schaduw, verdwijnend over de grazige top van de heuvel.

Simon wreef zijn gezicht met beide handen. Er was zo veel om over na te denken. Wat een avond was dit geweest! Hij gaapte en ging naar de tenten van Nieuw Gadrinsett toe.

'Er is iets vreemds gebeurd, Jozua.'

Geloë stond in de opening van zijn tent, ongebruikelijk aarzelend.

'Kom binnen, alsjeblieft.' De prins draaide zich om naar Vorzheva, die rechtop in bed zat onder een stapel dekens. 'Of misschien heb je liever dat we ergens anders heen gaan?' vroeg hij aan zijn vrouw.

Vorzheva schudde haar hoofd. 'Ik voel me niet lekker vandaag maar als ik hier vanmorgen moet liggen, zullen er in elk geval een paar mensen zijn om me gezelschap te houden.'

'Maar misschien zal Valada Geloë's nieuws je van streek maken,' zei de prins bezorgd. Hij keek naar de tovenares. 'Kan ze het aanhoren?'

Geloë's glimlach was sardonisch. 'Een vrouw met een baby in zich is niet als iemand die van ouderdom sterft, prins Jozua. Vrouwen zijn sterk — een kind baren is hard werk. Bovendien, dit nieuws behoort niemand angst aan te jagen... zelfs u niet.' Ze verzachtte haar uitdrukking om hem te verstaan te geven dat ze een grapje maakte.

Jozua knikte. 'Ik verdiende dat, neem ik aan.' Zijn eigen glimlach als reactie was vaag. 'Wat voor vreemds is er gebeurd? Alsjeblieft. Kom binnen.'

Geloë schudde haar druipende mantel af en liet die vlak bij de deuropening vallen. Een lichte regen was spoedig na de dageraad gaan vallen, en had al bijna een uur op het tentdak gekletterd. Geloë streek met haar hand door haar natte, kortgeknipte haar, ging toen zitten op een van de krukjes die Freosel voor de residentie van de prins had gemaakt. 'Ik heb net een boodschap ontvangen.'

'Van wie?'

'Dat weet ik niet. Ik heb hem met een van Dinivans vogels gekregen, maar het is niet zijn handschrift.' Ze stak haar hand in haar jasje en haalde een bundeltje natte veren te voorschijn, dat zacht piepte; een zwart oog glansde door de spleet tussen haar vingers. 'Dit had hij bij zich.' Ze hield een kleine krul van wasdoek omhoog. Met enige moeite slaagde ze erin een stukje perkament uit het wasdoek te trekken en te openen zonder de vogel te veel te hinderen.

'Prins Jozua,'

las zij,

'Bepaalde tekenen zeggen mij dat het gunstig voor u kan zijn om aan Nabban te gaan denken. Bepaalde monden hebben mij in het oor gefluisterd dat u daar wel eens meer steun zou kunnen vinden dan u vermoedt. De ijsvogels hebben te veel van de vangst van de schippers gepakt. Een boodschapper zal binnen veertien dagen aankomen, berichten brengend die duidelijker zullen spreken dan mogelijk is in deze korte boodschap. Doe niets voor die is aangekomen, ter wille van uw eigen welzijn.'

Geloë keek op toen ze klaar was met lezen, haar gele ogen bedachtzaam. 'Het is slechts ondertekend met een oude Nabbaanse rune voor "Vriend". Iemand die òf een Drager van het Geschrift is, òf iemand die een geleerde is heeft dit geschreven. Misschien iemand die wil dat wij geloven dat een Drager van het Geschrift dit heeft geschreven.'

Jozua kneep zacht in Vorzheva's hand voor hij opstond. 'Mag ik het zien?' Geloë gaf hem het briefje, dat hij een ogenblik bekeek voor het terug te geven. 'Ik herken het handschrift ook niet.' Hij deed een paar stappen naar de andere wand van de tent, keerde zich toen om en liep terug naar de deur. 'Het is duidelijk dat de schrijver ons wil doen geloven dat er onrust in Nabban heerst, dat het Benidrivijnse Huis niet meer zo geliefd is als het eens was – niet verbazingwekkend met Benigaris in het zadel terwijl Nessalanta aan de teugels trekt. Maar wat zou deze persoon van mij willen? Je zegt dat het met Dinivans vogel naar je is gestuurd?'

'Ja. En dat is hetgene dat me de meeste zorg baart.' Geloë stond op het punt om meer te zeggen toen er een verontschuldigend kuchje vanuit de tentopening kwam. Pater Strangyeard stond daar, het plukje rode haar boven op zijn hoofd aan zijn schedel vastgeplakt door regenwater.

'Vergeving, prins Jozua.' Hij zag Vorzheva en bloosde. 'Vrouwe Vorzheva. Lieve hemel. Ik hoop dat u mij kunt vergeven dat ik hier binnendring.'

'Kom binnen, Strangyeard.' De prins wenkte alsof hij een schuwe kat riep. Achter hem glimlachte Vorzheva om te laten zien dat ze het niet erg vond.

'Ik heb hem gevraagd te komen, Jozua,' zei Geloë. 'Aangezien het Dinivans vogel was, kun je het wel begrijpen, denk ik.'

'Natuurlijk.' Hij beduidde de archivaris op een van de lege stoelen plaats te nemen. 'Nu, vertel mij over de vogels. Ik herinner me wat je me over Dinivan zelf hebt verteld – hoewel ik nog steeds nauwelijks kan geloven dat de secretaris van de lector deel van een dergelijk gezelschap zou uitmaken.'

Geloë zag er wat ongeduldig uit. 'Het Verbond van het Geschrift is iets waar velen trots op zouden zijn om er deel van uit te maken, en Dinivans meester zou nooit verontrust zijn geweest over iets dat hij ten behoeve ervan deed.' Haar oogleden werden neergeslagen toen een nieuwe gedachte bij haar opkwam. 'Maar de lector is dood, als de geruchten die ons hebben bereikt juist zijn. Sommigen zeggen dat aanbidders van de Stormkoning hem hebben vermoord.'

'Ik heb van die Vuurdansers gehoord, ja,' zei Jozua. 'Degenen uit Nieuw Gadrinsett die van het zuiden hiernaartoe zijn gevlucht, kunnen over weinig anders praten.'

'Maar het verontrustende is dat ik sinds die geruchtmakende gebeurtenis niets van Dinivan heb gehoord,' ging Geloë verder. 'Dus wie zou zijn vogels hebben, als hij het niet is? En als hij de aanval op de lector heeft overleefd – ik heb gehoord dat er een grote brand in de Sancellaanse Aedonitis heeft gewoed – waarom zou hij dan zelf niet schrijven?'

'Misschien is hij verbrand of gewond?' zei Strangyeard beschroomd. 'Misschien heeft hij het door iemand anders laten schrijven.'

'Waar,' peinsde Geloë, 'maar dan denk ik dat hij zijn naam zou hebben gebruikt, tenzij hij zo bang is om ontdekt te worden dat hij niet eens een boodschap kan sturen met een vogel die zijn rune draagt.'

'Dus als het Dinivan niet is,' zei Jozua, 'dan moeten wij aannemen dat dit een list kan zijn. Dezelfden die verantwoordelijk waren voor de dood van de lector hebben dit misschien gestuurd.'

Vorzheva richtte zich wat hoger in het bed op. 'Het zou ook geen van beiden kunnen zijn. Iemand die Dinivans vogels heeft gevonden, zou ze voor zijn eigen redenen hebben kunnen sturen.'

Geloë knikte langzaam. 'Waar. Maar het zou wel iemand moeten zijn die wist wie Dinivans vrienden waren, en waar ze konden zijn; deze boodschap heeft de naam van uw echtgenoot in de aanhef, alsof degene die hem stuurde wist dat hij regelrecht naar hem zou gaan.'

Jozua was weer aan het ijsberen. 'Ik heb over Nabban gedacht,' mompelde hij. 'Zo vaak. Het noorden is een woestenij – ik betwijfel of Isorn en de anderen er op zijn best meer dan een symbolische strijdmacht zullen aantreffen. Het volk is verspreid door oorlog en weer. Maar als we Benigaris op de een of andere manier uit Nabban konden verdrijven...' Hij hield op en keek omhoog naar het tentdak, fronsend. 'We zouden dan een leger bijeen kunnen brengen en schepen... We zouden een reële kans hebben om mijn broer te dwarsbomen.' Zijn frons werd zwaarder. 'Maar wie kan weten of dit echt is of niet? Ik hou er niet van als iemand op die manier aan mijn touwtjes trekt.' Hij sloeg met zijn hand tegen zijn been. 'Aedon! Waarom kan niets eenvoudig zijn?'

Geloë verschoof op haar stoel. De stem van de wijze vrouw was verrassend meelevend. 'Omdat niets eenvoudig *is*, prins Jozua.'

'Wat het ook is,' merkte Vorzheva op, 'of het waar is of een leugen, er staat in dat er een boodschapper komt. Dan zullen we meer te horen krijgen.'

'Misschien,' zei Jozua. 'Als het niet alleen maar een list is om ons aarzelend te houden, om ons te laten uitstellen.'

'Maar dat lijkt niet waarschijnlijk, als u mij niet kwalijk neemt dat ik het zeg,' zei Strangyeard. 'Welke van uw vijanden is zo machteloos dat hij zich zo zou verlagen...?' Hij hield op, naar Jozua's harde verbijsterde gezicht kijkend. 'Ik bedoel...'

'Ik denk dat het logisch is, Strangyeard,' stemde Geloë in. 'Het is een zwaktebod, en ik denk dat Elias en zijn... bondgenoot... boven dat soort dingen staan.'

'Dan moet je je niet haasten om je Raed te houden, Jozua.' Er klonk iets van triomf in Vorzheva's stem. 'Het heeft geen zin om plannen te hebben voor je weet of dit waar is of niet. Je moet op die boodschapper wachten. In elk geval enige tijd.'

De prins draaide zich naar haar om; zij wisselden een blik en hoewel de anderen niet wisten wat de stilte tussen man en vrouw betekende, wachtten zij. Ten slotte knikte Jozua stijfjes.

'Ik veronderstel dat je gelijk hebt,' zei hij. 'In het briefje staat veertien dagen. Ik zal zo lang wachten voor ik de Raed bijeenroep.'

Vorzheva glimlachte tevreden.

'Ik ben het ermee eens, prins Jozua,' zei Geloë. 'Maar er is nog veel dat wij niet...'

Ze hield op toen Simon in de tentopening verscheen. Toen hij niet onmiddellijk naar binnen ging, wenkte Jozua hem ongeduldig. 'Kom binnen, Simon, kom binnen. Wij bespreken een vreemde boodschap, en een misschien nog wel vreemdere boodschapper.'

Simon schrok. 'Boodschapper?'

'Wij hebben een brief gekregen, misschien uit Nabban. Kom binnen. Heb je iets nodig?'

De lange jongeling slikte. 'Misschien is het nu niet de beste tijd.'

'Ik kan je verzekeren,' zei Jozua droog, 'dat je me niets kunt vragen dat niet eenvoudig zou lijken vergeleken bij de dilemma's die ik vandaag al heb ontdekt.'

Simon scheen nog steeds te aarzelen. 'Welnu...' zei hij, en ging toen naar binnen. Iemand kwam achter hem aan.

'Gezegende Elysia, Moeder van onze Verlosser,' zei Strangyeard met een vreemde verstikte stem.

'Nee. Mijn moeder heeft me Aditu genoemd,' antwoordde Simons metgezel. Ondanks haar beheersing van de taal had haar Westerlings een vreemd accent; het was moeilijk te zeggen of ze spot in de zin had of niet.

Ze was slank als een lans, met hongerige goudkleurige ogen en een grote bos springerig sneeuwwit haar dat met een grijze band was vastgebonden. Haar kleren waren ook wit, zodat ze bijna scheen te gloeien in de beschaduwde tent, alsof een stukje van de winterzon door de tentopening was binnengerold.

'Aditu is de zuster van mijn vriend Jiriki. Zij is een Sitha,' voegde Simon er onnodig aan toe.

'Bij de Boom,' zei Jozua. 'Bij de Heilige Boom.'

Aditu lachte, een vloeiend, muzikaal geluid. 'Zijn al die dingen die jullie zeggen toveramuletten om mij weg te jagen? Zo ja, dan schijnen ze niet te werken.'

De tovenares stond op. Haar verweerde gezicht maakte een onbegrijpelijke mengeling van emoties door. 'Welkom, Dageraadskind,' zei ze langzaam. 'Ik ben Geloë.'

Aditu glimlachte vriendelijk. 'Ik weet wie je bent. Eerste Grootmoeder heeft over je gesproken.'

Geloë hief haar hand op alsof ze deze verschijning wilde aanraken. 'Amerasu was mij lief, hoewel ik haar nooit van aangezicht tot aangezicht heb ontmoet. Toen Simon me vertelde wat er gebeurd was...'

Verbazingwekkend vormden zich tranen op haar wimpers, die daar trilden. 'Zij zal gemist worden, uw Eerste Grootmoeder.'

Aditu boog even haar hoofd. 'Zij wordt gemist. De hele wereld rouwt om haar.'

Jozua kwam naar voren. 'Vergeef mij mijn onhoffelijkheid, Aditu,' zei hij, de naam zorgvuldig uitsprekend. 'Ik ben Jozua. Behalve Valada Geloë zijn er mijn vrouw Vorzheva, en pater Strangyeard.' Hij streek met zijn hand over zijn ogen. 'Kunnen we u iets te eten of te drinken aanbieden?'

Aditu maakte een buiging. 'Dank u, maar ik heb vlak voor de dageraad van uw bron gedronken, en ik heb geen honger. Ik heb een boodschap van mijn moeder Likimeya, Vrouwe van het Huis van Jaardansen, die u misschien zult willen horen.'

'Natuurlijk.' Jozua scheen zijn ogen niet van haar af te kunnen nemen. Achter hem keek Vorzheva ook naar de pas aangekomene, hoewel haar uitdrukking anders was dan die van de prins. 'Natuurlijk,' herhaalde hij, 'ga zitten, alsjeblieft.'

De Sitha zonk met een enkele beweging op de grond, licht als distelpluis. 'Weet u zeker dat dit een goed tijdstip is, prins Jozua?' Haar melodieuze stem bevatte een zweem van geamuseerdheid. 'U ziet er niet goed uit.'

'Het is een vreemde ochtend geweest,' antwoordde de prins.

'Dus ze zijn al naar Hernystir gereden?' Jozua sprak zorgvuldig. 'Dit is voorwaar onverwacht nieuws.'

'U schijnt niet zo blij te zijn,' merkte Aditu op.

'We hadden gehoopt op hulp van de Sithi – hoewel we die zeker niet hadden verwacht of zelfs dachten dat die verdiend was.' Hij trok een grimas. 'Ik weet dat je geen reden hebt om van mijn vader te houden, en dus geen reden om van mij of mijn volk te houden. Maar ik ben blij te horen dat de Hernystiri de hoorns van de Sithi zullen horen. Ik wou dat ik meer voor Lluths volk kon doen.'

Aditu strekte haar armen hoog boven haar hoofd, een gebaar dat vreemd kinderlijk leek, misplaatst gezien de ernst van het gesprek. 'Wij ook. Maar wij hebben onszelf lang verbannen van het doen en laten van alle stervelingen, zelfs de Hernystiri. Wij zouden misschien zo zijn gebleven, zelfs ten koste van onze eer,' zei ze met terloopse openhartigheid, 'maar gebeurtenissen hebben ons gedwongen toe te geven dat de oorlog van Hernystir ook onze oorlog is.' Ze richtte haar lichtende ogen op de prins. 'Zoals de uwe, natuurlijk. En dat is de reden waarom de Zida'ya naar Naglimund zullen rijden, wanneer Hernystir vrij is.'

'Zoals je zei.' Jozua keek de kring rond als ter bevestiging dat de anderen hetzelfde hadden gehoord als hij. 'Maar je zei niet waarom.'

'Vele redenen. Omdat het te dicht bij ons woud en onze landen is. Omdat de Hikeda'ya geen vaste voet ten zuiden van Nakkiga moeten krijgen. En andere zorgen die ik niet mag uitleggen.'

'Maar als de geruchten waar zijn,' zei Jozua, 'staan de Nornen al voor de Hayholt.'

Aditu hield haar hoofd schuin. 'Een paar zijn daar, ongetwijfeld om de overeenkomst van uw broer met Ineluki kracht bij te zetten. Maar, prins Jozua, u behoort te begrijpen dat er een verschil is tussen de Nornen en hun ongestorven meester, evenals er een verschil is tussen uw kasteel en dat van uw broer. Ineluki en zijn Rode Hand kunnen niet naar Asu'a komen – wat u de Hayholt noemt. Dus is het aan de Zida'ya om zeker te stellen dat zij ook in Naglimund geen thuis voor zichzelf kunnen maken, of waar dan ook ten zuiden van de Vorstmark.'

'Waarom kunnen de... waarom kan hij niet naar de Hayholt gaan?' vroeg Simon.

'Het is ironisch, maar daarvoor kun je de usurpator Fingil en de andere sterfelijke koningen die de Hayholt hebben bezet bedanken,' zei Aditu. 'Toen ze zagen wat Ineluki in de laatste ogenblikken van zijn leven had gedaan, waren zij doodsbang. Ze hadden niet gedroomd dat iemand, zelfs de Sithi, een dergelijke macht kon uitoefenen. Dus werden gebeden en toverformules – als er een verschil tussen beide is – gezegd over iedere handbreedte van wat er van ons thuis over was voor de stervelingen het tot hun eigen thuis maakten. Terwijl het werd herbouwd, werd hetzelfde telkens en telkens opnieuw gedaan totdat Asu'a zo zwaar beschermd was dat Ineluki daar nooit kan komen voordat de Tijd zelf eindigt, wanneer het er niet meer op aan komt.' Haar gezicht verstrakte. 'Maar hij is nog steeds onvoorstelbaar sterk. Hij kan zijn levende gunstelingen sturen, en zij zullen hem helpen over uw broer en, middels hem, de mensheid te regeren.'

'Dus je denkt dat Ineluki dat van plan is?' vroeg Ineluki. 'Is dat wat Amerasu dacht?'

'We zullen het nooit zeker weten. Zoals Simon je ongetwijfeld heeft verteld, stierf ze voor ze de vruchten van haar overpeinzingen met ons kon delen. Iemand van de Rode Hand werd naar Jaoé-Tinukai'i gestuurd om te helpen haar het zwijgen op te leggen – een prestatie die zelfs Utuk'ku en de Onlevende onder Nakkiga moet hebben uitgeput, dus dat laat zien hoezeer ze de wijsheid van Eerste Grootmoeder vreesden.' Ze kruiste haar handen heel even over haar borst, en bracht toen een vinger aan elk oog. 'Zo kwamen de Huizen van Ballingschap in Jaoé-Tinukai'i samen om te bespreken wat er was gebeurd en oorlogsplannen te smeden. Dat Ineluki van plan is uw broer te gebruiken om over de mensheid te regeren, leek alle verzamelde Zida'ya de meest waarschijnlijke mogelijkheid.' Aditu boog zich voorover naar het komfoor en pakte een stuk hout op dat aan een eind smeulde. Ze hield het voor zich, zodat de gloed ervan haar gezicht rood kleurde. 'Ineluki leeft, in zekere zin, maar hij kan nooit meer echt in deze wereld bestaan – en op de plaats waar hij het meeste van houdt, heeft hij geen rechtstreekse macht.' Ze keek de vergadering rond, haar gouden blik om de beurt met ieder delend. 'Maar hij zal alles doen wat hij kan om de nieuwe stervelingen in zijn greep te krijgen. En als hij, terwijl hij dat doet, ook zijn familie en stam kan vernederen, twijfel ik er niet aan dat hij dat zal doen.' Aditu maakte een geluid dat enigszins als een zucht klonk en liet het hout weer in de sintels vallen. 'Misschien is het maar gelukkig dat de meeste helden die voor hun volk sterven niet terug kunnen komen om te zien wat het volk met dat moeizaam bevochten leven en die vrijheid doet.'

Er viel een stilte. Jozua verbrak die ten slotte.

'Heeft Simon je verteld dat wij onze gevallenen hier op Sesuad'ra hebben begraven?'

Aditu knikte. 'De dood is ons niet vreemd, prins Jozua. Wij zijn onsterfelijk, maar uitsluitend in die zin dat wij alleen maar sterven wanneer wij dat zelf verkiezen, of wanneer anderen dat verkiezen. Misschien zijn wij daardoor des te meer verwikkeld in sterven. Dat onze levens lang zijn vergeleken bij de uwe wil niet zeggen dat wij er meer naar verlangen ze op te geven.' Een lange, koel afgemeten glimlach deed haar lippen versmallen. 'Dus wij kennen de dood goed. Uw volk heeft dapper gevochten om zich te verdedigen. Het is geen schande voor ons om deze plaats te delen met hen die stierven.'

'Dan zou ik je graag iets anders willen laten zien.' Jozua stond op en stak zijn hand naar de Sitha uit. Vorzheva, die nauwlettend toekeek, zag er niet blij uit. Aditu stond op en volgde de prins naar de deur.

'We hebben mijn vriend – mijn dierbaarste vriend – in de tuin achter het Afscheidshuis begraven,' zei hij. 'Simon, misschien wil je ons begeleiden? En Geloë en Strangyeard ook, als jullie willen,' voegde hij er haastig aan toe.

'Ik zal een tijdje met Vorzheva blijven praten,' zei de tovenares. 'Aditu, ik verheug mij op een kans om later met je te praten.'

'Zeker.'

'Ik denk dat ik ook meega,' zei Strangyeard, bijna verontschuldigend. 'Het is daar erg mooi.'

'*Sesu-d'asú* is tegenwoordig een treurige plaats,' zei Aditu. 'Eens was het prachtig.'

Ze stonden voor de brede uitgestrektheid van het Afscheidshuis; zijn verweerde stenen glansden dof in het zonlicht.

'Ik vind het nog altijd mooi,' zei Strangyeard bedeesd.

'Ik ook,' herhaalde Simon. 'Als een oude vrouw die vroeger een mooi jong meisje was, maar je kunt het nog steeds aan haar gezicht zien.'

Aditu glimlachte. 'Mijn Seoman,' zei ze, 'de tijd die je bij ons hebt doorgebracht, heeft gedeeltelijk een Zida'ya van je gemaakt. Weldra zul je gedichten maken en ze tegen de voorbijgaande wind fluisteren.'

Ze liepen door de zaal de verwoeste tuin in, waar een grafheuvel van stenen op Deornoths graf was gebouwd. Aditu stond een ogenblik zonder te spreken, legde toen haar hand op de bovenste steen. 'Het is een mooie, rustige plaats.' Een ogenblik werd haar blik afstandelijk, alsof ze een andere plaats of tijd aanschouwde. 'Van alle liederen die wij Zida'ya zingen,' mompelde zij, 'zijn die welke over verloren dingen gaan ons het dierbaarst.'

'Misschien komt dat omdat geen van ons de werkelijke waarde van iets kan kennen voor het weg is,' zei Jozua. Hij boog zijn hoofd. Het gras tussen de kapotte plavuizen rimpelde in de wind.

Het was vreemd dat van alle stervelingen die op de Sesuad'ra woonden Vorzheva degene was die het vlugst met Aditu bevriend raakte – zo een sterveling werkelijk een vriend van een van de onsterfelijken kon worden. Zelfs Simon, die onder hen had gewoond en een van hen had gered, was er allerminst zeker van dat hij één van hen tot zijn vrienden kon rekenen.

Maar ondanks haar aanvankelijke koelte jegens de Sitha vrouw scheen Vorzheva door iets in Aditu's vreemde natuur te worden aangetrokken, misschien louter het feit dat Aditu een vreemdelinge was, de enige van haar soort op die plaats, zoals Vorzheva zelf al die jaren in Naglimund was geweest. Wat ook de aantrekkelijkheid van Aditu was, Jozua's vrouw heette haar welkom en zocht haar gezelschap zelfs op. De Sitha scheen ook van Vorzheva's gezelschap te genieten; wanneer ze niet bij Simon of Geloë was, kon ze vaak wandelend met de Tritsingsvrouw tussen de tenten worden aangetroffen, of aan haar bed zittend op dagen waarop Vorzheva zich ziek of moe voelde. Hertogin Gutrun, Vorzheva's gebruikelijke metgezellin, deed haar best om de vreemde bezoekster goede manieren te tonen, maar iets in haar Aedonitische hart maakte dat ze zich niet helemaal op haar gemak voelde. Terwijl Vorzheva en Aditu met elkaar praatten of lachten, sloeg Gutrun Aditu gade alsof de Sitha een soort gevaarlijk dier was dat, naar men haar had verzekerd, nu tam was.

Van haar kant scheen Aditu op een vreemde manier geboeid door het kind dat Vorzheva droeg. Bij de Zida'ya werden weinig kinderen geboren, vooral tegenwoordig, legde zij uit. De laatste was meer dan een eeuw geleden gekomen, en hij was nu evenzeer volwassen als de oudste van de Dageraadskinderen. Aditu scheen ook belang te stellen in Leleth, hoewel het meisje niet meer met haar sprak dan met iemand anders. Toch liet ze zich door Aditu mee uit wandelen nemen, en liet zich zelfs af en toe door haar dragen, iets dat bijna niemand anders mocht doen.

Zo Aditu belang stelde in sommigen van de stervelingen, de gewone burgers van Nieuw Gadrinsett waren beurtelings door haar geboeid en afgeschrikt. Ulca's verhaal – waarvan de waarheid vreemd genoeg was – was door het vertellen en opnieuw vertellen gegroeid tot Aditu's komst vergezeld was gegaan door een lichtflits en een wolkje rook; de Sitha, zo ging het verhaal verder, tot razernij gebracht door het geflirt van het sterfelijke meisje met haar aanstaande, had gedreigd Ulca in steen te veranderen. Ulca werd spoedig de heldin van iedere jonge vrouw op de Sesuad'ra, en Aditu werd, ondanks het feit dat de meeste heuvelbewoners haar zelden zagen, het onderwerp van eindeloze roddelpraat en bijgelovig gemompel.

Tot zijn verdriet bleef ook Simon een onderwerp van geruchten en speculatie in de kleine gemeenschap. Jeremias, die vaak op de markt naast het Afscheidshuis rondslenterde, placht het laatste vreemde verhaal opgewekt te vertellen – de draak van wie Simon het zwaard had gestolen zou eens terugkomen en Simon zou tegen hem moeten vechten; Simon was ten dele Sitha, en Aditu was gekomen om hem naar de woningen van het Elfenvolk terug te brengen, enzovoort. Toen Simon deze fantasieën hoorde die uit lege lucht schenen te zijn geweven, kon alleen maar in elkaar krimpen. Hij kon niets doen – iedere poging om de verhalen de kop in te drukken overtuigde de bevolking van Nieuw Gadrinsett er alleen maar sterker van dat hij of mannelijk bescheiden of sluw misleidend was. Soms vond hij de verzinsels amusant, maar toch vond hij onwillekeurig dat hij aandachtiger werd gadegeslagen dan prettig was, hetgeen maakte dat hij zijn tijd uitsluitend doorbracht met mensen die hij kende en vertrouwde. Zijn afzijdigheid leidde natuurlijk alleen maar tot nog meer veronderstellingen.

Als dat zijn roem was, besloot Simon, zou hij liever een eenvoudige en onbekende koksjongen zijn gebleven. Wanneer hij tegenwoordig soms door Nieuw Gadrinsett liep, voelde hij zich zeer naakt, maar hij kon niets anders doen dan voorbijlopen met een glimlach op zijn gezicht en zijn schouders naar achteren. Koksjongens konden zich verschuilen of weglopen, ridders konden dat niet.

'Hij is buiten, Jozua. Hij zweert dat je hem verwacht.'
'Ah.' De prins wendde zich tot Simon. 'Dit is zeker de geheimzinnige boodschapper waar ik het over had – degene met nieuws uit Nabban. En het is inderdaad veertien dagen geleden – bijna tot op de dag af. Blijf en zie.' Tegen Sludig zei hij: 'Breng hem binnen, alsjeblieft.'
De Rimmersman ging naar buiten en kwam een ogenblik later terug

met een kerel met een kaak als een lantaarn, een bleek gezicht en – vond Simon – een wat gemelijk uiterlijk. De Rimmersman liep achteruit naast de wand van de tent en bleef daar staan met één hand op de hecht van zijn bijl, terwijl de ander met de haren van zijn felle baard speelde.

De boodschapper liet zich langzaam op één knie vallen. 'Prins Jozua, mijn meester doet u de groeten en verzoekt mij u dit te geven.' Toen hij zijn hand in zijn mantel stopte, deed Sludig een stap naar voren, ook al was de boodschapper enige passen van de prins verwijderd, maar de man haalde alleen maar een perkamentrol te voorschijn, met een lint eromheen en gezegeld met blauwe was. Jozua keek er een ogenblik naar, knikte toen tegen Simon om het naar hem toe te brengen.

'De gevleugelde dolfijn,' zei Jozua terwijl hij naar het embleem keek dat in de gesmolten was was gestempeld. 'Dus je meester is graaf Streáwe van Perdruin?'

Het was niet moeilijk om de blik op het gezicht van de boodschapper zelfgenoegzaam te noemen. 'Dat is hij, prins Jozua.'

De prins verbrak het zegel en ontrolde het perkament. Hij bekeek het enkele ogenblikken, rolde het toen op en zette het op de leuning van zijn stoel. 'Ik wil dit niet haastig doornemen. Hoe heet je, man?'

De boodschapper knikte met enorme tevredenheid, alsof hij die cruciale vraag lang had verwacht. 'Ik... ik heet Lenti.'

'Goed dan, Lenti. Sludig zal je meenemen en ervoor zorgen dat je eten en drinken krijgt. Hij zal ook zorgen dat je een bed krijgt, want het zal enige tijd duren voor ik mijn antwoord stuur... misschien wel een paar dagen.'

De boodschapper keek de tent van de prins rond, de mogelijke kwaliteit van Nieuw Gadrinsetts accommodatie taxerend. 'Ja, prins Jozua.'

Sludig kwam naar voren en beduidde Lenti met een ruk van zijn hoofd hem naar buiten te volgen.

'Ik vond die boodschapper niet veel bijzonders,' zei Simon toen ze weg waren.

Jozua bekeek het perkament opnieuw. 'Een dwaas,' stemde hij in, 'een lichtgewicht, zelfs voor iets eenvoudigs als dit. Maar verwar Streáwe niet met zijn volgelingen – Perdruins meester is slim als een beurzensnijder op de markt. Toch, het pleit niet voor zijn vermogen om zijn belofte waar te maken als hij geen indrukwekkender dienaar kan vinden om die naar mij toe te brengen.'

'Welke belofte?' vroeg Simon.

Jozua rolde de boodschap op en liet die in zijn mouw glijden. 'Graaf Streáwe beweert dat hij Nabban aan mij kan uitleveren.' Hij stond op. 'De oude man liegt natuurlijk, maar het leidt tot een interessante speculatie.'

'Ik begrijp u niet, Jozua.'

De prins glimlachte. 'Wees maar blij. Jouw dagen van onschuld omtrent mensen als Streáwe verdwijnen snel.' Hij klopte Simon op de
schouder. 'Op het ogenblik, jonge ridder, praat ik er liever niet over. Er
zal hiervoor een tijd en een plaats op de Raed zijn.'
'U bent klaar om uw raadsvergadering te houden?'
Jozua knikte. 'De tijd is gekomen. Voor een keer zullen wij de lakens
uitdelen, dan zullen we zien of we mijn broer en zijn bondgenoten onze
wil niet kunnen opleggen.'

'Dat is een hoogst interessante misleiding, slimme Seoman.' Aditu keek
neer op het spelletje Shent dat ze gemaakt had van hout en verfstoffen
uit wortels en gepolijste stenen. 'Een valse worp vals gespeeld: een
schijn die onthuld wordt als een voorwendsel, maar daaronder schuilt
uiteindelijk iets waars. Heel mooi – maar wat doe jij als ik mijn Ge-
kleurde Stenen hier… hier… en hier zet?' Ze voegde de daad bij het
woord.
Simon fronste. In het zachte licht van zijn tent bewoog haar hand bijna
te vlug om gezien te worden. Een onaangenaam ogenblik lang vroeg hij
zich af of ze misschien vals speelde, maar na nog een moment te hebben
nagedacht was hij ervan overtuigd dat Aditu het niet nodig had om iemand te bedriegen voor wie de subtiliteiten van het shentspel nog
steeds grotendeels een raadsel waren, evenmin als Simon zou proberen
een klein kind met wie hij een hardloopwedstrijd hield beentje te lichten. Toch wierp het een interessante vraag op.
'Kun je met dit spel vals spelen?'
Aditu keek op van het neerzetten van haar stukken. Ze droeg een van
Vorzheva's losse japonnen; de combinatie van haar ongewoon ingetogen
kleding en haar losvallende haar maakte dat zij er iets minder gevaarlijk
wild uitzag – eigenlijk maakte het haar verontrustend menselijk. Haar
ogen glansden in het licht van het komfoor. 'Vals spelen? Bedoel je liegen? Een spel kan net zo misleidend zijn als de spelers willen.'
'Dat bedoel ik niet. Kun je met opzet iets doen dat tegen de regels is?'
Ze was griezelig mooi. Hij staarde naar haar, zich de avond waarop zij
hem had gekust herinnerend. Wat had dat betekend? Van alles? Of was
het alleen maar een andere manier voor Aditu om met haar vroegere
schoothondje te spelen?
Ze dacht over zijn vraag na. 'Ik weet eigenlijk niet hoe ik daar antwoord
op moet geven. Zou jij de manier waarop je gemaakt bent voor de gek
kunnen houden door met je armen te fladderen?'
Simon schudde zijn hoofd. 'Bij een spel dat zoveel regels heeft, moet er
ergens een manier zijn om die te breken…'
Voor Aditu kon proberen opnieuw te antwoorden, stormde Jeremias

buiten adem en opgewonden de tent binnen. 'Simon!' riep hij, bleef ineens staan toen hij zag dat Aditu er was. 'Neem me niet kwalijk.' Ondanks zijn verlegenheid had hij moeite zijn opwinding te bedwingen.

'Wat is er?'

'Er zijn mensen gekomen!'

'Wie? Wat voor mensen?' Simon keek even naar Aditu, maar zij was de stelling vóór zich opnieuw aan het bestuderen.

'Hertog Isgrimnur en de prinses!' Jeremias zwaaide met zijn armen omhoog en omlaag. 'En er zijn ook anderen bij hen! Een vreemde kleine man, zoiets als Binabik en zijn trollen, maar bijna even groot als wij. En een oude man – hij is nòg langer dan jij. Simon, de hele stad is uitgelopen om hen te zien!'

Hij bleef een ogenblik zwijgend zitten, zijn hoofd wervelend. 'De prinses?' zei hij ten slotte. 'Prinses... Miriamele?'

'Ja, ja,' zei Jeremias hijgend. 'Gekleed als een monnik, maar ze zette haar kap af en zwaaide naar mensen. Kom mee, Simon, iedereen gaat hen tegemoet.' Hij keerde zich om en deed enkele passen naar de tentopening; toen draaide hij zich om en keek zijn vriend verbaasd aan. 'Simon? Wat is er? Wil je de prinses en hertog Isgrimnur en de bruine man niet gaan zien?'

'De prinses.' Hij keerde zich hulpeloos om naar Aditu, die hem met katachtige ongeïnteresseerdheid aankeek.

'Het klinkt als iets dat je leuk zult vinden, Seoman. Wij zullen ons spel later spelen.'

Simon stond op en volgde Jeremias de tent uit, de wind op de heuveltop in, even langzaam en wankel lopend als een slaapwandelaar. Als in een droom hoorde hij overal om zich heen mensen roepen, een aanzwellend murmelend geluid dat zijn oren vulde als het gebrul van de oceaan.

Miriamele was teruggekomen.

21

Verhoorde gebeden

Het was geleidelijk aan kouder geworden toen Miriamele en haar metgezellen over de wijde graslanden trokken. Tegen de tijd dat ze de
ogenschijnlijk eindeloze vlakte van de Tritsingweide bereikten, lag er
sneeuw op de grond en zelfs midden op de dag bleef de hemel dof tin-
grijsgekleurd met vegen van zwarte wolken. Gehuld in haar reismantel
om zich te beschermen tegen de roofzuchtige wind, voelde Miriamele
zich bijna dankbaar dat Aspitis Preves hen gevonden had; het zou werkelijk een lange en ellendige reis zijn geweest als ze gedwongen waren
geweest die te voet te maken. Koud en onbehaaglijk als zij was, had Miriamele niettemin een vreemd gevoel van vrijheid. De graaf had haar
achtervolgd maar nu, hoewel hij nog leefde en zich misschien op de een
of andere manier zou willen wreken, was ze niet langer bang voor hem
of voor wat hij zou kunnen doen. Maar Cadrachs vlucht was iets heel anders.

Sinds zij samen van de *Wolk Eadne* waren ontsnapt, was ze de man uit
Hernystir met andere ogen gaan zien. Hij had haar enige keren verraden, zeker, maar op zijn vreemde manier had hij, scheen het, ook om
haar gegeven. De zelfhaat van de monnik was tussen hen blijven hangen
– en had hem blijkbaar ten slotte weggejaagd – maar haar eigen gevoelens waren veranderd.

Ze had erge spijt van het twistgesprek over Tiamaks perkament. Miriamele had gedacht dat ze langzaam verder zou kunnen gaan met hem uit
zijn tent te lokken, en op de een of andere manier tot de man daaronder
zou kunnen doordringen – een man die zij mocht. Maar, alsof ze had geprobeerd een wilde hond te temmen en hem te vlug had geaaid, was Cadrach geschrokken en had de vlucht genomen. Miriamele kon het duistere gevoel niet van zich afzetten dat ze een gelegenheid had gemist die
belangrijker was dan ze kon begrijpen.

Zelfs te paard was het een lange reis. Haar gedachten waren niet altijd
goed gezelschap te noemen.

Ze reden een hele week om de Tritsingweide te bereiken, reizend van
het eerste licht tot de zon was ondergegaan... op die dagen althans
waarop er zon was. Het weer werd geleidelijk kouder, maar bleef net
leefbaar; op de meeste dagen brak de zon tegen de middag moeizaam
door als een vermoeide maar vastberaden boodschapper en verdreef de
kilte.

De weilanden waren uitgestrekt, en voor het merendeel vlak en saai als een tapijt. De weinige hellingen in het landschap waren bijna nog deprimerender; na een lange dagrit tegen een glooiende helling op, merkte Miriamele dat ze moeite had het idee kwijt te raken dat ze uiteindelijk een top zouden bereiken en dat die èrgens zou zijn. In plaats daarvan staken zij, op een bepaald punt, een vlakke weide over die even oninteressant was als de opwaartse helling, en merkten dan geleidelijk dat ze een even oninspirerende helling afreden. Zelfs het idee om zo'n eentonige reis te voet te maken, was ontmoedigend. Veld na leeg veld, mijl na vermoeiende mijl, fluisterde Miriamele stille gebeden van dankbaarheid voor de paarden die Aspitis buiten zijn weten had geschonken.

Tiamak, die op het zadel voor haar reed, herwon snel zijn krachten. Na enige aanmoediging vertelde de Wrannaman haar – en Isgrimnur die blij was dat hij iemand anders had om de last van het verhalen vertellen mee te delen – meer over zijn jeugd in de moerassen en zijn moeilijke jaar als eerzuchtige geleerde in Perdruin. Hoewel zijn natuurlijke terughoudendheid hem verhinderde om stil te staan bij zijn mishandeling, meende Miriamele dat ze elke kleinering, elke kleine wreedheid die in zijn verhaal vervlochten was kon voelen.

Ik ben niet de eerste die zich eenzaam voelt, die zich verkeerd begrepen en ongewenst voelt. Dit ogenschijnlijk voor de hand liggende feit drong nu met de kracht van een openbaring tot haar door. *En ik ben een prinses, een bevoorrecht iemand – ik heb nooit honger gehad, ben nooit bang geweest dat ik zou sterven zonder dat iemand zich mij herinnerde, heb nooit te horen gekregen dat ik niet goed genoeg was om iets te doen dat ik wilde doen.*

Terwijl ze naar Tiamak luisterde, naar zijn pezige maar toch broze gestalte, zijn precieze, geleerde gebaren keek, was Miriamele ontsteld door haar eigen opzettelijke onwetendheid. Hoe kon zij, met heel haar aangeboren geluk, zo worden verteerd door de weinige ongemakken die God of het noodlot op haar weg hadden geplaatst? Het was schandelijk.

Ze probeerde hertog Isgrimnur iets van haar gedachten te vertellen, maar hij wilde niet dat ze een te grote afkeer van zichzelf zou krijgen.

'Elk van ons heeft zijn eigen zorgen, prinses,' zei hij. 'Het is geen schande om ze ter harte te nemen. De enige zonde is te vergeten dat andere mensen ook de hunne hebben – of om door zelfmedelijden te trainieren wanneer iemand hulp nodig heeft.'

Miriamele werd eraan herinnerd dat Isgrimnur meer dan alleen maar een knorrige oude soldaat was.

Op hun derde nacht op de Tritsingweide, toen het viertal bij hun kampvuur zat – heel dicht bij elkaar, want hout was schaars op de gras-landen en het vuur was maar klein – verzamelde Miriamele ten slotte de moed om Tiamak naar zijn tas en de inhoud ervan te vragen.

De Wrannaman was zo verlegen dat hij haar nauwelijks kon aankijken. 'Het is verschrikkelijk, vrouwe. Ik herinner me maar weinig, maar in mijn koorts was ik er zeker van dat Cadrach hem van me wilde stelen.'

'Waarom zou je dat denken? En wat is het nu eigenlijk?'

Na een ogenblik te hebben nagedacht, reikte Tiamak in zijn tas, haalde het in bladeren gepakte bundeltje eruit en pelde de verpakking eraf. 'Het was toen u sprak over de monnik en Nisses' boek,' legde hij verle-gen uit. 'Ik kan nu geloven dat het onschuldig was, want Morgenes zei ook iets over Nisses in zijn boodschap aan mij – maar in de afgrond van mijn ziekte kon ik alleen maar denken dat het betekende dat mijn schat in gevaar was.'

Hij overhandigde haar het perkament. Toen ze het ontrolde, liep Is-grimnur om het vuur heen om over haar schouder mee te kijken. Cama-ris, die zich schijnbaar, als altijd, van niets bewust was, staarde de lege nacht in.

'Het is een soort lied,' zei Isgrimnur boos, alsof hij meer had verwacht.

'... *"De man die hoewel blind kan zien"*...' las Miriamele. 'Wat is het?'

'Ik ben er zelf niet zeker van,' antwoordde Tiamak. 'Maar kijk, het is ondertekend "Nisses". Ik denk dat het een deel is van zijn verloren boek, *Du Svardenvyrd*.'

Miriamele schepte ineens adem. 'O. Maar dat is het boek dat Cadrach had, het boek dat hij bladzij voor bladzij heeft verkocht.' Ze voelde iets in haar maagkuil knijpen. 'Het boek dat Pryrates wilde hebben. Waar heb je dit vandaan?'

'Ik heb het in Kwanitupul gekocht, bijna een jaar geleden. Het maakte deel uit van een stapel knipsels. De koopman had niet kunnen weten dat het iets waard was, of anders heeft hij nooit nagekeken wat hij waar-schijnlijk zelf als een knipsel had gekocht.'

'Ik denk niet dat Cadrach feitelijk wist wat je had,' zei Miriamele. 'Maar Elysia, Moeder van Genade, wat vreemd! Misschien is dit een van de bladzijden die hij heeft verkocht!'

'Heeft hij bladzijden van Nisses' boek verkocht?' vroeg Tiamak. Ver-bolgenheid vermengde zich met verbazing. 'Hoe was dat mogelijk?'

'Cadrach vertelde mij dat hij arm en wanhopig was.' Ze overwoog het idee om hun de rest van het verhaal van de monnik te vertellen, maar besloot toen dat ze die zaak zorgvuldiger moest overdenken. Ze zouden zijn daden wel eens niet kunnen begrijpen. Ook al was hij gevlucht, ze voelde zich toch gedwongen om Cadrach te beschermen tegen hen die hem niet zo goed kenden als zij. 'Hij had toen een andere naam,' zei ze, alsof hem dat misschien zou vrijspreken. 'Hij werd Padreic genoemd.'

'Padreic!' Nu was Tiamak volkomen verbijsterd. 'Maar ik ken die naam! Kan hij dezelfde man zijn? Doctor Morgenes kende hem goed!'

'Ja, hij kende Morgenes. Hij heeft een vreemde geschiedenis.'

Isgrimnur snoof, maar nu klonk ook hij een beetje beschermend. 'Het schijnt inderdaad een vreemde geschiedenis te zijn.'

Miriamele haastte zich om op een ander onderwerp over te gaan. 'Misschien zal Jozua dit begrijpen.'

De hertog schudde zijn hoofd. 'Ik denk dat prins Jozua, als we hem vinden, andere dingen te doen zal hebben dan naar oude perkamenten te kijken.'

'Maar misschien is het belangrijk.' Tiamak keek Isgrimnur van opzij aan. 'Zoals ik zei, doctor Morgenes schreef mij in een brief dat hij dacht dat dit de tijd was waarvoor Nisses waarschuwde. Morgenes was een man die vele dingen wist die voor de rest van ons verborgen zijn.'

Isgrimnur gromde en ging terug naar zijn eigen plaats in de kring om het vuur. 'Ik snap er niets van. Helemaal niets.'

Miriamele sloeg Camaris gade, die de duisternis even kalm en opmerkzaam bekeek als een uil die op het punt staat van een boomtak te zweven. 'Er zijn tegenwoordig zoveel mysteries,' zei hij. 'Zal het niet aardig zijn wanneer alles weer eenvoudig is?'

Er viel een stilte, toen lachte Isgrimnur verlegen. 'Ik was vergeten dat de monnik weg is. Ik wachtte erop dat hij zou zeggen: "De dingen zullen nooit meer eenvoudig zijn" of iets dergelijks.'

Miriamele moest onwillekeurig glimlachen. 'Dat is precies wat hij zou hebben gezegd.' Ze hield haar handen dichter bij de geruststellende warmte van het vuur en slaakte een zucht. 'Precies wat hij zou hebben gezegd.'

Dagen verliepen terwijl ze naar het noorden reden. De sneeuw op de grond werd dikker; de wind werd een vijand. Toen de laatste mijlen van de Tritsingweide achter hen verdwenen, werden Miriamele en de anderen meer en meer terneergeslagen.

'Het is moeilijk je voor te stellen dat Jozua en de anderen enig geluk hebben in dit weer.' Isgrimnur schreeuwde bijna om zich boven de wind uit verstaanbaar te maken. 'De zaken staan er nu slechter voor dan toen ik naar het zuiden ging.'

'Als ze maar in leven zijn, dat is genoeg,' zei Miriamele. 'Dat zal een begin zijn.'

'Maar, prinses, we weten niet eens waar we hen moeten zoeken.' De hertog klonk bijna verontschuldigend. 'Geen van de geruchten die ik heb gehoord, zeiden veel meer dan dat Jozua ergens in de Hoge Tritsing was. Er zijn daar meer dan honderd mijlen grasland voor ons, evenmin gekoloniseerd of gecultiveerd als dit.' Hij wuifde met zijn brede arm naar de naargeestige, besneeuwde vlakten aan weerskanten. 'We zouden maanden kunnen zoeken.'

'We zullen hem vinden,' zei Miriamele, en in haar eigen hart voelde ze zich bijna even zeker als ze klonk. Stelllig, de dingen die ze had doorgemaakt, de dingen die ze had geleerd, moesten toch ergens goed voor zijn. 'Er zijn mensen die op de Tritsingen wonen,' voegde ze eraan toe. 'Als Jozua en de anderen een nederzetting voor zichzelf hebben gemaakt, dan zal het Tritsingenvolk dat weten.'

Isgrimnur snoof. 'Het Tritsingenvolk! Miriamele, ik ken het beter dan je misschien denkt. Dit zijn geen stadsbewoners. Eerstens blijven ze niet op één plaats, dus misschien vinden we hen helemaal niet. En misschien is dat dan maar goed ook. Het zijn barbaren, die ons net zo goed ons hoofd kunnen afslaan als ons nieuws over Jozua vertellen.'

'Ik weet dat je tegen de Tritsingers hebt gevochten,' antwoordde Miriamele. 'Maar dat was lang geleden.' Ze schudde haar hoofd. 'En voor zover ik zie hebben wij in elk geval geen keus. We zullen dat probleem oplossen wanneer we er mee geconfronteerd worden.'

De hertog keek haar aan met een mengeling van frustratie en geamuseerdheid op zijn gezicht, haalde toen de schouders op. 'Je bent de dochter van je vader.'

Vreemd genoeg was Miriamele niet boos over deze opmerking, maar ze fronste toch – in elk geval om de hertog op zijn plaats te houden. Een ogenblik later lachte zij.

'Wat is er zo grappig?' vroeg Isgrimnur achterdochtig.

'Niets, eigenlijk. Ik dacht alleen aan al die keren dat ik met Binabik en Simon samen was. Verscheidene keren had ik uitgemaakt dat ik over enkele ogenblikken dood zou zijn – één keer toen wij door een paar vreselijke honden werden aangevallen, een andere keer door een reus, en door mensen die pijlen op ons afschoten...' Ze schudde haar haren uit haar ogen, maar de gekmakende wind woei ze meteen terug. Ze stopte de irriterende strengen terug in haar capuchon. 'Maar nu denk ik dat niet meer, hoe vreselijk de dingen ook zijn. Toen Aspitis ons gevangen nam, geloofde ik geen ogenblik dat hij er echt in zou slagen mij mee te nemen. En als hij dat wèl had gedaan, zou ik zijn ontsnapt.'

Ze liet haar paard even langzamer lopen, terwijl ze probeerde haar gedachten onder woorden te brengen. 'Zie je, in werkelijkheid is het helemaal niet grappig. Maar het schijnt me nu toe dat er dingen gebeuren die onze kracht te boven gaan. Als golven op de oceaan, enorme golven. Ik kan tegen ze vechten – en verdrinken – of ik kan me door hen laten meevoeren en genoeg zwemmen om mijn hoofd boven water te houden.

Ik weet dat ik oom Jozua zal weerzien. Ik weet het gewoon. En Simon en Binabik en Vorzheva – er is nog meer te doen, dat is alles.'

Isgrimnur keek haar bedachtzaam aan, alsof het kleine meisje dat hij eens op zijn knie had laten rijden een Nabbaanse sterrewichelaar was geworden. 'En dan? Wanneer we weer allemaal bij elkaar zijn?'

Miriamele glimlachte tegen hem, maar het was alleen maar het bitterzoete puntje van een groot verdriet dat door haar heen sloeg. 'De golf zal stukslaan, lieve oude oom Isgrimnur... en sommigen van ons zullen kopje onder gaan en nooit meer boven komen. Ik weet niet hoe het zal zijn, natuurlijk niet. Maar ik ben niet zo bang meer als eerst.'

Toen zwegen ze, drie paarden en vier ruiters die tegen de wind op tornden.

Alleen de hoeveelheid tijd die ze hadden gereden, vertelde hun dat ze de Hoog-Tritsing in waren gegaan: de met sneeuw bedekte weilanden en heuvels waren niet gedenkwaardiger dan iets anders dat zij in de eerste week van hun reis waren overgestoken. Maar vreemd genoeg, het weer verslechterde niet toen ze verder naar het noorden reden. Miriamele begon zelfs te geloven dat het een beetje warmer begon te worden en dat de wind minder vinnig werd.

'Een hoopvol teken,' zei ze op een middag toen de zon zich feitelijk liet zien. 'Ik heb het je gezegd, Isgrimnur. We komen er.'

'Waar dat "er" ook is, precies,' bromde de hertog.

Tiamak roerde zich in het zadel. 'Misschien zouden we naar de rivier moeten gaan. Als er op deze plaats nog mensen wonen, zullen ze hoogstwaarschijnlijk in de buurt van stromend water zijn, waar misschien nog vissen zijn te verschalken.' Hij schudde droef zijn hoofd. 'Ik wou dat hetgene dat ik mij van mijn droom herinner nauwkeuriger was.'

Isgrimnur peinsde. 'De Ymstrecca stroomt vlak ten zuiden van het grote woud. Maar zij stroomt voor het grootste deel door de Tritsingen – een heel eind om te gaan zoeken.'

'Is er geen andere rivier die erdoor stroomt?' vroeg Tiamak. 'Het is lang geleden sinds ik naar een kaart heb gekeken.'

'Er is er een. De Stefflod, als ik het mij goed herinner.' De hertog fronste. 'Maar dat is weinig meer dan een grote stroom.'

'Toch, op de plaatsen waar rivieren samenkomen, vind je vaak dorpen,' zei Tiamak met verbazende zelfverzekerdheid. 'Zo is het in de Wran en op alle andere plaatsen waarvan ik heb gehoord.'

Miriamele wilde iets zeggen, maar hield op, Camaris gadeslaand. De oude man was een eindje van de weg af gereden en keek naar de hemel. Ze volgde zijn blik maar zag alleen maar groezelige wolken.

Isgrimnur dacht na over het idee van de Wrannaman. 'Misschien heb je gelijk, Tiamak. Als we naar het noorden blijven gaan, moeten we de Ymstrecca wel tegenkomen. Maar ik denk dat de Stefflod iets naar het oosten is.' Hij keek rond alsof hij een herkenningspunt zocht; zijn blik bleef op Camaris rusten. 'Waar kijkt hij naar?'

'Raven!' zei Isgrimnur. '… kraaien!'

De vogels zweefden in een cirkel boven de reizigers alsof ze hadden gevonden wat ze zochten. Miriamele meende dat ze hun gele ogen kon zien glinsteren. De gewaarwording om bespied, gemarkeerd, te worden was heel sterk. Na nog een paar kringen doken de raven, hun veren glanzend oliezwart toen ze naderbij kwamen. Miriamele boog haar hoofd en bedekte haar ogen. De raven vlogen krijsend voorbij; een ogenblik later vlogen ze omhoog en schoten weg. Binnen enkele ogenblikken waren de vogels twee kleiner wordende vlekken die in de noordelijke hemel verdwenen.

Alleen Camaris had zijn hoofd niet gebogen. Hij sloeg hun terugtrekkende gedaanten met een in beslag genomen, beschouwende blik gade.

'Wat zijn ze?' vroeg Tiamak. 'Zijn ze gevaarlijk?'

'Zij zijn een slecht voorteken,' gromde de hertog. 'In mijn landen jagen we met pijlen op ze. Lijkeneters.' Hij trok een gezicht.

'Ik denk dat ze naar ons keken,' zei Miriamele. 'Ik denk dat ze wilden weten wie we zijn.'

'Zo moet je niet praten.' Isgrimnur boog zich naar haar toe en kneep in haar arm. 'En wat zou het vogels kunnen schelen wie we zijn?'

Miriamele schudde haar hoofd. 'Ik weet het niet. Maar ik heb dat gevoel nu eenmaal; iemand wilde weten wie wij zijn… en nu weten ze het.'

'Het waren gewoon maar raven.' De glimlach van de hertog was grimmig. 'Wij hebben andere dingen om ons zorgen over te maken.'

'Dat is zo,' zei ze.

Na nog een paar dagen rijden kwamen ze eindelijk bij de Ymstrecca. De snelstromende rivier was bijna zwart onder de zwakke zon. Onregelmatige sneeuw bedekte haar oevers.

'Het weer begint inderdaad warmer te worden,' zei Isgrimnur blij. 'Het is nauwelijks kouder dan het om deze tijd van het jaar behoort te zijn. Het is per slot van rekening Novander.'

'O ja?' Miriamele was in de war. 'En wij hebben Jozua's burcht in Yuven verlaten. Een halfjaar. Elysia's genade, we hebben lang gereisd.'

Ze draaiden om en volgden de rivier in oostelijke richting, toen het donker werd stilhoudend om een kamp op te slaan met het geluid van water luid in hun oren. De volgende ochtend gingen ze vroeg op weg onder een grijze hemel.

Aan het eind van de middag bereikten ze de rand van een ondiep dal met nat gras. Voor hen lagen de door het weer geteisterde overblijfselen van een enorme nederzetting, als de resten van een verwoestende overstroming. Honderden geïmproviseerde huizen stonden daar. De meeste daarvan schenen nog onlangs te zijn bewoond, maar iets had de bewoners eruit gelokt of verdreven; slechts op een paar eenzame vogels na die te midden van de verlaten woningen aan het pikken waren, scheen de krakkemikkige stad verlaten.

Miriamele zonk de moed in de schoenen. 'Was dit Jozua's kamp? Waar zijn ze heengegaan?'

'Het ligt op een grote heuvel, vrouwe,' zei Tiamak. 'Tenminste, dat is hetgene wat ik in mijn droom heb gezien.'

Isgrimnur spoorde zijn paard aan in de richting van de lege nederzetting.

Een onderzoek onthulde dat veel van wat de indruk van een ramp gaf de aard van de nederzetting zelf was, aangezien de meeste bouwmaterialen uit schroot en dood hout bestonden. Er scheen in de hele stad geen spijker te zijn; de grof geweven touwen die de meeste van de beter geconstrueerde gebouwen bijeen hadden gehouden, bleken te zijn gerafeld en gebroken in de greep van stormen die de Tritsingen de afgelopen tijd hadden geteisterd – maar zelfs in hun beste dagen, besloot Miriamele, konden geen van de woningen veel meer dan een krot zijn geweest.

Er was ook een aanwijzing van een ordelijke terugtocht. De meeste mensen die daar gewoond hadden, schenen de tijd te hebben gehad om hun bezittingen mee te nemen, hoewel ze, te oordelen naar de kwaliteit van de schuilplaatsen, in de eerste plaats niet veel konden hebben gehad. Toch, er was weinig over van alledaagse benodigdheden: Miriamele vond een paar gebroken potten en enkele vodden van kleren zo ellendig gerafeld en met modder doorweekt dat ze zelfs in een koude winter waarschijnlijk niet gemist waren.

'Ze zijn vertrokken,' zei ze tegen Isgrimnur, 'maar het ziet ernaar uit dat ze dat uit eigen wil hebben gedaan.'

'Of ertoe werden gedwongen,' merkte de hertog op. 'Men zou ze op een ordelijke manier hebben kunnen laten wegmarcheren, als je begrijpt wat ik bedoel.'

Camaris was van zijn paard afgestegen en was aan het porren in een hoop modder en gebroken takken die eens iemands woning was geweest. Hij stond op met iets glanzends in zijn hand.

'Wat is dat?' Miriamele reed naar hem toe. Ze hield haar hand uitgestrekt, maar Camaris stond naar een stuk metaal te staren. Ten slotte bewoog zij haar hand en nam het voorzichtig uit de lange, eeltige vingers van de oude ridder.

Tiamak gleed naar voren op de schoften van het paard en draaide zich om om het voorwerp te onderzoeken. 'Het ziet eruit als een gesp om een mantel mee vast te maken,' opperde hij.

'Ik denk dat het dat is.' Het zilverachtige voorwerp, verbogen en modderig, had een rand van gemodelleerde hulstbladeren. In het midden was een paar gekruiste speren en een nijdig reptielachtig gezicht. Miriamele voelde opnieuw een sliertje angst in zich opkomen. 'Isgrimnur, kijk dit eens.'

De hertog bracht zijn paard naast het hare en nam de gesp. 'Het is het insigne van de koninklijke Erkynwacht.'

'Mijn vaders soldaten,' mompelde Miriamele. Ze kon de drang om rond te kijken niet onderdrukken, alsof een groep ridders ergens onbespied vlak bij op de lege grashelling op de loer had kunnen liggen. 'Ze zijn hier geweest.'

'Ze zouden hier geweest kunnen zijn nadat de bevolking was vertrokken,' zei Isgrimnur. 'Of er zou een andere reden geweest kunnen zijn die wij niet kunnen vermoeden.' Hij klonk zelf niet erg overtuigd. 'Per slot van rekening, prinses, we weten niet eens wie hier hebben gewoond.'

'Ik weet het.' Ze was boos omdat ze het zich alleen maar verbeeldde. 'Het waren mensen die voor mijn vaders regering waren gevlucht. Jozua en de anderen waren waarschijnlijk bij hen. Nu zijn ze waarschijnlijk verdreven of gevangengenomen.'

'Pardon, vrouwe Miriamele,' zei Tiamak behoedzaam, 'maar ik denk dat het niet goed zou zijn om zo vlug tot een conclusie te komen. Hertog Isgrimnur heeft gelijk: er is veel dat wij niet weten. Dit is niet de plaats die ik in de droom die Geloë mij zond heb gezien.'

'Wat moeten wij dan doen?'

'Verdergaan,' zei de Wrannaman. 'De sporen volgen. Misschien zijn zij die hier woonden weggegaan om zich bij Jozua aan te sluiten.'

'Dat ziet er veelbelovend uit daarginds.' De hertog beschaduwde zijn ogen tegen de grijze zon. Hij wees naar de rand van de nederzetting, waar een reeks brede sporen slingerend uit de vertrapte moddervelden naar het noorden liepen.

'Laat ons die dan volgen.' Miriamele gaf de gesp aan Camaris terug. De oude ridder keek er een ogenblik naar en liet haar toen op de grond vallen.

De sporen liepen dicht genoeg bij elkaar om een groot modderig litteken door de graslanden te trekken. Aan weerskanten van deze geïmproviseerde weg lag de rommel van de mensen die hem hadden gebruikt — gebroken wielspaken, doordrenkte as van vuren, talloze gegraven en opgevulde gaten. Ondanks het aanzien ervan, de lelijke troep verspreid over een overigens ongerept land, werd Miriamele bemoedigd door de ogenschijnlijke versheid van die sporen: het kon niet meer dan een maand, hoogstens twee geleden zijn sinds de weg was gebruikt.

Tijdens een avondmaal vergaard van hun afnemende voorraden uit Dorpsbosje vroeg Miriamele Isgrimnur wat hij zou doen wanneer ze Jozua eindelijk bereikten. Het was prettig om over die dag te praten als iets dat zóu gebeuren, niet alleen maar als iets dat kòn gebeuren; het maakte dat het zeker, echt en tastbaar scheen, ook al voelde ze nog steeds een zweem van bijgelovige angst om te praten over goede dingen die nog niet waren gebeurd.

'Ik zal hem laten zien dat ik mijn woord heb gehouden,' zei de hertog lachend. 'Hem jou laten zien. Daarna, denk ik, zal ik mijn vrouw opzoeken en haar omhelzen tot ze piept.'

Miriamele glimlachte bij de gedachte aan de gezette, altijd capabele Gutrun. 'Dat wil ik zien.' Ze keek naar Tiamak, die sliep, en Camaris, die Isgrimnurs zwaard poetste met de geboeide overgave die hij gewoonlijk uitsluitend aan de bewegingen van vogels in de lucht schonk. Voor het duel met Aspitis had de oude ridder het zwaard niet eens willen aanraken. Ze voelde zich nu enigszins treurig toen ze naar hem keek. Hij behandelde het zwaard van de hertog alsof het een oude, maar niet helemaal vertrouwde vriend was.

'U mist haar echt, nietwaar?' zei ze, zich weer naar Isgrimnur omdraaiend. 'Uw vrouw.'

'Ach, lieve Usires, inderdaad.' Hij staarde naar het vuur alsof hij haar niet in de ogen wilde kijken. 'Ik mis haar.'

'U houdt van haar.' Miriamele was blij en enigszins verbaasd: Isgrimnur had gesproken met een warmte die zij niet had verwacht. Het was vreemd te bedenken dat liefde zo sterk kon branden in de borst van iemand die zo oud en vertrouwd scheen als de hertog – en dat die grootmoederlijke hertogin Gutrun het voorwerp van zulke sterke gevoelens kon zijn!

'Natuurlijk houd ik van haar, veronderstel ik,' zei hij fronsend. 'Maar het is meer dan dat, vrouwe. Zij is een deel van mij, mijn Gutrun – wij zijn samen door de jaren gegroeid, om elkaar verstrengeld als twee oude bomen.' Hij lachte en schudde zijn hoofd. 'Ik heb het altijd geweten. Van het ogenblik af dat ik haar voor het eerst zag, mistletoe van het scheepsgraf Sotfengel meebrengend... Ach, ze was zo mooi. Ze had de schitterendste ogen die ik ooit heb gezien! Als iets uit een verhaal.'

Miriamele zuchtte. 'Ik hoop dat iemand eens zo over mij denkt.'

'Dat zal gebeuren, meisje, dat zal gebeuren.' Isgrimnur glimlachte. 'En wanneer je getrouwd bent, als je gelukkig genoeg bent om met de ware Jacob te trouwen, zul je weten wat ik bedoel. Hij zal een deel van jou zijn, net als mijn Gutrun van mij. Voor altijd, tot wij sterven.' Hij maakte het teken van de Boom op zijn borst. 'Ik moet niets van deze zuidlandse onzin hebben – weduwen en weduwnaren die een nieuwe echtgenoot nemen! Hoe zou iemand haar kunnen evenaren?' Hij zweeg alsof hij over de monumentale onbeschaamdheid van tweede huwelijken nadacht.

Miriamele dacht ook in stilte na. Zou het haar lot zijn om eens zo'n echtgenoot te vinden? Ze dacht aan Fengbald aan wie haar vader haar eens had aangeboden, en huiverde. Nare, opschepperige pummel. Dat uitgerekend Elias probeerde haar uit te huwelijken aan iemand van wie ze niet hield, terwijl hijzelf zo gefnuikt was door de dood van Miriameles moeder Hylissa dat hij sinds het uur van haar dood als een man was geweest die in het donker is verdwaald...

*Tenzij hij probeerde mij zo'n afschuwelijke eenzaamheid te besparen,*dacht ze. *Misschien dacht hij dat het een zegen zou zijn om niet zo lief te hebben, en nooit een dergelijk verlies te voelen. Dat was hetgene dat je hart brak, hem zo troosteloos te zien...*

Met de onverhoedsheid en enormiteit van een bliksemflits zag Miriamele het wezen dat haar geest had geplaagd sinds Cadrach haar voor het eerst zijn geschiedenis had verteld. Het was allemaal daar vóór haar, en het was zo duidelijk – zo duidelijk! Het was alsof ze in een verduisterde kamer had rondgetast, maar er nu ineens een deur was opengegaan, licht binnenlatend, en ze ten slotte alle vreemde gedaanten kon zien die ze in duisternis had aangeraakt.

'O!' zei ze, naar adem snakkend. 'O! O, vader!'

Ze verbaasde Isgrimnur door in tranen uit te barsten. De hertog deed zijn best om haar te troosten, maar ze kon niet ophouden met huilen. En ze wilde hem ook niet vertellen wat het had veroorzaakt, behalve dat ze zei dat Isgrimnurs woorden haar aan de dood van haar moeder hadden herinnerd. Het was een wrede halve waarheid, hoewel het niet haar bedoeling was geweest om wreed te zijn: toen Miriamele wegkroop van het vuur, bleef de hertog verontrust maar hulpeloos achter, zichzelf de schuld gevend van haar verdriet.

Nog stilletjes snikkend, rolde Miriamele zich in haar deken om naar de sterren te kijken en na te denken. Er was plotseling zoveel om over te denken. Niets belangrijks was veranderd, maar tegelijkertijd was alles enorm anders.

Er kwamen weer tranen voor ze eindelijk in slaap viel.

Een korte sneeuwvlaag kwam in de ochtend opzetten, niet genoeg om de paarden veel te vertragen, maar voldoende om ervoor te zorgen dat Miriamele het grootste gedeelte van de dag rilde. De Stefflod was lui en grijs, als een kronkelende stroom van vloeibaar lood, en de sneeuw scheen er vlak boven het dikst, zodat de velden aan de overkant van de rivier veel donkerder waren dan de dichtstbijzijnde oever. Miriamele had de illusie dat de Stefflod sneeuw aantrok als de magneet in de smidse van Ruben de Beer stukjes ijzer.

Het land helde zodat zij tegen het einde van de middag, toen het licht al gevloten was en zij in koude schemering reden, merkten dat ze in een rij lage heuvels omhoog gingen. Bomen waren bijna even schaars als ze in het Tritsingmeer waren geweest, en de wind was scherp en rauw op Miriameles wangen, maar het veranderende landschap zorgde voor een soort opluchting.

Ze stegen die avond hoog in de heuvels alvorens hun kamp op te slaan. Toen ze 's ochtends opstonden, met felroze en pijnlijke voeten en vingers, bleef het gezelschap langer bij het vuur dralen dan gewoonlijk. Zelfs Camaris besteeg zijn paard met een blik van duidelijke weerzin.

De sneeuw werd minder, en verdween toen aan het einde van de ochtend. Tegen de middag verscheen de zon fonkelend uit de wolken, grote pijlenbundels van stralen omlaag zendend. Tegen de tijd dat zij halverwege de middag wat de top van de heuvels werd genoemd bereikten, waren de wolken terug, deze keer een kille, maar fijne regen brengend.

'Prinses!' riep Isgrimnur. 'Kijk hier!' Hij was een eindje vooruit gereden, uitkijkend naar mogelijke gevaren op hun tocht omlaag: een gemakkelijke bestijging garandeerde geen even gemakkelijke afdaling, en de hertog nam in een onbekend land geen risico's. Half bang, half opgetogen reed Miriamele voorwaarts. Tiamak leunde in het zadel voor haar naar voren, zich inspannend om te kijken. De hertog stond in een onderbreking van de spaarzame bomenrij, met zijn hand naar de opening tussen de stammen wuivend. 'Kijk!'

Beneden hen uitgespreid lag een brede vallei, een groene kom met witte vlekken. Ondanks de zachte regen, hing er een gevoel van stilte boven, de lucht op de een of andere manier strak gespannen als ingehouden adem. In het midden, oprijzend uit wat een gedeeltelijk bevroren meer leek, was een grote rotsachtige heuvel gehuld in met sneeuw bedekte plantengroei. Het schuinvallende licht speelde erover, zodat de westelijke oppervlakte bijna warm uitnodigend scheen te gloeien. Uit een honderdtal verschillende bronnen lichtte rook op.

'God zij geloofd, wat is het?' vroeg Isgrimnur verbaasd.

'Ik denk dat het de plaats uit mijn droom is,' mompelde Tiamak.

Miriamele sloeg haar armen om haar lichaam, overweldigd door emotie. De grote heuvel scheen bijna te echt. 'Ik hoop dat het een goede plaats is. Ik hoop dat Jozua en de anderen daar zijn. Iemand woont daar,' zei Isgrimnur. 'Kijk al die vuren eens!'

'Kom!' Miriamele liet haar paard langs het pad omlaag rijden. 'Wij kunnen daar voor het vallen van de avond zijn.'

'Heb niet zo'n haast.' Isgrimnur liet zijn eigen paard voorwaarts gaan. 'Wij weten niet zeker dat het iets met Jozua te maken heeft.'

'Ik zou me graag door vrijwel iedereen gevangen laten nemen als ze me naar een vuur en een warm bed zouden brengen,' riep Miriamele terug over haar schouder.

Camaris, die de achterhoede vormde, bleef bij de opening in de bomen staan en keek omlaag naar de vallei. Zijn lange gezicht veranderde niet van uitdrukking, maar hij bleef lange tijd waar hij was alvorens de anderen te volgen.

Hoewel het nog licht was toen ze de oever van het meer bereikten, droegen de mannen die hen tegemoet kwamen fakkels – bloemen van licht die geel en rood in het zwarte water van het meer weerkaatsten toen de boten langzaam door drijfijs voeren. Isgrimnur aarzelde aanvankelijk, voorzichtig en beschermend, maar voor de eerste boot de oever raakte, herkende hij de figuur met de gele baard op de voorplecht en zwaaide met een kreet van verrukking uit het zadel.

'Sludig! In godsnaam, in Aedons naam, zij geprezen!'

Zijn leenman kloste de laatste paar stappen naar de oever. Voordat hij voor de hertog op zijn knie kon vallen pakte Isgrimnur hem beet en drukte hem aan zijn brede borst. 'Hoe gaat het met de prins?' riep Isgrimnur, 'en mijn vrouw? En mijn zoon?'

Hoewel Sludig zelf een grote man was, moest hij zich uit de greep van de hertog bevrijden en op adem komen voor hij Isgrimnur kon verzekeren dat ze het allen goed maakten, hoewel Isorn op een missie voor de prins was vertrokken. Hertog Isgrimnur voerde een lompe, enthousiaste berendans uit van vrolijkheid. 'En ik heb de prinses mee teruggebracht!' zei de hertog. 'En meer, en meer! Maar ga voor. Ah, dit is even mooi als Aedonmansa!'

Sludig lachte. 'Wij hebben u sinds de middag gadegeslagen. Jozua zei: 'Ga omlaag en kijk wie het zijn.' Hij zal heel verbaasd zijn, denk ik!' Hij trof snel maatregelen om de paarden op een van de boten te laden, en hielp toen Miriamele in de boot.

'Prinses.' Zijn aanraking was stevig toen hij haar naar een van de banken bracht. 'U bent welkom in Nieuw Gadrinsett. Uw oom zal blij zijn u te zien.'

De soldaten die Sludig hadden vergezeld, bekeken Tiamak en Camaris ook met grote belangstelling, maar de Rimmersman stond hun niet toe tijd te verspillen. Binnen enkele ogenblikken gingen ze terug over het met ijs bezaaide meer.

Op de andere oever wachtte een wagen getrokken door twee magere en gemelijke ossen. Toen de passagiers aan boord werden genomen, gaf Sludig een van de dieren een klap op de flank en de wagen begon krakend de met stenen geplaveide weg op de rijden.

'Wat is dit?' Isgrimnur keek over de zijkant van de wagen om naar de lichte stenen te kijken.

'Het is een Sithiweg,' zei Sludig, met meer dan een zweem van trots. 'Dit is een Sithiplaats, heel oud. Ze noemen het "Sesuad'ra".'

'Ik heb ervan gehoord,' fluisterde Tiamak tegen Miriamele. 'Het is beroemd in de overlevering maar ik had er geen idee van dat het nog bestond, of dat het de Steen was die Geloë me heeft laten zien!'

Miriamele schudde haar hoofd. Het kon haar weinig schelen waar ze heen werden gebracht. Toen Sludig was verschenen, had ze het gevoel gekregen dat een enorme last van haar rug was afgenomen; pas nu besefte zij hoe moe ze eigenlijk was.

Ze voelde dat ze een beetje aan het knikkebollen was door de beweging van de ossewagen, en probeerde zich tegen een golf van uitputting te verzetten. Kinderen kwamen de berghelling af rennen om zich bij hen te voegen. Ze sloten zich aan bij de reizigers, roepend en zingend.

Tegen de tijd dat ze de top van de heuvel bereikten, had zich een grote menigte verzameld. Miriamele werd bijna misselijk van de immense zee van mensen; het was lang geleden sinds de overvolle houten straten van Kwanitupul, en ze merkte dat ze niet in staat was om naar zoveel hongerige, verwachtingsvolle gezichten te kijken. Ze leunde tegen Isgrimnur aan en sloot de ogen.

Op de top werden de gezichten plotseling vertrouwd. Sludig hielp haar de wagen af en loodste haar in de armen van haar oom Jozua, die haar naar zich toe trok en haar bijna even stevig omstrengelde als Isgrimnur Sludig had omhelsd. Na een ogenblik hield hij haar een armlengte van zich af om naar haar te kijken. Hij was magerder dan ze zich hem herinnerde, en zijn kleren, hoewel zoals gewoonlijk grijs van kleur, waren vreemd en boers. Haar hart opende zich een beetje meer, zowel pijn als vreugde binnenlatend.

'De Verlosser heeft mijn gebeden verhoord,' zei hij. Er was geen twijfel aan dat hij, ondanks zijn gegroefde en verontruste gezicht, heel blij was om haar te zien. 'Welkom terug, Miriamele.'

Toen waren er nog meer gezichten – Vorzheva, die een merkwaardige, tentachtige jurk droeg, en de harpspeler Sangfugol, en zelfs de kleine Binabik die met spottende hoffelijkheid een buiging maakte alvorens haar hand in zijn kleine, warme vingers te nemen. Iemand anders die zwijgend in de buurt stond, scheen vreemd vertrouwd. Hij had een baard, en een witte streep bedierf zijn rode haar en bedekte het bleke litteken op zijn wang. Hij keek naar haar alsof hij haar in zijn gedachten wilde vastleggen, alsof hij haar op een dag in steen zou beeldhouwen. Het duurde een ogenblik lang.

'Simon?' zei ze.

Verbazing veranderde snel in een soort vreemde bitterheid – zóveel was haar afhandig gemaakt! Terwijl zij elders druk bezig was geweest, was de wereld veranderd. Haar vriend was verdwenen, en deze lange jongeman had zijn plaats ingenomen. Was ze zo lang weg geweest?

De mond van de vreemdeling bewoog, maar het duurde een ogenblik voor ze hem hoorde spreken. Simons stem scheen ook dieper, maar zijn woorden stokten. 'Ik ben blij dat u veilig bent, prinses. Heel blij.'

Ze staarde naar hem, haar ogen brandden toen er tranen opwelden. De wereld scheen op zijn kop te staan.

'Alsjeblieft,' zei ze ineens, zich tot Jozua wendend. 'Ik denk… ik moet gaan liggen. Ik moet slapen.' Ze zag niet hoe de vroegere koksjongen zijn hoofd boog alsof hij was versmaad.

'Natuurlijk,' zei haar oom, vol zorg. 'Natuurlijk. Zo lang je maar wilt. Dan, wanneer je opstaat, zullen wij een dankfeest houden!'

Miriamele knikte, verdwaasd, en liet zich toen door Vorzheva naar de golvende zee van tenten leiden. Achter haar waren Isgrimnurs armen nog steeds rond zijn giechelende, huilende vrouw geslagen.

22

Fluisteringen in steen

Het water spoot uit de grote spleet en spetterde omlaag over de richel van vlak zwart basalt alvorens over de rand en omlaag de kuil in te stromen. Ondanks heel zijn furie was de waterval bijna onzichtbaar in de donkere grot die alleen verlicht werd door een paar kleine, gloeiende stenen die in de muren waren aangebracht. De onmogelijk hoge kamer werd *Yakh Huyeru* genoemd, hetgeen Zaal van Trilling betekende, en hoewel de grot die naam om een andere reden had gekregen, schenen de wanden heel licht te trillen terwijl *Kiga'rasku*, de Tranenval, onafgebroken de diepten in golfde. Hij maakte heel weinig lawaai terwijl hij erdoor ging, hetzij vanwege een speling van de echo van de enorme ruimte, of vanwege de leegte waarin hij neerstortte. Sommige bewoners van de berg fluisterden dat Kiga'rasku geen bodem had, dat het water door de bodem van de aarde viel, eindeloos in het zwarte Tussen stroomde.

Terwijl hij aan de rand van de afgrond stond, was Utuk'ku een minuscule steek van zilverachtig wit tegen het wandkleed van donker water. Haar lichte gewaden wapperden langzaam in de wind van de watervallen. Haar gemaskerde gezicht was omlaag gericht, alsof ze Kiga'rasku's diepten zocht, maar op dit ogenblik zag ze de machtige stroom van water evenmin als ze de flauwe zon zag die langs de bergtop boven haar trok, aan de andere kant van de vele duizenden meters steen van de Stormpiek.

Utuk'ku dacht na.

Vreemde en verwarrende veranderingen waren zich gaan voltrekken in het ingewikkelde patroon van gebeurtenissen die zij zo lang geleden had ondernomen, gebeurtenissen die ze had bestudeerd en voorzichtig had aangepast in de loop van meer dan duizend keer duizend zonloze dagen. Een van de eerste van die veranderingen had een kleine scheur in haar patroon veroorzaakt. Die was natuurlijk niet onherstelbaar; Utuk'ku's weefsels waren sterk, en een behoorlijk aantal strengen zou volledig moeten knappen voordat haar langberaamde triomf zou worden bedreigd – maar er zou werk voor nodig zijn, en zorg, en de diamantscherpe concentratie waartoe alleen de Oudsten in staat waren om het op te lappen.

Het zilveren masker draaide langzaam om, het flauwe licht opvangend als de maan die achter wolken te voorschijn komt. Een drietal figuren was in de deuropening van Yakh Huyeru verschenen. De dichtstbijzijnde knielde, legde toen haar handpalmen op haar ogen; haar twee metgezellen deden eensgelijks.

Toen Utuk'ku over hen en de taak die zij hun zou geven nadacht, voelde ze een ogenblik van spijt om het verlies van Ingen Jegger — maar het was slechts een ogenblik. Utuk'ku Seyt-Hamakha was de laatste van de Tuingeborenen; ze had niet al haar gelijken vele eeuwen overleefd door tijd aan nutteloze emoties te verspillen. Jegger was enthousiast en blindelings trouw geweest als een jachthond, en hij had, voor Utuk'ku's doeleinden, de bijzondere deugden van zijn eigen sterfelijke natuur bezeten, maar toch was hij alleen maar een werktuig geweest — iets om te gebruiken en dan af te danken. Hij had wat in die tijd haar grootste behoefte was gediend. Voor andere taken zouden er andere dienaren zijn.

De Nornen die voor haar bogen, twee vrouwen en een man, keken op alsof ze uit een droom ontwaakten. De verlangens van hun meesteres waren hun ingegoten als zure melk uit een schenkkan, en nu hief Utuk'ku haar gehandschoende hand op in een kribbig gebaar dat ze konden gaan. Ze draaiden zich om en waren weg, vloeiend, snel en stil als schaduwen die voor de dageraad vluchten.

Nadat ze waren verdwenen, bleef Utuk'ku nog een tijdlang stil voor het vallende water naar de spookachtige echo's staan luisteren. Toen, eindelijk, draaide de Nornkoningin zich om en liep in alle rust naar de Kamer van de Ademende Harp.

Toen ze haar zetel naast de Put innam, steeg het gezang uit de diepten van de Stormpiek beneden haar in toon; op hun ondoorgrondelijke, onmenselijke manier heetten de Lichtlozen haar weer welkom op haar door rijp bedekte troon. Op Utuk'ku na was de Kamer van de Harp leeg, hoewel één enkele gedachte of handgebaar een bosje scherpe, in bleke handen gevatte speren zou hebben opgeroepen.

Ze bracht haar lange vingers naar de slapen van haar masker en keek in de veranderende zuilen van stoom die boven de Put hingen. De Harp, met zijn veranderende onnauwkeurige contouren, glansde scharlaken, geel en paars. Ineluki's aanwezigheid was stom. Hij was begonnen zich in zichzelf terug te trekken, kracht ontlenend aan de ultieme bron die hem voedde zoals lucht de vlam van een kaars voedt. Hij bereidde zich voor op de grote proef die weldra zou komen.

Hoewel het in zekere zin een opluchting was om vrij te zijn van zijn brandende, boze gedachten — gedachten die vaak niet eens begrijpelijk waren voor Utuk'ku behalve als een soort wolk van haat en verlangen — persten de lippen van de Nornkoningin zich niettemin samen tot een smalle lijn van ontevredenheid achter haar glanzende masker. De dingen die zij in de droomwereld had gezien, hadden haar verontrust; ondanks de machinaties die ze in gang had gezet, was Utuk'ku niet helemaal tevreden. Het zou een soort opluchting zijn geweest ze te delen met het wezen dat in het hart van de put was geconcentreerd – maar dat ging niet. Het grootste deel van Ineluki zou afwezig zijn van nu tot de laatste dagen wanneer de Veroveraar Ster hoog aan de hemel stond.

Utuk'ku's kleurloze ogen werden plotseling smaller. Ergens aan de randen van het grote kleed van geweld en droom dat zich door de Put slingerde, was iets anders op een onverhoedse manier gaan bewegen. De Nornkoningin richtte haar blik binnenwaarts, en liet haar geest uitgaan en de randen van haar fijn uitgebalanceerde web aftasten, langs de talloze lijnen van bedoeling, berekening en noodlot. Daar was het: nog een breuk in haar zorgvuldige werkstuk.

Een zucht, flauw als de fluwelen wind over de vleugel van een vleermuis, floot door Utuk'ku's lippen. Het zingen van de Lichtlozen aarzelde een ogenblik bij de golf van ergernis die uit de meesteres van de Stormpiek stroomde, maar een ogenblik later verhieven hun stemmen zich weer, hol en triomfantelijk. Het was alleen maar iemand die met een van de Meester Getuigen aan het knoeien was – een jonkie, ook al was hij van het geslacht van Amerasu de Scheepsgeborene. Ze zou de welp hard aanpakken. Deze schade kon ook worden hersteld. Het zou alleen maar wat meer van haar concentratie vergen, een beetje meer van haar zwoegende denken – maar het zou gebeuren. Ze was moe, maar nu ook weer niet zo moe.

Het was misschien duizend jaar geleden sinds de Nornkoningin had geglimlacht, maar als ze zich had herinnerd hoe, zou ze misschien op dat ogenblik geglimlacht hebben. Zelfs de oudste van de Hikeda'ya had geen andere meesteres gekend dan Utuk'ku. Sommigen van hen konden misschien verontschuldigd worden voor het feit dat ze dachten dat zij niet langer een levend wezen was maar evenals de Stormkoning een schepsel dat helemaal uit ijs, tovenarij, en eindeloze waakzame boosaardigheid bestond. Utuk'ku wist beter. Hoewel zelfs de duizendjarige levens van sommigen van haar afstammelingen slechts een klein deel van haar eigen leven overspanden, onder de lijkwitte gewaden en glinsterende maskers was ze toch een levende vrouw. Binnen haar oude vlees klopte nog steeds een hart – langzaam en sterk, als een blind wezen dat op de bodem van een diepe, stille zee kruipt.

Ze was moe, maar ze was nog altijd fel, nog altijd machtig. Ze had zo lang plannen gesmeed voor deze komende dagen dat de oppervlakte van het land boven onder de hand van de Tijd was verschoven en veranderd terwijl ze wachtte. Ze zou blijven leven om haar wraak te zien.

De lichten van de Put flikkerden op het lege metalen gezicht dat zij de wereld voorhield. Misschien, dacht Utuk'ku, zou ze zich op dat triomfantelijke uur opnieuw herinneren hoe het was om te lachen.

'Ah, bij het Bosje,' zei Jiriki, 'het is inderdaad Mezutu'a – het Zilverhuis.' Hij hield zijn toorts hoger. 'Ik heb het niet eerder gezien, maar er worden zoveel liederen over gezongen dat ik het gevoel heb dat ik zijn torens, bruggen en straten ken alsof ik daar ben opgegroeid.'

'Ben je hier nooit geweest? Maar ik dacht dat jouw volk het gebouwd had.' Eolair liep weg van de steile rand van de trap. De grote stad lag onder hen uitgespreid, een fantastische mengelmoes van beschaduwde steen.

'Dat hebben we ook gedaan – ten dele – maar de laatste van de Zida'ya had deze plaats lang voor mijn geboorte verlaten.' Jiriki's gouden ogen waren wijdopen, alsof hij zijn blik niet kon losscheuren van de daken van de grotstad. 'Toen de Tinukeda'ya hun lot van het onze scheidde, verklaarde Jenjiyana van de Nachtegalen, in haar wijsheid, dat wij de plaats aan de Kinderen van de Zeevaarder moesten geven, als gedeeltelijke vergoeding van hetgeen wij hun schuldig waren.' Hij fronste en schudde zijn hoofd, waarbij het haar los om zijn schouders bewoog. 'Het Huis van Jaardansen herinnerde zich tenminste iets van eer. Ze gaf hun ook Hikehikayo in het noorden, en het door de zee omringde Jhiná-T'seneí, dat sindsdien lang onder de golven is verdwenen.'

Eolair had moeite om wijs te worden uit het spervuur van onbekende namen. 'Jouw volk heeft dit aan de Tinukeda'ya gegeven?' vroeg hij. 'De schepselen die wij *domhaini* noemen? De dwargen?'

'Sommigen van hen werden zo genoemd,' zei Jiriki knikkend. Hij richtte zijn heldere blik op de graaf. 'Maar het zijn geen "schepselen", graaf Eolair. Zij kwamen uit De Tuin die Verloren is, net als mijn volk. Wij maakten de fout te denken dat zij minder zijn dan wij. Ik wil dat nu vermijden.'

'Het was niet mijn bedoeling beledigend te zijn,' zei Eolair. 'Maar ik heb hen ontmoet, zoals ik u zei. Zij waren… vreemd. Maar zij waren ook vriendelijk tegen ons.'

'De Oceaankinderen zijn altijd aardig geweest.' Jiriki begon toen de trap af te lopen. 'Daarom heeft mijn volk hen meegenomen, vrees ik, want we voelden dat zij gewillige dienaren zouden zijn.'

Eolair haastte zich hem in te halen. De Sitha bewogen zich met zelfverzekerde snelheid, nooit dichter bij de rand lopend dan de graaf zou hebben gedurfd, en nooit omlaag kijkend. 'Wat bedoelde je met "sommigen van hen werden zo genoemd"?' vroeg Eolair. 'Waren er dan Tinukeda'ya die geen dwargen waren?'

'Ja. Degenen die hier woonden – de dwargen zoals jij ze noemt – vormden een vrij kleine groep die zich van de hoofdstam had afgescheiden. De rest van Ruyans volk bleef dicht bij het water, want de oceaan was hun altijd dierbaar. Velen van hen werden wat de stervelingen "zeewachten" noemen.'

'*Niskies?*' In zijn lange loopbaan, waarin hij vaak in zuidelijke wateren had gereisd, had Eolair vele zeewachten ontmoet. 'Ze bestaan nog steeds. Maar ze lijken allerminst op de dwargen.'

Jiriki bleef staan opdat de graaf hem kon inhalen, en daarna vertraagde hij zijn tempo, misschien uit hoffelijkheid. 'Dat was zowel de zegen voor de Tinukeda'ya als hun vloek. Ze konden zich, in de loop van de tijd, veranderen om beter te passen bij de plaats waar zij woonden; er is een zekere veranderlijkheid in hun bloed en botten. Ik denk dat als de wereld door vuur zou worden verwoest, de Oceaankinderen de enigen zouden zijn die het zouden overleven. Eerlang zouden ze rook kunnen eten en in warme as kunnen zwemmen.'

'Maar dat is verbazingwekkend,' zei Eolair. 'De dwargen die ik heb ontmoet, Yis-fidri en zijn makkers, leken zo verlegen. Wie zou ooit dromen dat ze tot zulke dingen in staat zijn?'

'Er zijn hagedissen in de zuidelijke moerassen,' zei Jiriki met een glimlach, 'die hun kleur kunnen veranderen in de kleur van het blad, de stam of steen waarop ze kruipen. Zij zijn ook schuw. Ik vind het niet vreemd dat de bangste schepselen zich vaak het beste kunnen verschuilen.'

'Maar als jouw volk de dwargen – de Tinukeda'ya – deze plaats schonk, waarom zijn ze dan zo bang voor je? Toen vrouwe Maegwin en ik hier voor het eerst kwamen en hen ontmoetten, waren ze doodsbang dat wij misschien dienaren van jou waren die waren gekomen om hen terug te slepen.'

Jiriki bleef staan. Hij scheen door iets beneden hem als aan de grond genageld te worden. Toen hij zich weer tot Eolair wendde, was het met een zo pijnlijke uitdrukking dat zelfs zijn vreemde gezicht dat niet verhulde. 'Ze hebben gelijk dat ze bang zijn, graaf Eolair. Amerasu, onze wijze die ons net ontvallen is, noemde onze relaties met de Tinukeda'ya onze grote schande. We hebben hen niet goed behandeld, en wij hebben hun dingen onthouden die zij verdienden te weten... want we dachten dat zij betere dienaren zouden zijn als ze in onwetendheid arbeidden.' Hij maakte een teleurgesteld gebaar. 'Toen Jenjiyana, de meesteres van Het Huis van Jaardansen, hen in het verre verleden deze plaats gaf, ontmoette ze tegenstand bij velen van de Huizen van Dageraad. Er zijn Zida'ya, zelfs tot op de dag van vandaag, die vinden dat wij Ruyan Ve's kinderen als bedienden hadden moeten houden. Ze hebben gelijk dat ze vrezen, jouw vrienden.'

'Geen van deze dingen kwamen in onze oude legenden over uw volk voor,' zei Eolair verwonderd. 'U schildert een grimmig, droevig beeld, prins Jiriki. Waarom vertelt u mij dit allemaal?'

De Sitha ging opnieuw de pokdalige treden af. 'Omdat, graaf Eolair, dat tijdperk weldra voorbij zal zijn. Dat wil niet zeggen dat ik denk dat er gelukkiger tijden op komst zijn – hoewel daar altijd kans op is, neem ik aan. Maar ten goede of ten kwade, deze era van de wereld nadert zijn einde.'

Ze bleven omlaag gaan, zonder te spreken.

Eolair vertrouwde op zijn vage herinneringen aan zijn vorige bezoek om Jiriki door de bouwvallige stad te leiden – hoewel, naar het ongeduld van de Sitha te oordelen, Jiriki hem misschien net zo goed had kunnen leiden. Terwijl zij door de galmende, verlaten straten liepen, had Eolair opnieuw de indruk dat Mezutu'a niet zozeer een stad was als wel een doolhof voor schuwe maar vriendelijke dieren. Deze keer echter, met Jiriki's woorden over de oceaan nog vers in zijn geheugen, zag Eolair haar als een soort koraaltuin wier talloze gebouwen uit elkaar verrezen, doorschoten met lege deuropeningen en beschaduwde tunnels, haar torens met elkaar verbonden door stenen wandelwegen, dun als gesponnen glas. Hij vroeg zich afwezig af of de dwargen diep in in hun hart een verlangen naar de zee koesterden, zodat deze plaats en haar toevoegingen – ook nu wees Jiriki weer een element aan dat aan Mezutu'a's oorspronkelijke gebouwen was toegevoegd – geleidelijk een soort onderzeese grot was geworden, tegen de zon beschut door bergsteen in plaats van blauw water.

Toen ze uit de lange tunnel en zijn beeldhouwwerken van levende steen in de uitgestrektheid van de grote stenen arena te voorschijn kwamen, werd Jiriki, die nu de leiding had genomen, omgeven door een nimbus van bleek kalkachtig licht. Toen hij omlaag keek naar de arena, hief de Sitha zijn slanke handen tot schouderhoogte op, maakte toen een zorgvuldig gebaar alvorens naar voren te lopen, waarbij alleen zijn hertachtige bevalligheid het feit verborg dat hij zich zeer snel bewoog.

De grote kristallijne Scherf stond nog in het midden van de kom, zwak kloppend, zijn oppervlakten vol traag bewegende kleuren. Eromheen waren de stenen banken leeg. De arena was verlaten.

'Yis-fidri!' riep Eolair. 'Yis-hadra! Het is Eolair, graaf van Nad Mullach!' Zijn stem galmde door de arena en schalde langs de verre wanden van de grot. Er kwam geen antwoord. 'Het is Eolair, Yis-fidri! Ik ben teruggekomen!'

Toen niemand hem antwoordde – er was geen enkel teken van leven, geen voetstappen, geen glans van de roze kristallen stokken van de dwargen – liep Eolair omlaag om zich bij Jiriki te voegen.

'Dit is hetgene waarvoor ik vreesde,' zei de graaf. 'Dat zij zouden verdwijnen als ik u hiernaartoe bracht. Ik hoop alleen maar dat ze de stad niet helemaal zijn ontvlucht.' Hij fronste. 'Ik stel me voor dat zij denken dat ik een verrader ben wanneer ik een van hun vroegere meesters hier breng.'

'Misschien.' Jiriki scheen verstrooid, bijna gespannen. 'Bij mijn voorouders,' fluisterde hij, 'om voor de Scherf van Mezutu'a te staan! Ik kan voelen dat hij zingt!'

Eolair bracht zijn hand naar de melkachtige steen, maar kon niets anders voelen dan een lichte verwarming van de lucht.

Jiriki hief zijn handpalmen op naar de Scherf maar raakte die net niet aan, zijn handen tot stilstand brengend alsof hij iets onzichtbaars omhelsde dat de contour van de steen volgde, maar bijna twee keer zo groot was. De lichtpatronen begonnen iets kleurrijker te gloeien, alsof datgene wat in de steen bewoog dichter naar de oppervlakte was gestegen. Jiriki sloeg het kleurenspel aandachtig gade terwijl hij zijn vingers in trage banen bewoog, zonder de Scherf rechtstreeks aan te raken, zijn handen rond de steen plaatsend alsof hij met het onbeweeglijke voorwerp samenging in een of andere rituele dans.

Een lange tijd ging voorbij, een tijd waarin Eolairs benen pijn begonnen te doen. Hij ging op een van de stenen banken zitten. Een koude tocht zweefde door de arena, aan zijn nek schurend. Hij dook wat dieper in zijn mantel en keek naar Jiriki, die nog steeds voor de glanzende steen stond, in een stille gemeenschap verstrengeld.

Enigszins verveeld begon Eolair met zijn lange zwarte paardestaart te spelen. Hoewel het moeilijk te zeggen viel hoeveel tijd er was verlopen sinds Jiriki de steen had benaderd, wist de graaf dat het geen korte tussenpoos was geweest; Eolair was befaamd om zijn geduld, en zelfs in deze ergerlijke tijd, was er heel wat voor nodig om hem rusteloos te maken. Ineens schrok de Sitha terug en deed een stap achteruit. Hij zwaaide een ogenblik op zijn plaats en wendde zich toen tot Eolair. Er was een licht in Jiriki's ogen dat meer dan alleen maar een weerspiegeling van de onstandvastige gloed van de Scherf leek.

'Het Spreekvuur,' zei Jiriki.

Eolair was in de war. 'Wat bedoel je?'

'Het Spreekvuur in Hikehikayo. Het is een andere Getuige – een Meester Getuige, zoals de Scherf. Het is op de een of andere manier heel dichtbij – dichtbij op een manier die niets met afstand te maken heeft. Ik kan het niet losschudden en de Scherf op andere dingen richten.'

'Op wat voor andere dingen wilt u haar richten?'

Jiriki schudde zijn hoofd. Hij wierp snel een blik op de Scherf voordat hij begon. 'Het is moeilijk uit te leggen, graaf Eolair. Laat ik het zo zeggen – als u verdwaald zou zijn en omringd door mist, maar er was een boom waarin u kon klimmen, dat zou u in staat stellen boven de mist uit te stijgen, nietwaar?'

Eolair knikte. 'Zeker, maar ik zie nog steeds niet helemaal wat u bedoelt.'

'Eenvoudig dit. Wij die gewend zijn aan de Weg van Dromen hebben die de laatste tijd moeten ontberen – even stellig als een dichte mist iemand bang kan maken om zich op enige afstand van zijn huis te begeven, zelfs wanneer hij in grote nood is. De Getuigen die ik kan gebruiken, zijn minder belangrijk; zonder de kracht en kennis van iemand als onze Eerste Grootmoeder Amerasu, zijn ze alleen voor kleine doeleinden te gebruiken. De Scherf van Mezutu'a is een Meester Getuige – ik had gedacht ernaar te zoeken nog voor we uit Jaoé-Tinukai'i vertrokken – maar ik heb net ontdekt dat het gebruik ervan me is ontzegd, alsof ik de boom waarover ik het had in was geklommen tot aan de bovenste grenzen van de mist, om te ontdekken dat er iemand anders boven mij was, en dat ze mij niet hoog genoeg lieten komen om te kunnen zien. Ik ben teleurgesteld.'

'Ik ben bang dat het voor een sterveling als ik, Jiriki, allemaal grotendeels een mysterie is, hoewel ik denk dat ik iets begrijp van wat je probeert uit te leggen.' Eolair dacht een ogenblik na. 'Om het op een andere manier te zeggen: je wilt uit een raam kijken, maar iemand aan de andere kant heeft het bedekt. Is dat juist?'

'Ja. Goed gezegd.' Jiriki glimlachte, maar Eolair zag vermoeidheid op het vreemde gezicht van de Sitha. 'Maar ik durf niet weg te gaan zonder te proberen weer door het raam te kijken, zo vaak als ik daartoe de kracht heb.'

'Ik zal dan op u wachten. Maar we hebben weinig voedsel of water meegenomen, en bovendien, hoewel ik niet voor uw volk kan spreken, ik vrees dat mijn volk me eerlang nodig zal hebben.'

'Wat eten en drinken betreft,' zei Jiriki verstrooid, 'u mag dat van mij hebben.' Hij keerde weer tot de Scherf terug. 'Wanneer je het gevoel hebt dat het tijd is om terug te keren, zeg mij dat dan – maar raak mij niet aan tot ik zeg dat het is toegestaan, graaf Eolair, als u mij dat wilt beloven. Ik weet niet precies wat ik moet doen, en het zou veiliger voor ons beiden zijn als u mij met rust zou laten, wat er ook schijnt te gebeuren.'

'Ik zal niets doen tenzij u het mij vraagt,' beloofde Eolair.

De graaf van Nad Mullach zuchtte en leunde achterover tegen de stenen bank, proberend een gemakkelijke positie te vinden.

Eolair ontwaakte uit een vreemde droom – hij was gevlucht voor een enorm wiel, hoog als een boomtop en versplinterd als de balken van een oud plafond – in het plotselinge besef dat er iets mis was. Het licht was helderder, nu pulserend als een hartslag, maar het was in een ziekelijk blauwgroen veranderd. De lucht in de enorme grot was even gespannen en stil als voor een storm en een geur als de nawerking van bliksem brandde in Eolairs neusgaten.

Jiriki stond nog steeds voor de glanzende Scherf, een stofje in de zee van verblindend licht – maar waar hij eerst even evenwichtig was geweest als een Mircha danser die een regengebed voorbereidde, waren zijn ledematen nu verwrongen, zijn hoofd achterover gegooid alsof een onzichtbare hand het leven uit hem kneep. Eolair rende naar voren, wanhopig ongerust, maar niet wetende wat hij moest doen. De Sitha had de graaf gezegd hem niet aan te raken, ongeacht wat er scheen te gebeuren, maar toen Eolair dicht genoeg naderde om Jiriki's gezicht te zien, bijna onzichtbaar in de grote uitstroming van misselijkmakende schittering, voelde hij zijn hart pijlsnel vallen. Dit kon toch stellig niet zijn wat Jiriki had beraamd!

De goudgevlekte ogen van de Sitha waren omhoog gerold, zodat alleen een randje wit onder de oogleden zichtbaar was. Zijn lippen waren van zijn tanden teruggetrokken in de grom van een dier dat in het nauw zit, en de kronkelende aderen in zijn nek en op zijn voorhoofd schenen uit zijn huid te barsten.

'Prins Jiriki!' riep Eolair. 'Jiriki, kunt u me horen?'

De mond van de Sitha ging iets wijder open. Zijn kaken bewogen. Er kwam een luid rommelend geluid dat door de grote kom weerkaatste, diep en onverstaanbaar, maar zo duidelijk vol pijn en angst dat zelfs toen Eolair zijn hand in wanhoop over zijn oren sloeg, hij zijn hart onregelmatig voelde kloppen met medelevend afgrijzen. Hij stak aarzelend een hand uit naar de Sitha en zag met verbazing dat de haren op zijn arm rechtop gingen staan. Zijn huid tintelde.

Graaf Eolair dacht slechts een ogenblik langer. Zich vervloekend omdat hij een dwaas was, daarna een snel, stil gebed naar Cuamh Aardhond zendend, deed hij een stap naar voren en greep Jiriki bij de schouders.

Op hetzelfde ogenblik dat zijn vingers Jiriki aanraakten, voelde Eolair zich plotseling overweldigd door een titanische kracht van nergens, een snelstromende zwarte rivier van angst en bloed en lege stemmen die door hem heen stroomden, zijn gedachten wegvagend als een handvol bladeren in een waterval. Maar zelfs in het korte ogenblik voor zijn ware zelf in het niets wegtolde, kon hij zien hoe zijn handen Jiriki nog steeds aanraakten, en zag de Sithi, uit zijn evenwicht door Eolairs zwaarte, voorover in de Scherf vallen. Jiriki raakte de steen aan. Een groot vreugdevuur van vonken sprong omhoog, feller nog dan de blauwgroene straling, een miljoen glinsterende lichtjes als de zielen van alle vuurvliegjes in de wereld die tegelijk worden bevrijd, dansend en duikend. Toen vervaagde alles in duisternis. Eolair voelde zich vallen, vallen, omlaag gegooid als een steen in een eindeloze leegte...

'U leeft.'

De opluchting in Jiriki's stem was duidelijk. Eolair opende zijn ogen en zag een bleke vlek die geleidelijk het gezicht van de Sitha werd, die naar het zijne toe was gebogen. Jiriki's koele handen lagen op zijn slapen.

Eolair wuifde hem zwakjes weg. De Sitha stapte achteruit en stond hem toe rechtop te gaan zitten, ook al had hij er enige tijd voor nodig om zijn schokkende lichaam stil te krijgen. Zijn hoofd bonsde en galmde als Rhynns ketel bij de oproep tot de strijd. Hij moest zijn ogen een moment dichtdoen om niet misselijk te worden.

'Ik heb je gewaarschuwd mij niet aan te raken,' zei Jiriki, maar er klonk geen ongenoegen in zijn stem. 'Het spijt me dat je zo voor mij hebt moeten lijden.'

'Wat... wat is er gebeurd?'

Jiriki schudde zijn hoofd. Er was een zekere stijfheid in zijn bewegingen, maar toen Eolair dacht hoeveel langer de Sitha had moeten verduren wat hij slechts één ogenblik had overleefd, voelde de graaf ontzag. 'Ik weet het niet zeker,' antwoordde Jiriki. 'Iets wilde dat ik de Droomweg bereikte, of wilde niet dat er aan de Scherf werd gezeten – iets met veel meer macht of kennis dan ik bezit.' Hij trok een grimas, waarbij hij zijn witte tanden liet zien. 'Ik had gelijk toen ik Seoman waarschuwde weg te blijven van de Weg van Dromen. Ik had mijn eigen raad moeten opvolgen, schijnt het. Likimeya, mijn moeder, zal woedend zijn.'

'Ik dacht dat je doodging,' kreunde Eolair. Hij had het gevoel alsof iemand achter zijn voorhoofd een groot ploegpaard aan het beslaan was.

'Als u me niet uit de situatie had geduwd waarin ik gevangen was, zou mij erger dan de dood hebben gewacht, denk ik.' Hij lachte plotseling, scherp. 'Ik ben u de Staja Ame verschuldigd, graaf Eolair – de Witte Pijl. Jammer genoeg heeft iemand anders de mijne.'

Eolair rolde zich op zijn zijde en probeerde op te staan. Het vereiste enkele pogingen, maar ten slotte, met Jiriki's hulp, die Eolair deze keer graag aanvaardde, slaagde hij erin zich overeind te hijsen. De Scherf scheen weer rustig, stil flikkerend in het midden van de lege arena, aarzelende schaduwen achter de stenen banken werpend. 'Witte Pijl?' mompelde hij. Zijn hoofd deed pijn, en zijn spieren voelden aan alsof hij achter een wagen van Hernysadharc naar Crannhyr was gesleurd.

'Ik zal het u een dezer dagen vertellen,' zei Jiriki. 'Ik moet met deze vernederingen leren leven.'

Samen begonnen ze naar de tunnel te lopen die uit de arena voerde, Eolair hinkend, Jiriki stabieler, maar toch langzaam. 'Vernederingen?' vroeg Eolair zwak. 'Wat bedoelt u?'

'Gered te worden door stervelingen. Het schijnt een gewoonte van me te zijn geworden.'

Het geluid van hun stokkende voetstappen deed echo's door de enorme grot en omhoog tussen de donkere plaatsen fladderen.

'Hier, poes, poes. Kom nu, Grimalkin.'

Rachel geneerde zich enigszins. Ze was er niet helemaal zeker van wat je tegen katten zei – vroeger had ze van hen verwacht dat zij hun werk deden door de rattenbevolking binnen de perken te houden, maar ze had het aan de kamermeisjes overgelaten om ze te aaien en te verwennen. Voor zover het haar betrof, had het uitdelen van liefkozingen en lekkernijen geen deel uitgemaakt van haar verplichting jegens welke van haar pupillen ook, of het nu twee- of viervoeters waren. Maar nu voelde ze daartoe een behoefte – ook al gaf ze toe dat het een domme en halfzachte was – en dus vernederde ze zichzelf.

Dank genadige Usires dat er geen menselijk wezen in de buurt is die mij ziet.

'Poes, poes, poes.' Rachel zwaaide met het stukje pekelvlees. Ze gleed een halve el naar voren, proberend de pijn in haar rug en de ruwe steen onder haar knieën te negeren. 'Ik probeer je eten te geven, jij Rhiap-beware-ons smerig beest.' Ze keek boos en zwaaide het stukje vlees heen en weer. 'Het zou je verdiende loon zijn als ik je braadde.'

Zelfs de kat, die een klein eindje buiten Rachels bereik in het midden van de gang stond, scheen te weten dat dit een loos dreigement was. Niet vanwege Rachels gevoelige hart – ze had dit dier nodig om voedsel van haar aan te nemen, maar anders zou ze hem even vrolijk met haar bezem een klap hebben gegeven – maar omdat het voor Rachel even ondenkbaar was dat ze kattevlees zou eten als dat ze in de kerk op het altaar zou spuwen. Ze had niet kunnen zeggen waarom kattevlees anders was dan het vlees van een konijn of hert, maar dat hoefde ze ook niet te doen. Fatsoenlijke mensen deden dat niet, en dat was voldoende om te weten.

Toch had ze in het afgelopen kwartier één of twee keer gespeeld met het idee om dit recalcitrante schepsel de steile trap af te schoppen en dan over te gaan op een idee waar de hulp van dieren niet bij nodig was. Maar het ergerlijkste was dat ook het idee zelf van geen praktisch nut was.

Rachel keek naar haar trillende arm en vettige vingers. Dit allemaal om een monster te helpen?

Je raakt de kluts kwijt, vrouw. Gek als een uilskuiken.

'Poes...'

De grijze kat kwam een paar stappen dichterbij en bleef staan, Rachel opnemend met ogen die evenzeer waren verwijd door achterdocht als door het heldere lamplicht. Rachel zei zwijgend het Elysiagebed op en probeerde het rundvlees verlokkend te bewegen. De kat kwam voorzichtig dichterbij, trok zijn neusvleugels op, en likte toen behoedzaam. Na een ogenblik op quasi onverschillige wijze zijn snorharen te hebben gewassen, scheen hij moed te scheppen. Hij stak zijn klauw uit en trok een beetje van het vlees los, achteruit gaand om het door te slikken; toen kwam hij opnieuw naar voren. Rachel stak haar andere hand naar voren en streelde de rug van de kat. Hij schrok, maar toen Rachel geen onverhoedse beweging maakte, pakte de kat het laatste stukje vlees en schrokte het naar binnen. Ze liet haar vingers licht over zijn vacht strijken toen de kat haar nu lege hand vragend besnuffelde. Rachel aaide hem achter zijn oren, sportief de impuls om het kieskeurige kleine beest te kelen weerstaand. Ten slotte, toen ze een spinnend geluid had losgekregen, krabbelde ze zwaar overeind.

'Morgen,' zei ze. 'Meer vlees.' Ze draaide zich om en stommelde vermoeid de gang door naar haar verborgen kamer. De kat keek haar na, snuffelde over de grond voor restjes die hij misschien had gemist, ging toen liggen en fatsoeneerde zich.

Jiriki en Eolair kwamen in het licht te voorschijn, met hun ogen knipperend als mollen. De graaf betreurde zijn besluit al dat hij deze ingang tot de ondergrondse mijnen had gekozen, een die zo ver van Hernysadharc was. Als ze binnen waren gekomen door de grotten waarin de Hernystiri hadden geschuild, zoals hij en Maegwin de eerste keer hadden gedaan, hadden ze de nacht in een van de nog onlangs bewoonde schuilplaatsen van de grotstad zelf kunnen doorbrengen en zich daarmee een lange terugrit hebben bespaard.

'Je ziet er niet goed uit,' merkte de Sitha op, hetgeen waarschijnlijk alleen maar de waarheid was. Eolairs hoofd was eindelijk opgehouden met bonzen, maar zijn spieren deden nog altijd allemachtig veel pijn.

'Ik voel me niet goed.' De graaf keek rond. Er lag nog altijd wat sneeuw op de grond, maar het weer was de afgelopen dagen aanzienlijk verbeterd. Het was verleidelijk om te overwegen hier te blijven en in de ochtend naar de Taig terug te gaan. Hij keek met toegeknepen ogen naar de zon. Pas halverwege de middag: hun tijd onder de grond had veel langer geleken... als dit nog dezelfde dag was. Hij grinnikte zuur bij die gedachte. Beter een pijnlijke terugrit naar de Taig, besloot hij, dan een nacht in de nog altijd koude wilde landen.

De paarden, Eolairs vosruin en Jiriki's witte strijdros, die veren met belletjes in zijn manen had gevlochten, stonden van het spaarzame gras te grazen, hun lange leidsels tot het uiterste gespannen. Het was een werk van slechts enkele ogenblikken om hen in gereedheid te brengen; toen reden mens en Sitha weg naar het zuidoosten, naar Hernysadharc.

'De lucht schijnt anders,' riep Eolair. 'Kun je het voelen?'

'Ja.' Jiriki hief zijn hoofd op als een jagend dier dat de bries ruikt. 'Maar ik weet niet wat het zou kunnen betekenen.'

'Het is warmer. Dat is goed genoeg voor mij.'

Tegen de tijd dat ze de buitenwijken van Hernysadharc bereikten, was de zon eindelijk achter de Grianspog verdwenen en de onderkant van de hemel verloor zijn rode kleur. Ze reden naast elkaar de Taigweg op, door het niet onaanzienlijke voet- en wagenverkeer slingerend. Het verlichtte Eolairs pijnen om zijn mensen buiten en aan het werk te zien. De dingen waren verre van gewoon, en de meeste mensen op de weg hadden de hologige starende blik van de hongerigen, maar ze reisden weer vrij in hun eigen land. Velen schenen van de markt te zijn gekomen; ze klemden hun aankopen jaloers vast, ook al hadden ze niet meer dan een handvol uien.

'Dus wat ben je te weten gekomen?' vroeg Eolair ten slotte.

'Van de Scherf? Veel en weinig.' Jiriki zag de uitdrukking van de graaf en lachte. 'Ah, je ziet eruit als mijn sterfelijke vriend Seoman Sneeuwlok! Het is waar, wij Dageraadskinderen geven geen bevredigende antwoorden.'

'Seoman...?'

'Jullie geslacht noemt hem "Simon", geloof ik.' Jiriki knikte met zijn hoofd, zijn melkwitte haar dansend in de wind. 'Hij is een vreemd jong, maar dapper en aardig. Hij is ook knap, al verbergt hij dat goed.'

'Ik heb hem ontmoet, geloof ik. Hij is bij Jozua Eénhand bij de Steen – in Ses... Seu...' Hij gebaarde, proberend zich de naam te herinneren.

'Sesuad'ra. Ja, dat is 'm. Jong, maar hij is door te veel stromen ingehaald dat alleen het toeval de verklaring kan zijn. Hij zal een rol te spelen hebben in de dingen.' Jiriki keek naar het oosten, alsof hij de sterfelijke jongen daar zocht. 'Amerasu – onze Eerste Grootmoeder – heeft hem bij haar thuis uitgenodigd. Dat was werkelijk een grote eer.'

Eolair schudde zijn hoofd. 'Hij scheen weinig meer dan een lange en enigszins onhandige jongeman toen ik hem ontmoette – maar ik ben lang geleden opgehouden op uiterlijkheden te vertrouwen.'

Jiriki glimlachte. 'Jij bent iemand in wie het oude Hernystiri bloed nog sterk aanwezig is. Laat mij nog wat langer overdenken wat ik in de Scherf gevonden heb. Dan, als je met me meegaat om Likimeya te bezoeken, zal ik jullie beiden deelgenoot maken van mijn gedachten.'

Toen ze de Hernsheuvel bestegen, zag Eolair iemand langzaam over het vochtige gras lopen. Hij hief zijn hand op.

'Een ogenblik, alstublieft.' Eolair gaf zijn teugels aan de Sitha, sprong toen uit het zadel en liep de figuur achterna, die zich om de haverklap boog alsof hij bloemen tussen de grasprieten zocht. Een aantal vogels zweefde erachter, neerduikend en dan weer met klapperende vleugels opstijgend.

'Maegwin?' riep Eolair. Ze bleef niet staan, dus ging hij harder lopen om haar in te halen. 'Maegwin,' zei hij toen hij vóór haar kwam. 'Ben je in orde?'

Lluths dochter draaide zich om en keek naar hem. Ze droeg een donkere mantel, maar daaronder was een felgele japon te zien. De gesp van haar ceintuur was een zonnebloem van gedreven goud. Ze zag er mooi en vredig uit. 'Graaf Eolair,' zei ze rustig en glimlachte, boog zich toen voorover en liet weer een handvol zaaikoren uit haar vuist lopen.

'Wat doe je?'

'Bloemen zaaien. De lange strijd met de winter heeft zelfs de bloemen van de hemel doen verdorren.' Ze boog zich voorover en sprenkelde nog meer zaadjes. Achter haar vochten de vogels luidruchtig om de korrels.

'Wat bedoel je, de hemelse bloemen?'

Ze keek hem vragend aan. 'Wat een vreemde vraag. Maar denk je eens in, Eolair, welke mooie bloemen uit deze zaden zullen ontstaan. Denk je eens in hoe het eruit zal zien wanneer de tuinen van de goden opnieuw in bloei staan.'

Eolair keek haar een ogenblik hulpeloos aan. Maegwin bleef verder lopen, het zaad in kleine heuveltjes strooiend onder het gaan. De vogels, volgepropt maar nog niet verzadigd, volgden haar. 'Maar je bent hier op Hernsheuvel,' zei hij. 'Je bent in Hernysadharc, de plaats waar je bent opgegroeid!'

Maegwin bleef staan en trok haar mantel wat dichter om zich heen. 'Je ziet er niet goed uit, Eolair. Dat is niet goed. Niemand behoort ziek te zijn in een oord als dit.'

Jiriki liep lichtvoetig over het gras met de twee paarden aan de teugel. Hij bleef op een kleine afstand staan, omdat hij niet wilde storen.

Tot Eolairs verbazing wendde Maegwin zich tot de Sitha en maakte een revérence voor hem. 'Welkom, heer Brynioch,' riep ze uit. 'Wat een mooie hemel hebt u vandaag voor ons gemaakt. Dank u, o Schone.'

Jiriki zei niets, maar keek Eolair aan met een katachtige uitdrukking van kalme nieuwsgierigheid.

'Weet je wie dit is?' vroeg de graaf aan Maegwin. 'Dit is Jiriki van de Sithi. Hij is geen god, maar een van degenen die ons van Skali gered hebben.' Toen ze geen antwoord gaf, maar alleen lankmoedig glimlachte, verhief hij zijn stem. 'Maegwin, dit is niet Brynioch. Je bent niet te midden van de goden. Dit is Jiriki, weliswaar onsterfelijk, maar van vlees en bloed net als jij en ik.'

Maegwin richtte haar sluwe glimlach op de Sitha. 'Goed mijn heer, Eolair schijnt koorts te hebben. Hebt u hem misschien te dicht bij de zon gebracht op uw reizen vandaag?'

De graaf van Nad Mullach staarde. Was ze werkelijk gek, of speelde ze een ondoorgrondelijk spelletje? Hij had zoiets nog nooit gezien. 'Maegwin!' snauwde hij.

Jiriki raakte zijn arm aan. 'Kom met mij mee, graaf Eolair. Wij zullen praten.'

Maegwin maakte weer een buiging. 'U bent vriendelijk, heer Brynioch. Ik zal nu doorgaan met mijn werk, met uw permissie. Het is maar weinig om uw vriendelijkheid en gastvrijheid terug te betalen.'

Jiriki knikte. Maegwin draaide zich om en vervolgde haar trage wandeling over de helling van de heuvel.

'Mogen de goden me bijstaan,' zei Eolair. 'Ze is gek. Het is erger dan ik had gevreesd.'

'Zelfs iemand die niet van jouw geslacht is, kan zien dat ze ernstig gestoord is.'

'Wat kan ik doen?' klaagde de graaf. 'Wat als ze haar verstand niet herkrijgt?'

'Ik heb een vriendin – een nicht, zoals u dat noemt – die genezer is,' opperde Jiriki. 'Ik weet niet of het probleem van deze jonge vrouw door haar kan worden verholpen, maar het zou geen kwaad kunnen het te proberen, dunkt mij.'

Hij keek hoe Eolair weer in het zadel klauterde, en besteeg toen in één vloeiende beweging zijn eigen paard en leidde de zwijgende graaf de heuvel op naar de Taig.

Toen zij de naderende voetstappen hoorde, drukte Rachel zich verder in de schaduwen voor ze zich herinnerde dat het geen verschil zou maken. Inwendig maakte ze zichzelf voor dwaas uit.

De stappen waren traag, alsof degene die ze zette heel zwak was of een enorme last torste.

'Waar gaan we nu heen?' Het was een scherp gefluister, diep en ruw, een stem die niet erg vaak gebruikt werd. 'Gaan. Waar we heen gaan? Goed dan, ik kom.' Er klonk een iel piepend geluid, dat lachen of huilen kon zijn geweest.

Rachel hield haar adem in. De kat verscheen eerst, de kop omhoog, na bijna een week ervan verzekerd dat wat er wachtte eerder eten was dan gevaar. De man volgde een ogenblik later, voorwaarts sjokkend, uit de schaduwen in het lamplicht tredend. Zijn bleke gezicht met littekens was bedekt door een lange, met grijs doorschoten baard, en de gedeelten van hem die niet bedekt waren door zijn haveloze, smerige kleren waren mager als van een hongerlijder. Zijn ogen waren gesloten.

'Kalm aan,' zei hij met schurende stem. 'Ik ben zwak. Kan niet vlug lopen.' Hij bleef staan alsof hij het lamplicht op zijn gezicht voelde, op de oogleden van zijn geruïneerde ogen. 'Waar ben je kat?' vroeg hij met trillende stem.

Rachel boog zich omlaag om de kat te aaien die haar enkel kopjes gaf, en gaf hem toen een stukje van zijn verwachte pekelvlees. Ze ging rechtop staan.

'Graaf Guthwulf.' Haar stem scheen zo luid na Guthwulfs gefluister dat het zelfs haar een schok gaf. De man schrok en deinsde terug, bijna omvallend, maar in plaats van zich om te draaien en weg te lopen hief hij zijn bevenden handen voor zich op.

'Laat me met rust, verdomde wezens!' riep hij uit. 'Kwel iemand anders! Laat mij maar met mijn ellende alleen. Laat het zwaard mij nemen als het dat wil.'

'Niet weglopen, Guthwulf!' zei Rachel haastig, maar bij het hernieuwde geluid van haar stem draaide de graaf zich om en begon door de gang terug te wankelen.

'Er zal hier eten voor u zijn,' riep ze hem na. De in lompen gehulde verschijning gaf geen antwoord, maar verdween in de schaduwen achter de gloed van de lamp. 'Ik zal het achterlaten en dan weggaan. Ik zal dat iedere dag doen! U hoeft niet met mij te praten!'

Toen de echo's waren verstorven, zette ze een kleine portie gedroogd vlees voor de kat neer, die hongerig begon te eten. De kom vol vlees en gedroogd fruit zette ze in een stoffige nis in de muur, buiten bereik van de kat, maar waar de levende vogelverschrikker hem niet kon missen wanneer hij de moed verzamelde om terug te keren.

Nog steeds niet zeker van wat haar eigen bedoeling was, pakte Rachel haar lamp op en ging terug naar de trap die naar de hogere, meer vertrouwde delen van de doolhof van het kasteel zouden leiden. Nu had ze het gedaan, en het was te laat om terug te keren. Maar waarom had ze het gedaan? Ze zou de tocht naar het bovenste deel van het kasteel weer moeten riskeren, want de voorraden die ze had aangelegd waren bestemd om slechts één matig mens te voeden, niet twee volwassenen en een kat met een bodemloze maag.

'Rhiap, redt mij voor mezelf,' mopperde ze.

Misschien was het 't feit dat het de enige liefdadigheid was die zij in deze vreselijke tijd kon bewijzen – hoewel Rachel nooit geobsedeerd was geweest door liefdadigheid, aangezien zoveel bedelaars, voor zover zij wist, volmaakt gezond van lijf en leden en hoogstwaarschijnlijk alleen maar werkschuw waren. Maar misschien was het uiteindelijk toch liefdadigheid. De tijden waren veranderd, en Rachel ook.

Of misschien was ze alleen maar eenzaam, overdacht zij. Ze snoof tegen zichzelf en liep haastig de gang door.

23

Het schallen van de hoorn

In de dagen nadat prinses Miriamele en haar metgezellen in Sesuad'ra waren aangekomen, gebeurde er een aantal vreemde dingen.

Het eerste en belangrijkste was de verandering die over Lenti, graaf Streáwes boodschapper kwam. De Perdruinese man met de borstelige wenkbrauwen had zijn eerste dagen in Nieuw Gadrinsett doorgebracht met over de kleine markt te paraderen, de plaatselijke vrouwen ergerend en ruzie zoekend met de kooplieden. Hij had verscheidene mensen zijn messen laten zien, met de nauwelijks bedekte implicatie dat hij geneigd was die te gebruiken wanneer hij daar zin in had.

Maar toen hertog Isgrimnur met de prinses aankwam, trok Lenti zich meteen terug in de tent die hem als verblijf was aangewezen en liet zich enige tijd niet zien. Er was zelfs heel wat geflikflooi voor nodig hem naar buiten te laten komen om Jozua's antwoord aan zijn meester Streáwe in ontvangst te nemen, en toen Lenti zag dat de hertog aanwezig zou zijn, werd de met messen zwaaiende boodschapper zwak in de knieën en moest men hem toestaan Jozua's instructies zittend in ontvangst te nemen. Blijkbaar – of zo luidde het verhaal dat later op de markt werd verteld – hadden hij en Isgrimnur elkaar eerder ontmoet, en de kennismaking was Lenti niet bevallen. Toen hij een antwoord voor zijn meester had ontvangen, vertrok Lenti haastig uit Sesuad'ra. Hij noch iemand anders was daar erg rouwig om.

De tweede en veel verbijsterende gebeurtenis was hertog Isgrimnurs bekendmaking dat de oude man die hij uit het zuiden naar Sesuad'ra had meegebracht in feite Camaris-sá-Vinitta was, de grootste held uit de Johannitische Era. Door de hele nederzetting werd gefluisterd dat toen Jozua dit op de avond van de terugkomst te horen kreeg, hij voor de oude man op de knieën was gevallen en zijn hand had gekust. Maar vreemd genoeg had de zogeheten heer Camaris bijkans onbewogen geleken door Jozua's gebaar. Tegenstrijdige geruchten verspreidden zich snel door de gemeenschap van Nieuw Gadrinsett – de oude man was aan het hoofd gewond, hij was gek geworden door drank of tovenarij, of een aantal andere mogelijke redenen, zelfs dat hij een gelofte van zwijgen had afgelegd.

De derde en droevigste gebeurtenis was de dood van de oude Towser. In dezelfde nacht dat Miriamele en de anderen terugkwamen, stierf de oude nar in zijn slaap. De meesten waren het erover eens dat de opwinding te veel voor zijn hart was geweest. Degenen die wisten welke angsten

Towser al met de rest van Jozua's gezelschap van overlevenden had doorgemaakt, waren daar niet zo zeker van, maar hij was per slot van rekening een heel oude man, en zijn heengaan scheen natuurlijk. Jozua sprak vriendelijk over hem op de begrafenis twee dagen later, het kleine gezelschap dat daar verzameld was herinnerend aan Towsers lange dienstbaarheid aan koning John. Sommigen merkten echter op dat de nar, ondanks de edelmoedige lofrede van de prins, naast de andere slachtoffers van de strijd werd begraven in plaats van naast Deornoth in de tuin van het Afscheidshuis.

De harpspeler Sangfugol zorgde ervoor dat de oude man begraven werd met een luit en gekleed in zijn gerafelde narrenpak, ter herinnering aan hoe Towser hem zijn muziekkunst had geleerd. Samen verzamelden Sangfugol en Simon ook sneeuwbloemen die zij op de donkere aarde strooiden nadat het graf was volgegooid.

'Het is droevig dat hij net moest sterven toen Camaris was teruggekeerd.' Miriamele reeg de overgebleven sneeuwbloemen die Simon haar gegeven had tot een fijn halssnoer. 'Een van de weinige mensen die hij in de oude tijd kende, en ze hebben niet eens een kans gehad om met elkaar te praten. Niet dat Camaris iets zou hebben gezegd, veronderstel ik.'

Simon schudde zijn hoofd. 'Towser heeft wel met Camaris gesproken, prinses.' Hij zweeg. Haar titel voelde nog steeds vreemd aan, vooral wanneer ze in levenden lijve voor hem zat, levend, ademend. 'Toen Towser hem zag – nog vóór Isgrimnur zei wie hij was – verschoot Towser van kleur. Hij stond een ogenblik voor Camaris, zich zo in zijn handen wrijvend, en fluisterde toen: "Ik heb het aan niemand verteld, heer, ik zweer het!" Toen ging hij weg naar zijn tent. Niemand anders dan ik heeft het hem horen zeggen, vermoed ik. Ik had er geen idee van wat hij bedoelde... en dat heb ik nog steeds niet.'

Miriamele knikte. 'Ik neem aan dat we het nu nooit zullen weten.' Ze keek naar hem, en keek toen meteen weer naar haar bloemen.

Simon vond haar mooier dan ooit. Haar goudkleurige haar, waar de verf nu was uitgegroeid, was jongensachtig kort, maar hij vond het mooi hoe het de ferme, scherpe lijn van haar kin en haar groene ogen accentueerde. Zelfs de iets ernstiger uitdrukking die zij nu had, maakte haar des te aantrekkelijker. Hij bewonderde haar, dat was het woord, maar hij wist geen raad met zijn gevoelens. Hij verlangde ernaar haar te beschermen tegen alles en iedereen, maar tegelijkertijd wist hij heel goed dat zij zich nooit door iemand zou laten behandelen alsof ze een hulpeloos kind was.

Simon voelde dat er ook iets anders in Miriamele veranderd was. Ze was nog steeds vriendelijk en hoffelijk, maar ze had een afstandelijkheid die hij zich niet herinnerde, iets terughoudends. Het oude evenwicht dat tussen hen was gesmeed, leek te zijn veranderd maar hij begreep niet helemaal wat ervoor in de plaats was gekomen. Miriamele scheen wat afstandelijker, doch tegelijkertijd zich meer van hem bewust dan ooit tevoren, bijna alsof hij haar op de een of andere manier bang maakte.

Hij kon zijn ogen niet van haar afhouden, dus was hij dankbaar voor het ogenblik dat haar aandacht op de bloemen in haar schoot was gericht. Het was zo vreemd na al die maanden dat hij zich haar had herinnerd en voorgesteld tegenover de echte Miriamele te staan, dat hij het moeilijk vond in haar aanwezigheid helder te denken. Nu de eerste week sinds haar terugkeer voorbij was, scheen iets van de onbeholpenheid te zijn verdwenen, maar er was toch nog een kloof tussen hen. Zelfs in Naglimund, toen hij haar voor het eerst als de dochter van de koning had gezien, was er niet deze hoedanigheid van scheiding geweest.

Simon had haar – niet zonder trots – van zijn vele avonturen in het afgelopen halfjaar verteld; tot zijn verbazing had hij toen ontdekt dat Miriameles ervaringen bijna even wild onwaarschijnlijk waren geweest als die van hemzelf.

Aanvankelijk had hij besloten dat de gruwelen van haar reis – de kilpa en ghanten, de dood van Dinivan en lector Ranessin, haar niet geheel verklaarde opsluiting op het schip van een of andere Nabbaanse edelman – ruim voldoende waren om de muur die hij tussen hen voelde te verklaren. Nu was hij daar niet meer zo zeker van. Zij waren vrienden geweest, en zelfs als ze nooit meer konden zijn dan dat, die vriendschap was echt geweest, nietwaar? Er was iets gebeurd waardoor ze hem anders behandelde.

Ligt het misschien aan mij, vroeg Simon zich af. *Is het mogelijk dat ik zo veranderd ben dat ze me niet meer aardig vindt?*

Onbewust streelde hij zijn baard. Miriamele keek op, zag zijn blik en glimlachte spottend. Hij voelde een aangename warmte; het was bijna alsof hij haar in haar oude vermomming zag van Marya, het dienstmeisje.

'Je bent daar werkelijk trots op, nietwaar?'

'Wat? Mijn baard?' Simon was plotseling blij dat hij hem had laten staan want hij bloosde. 'Die… is min of meer zomaar gegroeid.'

'Mmmm. Toevallig? Van de ene dag op de andere?'

'Wat mankeert eraan?' vroeg hij gepikeerd. 'Ik ben een ridder, bij de verdomde Boom! Waarom zou ik geen baard hebben?'

'Niet vloeken. Niet in het bijzijn van dames, en vooral niet in het bijzijn van prinsessen.' Ze wierp hem een blik toe die bedoeld was om streng te zijn, maar die bedorven werd door haar onderdrukte glimlach.

'Bovendien, ook al ben je een ridder, Simon – en ik veronderstel dat ik je op je woord moet geloven tot ik eraan zal denken om het aan oom Jozua te vragen – betekent dat nog niet dat je oud genoeg bent om een baard te laten staan zonder er idioot uit te zien.'

'Aan Jozua vragen? Je kunt het aan iedereen vragen!' Simon werd heen en weer geslingerd tussen blijdschap omdat ze weer wat meer leek op degene die ze vroeger was geweest, en ergernis om wat ze had gezegd. 'Niet oud genoeg! Ik ben bijna zestien! Over veertien dagen is het zover, op Sint-Yistrinsdag!' Hij had zelf pas beseft dat die aanstaande was toen pater Strangyeard een opmerking over de aanstaande heiligendag had gemaakt.

'Werkelijk?' Miriameles ogen werden ernstig. 'Ik ben zestien geworden toen we op weg waren naar Kwanitupul. Cadrach was heel aardig – hij heeft een jamtaart en wat Meerlandse anjers voor me gestolen – maar het was niet bepaald wat je een feest noemt.'

'Die diefachtige schurk,' gromde Simon. Hij was nog altijd zijn beurs niet vergeten en de schande die hij te verduren had gekregen omdat hij hem verloren had, ongeacht hoeveel er sindsdien was gebeurd.

'Dat moet je niet zeggen.' Miriamele was plotseling scherp. 'Je weet niets van hem af, Simon. Hij heeft veel geleden. Hij heeft een moeilijk leven gehad.'

Simon maakte een geluid van afkeer. 'Híj geleden? En de mensen van wie hij steelt dan?'

Miriameles ogen vernauwden zich. 'Ik wil niet dat je nog één woord over Cadrach zegt. Geen woord.'

Simon opende zijn mond, en deed die toen weer dicht. *Verdomme*, dacht hij, *je kunt met meisjes zo gemakkelijk in moeilijkheden komen! Het is net alsof ze allemaal aan het oefenen zijn om net zoals Rachel de Draak te worden!*

Hij haalde diep adem. 'Het spijt me dat je verjaardag niet erg leuk was.' Ze keek hem een ogenblik aan en bedaarde toen. 'Misschien dat we hem samen met jouw verjaardag kunnen vieren. We kunnen elkaar cadeautjes geven, net zoals ze in Nabban doen.'

'Je hebt mij er al een gegeven.' Hij stak zijn hand in de zak van zijn mantel en haalde er een plukje blauwe stof uit. 'Weet je nog? Toen ik met Binabik en de anderen naar het noorden vertrok?'

Miriamele keek er een ogenblik naar. 'Heb je hem bewaard?' vroeg ze snel.

'Natuurlijk. Ik heb hem praktisch de hele tijd gedragen. Natuurlijk heb ik hem bewaard.'

Haar ogen werden wijder, toen draaide ze zich om en stond plotseling van de stenen bank op. 'Ik moet gaan, Simon,' zei ze met een vreemde klank in haar stem. Ze wilde hem niet in de ogen kijken. 'Vergeef me, alsjeblieft.' Ze nam haar rokken op en liep vlug weg over de zwart-witte tegels van de Vuurtuin.

'Verdomme,' zei Simon. Eindelijk had het er naar uitgezien dat het beter ging. Wat had hij gedaan? Wanneer zou hij ooit leren vrouwen te begrijpen?

Binabik, bijna een volwaardig Drager van het Geschrift, liet Tiamak en pater Strangyeard de eed afleggen. Toen ze hadden gezworen, legde hij op zijn beurt voor hen de eed af. Geloë keek sardonisch toe toen de litanieën werden gesproken. Ze had nooit veel opgehad met de formaliteiten van het Verbond, hetgeen een van de redenen was dat ze nooit een Draagster van het Geschrift was geweest, ondanks de enorme eerbied die de leden voor haar koesterden. Er waren ook nog andere redenen, maar daar sprak Geloë nooit over, en al haar oude kameraden die het zouden hebben kunnen uitleggen, waren er nu niet meer.

Tiamak werd heen en weer geslingerd tussen blijheid en teleurstelling. Hij had er lang van gedroomd dat dit eens zou kunnen gebeuren, maar in zijn verbeelding had hij zijn geschrift-en-pen van Morgenes ontvangen, terwijl Jarnauga en Ookequk stralend instemden. In plaats daarvan had hij Dinivans hanger zelf uit Kwanitupul meegebracht nadat Isgrimnur die had afgeleverd, en nu zat hij te zamen met de grotendeels onbewezen opvolgers van die andere grote zielen.

Toch had zelfs een dergelijke nederige verwezenlijking van zijn droom iets onuitsprekelijk opwindends. Misschien zou dit een dag zijn die hem lang zou heugen – de komst van een nieuwe generatie bij het Verbond, een nieuw lidmaatschap dat de Dragers van het Geschrift even belangrijk en gerespecteerd zou maken als ze in de tijd van Eahlstan Fiskerne zelf waren geweest...!

Tiamaks maag knorde. Geloë richtte haar gele ogen op hem en hij glimlachte beschaamd. In de opwinding van de voorbereidingen voor de ochtend was hij vergeten te eten. Hij werd een en al verlegenheid. Zo! Dat waren Zij Die Kijken en Vormen, die hem eraan herinnerden hoe belangrijk hij was. Een nieuwe tijd, inderdaad – zij die zich hier verzamelden, zouden keihard moeten werken om half de Dragers van het Geschrift te worden die hun voorgangers waren geweest. Dat zou Tiamak, de wilde uit Dorpsbosje, leren zich te veroorloven zo opgewonden te worden.

Zijn maag knorde opnieuw. Deze keer ontweek Tiamak Geloë's blik, en trok zijn knieën dichter tegen zijn lichaam aan, ineengedoken op de uit matten bestaande vloer van Strangyeards tent als een aardewerkkoopman op een koude dag.

'Binabik heeft me gevraagd te spreken,' zei Geloë toen de eden waren afgelegd. Zij was vief, als de vrouw van een Oudste die klusjes en hoe met zuigelingen om te gaan aan een nieuwe bruid uitlegt. 'Omdat ik de enige ben die alle andere Dragers van het Geschrift heb gekend, heb ik erin toegestemd.' De felheid van haar blik zorgde ervoor dat Tiamak zich niet bepaald op zijn gemak voelde. Hij had alleen gecorrespondeerd met de bosbewoonster voor zijn aankomst in Sesuad'ra en had geen idee gehad van de kracht van haar aanwezigheid. Nu probeerde hij zich uitzinnig de brieven voor de geest te halen die hij haar had gezonden en hoopte dat ze alle gepast hoffelijk waren geweest. Het was duidelijk dat zij niet iemand was die je van streek wilde maken.

'Jullie zijn Dragers van het Geschrift geworden in wat wellicht de moeilijkste era zal zijn die de wereld ooit heeft gekend, zelfs nog erger dan Fingils tijd van verovering, plundering en vernietiging van kennis. Jullie allen hebben nu genoeg gehoord om te begrijpen dat wat er gebeurt duidelijk veel meer is dan een oorlog tussen prinsen. Elias van Erkynland heeft op de een of andere manier de hulp van Ineluki Stormkoning ingeroepen, wiens ondode hand zich eindelijk uit de Nornfells naar omlaag heeft uitgestrekt, zoals Fiskerne eeuwen geleden vreesde. Dat is de taak waarvoor we ons gesteld zien – om op de een of andere manier te voorkomen dat dat kwaad van een strijd tussen broers verandert in een verloren strijd tegen volslagen duisternis. En het eerste deel van die taak is, schijnt het, om het raadsel van de zwaarden op te lossen.'

De discussie over Nisses' zwaardrijm ging tot ver in de middag door. Tegen de tijd dat Binabik erover dacht om voor hen allen iets te eten te vinden, lag Morgenes' kostbare manuscript door Strangyeards tent verspreid, nadat vrijwel iedere pagina was onderzocht en besproken tot de met wierook bezwangerde lucht scheen te gonzen.

Tiamak zag nu dat Morgenes' boodschap aan hem moest hebben verwezen naar het rijm van de Drie Zwaarden. De Wrannaman had het onmogelijk geacht dat iemand van zijn eigen geheime schat kon hebben afgeweten; het was duidelijk dat niemand dat wist. Toch, als hij al niet de gezonde eerbied van een geleerde voor het toeval had ontwikkeld, zouden de onthullingen van deze dag hem hebben overtuigd. Toen brood en wijn waren uitgedeeld, en de scherpere meningsverschillen door volle monden en de noodzaak om een karaf te delen waren verzacht, sprak Tiamak ten slotte.

'Ik heb zelf iets gevonden waar u, hoop ik, naar wilt kijken.' Hij zette zijn beker voorzichtig neer en haalde toen het in bladeren gewikkelde perkament uit zijn tas. 'Ik heb dit op de markt in Kwanitupul gevonden. Ik had gehoopt het naar Dinivan in Nabban te brengen om te zien wat hij zou zeggen.' Hij pakte het uiterst behoedzaam uit terwijl de andere drie naar voren kwamen om te kijken. Tiamak voelde het soort bezorgde trots die een vader wellicht voelt als hij zijn kind voor het eerst naar de Oudsten brengt om de naamgeving te laten bevestigen.

Strangyeard zuchtte. 'Gezegende Elysia, is het echt?'

Tiamak schudde zijn hoofd. 'Als het dat niet is, is het een zeer getrouwe vervalsing. In mijn tijd in Perdruin heb ik vele geschriften uit Nisses' tijd gezien. Dit zijn Rimmersgaardse runen zoals iemand ze in die tijd zou hebben geschreven. Let op de achterwaartse krullen.' Hij wees met een trillende vinger.

Binabik loenste. '... *Uit Nuanni's Rotstuin...*' las hij.

'Ik denk dat het de Zuidelijke Eilanden betekent,' zei Tiamak. 'Nuanni...'

'... was de oude Nabbaanse god van de zee.' Strangyeard was zo opgewonden dat hij hem in de rede viel – een verbazingwekkend iets voor de schuchtere priester. 'Natuurlijk – Nuanni's rotstuin – de eilanden! Maar wat betekent de rest?'

Toen de anderen zich er dicht overheen bogen, al twistend, voelde Tiamak een gloed van trots. Zijn kind had de goedkeuring van de Oudsten verkregen.

'Het is niet genoeg om stand te houden.' Hertog Isgrimnur zat op een kruk tegenover Jozua in de verduisterde tent van de prins. 'U hebt een belangrijke overwinning behaald, maar die betekent weinig voor Elias. Nog een paar maanden en niemand zal zich herinneren dat het ooit gebeurd is.'

Jozua fronste. 'Ik begrijp het. Daarom zal ik de Raad bijeenroepen.'

Isgrimnur schudde zijn hoofd, zijn baard heen en weer zwaaiend. 'Dat is niet genoeg, als u mij niet kwalijk neemt dat ik het zeg. Ik ben tactloos.'

De prins glimlachte flauw. 'Dat is je taak, Isgrimnur.'

'Dus laat mij dan zeggen wat ik zeggen moet. Wij hebben meer overwinningen nodig, en gauw. Als we Elias niet terugdringen, zal het niet belangrijk zijn of deze "Drie Zwaarden"-onzin werkt of niet.'

'Denk je werkelijk dat het onzin is?'

'Na alles wat ik in het afgelopen jaar heb gezien? Nee, ik zou niets in deze tijd gauw onzin noemen, maar daar gaat het niet om. Zolang we hier zitten als een kat in een boom, hebben we geen mogelijkheid om bij Glanzende Nagel te komen.' De hertog snoof. 'Drors Hamer! Ik ben er nog steeds niet aan gewend te denken dat Johns zwaard werkelijk Minneyar is. Je had me met een ganzeveer kunnen onthoofden toen je me dat vertelde.'

'We moeten allen gewend raken aan verrassingen, schijnt het,' zei Jozua droog. 'Maar wat stel je voor?'

'Nabban.' Isgrimnur sprak zonder aarzeling. 'Ik weet het, ik zou er bij je op moeten aandringen om je naar Elvritshalla te spoeden om mijn volk daar te bevrijden. Maar je angsten zijn gerechtvaardigd. Als wat ik heb gehoord waar is, is de helft van de gezonde mannen in Rimmersgaarde gedwongen in Skali's leger dienst te nemen; het zou een langdurige strijd betekenen om hem te verslaan. Kaldskryke is een harde man, een kundig strijder. Ik heb een gloeiende hekel aan hem, maar ik zal de laatste zijn om hem een gemakkelijke tegenstander te noemen.'

'Maar de Sithi zijn naar Hernystir gereden,' merkte Jozua op. 'Dat heb je gehoord.'

'Wat betekent dat? Ik kan geen wijs uit de verhalen van de jongen Simon en dat witharige Sitha tovenaresje komt mij niet voor als het soort verkenner wiens inlichtingen moeten worden gebruikt om een hele campagne mee te beramen.' De hertog trok een gezicht. 'In elk geval, als de Sithi en de Hernystiri Skali verdrijven, prachtig. Ik zal harder en langer juichen dan wie ook. Maar degenen uit Skali's manschappen die wij zouden willen rekruteren, zullen nog wijd en zijd over de Vorstmark verspreid zijn: ook al wordt het weer een beetje beter, ik zou het niet prettig vinden te moeten proberen ze bijeen te drijven en ze ervan te overtuigen om Erkynland aan te vallen. En het is mijn volk. Het is mijn land, Jozua... dus kun je beter luisteren naar wat ik zeg.' Zijn borstelige wenkbrauwen gingen woedend op en neer, alsof alleen al de gedachte dat de prins het niet met hem eens zou kunnen zijn, zijn eigen gezonde verstand in twijfel trok.

De prins zuchtte. 'Ik luister altijd naar je, Isgrimnur. Jij hebt mij taktiek bijgebracht toen je mij op je knie hield, weet je nog wel?'

'Ik ben niet zoveel ouder dan jij,' mopperde de hertog. 'Als je niet om je manieren denkt, zal ik je mee naar buiten in de sneeuw nemen en je een pijnlijk lesje leren.'

Jozua grinnikte. 'Ik denk dat we dat tot een andere keer moeten uitstellen. Ah, maar het is goed om je weer bij me terug te hebben, Isgrimnur.' Zijn uitdrukking werd somberder. 'Dus, je zegt Nabban. Hoe?'

Isgrimnur schoof zijn kruk dichterbij en begon zachter te spreken. 'Streáwes boodschap zei dat de tijd rijp is – dat Benigaris heel onpopulair is. Overal doen geruchten de ronde over zijn rol in zijn vaders dood.'

'De legers van het IJsvogelwapen zullen niet naar aanleiding van geruchten deserteren,' zei Jozua. 'Er zijn vrij veel vadermoordenaars geweest die in Nabban hebben geregeerd. Het is moeilijk om die lieden te shockeren. In elk geval, de elite officieren van het leger zijn bovenal trouw aan het Benedrivijnse Huis. Zij zullen tegen iedere buitenlandse usurpator vechten – zelfs Elias, als hij zijn macht rechtstreeks zou doen gelden. Ze zouden zeker Benigaris niet ter wille van mij afzetten. Je herinnert je zeker het oude Nabbaanse gezegde nog wel: "Beter onze hoerenzoon dan jullie heilige".'

Isgrimnur grijnsde boosaardig in zijn bakkebaarden. 'Ah, maar wie zegt dat zij ervan overtuigd moeten worden dat Benigaris terwille van jóu moet worden afgezet, mijn prins? Genadige Aedon, ze zouden de legers eerder door Nessalanta laten aanvoeren dan door jou.'

Jozua schudde geïrriteerd zijn hoofd. 'Nou, wie dan?'

'Camaris, verdomme!' Isgrimnur sloeg met zijn brede hand op zijn dij om zijn woorden kracht bij te zetten. 'Hij is de wettige erfgenaam van de hertogelijke troon – Leobardis werd alleen hertog omdat Camaris verdween en dood werd gewaand.'

De prins staarde zijn oude vriend aan. 'Maar hij is gek, Isgrimnur – of in elk geval zwakzinnig.'

De hertog ging rechtop zitten. 'Ze hebben een lafhartige vadermoordenaar geaccepteerd. Waarom zouden ze niet de voorkeur geven aan een heldhaftige sul?'

Jozua schudde zijn hoofd weer, deze keer in verbazing. 'Je bent verbazingwekkend, Isgrimnur. Waar heb je een dergelijk idee vandaan?'

Isgrimnur grinnikte fel. 'Ik heb een hoop tijd gehad om na denken sinds ik Camaris in die herberg in Kwanitupul vond.' Hij streek met zijn vingers door zijn baard. 'Het is jammer dat Eolair er niet is om te zien wat een gluiper en intrigant ik op mijn oude dag geworden ben.'

De prins lachte. 'Welnu, ik ben er niet zeker van dat het zal werken, maar er valt in elk geval over te denken.' Hij stond op en liep naar de tafel. 'Zou je nog wat meer wijn lusten?'

Isgrimnur hief zijn drinkbeker op. 'Denken is dorstig werk. Vul hem, als je zo goed wilt zijn.'

'Het is *prise'a* – Altijd-vers.' Aditu tilde de slanke rank op om Simon de lichtblauwe bloem te laten zien. 'Zelfs nadat hij geplukt is, verwelkt hij niet, niet voor het seizoen voorbij is.'

'Sommige vrouwen hier dragen hem in hun haren.'

'Net zoals onze lieden – zowel mannen als vrouwen,' antwoordde de Sitha met een geamuseerde blik.

'Alsjeblieft, hallo!' riep iemand. Simon draaide zich om en zag Tiamak, Miriameles vriend de Wrannaman. De kleine man scheen enorm opgewonden. 'Prins Jozua wil dat u komt, heer Simon, vrouwe Aditu.' Hij begon aan een buiging, maar was te zeer vervuld van zenuwachtige opgetogenheid om die te voltooien. 'O, alstublieft, haast u!'

'Wat is er?' vroeg Simon. 'Is er iets aan de hand?'

'Wij hebben iets belangrijks gevonden, denken we.' Hij stond op zijn tenen te springen, verlangend om te gaan. 'In mijn perkament... het mijne!'

Simon schudde zijn hoofd. 'Wat voor perkament?'

'U zult het allemaal te horen krijgen. Kom mee naar Jozua's tent. Alstublieft!' Tiamak draaide zich om en begon naar de nederzetting terug te draven.

Simon lachte. 'Wat een vreemde man! Je zou denken dat hij een bij in zijn broek heeft.'

Aditu schikte de rank weer zorgvuldig op zijn plaats. Ze bracht haar vingers aan haar neus. 'Dit herinnert me aan mijn huis in Jaoé-Tinukai'i,' zei ze. 'Iedere kamer staat vol met bloemen.'

'Ik herinner het me.'

Ze liepen over de top van de heuvel terug. De zon scheen heel krachtig vandaag en hoewel de noordelijke hemel bedekt was met grijze wolken, was de hemel boven hen blauw. Er was bijna geen sneeuw meer, behalve in de holten van de heuvelhelling beneden hen, de diepe plaatsen waar de schaduwen tot laat op de dag bleven hangen. Simon vroeg zich af waar Miriamele was; hij was in de ochtend naar haar gaan zoeken, hopende haar ertoe over te halen een wandeling met hem te maken, maar ze was afwezig geweest, haar tent leeg. Hertogin Gutrun had hem gezegd dat de prinses vroeg weg was gegaan.

Jozua's tent was vol. Naast Tiamak stonden Geloë, pater Strangyeard en Binabik. De prins zat op zijn stoel, aandachtig naar het perkament kijkend dat op zijn schoot was uitgespreid. Vorzheva zat bij de andere muur te naaien. Na de anderen ter begroeting te hebben toegeknikt, verliet Aditu Simon en ging naar haar toe.

Jozua keek even op van zijn perkament. 'Ik ben blij dat je hier bent, Simon. Ik hoop dat je ons kunt helpen.'

'Hoe, prins Jozua?'

De prins hief zijn hand op, weer zonder op te kijken. 'Eerst moet je horen wat wij gevonden hebben.'

Tiamak kwam verlegen naar voren. 'Alstublieft, prins Jozua, mag ik vertellen wat er gebeurd is?'

Jozua glimlachte tegen de Wrannaman. 'Dat mag, wanneer Miriamele en Isgrimnur er zijn.'

Simon ging vervolgens naar Binabik toe, die met Geloë aan het praten was. Simon wachtte zo geduldig als hij kon en luisterde terwijl ze over runen en vertaalfouten spraken tot hij bijna barstte. Eindelijk arriveerde de hertog van Elvritshalla met de prinses. Haar korte haar was door de wind in de war geraakt en haar wangen hadden een lichte blos. Simon staarde haar onwillekeurig aan, vol stom verlangen.

'Ik heb de helft van deze verdomde heuvel af moeten gaan om haar te vinden,' mompelde Isgrimnur. 'Ik hoop dat het 't waard is.'
'Je had me gewoon kunnen roepen, dan was ik naar boven gekomen,' antwoordde Miriamele lief. 'Je hoefde jezelf niet bijna te doden.'
'Die plaats waar je aan het klimmen was, beviel me niet. Ik was bang dat ik je zou laten schrikken.'
'En zou ik niet schrikken als er een enorme, zwetende Rimmersman de helling af kwam vallen?'
'Alsjeblieft.' Jozua's stem klonk ietwat gespannen. 'Dit is geen tijd voor plagerijen. Het is het waard, Isgrimnur, dat hoop ik althans.' Hij wendde zich tot de Wrannaman en overhandigde hem het perkament. 'Leg het de pas aangekomenen uit als je wilt, Tiamak.'
De slanke man, met fonkelende ogen, beschreef vlug hoe hij aan het perkament was gekomen, en liet hun toen de oude runen zien alvorens het hardop voor te lezen.

'…Breng uit Nuanni's Rotstuin
de Man die hoewel Blind, toch kan Zien,
ontdek het Zwaard dat de Roos bevrijdt
aan de voet van de Grote Boom van de Rimmer,
vindt de Roep wiens luide Eis
de naam van de Roepdrager spreekt
in een Schip op de Ondiepste Zee —
— wanneer Zwaard, Roep en Man
naar de rechterhand van de Prins komen,
zal de Gevangene weer vrij zijn'…'

Toen hij klaar was keek hij het vertrek rond. 'Wij…' Hij aarzelde. 'Wij… Dragers van het Geschrift… hebben hierover gesproken en wat het zou kunnen betekenen. Als Nisses' andere woorden belangrijk zijn voor onze doeleinden, leek het waarschijnlijk dat deze dat ook zouden zijn.'

'Dus wat betekent het?' vroeg Isgrimnur. 'Ik heb er eerder naar gekeken en ik kon er geen touw aan vastknopen.'
'Jij had niet het voordeel dat sommige van de anderen hadden,' zei Binabik. 'Simon en ikzelf en enkele anderen waren zelf al met een deel van dit raadsel geconfronteerd.' De trol wendde zich tot Simon. 'Heb jij het al gezien?'
Simon dacht hard na. 'De Rimmersboom – de Udunboom!' Hij keek nogal trots naar Miriamele. 'Daar hebben we Doorn gevonden!'
Binabik knikte. Het was stil geworden in de tent. 'Ja, het "zwaard dat

de Roos bevrijdt" werd daar gevonden,' zei de trol. 'Het zwaard van Camaris, Doorn genaamd.'

'Ebekah, Johns vrouw,' fluisterde Isgrimnur. 'De Roos van Hernysadharc.' Hij trok hard aan zijn baard. 'Natuurlijk!' zei hij tegen Jozua. 'Camaris was de speciale beschermer van je moeder.'

'Dus we zagen dat het rijm ten dele over Doorn ging,' stemde Binabik in.

'Maar de rest,' zei Tiamak, 'wij denken dat we het weten, maar we zijn er niet zeker van.'

Geloë leunde naar voren. 'Het schijnt mogelijk dat als het rijm gewag maakt van Doorn, het ook over Camaris zelf kan gaan. Een "Man die hoewel Blind toch kan zien" zou zeker iemand kunnen beschrijven die blind is voor zijn verleden, zelfs voor zijn eigen naam, hoewel hij even goed kan zien als iedereen hier.'

'Beter,' zei Miriamele rustig.

'Dat schijnt juist,' zei Isgrimnur stuurs, nadenkend. 'Ik weet niet hoe zoiets in een oud boek van honderden jaren geleden kan staan, maar het schijnt juist.'

'Dus wat hebben wij dan nog over?' vroeg Jozua. 'Het gedeelte over "de Roep" en de laatste regels over de gevangenen die vrij worden.'

Die opmerking werd gevolgd door een ogenblik van stilte.

Simon schraapte zijn keel. 'Nou, misschien is dit dom,' begon hij.

'Zeg op, Simon,' spoorde Binabik hem aan.

'Als een deel over Camaris gaat, en een ander over zijn zwaard – misschien gaan de andere gedeelten dan over dingen van hem en plaatsen waar hij is geweest.'

Jozua glimlachte. 'Dat is helemaal niet dom, Simon. Dat denken wij ook. En we denken zelfs dat we weten wat de Roep zou kunnen zijn.'

Vanaf haar zetel bij de muur aan de andere kant, lachte Aditu plotseling, een heldere, muzikale triller als vallend water. 'Dus je hebt je herinnerd dat je het aan hen moest geven, Seoman. Ik was bang dat je het misschien zou vergeten. Je was heel moe en droef toen wij uiteengingen.'

'Het aan hen geven?' zei Simon, in de war. 'Wat...?' Hij hield op. 'De hoorn!'

'De hoorn,' zei Jozua. 'Amerasu's geschenk aan ons, een geschenk waarvan wij het nut niet inzagen.'

'Maar hoe is dat te rijmen met de naam van de roep-drager...?' vroeg Simon.

'Het was vlak voor onze neus, zogezegd,' zei Tiamak. 'Toen Isgrimnur Camaris in de herberg in Kwanitupul vond, werd hij "Ceallio" genoemd – dat betekent "schreeuw of roep" in de Perdruinese taal, wat in het Nabbaans hetzelfde is.'

Aditu stond op, vloeiend als een havik die zich in de lucht verheft. 'De hoorn werd alleen door stervelingen Cellian genoemd. Hij heeft een veel oudere naam – zijn ware naam toen hij gemaakt werd. De hoorn die Amerasu jullie heeft gezonden, behoorde lang voordat jullie Camaris hem in de strijd liet schallen aan de Sithi toe. Hij wordt *Ti-tuno* genoemd.'

'Maar hoe heeft Camaris hem dan gekregen?' vroeg Miriamele. 'En als hij hem had, hoe hebben de Sithi hem dan weer teruggekregen?'

'Ik kan het eerste deel van je vraag gemakkelijk beantwoorden,' zei Aditu tegen haar. 'Ti-tuno werd gemaakt van de tand van de draak Hidohebhi, de zwarte worm die Hakatri en Ineluki doodden. Toen prins Sinnach van de sterfelijke Hernystiri ons voor de slag van Ach Samrath te hulp kwam, gaf Iyu'unigato van het Huis van Jaardansen hem die als teken van dankbaarheid, een geschenk van vriend tot vriend.'

Toen Aditu zweeg, vroeg Binabik haar permissie om verder te gaan. Toen ze knikte, sprak hij. 'Vele eeuwen nadat Asu'a in verval raakte, toen John in Erkynland aan de macht kwam, kreeg hij de kans om de Hernystiri tot zijn vazallen te maken. Hij verkoos dat niet te doen en uit dankbaarheid stuurde koning Llythinn de hoorn Ti-tuno als onderdeel van Ebekah's bruidsschat toen ze gehaald werd om Prester Johns vrouw te worden.' Hij hief zijn kleine hand op in een gebaar van iemand die een geschenk geeft. 'Camaris bewaakte haar op die reis, en bracht haar veilig naar Erkynland. John vond zijn Hernystiri bruid zo mooi dat hij de hoorn aan Camaris gaf als herinnering aan de dag van haar komst naar de Hayholt.' Hij wuifde opnieuw met zijn hand, wijdser nu, alsof hij een schilderij had geschilderd dat hij nu door anderen wilde laten bewonderen. 'Wat de vraag betreft hoe Amerasu en de Sithi hem terugkregen – welnu, dat is een verhaal dat Camaris ons zelf kan vertellen. Maar daar heeft hij hem van meegebracht: het "schip op de ondiepste zee".'

'Ik begrijp dat gedeelte niet,' zei Isgrimnur.

Aditu glimlachte. 'Jaoé-Tinukai'i betekent "Boot op de Oceaan van Bomen". Het is moeilijker je een oceaan voor te stellen die ondiep is dan een zonder water.'

Simon raakte in de war door de woordenstroom en de veranderende litanie van sprekers. 'Wat bedoel je wanneer je zegt dat Camaris het verhaal kan vertellen, Binabik? Ik dacht dat Camaris niet kon spreken – dat hij stom was, of gek, of betoverd.'

'Misschien is hij al die dingen,' antwoordde de trol. 'Maar het is misschien ook waar dat de laatste regel van het gedicht over Camaris zelf gaat – dat wanneer deze dingen worden samengebracht, hij bevrijd zal worden uit het soort gevangenis waarin hij zich bevindt. Wij hopen dat het zijn verstand zal terugbrengen.'

Opnieuw was het vertrek enkele hartslagen lang stil.

'Natuurlijk,' voegde Jozua er ten slotte aan toe, 'is er nog altijd het probleem hoe dat zal gebeuren, als de op één na laatste regel te geloven is.' Hij hield zijn armen omhoog – zijn linkerhand waar Elias' handboei nog steeds om de pols zat, zijn rechterarm die in een met leer bedekte stomp eindigde. 'Zoals je kunt zien,' zei hij, 'is het enige dat deze prins níet heeft een rechterhand.' Hij veroorloofde zich een spottende grijns. 'Maar we hopen dat het niet letterlijk moet worden genomen. Misschien dat het genoeg is om ze onder mijn aandacht te brengen.'

'Ik heb al een keer geprobeerd het zwaard Doorn aan Camaris te laten zien,' herinnerde Isgrimnur zich. 'Dacht dat het zijn geheugen misschien zou opfrissen. Maar hij wilde er niet eens naartoe gaan. Deed alsof het een giftige slang was. Trok zich los en liep onmiddellijk de kamer uit.' Hij zweeg. 'Maar misschien wanneer alles bij elkaar is, de hoorn en alles, misschien dan…'

'Nou?' zei Miriamele. 'Waarom proberen we dat dan niet?'

'Omdat we dat niet kunnen,' zei Jozua somber. 'We hebben de hoorn verloren.'

'Wat?' Simon keek op om te kijken of de prins misschien een grapje maakte, hetgeen onwaarschijnlijk was. 'Hoe kan dat?'

'Hij is tijdens de slag met Fengbald verdwenen,' zei Jozua. 'Het was een van de redenen waarom ik je hier wilde hebben, Simon. Ik dacht dat je hem misschien had teruggenomen om hem veilig te bewaren.'

Simon schudde zijn hoofd. 'Ik was blij om ervan af te zijn, prins Jozua. Ik was zo bang dat ik ons allen had verdoemd door te vergeten hem aan u te geven. Nee, ik heb hem niet gezien.'

En ook niemand anders in de tent had hem gezien. 'Zo,' zei Jozua ten slotte. 'Dan moeten we ernaar zoeken – maar stilletjes. Als er een verrader in ons midden is, of alleen maar een dief, moeten we hem niet laten weten dat het een belangrijk voorwerp is, anders zullen we hem misschien nooit terugkrijgen.'

Aditu lachte opnieuw. Deze keer scheen het vreselijk misplaatst. 'Het spijt me,' zei ze, 'maar dit is iets dat de andere Zida'ya nooit zouden geloven. Ti-tuno verloren te hebben!'

'Het is niet grappig,' gromde Simon. 'Bovendien, kun je niet wat toverkunst of iets dergelijks gebruiken om hem op te sporen?'

Aditu schudde haar hoofd. 'Die dingen werken niet op die manier, Seoman. Ik heb je dat al een keer eerder proberen uit te leggen. En het spijt me dat ik heb gelachen. Ik zal meehelpen ernaar te zoeken.'

Ze keek niet alsof ze veel spijt had, vond Simon. Maar als hij geen sterfelijke vrouwen kon begrijpen, hoe kon hij dan ooit in duizend jaar hopen Sithi vrouwen te begrijpen?

Het gezelschap liep langzaam achter elkaar Jozua's tent uit, rustig onder elkaar pratend. Simon wachtte buiten op Miriamele. Toen ze kwam ging hij naast haar lopen.

'Dus ze gaan Camaris zijn herinneringen teruggeven.' Miriamele zag er verstrooid en moe uit, alsof ze de vorige nacht niet veel had geslapen. 'Als we de hoorn kunnen vinden, neem ik aan dat we het zullen proberen.' Simon was in zijn hart heel blij dat Miriamele aanwezig was geweest om te zien hoe betrokken hij was bij prins Jozua's beraadslagingen.

Miriamele draaide zich om om hem aan te kijken; haar blik was beschuldigend. 'En wat als hij die herinneringen niet terug wil?' vroeg ze. 'Wat als hij nu gelukkig is, voor de eerste keer van zijn leven?'

Simon was verrast, maar wist niet wat hij moest antwoorden. Ze liepen zwijgend door de nederzetting tot Miriamele afscheid nam en alleen ging wandelen. Simon bleef achter, zich verwonderend over hetgeen ze had gezegd. Had Miriamele ook herinneringen die ze net zo lief zou verliezen?

Jozua stond in de tuin achter het Afscheidshuis toen Miriamele hem vond. Hij staarde naar de lucht waar de wolken in lange linten als gescheurd linnen langs werden getrokken.

'Oom Jozua?'

Hij draaide zich om. 'Miriamele. Het is een genoegen je te zien.'

'U vindt het prettig om hier te komen, is het niet?'

'Ik neem aan van wel.' Hij knikte langzaam. 'Het is een plaats om te denken. Ik maak me te veel zorgen om Vorzheva – om ons kind en in wat voor soort wereld het zal leven – om me op de meeste plaatsen erg op mijn gemak te voelen.'

'En u mist Deornoth.'

Jozua richtte zijn blik weer op de met wolken bezaaide hemel. 'Ik mis hem, ja. Maar wat belangrijker is, ik wil zijn offer de moeite waard maken. Als de nederlaag die wij Fengbald hebben toegebracht iets betekent, dan zal het gemakkelijker voor mij zijn om vrede te hebben met zijn dood.' De prins zuchtte. 'Hij was jonger dan ik; hij had nog geen dertig zomers gezien.'

Miriamele keek haar oom lange tijd zwijgend aan voordat ze sprak. 'Ik moet u om een gunst vragen, Jozua.'

Hij strekte zijn hand uit, wijzend op de versleten banken. 'Alsjeblieft. Vraag mij wat je maar wilt.'

Zij haalde diep adem. 'Wanneer... wanneer wij op de Hayholt aankomen, wil ik met mijn vader spreken.'

Jozua hief zijn hoofd op, zijn wenkbrauwen optrekkend waardoor er rimpels in zijn hoge, gladde voorhoofd kwamen. 'Wat bedoel je, Miriamele?'

'Er zal een tijd komen voor een uiteindelijk beleg wanneer u en hij zullen praten,' zei ze haastig, alsof ze woorden sprak die waren ingestudeerd. 'Die zal er komen, hoe bloedig de strijd ook zal zijn. Hij is uw broer, en u zult met hem praten. Ik wil erbij zijn.'

Jozua aarzelde. 'Ik ben er niet zo zeker van of dat verstandig zou zijn...'

'En,' vervolgde Miriamele, vastbesloten om haar zegje te doen, 'ik wil met hem alleen spreken.'

'Alleen?' De prins schudde zijn hoofd, verrast. 'Miriamele, dat kan niet! Als wij het beleg voor de Hayholt kunnen opslaan, zal je vader een wanhopig mens zijn. Hoe zou ik jou met hem alleen kunnen laten – ik zou je als gijzelaar uitleveren!'

'Dat is niet belangrijk,' zei ze koppig. 'Ik moet met hem praten, oom Jozua. Ik moet het doen.'

Hij slikte een scherp antwoord in; toen hij sprak, was het op vriendelijke toon. 'En waarom moet je dat, Miriamele?'

'Dat kan ik u niet vertellen. Maar ik moet. Het zou een verschil kunnen maken... een heel groot verschil!'

'Dan moet je het mij vertellen, nicht van me. Want als je het niet doet, kan ik alleen maar neen zeggen. Ik kan je niet toestaan alleen te zijn met je vader.'

Tranen glinsterden in Miriameles ogen. Ze veegde ze boos af. 'U begrijpt het niet. Het is iets waarover alleen ik maar met hem kan praten. En ik moet het doen! Alstublieft, Jozua, alstublieft!'

Een vermoeide pijn scheen zich op zijn gezicht af te tekenen, als het werk van lange jaren. 'Ik weet dat je niet frivool bent, Miriamele, maar je hebt ook niet de levens van honderden, misschien duizenden die op je besluiten drukken. Als je mij niet kunt zeggen wat volgens jou zo belangrijk is – en ik geloof dat je denkt dat het zo is – dan kan ik je zeker je leven er niet voor in de waagschaal laten stellen, en misschien ook de levens van vele anderen.'

Ze keek hem gespannen aan. De tranen waren weg, vervangen door een koud, onbewogen masker. 'Alstublieft, denk er nog eens over na, Jozua.' Ze wees naar Deornoths grafheuvel. Een paar grassprietjes ontsproten al tussen de stenen. 'Herinnert u zich uw vriend, oom Jozua, en alle dingen die u wilde dat u tegen hem gezegd had.'

Hij schudde gefrustreerd zijn hoofd. Het zonlicht liet zien dat zijn bruine haar bij de kruin dun begon te worden. 'Bij Aedons bloed, ik kan het niet toestaan, Miriamele. Wees boos op me als het niet anders kan, maar je kunt toch zeker inzien dat ik geen andere keus heb.' Zijn eigen stem begon wat killer te worden. 'Wanneer je vader zich uiteindelijk overgeeft, zal ik alles doen wat ik kan om ervoor te zorgen dat hem geen kwaad geschiedt. Als het in mijn vermogen ligt, zul je een kans krijgen om met hem te spreken. Dat is het meeste wat ik kan beloven.'

'Dan zal het te laat zijn.' Ze stond van de bank op en liep snel terug door de tuin.

Jozua keek haar na; toen, even bewegingloos alsof hij aan de grond genageld stond, zag hij hoe een mus omlaag fladderde en even op de heuvel van stenen neerstreek. Na een paar hippende stappen en een reeks fluitende noten steeg hij weer op en vloog weg. En door zijn vertrek richtte Jozua zijn blik weer op de zeilende wolken.

'Simon!'

Hij draaide zich om. Sangfugol kwam haastig over het vochtige gras aanlopen.

'Simon, kan ik met je praten?' De harpspeler bleef staan, zwaar ademend. Zijn haar was in de war en hij scheen zijn kleren te hebben aangeschoten zonder zich te bekommeren om kleur of stijl, hetgeen hoogst ongewoon was; zelfs in de tijd van ballingschap had Simon nooit gezien dat de musicus er zo onverzorgd uitzag.

'Zeker.'

'Niet hier.' Sangfugol keek heimelijk rond, hoewel er niemand te zien was. 'Ergens waar we niet afgeluisterd zullen worden. Jouw tent?'

Simon knikte, nieuwsgierig. 'Als je wilt.'

Ze liepen door de tentenstad. Verscheidene bewoners wuifden of riepen hun groeten toe toen ze voorbij kwamen. De harpspeler scheen iedere keer bijna terug te deinzen, alsof iedereen een potentiële bron van gevaar was. Ten slotte bereikten ze Simons tent en troffen Binabik aan die net op het punt stond om uit te gaan. Toen de trol zijn met bont gevoerde laarzen aantrok, praatte hij vriendelijk over de hoorn die zoek was – het zoeken ernaar was al drie dagen aan de gang en had nog steeds niets opgeleverd – en andere onderwerpen. Het was heel duidelijk dat Sangfugol graag wilde dat hij zou vertrekken, een feit dat Binabik niet ontging; hij brak het gesprek af, nam afscheid en ging toen weg om zich bij Geloë en de anderen te voegen.

Toen de trol weg was, slaakte Sangfugol een zucht van opluchting en liet zich op de vloer van de tent zakken, zonder acht te slaan op het stof. Simon begon ongerust te worden. Er was werkelijk iets heel erg mis.

'Wat is het?' vroeg hij. 'Je schijnt bang te zijn!'

De harpspeler boog zich dicht naar hem toe, zijn stem een samenzweer-
derige fluistertoon. 'Binabik zegt dat ze nog steeds naar die hoorn zoeken. Jozua schijnt hem heel erg nodig te hebben.'

Simon haalde de schouders op. 'Niemand weet of het enig goeds zal uithalen. Het is voor Camaris. Ze hopen dat het hem op de een of andere
manier zijn verstand zal teruggeven.'

'Dat is niet zinnig.' De harpspeler schudde zijn hoofd. 'Hoe zou een
hoorn zoiets kunnen doen?'

'*Ik* weet het niet,' zei Simon ongeduldig. 'Wat is zo belangrijk dat jij
erover moest praten?'

'Ik stel me voor dat de prins heel erg boos zal zijn wanneer ze de dief
vinden.'

'Ik ben er zeker van dat ze hem aan de muur van het Afscheidshuis zullen ophangen,' zei Simon in zijn ergernis, maar hield op toen hij de uitdrukking van afgrijzen op Sangfugols gezicht zag. 'Wat is er? Genadige
Aedon, Sangfugol, heb jij hem gestolen?'

'Nee, nee!' zei de harpspeler schril. 'Ik heb het niet gedaan. Ik zweer
het!'

Simon keek hem aan.

'Maar,' zei Sangfugol ten slotte, met een stem die van schaamte trilde,
'maar ik weet waar hij is.'

'Wat?! Waar dan?'

'Ik heb hem in mijn tent.' De harpspeler zei dit met de onheilspellende
stem van een veroordeelde martelaar die zijn beulen vergiffenis schenkt.

'Hoe kan dat? Waarom is hij in jouw tent? En jij hebt hem niet weggenomen?'

'Aedons genade, Simon, ik zweer dat ik het niet heb gedaan. Ik heb hem
tussen Towsers spullen gevonden nadat hij gestorven was. Ik... ik hield
van die oude man, Simon. Op mijn manier. Ik wist dat hij een dronkaard was en dat ik soms praatte alsof ik zijn hersens kon inslaan. Maar
hij was goed voor me toen ik jong was... en, vervloekt, ik mis hem.'

Ondanks de droefheid van de woorden van de harpspeler, begon Simon
zijn geduld weer te verliezen. 'Maar waarom heb je hem gehouden?
Waarom heb je het aan niemand verteld?'

'Ik wou alleen maar iets hebben dat van hem was, Simon.' Hij was beschaamd en verdrietig als een natte kat. 'Ik heb mijn andere luit met
hem begraven. Ik dacht dat hij het niet erg zou hebben gevonden... Ik
dacht dat de hoorn van hem was.' Hij stak zijn hand uit om Simons pols
beet te pakken, bedacht zich en trok zijn hand terug. 'Toen, tegen de
tijd dat ik besefte waar alle drukte en gezoek voor was, was ik bang om
toe te geven dat ik hem had. Het zou lijken alsof ik hem van Towser
heb gestolen toen hij dood was. Zoiets zou ik nooit doen, Simon.'

Simons ogenblik van woede vervaagde. De harpspeler scheen op het punt in tranen uit te barsten. 'Je had het me moeten vertellen,' zei hij vriendelijk. 'Niemand zou kwaad van je hebben gedacht. Nu kunnen we beter met Jozua gaan praten.'

'O nee! Hij zal woedend zijn! Nee, Simon, waarom geef ik hem niet gewoon aan jou, dan kun je zeggen dat jij hem hebt gevonden. Jij zult de held zijn.'

Simon dacht er een ogenblik over na. 'Nee,' zei hij ten slotte. 'Dat lijkt me geen goed idee. In de eerste plaats, zou ik tegen prins Jozua moeten liegen over waar ik hem heb gevonden. Wat als ik hem zei dat ik hem ergens gevonden had en dan zou blijken dat ze daar al gezocht hadden. Dan zou het lijken alsof ik hem gestolen had.' Hij schudde nadrukkelijk zijn hoofd. Voor een keer was het niet Simon geweest die de uilskuikenachtige fout had gemaakt. Hij had geen haast om de schuld hiervan op zich te nemen. 'In elk geval, Sangfugol, zal het minder erg zijn dan je denkt. Ik zal met je meegaan. Jozua is niet zo... je kent hem.'

'Hij heeft me eens gezegd dat als ik "Vrouw van Nabban" nog eens zong het mij mijn kop zou kosten.' Nu het ergste van zijn angst over was, was Sangfugol gevaarlijk dicht bij mokken.

'En daarin had hij groot gelijk,' antwoordde Simon. 'We zijn allemaal kotsmisselijk van dat lied.' Hij stond op en strekte zijn hand naar de harpspeler uit. 'Sta nu op en laten we naar de prins gaan. Als je niet zo lang had gewacht met het te vertellen, zou dit gemakkelijker zijn.'

Sanfugol schudde ongelukkig zijn hoofd. 'Het leek alleen maar gemakkelijk om niets te zeggen. Ik dacht almaar dat ik de hoorn te voorschijn kon halen en hem ergens kon laten liggen waar hij zou worden gevonden, maar toen werd ik bang dat iemand mij erop zou betrappen, zelfs als ik het in het holst van de nacht deed.' Hij haalde diep adem. 'Ik heb de afgelopen twee nachten geen oog dichtgedaan omdat ik me zorgen maakte.'

'Welnu, je zult je beter voelen als je met Jozua hebt gesproken. Kom, sta nu op.'

Toen ze de tent uit gingen, stond de harpspeler een ogenblik in de zon, en trok toen zijn magere neus op. Hij liet een flauwe glimlach zien, alsof hij in de vochtige ochtendlucht een mogelijke verlossing rook. 'Dank je, Simon,' zei hij. 'Je bent een goede vriend.'

Simon maakte een geluid van spottende hoon, en gaf de harpspeler toen een klap op de schouder. 'Laten we nu met hem praten, nu hij net zijn ontbijt heeft genuttigd. *Ik* ben altijd in een betere stemming wanneer ik net heb gegeten, misschien is dat bij prinsen net zo.'

Ze verzamelden zich allen in het Afscheidshuis na het middagmaal. Jozua stond plechtig voor het stenen altaar waarop Doorn nog steeds lag. Simon kon de spanning van de prins voelen.

De anderen die in de zaal bijeen waren, spraken stil onder elkaar. De gesprekken leken geforceerd, maar stilte in die grote ruimte zou misschien nog ontmoedigender zijn geweest. Het zonlicht stroomde door de deuropening, maar bereikte niet de verste hoeken van de kamer. De ruimte leek een soort kapel, en Simon vroeg zich onwillekeurig af of ze een mirakel zouden zien. Als ze Camaris' verstand terug konden brengen, de gevoelens en herinneringen van een man die veertig jaar lang uit de wereld weg was geweest, zou dat niet een soort opstanding van een dode zijn?

Hij herinnerde zich wat Miriamele had gezegd en moest een huivering onderdrukken. Misschien was het werkelijk de bedoeling dat Camaris met rust zou worden gelaten.

Jozua draaide de hoorn van drakentand rond en rond in zijn handen, verstrooid naar de inscripties kijkend. Toen die naar hem toe was gebracht, was hij niet zo boos geweest als Sangfugol had gevreesd. In plaats daarvan wist Jozua zich voor het raadsel gesteld waarom Towser de hoorn had genomen en verborgen. Jozua was zelfs zo edelmoedig geweest, toen zijn eerste opwelling van ergernis voorbij was, om Sangfugol te vragen of hij wilde blijven om getuige te zijn van wat er zou gebeuren. Maar toen hem eenmaal gratie was verleend, wilde de harpspeler niets meer met de hoorn of de handelwijzen van prinsen te maken hebben; hij was naar zijn bed teruggegaan om wat broodnodige rust te krijgen.

Nu was er beroering onder de twaalf of zo die in de zaal bijeen waren toen Isgrimnur met Camaris binnenkwam. De oude man, gekleed in een net hemd en een broek, als een kind dat klaargemaakt was voor de kerk, kwam naar binnen en keek loensend rond, alsof hij probeerde te zien in wat voor val hij gelokt werd. Het leek bijna alsof hij daar gebracht was om zich voor een misdrijf te verantwoorden; degenen die in de zaal wachtten, staarden naar zijn gezicht alsof ze het in hun geheugen wilden inprenten. Camaris keek nogal angstig.

Miriamele had gezegd dat de oude man portier en manusje-van-alles in een pension in Kwanitupul was geweest en daar niet bepaald goed was behandeld, herinnerde Simon zich; misschien dacht hij dat hij ergens voor gestraft zou worden. Stellig, naar zijn zenuwachtige zijdelingse blikken te oordelen, keek Camaris alsof hij liever overal anders wilde zijn dan hier.

'Hier, heer Camaris.' Jozua tilde Doorn van het altaar op – gezien het gemak waarmee hij dat deed, moet het licht hebben geschenen als een twijgje; indachtig het veranderende karakter van het zwaard, vroeg Simon zich af wat dat betekende. Hij had eens gedacht dat het zwaard zijn eigen wensen had, dat het alleen samenwerkte wanneer het daarheen ging waar het wilde gaan en deed wat het wilde doen. Was dit zijn doel, nu bijna binnen bereik? Om naar zijn vroegere meester terug te keren?

Prins Jozua presenteerde het zwaard aan Camaris met het gevest naar voren, maar de oude man wilde het niet aannemen. 'Alstublieft, heer Camaris… het is Doorn. Het was van u, en is dat nog.'

De uitdrukking van de oude man werd nog wanhopiger. Hij stapte achteruit, zijn handen half opheffend alsof hij een aanval wilde afweren. Isgrimnur nam hem bij de elleboog en kalmeerde hem.

'Alles is in orde,' bromde de hertog. 'Het is van jou, Camaris.'

'Sludig,' riep Jozua. 'Heb jij de zwaardriem?'

De Rimmersman kwam naar voren met een riem waaraan een zware schede hing van zwart leer bezet met zilver. Met behulp van zijn meester Isgrimnur, gordde hij die om Camaris' middel. De oude man bood geen verzet. Eigenlijk, dacht Simon, had hij net zo goed in steen kunnen zijn veranderd. Toen ze klaar waren, liet Jozua Doorn voorzichtig in de schede glijden, zodat het gevest rustte in de ruimte tussen Camaris' elleboog en zijn losse witte hemd.

'Nu de hoorn, alsjeblieft,' zei Jozua. Freosel, die hem had vastgehouden terwijl de prins het zwaard droeg, overhandigde hem de antieke hoorn. Jozua liet de schouderriem over Camaris' hoofd glijden, zodat de hoorn naast zijn rechterhand hing, en ging toen achteruit. Het lange zwaard scheen gemaakt voor zijn lange eigenaar. Een straal zonlicht uit de deuropening glinsterde in het witte haar van de ridder. Dit alles was ongetwijfeld zoals het behoorde te zijn; iedereen in het vertrek kon dat zien. Iedereen behalve de oude man zelf.

'Hij doet niets,' zei Sludig rustig tegen Isgrimnur. Simon kreeg weer de indruk dat hij een religieuze bijeenkomst bijwoonde, maar nu had hij het gevoel dat de doodgraver er niet aan had gedacht de relikwieënschrijn te voorschijn te halen, of dat de priester een deel van de mansa was vergeten. Iedereen was betrokken bij de pijnlijke stilte.

'Misschien als we het gedicht voorlezen?' stelde Binabik voor.

'Ja.' Jozua knikte. 'Lees het alsjeblieft.'

Binabik duwde in plaats daarvan Tiamak naar voren. De Wrannaman hield het perkament in een trillende hand omhoog, en met een even onvaste stem las hij Nisses' gedicht.

'… *Wanneer Zwaard, Roep en Man,*'

hij eindigde met krachtiger stem – hij had met iedere regel meer moed gekregen,

'naar de rechterhand van de Prins komen,
zal de Gevangene weer vrij zijn…'

Tiamak zweeg en keek op. Camaris keek hem aan, en gaf de metgezel van vele weken die hem nu zo raadselachtig behandelde een lichtelijk gekwetste blik te zien. De oude ridder had een hond kunnen zijn van wie verwacht werd dat hij een vernederend kunstje voor een vroeger vriendelijke baas moest doen.

Er was niets veranderd. Een schok van teleurstelling ging door het vertrek.

'Misschien hebben we een fout gemaakt,' zei Binabik langzaam. 'We zullen het verder moeten bestuderen.'

'Nee.' Jozua's stem was hard. 'Dat geloof ik niet.' Hij ging naar Camaris toe en hief de hoorn tot op ooghoogte van de oude man op. 'Herken je dit niet? Dit is Cellian! Zijn roep placht de harten van mijn vaders vijanden angst aan te jagen! Blaas hem, Camaris!' Hij bewoog hem naar de lippen van de oude man toe. 'Wij moeten je terughebben!'

Met een gejaagde blik, een blik bijna van angst, duwde Camaris Jozua weg. Zo onverwacht was de kracht van de man dat de prins struikelde en zou zijn gevallen als Isgrimnur hem niet had opgevangen. Sludig grauwde en deed een stap naar Camaris toe alsof hij de oude ridder wilde slaan.

'Laat hem met rust, Sludig,' zei Jozua kortaf. 'Als iemand hier een fout heeft gemaakt, dan ben ik het. Wat geeft mij het recht een zwakzinnige oude man lastig te vallen?' Jozua balde zijn vuist en keek een ogenblik naar de stenen plavuizen. 'Misschien moeten we hem met rust laten. Hij heeft zijn strijd gestreden – wij behoren de onze te strijden en hem met rust te laten.'

'Hij heeft nooit enig gevecht de rug toegekeerd, Jozua,' zei Isgrimnur. 'Ik heb hem gekend, vergeet dat niet. Hij deed altijd wat rechtvaardig was, wat… nodig was. Geef het niet zo gemakkelijk op.'

Jozua hief zijn blik op naar het gezicht van de oude man. 'Goed dan, Camaris, ga met mij mee.' Hij nam hem vriendelijk bij de elleboog. 'Ga met mij mee,' zei hij opnieuw, draaide zich toen om en leidde de gedweeë ridder naar de deur die naar de tuin achter het gebouw leidde.

Buiten begon de middag kil te worden. Een lichte nevel van regen had de oude muren en stenen banken verduisterd. De rest van het gezelschap verzamelde zich in de deuropening, niet wetende wat de prins van plan was.

Jozua leidde Camaris naar de stapel stenen die Deornoths graf markeerden. Hij hief de hand van de oude man op, legde die op de grafheuvel en drukte toen zijn hand op die van de ridder.

'Heer Camaris,' zei hij langzaam. 'Luister alstublieft naar mij. Het land dat mijn vader bedwong, de orde die u en koning John vestigden, wordt verscheurd door oorlog en tovenarij. Alles waar u in uw leven voor hebt geijverd, wordt bedreigd en als we deze keer falen, vrees ik dat er niets meer zal worden opgebouwd.

Onder deze stenen ligt mijn vriend begraven. Hij was een ridder, net als u. Heer Deornoth heb u nooit ontmoet, maar de liederen over uw leven die hij als kind had gehoord, voerden hem tot mij. "Maak een ridder van mij, Jozua," zei hij tegen mij op de dag toen ik hem voor het eerst ontmoette. "Ik wil dienen zoals Camaris diende. Ik wil uw werktuig zijn en dat van God, voor de verbetering van ons volk en ons land." Dat zei hij, Camaris.' Jozua lachte ineens. 'Hij was een dwaas... een heilige dwaas. En hij ontdekte, natuurlijk, dat soms het land en het volk niet de moeite waard schijnen om te redden. Maar hij zwoer een eed voor God dat hij het goede zou doen, en hij leefde al zijn dagen in een poging om die gelofte waar te maken.'

Jozua's stem ging omhoog. Hij had een bron van gevoel in zichzelf ontdekt; de woorden kwamen er sterk en moeiteloos uit rollen. 'Hij is gestorven terwijl hij deze plaats verdedigde en probeerde te doen wat menselijkerwijs gesproken onmogelijk was, zichzelf de schuld gevend toen hij faalde, toen weer opstaand en het opnieuw proberend. Hij stierf voor dit land, Camaris, hetzelfde land waarvoor jij gevochten hebt om het gestalte te geven, waar de zwakken in vrede konden leven, beschermd tegen hen die kracht zouden gebruiken om anderen hun wil op te leggen.' De prins boog zich dicht naar Camaris' gezicht, de weerspannige blik van de oude man vasthoudend. 'Zal zijn dood niets betekenen? Want als wij dit gevecht niet winnen, zullen er te veel graven zijn dan dat één meer een verschil zal uitmaken, en dan zal er niemand zijn om om mensen als Deornoth te rouwen.'

Jozua's vingers spanden zich op de hand van de ridder. 'Kom terug tot ons, Camaris. Alsjeblieft. Laat deze dood niet zinloos zijn. Denk aan de veldslagen in jouw tijd, veldslagen waarvan ik weet dat je ze liever niet zou hebben gevochten, maar die je wel vocht omdat het voor een rechtvaardige en eerlijke zaak was. Moet al dat lijden ook zinloos worden? *Dit is onze laatste kans*. Na ons komt de duisternis.'

De prins liet de hand van de oude man ineens los en wendde zich af, met glinsterende ogen. Simon, die vanuit de deuropening toekeek, voelde zijn eigen hart stokken.

Camaris stond nog altijd als verstijfd, zijn vingers uitgespreid op Deornoths grafheuvel. Ten slotte draaide hij zich om en keek neer op zichzelf, hief de hoorn toen langzaam op en keek er lange tijd naar, alsof het iets was dat nooit eerder gezien was op de groene aarde. Hij sloot de

ogen, bracht hem langzaam met bevende hand aan zijn lippen en blies.
De hoorn schalde. Zijn eerste iele noot zwol aan en werd krachtiger, luider en luider wordend tot hij de lucht scheen te doen trillen, een kreet
die het gekletter van staal en het gedonder van hoeven in zich leek te
hebben. Camaris, wiens ogen stijf dicht geknepen waren, zoog een grote
ademtocht in en blies opnieuw, deze keer luider. De doordringende
roep slingerde zich over de heuvel heen en weerkaatste in het dal; de
echo's joegen zichzelf na door de lucht. Toen stierf het geluid weg.
Simon ontdekte dat hij zijn handen voor zijn oren had. Vele anderen
van het gezelschap hadden hetzelfde gedaan.
Camaris keek weer naar de hoorn. Hij hief zijn gezicht op naar degenen
die hem gadesloegen. Er was iets veranderd. Zijn ogen waren op de een
of andere manier dieper geworden, droever; er was een glans van bewustzijn die daar niet eerder was geweest. Zijn mond bewoog en hij
probeerde te spreken, maar er klonk geen ander geluid dan een schurend gesis. Camaris keek omlaag naar het gevest van Doorn. Met trage
en weloverwogen bewegingen trok hij het uit de schede en hield het
voor zich omhoog, een lijn van glanzend zwart die recht door het licht
van de aflopende middag scheen te snijden. Kleine druppels mistige regen verzamelden zich op het staal.
'Ik... had moeten weten... dat mijn... marteling nog niet ten einde was, mijn
schuld niet vergeven.' Zijn stem klonk pijnlijk droog, zijn woorden
vreemd vormelijk. 'O, mijn God, mijn liefhebbende en vreselijke God,
ik sta ootmoedig voor U. Ik zal mijn straf uitdienen.'
De oude man viel op de knieën voor het verbaasde gezelschap. Hij zei
lange tijd niets, maar scheen te bidden. Tranen rolden over zijn wangen, zich vermengend met de regendruppels, waardoor zijn gezicht in
het schuinvallende zonlicht glansde. Ten slotte krabbelde Camaris
overeind en liet zich door Isgrimnur en Jozua wegleiden.
Simon voelde iets aan zijn arm trekken. Hij keek omlaag. Binabiks kleine vingers hadden zijn mouw gepakt. De ogen van de trol stonden helder. 'Weet je, Simon, het is wat we allemaal waren vergeten. Heer Deornoths manschappen, de soldaten van Naglimund, weet je hoe ze hem
noemden? "De rechterhand van de prins." En zelfs Jozua herinnerde het
zich niet, denk ik. Geluk... of iets anders, vriend Simon.' De kleine man
kneep weer in Simons arm, en ging toen snel de prins achterna.
Overweldigd draaide Simon zich om, proberend een laatste glimp van
Camaris op te vangen. Miriamele stond bij de deuropening. Ze zag Simon naar haar kijken en wierp hem een boze blik toe die scheen te zeggen: *jij bent hier ook de schuld van.*
Ze draaide zich om en volgde Camaris en de anderen terug het Afscheidshuis in, Simon alleen in de regenachtige tuin achterlatend.

24

Een hemel vol beesten

Vier sterke mannen, zwetend ondanks de nachtelijke wind en hijgend van de inspanning om de overdekte draagstoel de smalle trap op te dragen, tilden de stoel met zijn passagier voorzichtig op en droegen hem naar het midden van de daktuin. De man in de stoel was zo ingezwachteld in bont en gewaden dat hij vrijwel onherkenbaar was, maar de lange, elegant geklede vrouw stond onmiddellijk van haar eigen zetel op en kwam met een blij kreetje naar voren.

'Graaf Streáwe!' zei de weduwe van de hertog. 'Ik ben zo blij dat u kon komen. En op zo'n kille avond nog wel.'

'Nessalanta, mijn lieve. Slechts een uitnodiging van jou kan mij met zulk afschuwelijk weer de deur uit krijgen.' De graaf nam haar gehandschoende hand in de zijne en bracht die aan zijn lippen. 'Vergeef mij dat ik zo onhoffelijk ben te blijven zitten.'

'Onzin.' Nessalanta klikte met haar vingers tegen de dragers van de graaf en gebaarde dat ze de draagstoel dichter bij de hare moesten zetten. Ze ging weer zitten. 'Hoewel ik denk dat het een beetje warmer begint te worden. Niettemin, je bent een juweel, een prachtig juweel dat je vanavond gekomen bent.'

'Het genoegen van uw gezelschap, lieve dame.' Streáwe hoestte in zijn zakdoek.

'Het zal de moeite waard zijn, dat beloof ik.' Ze gebaarde zwierig naar de met sterren bezaaide hemel alsof zijzelf het bevel had gegeven dat die voor hen moest worden uitgespreid. 'Kijk dit eens. U zult zo blij zijn dat u gekomen bent. Xannasavin is een briljante man.'

'Mevrouw is te vriendelijk,' zei een stem op de trap. Graaf Streáwe, enigszins beperkt in zijn bewegingsvrijheid, rekte zijn nek moeizaam uit om de spreker te zien.

De man die uit de ingang naar de daktuin kwam, was lang en mager, met lange vingers die waren verstrengeld alsof hij bad. Hij had een grote krullende zwarte baard vol grijze haren. Zijn gewaden waren ook donker, bespikkeld met sterrensymbolen. Hij liep met een zekere ooievaarachtige bevalligheid tussen de rijen bomen en struiken in potten, boog toen zijn lange benen om voor de douairière van de hertog te knielen.

'Mevrouw, ik heb uw oproep met genoegen ontvangen. Het is altijd een vreugde om u van dienst te zijn.' Hij wendde zich tot Streáwe. 'De hertogin Nessalanta zou een voortreffelijke astrologe zijn geweest als ze geen grotere verplichtingen aan Nabban had gehad. Zij is een vrouw met een groot inzicht.'

Onder zijn capuchon glimlachte Perdruins graaf. 'Dit is eenieder bekend.'

Iets in Strcáwcs stem deed de hertogin een ogenblik aarzelen voordat zij sprak. 'Xannasavin is te vriendelijk. Ik heb slechts enkele rudimenten bestudeerd.' Ze kruiste haar handen zedig voor haar borst.

'Ah, maar ik had u als leerlinge kunnen hebben,' zei Xannasavin, 'de mysteries die wij wellicht zouden hebben doorgrond, hertogin Nessalanta...' Zijn stem was diep en indrukwekkend. 'Wil mevrouw dat ik begin?'

Nessalanta, die naar zijn bewegende lippen had gekeken, schudde alsof ze plotseling wakker werd. 'Ah. Nee, Xannasavin, nog niet. Wij moeten op mijn oudste zoon wachten.'

Streáwe keek met oprechte belangstelling naar haar. 'Ik wist niet dat Benigaris een volgeling was van de geheimen van de sterren.'

'Hij is geïnteresseerd,' zei Nessalanta voorzichtig. 'Hij is...' Ze keek op. 'Ha, daar is hij!'

Benigaris liep de daktuin op. Twee lijfwachten, met ijsvogels op hun overmantels, volgden enkele passen achter hem. De regerende hertog van Nabban begon wat te dik om het middel te worden, maar was nog altijd een lange man met brede schouders. Zijn snor was zo weelderig dat zijn mond er vrijwel geheel onder schuilging.

'Moeder,' zei hij kortaf toen hij het kleine gezelschap bereikte. Hij nam haar gehandschoende hand en knikte, draaide zich toen om naar de graaf. 'Streáwe, ik heb u gisteravond aan het diner gemist.'

De graaf bracht zijn zakdoek aan zijn lippen en hoestte. 'Mijn verontschuldigingen, waarde Benigaris. Mijn gezondheid, weet u. Soms is het gewoon te moeilijk voor mij om mijn kamer te verlaten, zelfs voor gastvrijheid zo befaamd als die van de Sancellaanse Mahistrevis.'

Benigaris gromde. 'Welnu, dan zou u waarschijnlijk niet hier buiten op dit ijskoude dak behoren te zijn.' Hij wendde zich tot Nessalanta. 'Wat doen we hier eigenlijk, moeder?'

De douairière trok het gezicht van een beledigd meisje. 'Waarom? Je weet volmaakt goed wat we hier doen. Dit is een zeer gunstige nacht om de sterren te doorgronden, en Xannasavin gaat ons vertellen wat het volgende jaar zal brengen.'

'Als u dat wilt, hoogheid.' Xannasavin maakte een buiging voor de hertog.

'Ik kan u zeggen wat het volgende jaar zal brengen,' gromde Benigaris. 'Moeilijkheden en nog meer moeilijkheden. Overal waar ik me wend zijn problemen.' Hij keek naar Streáwe. 'U weet hoe het gaat. Ze willen brood, de boeren, maar als ik het hun geef, willen ze alleen maar meer. Ik heb geprobeerd een aantal van die moerasmannen hier te halen om te helpen met het werk op de akkers – ik heb een hoop soldaten moeten inzetten bij die schermutselingen aan de grens met die Tritsingse wilden en nu zijn alle baronnen aan het schreeuwen dat hun boeren worden geronseld en hun velden braak liggen – maar die verdomde bruine mannetjes weigeren te komen! Wat kan ik doen, troepen naar dat vervloekte moeras sturen? Ik ben beter af zonder hen.'

'Ik ken de lasten van het leiderschap maar al te goed,' zei Streáwe meelevend. 'U hebt een heldhaftig werk gedaan in moeilijke tijden, hoor ik.'

Benigaris knikte bevestigend. 'En dan die verdomde, verdomde driewerf verdomde Vuurdansers, die zichzelf in brand steken en het gewone volk bang maken.' Zijn uitdrukking werd dreigend. 'Ik had Pryrates nooit moeten vertrouwen…'

'Het spijt me, Benigaris,' zei Streáwe. 'Ik heb je niet verstaan – mijn oude oren, weet je. Pryrates…?'

De hertog van Nabban keek de graaf aan. Zijn ogen vernauwden zich. 'Hindert niet. In elk geval is het een smerig jaar geweest, en ik betwijfel of het volgende ook maar een haar beter zal zijn.' Een zure glimlach bewoog zijn snor. 'Tenzij ik sommige herrieschoppers hier in Nabban ervan overtuig dat ze Vuurdansers moeten worden. Er zijn er behoorlijk veel die er, denk ik, heel goed uit zullen zien als ze branden.'

Streáwe lachte, en kreeg toen een droge hoestbui. 'Heel goed, Benigaris, heel goed.'

'Genoeg hiervan,' zei Nessalanta bekrompen. 'Ik denk dat je het mis hebt, Benigaris, het hoort een schitterend jaar te worden. Bovendien is het niet nodig te speculeren. Xannasavin zal je alles vertellen wat je moet weten.'

'Ik ben maar een nederig waarnemer van de hemelse patronen, hertogin,' zei de astroloog. 'Maar ik zal mijn best doen…'

'En als u niet met iets beters op de proppen kunt komen dan het jaar dat ik net heb doorgemaakt,' mopperde Benigaris, 'zou ik je wel eens van het dak af kunnen gooien.'

'Benigaris!' Nessalanta's stem, die tot dusver vleiend en kinderlijk was geweest, werd plotseling scherp als de zweepslag van een veedrijver. 'Je zult niet op die manier praten waar ik bij ben! Je zult Xannasavin niet bedreigen! Begrijp je dat!?'

Benigaris deinsde bijna onmerkbaar terug. 'Het was maar een grapje. Aedons Heilige Bloed, moeder, ga niet zo te keer.' Hij liep naar de half overhuifde stoel met het hertogelijke wapen en plofte neer. 'Ga door, man,' gromde hij, naar Xannasavin wuivend. 'Vertel ons van de wonderen die de sterren voor ons in petto hebben.'

De astroloog haalde een aantal perkamentrollen uit zijn volumineuze gewaad, er met een zekere dramatiek mee zwaaiend. 'Zoals de hertogin zei,' begon hij, zijn stem vloeiend en bedreven, 'vanavond is een voortreffelijke nacht voor wichelarij. Niet alleen staan de sterren in een bijzonder gunstige configuratie, maar de hemel zelf is vrij van stormen en andere beletselen.' Hij glimlachte naar hertog Benigaris. 'Op zichzelf een gunstig voorteken.'

'Ga verder,' zei de hertog.

Xannasavin hief een ontrold perkament op en wees ermee naar het rad van sterren. 'Zoals u kunt zien, staat Yuvenis' Troon recht boven ons. De Troon is natuurlijk sterk verbonden met de regering van Nabban, en is dat al sinds de oude heidense tijd geweest. Wanneer de mindere sterren door zijn aspect bewegen, doen de erfgenamen van het Imperium er verstandig aan om daar notitie van te nemen.' Hij zweeg een ogenblik om het belang hiervan door te laten dringen. 'Vanavond kunt u zien dat de Troon rechtop staat, en dat op zijn bovenste rand de Slang en Mixis de Wolf bijzonder helder zijn.' Hij draaide zich om en wees naar een ander deel van de hemel. 'De Valk, daar, en de Gevleugelde Kever zijn nu aan de zuidelijke hemel te zien. De Kever brengt altijd verandering.'

'Het is als een van de particuliere menagerieën van de oude Imperators,' zei Benigaris ongeduldig. 'Beesten, beesten, en nog eens beesten. Wat heeft het allemaal te betekenen?'

'Het betekent, heer, dat er grote tijden op komst zijn voor het Benidrivijnse Huis.'

'Ik wist het,' spon Nessalanta. 'Ik wist het.'

'Wat zegt je dat?' vroeg Benigaris, naar de hemel loensend.

'Ik zou geen recht kunnen doen aan uwe majesteiten door te proberen een te korte uitleg te geven,' zei de astroloog gladweg. 'Het zij voldoende te zeggen dat de sterren, die lang van aarzeling, onzekerheid en twijfel hebben gesproken, nu verklaren dat er een tijd van verandering op komst is. Grote verandering.'

'Maar dat kan van alles zijn,' mopperde Benigaris. 'Dat zou kunnen betekenen dat de hele stad afbrandt.'

'Ah, maar dat komt alleen omdat u niet alles hebt gehoord wat ik te zeggen heb. Er zijn twee factoren, hoogst belangrijke factoren. De ene is de IJsvogel zelf... daar, ziet u het?' Xannasavin wees naar een punt aan de oostelijke hemel. 'Hij is helderder dan ik hem ooit heb gezien – en in deze tijd van het jaar is hij over het algemeen heel moeilijk waar te nemen. De lotgevallen van uw familie zijn lang op en neer gegaan met het

toe- en afnemen van het licht van de IJsvogel, en die is in mijn levens-
dagen nog nooit zo schitterend lichtgevend geweest. Iets van groot belang staat op het punt met het Benidrivijnse Huis te gebeuren, heer.
Uw huis.'

'En de andere?' Benigaris scheen steeds meer geïnteresseerd. 'Het andere dat u noemde?'

'Ah.' De astroloog ontrolde een van zijn perkamentrollen en bekeek die.
'Dat is iets dat u op dit ogenblik niet kunt zien. De Veroveraar Ster zal
spoedig weer verschijnen.'

'De baardige ster die we vorig jaar en het jaar daarvoor zagen?' Streáwe
was degene die sprak, zijn stem happig. 'Dat grote rode ding?'

'Dat is 'm.'

'Maar toen die kwam, joeg hij het gewone volk de stuipen op het lijf,'
zei Benigaris. 'Ik denk dat al deze onheilspellende onzin daar in de eerste plaats mee begonnen is!'

Xannasavin knikte. 'De hemelse tekenen worden vaak verkeerd gelezen,
hertog Benigaris. De Veroveraar Ster zal terugkeren, maar hij is geen
voorbode van rampen, alleen van verandering. De hele geschiedenis
door is hij gekomen om een nieuwe orde aan te kondigen die uit strijd
en chaos verscheen. Hij verkondigde het einde van het Imperium, en
straalde over de laatste dagen van Khand.'

'En dit is goed?' riep Benigaris uit. 'Zegt u dat iets dat spreekt van de
val van een keizerrijk mij gelukkig behoort te maken?' Hij scheen klaar
om uit zijn stoel op te springen en de astroloog te lijf te gaan.

'Maar, heer, herinner u de IJsvogel!' zei Xannasavin haastig. 'Hoe kunnen deze dingen u ontstellen terwijl de IJsvogel zo helder brandt? Nee,
mijn heer, vergeef uw nederige dienaar dat hij u op enigerlei wijze
schijnt te beleren, maar kunt u zich geen situatie indenken waarin een
groot rijk zou kunnen vallen, en het geluk van het Benidrivijnse Huis
toch zou verbeteren?'

Benigaris ging weer vlug zitten, alsof hij door een klap werd teruggeslagen. Hij keek naar zijn handen. 'Ik zal daarover later met u spreken,'
zei hij ten slotte. 'Laat ons nu enige tijd alleen.'

Xannasavin maakte een buiging. 'Zoals u wenst, heer.' Hij boog opnieuw, deze keer in Streáwes richting. 'Een genoegen om eindelijk kennis met u gemaakt te hebben, graaf. Het is mij een eer geweest.'

De graaf knikte afwezig met zijn hoofd, evenzeer in gedachten verzonken als Benigaris.

Xannasavin kuste Nessalanta's hand, liep met een diepe buiging over
het dak, borg toen zijn perkamentrollen weer op en liep naar de trap.
Zijn voetstappen verstierven geleidelijk in de weerkaatsende duisternis.

'Zie je?' vroeg Nessalanta. 'Zie je waarom ik hem zo op prijs stel? Hij is een briljante man.'

Streáwe knikte. 'Hij is zeer indrukwekkend. En hebt u hem betrouwbaar gevonden?'

'Absoluut. Hij heeft de dood van mijn arme man voorspeld.' Haar gezicht kreeg een uitdrukking van diepe droefheid. 'Maar Leobardis wilde niet luisteren, ondanks al mijn waarschuwingen. Ik heb hem gezegd dat, als hij voet op Erkynlandse bodem zette, ik hem nooit meer zou ontvangen. Hij zei me dat dat onzin was.'

Benigaris keek zijn moeder scherp aan. 'Xannasavin heeft je verteld dat vader zou sterven?'

'Inderdaad. Had je vader maar geluisterd.'

Graaf Streáwe schraapte zijn keel. 'Welnu, ik had gehoopt deze zaken voor een andere keer te bewaren, Benigaris, maar nu ik gehoord heb wat je astroloog te zeggen had – nu ik gehoord heb van de schitterende toekomst die hij voor je ziet – denk ik dat ik mijn gedachten al op dit moment met je zou moeten delen.'

Benigaris wendde zich van zijn ontevreden beschouwing van zijn moeder tot de graaf. 'Waar hebt u het over?'

'Bepaalde dingen die ik te weten ben gekomen.' De oude man keek om zich heen. 'Ah, vergeef mij, Benigaris, maar zou het te veel gevraagd zijn om je schildwachten te verzoeken buiten gehoorsafstand te gaan staan?' Hij maakte een wrevelig gebaar in de richting van de twee gepantserde mannen die gedurende al deze gebeurtenissen bewegingloos en zwijgend als steen hadden gestaan. Benigaris gromde en beduidde hen achteruit te gaan.

'En?'

'Ik heb, zoals je weet, vele informatiebronnen,' begon de graaf. 'Ik hoor veel dingen waar zelfs anderen die machtiger zijn dan ik niet achter kunnen komen. Onlangs heb ik enkele dingen gehoord die jij misschien zou willen weten. Over Elias en zijn oorlog met Jozua. Over... andere dingen.' Hij zweeg en keek de hertog vol verwachting aan.

Nessalanta zat ook naar voren gebogen. 'Ga verder, Streáwe. Je weet hoezeer we je raad op prijs stellen.'

'Ja,' zei Benigaris, 'ga verder. Het interesseert mij zeer om te vernemen wat je hebt gehoord.'

De graaf lachte, een sluwe grijns die zijn nog altijd witte tanden liet zien. 'Ah, ja,' zei hij. 'U zult inderdaad geïnteresseerd zijn...'

Eolair herkende de Sitha niet die in de deuropening van de Beeldenzaal stond. Hij was behoudend gekleed, ten minste naar Sithi opvattingen, in hemd en broek van een bleke crème-achtige stof die glinsterde als zijde. Zijn haar was notebruin – een menselijke kleur het dichtst nabij komend als de graaf tot nu toe had gezien – en was bovenop zijn hoofd in een knot getrokken. 'Likimeya en Jiriki zeggen dat je naar hen toe moet komen.' Het Hernystiri van de vreemdeling was lomp en even archaïsch als dat van de dwargen. 'Moet u een ogenblik wachten, of kunt u nu komen? Het is goed dat u nu komt.'

Eolair hoorde Craobhan adem inzuigen als om tegen de oproep te protesteren, maar de graaf legde een hand op zijn arm. Het was alleen het onvolmaakte spreken van deze onsterfelijke die maakte dat het gebiedend klonk – Eolair vermoedde dat de Sithi dagenlang zonder ongeduld op hem zouden wachten.

'Iemand van uw volk, een genezer, is bij de dochter van de koning, bij Maegwin,' vertelde hij de boodschapper. 'Ik moet met haar spreken. Daarna ga ik mee.'

De Sitha, met onbewogen gezicht, bewoog zijn hoofd snel op en neer op de wijze van een aalscholver die een vis uit de rivier pakt. 'Ik hun zal vertellen.' Hij draaide zich om en verliet het vertrek, zijn gelaarsde voeten geluidloos op de houten vloeren.

'Zijn zij nu de meesters hier?' vroeg Craobhan geërgerd. 'Moeten wij aan hun regels gehoorzamen?'

Eolair schudde zijn hoofd. 'Dat is niet hun gewoonte, oude vriend. Jiriki en zijn moeder willen zeker alleen maar met mij praten. Niet allen van hen spreken onze taal zo goed als die twee.'

'Het bevalt me nog steeds niet. Wij hebben lang genoeg met Skali's laars op onze nek moeten leven – wanneer gaan de Hernystiri hun rechtmatige plaats in hun land weer innemen?'

'De dingen zijn aan het veranderen,' zei Eolair mild. 'Maar wij hebben altijd overleefd. Vijf eeuwen geleden dreven Fingils Rimmersmannen ons de heuvels en de zeekliffen in. Wij zijn teruggekomen. Skali's mannen zijn nu op de vlucht, dus hebben wij hen ook overleefd. Het gewicht van de Sithi is een veel gemakkelijker last, vind je niet?'

De oude man staarde hem aan, de ogen rimpelend in een achterdochtig geloens. Ten slotte glimlachte hij. 'Ah, mijn beste graaf, u had priester of generaal moeten zijn. U bekijkt de zaken op lange termijn.'

'Net zoals jij, Craobhan. Anders zou je hier vandaag niet zijn om te klagen.'

Voor de oude man kon antwoorden, verscheen er nog een Sitha in de deuropening, deze keer een oude vrouw met grijs haar, in het groen gekleed met een mantel van zilvermoiré. Ondanks de kleur van haar haar, zag ze er niet ouder uit dan de boodschapper die net vertrokken was.

'Kira'athu,' zei de graaf terwijl hij opstond. Zijn stem verloor zijn lichtheid. 'Kunt u haar helpen?'

De Sitha keek hem een ogenblik aan, schudde toen haar hoofd; het gebaar scheen vreemd onnatuurlijk, alsof ze het uit een boek had geleerd. 'Er is niets aan de hand met haar lichaam. Maar haar geest is op de een of andere manier voor mij verborgen, diep naar binnen gegaan, als een muis wanneer de schaduw van de uil over de nachtelijke velden gaat.'

'Wat betekent dat?' Eolair deed zijn best om niet ongeduldig te klinken.

'Bang. Ze is bang. Ze is als een kind dat zijn ouders heeft zien doden.'

'Ze heeft veel van de dood gezien. Ze heeft haar vader en moeder begraven.'

De Sitha vrouw wuifde langzaam met haar vingers, een gebaar dat Eolair niet kon vertalen. 'Dat is het niet. Iedereen, Zida'ya of Sudhoda'ya – Dageraadskind of sterveling – die genoeg jaren heeft geleefd, begrijpt de dood. Het is afschuwelijk, maar het is begrijpelijk. Maar een kind begrijpt het niet. En op die manier is iets tot de vrouw Maegwin gekomen; iets dat haar verstand te boven gaat. Het heeft haar geest beangstigd.'

'Zal ze beter worden? Is er iets dat je voor haar kunt doen?'

'Ik kan niet meer doen. Haar lichaam is gezond. Maar waar de geest heen gaat, is een andere zaak. Ik moet hierover nadenken. Misschien is er een antwoord dat ik op dit ogenblik niet kan zien.'

Het was moeilijk om Kira'athu's katachtige gezicht met de hoge jukbeenderen te doorgronden, maar Eolair dacht niet dat ze erg hoopvol klonk. De graaf balde zijn vuisten en hield ze stevig tegen zijn zijde. 'En is er iets dat ìk kan doen?'

Iets dat heel sterk op medelijden leek, verscheen in de ogen van de Sitha. 'Als ze haar geest diep genoeg heeft verborgen, kan alleen de vrouw Maegwin zichzelf terugbrengen. U kunt het niet voor haar doen.' Ze zweeg alsof ze naar woorden van troost zocht. 'Wees aardig. Dat is iets.' Ze draaide zich om en zweefde de zaal uit.

Na een lange stilte, sprak de oude Craobhan. 'Maegwin is gek, Eolair.'

De graaf hield zijn hand omhoog. 'Niet.'

'Je kunt het niet veranderen door niet te luisteren. Ze werd erger toen jij weg was. Ik heb je verteld dat we haar hebben gevonden – op de Bradach Piek, raaskallend en zingend. Ze had Mircha mag weten hoe lang onbeschut in de wind en sneeuw gezeten. Zei dat ze de goden had gezien.'

'Misschien heeft zij ze werkelijk gezien,' zei Eolair bitter. 'Wie ben ik om aan haar te twijfelen na alles wat ik in deze vervloekte twaalf maanden heb gezien? Misschien was het te veel voor haar...' Hij stond op, zijn natte handpalmen aan zijn broek afvegend. 'Ik zal nu gaan om Jiriki te ontmoeten.'

Craobhan knikte. Zijn ogen waren vochtig, maar zijn mond was een harde streep. 'Vernietig jezelf niet, Eolair. Geef niet toe. Wij hebben je nog meer nodig dan zij.'

'Wanneer Isorn en de anderen terugkomen,' zei de graaf, 'zeg hun dan waar ik heen ben gegaan. Vraag of ze zo goed willen zijn op mij te wachten – ik denk niet dat ik al te lang bij de Sithi zal zijn.' Hij keek naar buiten, naar de lucht die al maar donkerder werd. 'Ik wil vanavond met Isorn en Ule spreken.' Hij klopte de oude man op de schouder alvorens de Beeldenzaal uit te lopen.

'*Eolair.*'

Hij draaide zich om in de buitenste deuropening en zag Maegwin in de hal achter zich staan. 'Mevrouw. Hoe voelt u zich?'

'Goed,' zei ze luchtig, maar haar ogen spraken haar tegen. 'Waar ga je heen?'

'Ik ga naar...' Hij hield zich in. Hij had bijna gezegd 'de goden'. Was krankzinnigheid besmettelijk? 'Ik ga met Jiriki en zijn moeder praten.'

'Ik ken hen niet,' zei ze. 'Maar ik zou in elk geval graag met je meegaan.'

'Met mij meegaan?' Op de een of andere manier scheen het vreemd.

'Ja, graaf Eolair. Ik zou graag me je mee willen gaan? Is dat zo erg? Wij zijn toch zeker geen vijanden?' Haar woorden klonken enigszins hol, als een graf gemaakt op de bovenste trede van een galg.

'Natuurlijk mag dat, mevrouw,' zei hij haastig. 'Maegwin. Natuurlijk.'

Hoewel Eolair geen nieuwe toevoegingen kon ontdekken aan het Sithi kamp dat zich over de brede oppervlakte van Hernsheuvel uitstrekte, scheen het toch ingewikkelder dan slechts een paar dagen geleden, meer verbonden met het land. Het zag eruit alsof het, in plaats van het resultaat van een paar dagen werken, daar sinds de jeugd van de heuvel had gestaan. Er was een hoedanigheid van vrede en zachte, natuurlijke beweging; de veelkleurige tentwoningen bewogen en wiegden als planten in een kolkende stroom. De graaf voelde een ogenblik van ergernis, een echo van Craobhans ontevredenheid. Wat voor recht hadden de Sithi om het zich hier zo gerieflijk te maken? Wiens land was dit eigenlijk?

Een ogenblik later betrapte hij zichzelf. Het was alleen maar de aard van de Elfen. Ondanks hun grote steden, nu alleen nog maar door vleermuizen doorspookte ruïnes als je op Mezutu'a af kon gaan, waren zij een volk dat niet op één plaats geworteld was. Te oordelen naar de manier waarop Jiriki over de Tuin, hun oorspronkelijke thuis, had gesproken, scheen het duidelijk dat zij zich ondanks hun lange verblijf in Osten Ard nog altijd weinig meer dan reizigers in dit land voelden. Ze leefden in hun eigen hoofd, in hun liederen en herinneringen. Hernsheuvel was alleen maar een andere plaats.

Maegwin liep zwijgend naast hem, haar gezicht strak alsof ze verontrustende gedachten had. Hij herinnerde zich een tijd, vele jaren geleden, toen ze hem had meegenomen om naar een van haar geliefde varkens te kijken toen die jongen kreeg. Er was iets misgegaan en tegen het eind van de bevalling was de zeug van pijn gaan gillen. Tegen de tijd dat de twee dode biggetjes waren verwijderd, het ene nog verstrikt in de bloedige navelstreng die het had geworgd, had de zeug zich in paniek op een van de andere pasgeborenen gerold.

Gedurende heel die met bloed bespatte nachtmerrie had Maegwin een uitdrukking gehad die heel erg op die van nu leek. Alleen toen de zeug gered was en de rest van het nest lag te drinken, had ze zich veroorloofd een inzinking te krijgen en te huilen. Toen hij zich dit herinnerde, besefte Eolair ineens dat dàt de laatste keer was geweest waarop zij hem had toegestaan haar vast te houden. Terwijl hij treurnis voor haar had gevoeld en had geprobeerd haar verdriet over wat voor hem slechts dieren waren te begrijpen, had hij haar in zijn armen gevoeld, haar borsten tegen hem aan, en had hij besefte dat zij nu, ondanks heel haar jeugd, een vrouw was. Het was een vreemd gevoel geweest.

'Eolair?' Er klonk een bijna onmerkbare trilling in Maegwins stem. 'Mag ik je iets vragen?'

'Zeker, vrouwe.' Hij kon de herinnering aan zichzelf niet kwijtraken zoals hij haar had omhelsd, bloed op hun handen en kleren toen ze in het stro knielden. Hij had zich toen niet half zo hulpeloos gevoeld als nu.

'Hoe... hoe ben je gestorven?'

Eerst dacht hij dat hij haar verkeerd had verstaan. 'Neem me niet kwalijk, Maegwin. Hoe ben ik wat?'

'Hoe ben je gestorven? Ik schaam mij dat ik het je niet eerder heb gevraagd. Was het 't soort dood die je verdiende, een nobele dood? O, ik hoop dat het niet pijnlijk was. Ik denk niet dat ik dat zou kunnen verdragen.' Ze keek hem vlug aan, glimlachte toen aarzelend. 'Maar natuurlijk is dat niet belangrijk, want je bent hier. Het ligt allemaal achter ons.'

'Hoe ben ik wat?' De onwerkelijkheid ervan trof hem als een klap. Hij trok aan haar arm en bleef staan. Ze stonden op een open stuk gras met Likimeya's omheining op slechts een steenworp afstand. 'Maegwin, ik ben niet dood. Voel mij!' Hij strekte zijn hand uit en pakte haar koele vingers beet. 'Ik leef! En jij ook!'

'Ik ben neergeslagen net toen de goden kwamen,' zei ze dromerig. 'Ik denk dat het Skali was – in elk geval is het laatste wat ik mij herinner voor ik hier wakker werd dat hij zijn bijl ophief.' Ze lachte zwak. 'Dat is grappig. Kun je wakker worden in de hemel? Soms, sinds ik hier ben geweest, voelt het aan alsof ik een tijdje slaap.'

'Maegwin.' Hij kneep in haar hand. 'Luister naar me. We zijn niet dood.' Eolair voelde dat hij zelf op het punt stond te gaan huilen en schudde boos zijn hoofd. 'Je bent nog altijd in Hernystir, de plaats waar je bent geboren.'

Maegwin keek hem met een vreemde glans in haar ogen aan. Een ogenblik dacht de graaf dat hij misschien eindelijk tot haar was doorgedrongen. 'Weet je, Eolair,' zei ze langzaam, 'toen ik nog leefde was ik altijd bang. Bang dat ik de dingen waarom ik gaf zou verliezen. Ik was zelfs bang om met jou te praten, de beste vriend die ik ooit heb gehad.' Ze schudde haar hoofd. Haar haren golfden in de bries die over de heuvel woei, haar lange bleke hals tonend. 'Ik kon je niet eens vertellen dat ik je liefhad, Eolair, liefhad tot het binnen in me brandde. Ik was bang dat je mij zou wegduwen als ik het je vertelde en ik dan ook je vriendschap niet meer zou hebben.'

Eolairs hart voelde aan alsof het in tweeën zou barsten, als een zwakke steen die door een hamer werd getroffen. 'Maegwin ik... ik wist het niet.' Hield hij ook van haar? Zou het haar helpen als hij haar zei dat hij haar liefhad, of het waar was of niet? 'Ik was... ik was blind,' stamelde hij. 'Ik wist het niet.'

Ze glimlachte droevig. 'Het hindert nu niet meer,' zei ze met angstwekkende zekerheid. 'Het is te laat om je over dergelijke dingen zorgen te maken.' Ze drukte zijn hand en leidde hem opnieuw vooruit.

Hij zette de laatste stappen naar het blauw en purper van Likimeya's terrein als iemand die in het donker door een pijl is getroffen, zo verbaasd dat hij verder loopt zonder te beseffen dat hij vermoord is.

Jiriki en zijn moeder waren in rustige maar intense conversatie gewikkeld toen Eolair en Maegwin door de ring van doek stapten. Likimeya droeg haar wapenrusting nog; haar zoon was in zachtere kleding gehuld. Jiriki keek op. 'Graaf Eolair. Wij zijn blij dat u kon komen. Wij hebben dingen om u te laten zien en te vertellen.' Zijn ogen rustten op Eolairs metgezellin. 'Vrouwe Maegwin. Welkom.'

Eolair voelde dat Maegwin gespannen raakte, maar ze maakte een buiging. 'Mijn heer,' zei ze. De graaf vroeg zich onwillekeurig af wat ze zag. Als Jiriki de hemelgod Brynioch was, wie meende zij dan dat zijn moeder was? Wat zag ze wanneer hij naar het golvende doek overal rondom hen keek, naar de vruchtbomen en het stervende middaglicht, naar de vreemde gezichten van de andere Sithi?

'Ga alstublieft zitten.' Het was vreemd hoe muzikaal Likimeya's stem was, ondanks heel zijn ruwheid. 'Wilt u iets drinken?'

'Ik niet, dank u.' Eolair wendde zich tot Maegwin. Ze schudde haar hoofd, maar haar ogen waren ver weg, alsof ze zich terugtrok van wat voor haar lag.

'Laat ons dan niet wachten,' zei Likimeya. 'We hebben iets om u te laten zien.' Ze keek naar de boodschapper met het bruine haar die de Taig eerder had bezocht. Deze trad naar voren en liet de tas die hij in zijn hand had zakken. Met een behendig gebaar maakte hij het touw los dat eromheen zat en keerde hem ondersteboven. Er rolde iets donkers op het gras.

'Tranen van Rhynn!' Eolair stikte.

Skali's hoofd lag voor hem, mond open, ogen opengesperd. De volle blonde baard was nu bijna helemaal vuurrood, gevlekt door het geronnen bloed dat uit zijn doorgesneden hals was geweld.

'Daar hebt u uw vijand, graaf Eolair,' zei Likimeya. Een kat die een vogel had gedood, zou die met net zo'n kalme tevredenheid voor de voeten van zijn meester laten vallen. 'Hij en een paar dozijn van zijn mannen keerden eindelijk om, in de heuvels ten oosten van de Grianspog.'

'Neem het altublieft weg.' Eolair voelde zijn maag in opstand komen. 'Ik hoef hem niet zo te zien.' Een ogenblik keek hij bezorgd naar Maegwin, maar zij keek niet eens: haar bleke gezicht was naar de verduisterende lucht achter de muren van het kamp gericht.

In tegenstelling tot haar vuurrode haar, waren Likimeya's wenkbrauwen wit, twee strepen als smalle littekens boven haar ogen. Ze trok een van hen op in een vreemd menselijke uitdrukking van spottend ongeloof. 'Uw prins Sinnach stelde zijn verslagen vijanden op die manier tentoon.'

'Dat was vijfhonderd jaar geleden!' Eolair herkreeg iets van zijn gewone kalmte. 'Het spijt mij, meesteres, maar wij stervelingen veranderen in zo'n lange tijdsspanne. Onze voorouders waren misschien feller dan wij.' Hij slikte. 'Ik heb veel doden gezien, maar dit was een verrassing.'

'Wij wilden u niet beledigen.' Likimeya wierp Jiriki wat een veelbetekenende blik bleek toe. 'Wij dachten dat het uw hart zou verblijden om te zien wat er gebeurde met degene die uw volk veroverde en tot slavernij bracht.'

Eolair haalde diep adem. 'Ik begrijp het. En ik wil u ook niet beledigen. Wij zijn dankbaar voor uw hulp. Dankbaarder dan wij kunnen zeggen.' Hij moest onwillekeurig weer naar het met bloed bedekte voorwerp op het gras kijken.

De boodschapper bukte zich en pakte Skali's hoofd bij de haren op en liet het weer in de zak ploffen. Eolair moest de aandrang onderdrukken om te vragen wat er met de rest van Scherpneus was gebeurd. Waarschijnlijk voor de aaseters ergens in die koude oostelijke heuvels achtergelaten.

'Dat is goed,' antwoordde Likimeya. 'Want wij willen graag uw hulp hebben.'

Eolair kalmeerde. 'Wat kunnen we doen?'

Jiriki richtte zich tot hem. Zijn gezicht was minzaam onverschillig, nog meer dan gewoonlijk. Had hij zijn moeders gebaar afgekeurd? Eolair verwierp die gedachte. Om te proberen de Sithi te begrijpen, was te vragen om verbijstering grenzend aan krankzinnigheid.

'Nu Skali dood is en de laatste van zijn troepen over het land verspreid zijn, is ons doel hier bereikt,' zei Jiriki. 'Maar wij hebben onze voeten alleen maar op het pad gezet. Nu begint de reis in ernst.'

Terwijl hij sprak, reikte zijn moeder achter zich en haalde een pot te voorschijn, een log maar tegelijkertijd merkwaardig sierlijk voorwerp met donkerblauw glazuur. Ze stak er twee vingers in en haalde ze er toen weer uit. De toppen waren grijszwart geworden.

'Wij hebben u verteld dat wij hier niet kunnen blijven,' vervolgde Jiriki. 'Wij moeten verdergaan naar *Ujin e-d'a Sikhunae* – de plaats die u Naglimund noemt.'

Langzaam, alsof zij een ritueel uitvoerde, begon Likimeya haar gezicht te verven. Ze begon met donkere lijnen langs haar wangen en rond haar ogen te trekken.

'En... en wat kunnen de Hernystiri doen?' vroeg Eolair. Hij had moeite zijn blik van Jiriki's moeder los te scheuren.

De Sitha liet zijn hoofd een ogenblik zakken, hief het toen weer op en keek de graaf in de ogen, hem dwingend op te letten. 'Bij het bloed dat onze twee volken voor elkaar vergoten hebben, vraag ik u om een strijdmacht van uw landgenoten te sturen om zich bij ons te voegen.'

'Om ons bij u te voegen?' Eolair dacht aan de glanzende, trompetterende aanval van de Sithi. 'Wat voor hulp zouden we voor u kunnen zijn?'

Jiriki glimlachte. 'Jullie onderschatten jezelf... en jullie overschatten ons. Het is heel belangrijk voor ons het kasteel in te nemen dat eens aan Jozua toebehoorde, maar het zal een gevecht zijn als geen ander. Wie weet welk een verrassende rol stervelingen kunnen spelen wanneer de Tuingeborenen vechten? En er zijn dingen die u kunt doen waartoe wij niet in staat zijn. Wij zijn nu weinig talrijk. Wij hebben uw volk nodig, Eolair. Wij hebben u nodig.'

Likimeya had een masker rond haar ogen getekend, op haar voorhoofd en wangen, zodat haar amberkleurige blik in de duisternis scheen te vlammen als juwelen in een rotsspleet. Ze trok drie lijnen van haar onderlip omlaag naar haar kin.

'Ik kan mijn volk niet dwingen, Jiriki,' zei Eolair tegen hem. 'Vooral na alles wat er met hen is gebeurd. Maar als ik ga, denk ik dat anderen zich bij mij zullen aansluiten.' Hij dacht na over wat eer en plicht vereisten. De lust van de wraak op Skali was van hem afgenomen, maar het scheen dat de Rimmersman slechts een werktuig voor Skali was geweest – en voor een nog angstwekkender vijand. Hernystir was vrij, maar de oorlog was geenszins over. De graaf vond ook een zekere bekoring in het idee van iets zo rechtlijnig als een veldslag. Het probleem om Hernysadharc opnieuw te bezetten en het hoofd te bieden aan Maegwins krankzinnigheid was hem al gaan overstelpen.

De hemel boven was donkerblauw, de kleur van Likimeya's pot. Sommigen van de Sithi kwamen met bollen van licht die ze op houten standaards rond de omheining zetten; de takken van de vruchtbomen, van onderen verlicht, brandden goudkleurig.

'Ik zal met je meegaan naar Naglimund, Jiriki,' zei hij ten slotte. Craobhan kon waken over het volk van Hernysadharc, besloot hij, en ook waken over Maegwin en Lluths vrouw Inahwen. Craobhan zou verdergaan met de wederopbouw van het land – het was een taak die volmaakt geschikt was voor de oude man. 'Ik zal zoveel van mijn soldaten meebrengen als er mee willen gaan.'

'Dank u, graaf Eolair. De wereld verandert, maar sommige dingen zijn altijd waar. De harten van de Hernystiri zijn standvastig.'

Likimeya zette haar pot neer, veegde haar vingers aan haar laarzen af – ze lieten een ronde veeg achter – en stond op. Door haar gezicht te beschilderen, had ze zichzelf in iets nog vreemders, nog verwarrenders veranderd.

'Dan is het afgesproken,' zei ze. 'Wanneer de derde ochtend na vanavond aanbreekt, zullen wij naar Ujin e-d'a Sikhunae rijden.' Haar ogen schenen te fonkelen in het licht van de kristallen bollen.

Eolair kon haar blik niet lang trotseren, maar hij kon evenmin zijn nieuwsgierigheid stillen. 'Uw vergiffenis, meesteres,' zei hij. 'Ik hoop dat ik niet onbeleefd ben. Mag ik vragen wat u op uw gezicht hebt gedaan?'

'As. Rouwas.' Ze maakte een geluid achter in haar keel, een iele uitademing die een zucht of een puf van ergernis geweest kon zijn. 'U kunt het niet begrijpen, sterfelijke mensen, maar ik zal het u in ieder geval vertellen. Wij trekken ten strijde tegen de Hikeda'ya.'

Na een ogenblik van zwijgen, terwijl Eolair probeerde te ontraadselen wat zij bedoelde, sprak Jiriki. Zijn stem was vriendelijk en treurig tegelijk. 'Sithi en Nornen zijn van een en hetzelfde bloed, graaf Eolair. Nu moeten wij tegen hen vechten.' Hij hief een hand op en maakte een gebaar als een kaarsvlam die wordt gedoofd – een gefladder, daarna stilte. 'Wij moeten leden van onze eigen familie doden.'

Maegwin zweeg gedurende het grootste deel van de terugweg. Pas toen de schuine daken van de Taig voor hen opdoemden, sprak zij.

'Ik ga met je mee. Ik wil de goden oorlog zien maken.'

Hij schudde heftig zijn hoofd. 'U blijft hier met Craobhan en de anderen.'

'Nee, als je me achterlaat, zal ik je volgen.' Haar stem was kalm en zeker. 'En in elk geval, Eolair, waarom klink je zo angstig? Ik kan niet twee keer doodgaan, wel?' Ze lachte iets te hard.

Eolair redetwistte tevergeefs met haar. Eindelijk, net toen hij op het punt stond boos te worden, kreeg hij een idee.

De genezer zei dat ze haar eigen weg terug moest vinden. Misschien maakt dit er deel van uit?

Maar het gevaar… Hij kon er toch zeker niet aan denken haar zo'n risico te laten lopen. Niet dat hij haar ervan kon weerhouden om hem te volgen wanneer hij haar achterliet – al of niet krankzinnig, er was niemand in heel Hernystir half zo koppig als Lluths dochter. Goden, was hij vervloekt? Geen wonder dat hij bijna naar de wrede eenvoud van de strijd verlangde.

'We zullen het hier later over hebben,' zei hij. 'Ik ben moe, Maegwin.'

'Niemand hier behoort moe te zijn.' Er klonk een subtiele toon van triomf in haar stem. 'Ik maak me zorgen om je, Eolair.'

Simon had een open, onbeschaduwde plek bij de buitenmuur van Sesuad'ra uitgekozen. De zon scheen zowaar vandaag, hoewel het toch zo winderig was dat zowel hij als Miriamele hun mantels droegen. Toch was het prettig om zijn capuchon omlaag te hebben en de zon op zijn nek te voelen. 'Ik heb wat wijn meegebracht.' Simon haalde een wijnzak en twee bekers uit zijn tas. 'Sangfugol zei dat hij goed is – ik denk dat hij uit Perdruin komt.' Hij lachte nerveus. 'Waarom zou wijn van de ene plaats beter zijn dan de andere? Druiven zijn druiven.'

Miriamele glimlachte. Ze leek moe; ze had kringen onder haar groene ogen. 'Ik weet het niet. Misschien verbouwen zij ze op een andere manier.'

'Het is eigenlijk niet belangrijk.' Simon mikte zorgvuldig een straal uit de wijnzak eerst in de ene beker, daarna in de andere. 'Ik weet eigenlijk nog niet of ik wijn wel lekker vind – Rachel wilde het mij nooit laten drinken. "Duivelsbloed" noemde ze het.'

'Het Hoofd van de Kamermeisjes?' Miriamele trok een gezicht. 'Dat was een vervelende vrouw.'

Simon overhandigde haar een beker. 'Dat dacht ik vroeger ook. Ze had inderdaad een slecht humeur. Maar ze probeerde haar best voor me te doen, veronderstel ik. Ik heb het moeilijk voor haar gemaakt.' Hij bracht de wijn aan zijn lippen en liet de zuurheid over zijn tong rollen. 'Ik vraag me af waar ze nu is. Nog op de Hayholt? Ik hoop dat ze het goed maakt. Ik hoop dat ze niet gewond is.' Hij grijnsde – te bedenken dat je zulke gevoelens voor de Draak koesterde! – en keek toen plotseling op. 'O nee, ik heb er al wat van gedronken. Moeten we niet iets zeggen – een toost uitbrengen?'

Miriamele hief haar beker plechtig op. 'Op je verjaardag, Simon.'

'En op die van jou, prinses Miriamele.'

Ze zaten een tijdje zwijgend te drinken. De wind drukte het gras opzij, het in veranderende patronen plettend alsof een of ander groot onzichtbaar beest rusteloos in zijn slaap lag te rollen. 'De Raed begint morgen,' zei hij. 'Maar ik denk dat Jozua al besloten heeft wat hij wil doen.'

'Hij wil naar Nabban gaan.' Er klonk bitterheid in haar stem.

'Wat is daar verkeerd aan?' Simon gebaarde dat hij haar beker, die leeg was, wilde hebben.

'Het is het verkeerde begin.' Ze keek naar zijn hand toen hij de beker aanpakte. De kritische blik maakte hem onzeker. 'Het spijt me, Simon, ik ben alleen niet gelukkig met dingen. Met een hoop dingen.'

'Ik zal luisteren als je wilt praten. Ik ben een goede toehoorder geworden, prinses.'

'Noem me geen "*prinses*"!' Toen ze weer sprak, was haar toon zachter. 'Alsjeblieft, Simon, niet jij ook! Wij waren eens vrienden, toen je niet wist wie ik was. Dat heb ik nu nodig.'

'Zeker… Miriamele.' Hij haalde diep adem. 'Zijn we dan nu geen vrienden?'

'Dat bedoelde ik niet.' Zij zuchtte. 'Het is hetzelfde probleem als ik met Jozua's besluit heb. Ik ben het niet met hem eens. Ik vind dat we regelrecht naar Erkynland moeten gaan. Dit is geen oorlog zoals mijn grootvader die vocht – hij is veel erger, veel duisterder. Ik ben bang dat we te laat komen als we proberen eerst Nabban te veroveren.'

'Te laat waarvoor?'

'Ik weet het niet. Ik heb die gevoelens, die ideeën, maar ik heb niets dat ik kan gebruiken om te bewijzen dat ze reëel zijn. Dat is erg genoeg, maar omdat ik een prinses ben – omdat ik de dochter van de Hoge Koning ben – luisteren ze in elk geval naar me. Daarna proberen ze allemaal een beleefde manier te vinden om me te negeren. Het zou bijna beter zijn als ze me gewoon vroegen mijn mond te houden!'

'Wat heeft dat met mij te maken?' vroeg Simon rustig. Miriamele had haar ogen gesloten, alsof ze naar iets binnen in zichzelf keek. De roodgouden gloed van haar wimpers, de minuscule fijnheid ervan, gaven hem het gevoel alsof hij uit elkaar viel.

'Zelfs jij, Simon, die mij als dienstmeisje ontmoette, nee, als dienstjongen!' Ze lachte, maar haar ogen bleven dicht. 'Zelfs jij, Simon, wanneer je naar me kijkt, kijk je niet alleen maar naar mij. Je ziet mijn vaders naam, het kasteel waar ik ben opgegroeid, de dure jurken. Je kijkt naar een... *prinses*.' Ze sprak het woord uit alsof het iets verschrikkelijks en vals betekende.

Simon staarde haar lange tijd aan, kijkend naar het door de wind bewogen haar, de donzige lijn van haar wang. Hij stond op hete kolen om haar te zeggen wat hij werkelijk zag, maar wist dat hij nooit de juiste woorden zou kunnen vinden; het zou er allemaal uitkomen als het gewauwel van een uilskuiken. 'Je bent wat je bent,' zei hij ten slotte. 'Is het niet even vals om te proberen iemand anders te zijn als het voor anderen is om te doen alsof ze tegen jou praten terwijl ze alleen maar praten tegen een of andere... prinses?'

Haar ogen gingen plotseling open. Ze waren zo helder, zo vorsend! Plotseling kreeg hij een idee van wat het geweest moet zijn om voor haar grootvader, Prester John, te staan. Het herinnerde hem ook aan wat hijzelf was: het lompe kind van een dienstbode, alleen een ridder dankzij de omstandigheden. Op dit ogenblik scheen ze dichterbij dan ze ooit was geweest, maar tegelijkertijd scheen de kloof tussen hen ook even wijd als de oceaan.

Miriamele keek hem gespannen aan. Na enkele ogenblikken wendde hij zijn blik af, beteuterd. 'Het spijt me.'

'Nergens voor nodig.' Haar stem klonk ferm, maar toch stemde hij niet overeen met de bezorgde uitdrukking op haar gezicht. 'Heb geen spijt, Simon. En laten we over iets anders praten.' Ze draaide zich om en keek over het wuivende gras van de heuveltop. Het vreemde, felle ogenblik ging voorbij.

Ze dronken de wijn op en deelden brood en kaas. Als lekkernij haalde Simon een in bladeren gewikkeld pakje met snoepgoed te voorschijn dat hij van een van de kooplieden op de kleine markt van Nieuw Gadrinsett had gekocht, kleine balletjes gemaakt van honing en geroosterd graan. Het gesprek ging over op andere dingen, over de plaatsen en vreemde dingen die zij beiden hadden gezien. Miriamele probeerde Simon over de Niskie Gan Itai en haar gezag te vertellen, over de manier waarop zij haar muziek had gebruikt om hemel en zee met elkaar te verbinden. Op zijn beurt probeerde Simon iets uit te leggen over hoe het in Jiriki's huis bij de rivier was geweest, en om de Yásira te zien, de levende tent van vlinders. Hij probeerde de vriendelijke, angstaanjagende Amerasu te beschrijven, maar aarzelde. Die herinnering deed nog altijd veel pijn.

'En die andere Sitha vrouw?' vroeg Miriamele. 'Degene die hier is. Aditu.'

'Wat bedoel je?'

'Wat vind je van haar?' Ze fronste. 'Ik vind dat ze geen manieren heeft.'

Simon snoof zacht. 'Het is eerder zo, dat ze haar eigen manieren heeft. Zij zijn niet zoals wij, Miriamele.'

'Welnu, dan heb ik geen hoge dunk van de Sithi. Ze kleedt en gedraagt zich als een slet in een taveerne.'

Hij moest weer een glimlach onderdrukken. Aditu's huidige stijl van kleden was bijna schrikwekkend ingetogen vergeleken bij de kleren die zij in Jaoé-Tinukai'i had gedragen. Weliswaar liet ze nog vaak meer van haar gebruinde huid zien dan de burgers van Nieuw Gadrinsett lief was, maar Aditu deed klaarblijkelijk haar best haar sterfelijke metgezellen niet te krenken. Wat haar gedrag betrof... 'Ik vind niet dat ze zo slecht is,' zei hij.

'Nou, dat zal wel niet.' Miriamele was onmiskenbaar boos. 'Je loopt achter haar aan als een jonge hond.'

'Dat is niet waar,' zei hij gepikeerd. 'Zij is mijn vriendin.'

'Dat is een aardig woord. Ik heb de ridders van mijn vader dat woord ook horen gebruiken om vrouwen te beschrijven die het niet zou worden toegestaan de drempel van een kerk te overschrijden.' Miriamele ging rechtop zitten. Ze was niet alleen maar aan het plagen. De boosheid die hij eerder had gevoeld, speelde ook mee. 'Ik neem het je niet kwalijk... zo zijn mannen nu eenmaal. Ze is erg aantrekkelijk, op haar vreemde manier.'

Simons lach was scherp. 'Ik zal het nooit begrijpen,' zei hij.

'Wat? Wat begrijpen?'

'Hindert niet.' Hij schudde zijn hoofd. Het zou goed zijn het gesprek naar veiliger terrein te loodsen, besloot hij. 'Ah, ik was het bijna vergeten.' Hij draaide zich om en reikte naar de tas met het trekkoord die hij tegen de door het weer gepolijste muur had gezet. 'Dit is ter viering van onze verjaardagen. Het is tijd om cadeautjes te geven.'

Miriamele keek op, ontsteld. 'O, Simon! Maar ik heb niets om jou te geven!'

'Het is genoeg dat je hier bent. Je na al die tijd te zien...' Zijn stem brak en gaf een pijnlijke piep. Om zijn ergernis te verhullen, schraapte hij zijn keel. 'Maar in elk geval heb je mij al een mooi cadeau gegeven... je sjaal.' Hij sloeg zijn kraag wijdopen zodat ze kon zien hoe die zich om zijn lange hals nestelde. 'Het mooiste geschenk dat iemand mij ooit gegeven heeft, denk ik.' Hij lachte en verborg hem weer. 'Nu heb ik iets om aan jou te geven.' Hij reikte in zijn tas en haalde er iets langs en duns uit dat in een doek was gewikkeld.

'Wat is het?' De bezorgdheid scheen van haar gezicht af te glijden, waardoor zij als een kind werd in haar aandacht voor het geheimzinnige pakje.

'Maak het open.'

Dat deed ze, de doek loswikkelend waardoor de witte Sithi pijl te voorschijn kwam, een streep van ivoren vuur.

'Ik wil dat jij hem hebt.'

Miriamele keek van de pijl naar Simon. Haar gezicht werd bleek. 'O nee,' fluisterde ze. 'Nee, Simon, ik kan het niet.'

'Wat bedoel je? Natuurlijk wel. Het is mijn geschenk aan jou. Binabik zei dat hij gemaakt was door de Sithi pijlenmaker Vindaomeyo, langer geleden dan een van ons zich kan voorstellen. Het is het enige dat ik te geven heb dat een prinses waardig is, Miriamele, en of je het prettig vindt of niet, dat ben je nu eenmaal.'

'Nee, Simon, nee.' Ze duwde de pijl en de doek in zijn handen. 'Nee, Simon. Dat is het aardigste dat iemand ooit voor me gedaan heeft, maar ik kan het niet aannemen. Het is niet zomaar een ding, het is een belofte van Jiriki aan jou – een onderpand. Dat heb je mij verteld. Het betekent te veel. De Sithi geven dat soort dingen niet zonder reden weg.'

'Ik evenmin,' zei Simon boos. Dus zelfs dit was niet goed genoeg, dacht hij. Onder een dun laagje woede voelde hij een grote reserve aan gegriefdheid. 'Ik wil dat hij van jou is.'

'Alsjeblieft, Simon. Ik zeg je dank – je begrijpt niet hoe vriendelijk ik je vind – maar het zou me te veel pijn doen om hem van je aan te nemen. Ik kan het niet.'

Verbijsterd, pijnlijk getroffen, sloot Simon zijn vingers om de pijl. Zijn geschenk was geweigerd. Hij voelde zich wild en vol dwaasheid. 'Wacht dan hier,' zei hij en stond op. Hij stond op het punt te gaan schreeuwen. 'Beloof me dat je niet van deze plek zult weggaan tot ik terugkom.'

Ze keek naar hem op, onzeker, haar ogen tegen de zon beschuttend. 'Als je wilt dat ik blijf, blijf ik, Simon. Zul je lang wegblijven?'

'Nee.' Hij wendde zich naar de bouwvallige poort van de grote muur. Voor hij tien stappen weg was, versnelde hij zijn tempo tot een draf.

Toen hij terugkwam, zat Miriamele nog op dezelfde plaats. Ze had de granaatappel gevonden die hij als een laatste verrassing had verstopt.

'Het spijt me,' zei ze, 'maar ik was rusteloos. Ik heb hem open gekregen, maar ik heb er nog niet van gegeten.' Ze liet hem de zaden zien die als edelstenen op een rij in de gehalveerde vrucht lagen. 'Wat heb je in je hand?'

Simon haalde zijn zwaard uit de wirwar van zijn mantel te voorschijn.

Toen Miriamele toekeek, haar ongerustheid verre van verdwenen, knielde hij voor haar neer.

'Miriamele... prinses... ik wil je het enige geschenk aanbieden dat ik over heb om te geven.' Hij strekte het gevest van het zwaard naar haar uit, zijn hoofd buigend en strak naar de jungle van gras om zijn laarzen kijkend. 'Je dienaar. Ik ben nu een ridder. Ik zweer dat jij mijn meesteres bent, en dat ik je als jouw beschermer zal dienen als je mij wilt hebben.'

Simon keek op vanuit zijn ooghoek naar Miriamele. Haar gezicht was overspoeld door emoties, waarvan hij er geen kon thuisbrengen. 'O, Simon,' zei ze.

'Als je mij niet wilt hebben of om de een of andere reden – die ik vanwege mijn domheid toch niet kan begrijpen – niet kunt hebben, zeg het mij dan. Wij kunnen toch vrienden blijven.'

Er viel een lange stilte. Simon keek weer omlaag naar de grond en voelde zijn hoofd tollen.

'Natuurlijk,' zei ze ten slotte. 'Natuurlijk wil ik je hebben, lieve Simon.' Er was een vreemde hapering in haar stem. Ze lachte schor. 'Maar ik zal je dit nooit vergeven.'

Hij keek op, ongerust, om te zien of ze een grap maakte. Haar mond was gewelfd in een trillende halve glimlach, maar haar ogen waren weer gesloten. Er glansde iets als tranen op haar wimpers. Hij kon niet zien of ze blij was of bedroefd.

'Wat moet ik doen?' vroeg ze.

'Ik weet het niet precies. Het gevest nemen en dan mijn schouders met het staal aanraken, veronderstel ik, zoals Jozua bij mij gedaan heeft. Zeggen: "Jij zult mijn kampioen zijn."'

Ze pakte het gevest en hield het een ogenblik tegen haar wang, hief toen het zwaard op en raakte om beurten zijn schouders ermee aan, links en rechts.

'Jij zult mijn kampioen zijn, Simon,' fluisterde zij.

'Dat zal ik zijn.'

De fakkels in het Afscheidshuis waren opgebrand. De tijd voor het avondmaal was al lang voorbij, maar niemand had een woord over eten gezegd.

'Dit is de derde dag van de Raed,' zei prins Jozua. 'We zijn allemaal moe. Ik vraag nog slechts enkele momenten langer om uw aandacht.' Hij streek met zijn hand over zijn ogen.

Isgrimnur vond dat van allen die in het vertrek bijeen waren, de prins zelf het meest getekend was door de spanning van de lange dagen en de bittere argumenten. Door te proberen iedereen eerlijk aan het woord te laten komen, was Jozua door vele bijzaken opgehouden – en de vroegere meester van Elvritshalla keurde dat helemaal niet goed. Prins Jozua zou de ontberingen van een campagne tegen zijn broer nooit overleven als hij zich niet hardde. Hij was iets beter geworden sinds Isgrimnur hem voor het laatst had gezien – de reis naar deze vreemde plaats scheen iedereen die hem had gemaakt te hebben veranderd – maar de hertog vond nog steeds niet dat Jozua de kunst had begrepen om te luisteren zonder geleid te worden. Zonder dat, dacht hij zuur, kon geen enkele heerser lang overleven.

Er waren veel onenigheden. De Tritsingsmannen vertrouwden de stoerheid van het volk van Nieuw Gadrinsett niet en vreesden dat zij een last voor de wagenclans zouden worden wanneer Jozua zijn kamp weer naar de graslanden verplaatste. Op hun beurt waren de kolonisten er niet zeker van dat ze hun nieuwe leven in de steek wilden laten om ergens anders heen te gaan, want ze zouden niet eens landen hebben om zich te vestigen voor Jozua gebied van zijn broer of Benigaris nam.

Freosel en Sludig die na de dood van Deornoth Jozua's oorlogscommandanten waren geworden, waren het ook bitter oneens over waar de prins heen moest gaan. Sludig koos de zijde van zijn leenheer Isgrimnur door aan te dringen op een aanval op Nabban. Freosel was, als vele anderen, van mening dat een uitval in het zuiden aan de kern van de zaak voorbijging. Hij was een Erkynlander, en Erkynland was niet alleen Jozua's eigen land, maar ook de plaats die het meest geleden had onder de wanregering van Elias. Freosel had duidelijk gemaakt dat hij van mening was dat ze naar het westen, naar de buitenste lenen van Erkynland moesten gaan, om een strijdmacht van de vervreemde onderdanen van de Hoge Koning bijeen te brengen alvorens tegen de Hayholt zelf op te rukken.

Isgrimnur zuchtte en krabde aan zijn kin, zich een ogenblik aan het genot van zijn opnieuw gegroeide baard overgevend. Hij verlangde ernaar op te staan en iedereen eenvoudig te vertellen wat ze moesten doen en hoe ze het moesten doen. Hij voelde zelfs dat Jozua het in zijn hart zou toejuichen als de last van het leiderschap van zijn schouders zou worden genomen – maar zoiets kon niet worden toegestaan. De hertog wist dat zodra de prins zijn superioriteit verloor, de fracties uiteen zouden vallen en iedere kans op georganiseerd verzet tegen Elias verkeken zou zijn.

'Heer Camaris,' zei Jozua ineens, zich tot de oude ridder wendend. 'U hebt voornamelijk gezwegen. Toch, als wij Nabban moeten aanvallen, waar Isgrimnur en anderen op aandringen, zult u onze banier zijn. Ik moet horen hoe u daar over denkt.'

De oude man had zich inderdaad afzijdig gehouden, hoewel Isgrimnur niet wist of dat was omdat hij het idee afkeurde, of omdat hij het er niet mee eens was. Eigenlijk had Camaris naar de argumenten geluisterd als een heilige, gezeten op een bank te midden van een vechtpartij in een herberg, aanwezig maar toch afzijdig, zijn aandacht gericht op iets dat anderen niet konden zien.

'Ik kan u niet zeggen wat de juiste handelwijze is, prins Jozua.' De oude ridder sprak met een soort moeiteloze waardigheid, zoals hij gedaan had sinds hij zijn verstand had teruggekregen. Zijn ouderwetse, hoffelijke manier van spreken was zo voorzichtig dat het bijna een parodie leek; hij had de Brave Boer uit de spreuken uit het Boek van Aedon kunnen zijn. 'Dat gaat mijn verstand te boven, en ik zou mij ook niet aanmatigen om mij te stellen tussen u en God, die het uiteindelijke antwoord op alle vragen is. Ik kan u alleen vertellen wat ik denk.' Hij leunde naar voren, neerkijkend op zijn langvingerige handen, die op de tafel voor hem waren verstrengeld alsof hij bad. 'Veel van wat er is gezegd, is voor mij nog onbegrijpelijk – de overeenkomst van uw broer met die Stormkoning, die in mijn tijd slechts een vage legende was; de rol die, zegt u, de zwaarden te spelen hebben, waaronder mijn zwarte zwaard Doorn – het is allemaal vreemd, heel vreemd.

Maar ik weet dat ik veel van mijn broer, Leobardis, heb gehouden en van wat u zegt, heeft hij Nabban eervol gediend in de jaren waarin ik niet bij zinnen was – beter dan ik het ooit had kunnen doen, denk ik. Hij was iemand die geschapen was om over anderen te regeren; ik ben dat niet.

Zijn zoon Benigaris heb ik alleen als een schreeuwende zuigeling gekend. Het knaagt aan mijn ziel dat iemand van mijn vaders geslacht een vadermoordenaar kon zijn, maar ik kan niet twijfelen aan de bewijzen die ik heb gehoord.' Hij schudde langzaam met zijn hoofd, een vermoeide strijdros. 'Ik kan u niet zeggen naar Nabban te gaan, of naar Erkynland, of ergens anders op de groene aarde van de Heer. Maar als u besluit tegen Nabban ten strijde te trekken, Jozua... dan, ja, zal ik voor de legers uitrijden. Als de mensen mijn naam willen gebruiken, zal ik hen niet tegenhouden, hoewel ik het niet ridderlijk vind; alleen onze Verlosser behoort te worden geloofd door de stemmen van mensen. Maar ik kan een dergelijke schande voor het Benidrivijnse Huis niet onopgemerkt voorbij laten gaan.

Dus als dat het antwoord is dat u van mij hebben wilt, Jozua, dan hebt u het bij deze.' Hij hief zijn hand op in een gebaar van trouw. 'Ja, ik zal naar Nabban rijden. Maar ik wil niet terugkomen om het koninkrijk van mijn vriend John in puin te zien en mijn eigen geliefde Nabban vermorzeld onder de hiel van mijn moordzuchtige neef. Het is wreed.' Hij liet zien blik nogmaals op de tafel vallen. 'Dit is een van de strengste proeven waarvoor God mij gesteld heeft, en ik heb al meer keren tegenover Hem gefaald dan ik kan tellen.'

Toen hij was uitgesproken, schenen de woorden van de oude man als wierook in de lucht te blijven hangen, een nevel van ingewikkelde spijt die het vertrek vervulde. Niemand durfde de stilte te verbreken tot Jozua sprak.

'Dank u, heer Camaris. Ik denk dat ik weet wat het van u zal vergen om tegen uw eigen landgenoten ten strijde te trekken. Ik ben terneergeslagen dat wij het u moeten opdringen.' Hij keek de door fakkels verlichte zaal rond. 'Is er iemand die het woord wil voeren voor wij klaar zijn?'

Naast hem bewoog Vorzheva zich op de bank alsof ze iets wilde zeggen, maar in plaats daarvan wierp ze een boze blik op Jozua, die zich aan haar blik onttrok alsof hij die onbehaaglijk vond. Isgrimnur vermoedde wat er tussen hen was voorgevallen – Jozua had hem verteld van haar verlangen om te blijven tot het kind geboren was – en fronste; de prins had geen behoefte aan verdere twijfels die zijn beslissing konden benevelen.

Vele ellen verder aan de lange tafel stond Geloë op. 'Ik denk dat er een laatste kwestie is, Jozua. Het is iets dat pater Strangyeard en ik pas gisteravond hebben ontdekt.' Ze draaide zich om naar de priester, die nog naast haar zat. 'Strangyeard?'

De archivaris stond op, een stapel perkamenten betastend. Hij hief een hand op om zijn ooglap recht te trekken, keek toen bezorgd naar sommige van de nabije gezichten, alsof hij plotseling had bemerkt dat hij voor een tribunaal was gedaagd en van ketterij was beschuldigd.

'Ja,' zei hij. 'O ja. Er is iets belangrijks, neem me niet kwalijk, iets dat wellicht belangrijk is...' Hij bladerde snel door de pagina's voor hem.

'Kom, Strangyeard,' zei de prins vriendelijk. 'Wij verlangen ernaar dat je ons je ontdekking deelachtig maakt.'

'Ah, ja. Wij hebben iets in Morgenes' manuscript gevonden. In zijn *Leven van koning John Presbyter*.' Hij hield enkele vellen perkament omhoog ten behoeve van hen die het boek van doctor Morgenes nog niet hadden gezien. 'Ook, naar aanleiding van een gesprek met Tiamak van de Wran,' hij zwaaide met de stapel in de richting van de moerasman, 'ontdekten wij dat het iets was waarover Morgenes zich veel zorgen maakte nadat hij de grote lijnen van Elias' overeenkomst met de Stormkoning begon te zien. Het verontrustte hem, ziet u. Dat wil zeggen, Morgenes.'

'Wat zien?' Isgrimnurs achterste begon pijn te doen van de harde stoel en zijn rug had al urenlang opgespeeld. 'Waarover maakte hij zich zorgen?'

'O!' Strangyeard schrok. 'Verontschuldigingen, vele verontschuldigingen. De ster met de baard, natuurlijk. De komeet.'

'Er was zo'n ster aan de hemel tijdens het jaar waarin mijn broer koning

werd,' peinsde Jozua. 'Feitelijk hebben wij hem op de avond van zijn kroning voor het eerst gezien. De avond waarop mijn vader werd begraven.'
'Dat is 'm!' zei Strangyeard opgewonden. 'De *Asdridan Condiquilles* – de Veroveraar Ster. Ik zal voorlezen wat Morgenes erover heeft geschreven.'
Hij bladerde in het perkament.

'*... Vreemd genoeg,*'

begon hij,

'*in plaats van boven de geboorte of triomf van veroveraars te stralen, waar de naam wellicht op duidt, schijnt de Veroveraar Ster zich in plaats daarvan voor te doen als een voorbode van de dood van rijken. Hij verkondigde de val van Khand, van de oude Zeekoninkrijken, en zelfs het einde van wat wellicht het grootste imperium van alle is geweest – de Sithi heerschappij over Osten Ard, die ten einde kwam toen hun grote bolwerk Asu'a viel. De eerste verslagen die geleerden van het Verbond van het Geschrift bijeenbrachten, vertellen dat de Veroveraar Ster helder aan de nachtelijke hemel boven Asu'a stond toen Ineluki, Iyu'unigato's zoon, nadacht over de toverformule die het Sithi kasteel en een groot deel van Fingils Rimmersgaardse leger spoedig zou vernietigen.*
Er wordt gezegd dat de enige gebeurtenis van zuivere verovering die ooit het licht van de Veroveraar Ster zag de triomf van de Verlosser, Usires Aedon was, aangezien hij aan de hemel boven Nabban scheen toen Usires aan de Terechtstellingsboom hing. Maar, men zou hier ook kunnen tegenwerpen dat hij ook verval en ondergang verkondigde, aangezien Aedons dood het begin van de uiteindelijke instorting van het machtige Nabbaanse imperium betekende...'

Strangyeard haalde adem. Zijn ogen straalden nu; Morgenes' woorden hadden zijn onbehaaglijkheid om een menigte toe te spreken verjaagd. 'Dus u ziet, dit is, denken wij, van enige betekenis.'
'Maar waarom precies?' vroeg Jozua. 'Hij verscheen al aan het begin van het jaar van de regering van mijn broer. Als de vernietiging van een rijk is voorspeld, wat dan nog? Ongetwijfeld is het 't rijk van mijn broer dat zal ondergaan.' Hij vertoonde een flauwe glimlach. Er steeg wat klaterend gelach uit de vergadering op.
'Maar dat is niet het hele verhaal, prins Jozua,' zei Geloë. 'Dinivan en anderen – ook doctor Morgenes, vóór zijn dood – hebben deze kwestie bestudeerd. De Veroveraar Ster, ziet u, is nog niet verdwenen. Hij zal terugkomen.'
'Wat bedoel je?'

Binabik stond op. 'Om de vijfhonderd jaar, ontdekte Dinivan,' legde hij uit, 'staat de ster niet één keer aan de hemel, maar drie keer. Hij verschijnt drie jaar achtereen, eerst helder, daarna bijna te flauw om te kunnen worden waargenomen in het tweede, en dan in het laatste jaar op zijn helderst.'

'Dus hij komt dit jaar terug, aan het eind van de winter,' zei Geloë. 'Voor de derde keer. De laatste keer dat hij dat deed, was het jaar waarin Asu'a viel.'

'Ik begrijp het nog steeds niet,' zei Jozua. 'Ik geloof dat wat jullie zeggen belangrijk kan zijn, maar we hebben al vele mysteriën om over na te denken. Wat betekent de ster voor ons?'

Geloë schudde haar hoofd. 'Misschien niets. Misschien verkondigt hij, als in het verleden, de ondergang van een groot koninkrijk – maar of het dat van de Hoge Koning, de Stormkoning, of van uw vader is, als wij verslagen worden, kan geen van ons zeggen. Het lijkt evenwel onwaarschijnlijk dat een gebeurtenis met een dergelijke noodlottige geschiedenis niets zou betekenen.'

'Daar ben ik het mee eens,' zei Binabik. 'Dit is niet de tijd om dergelijke dingen af te doen met ze aan het toeval toe te schrijven.'

Jozua keek gefrustreerd rond, alsof hij hoopte dat iemand anders aan de lange tafel een antwoord kon verschaffen. 'Maar wat betekent het? En wat worden wij verondersteld eraan te doen?'

'In de eerste plaats is het mogelijk dat de zwaarden alleen van nut voor ons zullen zijn wanneer de ster aan de hemel staat,' opperde Geloë. 'Hun waarde schijnt in hun onwereldsheid te liggen. Misschien laat de hemel ons zien wanneer zij het nuttigst zullen zijn.' Ze haalde haar schouders op. 'Of misschien zal dat een tijd zijn wanneer Ineluki op zijn sterkst is, en het best in staat om Elias in zijn strijd tegen ons te helpen, aangezien het vijf eeuwen geleden was toen hij de toverformule uitsprak die hem maakte tot wat hij nu is. In dat geval zullen we de Hayholt moeten bereiken voor die tijd weer aanbreekt.'

Stilte daalde neer op het enorme vertrek, alleen verbroken door het rustige gemurmureer van de vlammen in de haard. Jozua bladerde afwezig enkele pagina's van Morgenes' boek door.

'En u bent verder niets te weten gekomen over de zwaarden waarvoor wij zoveel op het spel hebben gezet... niets dat ons van nut zou zijn?' vroeg hij.

Binabik schudde zijn hoofd. 'Wij hebben nu vele keren met heer Camaris gesproken.' De kleine man wierp de oude ridder een eerbiedig knikje toe. 'Hij heeft ons meegedeeld wat hij van het zwaard Doorn en zijn eigenschappen afweet, maar wij hebben nog niets gehoord dat ons vertelt wat wij ermee – en met de andere – kunnen doen.'

'Dan kunnen we ons niet veroorloven onze levens op hen te verwedden,'
zei Sludig. 'Magie en elfenkunsten zullen ons iedere keer verraden.'

'U praat over dingen waarvan u niets weet...' begon Geloë grimmig.

Jozua ging rechtop zitten. 'Hou op. Het is nu te laat om de drie zwaarden in de steek te laten. Als mijn broer de enige was tegen wie wij vochten, zouden we het er misschien op kunnen wagen. Maar de helper van
de Stormkoning heeft blijkbaar bij iedere stap van zijn voortgang achter hem gestaan, en de zwaarden zijn onze enige kleine hoop tegen die
donkere, donkere bezoeking.'

Miriamele stond nu op. 'Laat mij dan opnieuw vragen, oom Jozua...
prins Jozua, om meteen naar Erkynland te gaan. Als de zwaarden waardevol zijn, dan moeten wij Smart van mijn vader terugnemen en Glanzende Nagel uit mijn grootvaders graf halen. Naar wat Geloë en Binabik zeggen, schijnen we niet meer veel tijd te hebben.'

Haar gezicht stond ernstig, maar hertog Isgrimnur meende dat hij wanhoop achter haar woorden voelde. Dat verbaasde hem. Hoewel deze be-
sprekingen natuurlijk uiterst belangrijk waren, waarom zou de kleine
Miriamele klinken alsof haar eigen leven er volkomen van afhing of ze
regelrecht naar Erkynland zou gaan en haar vader het hoofd zou bieden?

Jozua bleef koel. 'Dank je, Miriamele. Ik heb geluisterd naar wat je zegt.
Ik stel je raad op prijs.' Hij draaide zich om en keek de rest van de vergadering aan. 'Nu moet ik u mijn besluit meedelen.' Het verlangen om een
einde aan dit alles te maken was hoorbaar in ieder woord dat hij sprak.

'Hier zijn mijn keuzen. Hier blijven om deze plaats, Nieuw Gadrinsett,
op te bouwen, en tegen mijn broer stand te houden tot zijn wanregering
het tij in ons voordeel keert. Dat is een mogelijkheid.' Jozua liet zijn
hand door zijn korte haar glijden, stak toen twee vingers op. 'De tweede
is naar Nabban te gaan, waar wij met Camaris aan het hoofd van ons eigen leger wellicht spoedig aanhangers winnen en op die manier uiteindelijk een leger in het veld kunnen brengen dat in staat is de Hoge Koning ten val te brengen.' De prins hief een derde vinger op. 'De derde,
zoals Miriamele en Freosel en anderen naar voren hebben gebracht, is
om rechtstreeks Erkynland binnen te trekken, erop gokkend dat wij genoeg aanhangers kunnen vinden om Elias' verdediging te doorbreken.
Er is ook een mogelijkheid dat Isorn en graaf Eolair van Nad Mullach
zich bij ons kunnen aansluiten met manschappen die in de Vorstmark
en Hernystir zijn gerekruteerd.'

De jonge Simon stond op. 'Neem mij niet kwalijk, prins Jozua. Vergeet
de Sithi niet.'

'Er is niets beloofd, Seoman,' zei de Sitha vrouw Aditu. 'Er kan niets beloofd worden.'

Isgrimnur was enigszins van zijn stuk gebracht. Ze had tijdens het de-

bat zo rustig gezeten dat hij had vergeten dat zij er was. Hij had zich afgevraagd of het verstandig was geweest om in haar bijzijn zo openlijk te
praten. Wat wisten Jozua en de anderen eigenlijk echt van de onsterfelijken af?

'En misschien zullen de Sithi zich bij ons aansluiten,' verbeterde Jozua,
'hoewel, zoals Aditu ons heeft verteld, ze niet weet wat er in Hernystir
gebeurt of wat haar volk precies van plan is te doen.' De prins sloot zijn
ogen een moment lang.

'En behalve deze mogelijkheden,' zei hij ten slotte, 'is het ook nodig de
andere twee Grote Zwaarden terug te krijgen. Denk ook aan wat wij
hier vandaag over de Veroveraar Ster hebben gehoord – hetgeen weinig
is, moet ik eerlijk zeggen, behalve dat het enige invloed op de dingen
kan hebben.' Hij wendde zich tot Geloë. 'Het is duidelijk, als je meer te
weten komt, wil ik het graag meteen horen.'

De tovenares knikte.

'Ik wou dat wij hier konden blijven.' Jozua keek snel naar Vorzheva,
maar ze ontweek zijn blik. 'Ik zou niets liever willen dan mijn kind hier
in veiligheid geboren te zien worden. Ik zou het heerlijk vinden om te
zien hoe al onze kolonisten van deze oude plaats een nieuwe, levende
stad maakten, een toevlucht voor allen die er een zoeken. Maar wij kunnen niet blijven. Wij hebben nu al bijna geen voedsel meer, en iedere
dag komen er meer verworpenen en oorlogsslachtoffers aan. En als wij
langer blijven, nodigen wij mijn broer uit om een nog geduchter leger
te sturen dan dat van Fengbald. Ik heb ook het gevoel dat de tijd voor
een defensief spel voorbij is. Dus zullen wij verdergaan.

Van onze twee alternatieven moet ik, na veel nadenken, Nabban kiezen.
Wij zijn niet sterk genoeg om Elias nu meteen tegemoet te treden, en
ik vrees dat Erkynland zo sterk is achteruitgegaan dat we misschien
moeite zullen hebben daar een leger op de been te brengen. Ook, als wij
zullen falen, zouden we nergens anders heen kunnen vluchten dan terug
over de lege landen naar deze plaats. Ik kan niet raden hoevelen zouden
sterven alleen met te proberen aan een mislukte slag te ontsnappen, laat
staan in de slag zelf tussen Elias' troepen en ons geïmproviseerde leger.

Dus wordt het Nabban. Wij zullen ver zijn voor Benigaris een leger op
de been kan brengen, en in die tijd zal Camaris wellicht velen tot onze
banier aanlokken. Als we het geluk hebben om Benigaris en zijn moeder te verdrijven, zal Camaris ook de schepen van Nabban hebben om in
onze dienst te stellen, waardoor het gemakkelijker voor ons wordt om
tegen mijn broer op te treden.'

Hij hief zijn armen op, de vergadering tot stilte manend toen gefluister
het vertrek begon te vullen. 'Maar van de waarschuwingen van het Verbond van het Geschrift over de Veroveraar Ster zal ik dit ter harte ne-

men. Ik zal liever niet in de winter uitrijden, vooral omdat die sinds lang het werktuig van de Stormkoning scheen, maar ik denk dat, hoe vlugger wij van Nabban naar Erkynland kunnen komen, des te beter het is. Als de ster een voorbode is van de val van het rijk, hoeft hij niet ook onze voorbode te zijn: wij zullen hopen dat dit milde weer aanhoudt, en zullen over veertien dagen van hier vertrekken. Dat is mijn besluit.' Hij liet zijn hand naar het tafelblad zakken. 'Ga nu weg allemaal, en slaap wat. Het heeft geen zin om verder te discussiëren. Wij vertrekken van hier naar Nabban.'

Stemmen werden verheven toen sommigen die daar bijeen waren vragen begonnen te roepen. 'Genoeg!' riep Jozua. 'Ga, en laat mij met rust!' Toen hij de anderen naar buiten hielp leiden, keek Isgrimnur achterom. Jozua lag achterover in zijn stoel, zijn slapen met zijn vingers wrijvend. Naast hem zat Vorzheva en zij staarde recht voor zich uit, alsof haar echtgenoot duizenden mijlen ver weg was.

Pryrates verscheen uit het trappenhuis in de klokkenkamer. De hoge gewelfde ramen stonden open voor de elementen en de winden die rond de Groene Engeltoren floten, deden zijn rode gewaad wapperen. Hij bleef staan, de hakken van zijn laarzen nog een keer op de stenen tegels klikkend voor de stilte viel.

'Hebt u mij laten komen, hoogheid?' vroeg hij ten slotte.

Elias staarde over de wirwar van daken van de Hayholt, naar het oosten kijkend. De zon was onder de westelijke rand van de wereld gezonken en de hemel was vol zware zwarte wolken. Het hele land was in schaduw gehuld.

'Fengbald is dood,' zei de koning. 'Hij heeft gefaald. Jozua heeft hem verslagen.'

Pryrates was verrast. 'Hoe kunt u dat weten?'

De Hoge Koning draaide zich snel om. 'Wat bedoel je, priester? Een half dozijn Erkynwachters is vanmorgen aangekomen, de restanten van Fengbalds leger. Ze hebben me vele verrassende verhalen verteld. Maar je klinkt alsof jij het al wist.'

'Nee, hoogheid,' zei de alchimist haastig. 'Ik was alleen maar verbaasd dat ik niet meteen ben ingelicht toen de soldaten arriveerden. Dat is gewoonlijk de taak van de raadsman van de koning…'

'… om het nieuws te ziften en te besluiten wat zijn meester mag horen,' zei Elias om zijn zin af te maken. De ogen van de koning glinsterden. Zijn glimlach was niet aangenaam. 'Ik heb vele informatiebronnen, Pryrates. Vergeet dat niet.'

De priester maakte een stijve buiging. 'Ik heb u beledigd, mijn koning, ik smeek om uw vergeving.'

Elias keek hem een ogenblik aan, draaide zich toen weer naar het raam. 'Ik had beter moeten weten dan die opschepper Fengbald te sturen. Ik had moeten weten dat hij er een troep van zou maken. Bloed en verdoemenis!' Hij sloeg met zijn handpalmen op de stenen vensterbank. 'Had ik Guthwulf maar kunnen sturen.'

'De graaf van Utanyeat heeft bewezen een verrader te zijn, hoogheid,' merkte Pryrates vriendelijk op.

'Verrader of niet, hij was de voortreffelijkste soldaat die ik ooit heb gezien. Hij zou mijn broer en zijn leger hebben vermalen als varkensvlees.' De koning boog zich voorover en pakte een losse steen op, en hield die een ogenblik voor zijn ogen alvorens hem het raam uit te gooien. Hij keek zwijgend hoe hij viel voordat hij weer sprak. 'Nu zal Jozua actie tegen mij ondernemen. Ik ken hem. Hij heeft de troon altijd van mij willen afnemen. Hij heeft mij nooit vergeven dat ik het eerste geboren werd, maar hij was te slim om dat hardop te zeggen. Hij is subtiel, mijn broer. Rustig, maar giftig als een adder.' Het bleke gezicht van de koning was afgetobd en hologig, maar scheen niettemin vol van een vreselijke vitaliteit. Zijn vingers krulden en strekten zich spasmodisch. 'Hij zal mij niet onvoorbereid aantreffen, nietwaar Pryrates?'

De alchimist veroorloofde zich zijn eigen smalle lippen te krullen. 'Nee, mijn heer, dat zal hij niet.'

'Ik heb vrienden, nu… machtige vrienden.' De hand van de koning viel neer op het dubbele gevest van Smart, dat om zijn middel was gegord. 'En er zijn dingen aan de gang waar Jozua nooit van zou kunnen dromen, al leefde hij eeuwen. Dingen die hij nooit zal raden totdat het te laat is.' Hij trok het zwaard uit zijn schede. Het gespikkelde grijze zwaard scheen te leven, iets dat tegen zijn wil onder een rots was uitgetrokken. Elias hield het voor zich uit, de wind woei zijn mantel op, die als vleugels boven hem uitspreidend; een ogenblik maakte de vlekkerige schemering hem een gekneveld wezen, een demon uit donkere, vroegere eeuwen. 'Hij en allen die hij leidt zullen sterven, Pryrates,' siste de koning. 'Ze weten niet met wie ze zich bemoeien.'

Pryrates sloeg hem met oprechte ongerustheid gade. 'Uw broer weet het niet. Maar u zult hem mores leren.'

Elias draaide zich om en zwaaide met het zwaard naar de oostelijke horizon. In de verte speelde een flikkering van bliksem door de turbulente duisternis.

'Kom dan!' riep hij. 'Komen jullie allemaal maar! Er is genoeg dood om te worden gedeeld! Niemand zal de Drakentroon van mij afnemen. Niemand kan dat.'

Als in antwoord klonk er een flauw gerommel van donder.

25

Het beeld van de hemel

Ze kwamen uit het noorden rijdend op zwarte paarden – rossen die in koude duisternis waren grootgebracht, stevig op de benen in de donkere nacht, niet bang van ijzige wind of hoge bergpassen. De ruiters waren met zijn drieën, twee vrouwen en een man, allen Wolkenkinderen en hun dood werd al bezongen door de Lichtlozen, want er bestond weinig kans dat ze ooit naar Nakkiga zouden terugkeren. Zij waren de Klauwen van Utuk'ku.

Toen ze van de Stormpiek vertrokken, reden ze door de ruïnes van de oude stad, het Nakkiga-van-vroeger, nauwelijks een blik overhebbend voor de neergestorte overblijfselen van een eeuw waarin hun volk nog onder de zon had gewoond. Bij nacht trokken zij door de dorpen van de Zwarte Rimmersmannen. Daar kwamen zij niemand tegen, aangezien de inwoners van die nederzettingen, als alle stervelingen in dat ongelukkige land, beter wisten dan zich buitenshuis te begeven nadat de schemering was ingevallen.

Ondanks de snelheid en kracht van hun rossen, hadden de drie ruiters er vele nachten voor nodig om de Vorstmark door te trekken. Met uitzondering van die slapers in afgelegen nederzettingen die aan onverwachts boze dromen leden, of de zeldzame reizigers die een extra kilte aan de reeds ijskoude wind opmerkten, werden de reizigers niet waargenomen. Ze reden in stilte en schaduw verder tot ze Naglimund bereikten.

Daar hielden zij stil om hun paarden te laten rusten – zelfs de wrede tucht van de stallen op de Stormpiek kon niet verhinderen dat een levend dier uiteindelijk moe werd – en te overleggen met degenen van hun soort die nu het verlaten kasteel van Jozua van Erkynland bewoonden. De leidster van Utuk'ku's Klauwen – hoewel zij slechts eerste onder gelijken was – bewees een oncomfortabele eer aan de omhulde meester van het kasteel, een van de Rode Hand. Hij zat in zijn grijze lijkkleden sintelrood naar iedere vrouw te turen, op het smeulende wrak van wat eens Jozua's prinselijke staatstroon was geweest. Zij was eerbiedig hoewel ze niet meer deed dan nodig was. Zelfs de Nornen, door de lange eeuwen heen gehard, verschrompeld door hun koude verbanning, werden door de volgelingen van de Stormkoning van streek gemaakt. Evenals hun meester waren zij naar de *overzijde* gegaan – zij hadden niet-zijn geproefd en waren toen teruggekomen; zij verschilden evenzeer van hun nog levende broeders als een ster van een zeester. De Nornen hielden niet van de Rode Hand, hielden niet van hun verschroeide leegheid – elk van de vijf was weinig meer dan een gat in het materiaal van de werkelijkheid, een gat gevuld door haat – maar zolang hun meesteres Ineluki's oorlog tot haar eigen oorlog maakte, hadden ze geen andere keus dan voor de hoofddienaren van de Stormkoning te buigen.

Zij merkten ook dat ze verwijderd waren van hun eigen broeders. Sinds de Klauwen waren doodgezongen, behandelden de Hikeda'ya van Naglimund hen met eerbiedige stilte en lieten hen in een koude kamer ver van de rest van de stam logeren. De drie Klauwen bleven niet lang in het door wind doorspookte kasteel.

Vandaar reden ze over de Steil, door de ruïnes van Da'ai Chikiza, en daarna westwaarts door het Aldheorte, waar de reizigers een wijde boog beschreven rond de grenzen van Jaoé-Tinukai'i. Utuk'ku en haar bondgenoot hadden hun confrontatie met de Dageraadskinderen al gehad en er het volle profijt van gekregen: de taak was er een die geheimhouding vereiste. Hoewel het woud zich soms actief tegen hen scheen te verzetten met paden die ineens verdwenen en boomtakken die zo dicht verstrengeld waren dat ze het gefilterde licht van de sterren anders en verwarrend maakten, reed het drietal niettemin verder, onverbiddelijk naar het zuidoosten gaand. Zij waren de uitverkorenen van de Nornkoningin: ze waren niet zo gemakkelijk van hun prooi af te brengen.

Ten slotte bereikten ze de rand van het woud. Ze waren nu dicht bij hetgeen zij zochten. Als Ingen Jegger vóór hen, waren ze uit het noorden gekomen, dood brengend voor Utuk'ku's vijanden, maar in tegenstelling tot de Jager van de Koningin, die de eerste keer dat hij zich tegen de Zida'ya had gericht verslagen was, waren deze drie onsterfelijken. Er zou geen haast zijn. Er zouden geen fouten worden begaan.

Zij wendden hun paarden richting Sesuad'ra.

'Ach, bij de goede God, ik voel dat er een zwaarte van mijn schouders is afgenomen.' Jozua haalde diep adem. 'Het is heerlijk om eindelijk weer op weg te zijn.'

Isgrimnur glimlachte. 'Ook al zijn niet allen het ermee eens,' zei hij. 'Ja, het is goed.'

Jozua en de hertog van Elvritshalla zaten op hun paarden bij de stenen van de poort die de rand van de heuvel aanduidden en keken hoe de burgers van Nieuw Gadrinsett op een hoogst wanordelijke manier hun kamp opbraken. De stoet slingerde zich langs hen heen de oude Sithiweg af, rond de massa van de Steen des Afscheids wentelend tot hij uit het zicht verdween. Er schenen evenveel schapen en koeien op weg te gaan als mensen, een leger van onhulpvaardige dieren die blaatten, loeiden, en tegen elkaar opbotsten, chaos veroorzakend onder de te zwaar beladen burgers. Sommigen van de kolonisten hadden primitieve wagens gebouwd en hadden hun bezittingen heel hoog opgestapeld, wat bijdroeg tot de vreemde sfeer van een feest.

Jozua fronste. 'Als een leger, lijken we meer op een stadsmarkt die verplaatst wordt.'

Hotvig, die net met Freosel, de man uit Falshire, was komen aanrijden, lachte. 'Zo zien onze clans er altijd uit wanneer ze op reis zijn. Het enige verschil is dat de meesten van hen steenbewoners zijn. Je raakt er wel aan gewend.'

Freosel sloeg het gebeuren kritisch gade. 'Wij hebben al het vee en schapen nodig die we kunnen krijgen, hoogheid. Er zijn vele monden die gevoed moeten worden.' Hij leidde zijn paard onbeholpen een paar stappen voorwaarts – hij was nog steeds niet gewend om te rijden. 'He, daar!' riep hij. 'Maak wat ruimte voor die wagen!'

Isgrimnur vond dat Jozua gelijk had: het leek inderdaad op een rondreizende markt, hoewel dit gezelschap wat minder vrolijk was dan gewoonlijk bij dat soort dingen het geval was. Er waren kinderen die huilden – hoewel niet alle kinderen het vervelend vonden om te reizen – en ook een gestadige onderstroom van gekibbel en geklaag door de burgers van Nieuw Gadrinsett. Weinigen onder hen hadden die plaats van betrekkelijke veiligheid willen verlaten; het idee om Elias op de een of andere manier van zijn troon te stoten, liet hen koud, en vrijwel alle kolonisten zouden er de voorkeur aan hebben gegeven om op de Sesuad'ra te blijven, terwijl anderen te maken hadden met de wrede werkelijkheid van de oorlog – maar het was ook duidelijk dat het geen echt alternatief was om op deze afgelegen plaats te blijven nadat Jozua alle gewapende mannen had meegenomen. Dus, boos, maar niet bereid om meer lijden te riskeren zonder de bescherming van het geïmproviseerde leger van de prins, volgden de inwoners van Nieuw Gadrinsett Jozua naar Nabban.

'Wij zouden een nest van geleerden geen angst aanjagen met dit stel,' zei de prins, 'laat staan mijn broer. Toch, heb ik geen lagere dunk van hen – van een van ons – vanwege onze vodden en armzalige wapenrusting.' Hij glimlachte. 'Eigenlijk denk ik dat ik voor het eerst weet wat mijn vader voelde. Ik heb mijn leenmannen altijd zo goed mogelijk behandeld, want dat is wat God van mij verlangde, maar ik heb nooit de sterke liefde gevoeld die Prester John voor al zijn onderdanen voelde.' Jozua streelde peinzend Vinyafods hals. 'Ik wou dat de oude man ook voor zijn beide zonen iets van die liefde had kunnen bewaren. Toch denk ik dat ik eindelijk weet wat hij voelde toen hij door de Nearulaghpoort naar Erchester reed. Hij zou zijn leven voor die mensen hebben gegeven, zoals ik het mijne voor deze geven zou.' De prins glimlachte opnieuw, verlegen, alsof hij zich schaamde voor wat hij had onthuld. 'Ik zal dit geliefde gepeupel van mij veilig door Nabban brengen, Isgrimnur, wat er ook voor nodig is. Maar wanneer we naar Erkynland gaan, leggen we de dobbelstenen in handen van God – en wie weet wat Hij ermee zal doen?'

'Niet een van ons,' zei Isgrimnur. 'En goede daden kopen Zijn gunst ook niet. In elk geval heeft uw pater Strangyeard dat onlangs op een avond tegen mij gezegd, dat hij dacht dat het wel eens evenzeer een zonde zou kunnen zijn om te proberen Gods liefde door goede daden te kopen als om slechte daden te bedrijven.'

Een muilezel – een van de weinige op heel Sesuad'ra – stond aan de rand van de weg te balken. Zijn eigenaar duwde tegen de wagen waaraan de ezel was vastgebonden, proberend hem van achteren tot lopen aan te sporen. Het beest stond stokstijf met uitgespreide poten, stil maar onvermurwbaar. De eigenaar liep naar voren en gaf een klap met zijn zweep op de rug van de muilezel, maar het dier legde alleen zijn oren in de nek en hief de kop op, de klappen met stomme koppige vijandigheid aanvaardend. De vloeken van de eigenaar vervulden de ochtendlucht, weerkaatst door de mensen die achter zijn stilstaande wagen in de val zaten.

Jozua lachte en boog zich dichter naar Isgrimnur over. 'Als u zou zien hoe ik zelf denk dat ik eruitzie, kijk dan naar dat arme beest. Als hij heuvelopwaarts moest, zou hij de hele dag trekken zonder een ogenblik blijk te geven van moeheid. Maar nu heeft hij een lang en gevaarlijk omlaag lopend pad voor zich en een zware wagen achter zich – geen wonder dat hij geen poot verzet. Hij zou wachten tot de Dag des Oordeels als hij kon.' Zijn grijns verflauwde en hij draaide zich om en keek de hertog met zijn grijze ogen strak aan. 'Maar ik ben u in de rede gevallen. Zeg nog eens wat Strangyeard u heeft verteld.'

Isgrimnur keek naar de muilezel en zijn drijver. De situatie had iets komisch en pathetisch, iets dat meer scheen te suggereren dan het onthulde. 'De priester zei dat het een zonde is om Gods gunst met goede daden te kopen. Welnu, eerst verontschuldigde hij zich dat hij eigenlijk gedachten heeft – je weet hoe hij is, een bange muis van een man – maar zei het in ieder geval. Dat God ons niet schuldig is, en wij Hem alles schuldig zijn, dat wij goede dingen behoren te doen omdat ze goed zijn en het goede het dichtste bij God is, niet omdat we beloond willen worden als kinderen die snoepjes krijgen omdat ze zich rustig hebben gedragen.'

'Pater Strangyeard is een muis, ja,' zei Jozua. 'Maar een muis kan dapper zijn. Klein als ze zijn, leren zij dat het wijzer is om de kat niet uit te dagen. Zo is het met Strangyeard, denk ik. Hij weet wie hij is en waar hij thuishoort.' Jozua's ogen dwaalden omhoog van het futiele meppen van de ezel tot de westelijker heuvels die het dal ommuurden. 'Maar ik zal nadenken over wat hij zei. Soms handelen wij werkelijk zoals God ons vraagt omdat we bang zijn of omdat wij hopen op een beloning. Ja, ik zal nadenken over wat hij heeft gezegd.'

Isgrimnur wenste plotseling dat hij zijn mond had gehouden.

Dat is alles wat Jozua nodig heeft – nòg een reden om zich te bekritiseren. Hou hem in beweging, oude man, niet aan het denken. Hij is magisch wanneer hij zijn zorgen overboord gooit. Dan is hij een echte prins. Dat is hetgeen ons een kans zal geven om te blijven leven en eens bij het vuur over dergelijke dingen te praten.

'Wat vind je ervan als we deze idioot en zijn muilezel van de weg af zetten?' stelde Isgrimnur voor. 'Anders zal deze plaats weldra minder op een stadsmarkt en meer op de Slag van Nearulagh lijken.'

'Ja, dat denk ik ook.' Jozua glimlachte weer, zonnig als de koude heldere morgen. 'Maar ik denk niet dat die idiote drijver degene is die moet worden overtuigd – en muilezels hebben geen eerbied voor prinsen.'

'*Yah, Nimsuk!*' riep Binabik. 'Waar is Sisqinanamook?'

De herder draaide zich om en hief zijn kromstaf ter begroeting op. 'Ze is bij de boten, Zingende Man. Kijken of hij lekt, zodat de poten van de rammen niet nat worden!' Hij lachte, waarbij hij een mondvol ongelijke tanden liet zien.

'En opdat jij niet hoeft te zwemmen, aangezien je als een steen naar de bodem zou zinken,' grinnikte Binabik op zijn beurt. 'Ze zouden je in de zomer vinden als het water weg was, een mannetje van modder. Toon enig respect.'

'Het is te zonnig,' antwoordde Nimsuk. 'Zie ze eens dartelen!' Hij wees naar de rammen, die inderdaad heel levendig waren; verscheidene van hen waren schijngevechten aan het leveren, iets dat ze bijna nooit deden.

'Laat ze elkaar alleen niet afmaken,' zei Binabik. 'Geniet van je rust.' Hij boog zich voorover en fluisterde in Qantaqa's oor. De wolf sprong vooruit over de sneeuw terwijl de trol zich aan haar nekharen vasthield.

Sisqi was inderdaad de platbodems aan het inspecteren. Binabik liet Qantaqa los, die zich krachtig schudde en wegdraafde naar de nabijgelegen zomen van het bos. Binabik sloeg zijn verloofde met een glimlach gade. Ze onderzocht de boten even wantrouwig als een laaglander de touwen van een Qanucse hangbrug zou inspecteren.

'Zo voorzichtig,' plaagde Binabik haar, lachend. 'De meesten van onze mensen zijn al overgestoken.' Hij wuifde met zijn arm naar de witte rammen waarmee de bodem van de vallei bespikkeld was, de groepjes trollen herders en jageressen die van de korte tijd van rust genoten voordat de reis werd hervat.

'En ik zal ervoor zorgen dat iedereen veilig naar de overkant komt.' Sisqi draaide zich om en opende haar armen voor hem. Ze stonden een tijdje van aangezicht tot aangezicht, zonder te spreken. 'Dit reizen op water is één ding wanneer er een paar in het Moddermeer aan het vissen zijn,' zei ze ten slotte, 'maar het is iets anders wanneer mij de zorg is toevertrouwd voor de levens van heel mijn volk en alle rammen.'

'Ze hebben geluk dat jij op hen past,' zei Binabik, nu ernstig. 'Maar vergeet de boten even.'

Ze omarmde hem innig. 'Dat heb ik gedaan.'

Binabik hief zijn hoofd op en keek over het dal. De sneeuw was op vele plaatsen gesmolten, en plukjes geelgroen gras staken erdoorheen. 'De kudden zullen zich ziek eten,' zei hij. 'Ze zijn niet aan zo'n overvloed gewend.'

'Gaat de sneeuw weg?' vroeg zij. 'Je zei eerder dat deze landen in deze tijd van het jaar normaal niet zijn ondergesneeuwd.'

'Niet altijd, maar de winter heeft zich ver naar het zuiden verspreid. Toch schijnt hij zich weer terug te trekken.' Hij keek omhoog naar de lucht. De paar wolken schenen de kracht van de zon allerminst te verminderen. 'Ik weet niet wat ik moet denken. Ik kan niet geloven dat hij die gemaakt heeft dat de winter zo ver naar het zuiden ging het heeft opgegeven. Ik weet het niet.' Hij nam zijn hand van Sisqi's zijde af en sloeg er een keer mee tegen zijn borstbeen. 'Ik kwam om te zeggen dat het me spijt dat ik je de laatste tijd zo weinig heb gezien. Er moesten vele besluiten worden genomen. Geloë en de anderen hebben urenlang met Morgenes' boek gewerkt om de antwoorden te vinden die wij zoeken. We hebben ook Ookequks perkamentrollen bestudeerd, en dat kan niet zonder mij.'

Sisqi tilde zijn hand op die op haar wang was gebleven, en drukte die alvorens hem los te laten. 'Je hoeft geen spijt te hebben. Ik weet wat je doet…' ze boog haar hoofd naar de boten die aan de rand van het water lagen te dobberen, '… net zoals jij weet wat ik moet doen.' Ze sloeg haar ogen neer. 'Ik heb je zien spreken op de raad van de laaglanders. De meeste woorden kon ik niet verstaan, maar ik zag dat ze met eerbied naar je keken, Binbiniqegabenik.' Ze gaf zijn volle naam een rituele klank. 'Ik was trots op je, míjn man. Ik wou alleen dat mijn vader en moeder jou konden zien zoals ik je zag. Zoals ik je zie.'

Binabik snoof, maar het was duidelijk dat hij blij was. 'Ik denk niet dat het respect veel waard zou zijn op de kerfstok van je ouders. Maar ik dank je. De laaglanders hebben ook een hoge dunk van jou – van heel ons volk nadat ze ons in de strijd hebben gezien.' Zijn ronde gezicht werd ernstig. 'En dat is nòg iets waarover ik het met je wilde hebben. Je hebt me eens verteld dat je erover dacht naar Yiqanuc terug te gaan. Doe je dat gauw?'

'Ik denk er nog steeds over,' zei ze. 'Ik weet dat mijn moeder en vader ons nodig hebben, maar ik denk ook dat er dingen zijn die wij hier kunnen doen. Laaglanders en trollen die gezamenlijk vechten – misschien is dat iets dat ons volk in de toekomst veiliger zal maken.'

'Knappe Sisqi,' zei Binabik glimlachend. 'Maar de strijd zou wel eens te fel kunnen worden voor ons volk. Jij hebt nooit een oorlog om een kasteel gezien – wat de laaglanders een "belegering" noemen. Er zou wel eens weinig plaats kunnen zijn voor ons volk in een dergelijke strijd, maar wel veel gevaar. En Jozua en zijn mensen hebben minstens een of twee van dergelijke gevechten voor zich.'

Ze knikte ernstig. 'Dat weet ik. Maar er is een belangrijkere reden, Binabik. Ik zou het heel moeilijk vinden om je weer te verlaten.'

Hij keek de andere kant uit. 'Zoals ik het moeilijk vond om je te verlaten toen Ookequk mij meenam naar het zuiden, maar wij beiden weten dat er plichten zijn die maken dat wij dingen doen die we liever niet zouden doen.' Binabik liet zijn arm door de hare glijden. 'Kom laten we een poosje gaan wandelen, want in de komende dagen zullen we niet veel tijd hebben om samen te zijn.'

Ze draaiden om en liepen terug naar de voet van de heuvel, de drukte van mensen die op boten wachtten vermijdend. 'Het spijt mij het meest dat deze moeilijkheden ons beletten te trouwen,' zei hij.

'Alleen maar de woorden. Die avond dat ik je kwam halen om je te bevrijden, zijn wij getrouwd. Ook al zouden we elkaar nooit meer hebben gezien.'

Binabik trok zijn schouders op. 'Ik weet het. Maar jij behoort de woorden te krijgen. Je bent de dochter van de Jageres.'

'We hebben afzonderlijke tenten,' zei Sisqi lachend. 'Alles wat eerbaar is wordt in acht genomen.'

'En ik vind het niet erg om de mijne met de jonge Simon te delen. Maar ik zou hem liever met jou delen.'

'Onze tijd komt.' Ze kneep in zijn hand. 'En wat ga jij doen wanneer dit alles voorbij is, mijn liefste?' Ze hield haar stem in bedwang, alsof er weinig sprake van was of er een later zou zijn. Qantaqa verscheen uit het woud en sprong naar hen toe.

'Wat bedoel je? Jij en ik zullen teruggaan naar Mintahoq... of, als jij al weg bent, zal ik naar je toe komen.'

'En Simon?'

Binabik had zijn pas vertraagd. Nu bleef hij staan en duwde met zijn stok sneeuw van een hangende tak. Hier in de lange schaduwen van de heuvel was het schorre lawaai van de vertrekkende menigten zwakker. 'Ik weet het niet. Ik ben aan hem gebonden door beloften, maar er komt een dag waarop die nietig kunnen worden verklaard. Daarna...' Hij haalde met een trolachtig gebaar, waarbij hij zijn handpalmen uitstrekte, zijn schouders op. 'Ik weet niet wat ik voor hem beteken, Sisqi. Geen broer, geen vader zeker...'

'Een vriend?' opperde ze aardig. Qantaqa stond naast haar, haar hand besnuffelend. Ze krabde de snuit van de wolf, en liet haar vingers langs kaken glijden die haar arm tot haar elleboog konden verslinden. De wolf gromde tevreden.

'Dat zeker. Hij is een goede jongen. Nee, hij is een goede man, veronderstel ik. Ik heb hem zien groeien.'

'Moge Qinkipa van de Sneeuw ons veilig door dit alles heen brengen,' zei ze ernstig. 'Opdat Simon gelukkig oud mag worden, jij en ik elkaar mogen liefhebben en kinderen grootbrengen, en ons geslacht onze bergen mag behouden om in te wonen. Ik ben niet langer bang van laaglanders, Binabik, maar ik ben gelukkiger onder lieden die ik begrijp.'

Hij draaide zich om en trok haar dicht naar zich toe. 'Moge Qinkipa je geven waar je om vraagt. En vergeet niet,' zei hij, zijn hand uitstekend om zijn vingers naast de hare op de nek van de wolf te leggen, 'we moeten wensen dat de Sneeuwmaagd Qantaqa ook beschermt.' Hij grinnikte. 'Kom ga nog een eindje verder met me mee. Ik ken een rustig plekje op de helling, beschut tegen de wind... het laatste plekje voor ons alleen dat wij misschien in dagen zullen zien.'

'Maar de boten, Zingende Man,' plaagde zij. 'Ik moet nog eens naar ze kijken.'

'Je hebt ze stuk voor stuk al twaalf keer bekeken,' zei hij. 'Trollen zouden lachend door dat water kunnen zwemmen, als ze het moesten doen. Kom.'

Ze sloeg haar arm om hem heen en ze gingen, de hoofden dicht naar elkaar toe gebogen. De wolf trippelde achter hen aan, stil als een grijze schaduw.

'Verdomme, Simon, dat doet pijn!' Jeremias viel achterover, aan zijn gewonde vingers zuigend. 'Omdat je een ridder bent, wil dat niet zeggen dat je mijn hand moet breken.'

Simon ging rechtop zitten. 'Ik probeer je alleen maar iets te laten zien dat Sludig mij geleerd heeft. En ik heb de oefening nodig. Wees geen kleuter.'

Jeremias keek hem met afschuw aan. 'Ik ben geen kleuter, Simon. En jij bent Sludig niet. Ik denk niet eens dat je het goed doet.'

Simon haalde een paar keer diep adem, een boze opmerking onderdrukkend. Het was niet Jeremias' schuld dat hij rusteloos was. Hij had dagenlang niet met Miriamele kunnen spreken, en ondanks het enorme en ingewikkelde proces om het kamp op de Sesuad'ra op te breken, scheen er voor Simon nog steeds weinig van belang te doen. 'Het spijt me. Het was stom om dat te zeggen.' Hij pakte het oefenzwaard op, gemaakt van hout dat gered was van de oorlogsbarricade. 'Laat me je alleen dit laten zien, dit waar je het zwaard draait...' Hij stak zijn arm uit en raakte Jeremias' houten wapen. 'Kijk, zó...'

Jeremias zuchtte. 'Ik wou maar dat je met de prinses ging praten in plaats van mij ervan langs te geven, Simon.' Hij hief het zwaard op. 'O, vooruit dan maar.'

Ze maakten een schijnbeweging en vielen aan, de zwaarden luid klikkend. Sommige van de schapen die in de buurt aan het grazen waren, keken lang genoeg op om te zien of de rammen weer aan het vechten waren; toen het echter een wedstrijd tussen tweebenige jongelingen bleek te zijn, gingen ze door met grazen.

'Waarom zei je dat over de prinses?' vroeg Simon hijgend.

'Wat?' Jeremias probeerde buiten bereik van de langere armen van zijn tegenstander te blijven. 'Waarom denk je? Je hebt almaar rondgehangen nadat ze hier is gekomen.'

'Niet waar.'

Jeremias deed een stap achteruit en liet de punt van zijn houten zwaard naar de grond zakken. 'O nee? Dan moet het een andere onbeholpen, roodharige idioot zijn geweest.'

Simon glimlachte verlegen. 'Is het zo duidelijk te zien?'

'Usires Verlosser, ja! En wie zou dat niet doen? Ze is werkelijk mooi, en ze lijkt aardig.'

'Zij is... meer dan dat. Maar waarom hang jij dan niet om haar heen?'

Jeremias wierp hem snel een beledigde blik toe. 'Alsof ze mij ook maar zou opmerken als ik dood voor haar voeten neerviel.'

Zijn gezicht kreeg een spottende uitdrukking. 'Niet dat ze zich bepaald in jouw armen schijnt te werpen.'

'Dat is niet grappig,' zei Simon dreigend.

Jeremias kreeg medelijden. 'Het spijt me, Simon. Ik weet zeker dat verliefd zijn afschuwelijk is. Kijk, kom maar en breek de rest van mijn vingers als je je daardoor beter zult voelen.'

'Dat zou kunnen.' Simon grinnikte en hief zijn zwaard nogmaals op. 'Nou, verdomme, Jeremias, doe dit goed.'

'Sla iemand tot ridder,' zei Jeremias, een neerwaartse slag ontwijkend, 'en je ruïneert het leven van zijn vrienden voor altijd.'

Het lawaai van hun twist nam weer toe, het onregelmatige gekletter van zwaard op zwaard als het geklop van een enorme en dronken specht.

Ze zaten op het natte gras te hijgen, een waterzak delend. Simon had het boord van zijn hemd losgemaakt om de wind tot zijn verhitte huid toe te laten. Weldra zou hij onbehaaglijk kil zijn, maar op dit ogenblik voelde de lucht heerlijk aan. Een schaduw viel tussen beiden in en ze keken verschrikt op.

'Heer Camaris!' Simon krabbelde overeind. Jeremias keek alleen maar met grote ogen.

'*Hea*, zit, jongeman.' De oude man spreidde zijn vingers, Simon gebarend weer te gaan zitten. 'Ik keek alleen maar hoe jullie tweeën aan het zwaardvechten waren.'

'We kunnen het niet zo goed.'

'Dat is zo.'

Simon had half gehoopt dat Camaris hem zou tegenspreken. 'Sludig heeft geprobeerd mij te leren wat hij kon,' zei hij, proberend zijn stem eerbiedig te houden. 'We hebben niet veel tijd gehad.'

'Sludig. Dat is Isgrimnurs leenman.' Hij keek Simon aandachtig aan. 'En jij bent de jongen van het kasteel, nietwaar? Degene die Jozua tot ridder heeft geslagen?' Voor de eerste keer was het duidelijk dat hij een licht accent had. Het iets te ronde rollen van de Nabbaanse taal was nog hoorbaar in zijn statige zinnen.

'Ja, heer Camaris. Mijn naam is Simon. En dit is mijn vriend – en mijn schildknaap – Jeremias.'

De oude man richtte snel zijn blik op Jeremias en liet zijn kin even zakken alvorens zijn lichtblauwe ogen op Simon te richten. 'De dingen zijn veranderd,' zei hij langzaam. 'En niet ten goede, denk ik.'

Simon wachtte een ogenblik zodat Camaris het kon uitleggen. 'Wat bedoelt u, sire?' vroeg hij.

De oude man zuchtte. 'Het is niet jouw schuld, jongeman. Ik weet dat vorsten soms te velde ridders maken, en ik twijfel er niet aan dat jij nobele daden hebt verricht – ik heb gehoord dat je geholpen hebt mijn zwaard Doorn te vinden – maar een ridderschap omvat meer dan een klap van een zwaard. Het is een hoge roeping, Simon... een hoge roeping.'

'Heer Deornoth heeft geprobeerd mij bij te brengen wat ik diende te weten,' zei Simon. 'Voor mijn nachtwake heeft hij mij de Normen van de Ridderschap geleerd.'

Camaris ging zitten, verbazingwekkend behendig voor een man van zijn leeftijd. 'Maar toch, jongen, maar toch. Weet je hoe lang ik als page en schildknaap van Gavenaxes van Honsa Claves in dienst ben geweest?'

'Nee, sire.'

'Twaalf jaar. En iedere dag, jonge Simon, iedere dag ervan was een les. Ik heb er twee lange jaren voor nodig gehad eenvoudig om voor Gavenaxes' paarden te leren zorgen. Jij hebt een paard, nietwaar?'

'Ja, sire.' Simon voelde zich niet op zijn gemak, maar was toch geboeid. De grootste ridder in de geschiedenis van de wereld sprak met hem over de regels van het ridderschap. Iedere jonge edelman van Rimmersgaarde tot Nabban zou zijn linkerarm hebben gegeven om in Simons plaats te zijn. 'Ze heet Thuisvinder.'

Camaris keek hem scherp aan, alsof hij de naam afkeurde, maar ging verder alsof dat niet zo was. 'Dan moet je leren op de juiste manier voor haar te zorgen. Zij is meer dan een vriendin, Simon, zij maakt evenzeer deel van je uit als je twee benen en twee armen. Een ridder die zijn paard niet kan vertrouwen, die zijn paard niet evengoed kent als zichzelf, die niet elk stukje van het tuig duizend keer heeft schoongemaakt en hersteld – welnu hij zal van weinig nut zijn voor zichzelf of voor God.'

'Ik probeer het, heer Camaris, maar er is zoveel te leren.'

'Ik geef toe dat het een tijd van oorlog is,' vervolgde Camaris. 'Dus is het heel toelaatbaar om sommige van de minder cruciale kunsten – jagen en valkenjacht en dergelijke – te veronachtzamen.' Maar hij keek niet alsof hij helemaal op zijn gemak was met zijn gedachte. 'Het is zelfs denkbaar dat de regels van prioriteit niet zo belangrijk zijn als in andere tijden, behalve in zoverre als ze inbreuk maken op de militaire tucht; toch is het gemakkelijker om te vechten wanneer je je plaats in Gods wijze plan kent. Het valt daarom nauwelijks te verwonderen dat de strijd hier met de mannen van de koning een knokpartij was.' Zijn blik van ernstige concentratie werd ineens zachter; zijn ogen werden mild. 'Maar ik verveel je, nietwaar?' Zijn lippen krulden. 'Ik ben veertig jaar lang geweest als iemand die slaapt, maar desondanks ben ik toch een oude man. Het is niet mijn wereld.'

'O, nee,' zei Simon ernstig. 'U verveelt mij niet, heer Camaris. Helemaal niet.' Hij keek Jeremias aan om steun, maar zijn vriend zat zwijgend te staren. 'Vertel mij alstublieft alles dat zal helpen een betere ridder van me te maken.'

'Ben je aardig aan het doen?' vroeg de grootste ridder in het Aedondom. Zijn toon was koel.

'Nee, sire.' Simon lachte ondanks zichzelf en vreesde heel even dat hij in angstig gegiechel zou oplossen. 'Nee, sire. Vergeef mij, maar dat u mij vraagt of u me verveelt…' Hij kon geen woorden vinden om de schitterende dwaasheid van een dergelijk idee te beschrijven. 'U bent een held, heer Camaris,' zei hij eenvoudig. 'Een held.'

De oude man stond op met dezelfde verbazingwekkende lenigheid waarmee hij was gaan zitten. Simon vreesde dat hij hem op de een of andere manier had beledigd.

'Sta op, knaap.'

Simon deed wat hem gezegd werd.

'Jij ook... Jeremias.' Simons vriend gehoorzaamde de wenkende vinger van de ridder. Camaris keek hen beiden kritisch aan. 'Leen me je zwaard, alsjeblieft.' Hij wees op het houten zwaard dat Simon nog altijd in de hand had geklemd. 'Ik heb Doorn in haar schede in mijn tent gelaten. Ik voel me nog steeds niet helemaal op mijn gemak als ik haar dicht bij me heb, moet ik bekennen. Zij heeft iets rusteloos dat ik niet prettig vind. Misschien ligt het alleen maar aan mij.'

'Haar?' vroeg Simon verbaasd.

De oude man maakte een afwijzend gebaar. 'Dat is de manier waarop wij op Vinitta praten. Boten en zwaarden zijn "zij", stormen en bergen zijn "hij". Let nu goed op me.' Hij pakte het oefenzwaard en trok een cirkel in het natte gras. 'De Regels van het Ridderschap zeggen ons dat, omdat wij geschapen zijn naar het evenbeeld van onze Heer, de wereld dat ook is...' Hij trok een kleinere cirkel in de eerste, 'gemaakt naar het evenbeeld van de Hemel. Maar helaas, zonder zijn genade.' Hij bekeek de cirkel kritisch alsof hij die al bevolkt kon zien door zondaren. 'Zoals de engelen de volgelingen en boodschappers van God de Hoogste zijn,' vervolgde hij, 'zo dient de broederschap van de ridderschap zijn verschillende aardse heersers. De engelen brengen Gods goede werken voort, die absoluut zijn, maar de aarde is onvolmaakt, en zij die over ons regeren ook, zelfs de besten. Dientengevolge zal er onenigheid zijn over wat Gods wil is. Er zal oorlog komen.' Hij verdeelde zijn binnenste cirkel met een enkele lijn. 'Door deze proef zal de rechtvaardigheid van onze heersers bekend worden gemaakt. Oorlog is hetgeen dat de snede van Gods wil het nauwkeurigst weerspiegelt, want oorlog is hetgeen waar de opkomst of val van aardse rijken van afhangt. Als kracht alleen de overwinning bepaalde, kracht niet verzacht door eer of genade, zou er geen overwinning zijn, want Gods wil kan nooit worden geopenbaard door louter grotere kracht uit te oefenen. Houdt God meer van de kat dan van de muis?' Camaris schudde ernstig zijn hoofd, en richtte toen zijn scherpe ogen op zijn gehoor. 'Luisteren jullie?'

'Ja,' zei Simon vlug. Jeremias knikte alleen maar, nog zwijgend alsof hij met stomheid was geslagen.

'Dus. Alle engelen – met uitzondering van Degene die Vluchtte – zijn bovenal gehoorzaam aan God, omdat hij volmaakt is, alwetend en tot alles in staat.' Camaris tekende een reeks streepjes op de buitenste cirkel, die de engelen voorstelden, nam Simon aan. In werkelijkheid was hij enigszins in de war, maar hij had ook het gevoel dat hij veel van wat de ridder zei kon begrijpen, dus hield hij zich vast aan wat hij kon vatten en wachtte. 'Maar,' ging de oude man verder, 'de vorsten van mensen zijn, zoals ik eerder zei, onvolmaakt. Zij zijn zondaren, zoals wij allen. Dus, hoewel iedere ridder trouw is aan zijn leenheer, moet hij ook trouw zijn aan de Regels van de Ridderschap – alle regels van oorlog en gedrag, de regels van eer, genade en verantwoordelijkheid – die voor alle ridders eender zijn.' Camaris deelde de lijn door de binnenste cirkel in tweeën, een loodlijn trekkend. 'Dus, ongeacht welke aardse heerser een strijd wint, als zijn ridders trouw zijn aan hun regels, zal de slag gewonnen zijn volgens Gods wet. Het zal een getrouwe afspiegeling zijn van Zijn wil.' Hij keek Simon met zijn scherpe blik aan. 'Hoor je mij?'

'Ja, sire.' In werkelijkheid was het zinnig, hoewel Simon er een tijdje alleen over wilde nadenken.

'Goed.' Camaris boog zich voorover en veegde het met modder besmeurde houten zwaard even zorgvuldig schoon alsof het Doorn was, en gaf het toen aan Simon terug. 'Nu, evenals Gods priesters Zijn wil begrijpelijk moeten maken voor het volk, in een vorm die aangenaam en eerbiedig is, moeten Zijn ridders zijn wensen op eenzelfde manier ten uitvoer brengen. Daarom behoort oorlog, hoe afgrijselijk ook, geen gevecht tussen beesten te zijn. Daarom is een ridder meer dan alleen maar een sterke man op een paard. Hij is Gods plaatsvervanger op het slachtveld. Zwaardvechten is bidden, jongens – ernstig en droevig, maar toch vreugdevol!'

Hij ziet er niet erg vreugdevol uit, dacht Simon. *Maar hij heeft iets priesterlijks.*

'En daarom wordt men geen ridder door alleen maar een nachtwake te houden en met een zwaard te worden getikt, evenmin als men priester zou kunnen worden door het Boek van de Aedon van het ene eind van het dorp naar het andere te dragen. Er is studie, studie in ieder onderdeel voor nodig.' Hij richtte zich tot Simon. 'Ga staan en hou je zwaard omhoog, jongeman.'

Simon deed dat. Camaris was ruim een handbreedte langer dan hij, hetgeen interessant was. Simon was eraan gewend geraakt dat hij langer was dan bijna iedereen.

'Je houdt het vast als een stok. Spreidt je handen, zo.' De lange handen van de ridder vouwden zich om Simons eigen handen. Zijn vingers waren droog en hard, even ruw alsof Camaris zijn hele leven had doorgebracht met het bewerken van de aarde, of het bouwen van stenen muren. Ineens, door zijn aanraking, besefte Simon de enormiteit van de ervaring van de oude ridder; begreep dat hij dat veel meer was dan een vleesgeworden legende of een oude man vol nuttige kennis. Hij kon de talloze jaren van hard, nauwgezet werken voelen, de ontelbare en grotendeels ongewilde gewapende gevechten die deze man had ondergaan om de machtigste ridder van zijn eeuw te worden – en de hele tijd, voelde Simon, er evenmin van genietend als een goedhartige priester die gedwongen wordt een onwetende zondaar aan de kaak te stellen.

'Voel het nu terwijl je het opheft,' zei Camaris. 'Voel hoe de kracht uit je benen komt. Nee, je bent uit balans.' Hij duwde Simons benen dichter naar elkaar toe. 'Waarom valt een toren niet om? Omdat hij midden op zijn fundering staat.'

Weldra had hij Jeremias ook aan het werk, en hard aan het werk ook. De middagzon scheen snel door de hemel te bewegen; de bries werd ijzig toen de avond naderde. Terwijl de oude man hen behoorlijk liet zwoegen, verscheen er een zekere glans – kil, maar niettemin stralend in zijn oog.

De avond was gevallen tegen de tijd dat Camaris hen eindelijk liet gaan; de kom van de vallei was verlicht door kampvuren. Het werk van deze dag om iedereen de rivier over te zetten, zou het gezelschap van de prins in staat stellen bij het eerste licht in de ochtend te vertrekken. Nu waren de mensen van Nieuw Gadrinsett hun tijdelijke kampen aan het opslaan, een laat avondmaal aan het nuttigen of doelloos in de vallende duisternis aan het rondlopen. Een stemming van stilte en verwachting hing over het dal, even werkelijk als de schemering. Het leek een beetje op de Tussenwereld, meende Simon – de plaats vóór de hemel.

Maar het is ook de plaats vóór de hel, dacht Simon. *We zijn niet alleen maar op reis – we gaan naar de oorlog… en erger misschien.*

Hij en Jeremias liepen zwijgend, blozend van inspanning; het zweet op hun gezicht begon snel koud te worden. Simon had een pijn in zijn spieren die nu aangenaam was, maar de ervaring zei hem dat het morgen minder prettig zou zijn, vooral na een dag te paard. Hij werd plotseling ergens aan herinnerd.

'Jeremias, heb je Thuisvinder verzorgd?'

De jongeman keek hem geërgerd aan. 'Zeker, ik heb toch gezegd dat ik dat zou doen?'

'Welnu, ik denk dat ik in ieder geval naar haar ga kijken.'

'Vertrouw je me niet?' vroeg Jeremias.

'Natuurlijk wel,' zei Simon haastig. 'Het heeft werkelijk niets met jou te maken. Wat heer Camaris over een ridder en zijn paard zei maakte alleen… maakte alleen dat ik aan Thuisvinder dacht.' Hij voelde ook de behoefte om een tijdje alleen te zijn; hij moest ook nadenken over andere dingen die Camaris had gezegd. 'Je begrijpt het toch, nietwaar?'

'Ik neem aan van wel,' zei Jeremias nors, maar leek niet al te erg in de war. 'Ik ben van plan om zelf wat te eten te vinden.'

'Ontmoet mij later bij Isgrimnurs vuur. Ik denk dat Sangfugol een paar liedjes gaat zingen.'

Jeremias liep verder naar het drukste gedeelte van het kamp en de tent die hij, Simon en Binabik die ochtend hadden opgezet. Simon ging alleen verder, op weg naar de helling waar de paarden waren vastgemaakt.

De avondhemel was van een nevelig violet en de sterren waren nog niet verschenen. Toen Simon in vallende duisternis over het natte weiland liep, betrapte hij zich erop dat hij wel wat maanlicht wilde hebben. Hij gleed een keer uit en viel, hardop vloekend terwijl hij de modder van zijn handen afveegde aan zijn broek die al modderig en vochtig genoeg was na de lange uren van zwaardvechten. Zijn laarzen waren al door en door nat.

Een gestalte die door de duisternis naar hem toekwam, bleek Freosel te zijn die terugkwam na zijn eigen paard en ook Jozua's Vinyafod te hebben verzorgd. Op die manier, onder andere, had Freosel de plaats van Deornoth in het leven van de prins ingenomen, en hij scheen die rol voortreffelijk te vervullen. De man uit Falshire had Simon eens verteld dat hij van een familie van smeden kwam – iets dat Simon, terwijl hij naar de breedgeschouderde Freosel keek gemakkelijk kon geloven.

'Gegroet, heer Seoman,' zei hij. 'Ik zie dat jij ook geen toorts hebt meegebracht. Als je niet te lang wacht, heb je die misschien niet nodig.' Hij keek loensend omhoog, het snel afnemende licht peilend. 'Maar wees voorzichtig – er is een grote modderkuil honderd passen achter mij.'

'Ik heb er al zo een gevonden,' zei Simon lachend, wijzend op zijn met modder aangekoekte laarzen.

Freosel keek taxerend naar Simons voeten. 'Kom bij mijn tent langs, dan zal ik ze voor je invetten. Niet goed om barsten in dat leer te krijgen. Of kom je om de harpspeler te horen zingen?'

'Ik denk het wel.'

'Dan zal ik het meebrengen.' Freosel gaf hem een hoffelijk knikje alvorens verder te lopen. 'Pas op die modderkuil!' riep hij hem over zijn schouder toe.

Simon hield zijn ogen open en slaagde erin zonder ongelukken een stuk zuigende modder te omzeilen dat inderdaad een grotere broer was van die waar hij al kennis mee had gemaakt. Hij kon het zachte hinniken van de paarden horen toen hij dichterbij kwam. Ze waren op de heuvel vastgebonden, een donkere lijn tegen de schemerige hemel.

Thuisvinder was waar Jeremias zei dat hij haar had achtergelaten, vastgemaakt aan een vrij lang touw niet ver van de verwrongen stam van een brede eik. Simon sloot de neus van het paard in zijn hand en voelde haar warme adem, legde toen zijn hoofd tegen haar nek en wreef over haar schoft. De geur van het paard was zwaar en op de een of andere manier geruststellend.

'Je bent mijn paard,' zei hij rustig. Thuisvinder zette een oor rechtop. 'Mijn paard.'

Jeremias had een zware deken over haar heen gelegd – een geschenk van Gutrun en Vorzheva aan Simon, een die zijn eigen dek was geweest tot de paarden uit hun warme stallen in Sesuad'ra's grotten waren gehaald. Simon vergewiste zich ervan dat hij goed op zijn plaats zat, maar niet te strak. Toen hij zich na zijn inspectie omdraaide, zag hij een fletse gedaante voor zich door de duisternis schieten, door de verspreid staande paarden heen gaand. Simon voelde zijn hart in zijn borst opspringen.

Nornen?

'W-wie is dat?' riep hij. Hij dwong zijn stem naar omlaag en riep opnieuw. 'Wie is daar? Kom te voorschijn!' Hij liet zijn hand naar zijn zijde vallen, na een ogenblik beseffend dat hij geen ander wapen bij zich had dan zijn Qanucse mes, niet eens het houten oefenzwaard.

'Simon?'

'Miriamele? Prinses?' Hij deed enkele passen naar voren. Ze gluurde van achter een van de paarden naar hem, alsof ze zich had verstopt. Toen hij dichter naar haar toe ging, kwam ze te voorschijn. Er was niets ongewoons aan haar kleding, een lichte japon en een donkere mantel, maar ze had een vreemd uitdagende blik op haar gezicht.

'Maak je het goed?' vroeg hij en vervloekte zich toen om de stomme vraag. Hij was verbaasd haar hier helemaal alleen te zien en wist niet wat hij moest zeggen. Nòg zo'n gelegenheid, nam hij aan, waarop het beter zou zijn geweest om niets te zeggen dan te spreken en te bewijzen dat hij een uilskuiken was.

Maar waarom keek ze zo schuldig?

'Ja, dank je.' Ze keek langs zijn schouders aan beide kanten alsof ze probeerde uit te maken of Simon alleen was. 'Ik ben gekomen om naar mijn paard te kijken.' Ze wees naar een ongedifferentieerde massa schimmige vormen verder de heuvel af. 'Hij is een van de paarden die wij hebben genomen... van die Nabbaanse edelman over wie ik je heb verteld.'

'Je hebt me laten schrikken,' zei Simon en lachte. 'Ik dacht dat je een geest was of... of een van onze vijanden.'

'Ik ben geen vijand,' zei Miriamele met iets van haar gewone luchtigheid. 'En ik ben ook geen geest, voor zover ik weet.'

'Dat is goed om te weten. Ben je klaar?'

'Klaar... waarmee?' Miriamele keek hem met een vreemde intensiteit aan.

'Ja paard verzorgen. Ik dacht dat je misschien...' Hij zweeg en begon toen opnieuw. Ze scheen heel weinig op haar gemak. Hij vroeg zich af of hij iets gedaan had om haar te beledigen. Misschien was het omdat hij haar de Witte Pijl als geschenk had aangeboden. De hele zaak scheen nu onwezenlijk. Dit was een hele vreemde middag geweest.

Simon begon opnieuw. 'Sangfugol en een paar anderen gaan vanavond spelen en zingen. In de tent van hertog Isgrimnur.' Hij wees naar de kring van gloeiende vuren tegen de heuvel. 'Kom je luisteren?'

Miriamele leek te aarzelen. 'Ik zal komen,' zei ze ten slotte. 'Ja, dat zou leuk zijn.' Ze glimlachte even. 'Zolang als Isgrimnur niet zingt.'

Er was iets niet helemaal in de haak met haar toon, maar Simon lachte in elk geval om het grapje, meer uit zenuwachtigheid dan iets anders. 'Dat zal ervan afhangen of er nog wat van Fengbalds wijn over is, denk ik.'

'Fengbald.' Miriamele maakte een geluid van afschuw. 'En dan te bedenken dat mijn vader mij aan dat... dat varken zou hebben uitgehuwelijkt.'

Om haar af te leiden, zei Simon: 'Hij gaat een Jack-Mundwodewijsje zingen – dat wil zeggen Sangfugol. Hij heeft het me beloofd. Ik denk dat hij dat lied "de Wagens van de Bisschop" gaat zingen.' Hij nam haar bijna zonder erbij na te denken bij de arm, en en voelde zich toen heel even ongerust. Waar was hij mee bezig, haar op die manier beetpakken? Zou ze beledigd zijn?

Integendeel, Miriamele scheen het bijna niet te merken. 'Ja, dat zou heel aardig zijn,' zei ze. 'Het zou goed zijn om een avond door te brengen met bij het vuur te zingen.'

Simon verbaasde zich opnieuw, want iets dergelijks was op de meeste avonden ergens in Nieuw Gadrinsett aan de gang geweest, en de laatste tijd toen mensen waren bijeengekomen voor de Raed nog vaker. Maar hij zei niets, besluitend om alleen maar van haar slanke, sterke arm onder de zijne te genieten.

'Het zal erg gezellig zijn,' zei hij en leidde haar de heuvel af naar de wenkende kampvuren.

Na middernacht, toen de nevels eindelijk waren opgetrokken en de maan hoog aan de hemel stond, helder als een zilveren geldstuk, was er beweging op de top van de heuvel die de prins en zijn gezelschap zo onlangs hadden verlaten.

Een drietal gedaanten, donkere vormen, vrijwel geheel onzichtbaar ondanks het maanlicht, stond bij een van de rechtopstaande stenen aan de uiterste rand van de top en keek omlaag naar het dal beneden. De meeste vuren waren laag gaan branden, maar een grens van flakkerende vlammen lag nog rond het kamp; men kon enkele onduidelijke figuren in het roodachtige licht zien bewegen.

De Klauwen van Utuk'ku sloegen het kamp lange, lange tijd gade, stil als uilen. Ten slotte, en zonder dat er een woord tussen hen gewisseld werd, draaiden ze zich om en liepen stil door het hoge gras terug naar het midden van de heuvel. De bleke massa van Sesuad'ra's verwoeste stenen gebouwen lag voor hen als de tanden in de mond van een oude vrouw.

De dienaren van de Nornkoningin hadden in korte tijd een lange afstand afgelegd. Ze konden het zich veroorloven een andere nacht af te wachten, een nacht die ongetwijfeld spoedig zou komen, wanneer het grote schuifelende gezelschap beneden hen niet zo waakzaam was.

De drie schaduwen gleden geluidloos het gebouw in dat de stervelingen het Observatorium noemden, en bleven lange tijd door de gebarsten koepel naar de pas opkomende sterren staan kijken. Daarna gingen ze samen op de stenen zitten. Een van hen begon heel zacht te zingen; wat in de afbrokkelende kamer zweefde was een melodie, bloedeloos en scherp als versplinterd bot.

Hoewel het geluid niet eens een echo veroorzaakte in het Observatorium, en zeker niet hoorbaar was over de winderige top van de heuvel, kreunden sommige slapers in hun slaap in het dal beneden. Zij die gevoelig genoeg waren om de aanraking van het lied te voelen – en Simon was een van hen – droomden van ijs, en van dingen die gebroken en zoek waren, en van nesten zich verstrengelende slangen verscholen in oude putten.

26

Een geschenk voor de koningin

Het gezelschap van de prins, een langzaam bewegende stoet wagens, dieren en verspreide groepjes wandelaars, verliet het dal en ging langzaam de vlakte op, de slingerende loop van de Stefflod naar het zuiden volgend. Het gehavende leger had er bijna een week voor nodig om de plaats te bereiken waar de rivier met haar grotere nicht, de Ymstrecca, samenvloeide.

Het was een soort thuiskomst, want zij sloegen hun kamp op in het door heuvels beschutte dal dat eens het terrein was geweest van de eerste kolonistenstad, Gadrinsett. Velen van degenen die hun opgerolde bedden neerlegden en in de verlatenheid van hun vroegere woonstee naar hout voor het vuur zochten, vroegen zich af of ze er iets beter van waren geworden door deze plaats te verlaten en hun lot met dat van Jozua en zijn rebellen te verbinden. Er was wat opstandig gefluister, maar niet veel. Te velen herinnerden zich de moed waarmee Jozua en de anderen zich tegen de mannen van de Hoge Koning hadden verdedigd.

Het had een bitterder thuiskomst kunnen zijn: het weer was mild en een groot deel van de sneeuw die dit deel van de graslanden eens had bedekt, was weer weggesmolten. Toch snelde de wind door de ondiepe geulen en boog de weinige kleine bomen terwijl het 't lange gras platsloeg, en de kampvuren dansten en sprongen: de magische winter was iets minder streng geworden, maar het was toch bijna Decander op de open vlakten van de Tritsingen.

De prins kondigde aan dat het grote gezelschap daar drie nachten zou rusten terwijl hij en zijn raadgevers besloten welke route hun het beste zou dienen. Zijn onderdanen, als ze zo genoemd konden worden, grepen de rustdagen met beide handen aan. Zelfs de korte reis van Sesuad'ra was moeilijk geweest voor de gewonden en invaliden, waarvan er vele waren, en voor mensen met jonge kinderen. Sommigen vertelden geruchten door dat Jozua zich had bedacht, dat hij Nieuw Gadrinsett hier, op de plaats van haar voorgangster, zou herbouwen. Hoewel de serieuzere lieden probeerden uit te leggen dat het dwaasheid was om een beschermde hoge plaats te verlaten voor een onbeschermde lage, en het feit dat prins Jozua, wat hij verder ook mocht zijn, geen dwaas was, vond het grootste deel van het ontheemde leger het een hoopgevend idee, dat door de geruchten niet de kop kon worden ingedrukt.

'We kunnen hier niet lang blijven, Jozua,' zei Isgrimnur. 'Iedere dag dat we blijven, zal nog een stuk of twintig man meer betekenen die ons niet zullen volgen wanneer we gaan.'

Jozua bestudeerde een haveloze, door de zon verschoten landkaart. De gescheurde buit had eens aan wijlen Helfgrim, Nieuw Gadrinsetts voormalige burgemeester toebehoord die, samen met zijn gemartelde dochters, een soort beschermheilige van de landbezetters was geworden. 'We zullen niet lang blijven,' zei de prins. 'Maar als we deze mensen naar de graslanden brengen, weg van de rivier, dan moeten we er zeker van zijn dat we water vinden. Het weer is zo grillig dat geen van ons het kan voorspellen. Het is heel goed mogelijk dat we plotseling geen regen meer krijgen.'

Isgrimnur maakte een geluid van teleurstelling en keek naar Freosol om steun, maar de jonge man uit Falshire, die nog steeds niet verzoend was met Nabban als bestemming, keek alleen maar uitdagend terug. Ze hadden de Ymstrecca helemaal westwaarts naar Erkynland kunnen volgen, stond duidelijk op zijn gezicht te lezen. 'Jozua,' begon de hertog, 'het zal geen probleem voor ons zijn om water te vinden. De dieren kunnen het hunne van de dauw krijgen als het nodig is, en wij kunnen een berg waterzakken uit de rivieren vullen voor we ze verlaten – er zijn tientallen nieuwe stromen die net door de dooi ontsprongen zijn, wat dat betreft. Het is waarschijnlijker dat het eten een probleem zal zijn.'

'En dat is evenmin opgelost,' merkte Jozua op. 'Maar ik zie niet dat onze keuze van routes ons daarmee veel zal helpen. Wij kunnen onze weg zo kiezen dat hij ons bij de meren brengt – ik weet alleen niet hoeveel ik Helfgrims kaart vertrouw…'

'Ik heb nooit… nooit beseft hoe moeilijk het is om zoveel mensen van eten te voorzien.' Strangyeard had stil in een van de vertalingen zitten lezen die Binabik van Ookequks perkamentrollen had gemaakt. 'Hoe slagen legers daarin?'

'Of ze maken de beurs van hun koning leeg, als zand uit een gat in een zak,' zei Geloë grimmig, 'òf ze eten eenvoudig alles rondom hen op terwijl ze erdoor trekken, als marcherende mieren.' Ze stond op van de plaats waar ze naast de archivaris had gehurkt. 'Er groeien hier vele dingen die we kunnen gebruiken om mensen te voeden, Jozua, vele kruiden en bloemen, en ook grassen waarvan je voedzame maaltijden kunt maken, hoewel sommige mensen die alleen maar in steden hebben gewoond ze misschien vreemd zullen vinden.'

'Vreemd wordt alledaags wanneer mensen honger hebben,' citeerde Isgrimnur. 'Weet niet meer wie het gezegd heeft, maar het is stellig waar. Luister naar Geloë: we zullen ons ermee redden. Wat we nodig hebben, is haast. Hoe langer we op één plaats blijven, des te eerder doen we wat zij zei: de plaats opeten als mieren. We zullen veel beter af zijn als we blijven trekken.'

'Wij zijn niet stilgehouden zodat ik over dingen na kan denken, Isgrimnur,' zei de prins ietwat koel. 'Het is te veel om te verwachten dat een hele stad, en dat zijn wij, opstaat en in één ruk naar Nabban marcheert. De eerste week was zwaar. Laten wij hun wat tijd geven om eraan te wennen.'

De hertog van Elvritshalla trok aan zijn baard. 'Het was niet mijn bedoeling… ik weet het, Jozua. Maar van nu af aan moeten we vlug verder trekken, zoals ik zei. Laat degenen die traag zijn ons inhalen wanneer wij uiteindelijk ophouden. Zij zullen in elk geval niet de strijders zijn.'

Jozua klemde zijn lippen op elkaar. 'Zijn zij minder Gods kinderen omdat zij geen zwaard voor ons kunnen hanteren?'

Isgrimnur schudde zijn hoofd. De prins had een van die buien. 'Dat bedoel ik niet, Jozua, en je weet het. Ik probeer alleen maar te zeggen dat dit een leger is, geen godsdienstige optocht waarbij de lector achteraan loopt. We kunnen een begin maken met datgene wat wij moeten doen zonder te wachten op iedere laatste ziel die ophoudt omdat hij kreupel is, of ieder paard dat een hoefijzer verliest.'

Jozua wendde zich tot Camaris, die rustig bij het kleine vuur zat en gespannen keek naar de rook die naar het gat in het tentdak opsteeg. 'Wat vindt u, heer Camaris? U hebt aan meer marsen deelgenomen dan een van ons, behalve misschien Isgrimnur. Heeft hij gelijk?'

De oude man draaide zijn ogen weg van het flakkerende vuur. 'Ik denk dat wat hertog Isgrimnur zegt juist is, ja. Wij zijn het aan de mensen als geheel verschuldigd om te doen wat wij van plan zijn om te doen, en wat nog meer is, wij zijn het onze goede Heer, die onze beloften heeft gehoord, verschuldigd. En wij zouden aanmatigend zijn als wij probeerden Gods werk te doen door iedere vermoeide reiziger bij de hand te houden.' Hij zweeg een ogenblik. 'Echter, wij willen ook – nee, hebben het nodig – dat de mensen zich bij ons aansluiten. Mensen sluiten zich niet aan bij een haastige, heimelijke troep, ze sluiten zich aan bij een triomfantelijk leger.' Hij keek de tent rond, zijn ogen kalm en helder. 'We moeten zo vlug gaan als wij kunnen terwijl wij onze compagnie toch goed in orde houden. We zouden ruiters moeten uitsturen, niet alleen om na te gaan wat er vóór ons ligt, maar ook om onze herauten te zijn, om tegen het volk te roepen: "De prins is op komst!"' Een ogenblik leek het alsof hij nog meer ging zeggen, maar zijn uitdrukking werd afstandelijk en hij zweeg.

Jozua glimlachte. 'U had een schrijver moeten zijn, heer Camaris. U bent even subtiel als mijn oude leraren, de Usireaanse broeders. Ik ben het slechts op één punt met u oneens.' Hij draaide zich iets om zodat hij zich ook tot de anderen in de tent richtte. 'Wij gaan naar Nabban. Onze omroepers zullen roepen: "Camaris is terug! Heer Camaris is terug om zijn volk te leiden!"' Hij lachte. '"En Jozua is bij hem."'

Camaris fronste lichtelijk, alsof hetgeen dat de prins had gezegd hem een onbehaaglijk gevoel gaf.

Isgrimnur knikte. 'Camaris heeft gelijk. Haast met waardigheid.'

'Maar waardigheid staat ons niet toe om bewoonde landen te plunderen,' zei Jozua. 'Dat is niet de manier om de harten van de mensen te winnen.'

Isgrimnur haalde de schouders op; hij vond dat de prins de kwestie nogal nauw nam. 'Onze mensen hebben honger, Jozua. Ze zijn uitgewezen, sommigen van hen leven al bijna twee jaar in de wilde landen. Wanneer wij Nabban bereiken, hoe zul je hun dan zeggen het eten dat zij uit de grond zien groeien, de schapen die ze in de heuvels zien grazen niet te nemen?'

De prins loenste vermoeid naar de kaart. 'Ik heb niet meer antwoorden. Wij zullen allen ons best doen en moge God ons zegenen.'

'Moge God ons genadig zijn,' verbeterde Camaris hem met een holle stem. De oude man staarde weer naar de opstijgende rook.

De nacht was gevallen. Drie gedaanten zaten in een groepje bomen over het dal uit te kijken. De muziek van de rivier steeg naar hen op, gedempt en fragiel. Ze hadden geen vuur, maar een blauwwitte steen die tussen hen stond, gloeide zacht, slechts iets helderder dan de maan. Het azuren licht ervan verfde hun bleke, lange gezichten terwijl ze rustig in de sissende taal van Stormpiek praatten. 'Vanavond?' vroeg degene die Geboren-Onder-Tzaaihta's Steen genaamd was.

Ader-van-Zilvervuur maakte een ontkennend gebaar met haar vinger. Ze legde haar hand een ogenblik lang op de blauwe steen en zat in roerloze stilte. Ten slotte liet zij een lang ingehouden ademtocht ontsnappen. 'Morgen, wanneer Mezhumeyru zich in de wolken verbergt. Vanavond, op deze nieuwe plaats, zullen de stervelingen waakzaam zijn. Morgenavond.' Ze keek veelbetekenend naar Geboren-Onder-Tzaaihta's Steen. Hij was de jongste en was nog nooit eerder de diepe grotten onder Nakkiga uit geweest. Ze kon het zien aan de gespannenheid van zijn lange, slanke vingers, de glans in zijn purperen ogen dat hij tegen waken kon. Maar hij was dapper, dat leed geen twijfel. Ieder die het eindeloze leerlingschap in de Grot van Scheuring had overleefd, zou niets vrezen behalve het misnoegen van hun meesteres met het zilveren masker. Te groot enthousiasme kon echter even schadelijk zijn als lafheid.

'Kijk hen eens,' zei Geroepen-door-de-Stemmen. Zij keek in vervoering naar de paar menselijke figuren die in het kamp beneden zichtbaar waren. 'Het lijken wel rotswormen, altijd aan het wriggelen, altijd aan het kronkelen.'

'Als jouw leven slechts enkele seizoenen lang was,' antwoordde Ader-van-Zilvervuur, 'misschien zou jij dan ook het gevoel hebben dat je nooit kon ophouden.' Ze keek omlaag naar de twinkelende constellatie van vuren. 'Maar je hebt gelijk, het zijn net rotswormen.' De lijn van haar mond verhardde zich enigszins. 'Ze hebben gegraven en gegeten en zich ontlast. Nu zullen wij helpen een einde aan hen te maken.'

'Met dit ene ding?' vroeg Geroepen-door-de-Stemmen.

Ader-van-Zilvervuur keek haar aan, het gezicht koud en hard als ivoor. 'Trek je het in twijfel?'

Er was een ogenblik van gespannen stilte voor Geroepen-door-de-Stemmen haar tanden liet zien. 'Ik probeer alleen te doen wat Zij wil. Ik wil slechts doen wat Haar het beste dient.'

Geboren-Onder-Tzaaihta's-Steen maakte een muzikaal geluid van genoegen. De maan weerkaatste grafsteenwit in zijn ogen. 'Zij verlangt een dood... een speciale dood,' zei hij. 'Dat is ons geschenk aan Haar.'

'Ja.' Ader-van-Zilvervuur pakte de steen op en stopte die in haar ravenzwarte hemd, tegen haar koele huid aan. 'Dat is het geschenk van de Klauwen. En morgennacht zullen wij het aan Haar geven.'

Ze zwegen, en spraken de hele lange nacht niet meer.

'Je denkt nog steeds te veel aan jezelf, Seoman.' Aditu leunde naar voren en duwde de gepolijste stenen in een halvemaanvorm die de oever van de Grijze Kust omspande. De shent-stenen knipoogden dof in het licht van een van Aditu's kristallen bollen die op een driepoot van bewerkt hout stonden. Iets meer licht, afkomstig van de middagzon, lekte door de flap van Simons tent naar binnen.

'Wat betekent dat? Ik begrijp het niet.'

Aditu keek van het bord naar Simon, en in haar ogen lag een zweem van diep verborgen vermaak. 'Je zit te veel in jezelf, dat bedoel ik. Je denkt niet na over wat je partner denkt. Shent is een spel dat je met z'n tweeën speelt.'

'Het is moeilijk genoeg om te proberen je de regels te herinneren zonder ook nog eens te moeten nadenken,' klaagde Simon. 'Bovendien, hoe word ik verondersteld te weten waar jij over denkt terwijl wij spelen? Ik weet nooit waar jij over denkt.'

Aditu scheen op het punt te staan om een van haar slimme opmerkingen te maken, maar in plaats daarvan zweeg zij en legde haar hand plat over de stenen. 'Je bent in de war, Seoman. Ik heb het aan je spel gezien, je speelt heel behoorlijk nu je stemmingen overgaan op het Huis van Shent.'

Ze had niet gevraagd wat hem dwars zat. Simon vermoedde dat Aditu of iedere andere Sitha, zelfs als een makker kwam opdagen die één been was kwijtgeraakt, waarschijnlijk zou wachten tot er een paar seizoenen waren verlopen alvorens te vragen wat er gebeurd was. Dit blijk van wat hij als haar Sithi-heid beschouwde, irriteerde hem, maar hij was ook gevleid omdat zij vond dat hij goed werd met shent – hoewel ze waarschijnlijk alleen maar bedoelde "goed voor een sterveling", en omdat hij de enige sterveling was van wie hij ooit had gehoord dat die het speelde, was dat een nogal glansloos compliment.

'Ik ben niet in de war.' Hij keek nijdig neer op het shentbord. 'Misschien ook wel,' zei hij ten slotte. 'Maar het is niet iets waar jij me iets over zou kunnen vertellen.'

Aditu zweeg, maar leunde op haar ellebogen achterover en strekte haar lange nek op een vreemd-scharnierende manier uit toen ze haar hoofd schudde. Licht haar viel los uit de speld die het bijeen hield waardoor het als mist over haar schouders viel, terwijl één lange vlecht voor haar oor krulde.

'Ik begrijp niets van vrouwen,' zei hij plotseling en trok toen zijn mond in een norse stand alsof Aditu hem misschien zou tegenspreken. Blijkbaar kon ze zijn uitspraak billijken, want ze zei nog steeds niets. 'Ik begrijp ze eenvoudig niet.'

'Wat bedoel je, Seoman? Je begrijpt toch wel een aantal dingen? Ik zeg vaak dat ik stervelingen niet begrijp, maar ik weet hoe ze eruitzien en hoe lang ze leven, en ik kan een paar van hun talen spreken.'

Simon keek haar geërgerd aan. Speelde ze weer met hem? 'Ik geloof dat het niet op alle vrouwen betrekking heeft,' zei hij schoorvoetend. 'Ik begrijp Miriamele niet. De prinses.'

'Die magere met het gele haar?'

Ze speelde inderdaad met hem. 'Als je wilt. Maar ik kan zien dat het dom is om er met jou over te praten.'

Aditu leunde voorover en raakte zijn arm aan. 'Het spijt me, Seoman. Ik heb je boos gemaakt. Vertel me wat je dwarszit, als je wilt. Misschien zal het je gelukkiger maken erover te praten, ook al weet ik weinig van stervelingen af.'

Hij haalde zijn schouders op, in verlegenheid omdat hij erover begonnen was. 'Ik weet het niet. Soms is ze aardig tegen me. Dan, andere keren, doet ze alsof ze me nauwelijks kent. Soms kijkt ze me aan alsof ik haar bang maak. Ik!' Hij lachte bitter. 'Ik heb haar leven gered. Waarom zou ze bang voor mij zijn?'

'Als je haar leven hebt gered, kan dat een reden zijn.' Aditu was ernstig. 'Vraag het maar aan mijn broer. Het is een hele grote verantwoordelijkheid om je leven door iemand te laten redden.'

'Maar Jiriki gedraagt zich niet alsof hij een hekel aan me heeft!'

'Mijn broer stamt van een oud en ingetogen geslacht – hoewel hij en ik onder de Zida'ya als erg jeugdig impulsief en gevaarlijk onvoorspelbaar worden beschouwd.' Ze wierp hem een katachtige glimlach toe; en er had eigenlijk ook best het puntje van een muizestaart uit de hoek van haar mooie mond kunnen steken. 'En nee, hij haat je niet – Jiriki heeft een heel hoge dunk van je, Seoman Sneeuwlok. Anders zou hij je nooit naar Jaoé-Tinukai'i hebben meegenomen, wat in de geest van velen van ons volk bevestigd heeft dat hij niet helemaal betrouwbaar is. Maar jouw Miriamele is een sterfelijk meisje, en heel jong. Er zijn vissen ginds in de rivier die langer hebben geleefd dan zij. Wees niet verbaasd als zij bemerkt dat het een moeilijke last is om haar leven aan iemand te danken te hebben.'

Simon keek haar aan. Hij had meer plagerij verwacht, maar Aditu praatte verstandig over Miriamele – en ze vertelde hem dingen over de Sithi die hij haar nog nooit had horen zeggen. Hij stond in tweestrijd tussen twee boeiende onderwerpen.

'Dat is niet alles. Tenminste, ik geloof het niet... ik weet niet hoe ik met haar moet omgaan,' zei hij ten slotte. 'Met prinses Miriamele, bedoel ik. Ik denk de hele tijd aan haar. Maar wie ben ik om aan een prinses te denken?'

Aditu lachte, een klaterend geluid als vallend water. 'Jij bent Seoman de Stoutmoedige. Je hebt de Yásira gezien. Je hebt Eerste Grootmoeder ontmoet. Welke andere jonge sterveling kan dat zeggen?'

Hij voelde dat hij bloosde. 'Maar daar gaat het niet om. Zij is een prinses, Aditu, de dochter van de Hoge Koning!'

'De dochter van je vijand? Ben je daarom in de war?' Ze scheen oprecht verbaasd.

'Nee.' Hij schudde zijn hoofd. 'Nee, nee, nee.' Hij keek wild in het rond, proberend een manier te vinden om ervoor te zorgen dat ze het begreep. 'Jij bent de dochter van de koning en koningin van de Zida'ya, nietwaar?'

'Dat is min of meer hoe het in jouw taal zou worden gezegd. Ik ben van het Jaardansende Huis, ja.'

'Welnu, wat als iemand die afkomstig is van een, ik weet het niet, onbelangrijke familie – een slecht huis of iets dergelijks – met jou wilde trouwen?'

'Een... slecht huis?' Aditu keek hem behoedzaam aan. 'Vraag je of ik iemand anders van mijn volk als minder dan mijzelf zou beschouwen? Wij zijn te lang met te weinigen geweest, Seoman. En waarom moet je met haar trouwen? Vrijt jouw volk nooit zonder getrouwd te zijn?'

Simon was een ogenblik sprakeloos. Vrijen met de dochter van de koning zonder aan trouwen te denken? 'Ik ben een ridder,' zei hij stijf. 'Ik moet eerzaam zijn.'

'Met iemand vrijen is niet eerzaam?' Ze schudde haar hoofd, en de spottende glimlach kwam nu terug. 'En jij zegt dat je mij niet begrijpt, Seoman!'

Simon liet zijn ellebogen op zijn knieën rusten en sloeg zijn handen voor zijn gezicht. 'Je bedoelt dat jouw volk het niet kan schelen wie met wie trouwt? Ik geloof dat niet.'

'Dat heeft de Zida'ya en Hikeda'ya gescheiden,' zei ze. Toen hij opkeek was haar goudgevlekte blik hard geworden. 'Wij hebben van die verschrikkelijke les geleerd.'

'Wat bedoel je?'

'Het was de dood van Drukhi, de zoon van Utuk'ku en haar echtgenoot Ekimeniso Zwartstaf, die de families heeft uiteengedreven. Drukhi hield van Nenais'u, de dochter van de Nachtegaal, en trouwde met haar.' Ze hief haar hand op en maakte een gebaar als van een boek dat dichtgeslagen wordt. 'Ze werd door stervelingen gedood in de jaren voor Tumet'ai door het ijs werd verzwolgen. Het was een ongeluk. Ze was in het bos aan het dansen toen een sterfelijke jager tot de schittering van haar kleurige jurk werd aangetrokken. Denkend dat hij de pluimage van een vogel zag, schoot hij een pijl af. Toen haar echtgenoot Drukhi haar vond, werd hij krankzinnig.' Aditu boog haar hoofd alsof het pas korte tijd geleden was gebeurd.

Nadat zij enkele ogenblikken lang niet gesproken had, vroeg Simon: 'Maar hoe heeft dat de families uiteen gedreven? En wat heeft dat te maken met trouwen met wie je maar wilt?'

'Het is een heel lang verhaal, Seoman, misschien het langste dat ons volk vertelt, met uitzondering van het verhaal over de vlucht uit de Tuin en onze komst over de zwarte zee naar dit land.' Ze duwde met haar vinger tegen een van de shentstenen. 'In die tijd, regeerden Utuk'ku en haar echtgenoot over alle Tuingeborenen – zij waren de Hoeders van de Jaardansende bosjes. Toen hun zoon verliefd werd op Nenais'u, dochter van Jenjiyana en haar maat Initri, stelde Utuk'ku zich daar furieus tegen te weer. Nenais'u's ouders waren van onze Zida'yaclan – hoewel die in die lang verleden tijd anders heette. Zij geloofden ook dat de stervelingen die naar dit land waren gegaan nadat de Tuingeborenen er waren aangekomen, zouden moeten leven zoals zij wilden, zolang ze geen oorlog tegen ons volk voerden.'

Ze maakte een nieuwe, ingewikkelder stelling met de stenen op het bord voor haar. 'Utuk'ku en haar clan vonden dat de stervelingen over de oceaan teruggedreven moesten worden en dat degenen die weigerden te vertrekken, moesten worden gedood, zoals sommige sterfelijke boeren de insekten die zij op hun gewassen aantreffen verpletteren. Maar omdat de twee grote clans en de andere kleinere clans die met de een of de ander waren verbonden zo gelijkelijk verdeeld waren, stond zelfs Utuk'ku's positie als Meesteres van het Jaardansende Huis het niet toe om de rest haar wil op te leggen. Zie je, Seoman, wij hebben nooit "koningen" en "koninginnen" gehad zoals jullie stervelingen.

In elk geval, Utuk'ku en haar echtgenoot waren bijzonder boos dat hun zoon met een vrouw was getrouwd uit, wat zij als een verraderlijke, stervelinglievende clan beschouwden die tegen hen gekant waren. Toen Nenais'u werd gedood, werd Drukhi gek en zwoer dat hij iedere sterveling zou doden die hij kon vinden. De mannen van Nenais'u's clan weerhielden hem, hoewel zij op hun eigen manier even bitter boos en ontsteld waren als hij. Toen de Yásira bijeen werd geroepen, konden de Tuingeborenen niet tot een besluit komen, maar velen van hen waren zo bang voor wat er zou kunnen gebeuren als Drukhi vrij was, dat ze besloten dat hij gevangen moest worden gezet – iets dat nog nooit eerder gebeurd was aan deze zijde van de oceaan.' Hij zuchtte. 'Het was te veel voor hem, te veel voor zijn krankzinnigheid, om door zijn eigen volk gevangen te worden gehouden, terwijl degenen die hij als de moordenaars van zijn vrouw beschouwde vrijuit gingen. Drukhi sloeg de hand aan zichzelf.'

Simon was geboeid, hoewel hij aan Aditu's uitdrukking kon zien hoe droevig zij het verhaal vond. 'Bedoel je dat hij zichzelf doodde?'

'Niet zoals jij dat ziet, Seoman. Nee, het was veeleer zo dat Drukhi... ophield met leven. Toen hij dood gevonden werd in de Si'injan'dre Grot, gingen Utuk'ku en Ekimeniso met hun clan naar het noorden, zwerend dat zij nooit meer bij Jenjiyana's volk zouden leven.'

'Maar eerst ging iedereen naar Seduad'ra,' zei hij. 'Ze gingen naar het Afscheidshuis en sloten hun verbond. Wat ik tijdens mijn wake in het Observatorium zag.'

Ze knikte. 'Van wat jij hebt gezegd, geloof ik dat je een waar visioen van het verleden had, ja.'

'En dat is de reden waarom Utuk'ku en de Nornen stervelingen haten?' zei hij.

'Ja. Maar zij hebben ook oorlog gevoerd tegen sommigen van de eerste stervelingen in Hernystir, lang voordat Hern het die naam gaf. Bij die gevechten verloren Ekimeniso en vele andere Hikeda'ya hun leven. Dus hebben zij ook nog andere grieven om te koesteren.'

Simon ging achterover zitten, zijn armen om zijn knieën slaand. 'Ik weet het niet. Morgenes of Binabik, of iemand anders heeft me verteld dat de slag van de Knook de eerste keer was waarbij stervelingen Sithi hadden gedood.'

'Sithi, ja… de Zida'ya. Maar Utuk'ku's volk raakte verscheidene keren slaags met stervelingen voor de scheepsmannen van over de westelijke zee kwamen en alles veranderden.' Zij liet haar hoofd zakken. 'Dus je kunt zien,' besloot Aditu, 'waarom wij van de Dageraadskinderen oppassen om niet te zeggen dat iemand boven een ander staat. Dat zijn woorden die voor ons tragedie betekenen.'

Hij knikte. 'Ik denk dat ik het begrijp. Maar bij ons zijn de dingen anders, Aditu. Er zijn regels over wie met wie kan trouwen… en een prinses kan geen ridder zonder land trouwen, vooral een die vroeger koksjongen was.'

'Heb je die regels gezien? Worden ze op een van jullie heilige plaatsen bewaard?'

Hij trok een gezicht. 'Je weet wat ik bedoel. Je zou Camaris moeten horen als je erachter wilt komen hoe de dingen werken. Hij weet alles — wie voor wie een buiging maakt, wie op een bepaalde dag wat voor kleuren draagt…' Simon lachte meelijwekkend. 'Als ik hem ooit zou vragen over iemand als ik die met de prinses zou trouwen, denk ik dat hij mijn hoofd zou afhakken. Maar op een vriendelijke manier. En hij zou het niet leuk vinden om te doen.'

'Ach, ja. Camaris.' Aditu scheen op het punt te staan om iets belangrijks te zeggen. 'Hij is een… vreemde man. Hij heeft veel gezien, denk ik.'

Simon keek haar nauwlettend aan, maar kon geen bepaalde betekenis achter haar woorden zien. 'Inderdaad. En ik denk dat hij het me allemaal zal leren voor we Nabban bereiken. Maar toch, dat is niet iets om over te klagen.' Hij stond op. 'Feitelijk zal het weldra donker worden, dus moet ik hem gaan opzoeken. Hij wilde me iets laten zien over het gebruik van een schild…' Simon zweeg. 'Dank je dat je met mij gesproken hebt, Aditu.'

Ze knikte. 'Ik denk niet dat ik iets heb gezegd om je te helpen, maar ik hoop dat je niet zo treurig zult zijn, Seoman.'

Hij haalde zijn schouders op terwijl hij zijn mantel zwierig van de vloer nam.

'Wacht,' zei ze, terwijl ze opstond. 'Ik ga met je mee.'

'Om Camaris te bezoeken?'

'Nee, ik heb een andere boodschap. Maar ik zal met je meelopen tot waar onze wegen zich scheiden.'

Ze volgde hem naar buiten door de tentflap. Onaangeraakt flikkerde de kristallen bol en vervaagde, werd toen donker.

'Dus?' vroeg hertogin Gutrun. Miriamele kon de angst in haar ongeduldige toon duidelijk horen.

Geloë stond op. Ze kneep heel even in Vorzheva's hand en legde die toen op de deken neer. 'Het is niet al te erg,' zei de tovenares. 'Een beetje bloed, dat is alles, en het is nu over. U hebt uw eigen kinderen gehad, Gutrun, en er nog veel meer begrootmoederd. U weet beter dan haar op deze manier te ergeren.'

De hertogin stak haar kin uitdagend naar voren. 'Ik heb mijn eigen kinderen gebaard en opgevoed, jawel, en dat is meer dan sommigen kunnen zeggen.' Toen Geloë niet eens een wenkbrauw optrok bij deze uitval, ging Gutrun met wat minder gloed verder. 'Maar ik heb nooit een van mijn kinderen te paard gebaard, en ik zweer dat dat is wat haar echtgenoot wil dat ze doet.' Ze keek naar Miriamele alsof ze haar steun zocht, maar haar bondgenote in spe haalde slechts de schouders op. Het had weinig zin om nu te redetwisten – de kogel was door de kerk. De prins had verkozen naar Nabban te gaan.

'Ik kan in de wagen rijden,' zei Vorzheva. 'Bij de Gras-Donderaar, Gutrun, de vrouwen van mijn clan rijdens soms paard tot hun laatste maand.'

'Dan zijn de andere vrouwen van je clan dwazen,' zei Geloë droogjes, 'ook al ben jij dat niet. Ja, je kunt in een wagen rijden. Dat zou niet al te erg moeten zijn op open grasland.' Ze wendde zich tot Gutrun. 'Wat Jozua betreft, je weet dat hij doet wat het beste lijkt. Ik ben het met hem eens. Het is hard, maar hij kan niet iedereen honderd dagen ophouden, opdat zijn vrouw hun kind in vrede en rust kan baren.'

Geloë's glimlach was grimmig. 'Ik weet zeker dat uw echtgenoot nauwlettend naar u geluisterd heeft, maar ik betwijfel of Jozua het ooit zal horen.'

'Wat bedoel je?' vroeg de hertogin.

Voor de vrouw van het bos kon antwoorden – hoewel Miriamele meende dat ze daarmee geen enkele haast had – klonk er een zacht geluid aan de deur van de tent. De flap gleed achteruit en onthulde heel even een schittering van sterren, toen glipte Aditu's gestalte erdoorheen en het doek viel weer op zijn plaats terug.

'Kom ik ongelegen?' vroeg de Sitha. Miriamele dacht dat zij klonk alsof ze het meende. Voor een jonge vrouw die was grootgebracht met de valse beleefdheid van haar vaders hof, was het vreemd om iemand dat te horen vragen alsof ze een antwoord wilde hebben. 'Ik heb gehoord dat u ziek was, Vorzheva.'

'Ik ben beter,' zei Jozua's vrouw, glimlachend. 'Kom binnen, Aditu, je bent hier heel welkom.'

De Sitha ging op de grond bij Vorzheva's bed zitten, haar goudkleurige ogen strak op de zieke vrouw gericht, haar lange, bevallige handen gevouwen in haar schoot. Miriamele moest onwillekeurig naar haar staren. In tegenstelling tot Simon, die helemaal aan de Sitha gewend leek, was zij er nog niet aan gewend geraakt om een dergelijk vreemd schepsel in hun midden te hebben. Aditu leek even vreemd als iets uit een oud verhaal, maar nog vreemder omdat zij hier zat in het flauwe schijnsel van de bieskaars, even werkelijk als een steen of een boom. Het was alsof het afgelopen jaar de hele wereld op zijn kop had gezet en alle verborgen dingen die alleen in legenden werden herinnerd eruit waren gevallen.

Aditu haalde een zakje uit haar grijze tuniek en hield het omhoog. 'Ik heb iets meegebracht om u te helpen slapen.' Ze schudde een klein hoopje groene bladeren in haar handpalm en liet ze toen aan Geloë zien, die knikte. 'Ik zal ze voor u koken terwijl wij praten.'

De Sitha leek Gutruns ontevreden blik niet op te merken. Met behulp van een paar stokken lichtte Aditu een hete steen uit het vuur, sloeg de as eraf en liet die toen in een kom water vallen. Toen er een stoomwolk boven hing, verkruimelde ze de bladeren erin. 'Ik hoor dat we hier nog een dag langer blijven. Dat zal u de gelegenheid geven om te rusten, Vorzheva.'

'Ik weet niet waarom iedereen zich zorgen om mij maakt. Het is maar een kind. Vrouwen brengen dagelijks kinderen ter wereld.'

'Niet het enige kind van de prins,' zei Miriamele rustig. 'Niet midden in een oorlog.'

Aditu gebruikte de hete steen om de bladeren nog verder te verpulveren, hem met een stok ronddraaiend. 'U en uw man zullen een gezond kind krijgen, dat weet ik zeker.' Miriamele scheen het ongerijmd toe, als het soort opmerking dat een sterveling had kunnen maken – beleefd, vrolijk. Misschien had Simon per slot van rekening wel gelijk.

Toen de steen werd verwijderd, ging Vorzheva rechtop zitten om de nog dampende kom aan te nemen. Ze nam een klein slokje. Miriamele zag de spieren in de bleke hals van de Tritsingsvrouw bewegen toen ze slikte.

Ze is zo mooi, dacht Miriamele.

Vorzheva's ogen waren waren groot en donker, hoewel haar oogleden zwaar waren van vermoeidheid; haar haren vormden een dikke zwarte wolk om haar hoofd. Miriameles vingers kropen omhoog naar haar eigen geschoren lokken en voelden de piekerige einden, waar het geverfde haar was geknipt. Ze voelde zich onwillekeurig een lelijke kleine zuster. *Wees stil*, zei ze boos tegen zichzelf. *Je bent zo mooi als nodig is. Wat wil je nog meer – wat heb je nog meer nodig?*

Maar het was moeilijk om in hetzelfde vertrek met de doortastende mooie Vorzheva en de katachtige, bevallige Sitha te zijn zonder je een beetje tutterig te voelen.

Maar Simon vindt mij aardig. Ze glimlachte bijna. *Hij vindt me aardig, ik kan het zien.* Haar stemming verzuurde. *Maar wat doet het ertoe. Hij kan niet doen wat ik moet doen. En bovendien weet hij ook niets van mij af.*

Het was echter vreemd te bedenken dat de Simon die haar zijn diensten had beloofd – het was een vreemd en pijnlijk moment geweest, maar ook zoet – dezelfde was als de slungelige jongen die haar naar Naglimund had vergezeld. Niet dat hij zoveel was veranderd, maar wat er wàs veranderd... Hij was ouder. Niet alleen zijn lengte, niet alleen zijn donzige baard, maar zijn ogen en zijn houding. Hij zou een knappe man zijn, zag ze nu – iets dat ze nooit zou hebben gezegd toen ze in Geloë's huis in het bos verbleven. Zijn vooruitstekende neus, zijn gezicht met de lange jukbeenderen, hadden in de tussenliggende maanden iets gewonnen, iets aardigs dat ze daarvoor niet hadden gehad.

Wat had een van haar verzorgsters eens van een ander kind op de Hayholt gezegd? 'Hij is in dat gezicht gegroeid.' Welnu dat gold zeker voor Simon. Dat was precies wat hij deed.

Niet verwonderlijk eigenlijk, dacht ze. Hij had zoveel dingen gedaan sinds hij de Hayholt had verlaten – hemeltje, hij was bijna een held! Hij had tegenover een draak gestaan! Wat hadden heer Camaris of Tallistro ooit gedaan dat dapperder was? En hoewel Simon bescheiden deed over zijn treffen met de ijsdraak – terwijl hij tegelijkertijd, naar Miriamele had gezien, dolgraag een beetje wilde opscheppen – had hij ook aan haar zijde gestaan toen een reus haar had aangevallen. Toen had ze gezien hoe dapper hij was. Geen van beiden was weggerend, dus zij was ook dapper. Simon was inderdaad een goede metgezel... en nu was hij haar beschermer.

Miriamele voelde zich warm en vreemd fladderend alsof iets snel-vleugeligs zich in haar bewoog. Ze probeerde zich ertegen te verharden, tegen al dat soort gevoelens. Dit was niet de tijd. Dit was zeker niet de tijd – en weldra zou er misschien nergens tijd meer voor zijn...

Aditu's muzikale stem trok haar terug naar de tent en de mensen die haar omringden. 'Als je alles hebt gedaan wat je voor Vorzheva wilde doen,' zei de Sitha tegen Geloë, 'zou ik je gezelschap graag een tijdje willen hebben. Er is iets waarover ik met je wil spreken.'

Gutrun maakte een rommelend geluid dat, vermoedde Miriamele, bedoeld was om de indruk van de hertogin weer te geven van mensen die geheimen zouden gaan vertellen. Of Geloë negeerde haar, of hoorde haar woordloze commentaar niet, en zei: 'Ik denk dat wat ze nu nodig heeft slaap is, of in elk geval wat rust.' Daarna wendde ze zich eindelijk tot Gutrun. Ik zal later bij haar gaan kijken.'

'Zoals je wilt,' zei de hertogin.

De tovenares knikte naar Vorzheva, toen naar Miriamele, voordat ze na

Aditu de tent uitging. De Tritsingsvrouw, die nu achterover lag, hief haar hand op ten afscheid. Haar ogen waren bijna gesloten. Ze scheen in slaap te vallen.

De tent was enkele ogenblikken stil op het melodieloze geneurie van Gutrun na terwijl ze aan het naaien was, hetgeen ook doorging toen ze de stof vlak voor het vuur hield om haar naaiwerk te bekijken. Ten slotte stond Miriamele op.

'Vorzheva is moe, ik ga ook weg.' Ze boog zich voorover en pakte de hand van de Tritsingsvrouw. Haar ogen gingen open; ze had er even voor nodig om ze op Miriamele te richten. 'Goedenacht. Ik weet zeker dat het een mooie baby zal zijn, een die jou en oom Jozua heel trots zal maken.'

'Dank je.' Vorzheva glimlachte en sloot haar langgewimperde ogen weer.

'Goede nacht, tante Gutrun,' zei Miriamele. 'Ik ben blij dat u hier was toen ik terugkwam uit het zuiden. Ik heb u gemist.' Ze kuste de warme wang van de hertogin, maakte zich toen fijntjes los uit Gutruns moederlijke omhelzing en glipte door de deur naar buiten.

'Ze heeft mij in jaren niet zo genoemd!' hoorde Miriamele Gutrun verbaasd zeggen. Vorzheva mompelde slaperig iets. 'Het arme kind schijnt tegenwoordig zo rustig en droevig,' vervolgde Gutrun. 'Maar ja, waarom zou ze niet...?'

Miriamele die door het natte gras wegliep, hoorde de rest van wat de hertogin te zeggen had niet.

Aditu en Geloë liepen langs de fluisterende Stefflod. De maan was omgeven door een net van wolken, maar sterren glinsterden hoger in de zwartheid. Er blies een zachte bries uit het oosten, de geur van gras en natte stenen met zich meevoerend.

'Het is vreemd wat je zegt, Aditu.' De tovenares en de Sitha vormden een vreemd stél, de lenige stap van de onsterfelijke ingehouden om zich aan te passen bij de meer robuuste tred van Geloë. 'Maar ik denk niet dat er kwaad in schuilt.'

'Ik zeg niet dat dat zo is, alleen dat het zin heeft om erover na te denken.' De Sitha lachte sissend. 'Te bedenken dat ik zo verstrikt ben geraakt in het doen en laten van stervelingen! Moeders broeder Khendraja'aro zou knarsetanden.'

'Deze sterfelijke aangelegenheden zijn de aangelegenheden van uw familie, in elk geval ten dele,' zei Geloë zakelijk. 'Anders zou je hier niet zijn.'

'Dat weet ik,' stemde Aditu in. 'Maar veel mensen zullen een lange omweg maken om een andere reden te vinden voor hetgeen wij doen dan iets dat naar stervelingen en hun aangelegenheden riekt.' Ze leunde voorover en plukte een paar grassprietjes, hield die toen bij haar neus en rook. 'Het gras hier is anders dan wat in het woud groeit, of zelfs op de Sesuad'ra. Het is… jonger. Ik kan er niet zoveel leven in voelen, maar desondanks is het zoet.' Ze liet de losse sprietjes naar de grond dwarrelen. 'Maar ik heb mijn woorden laten afdwalen, Geloë, ik zie helemaal geen kwaad in Camaris, behalve datgene in hem dat hemzelf zou schaden. Maar het is vreemd dat hij zijn verleden geheim houdt, en nog vreemder wanneer er zoveel dingen zijn die hij misschien weet en die zijn volk in hun strijd kunnen helpen.'

'Hij laat zich niet dwingen,' zei Geloë. 'Als hij zijn geheimen vertelt, zal het in zijn eigen tempo zijn, dat is duidelijk. We hebben het allemaal geprobeerd.' Ze stak haar handen in de zak van haar zware tuniek. 'Maar toch kan ik het niet helpen dat ik nieuwsgierig ben. Weet je het zeker?'

'Nee,' zei Aditu bedachtzaam. 'Niet zeker. Maar iets vreemds dat Jiriki mij ooit vertelde, heeft al enige tijd in mijn achterhoofd gespeeld. Wij beiden, hij en ik, dachten dat Seoman de eerste sterveling was die in Jaoé-Tinukai'i is geweest. Dat is stellig wat mijn vader en moeder dachten. Maar Jiriki heeft me verteld dat Amerasu, toen zij Seoman ontmoette, zei dat hij niet de eerste was. Ik heb me daarover lang verwonderd, maar Eerste Grootmoeder kende de geschiedenis van de Tuingeborenen beter dan wie ook – misschien nog beter dan Utuk'ku met het zilveren gezicht, die lang over het verleden heeft nagedacht maar de bestudering ervan nooit tot een kunst heeft ontwikkeld, zoals Amerasu.'

'Maar ik weet nog steeds niet waarom je denkt dat de eerste misschien Camaris is geweest.'

'In het begin was het slechts een gevoel dat ik had.' Aditu keerde zich om en liep de oever af naar de zacht zingende rivier. 'Iets in de manier waarop hij naar mij keek, al voordat hij weer bij bewustzijn was. Ik zag hem enige keren naar mij staren toen hij dacht dat ik niet keek. Later, toen hij zijn verstand terug had, bleef hij naar mij kijken – niet sluw, maar als iemand die zich iets pijnlijks herinnert.'

'Dat zou van alles geweest kunnen zijn – een gelijkenis met iemand.' Geloë fronste. 'Of misschien schaamde hij zich voor de manier waarop zijn vriend John, de Hoge Koning, jouw volk vervolgde.'

'Johns vervolging van de Zida'ya vond bijna uitsluitend plaats vóór Camaris aan het hof kwam, naar wat de archivaris Strangyeard me heeft verteld,' antwoordde Aditu. 'Kijk niet zo!' zei ze lachend. 'Ik ben nieuwsgierig naar vele dingen, en wij Dageraadskinderen hebben onderzoek of kennis nooit gevreesd, hoewel wij geen van deze twee woorden zouden gebruiken.'

'Toch, er kunnen vele redenen zijn waarom Camaris staarde. Jij bent geen gewone bezienswaardigheid, Aditu no-Sa'onserei – tenminste niet voor stervelingen.'

'Dat is zo. Maar er is meer. Op een avond, voor hij zijn geheugen terugkreeg, liep ik langs het Observatorium, zoals jij het noemde, en ik zag hem langzaam naar mij toe lopen. Ik knikte, maar hij scheen verdiept in zijn schaduwwereld. Ik zong een lied – een heel oud lied van Jhiná-T'seneí, een favoriet van Amerasu – en toen ik hem passeerde, Geloë, zag ik dat zijn lippen bewogen.' Ze hield op en hurkte bij de rivieroever neer, maar keek op naar de vrouw uit het woud met ogen die zelfs in de duisternis gloeiden als amberen kolen. 'Hij sprak geluidloos de woorden van hetzelfde lied.'

'Weet je dat zeker?'

'Zo zeker als ik ervan ben dat de bomen in het Bosje leven en opnieuw zullen bloeien, en ik voel dat in mijn bloed en hart. Amerasu's lied was hem bekend, en hoewel hij nog steeds zijn afwezige blik had, zong hij zwijgend met mij mee. Een speels liedje dat Eerste Grootmoeder altijd zong. Het is niet het soort wijsje dat in de steden van sterfelijke mensen wordt gezongen, of zelfs in het oudste heilige bosje in Hernystir.'

'Maar wat kan het betekenen?' Geloë stond over Aditu gebogen, over de rivier uitkijkend. De wind veranderde langzaam van richting, en woei nu van achter het kamp dat net tegen de heuvel lag. De gewoonlijk onverstoorbare bosvrouw scheen lichtelijk opgewonden. 'Zelfs als Camaris Amerasu op de een of andere manier kende, wat zou het dan kunnen betekenen?'

'Ik weet het niet. Maar wanneer je nagaat dat Camaris' hoorn eens aan onze vijand toebehoorde, en dat onze vijand ook Amerasu's zoon, en eens de grootste van mijn volk was, voel ik een behoefte om het te weten. Het is ook waar dat het zwaard van deze ridder heel belangrijk voor ons is.' Ze trok wat voor een Sitha een ongelukkig gezicht was, waarbij de lippen een weinig versmalden. 'Had Amerasu nog maar geleefd om ons haar vermoedens te vertellen.'

Geloë schudde haar hoofd. 'We hebben te lang in schaduwen gearbeid. Welnu, wat kunnen wij doen?'

'Ik heb hem benaderd. Hij wil niet met me praten, hoewel hij beleefd is. Wanneer ik hem naar het onderwerp probeer te leiden, doet hij net alsof hij me verkeerd begrijpt, of beroept zich op een andere noodzaak, en gaat dan weg.' Aditu stond uit het gras bij de rivier op. 'Misschien kan Jozua hem dwingen om te praten. Of Isgrimnur, die min of meer een vriend van Camaris schijnt te zijn. Jij kent hen beiden, Geloë. Ze vertrouwen mij niet, wat ik hen niet kwalijk neem – vele generaties van stervelingen zijn voorbijgegaan sinds wij de Sudhoda'ya als onze bondgenoten konden beschouwen. Misschien dat als jij aandringt, een van hen Camaris er misschien van overtuigt ons te vertellen of het waar is dat hij in Jaoé-Tinukai'i was, en wat dat zou kunnen betekenen.'

'Ik zal het proberen,' beloofde Geloë. 'Ik zie ze beiden later vanavond. Maar ook als ze Camaris kunnen overtuigen, ben ik er niet zeker van dat er iets van waarde zit in hetgeen hij te zeggen heeft.'

Ze liet haar dikke vingers door haar haren glijden. 'Toch, we hebben de laatste tijd heel weinig anders gehoord dat van nut is.' Ze keek op. 'Aditu? Wat is er?'

De Sitha was verstijfd en stond op een hoogst ongebruikelijke manier met het hoofd schuin.

'Aditu?' zei Geloë opnieuw. 'Worden we aangevallen?'

'*Kei-vishaa*,' siste Aditu, 'Ik ruik het.'

'Wat?'

'Kei-vishaa. Het is... er is geen tijd om het uit te leggen. Het is een geur die hier niet in de lucht behoort te zijn. Er gebeurt iets ergs. Volg me, Geloë, ik ben ineens bang!'

Aditu sprong de rivieroever op, snel als een opgejaagd hert. In een ogenblik was ze in de duisternis verdwenen, op weg naar het kamp. Achter haar rende de tovenares met ferme passen, woorden van bezorgdheid en woede mompelend. Toen ze de schaduw van een groep wilgen binnenging die op een heuvel boven de oever van de rivier stond, was er een krampachtige beweging; het flauwe licht van de sterren scheen te buigen, de duisternis te stollen en daarna naar buiten te barsten. Geloë, of in elk geval Geloë's gestalte, kwam niet meer uit de schaduwen van de bomen te voorschijn, maar wel een gevleugelde gedaante. Met gele ogen wijdopen in het maanlicht, vloog de uil achter de snelle Aditu aan, het fluisterzachte spoor van haar weg over het natte gras volgend.

Simon was de hele avond rusteloos geweest. Zijn gesprek met Aditu had weliswaar iets geholpen, maar niet erg veel. In zekere zin had het hem nog onrustiger gemaakt.

Hij wilde wanhopig graag met Miriamele praten. Hij dacht de hele tijd aan haar – 's avond wanneer hij net in slaap wilde vallen, overdag telkens wanneer hij het gezicht van een meisje zag of de stem van een vrouw hoorde, op momenten waarop hij aan andere dingen behoorde te denken. Het was vreemd dat zij in de korte tijd sinds haar terugkeer zoveel voor hem was gaan betekenen; de kleinste verandering in de manier waarop ze hem behandelde, bleef dagenlang in zijn gedachten.

Ze had zo vreemd geleken toen hij haar de vorige avond bij de paarden was tegengekomen. En toch, toen ze met hem naar Isgrimnurs vuur was meegegaan om naar het gezang te luisteren, was ze aardig en vriendelijk geweest, hoewel een beetje verstrooid. Maar vandaag had ze hem de hele dag gemeden – of zo scheen het althans – want overal waar hij haar zocht, kreeg hij te horen dat zij ergens anders was, tot het erop begon te lijken dat ze hem met opzet een stap vóór bleef.

De schemering was weg en duisternis was gevallen als een grote zwarte vogel die zijn vleugels opvouwde. Zijn bezoek aan Camaris was kort geweest – de oude man was even volledig in beslag genomen als hij, nauwelijks in staat zijn aandacht te richten op het uitleggen van de slagorde en de regels van het gevecht. Simon, verteerd door heftiger en actuelere zorgen, had de litanie van regels van de ridder droog en zinloos toegeschenen. Hij had excuses gemaakt en was vroeg weggegaan, de oude man bij het vuur in zijn karig gemeubileerde kampement achterlatend. Camaris scheen even gelukkig om met rust te worden gelaten.

Na een vruchteloos onderzoek van het kamp had Simon Vorzheva en Gutrun opgezocht. Miriamele was daar geweest, zei de hertogin – fluisterend om de slapende vrouw van de prins niet wakker te maken – maar was enige tijd geleden weggegaan. Onbeloond was Simon verder gaan zoeken.

Nu stond hij bij de buitenste rand van het veld van tenten, aan het begin van de brede halo van vuren die de kampen van die leden van Jozua's gezelschap aanduidden voor wie een tent op dit ogenblik een onvoorstelbare luxe was. Simon vroeg zich af waar Miriamele kon zijn. Hij was eerder langs de oever van de rivier gelopen, denkend dat ze misschien daar was in het gezelschap van haar gedachten bij het water, maar er was geen spoor van haar geweest, alleen een paar lieden uit Nieuw Gadrinsett met fakkels, bij nacht aan het vissen, zo te zien met weinig succes.

Misschien is ze haar paard aan het verzorgen, dacht hij ineens.

Per slot van rekening was dat de plaats waar hij haar de vorige avond had aangetroffen, niet veel vroeger dan het nu was.

Misschien vond ze het een rustige plek nadat iedereen weg was voor het avondeten. Hij keerde om en ging op weg naar de donkere helling van de heuvel.

Hij hield eerst op om Thuisvinder op te zoeken, die zijn groet met een zekere afstandelijkheid ontving alvorens zich te verwaardigen om aan zijn oor te snuffelen, daarna ging hij op weg naar de plaats waarvan de prinses had gezegd dat haar paard er was vastgebonden. Er bewoog zich daar inderdaad een schimmige figuur. Ingenomen met zijn eigen knapheid, liep hij naar voren. 'Miriamele?'

De figuur met de kap schrok en draaide zich toen vlug om. Een ogenblik kon hij niets anders zien dan een veeg van een bleek gezicht in de diepten van de kap.

668

'S-Simon?' Het was een geschokte, angstige stem – maar het was haar stem. 'Wat doe jij hier?'

'Ik zocht je.' De manier waarop zij sprak, verontrustte hem. 'Gaat het goed met je?' Deze keer scheen de vraag enorm geëigend.

'Ik ben…' Ze klaagde. 'O, waarom ben je gekomen?'

Zelfs in het maanlicht kon hij zien dat het silhouet van haar paard op de een of andere manier verkeerd was. Simon stak zijn hand uit en raakte de uitpuilende zadeltassen aan.

'Je gaat ergens heen…' zei hij verbaasd. 'Je loopt weg.'

'Ik loop niet weg. Laat me nu met rust, Simon.'

'Waar ga je naartoe?' Hij was gevangen in de vreemde dromerigheid van de situatie – de donkere heuvel met zijn paar eenzame bomen, Miriameles gezicht in de kap. 'Komt het door mij? Heb ik je boos gemaakt?'

Haar lach klonk bitter. 'Nee, Simon, het komt niet door jou.' Haar stem werd zachter. 'Jij hebt niets verkeerds gedaan. Je bent een vriend geweest in de tijd dat ik er geen verdiende. Ik kan je niet zeggen waar ik heen ga – en wacht alsjeblieft tot morgen voor je Jozua vertelt dat je me hebt gezien. Alsjeblieft, ik smeek het je.'

'Maar… maar dat kan ik niet!' Hoe kon hij Jozua vertellen dat hij had staan toekijken toen de nicht van de prins alleen was weggereden? Hij trachtte zijn opgewonden hart te doen bedaren en probeerde na te denken. 'Ik zal met je meegaan,' zei hij uiteindelijk.

'Wat!?' Miriamele was verbaasd. 'Dat kun je niet doen.'

'Ik kan je ook niet alleen laten weggaan. Ik heb gezworen dat ik je zou beschermen, Miriamele.'

Ze scheen op het punt in huilen uit te barsten. 'Maar ik wil niet dat je meegaat, Simon. Je bent mijn vriend… ik wil niet dat jou iets overkomt!'

'En ik wil ook niet dat jou iets overkomt.' Hij voelde zich nu kalmer. Hij had het vreemde, maar sterke gevoel dat dit de juiste beslissing was… hoewel een ander deel van hem tegelijkertijd *uilskuiken, uilskuiken!* riep. 'Daarom ga ik met je mee.'

'Maar Jozua heeft je nodig!'

'Jozua heeft een heleboel ridders, en ik ben de minste van hen. Jij hebt er maar één.'

'Ik kan het niet toestaan, Simon.' Ze schudde heftig met haar hoofd. 'Je begrijpt niet wat ik doe, waar ik heen ga…'

'Vertel het me dan.'

Ze schudde opnieuw haar hoofd.

'Dan zal ik er gewoon achter moeten komen door met je mee te gaan. Of je neemt me mee, of je blijft. Het spijt me, Miriamele, maar dat is alles.'

Ze keek hem een ogenblik aan, starend alsof ze recht in zijn hart wilde kijken. Ze scheen in een soort extase van besluiteloosheid te verkeren, verstrooid aan de breidel van het paard trekkend tot Simon vreesde dat het dier zou schrikken en op hol zou slaan. 'Goed dan,' zei ze ten slotte. 'O, Elysia, red ons allen, goed dan! Maar we moeten nu gaan, en je moet me vanavond geen vragen stellen over het hoe en waarom.'

'Uitstekend,' zei hij. Het deel van hem dat twijfelde, schreeuwde nog steeds om aandacht, maar hij had besloten niet te luisteren. Hij kon het idee niet verdragen dat ze alleen in het donker reed. 'Maar ik moet mijn zwaard en een paar andere dingen gaan halen. Heb je eten?'

'Genoeg voor mij... maar je moet niet proberen meer te stelen, Simon. Er is zo'n grote kans dat iemand je zal zien.'

'Goed, daar zullen we ons later zorgen over maken. Maar ik moet een zwaard hebben, en ik moet iets achterlaten om het uit te leggen. Heb jij dat gedaan?'

Ze keek hem aan. 'Ben je gek?'

'Niet om te zeggen waar je heen gaat, maar alleen om hen te zeggen dat je uit je eigen vrije wil bent gegaan. Dat moeten we doen, Miriamele,' legde hij vastberaden uit. 'Anders is het wreed. Ze zullen denken dat we door de Nornen ontvoerd zijn, of dat we zijn, zijn...' hij glimlachte toen de gedachte kwam, '... zijn weggelopen om te gaan trouwen, zoals in het lied over Mundwode.'

Haar blik werd berekenend. 'Goed dan, haal je zwaard en laat een boodschap achter.'

Simon fronste. 'Ik ga. Maar denk erom, Miriamele, als je niet hier bent wanneer ik terugkom, zal ik Jozua en iedere man uit Nieuw Gadrinsett vanavond achter je aan sturen.'

Ze stak haar kin uitdagend naar voren. 'Vooruit dan. Ik wil rijden tot de dageraad en hoop dan een eind hiervandaan te zijn, dus haast je.'

Hij maakte een quasi buiging voor haar, draaide zich toen om en rende de heuvel af.

Het was vreemd, maar toen Simon later aan die nacht dacht, tijdens ogenblikken van vreselijke pijn, kon hij zich niet meer herinneren hoe hij zich had gevoeld toen hij zich naar het kamp haastte, toen hij van plan was om er heimelijk met de dochter van de koning vandoor te gaan. De herinnering aan alles dat daarna kwam, verdreef wat in hem had gebonsd toen hij de heuvel af stormde.

Op die avond voelde hij heel de wereld rondom zich zingen, alle sterren dichtbij en aandachtig boven hem hangend. Terwijl Simon rende, scheen de wereld in evenwicht op een enorm draaipunt, wankelend, en iedere mogelijkheid was zowel prachtig als vreselijk. Het leek alsof het gesmolten bloed van de draak Igjarjuk weer in hem tot leven was gekomen, hem openstellend voor de uitgestrekte hemel, hem vervullend met de pulsering van de aarde.

Hij stoof door het kamp, het nachtleven dat hem omringde nauwelijks een blik gunnend, geen van de stemmen horend die in zang werden verheven of gelach of geredetwist, niets anders ziend dan het slingerende pad tussen de tenten en kleine kampen door naar zijn eigen slaapplaats.

Gelukkig voor Simon, naar het scheen, verbleef Binabik niet in de tent. Hij had er geen ogenblik over gedacht wat hij gedaan zou hebben als de kleine man op hem had zitten wachten – hij zou misschien een praktische reden hebben kunnen bedenken waarom hij zijn zwaard nodig had, maar had stellig geen briefje kunnen achterlaten. Met onhandige vingers vanwege de haast, doorzocht hij de tent naar iets om op te schrijven, en vond eindelijk een van de rollen perkament die Binabik uit Ookequks grot op de Trollenfells had meegenomen. Met een stukje houtskool dat hij uit de koude vuurkuil haalde, schreef hij moeizaam zijn boodschap op de achterkant van het schapeleer.

'Mirimel is weggegaan en ik heb Haar achterna gegaan.'

schreef hij, met de tong tussen zijn tanden geklemd.

'Maak je geen zorgen over ons. Zeg prins Jozua dat het me spijt, maar dat ik gaan mot. Ik zal haar zo gauw mogelijk terugbrengen. Zeg Jozua dat ik een slechte rider ben, maar dat ik probeer te doen wat het beste is. Je vrind Simon.'

Hij dacht een ogenblik na en voegde er toen aan toe:

'Je mag mijn spullen hebbe als ik niet trugkom. Het speit me.'

Hij liet het briefje op Binabiks bedrol achter, pakte zijn zwaard en schede en een paar andere benodigdheden, en ging toen de tent uit. Bij de deuropening aarzelde hij even, zich zijn tas met geliefde schatten herinnerend, de Witte Pijl, Jiriki's spiegel. Hij draaide zich om en ging hem pakken, hoewel ieder ogenblik dat hij haar liet wachten – ze zou wachten; ze móest wachten – wel een uur leek te zijn. Hij had Binabik laten weten dat hij ze mocht hebben, maar hij herinnerde zich wat Miriamele eerder tegen hem had gezegd. Ze waren hem toevertrouwd; ze waren beloften. Hij kon ze evenmin weggeven als zijn naam, en er was nu geen tijd om de dingen uit te zoeken die veilig konden worden achtergelaten. Hij durfde niet eens de tijd te nemen om te denken, want hij wist dat hij anders de moed zou verliezen.

Wij zullen alleen samen zijn, alleen met ons tweeën, dacht hij, al maar verbaasd. *Ik zal haar beschermer zijn.*

Hij had er een schijnbaar martelend lange tijd voor nodig om de tas te vinden die hij in een gat onder een graszode had verborgen. Met tas en schede onder zijn arm geklemd, zijn versleten zadel over de schouder – hij huiverde bij het lawaai dat de gespen maakten – rende hij zo vlug hij kon door het kamp terug naar de plaats waar de paarden waren vastgemaakt, naar waar Miriamele – bad hij – wachtte.

Zij was er inderdaad. Toen hij haar ongeduldig heen en weer zag lopen, voelde hij zich een ogenblik duizelig. Ze had op hem gewacht!

'Haast je, Simon! De nacht gaat ongemerkt voorbij!' Ze scheen niets van zijn blijheid te voelen, maar alleen een gevoel van frustratie, een vreselijke behoefte om weg te gaan.

Toen Thuisvinder was opgezadeld en Simons weinige bezittingen vlug in zadeltassen waren gestopt, leidden ze de paarden weldra omhoog naar de top van de heuvel, stil bewegend als geesten door het vochtige gras. Ze draaiden zich om voor een laatste blik omlaag naar de gloeiende deken van kampvuren die in het dal van de rivier waren verspreid.

'Kijk,' zei Simon verschrikt. 'Dat is geen kookvuur!' Hij wees naar een grote bewegende golf van oranjerode vlammen bij het midden van het kampement. 'Iemands tent staat in brand!'

'Ik hoop dat hun niets ergs overkomt, maar in elk geval zal het de mensen druk bezighouden terwijl wij weg zijn,' zei Miriamele hard. 'We moeten rijden, Simon.'

De daad bij het woord voegend, klom ze behendig in het zadel – ze droeg weer de broek en het mannenhemd onder haar zware mantel – en leidde hem langs de andere kant van de heuvel omlaag.

Hij keek nog een laatste keer naar de lichten, en spoorde Thuisvinder toen aan haar te volgen, de schaduwen in die zelfs de opkomende maan niet kon doorboren.

APPENDIX

MENSEN

ERKYNLANDERS

Barnabas – doodgraver van de Hayholt

Deornoth, heer – van Hewenshire, Jozua's ridder

Duim – baas van de smidse

Eahlferend – Simons vader, een visser

Eahlstan Fiskerne – Visserkoning, stichter van het Verbond van het Geschrift

Ebekah – koningin van Erkynland, Johns vrouw, moeder van Elias en Jozua, ook bekend als Efiathe van Hernysadharc

Elias – Hoge Koning, oudste zoon van John en Jozua's broer

Fengbald – graaf van Falshire, rechterhand van de Hoge Koning

Freobeorn – Freosels vader, een smid uit Falshire

Freosel – man uit Falshire, slotvoogd van Nieuw Gadrinsett

Guthwulf – graaf van Utanyeat

Heanwig – oude dronkaard in Stanshire

Helfgrim – (vroegere) burgemeester van Gadrinsett

Izaak – Fengbalds page

Jack Mundwode – mythische bandiet

Jeremias – vroegere kaarsenmakersleerling, Simons vriend

John – koning John Presbyter, Hoge Koning, ook bekend als 'Prester John'

Judith – hoofd van de keukens op de Hayholt

Leleth – Geloë's metgezellin, eens Miriameles dienstmeisje

Maefwaru – een Vuurdanser

Miriamele – prinses, Elias' dochter

Morgenes, doctor – drager van het Geschrift, Simons vriend en mentor

Oude Krompoot – arbeider in smidse op de Hayholt

Osgal – een lid van Mundwodes mythische troep

Rachel – hoofd van de kamermeisjes op de Hayholt, bijgenaamd 'de Draak'

Roelstan – ontsnapte Vuurdanser

Sangfugol – Jozua's harpspeler

Sceldwine – kapitein van de gevangengenomen soldaten van de Erkynwacht

Shem de Stalknecht – stalknecht op de Hayholt
Simon – koksjongen op het kasteel (bij zijn geboorte 'Seoman' genoemd)
Stanhelm – arbeider in de smidse
Strangyeard, pater – drager van het Geschrift, Jozua's archivaris
Towser – de nar van koning John (oorspronkelijke naam 'Cruinh')
Ulca – meisje op de Sesuad'ra, bijgenaamd 'Krullebol'
Welma – meisje op de Sesuad'ra, bijgenaamd 'de Magere'
Wiclaf – vroegere Eerste Voorslager, door Vuurdansers gedood
Zebediah – een koksjongen op de Hayholt, bijgenaamd 'Dikke Zebe-
diah'

HERNYSTIRI

Airgad Eikenhart – beroemde held uit Hernystir
Arnoran – minstreel
Bagba – god van het vee
Brynioch van de Luchten – hemelgod
Bulychlinn – visser uit een oud verhaal die een duivel in zijn netten
ving
Cadrach-ec-Crannhyr – monnik van onbestemde orde, ook bekend als
'Padreic'
Caihwye – jonge moeder
Craobhan – 'Oude' genoemd, raadsman van het koninklijk huis van
Hernystir
Croich, het Huis – een clan uit Hernystir
Cuamh Aardhond – god van de aarde
Deanagha van de Bruine Ogen – Hernystiri godin, dochter van Rhynn
Diawen – waarzegster
Earb, het Huis – een clan uit Hernystir
Eoin-ec-Cluias – een legendarische harpspeler uit Hernystir
Eolair – graaf van Nad Mullach
Feurgha – vrouw uit Hernystir, gevangene van Fengbald
Frethis van Cuihmne – geleerde uit Hernystir
Gullaighn – ontsnapte Vuurdanser
Gwynna – Eolairs nicht
Gwythinn – Maegwins halfbroer, zoon van Lluth
Hern – stichter van Hernystir
Inahwen – Lluths derde vrouw
Lach, het Huis – een clan uit Hernystir
Lluth – koning, vader van Maegwin en Gwythinn
Llythinn – koning, Lluths vader, oom van Johns vrouw Ebekah
Maegwin – prinses, dochter van Lluth

Mathan – godin van het huishouden, vrouw van Murhagh Eenarm
Mircha – godin van de regen, vrouw van Brynioch
Murhagh Eenarm – oorlogsgod, man van Mathan
Penemhwye – Maegwins moeder, Lluths eerste vrouw
Rhynn van de Kookketel – een god
Siadreth – Caihwyes kleine zoontje
Sinnach – prins van Hernystir, ook bekend als 'de rode Vos'
Tethtain – vroegere meester van de Hayholt, 'Hulstkoning'

RIMMERSMANNEN

Dror – god van de storm
Dypnir – lid van Ules troep
Einskaldir – Isgrimnurs hoofdman, gedood in het woud
Elvrit – eerste Ostenardse koning van de Rimmersmannen
Fingil Bloedvuist – eerste menselijke meester van de Hayholt,
   'Bloedige Koning'
Frekke Grijshaar – dienaar van Isgrimnur, bij Naglimund gedood
Gutrun – hertogin, Isgrimnurs vrouw
Hengfisk – Hoderundiaanse priester, hofmeester van Elias
Hjeldin – zoon van Fingil, 'Waanzinnige Koning'
Ikferdig – derde heerser van de Hayholt, 'Verbrande Koning'
Isgrimnur – hertog van Elvritshalla, Gutruns echtgenoot
Isorn – zoon van Isgrimnur en Gutrun
Jarnauga – Geschriftsdrager, gedood bij Naglimund
Nisse – (Nisses) schrijver van *Du Svardenvyrd*
Skali – vrijheer van Kaldskryke, bijgenaamd 'Scherpneus'
Sludig – dienaar van Isgrimnur
Trestolt – Jarnauga's vader
Ule Frekkeson – leider van de afvallige Rimmersmannen, zoon van
   Frekke

NABBANI

Aspitis Preves – graaf van Drina en Eadne
Benigaris – hertog van Nabban, zoon van Leobardis en Nessalanta
Benidrivis – eerste hertog onder John, vader van Camaris en Leobardis
Brindalles – Seriddans broer
Camaris-sá-Vinitta, heer – Johns grootste ridder, ook bekend als 'Ca-
   maris Benidrivis'
Dinivan – drager van het Geschrift, secretaris van lector Ranessin, ge-
   dood in de Sancellaanse Aedonitis

Domitis – bisschop van de Sint Sutrinkathedraal in Erchester

Eneppa – Metessaanse keukenmeïd, vroeger 'Fuiri' genaamd

Elysia – moeder van Usires Aedon, 'Moeder van God' genoemd

Fluiren, heer – ridder van het Suliaanse Huis, lid van Johns Grote Tafel

Gavanaxes – ridder van Honsa Claves (Claveaanse Huis) voor wie Camaris schildknaap was

Hylissa – Miriameles moeder, vrouw van Elias, gedood in Tritsingen

Lavennin, Sint – beschermheilige van het eiland Spenit

Leobardis – hertog van Nabban, bij Naglimund gedood

Metessaanse Huis – Nabbaans adellijk huis, embleem blauwe kraanvogel

Munshazou – Pryrates' dienstbode van Naraxis

Nessalanta – hertogin van Nabban, douairière, moeder van Benigaris

Nuanni (Nuannis) – oude Nabbaanse god van de zee

Pasevalles – jonge zoon van Brindalles

Pellippa, Sint – Pelippa van het Eiland genoemd

Plesinnen Myrmenis – oude geleerde

Pryrates – priester, alchimist, tovenaar, Elias' raadsman

Ranessin – lector van Moeder Kerk, gedood in de Sancellaanse Aedonitis

Rhiappa, Sint – in Erkynland 'Rhiap' genoemd

Seriddan, baron – heer van Metessa, ook bekend als 'Seriddaanse Metessis'

Sulis, heer – Nabbaanse edelman, vroegere meester van de Hayholt, 'Reigerkoning', ook bekend als 'de Afvallige'

Thuris – Aspitis' jonge page

Usires Aedon – de Zoon van God in de Aedonitische godsdienst

Varellan – jongste zoon van Leobardis en Nessalanta, broer van Benigaris

Velligis – lector van Moeder Kerk

Xannasavin – Nabbaanse hofastroloog

Yistrin, Sint – heilige verbonden met Simons geboortedag

SITHI

Aditu, (no-Sa'onserei) – dochter van Likimeya en Shima'onari; Jiriki's zuster

Amerasu y-Senditu no'e-Sa'onserei – moeder van Ineluki, gedood bij Jao é-Tinukai'i, 'Eerste Grootmoeder' genoemd, ook bekend als 'Amerasu Scheepsgeborene'

Benayha (van Kementari) – beroemde Sithi dichter en krijgsman

Beschouwingshuis – Sithi clan

Briseyu Dageraadsveer – Likimeya's moeder, vrouw van Hakatri

Cheka'iso – 'Amberlok' genoemd, lid van Sithi clan

Chiya – lid van Sithi clan, eens bewoner van Asu'a

Drukhi – zoon van Utuk'ku en Ekimeniso, echtgenoot van.Nenais'u

Vergaderingshuis – Sithi clan

Hakatri – Amerasu's zoon, in het Westen verdwenen

Ineluki – Amerasu's zoon, gedood bij Asu'a, nu Stormkoning

Initri – echtgenoot van Jenjiyana

Jaardansend Huis – Sithi clan

Jenjiyana – vrouw van Initri, moeder van Nenais'u, 'de Nachtegaal' genaamd

Jiriki (i-Sa'onserei) – zoon van Likimeya en Shima'onari, broer van Aditu

Kendharaja'aro – oom van Jiriki en Aditu

Kira'athu – Sitha heelmeester

Kuroyi – 'de Lange Ruiter' genaamd, meester van Hoog Anvi'janya, leider van Sithi clan

Likimeya (y-Briseyu no'e-Sa'onserei, moeder van Jiriki en Aditu, 'Likimeya Maanogen' genaamd

Mezumiiru – meesteres van de maan in Sithi legende

Senditu – moeder van Amerasu

Shi'ki – vader van Amerasu

Shima'onari – vader van Aditu en Jiriki, gedood bij Jao é-Tinukai'i

Vindaomeyo – befaamde pijlenmaker van Tumet'ai, 'de Pijlenmaker'
genaamd

Yizashi Grijsspeer – leider van Sithi clan

Zinjadu – van Kementari, de 'Kennis Meesteres' genoemd

QANUCS

Binabik (Binbiniqegabenik) – Geschriftsdrager, Zingende Man van
Qanuc, Simons vriend

Chukku – legendarische trollenheld

Kikkasut – legendarische koning van vogels

Nimsuk – Qanucse herder, een lid van Sisqi's troep

Nunuuika – de Jageres

Ookequk – drager van het Geschrift, Binabiks meester

Qinkipa (van de Sneeuw) – godin van sneeuw en koude

Sedda – maangodin

Sisqi (Sisqinanamook) – dochter van Herder en Jageres, Binabiks verloofde

Snenneq – kuddehoofd van Laag Chugik

Uammannaq – de Herder

TRITSINGERS

Fikolmij – Vorzheva's vader, hoofd van de Mark van de Mehrdon clan
Hotvig – randwachter van Hoog Tritsingen
Lezhdraka – Tritsinger, aanvoerder van huurlingen
Ozhbern – man uit Hoog Tritsingen
Ulgart – een huurlingenkapitein van Tritsingweide
Vorzheva – Jozua's vrouw, dochter van Fikolmij

PERDRUINEZEN

Charystra – waardin van *Pelippa's Kom*
Lenti – Stréawe's dienaar, 'Avi Stetto' genaamd
Stréawe, graaf – meester van Perdruin
Tallistro, heer – beroemde ridder van Johns Grote Tafel
Xorastra – Geschriftsdraagster, eerste eigenares van *Pelippa's Kom*

WRANNAMANNEN

Buayeg – eigenaar van de 'geestenhut' (Wrannamaanse fabel)
Hij Die Altijd op Zand Loopt – god
Hij Die de Bomen Buigt – god van de wind
Inihe Roodbloem – vrouw uit Tiamaks lied
Mogahib de Jongere – man uit Tiamaks dorp
Nuobdig – echtgenoot van de Vuurzuster in Wrannamaanse legende
Rimihe – Tiamaks zuster
Shoaneg Snel-Roeiend – man uit Tiamaks lied
Tiamak – drager van het Geschrift, kruidkundige
Twiyah – Tiamaks zuster
Zij Die de Mensheid Baarde – godin
Zij Die Alles Terug Wil Nemen – godin van de dood
Zij die Duisternis Ademen – goden
Zij die Kijken en Vormen – goden

NORNEN

'Ader-van-Zilvervuur' – een van Utuk'ku's klauwen
Akhenabi – woordvoerder bij Naglimund
Ekimeniso Zwartstaf – Nornse versie van 'Mezumiiru'
'Geroepen-door-de-Stemmen' – een van Utuk'ku's klauwen
Mezhumeyru – Nornse versie van 'Mezumiiru'
'Onder-Tzaaihta's-Steen-Geboren' – een van Utuk'ku's klauwen
Utuk'ku Seyt-Hamakha – Nornkoningin, Meesteres van Nakkiga

ANDEREN

Derra – een half-Tritsings kind

Deornoth – een half-Tritsings kind

Gan Itai – Niskie van de *Wolk Eadne*

Geloë – een wijze vrouw, 'Valada Geloë' genoemd

Imai-an – een dwarg

Ingen Jegger – Zwarte Rimmersman, jager van Utuk'ku, gedood bij Jao é-Tinukai'i

Injar – Niskie clan die op het eiland Risa woont

Nin Reisu – Niskie van *Emittins Juweel*

Ruyan Vé – patriarch van Tinukeday'a, de 'Zeevaarder' genaamd

Sho-vennae – een dwarg

Veng'a Sutekh – 'Hertog van de Zwarte Wind' genaamd, lid van de Rode Hand

Yis-fidri – een dwarg, Yis-hadra's echtgenoot, meester van de Patroonzaal

Yis-hadra – een dwarg, vrouw van Yis-fidri, meesteres van de Patroonzaal

Plaatsen

Afscheidshuis – Sithi gebouw op Sesuad'ra, later centrum van Jozua's hof in ballingschap (Sithi naam: 'Sesu-d'asu')

Anvi'janya – plaats van Kuroyi's woning, ook bekend als 'Verborgen' of 'Hoog' Anvi'janya

Ballacym – ommuurde stad aan de grens van het gebied van Hernysadharc

Bradach Tor – hoge piek in de Grianspogbergen

Bregshame – kleine stad aan de Rivierweg tussen Stanshire en Falshire

Cathyn Dair, bij Zilverzee – Hernystiri stad uit Miriameles lied

Chamul Lagune – een plaats in Kwanitupul

Chasu Yarinna – stad gebouwd rond vesting, vlak ten noordoosten van de Onestrine-pas in Nabban

Den Haloi berg – berg uit het boek van Aedon waar God de wereld schiep

Elvritshalla – Isgrimnurs hertogelijke zetel in Rimmersgaarde

Falshire – wolstad in Erkynland, door Fengbald verwoest

Fiadhcoille – woud ten zuidoosten van Nad Mullach, ook bekend als 'Hertenwoud'

Frasilis dal – dal ten oosten van de Onestrine-pas (andere kant van de pas van Commeisdal)

Garvynswold – kleine stad aan de Rivierweg tussen Stanshire en Falshire

Gratuvask – Rimmersgaardse rivier, loopt langs Elvritshalla

Grenamman – eiland in de Baai van Firannos

Grot van Scheuren – waar de klauwen van Utuk'ku worden afgericht

Harcha – eiland in de Baai van Firannos

Hasudal – vallei in Erkynland

Hekhasór – voormalig Sithi gebied 'Hekhasór van de Zwarte Aarde' genoemd

Huis van Wateren – Sithi gebouw op de Sesuad'ra

Katrolweg – weg in Stanshire

Khandia – een verloren en mythisch land

Kiga'rasku – waterval onder aan Stormpiek, 'de Tranenval' genaamd

M'yin Azoshai – Sithi naam voor Herns Heuvel, plaats van Hernysadharc

Maa'sha – voormalig heuvelachtig gebied van de Sithi

Mezutu'a – het Zilverhuis, verlaten Sithi- en dwargenstad onder aan de Grianspog

Naraxi – eiland in de Baai van Firannos

Nathoutweg – een belangrijke verkeersader in Stanshire

Observatorium, het – Sithi gebouw met koepel op Sesuad'ra

Onestrine-pas – pas tussen twee dalen in Nabban, plaats van vele veldslagen

Peja'ura – vroegere beboste woonplaats van Sitha, 'in ceders gehuld' genaamd

Risa – eiland in de Baai van Firannos

Shisae'ron – breed weidedal, eens Sithi gebied

Si'injan'dre Grot – plaats van Drukhi's gevangenschap na Nenais'u's dood

Turfaak Kade – kade in Kwanitupul

Spenit – eiland in de Baai van Firannos

Venyha Do'sae – oorspronkelijk tehuis van Sithi, Nornen, Tinukeda'ya, 'de Tuin' genaamd

Vinitta – eiland in de Baai van Firannos

Vuurtuin – betegelde open plek op de Sesuad'ra

Wealdhelm – heuvelrij in Erkynland

Ya Mologi – ('Wiegeheuvel') hoogste punt in Wran, legendarische plek van schepping

Yakh Hyeru – ('Zaal van Beven') grot onder aan de Stormpiek

Yasirá – heilige ontmoetingsplaats van de Sithi

Zaal met Vijf Trappen – vertrek in Asu'a waar Briseyu stierf

Wezens

Bukken – Rimmersgaardse naam voor gravers, door trollen ook 'Boghanik' genoemd

Drochnathair – Hernystiri naam voor draak Hidohebhi, door Ineluki en Hakatri gedood

Gravers – kleine, mensachtige onderaardse wezens

Hunën – Rimmersgaardse naam voor reuzen

Ghanten – schelpdierachtige de Wran bewonende schepselen

Igjarjuk – ijsdraak van Urmsheim

Kilpa – mensachtige zeewezens

Kat – een (in dit geval) grijze en alledaagse viervoeter

Niku'a – Ingen Jeggers hond, gefokt in de kennels van Stormpiek

Oruks – mythische watermonsters

Qantaqa – Binabiks wolf en metgezel, ros en vriend

Reuzen – grote, harige, op mensen lijkende wezens

Shurakai – vuurdraak gedood onder de Hayholt, van wiens beenderen de Drakentroon is gemaakt

Thuisvinder – Simons merrie

Vildalix – Deornoths paard

Vinyafod – Jozua's paard

Watergeesten – mythische watermonsters

Dingen

Ademende Harp, de – Meester Getuige op Stormpiek

Aedontijd – gewijde tijd waarin de geboorte van Usires Aedon wordt gevierd

A-Genay'asu – ('Huizen van Reizen Generzijds') plaatsen van mystieke macht en betekenis

'Budulf en de Verdwaalde Vaars' een lied dat Simon voor Miriamele probeert te zingen

'Bij de Oever van de Groenwade' – op Sesuad'ra gezongen op de avond van het Vreugdevuur

'Bisschopswagen, de' – een lied van Jack Mundwode

Boom, de – (of 'Heilige Boom', of 'Executieboom' symbool van de terechtstelling van Usires Aedon

Brave Boer – personage uit de spreuken in het Boek van Aedon

Cellian – Camaris' hoorn, gemaakt van een tand van de draak Hidohebhi. (Oorspronkelijke naam: 'Ti-tuno')

Citril – wortel om op te kauwen, in het zuiden verbouwd

Cockindrill – noordelijk woord voor 'krokodil'

Dag van Afweging – Aedonitische dag van laatste oordeel

De Ene die Vluchtte – Aedonitisch eufemisme voor de duivel

Deur van de Verlosser – het geheim van de biecht

Doorn – het zwarte sterrenzwaard van Camaris

Drijvende Kasteel, het – beroemd monument op Warinsten

Du Svardenvyrd – welhaast profetisch boek door Nisses geschreven

Fraja's Vuur – Erkynlandse winterbloem

Gele Prutser – plant uit de Wran

Gevleugelde Dolfijn – embleem van Stréawe van Perdruin

Gevleugelde Kever, de – Nabbaans sterrenbeeld

Glanzende Nagel – zwaard van Prester John, vroeger 'Minneyar' genoemd, spijker van de Heilige Boom en vingerkootje van Sint-Eahlstan bevattend

Grijp-de-veer – gokspel uit de Wran

Grijsmuts – paddestoel

Grijze Kust – deel van het shentbord

Groene Zuil, de – Meester Getuige in Jhiná T'senei

Grote Tafel – Johns vergadering van ridders en helden

Grote Zwaarden – Glanzende Nagel, Smart en Doorn

Haas, de – Erkynlands sterrenbeeld

Harrowsavond – 30 Octander, dag voor Allerzielen

Indreju – Jiriki's zwaard van heksenhout

IJsvogel, de – Nabbaans sterrenbeeld

Jachtwijn – Qanucse drank

Juya'ha – Sithi kunst: afbeeldingen gemaakt van geweven koorden

Kei-vishaa – Stof die de Tuingeborenen gebruikten om vijanden suf en zwak te maken

Klaagsteen – dolmen boven het Hasudal

Konijneneus – paddestoel

Kreeft, de – Nabbaans sterrenbeeld

Kromgras – plant uit de Wran

Kvalnir – Isgrimnurs zwaard

Mansa Nictalis – nachtelijke plechtigheid van Moeder Kerk

Markthal – een gebouw met een koepel in het centrum van Kwanitupul

Mistlamp – een Getuige door Amerasu meegebracht uit Tumet'ai

Mixis de Wolf – Nabbaans sterrenbeeld

Nachthart – Sitha naam van ster

Niet-in-Kaart-Gebrachte, het – onderwerp van Niskies eed

Oceaan Oneindig en Eeuwig – Niskie benaming voor Oceaan door Tuingeborenen overgestoken

Oudste Boom – Boom van heksenhout die in Asu'a groeit

Pact van Sesuad'ra – overeenkomst van Sithi en Nornen om te scheiden

Poel van Drie Diepten, de – Meester Getuige in Asu'a

Rhao iye-Sama'an – de Meester Getuige op Sesuad'ra, het 'Oog van de Aarddraak' genoemd

Rhynns Ketel – Hernystirse oproeper tot de strijd

Rite van Herleving – Qanucse lenteceremonie

Rode Messnavel – vogel uit de Wran

Schaduw-meesterschap – Nornse magie

Scherf, de – Meester Getuige in Mezutu'a

Schijnfoelie – een bloeiend kruid

Shent – een strategisch Sithi gezelschapsspel

Sint-Granisdag – een heilige feestdag

Sint-Rhiappa, de – een kathedraal in Kwanitupul

Slag bij het Clodumeer – slag die John tegen Tritsingsmannen vocht, ook bekend als de 'Slag van de Meerlanden'

Slang, de – Nabbaans sterrenbeeld

Smart – het zwaard van Elias, een geschenk van Ineluki de Stormkoning

Spinnewiel, het – Erkynlandse naam voor sterrenbeeld

Spreekvuur, het – Meester Getuige in Hikehikayo

Suikerbol – boom in de Wran

Teerton, de – herberg in Falshire

Tehtains Bijl – ingeslagen in de stam van een beuk in beroemd Hernystiri verhaal

Ti-tuno – Camaris' hoorn, gemaakt van drakentand, ook bekend als 'Cellian'

Tuingeborenen, de – allen die uit Venyha Do'sae kwamen

Twijfeling, een – Nornse toverformule

Valk, de – Nabbaans sterrenbeeld

Veroveraar Ster – een komeet, onheilspellende ster

Vijftig Families – de adellijke huizen van Nabban

Vlugkruid – kruid uit Wran

Voogdij van de Hoge Koning – bescherming van Hoge Koning van landen van Osten Ard

'Vrouw uit Nabban' – een van Sangfugols liederen

Wapenschouw van Anitulles – keizerlijke oorlogsmonstering uit de Gouden Eeuw van Nabban

Wig en Kever, de – herberg in Stanshire

Windfeest – feest van de Wrannamannen

Wintermuts – Erkynlandse winterbloem

'Wormglas' – Hernystiri naam voor bepaalde oude spiegels

Yrmansol – boom uit Erkynlandse Maiadag feest

Yuvenis' Troon – Nabbaans sterrenbeeld

Zandkever, de – Wranse naam voor sterrenbeeld

Zeevaarders Vertrouwen – Niskie belofte om hun schepen ten koste van alles te beschermen

Zwijn en Speren – embleem van Guthwulf van Utanyeat

Bikkels – Binabiks voorspellende hulpmiddelen, met ondermeer de volgende patronen:

Vleugelloze Vogel

Visspeer

Het Beschaduwde Pad

Fakkel bij de Grotopening

Weigerend Ram

Wolken in de Pas

De Zwarte Spleet

Uitgepakte Pijl

Kring van Stenen

Dansende Bergen

Woorden en uitdrukkingen

QANUCS

Henimaatuq! Ea kup! – 'Dierbare vriend! Je bent hier!'

Inij koku na siqqasa min taq – 'Wanneer wij elkaar weer ontmoeten zal dat een goede dag zijn.'

Iq ta randayhet suk biqahuc – 'De winter is geen tijd om naakt te zwemmen.'

Mindunob inik yat – 'Mijn huis zal jouw graf zijn.'

Nenit, henimaatuya – 'Vooruit, vrienden.'

Nihut – 'Val aan'

Shummuk – 'Wacht'

Ummu Bok – 'Goed zo!' (ongeveer)

SITHI

A y'ei g'eisu! Yas'a pripurna jo-shoi! – 'Lafaards die jullie zijn! De golven zouden jullie niet dragen!'

A-Genay'asu – 'Huizen van Reizen Generzijds'

Hikeda'ya – 'Wolkenkinderen': Nornen

Hikka Staja – 'Pijldrager'

Hikka Ti-tuno – 'Drager van Ti-tuno'

M'yon rashí – 'Brekers van Dingen'
Sinya'a du-n'sha é-d'treyesa inro – 'Moge je het licht vinden dat boven
de boog schijnt'
Sudhoda'ya – 'Zonsondergangskinderen': Stervelingen
Sumy'asu – 'Vijfde Huis'
Tinukeda'ya – 'Oceaankinderen': Niskies en dwargen
Venyha s'ahn! – 'Bij de Tuin!'
Zida'ya – 'Kinderen van de Dageraad': Sithi

NABBAANS

á prenteiz – 'Pak hem!' of 'Op hem af!'
Duos preterate! – 'God bewaar!'
Duos Simpetis – 'Genadige God'
Em Wulstes Duos – 'Als God het wil'
Matra sá Duos – 'Moeder van God'
Otillenaes – 'Werktuigen!'
Soria – 'Zuster'
Ulimor Camaris? Veveis? – 'Heer Camaris? U leeft?'

HERNYSTIRI

Goirach cilagh! – 'Dwaas (of gek) meisje!'
Moiheneg – 'tussen' of 'lege plaats' (neutraal terrein)
Smearech fleann – 'gevaarlijk boek'

RIMMERSPAKK

Vad es… Uf nammen Hott, vad es…?' – 'Wat? In godsnaam, wat?'

ANDERE

Azha she'she t'chakó, urun she'she bhabekró… Mudhul samat'ai, Jabbak s'era memekeza sanayha-z'á… Ninyek she'she, hamut'tke
agrazh'a s'era yé…' – (Norns lied) betekent Iets Heel Onaangenaams
Shu'do-tkzayha! – (Norns) 'stervelingen' (variant van Sithi 'Sudhoda'ya')
S'h'rosa – (Dwargs) Ader van Steen

F